L'ÉTAT DU MONDE

Édition 1986

Annuaire économique et géopolitique mondial

sous la direction de François Gèze, Yves Lacoste, Annie Lennkh, Thierry Paquot et Alfredo G.A. Valladão.

LA DÉCOUVERTE/LE BORÉAL

Paris/Montréal

Conception et direction

François Gèze, Yves Lacoste, Annie Lennkh, Thierry Paquot, Alfredo G.A. Valladão.

Coordination et réalisation

François Gèze, Annie Lennkh.

Collaboratrices, collaborateurs

Charles J. Adams, Alexandre Adler, Pascal Arnaud, Bruno Aurelle, Gérard Bach-Ignasse, Marcel Barang, Jean-Claude Barbier, Marie-Chantal Barre, Jean-Yves Barrère, Martine Barrère, Françoise Barthélémy, Gilles Bertin, Sophie Bessis, Geneviève Bibes, Paul Blanquart, Mohamed Larbi Bouguerra, André Bourgey, Jean-Claude Boyer, Robert Boyer, Claire Brisset, Alain Brossat, Noëlle Burgi, Gérard Chaliand, Roland Chagnon, Jean Chesneaux, Agnès Chevallier, Christiane Chombeau, Yvan Cliche, Olivier Colombani, François Constantin, Stéphane Courtois, Martial Dassé, Bernard Diallo, Louis-Jacques Dorais, Bruno Dostie, Bernard Dréano, Jean-Jacques Dufaure, François Durand-Dastès, Michel Faure, Michel Foucher, Carlos Gabetta, Laurent Gbagbo, Jean Gilles, Daniel Girard, Marianne Grangié, Alain Gresh, Yves Hardy, Pierre Haski, André Jacques, Christine Jouvin, Amnon Kapeliouk, Anne Kraft, Guy Labertit, Alain Labrousse, Yves Lacoste, Patrick Lagadec, Daniel Latouche, Marie Lavigne, Alain Lipietz, Marie-Victoire Louis, Manuel Lucbert, Michel Marois, Georges Mathews, Caroline Mecary, Jean-François Médard, Philippe Messine, Ezzedine Mestiri, Pierre Metge, Christian Miquel, Philippe Moreau-Defarges, Claire Mouradian, Ugur Muldur, Selim Nassib, Kendal Nezan, Pierre-Flambeau Ngayap, Valérie Niquet-Cabestan, Nadia Ollivier, Edmond Orban, Guy Paiement, Elisabeth Paquot, Thierry Paquot, Michelle Paré, Pierre-Yves Péchoux, Jean-Yves Potel, Jean-Marc Pradelle, Yakov M. Rabkin, François Raillon, Jean-Pierre Raison, Jean-Pierre Rioux, Anne-Marie Romero, Claire Rosemberg, Jean-François Sabouret, Ignacy Sachs, Modj-ta-ba-Sadria, Thomas Schreiber, Marc Semo, François Sergent, Rudolf Slánský Jr., Joëlle Stolz, Christian Thibon, Lloyd Timberlake, Patrick Tissier, Fabrizio Tonello, Alfredo G.A. Valladão, Francisco Vergara, Gérard Viratelle, Roger de Weck, Didier Williame, Stéphane Yerasimos, Laurent Zecchini.

Cartographie : Claude Dubut, Anne Le Fur (Association française pour le développement de l'expression cartographique, AFDEC).

Bibliographies : Suzanne Humberset. (La plupart des ouvrages et revues cités peuvent être consultés au Centre de documentation internationale sur le développement et la libération des peuples, CEDIDELP, 14, rue de Nanteuil, 75015 Paris, tél. 45 31 43 38.

Statistiques : Francisco Vergara.

Traduction : Espagnol, Anne Valier.

Dessins : Plantu (dessins parus dans *Le Monde, Le Monde diplomatique, Croissance des jeunes nations, Phosphore, Le Monde de l'éducation, Témoignage chrétien*).

Fabrication : Monique Mory

Pour toute information sur la projection Dymaxion figurant en couverture de ce livre, contacter le Buckminster Fuller Institute, 1743 S. La Cienega Bvd., Los Angeles, Californie, 90035 États-Unis [tél. (213) 837 77 10].

ISBN 2.7071-1624-6

Éditions Le Boréal, Montréal.
Dépôt légal : 4e trimestre 1986.
Bibliothèque nationale du Québec.
ISBN 2-89052-166-4

SOMMAIRE

Avant-propos

Pour la sixième année consécutive, L'état du monde *a été entièrement renouvelé. Cet annuaire géopolitique mondial, salué unanimement par les médias comme un remarquable outil de travail pour qui veut suivre et comprendre les réalités de notre temps, met en relation les événements les plus significatifs de l'année 1985 et du début de l'année 1986 avec les données de base politiques, géographiques, économiques et culturelles des grands États et des ensembles géopolitiques. Il s'efforce aussi de les situer par rapport aux grandes tendances qui structurent en profondeur les relations internationales. Source de références sur l'actualité des années quatre-vingt, la série* L'état du monde *contribue aussi à écrire l'histoire du temps présent.*

Le sommaire de l'ouvrage reste le même que celui des années précédentes. Les grands États et les ensembles géopolitiques font, bien entendu, l'objet d'articles entièrement nouveaux, mais qui prolongent et mettent à jour les analyses antérieures. Pour tenir compte des suggestions exprimées par de nombreux lecteurs dans le questionnaire joint à l'édition précédente, nous avons introduit pour chaque État un encadré fournissant des « données de base » (système politique, monnaie, langues). Une nouvelle rubrique a été créée sur les peuples sans État, *que nous avons choisi de consacrer cette année à la situation des Arméniens, des Inuit, des Karen, des Kurdes et des Palestiniens. C'est aussi pour répondre à la demande des lecteurs que les « questions religieuses » ont été retenues pour la section thématique. La partie sur les statistiques mondiales reprend, en les mettant à jour, les tableaux sur les principales productions agricoles, énergétiques et industrielles présentées dans l'édition 1985. Enfin, la cartographie, entièrement refaite, met en évidence sous une forme jusqu'à présent inédite à ce niveau de détail les densités de population dans les divers États de la planète.*

Dans le souci d'améliorer la qualité de L'état du monde, *nous restons attentifs à toutes les suggestions de nos lecteurs.*

François Gèze
Yves Lacoste
Annie Lennkh
Thierry Paquot
Alfredo G.A. Valladão

Présentation

L'ÉTAT DU MONDE 1986 comporte sept grandes parties :

1. QUESTIONS STRATÉGIQUES

Sept articles de fond traitent des principaux problèmes stratégiques qui, en 1985 et en 1986, ont eu une action en profondeur sur le déroulement des événements dans le monde, qu'il s'agisse des négociations entre les deux « Grands » pour parvenir à un nouvel équilibre mondial, des efforts de l'Europe de l'Ouest et de l'Est pour s'affirmer face à leur puissant allié respectif, des récents développements dans les deux zones de tension que constituent le Moyen-Orient et l'Afrique australe, sans oublier les nouveaux enjeux de l'endettement mondial ou de la déréglementation en matière de télécommunications.

2. LE JOURNAL DE L'ANNÉE

La chronologie des principaux événements mondiaux, de juin 1985 à mai 1986, est complétée par un récapitulatif des changements de chefs d'État de janvier 1985 à mai 1986.

3. ÉTATS ET ENSEMBLES GÉOPOLITIQUES

Cent soixante-dix États souverains et vingt-quatre entités non indépendantes (colonies, départements et territoires d'outre-mer, pays associés à un État, etc.) sont passés en revue.

a) *Les trente-quatre États* ont été choisis et classés par ordre d'importance « géopolitique », selon une grille mettant en relation superficie, nombre d'habitants et produit national brut par habitant. Pour chaque État, on trouvera une analyse des principaux développements politiques, économiques et sociaux de l'année écoulée. Chaque texte est accompagné de tableaux statistiques et d'une bibliographie sélective des titres les plus récents. Cette année, cinq États traités antérieurement dans cette section (Chili, Éthiopie, Irak, République démocratique allemande, Sénégal) sont présentés dans la section « Les grands ensembles géopolitiques », afin de présenter plus en détail cinq nouveaux États : la Birmanie, la Norvège, le Pérou, la Tanzanie et la Tunisie. Cette permutation se poursuivra dans les prochaines éditions, de façon à pouvoir aborder plus en détail l'actualité de « petits États ».

b) *Les trente-trois ensembles géopolitiques.* Cette section rappelle les développements politiques et économiques de l'année dans chacun des États qui composent les trente-trois ensembles géopolitiques, constitués en fonction de caractéristiques communes (géographiques, culturelles, géopolitiques). La présentation de chaque ensemble est accompagnée de tableaux statistiques et d'une carte inédite faisant figurer les densités de population. Cette année, un territoire non indépendant a été ajouté : Pitcairn.

Une nouvelle rubrique est consacrée à cinq peuples sans État, fixés sur leur territoire propre (au sein d'un ou plusieurs États) ou dispersés dans le monde, qu'ils aspirent ou non à créer un État : les Arméniens, les Inuit, les Karen, les Kurdes et les Palestiniens.

4. L'ÉVÉNEMENT

Trente-sept articles sont classés dans les rubriques suivantes : le monde en guerre, organisations internationales, controverses, médias et cultures, mouvements sociaux, questions économiques, sciences et techniques, portraits. Articles courts, qui font le point sur une question d'actualité, en ouvrant des pistes vers une recherche indépendante.

5. TENDANCES

Sept articles de fond permettent d'appréhender le travail imperceptible de la « longue durée » et de suivre ces lentes évolutions qui ne font que rarement la une des médias.

6. QUESTIONS RELIGIEUSES

Sept articles sont consacrés aux phénomènes religieux contemporains, envisagés principalement sous l'angle de leurs implications politiques et sociales.

7. STATISTIQUES MONDIALES

Cette partie complète de façon synthétique l'information apportée dans l'annuaire. Outre un tableau de bord de l'économie mondiale en 1985, on y trouvera des données sur les principales productions agricoles, minières, industrielles et énergétiques.

Attention, statistiques

Nous présentons ici un ensemble statistique le plus complet possible, et d'utilisation facile. Celui-ci contient les données sur la démographie, la culture, la santé, les forces armées, le commerce extérieur et les grands indicateurs économiques. Pour les 34 « grands États », nous fournissons les données de 1965, 1975 et 1985 afin de permettre la comparaison dans le temps et de dégager certaines tendances. Dans la section « Les 33 ensembles géopolitiques », les résultats de 1985 sont consignés pour les 170 États souverains de la planète et pour 16 entités non indépendantes.

Comme pour les éditions précédentes, un important travail de compilation de données recueillies auprès des services statistiques des différents pays et institutions a été réalisé afin de présenter aux lecteurs, dès septembre 1986 le plus grand nombre possible de résultats concernant l'année 1985. *L'état du monde* rend ainsi disponibles des informations économiques chiffrées avec une avance importante par rapport aux autres annuaires publiés en France.

Il convient cependant de rappeler aux lecteurs que *les statistiques ne reflètent la réalité économique et sociale que de manière très approximative.* D'abord parce qu'il est rare que l'on puisse mesurer directement un concept économique ou social : l'indice du chômage, par exemple, mesure certainement un phénomène lié au chômage, mais pas le chômage lui-même. Ensuite, l'erreur de mesure est plus importante dans les sciences sociales que dans les sciences exactes. De plus, l'imprécision due à des facteurs techniques peut être aggravée par la simple malhonnêteté de ceux, administrateurs ou administrés, qui peuvent tirer profit de chiffres « enjolivés ». Il faut savoir aussi que la définition des concepts et la méthode pour mesurer la réalité qu'ils recouvrent sont différentes d'un pays à l'autre, malgré les efforts d'homogénéisation accomplis depuis vingt ans. Enfin, les méthodologies évoluent au sein d'un même pays. Tout changement de méthode et de définition exigerait que la série statistique soit révisée en amont, afin que les chiffres soient comparables. Or, cela est rarement fait, et souvent impossible.

Malgré toutes leurs insuffisances, les statistiques demeurent le seul moyen dont nous disposons pour dépasser les impressions intuitives.

On trouvera au début de la section « Statistiques mondiales » les définitions qui aideront à mieux interpréter les données statistiques présentées. La liste des symboles utilisés dans les tableaux figure en page 14.

Les cartes démographiques

Les cartes de *L'état du monde* 1985 présentaient les grands pays et ensembles géopolitiques sous l'angle des différences ethniques, linguistiques et culturelles. Dans cette édition, elles permettent de visualiser la répartition de la population mondiale suivant les mêmes découpages géographiques, ce qui permet une approche complémentaire des problèmes.

Le procédé choisi pour représenter la population est celui du semis de points égaux, répartis porportionnellement à la population totale. La répartition est faite à l'intérieur de zones de comptage plus ou moins fines, suivant l'état plus ou moins détaillé des recensements de population. Sur ces bases, les points sont mis en place en tenant compte de la géographie locale (vallées peuplées, plateaux désertiques...).

Suivant l'échelle des cartes de cet ouvrage et les quantités de population, la signification d'un point varie de 100 000 à 500 000 habitants (et même un million exceptionnellement). En règle générale, les cartes sont construites sur la base de 1 point pour 100 000 habitants; pour les pays très peuplés, comme l'Inde et la Chine, 1 point représente 500 000 habitants.

Si cette représentation par points est la plus fidèle et la plus efficace des visualisations de la population, elle a toutefois une limite : la représentation de la population urbaine. Les points sont souvent jointifs et dessinent une « nébuleuse », efficace au seul niveau de la perception des densités. Il est alors indispensable de présenter les agglomérations urbaines par des cercles proportionnels à leur quantité de population (précisée en outre par un chiffre accolé au cercle). Le seuil inférieur est choisi suivant l'importance relative de la fonction urbaine dans les pays ou ensembles régionaux présentés.

Ainsi la formule adoptée dans ces cartes permet une visualisation à deux niveaux : l'appréhension globale de la distribution géographique des habitants d'un pays et des densités de population, et la lecture analytique des quantités.

Claude Dubut, Anne Le Fur

Liste alphabétique des pays

■ Colonie, DOM-TOM, territoire associé à un État.

● Pays non-membre de l'ONU.

⋆ Moins de 10 000 habitants.

PAYS	PAGE	POPULATION (MILLIONS D'HABITANTS)
Afghanistan	387	18,1
Afrique du Sud	197	32,4
Albanie	453	2,96
Algérie	235	21,6
Allemagne (RFA)	162	61,0
Andorre ●	443	0,04
Angola	314	8,54
Antigue-Barbude	352	0,08
Antilles néerl. ■ ●	355	0,260
Arabie saoudite	379	11,09
Argentine	156	30,56
Australie	415	15,7
Autriche	422	7,55
Bahamas	340	0,23
Bahreïn	384	0,42
Bangladesh	390	98,7
Barbade	353	0,250
Belgique	429	9,85
Bélize	332	0,16
Bénin	286	3,93
Bhoutan	392	1,39
Birmanie	248	38,5
Bolivie	361	6,43
Botswana	322	1,08
Bourkina	272	6,64
Brésil	124	135,6
Brunéi	401	0,22
Bulgarie	455	9,0
Burundi	293	4,65
Cambodge	396	7,06
Cameroun	299	9,54
Canada	151	25,4
Cap-Vert	279	0,32
Cayman (îles) ■ ●	344	0,019
Centrafrique	301	2,52
Chili	366	12,07
Chine	101	1061,1
Chypre	448	0,67
Colombie	362	28,6
Comores	327	0,43
Congo	303	1,70
Cook (îles) ■ ●	420	0,019
Corée du Nord ●	408	20,4
Corée du Sud ●	220	41,2
Costa Rica	335	2,53
Côte d'Ivoire	290	9,46
Cuba	344	10,09
Danemark	433	5,11
Djibouti	307	0,43
Dominique	353	0,08
Égypte	225	45,8
Émirats A-U	384	1,27
Équateur	365	9,38
Espagne	182	38,6
États-Unis	93	238,8
Éthiopie	307	43,35
Fidji	420	0,70
Finlande	435	4,90
France	166	55,2
Gabon	304	1,13
Gambie	281	0,63
Ghana	291	13,15
Grèce	449	10,0
Grenade	354	0,110
Groenland ■ ●	437	0,05
Guadeloupe ■ ●	348	0,33
Guam ■ ●	422	0,112
Guatémala	336	7,96
Guinée	281	5,93
Guinée-Bissao	284	0,88
Guinée équatoriale	304	0,38
Guyana	355	0,94
Guyane franç. ■ ●	356	0,07
Haïti	345	5,18
Honduras	337	4,37
Hong-Kong ■ ●	402	5,36
Hongrie	459	10,6
Inde	110	750,9
Indonésie	135	16,34
Irak	372	15,9
Iran	192	44,8
Irlande	439	3,57
Islande	437	0,25
Israël	256	4,2
Italie	177	57,1
Jamaïque	346	2,30
Japon	117	120,8
Jordanie	376	3,38
Kénya	295	20,33
Kiribati ●	420	0,06
Koweït	384	1,71
Laos	399	4,02

Les ensembles géopolitiques

Dans cet annuaire, on a choisi de regrouper en trente-trois « ensembles géopolitiques » les cent quatre-vingt-quatorze États et colonies qui se partagent la surface du globe, à l'exception des sept très grands États (URSS, États-Unis, Chine, Inde, Brésil, Indonésie, Canada), dont on peut considérer qu'ils forment chacun un ensemble géopolitique. Qu'entend-on par « ensemble géopolitique » et quels ont été les critères de regroupement retenus?

Contrairement à ce qui se passait encore au lendemain de la Seconde Guerre mondiale, plus aucun État ne vit aujourd'hui replié sur lui-même, isolé, comme ce fut le cas de l'Afghanistan ou du Yémen jusque dans les années cinquante. Les relations entre États s'intensifient, mais elles deviennent aussi de plus en plus complexes. Aussi est-il utile de les envisager à différents niveaux d'analyse spatiale :

– d'une part, *au niveau planétaire.* Il s'agit alors principalement des relations de chaque État (ou de chaque groupe d'États) avec les grandes puissances : États d'Europe occidentale (l'indépendance politique n'a pas supprimé les relations avec l'ancienne « métropole » coloniale), Japon (dont le rôle est devenu très important), et surtout les deux superpuissances, États-Unis et Union soviétique. L'une et l'autre ont en fait des rapports plus ou moins « bons » et plus ou moins importants avec tous les États, chacune d'elles ayant sa « zone d'influence » dominante (l'Amérique latine et l'Europe occidentale pour les États-Unis, l'Europe orientale et depuis quelques années l'Indochine pour l'Union soviétique);

– d'autre part, dans le cadre de chaque *ensemble géopolitique.* Définir un ensemble géopolitique est une façon de voir les choses, d'organiser par la pensée des réalités extrêmement confuses et complexes, de regrouper un certain nombre d'États en fonction de caractéristiques communes. On peut évidemment opérer différents types de regroupement (par exemple : les États communistes, les États musulmans, etc.). On a choisi ici de regrouper dans des ensembles ayant environ trois à quatre mille kilomètres pour leur plus grande dimension (certains sont plus petits et quelques-uns plus grands) des territoires d'États voisins les uns des autres.

Considérer qu'un certain nombre d'États font partie d'un même ensemble géopolitique ne veut pas dire que leurs relations soient bonnes, ni qu'ils soient politiquement ou économiquement solidaires les uns des autres (certains d'entre eux peuvent même être en conflit plus ou moins ouvert, comme l'Éthiopie et la Somalie dans l'ensemble dénommé « Afrique du Nord-Est »). Cela signifie seulement qu'ils ont entre eux des relations (bonnes ou mauvaises) relativement importantes, du fait même de leur proximité, de leurs frontières communes. Cela implique aussi que ces États ont des caractéristiques communes jugées relativement importantes et des problèmes assez comparables : même type de difficultés naturelles à affronter, ressemblances culturelles, etc. Chaque État a évidemment, au sein d'un même ensemble, ses caractéristiques propres. Mais c'est en les comparant avec celles des États voisins qu'on saisit le mieux ces particularités et que l'on comprend les rapports mutuels.

Ce découpage en trente-trois ensembles géopolitiques constitue – soulignons-le – une façon de voir le monde. Elle n'est ni exclusive, ni éternelle. Chacun des ensembles géopolitiques proposés dans cet ouvrage peut être aussi englobé dans un ensemble plus vaste : on peut, par exemple, regrouper dans un grand ensemble que l'on dénommera « Méditerranée américaine », les États d'Amérique centrale et des Antilles et ceux de la partie septentrionale de l'Amérique du Sud. Mais on peut aussi subdiviser certains ensembles géopolitiques, si l'on considère que les États qui les composent forment des groupes de plus en plus différents ou antagonistes : au sein de l'ensemble dénommé « Indochine », le contraste est par exemple de plus en plus marqué entre les États communistes (Vietnam, Laos, Cambodge) et les autres.

On ne peut aujourd'hui comprendre un monde de plus en plus complexe si l'on croit qu'il n'y a qu'une seule façon de le représenter ou si l'on se fie seulement à une représentation la plus complète, parce que la plus globalisante. Chaque représentation ne rend compte que d'une partie des multiples aspects de la réalité. Les grandes « visions » qui soulignent l'opposition entre le *Centre* et la *Périphérie* ou le *Nord* et le *Sud*, entre l'*Est* et l'*Ouest*, le *socialisme* et le *capitalisme* sont certes utiles. Mais elles apparaissent de plus en plus insuffisantes, parce que beaucoup trop schématiques. Il faut combiner les diverses représentations du monde, les croiser les unes avec les autres.

Pour définir chacun des trente-trois ensembles géopolitiques passés en revue dans cette partie, nous avons pris en compte les intersections de divers ensembles spatiaux, les grands ensembles de relief comme les grandes zones climatiques, les principales configurations ethniques ou religieuses et les grandes formes d'organisation économique, car tous ces éléments peuvent avoir une grande importance politique et militaire.

On trouvera dans les éditions 1981 à 1983 de *L'état du monde* la description des caractéristiques géographiques, ethniques et culturelles de chacun des ensembles géopolitiques. Ces descriptions n'ont pas été répétées dans cette édition, afin de réserver plus de place au rappel de l'actualité économique et politique dans les États traités dans chaque ensemble.

Yves Lacoste

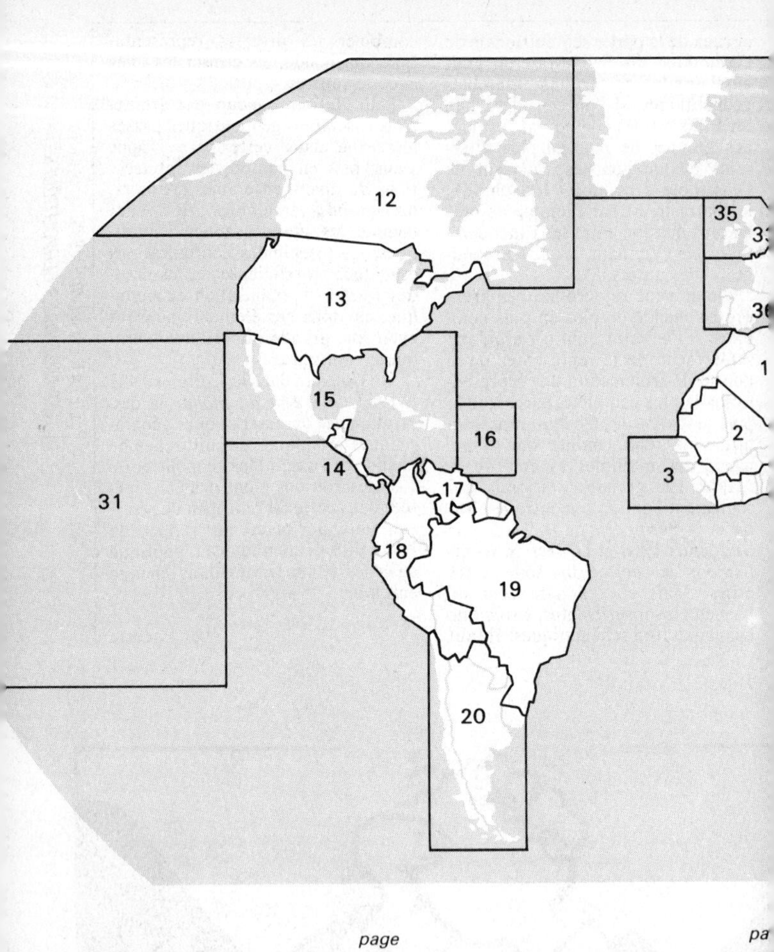

12
35
13
15
16
14
17
31
18
19
20
1
2
3

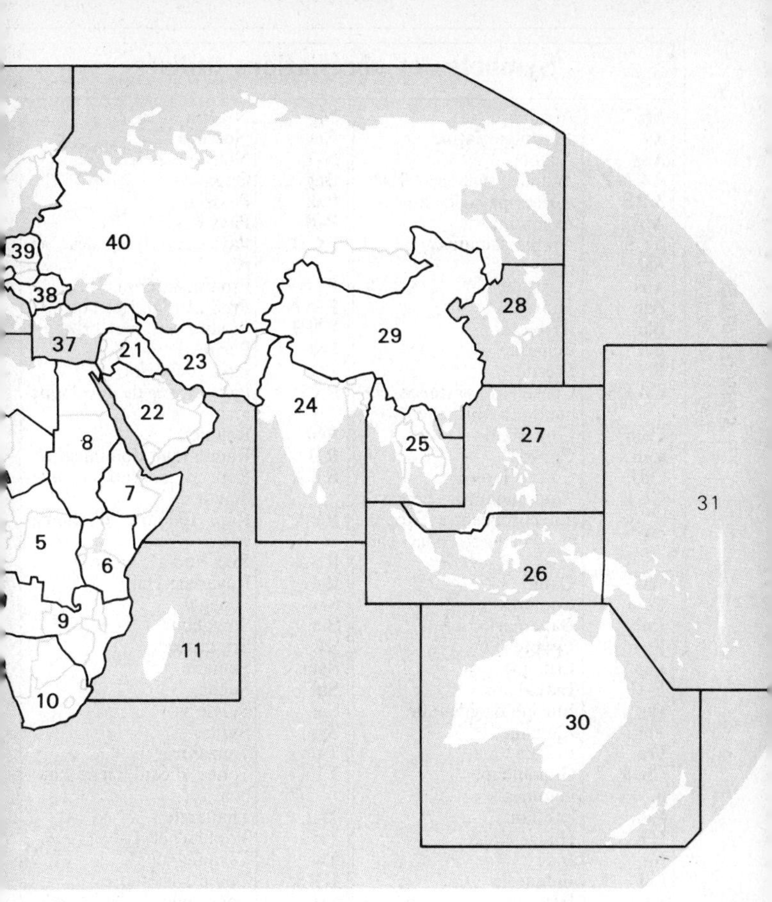

40
39
38
37
21
23
22
29
28
24
25
27
26
31
30
8
7
5
6
9
11
10

Symboles et abréviations utilisés

Afr	Afrique
AL	Amérique latine
Ang	Angola
A&NZ	Australie, Nouvelle-Zélande
APS	Autres pays socialistes
Arg	Argentine
Ar S	Arabie saoudite
Asi	Asie
Aus	Australie
Bah	Bahreïn
Bar	Barbades
Bel	Belgique
Bré	Brésil
CAEM	Conseil d'assistance économique mutuelle
Cam	Cameroun
Can	Canada
CdI	Côte d'Ivoire
CEE	Communauté économique européenne (Espagne et Portugal non compris)
Chi	Chine
Com	Comores
Dnk	Danemark
Égy	Égypte
Esp	Espagne
E-U	États-Unis
Eur	Europe occidentale
Fin	Finlande
Fra	France
Guad	Guadeloupe
h.	hommes
hab.	habitants
HK	Hong- Kong
Ide	Inde
Ind	Indonésie
Ira	Iran
Irk	Irak
Isr	Israël
Ita	Italie
IV	Iles Vierges
Jap	Japon
Ken	Kénya
Kow	Koweït
(L)	Licences
Liby	Libye
Mad	Madagascar
Mal	Malaisie
Mart	Martinique
M-O	Moyen-Orient
Mau	Ile Maurice
Nig	Nigéria
Nor	Norvège
N-Z	Nouvelle-Zélande
Oug	Ouganda
Pak	Pakistan
P-B	Pays-Bas
PCD	Pays capitalistes développés
PIB	Produit intérieur brut
PMN	Produit matériel net
PNB	Produit national brut
Por	Portugal
PS	Pays socialistes
PVD	Pays en voie de développement
Réu	Réunion
RD	République dominicaine
RDA	Rép. démocratique allemande
RFA	Rép. fédérale d'Allemagne
RSA	Rép. sud-africaine
R-U	Royaume-Uni
Sén	Sénégal
Sin	Singapour
SL	Sri Lanka
Som	Somalie
Suè	Suède
Sui	Suisse
Syr	Syrie
Tan	Tanzanie
TEC	Tonne d'équivalent charbon
Tha	Thaïlande
Tri	Trinidad et Tobago
Tur	Turquie
URS	Union soviétique
Ven	Vénézuela
YN	Yémen du Nord
You	Yougoslavie
YS	Yémen du Sud
Zai	Zaïre

Notations statistiques

.. non disponible
– négligeable

QUESTIONS STRATÉGIQUES

Est-Ouest. Bras de fer diplomatique

Des invectives au dialogue de sourds : la rencontre au sommet, en novembre 1985, à Genève, entre Ronald Reagan et Mikhaïl Gorbatchev, marque incontestablement un « progrès » dans les relations soviéto-américaines. Une sorte de tension froide a ainsi succédé à une période où les rapports entre les deux Grands étaient réduits à leur plus simple expression. On est loin d'un équilibre politique stable, et même les plus optimistes n'osent se hasarder à prévoir une nouvelle « détente ». Il s'agit plutôt d'une sorte d'accord implicite pour poursuivre le bras de fer par la voie diplomatique et non plus seulement par la course à l'augmentation des budgets et des arsenaux militaires.

L'esprit de Genève

L'« esprit de Genève » n'en est pas moins fondé sur des réalités bien tangibles. Mikhaïl Gorbatchev, depuis son arrivée au pouvoir, au printemps 1985, ne cache pas que la modernisation de l'économie soviétique est un objectif prioritaire pour l'avenir de son pays. Le nouveau secrétaire-général du PCUS a besoin d'un répit dans la compétition stratégique avec les États-Unis afin de mettre en route les réformes nécessaires, de renouveler le personnel politique et administratif, et de consolider son propre pouvoir. Une nouvelle course aux armements – surtout si elle est menée dans l'espace et dans le domaine des technologies de pointe – représenterait une terrible ponction de ressources matérielles et humaines, et mettrait fin, probablement, aux espoirs de rendre plus efficace l'appareil productif civil. Sans compter les dommages qu'une deuxième « guerre froide » ferait subir aux échanges avec les pays industrialisés de l'Ouest dont les produits de haute technologie sont essentiels à l'effort de modernisation.

A Washington, Ronald Reagan approche de la fin de son mandat. Son intransigeance, qui bloque de fait tout progrès en matière de contrôle des armements, est chaque jour plus contestée aux États-Unis, en particulier au sein du Congrès. Le temps où le Pentagone pouvait faire voter tous les crédits qu'il demandait est terminé. Les contraintes budgétaires, la loi Gramm-Rudman (11 décembre 1985) qui oblige la Maison Blanche à réduire radicalement le déficit de l'État, annoncent des coupes claires dans le budget militaire. Sénateurs et représentants, confrontés aux exigences des lobbies non militaires et aux revendications locales de leurs électeurs, ne sont pas loin de penser que les États-Unis, eux aussi, n'ont pas les moyens d'une nouvelle course aux armements. Sans parler de l'inquiétude d'un nombre croissant d'experts et de responsables américains concernant l'avenir des quelques accords stratégiques signés avec l'URSS (le traité ABM de 1972 et SALT II), seuls instruments internationaux réglementant un tant soit peu cette compétition.

A Moscou comme à Washington – et malgré la réthorique des reaganiens les plus intransigeants –, on commence à savoir que l'on ne mettra pas l'adversaire à genoux en additionnant des têtes nucléaires aux arsenaux stratégiques, ou en se lançant dans la recherche d'hypothétiques défenses spatiales antimissiles. Il faut donc, encore une fois, faire appel aux diplomates, aux négociateurs et... aux experts en relations publiques.

Rien n'est résolu pour autant. La discussion piétine, en effet, dans tous les forums de négociation auxquels participent les deux grandes puissances : les triples pourparlers de Genève sur les armes stratégiques offensives (START), sur les armements nucléaires de portée intermédiaire (INF) et les défenses antimissiles, la Conférence des Nations Unies sur le désarmement (CD) – elle aussi à Genève – traitant des armes chimiques, la Conférence sur le désarmement en Europe (CDE) à Stockholm, les négociations sur une réduction mutuelle et équilibrée des forces conventionnelles en Europe centrale (MBFR) à Vienne, et les discussions préparatoires à un deuxième sommet Reagan-Gorbatchev. De fait, dans les mois qui ont suivi la rencontre de Genève, le jeu des deux partenaires visait moins à élaborer de véritables compromis qu'à essayer d'obtenir un avantage diplomatique ou propagandiste sur le camp adverse.

Quel équilibre mondial?

L'*arms control* est, bien sûr, un exercice de plus en plus complexe. Au milieu des années quatre-vingt, il n'existe plus de véritable consensus concernant la « grande » stratégie, qu'elle soit nucléaire ou classique, et le lancement par les États-Unis de l'Initiative de défense stratégique (IDS – dite « guerre des étoiles ») a encore ajouté à la confusion qui règne parmi les experts. L'imbrication des problèmes est devenue telle qu'on ne peut plus s'entendre sur une catégorie d'armes ou un domaine de négociation en ignorant les autres. Au point que la définition d'un équilibre acceptable en matière d'armes nucléaires (stratégiques ou « tactiques ») pose des questions souvent insolubles sur le terrain des forces conventionnelles, et *vice versa*.

Les difficultés pour élaborer une pensée cohérente sur le contrôle des armements ne sont toutefois pas seulement techniques. Quand la volonté de s'entendre existe, les spécialistes finissent toujours par trouver une solution aux problèmes les plus ardus. La paralysie des négociations stratégiques est due, avant tout, à une impasse politique : l'enjeu du bras de fer n'est rien d'autre que la définition même d'un nouvel équilibre mondial entre les deux super-puissances. Celui-ci devrait remplacer le fragile *statu quo* des années soixante-dix, sanctionné à l'époque par la batterie des accords américano-soviétiques. Aujourd'hui toutefois, à Moscou, mais surtout à Washington, on ne sait plus au juste quel contrat serait acceptable pour proclamer une nouvelle « détente ».

Richard Nixon et Leonid Brejnev avaient conçu un équilibre fondé sur une certaine définition de la parité nucléaire et sur le « gel » des tensions en Europe et en Extrême-Orient. Le corollaire de cette « neutralisation » de la compétition entre les deux Grands concernant leurs intérêts vitaux, avait été l'intensification de leur rivalité dans le tiers monde. Un « système » relativement stable de relations entre les blocs, où le Kremlin et la Maison Blanche géraient les conflits locaux de manière à empêcher tout dérapage qui les mettrait face à face. Leur incapacité à contrôler tous les pions de ce jeu d'échecs (par exemple, en Afghanistan ou en Iran) a fait voler en éclats ce *gentlemen's agreement*.

L'arrivée au pouvoir, en 1981, à Washington, d'une équipe convaincue que la « détente » n'a fait que favoriser la montée en puissance de l'Union soviétique, a sonné le glas des conceptions politiques qui fondaient les équilibres Est-Ouest dans la décennie précédente. Les stratégies de l'administration Reagan ne cachent pas leur profonde méfiance vis-à-vis de l'idée même de parité nucléaire avec l'URSS. La coexistence avec une puissance totalitaire, estiment-ils, est impossible à long terme. Face à l'« empire du Mal », par définition prêt à tout, même à envisager un conflit nucléaire, la dissuasion et la sécurité des États-Unis ne peuvent être garanties qu'en montrant à tout moment une détermination sans faille à mener et, si nécessaire, à remporter (*to prevail*) un conflit direct, qu'il soit atomique ou conventionnel.

Il ne s'agit donc plus de définir un *statu quo*, car il n'y a pas d'équilibre possible. A menace globale, réponse globale : seule la reconquête d'une « marge de sécurité » permettra d'« endiguer » – certains disent « faire reculer » – la puissance soviétique. Cette quête d'une supériorité stratégique aussi bien dans le domaine nucléaire que sur les différents théâtres d'opérations classiques possibles s'est traduite par une augmentation considérable du budget militaire, la mise en route de l'IDS, qui poursuit le rêve d'un bouclier spatial capable de rendre le territoire américain invulnérable aux fusées soviétiques, la tentative de créer une flotte de guerre de six cents navires déployés « à l'avant », le plus près possible des bases « ennemies », enfin par une nouvelle doctrine, plus offensive, en matière de guerre conventionnelle (*Air Land Battle*).

Pour les reaganiens les plus intransigeants, en particulier les dirigeants civils du Pentagone, les États-Unis doivent être en mesure de faire face à toute agression soviétique, directe ou par alliés interposés, n'importe où dans le monde. Il n'y a plus de terrain de bataille privilégié puisque toute la planète assume cette fonction : le concept d'« escalade horizontale » stipule qu'on n'est pas obligé de répondre frontalement à une attaque adverse, mais ailleurs, sur un autre « théâtre », là où l'ennemi est plus vulnérable et où jouera l'effet de surprise.

Cette vision globale de la planète comme un vaste champ de bataille intégré, irrémédiablement divisé entre « eux » et « nous », implique que la survie de l'Amérique et du « monde libre » dépendent de la capacité des États-Unis à reconquérir leur statut de puissance *number one*. Un degré de tension permanent avec l'Union soviétique est ainsi considéré comme inévitable – *a fact of life*. Cette vision inquiète au premier chef les Européens, victimes désignées en cas de reprise de la « guerre froide ».

L'offensive de paix de Gorbatchev

Si l'administration Reagan a tenu le haut du pavé face à une direction soviétique paralysée par la succession de vieillards agonisants aux plus hautes fonctions de responsabilité, l'arrivée aux affaires de Mikhaïl Gorbatchev a bouleversé les données du problème. Le nouveau secrétaire général du PCUS, faute de faire basculer d'un coup son pays dans la modernité, a réussi néanmoins, en quelques mois, à rajeunir considérablement les cadres de l'appareil, à moderniser les méthodes de travail et de communication, à imprimer une dynamique nouvelle à la politique extérieure soviétique. Renouant avec l'ancienne tradition, le Kremlin a tenté de desserrer l'étau de la pression américaine par le recours à la tactique éprouvée de la terre brûlée : reculer pour concentrer ses forces, en attirant l'adversaire sur un terrain défavorable à ce dernier. Si la démarche dénote une faiblesse certaine, elle n'en est pas moins habile. Refusant la confrontation directe avec les États-Unis, l'URSS se présente comme une grande puissance « raisonnable », inquiète des tensions qui s'accumulent entre les deux blocs et prête à des concessions pour redéfinir un nouvel équilibre et relancer la « détente ». Une attitude qui lui permet de jouer sur les craintes de l'opinion et du Congrès américains, ainsi que sur celles des alliés des États-Unis (en particulier, l'Europe occidentale). Une manière donc de tenter d'ouvrir des brèches dans le camp adverse.

La technique de Mikhaïl Gorbatchev – des propositions de désarmement en rafales – est maintenant familière. A peine installé au Kremlin, il a profité d'une visite officielle en France (octobre 1985) pour proposer aux puissances nucléaires européennes (Londres et Paris) un dialogue direct sur les équilibres stratégiques sur le vieux continent. Le 6 août 1985, date anniversaire de l'explosion de la bombe à Hiroshima, Moscou a annoncé un moratoire unilatéral de ses essais nucléaires et proposé aux États-Unis leur interdiction définitive. Lors du sommet de Genève, en novembre 1985, avec Ronald Reagan, le numéro un soviétique a accepté de négocier la question des missiles atomiques de portée intermédiaire déployés en Europe, indépendamment des discussions sur les fusées stratégiques et sur la « guerre des étoiles ». A Vienne, la délégation soviétique s'est dite prête à envisager la négociation sur la principale revendication occidentale (les vérifications sur place d'éventuels retraits de troupes), tandis qu'à Stockholm, les représentants de l'URSS affichaient une certaine « flexibilité ».

L'apothéose de cette offensive dans le domaine du désarmement a été sans nul doute la déclaration solennelle de Mikhaïl Gorbatchev, le 15 janvier 1986. Imitant le style prophétique de Ronald Reagan, le secrétaire général du PCUS est apparu à la télévision américaine pour proposer rien moins que l'élimination complète des armes atomiques d'ici à l'an 2000. Les grandes professions de foi pacifistes de l'URSS ont été monnaie courante depuis la fin de la dernière guerre, mais cette fois, le Kremlin ne s'est pas contenté de l'appel traditionnel aux hommes de bonne volonté et aux « combattants de la paix ». Mikhaïl Gorbatchev a défini en effet un calendrier précis, en trois étapes, de désarmement mondial, et sa proposition incluait également l'arrêt de tous les essais nucléaires, l'élimination des armes chimiques et de leurs structures de production, et même la réduction des forces conventionnelles. Un plan de désarmement global, mais à une condition : que les États-Unis abandonnent leur projet de « guerre des étoiles ».

Vouloir éliminer les armes nucléaires en un peu plus d'une décennie est aussi peu crédible que le rêve reaganien d'un bouclier spatial antimissile qui rendrait ces mêmes armes atomiques « impuissantes et obsolètes ». Mais dans la grande bataille de la propagande, les Soviétiques marquent un point : si l'on veut éliminer le nucléaire militaire, disent-ils en substance, il suffit de le faire, pas besoin de se lancer dans une course ruineuse aux armes défensives dans l'espace.

Pendant le premier semestre de 1986, l'URSS a peaufiné encore cette image de puissance ouverte au dialogue en laissant entendre qu'elle était prête à négocier une diminution des forces conventionnelles « de l'Atlantique à l'Oural », et à commencer un processus de réduction des missiles nucléaires stratégiques, même sans un engagement américain d'abandonner l'IDS. Le Kremlin ne demande plus en effet à la Maison Blanche que d'accepter un « renforcement » du traité ABM de 1972 qui réglemente de manière stricte le développement des armes antimissiles.

États-Unis : repli sur les dogmes

Cette nouvelle flexibilité, tous azimuts, en matière de désarmement, a surpris les dirigeants américains. Non pas que les Soviétiques aient fait preuve d'idées réellement nouvelles dans les différents forums de négociation, car dès qu'il s'agit de compromis concrets, spécifiques, les difficultés restent les mêmes. Mais l'offensive de « paix » de Mikhaïl Gorbatchev a placé la Maison Blanche en porte à faux vis-à-vis de l'opinion américaine et mondiale. De deux choses l'une : ou elle refuse d'entrée de jeu en affirmant qu'il ne s'agit que d'une ruse du Kremlin pour affaiblir l'Amérique, ou elle accepte de replacer l'*arms control* au cœur des relations entre les deux Grands en allant tester la sincérité des propositions soviétiques.

Dans le premier cas, l'administration Reagan court le risque de se retrouver isolée, accusée par le Congrès américain et les gouvernements alliés d'être le premier responsable de l'aggravation des tensions Est-Ouest. Une situation d'autant plus délicate que la Maison Blanche et le Pentagone n'auront plus les moyens financiers de poursuivre indéfiniment une course aux armements avec les Soviétiques. De plus, la méfiance réciproque et les divergences au sein de l'Alliance atlantique commencent à approcher de la cote d'alerte.

Dans le deuxième cas, il s'agirait d'un véritable retournement idéologique pour les reaganiens les plus authentiques. Revenir aux contraintes des accords et des négociations sérieuses sur le contrôle des armements, c'est accepter l'idée qu'il faut définir un équilibre des puissances, une « parité » entre l'URSS et les États-Unis. Mais quel serait le contenu d'une nouvelle entente dans laquelle l'Union soviétique, par définition, serait traitée sur un pied d'égalité? Faudrait-il marchander des « zones d'influence », reconnaître aux Soviétiques un rôle dans le monde autre que « négatif »? Au-delà du rejet de l'« empire du Mal », caractéristique des idéologues les plus fervents de l'administration américaine, la Maison Blanche n'avait toujours pas réussi, six mois après la proposition de désarmement global de Gorbatchev, à définir ce qu'elle attendait du Kremlin. Une carence qui inquiétait les reaganiens les plus modérés : si l'on ne saisissait pas rapidement l'opportunité de dialoguer avec Moscou, n'allait-on pas entrer dans une période de « gel » prolongé dans les rapports Est-Ouest et une nouvelle compétition militaire qu'aucun des deux pays n'aurait les moyens de mener efficacement?

L'affrontement de ces deux positions au sein de l'exécutif américain a commencé peu à peu à paralyser l'imagination stratégique aux États-Unis. Confrontée presque tous les mois à une nouvelle proposition soviétique, la Maison Blanche n'a qu'une seule réponse : un « non » sonore. Mais elle a continué néanmoins à protester de sa volonté d'arriver à des résultats dans les différents forums de négociation, et rappelé avec insistance qu'elle a fait des propositions auxquelles le Kremlin refuse de répondre. D'où un blocage de la diplomatie américaine, une sorte de repli sur les dogmes reaganiens, qui reviennent, de fait, à opposer une fin de non-recevoir aux « ouvertures » de Mikhaïl Gorbatchev.

Washington a même refusé d'entamer la discussion sur l'arrêt des essais nucléaires. Ronald Reagan a mis un point d'honneur à défendre contre vents et marées son projet de « guerre des étoiles » et, tout en accusant l'URSS de violer les différents accords de contrôle des armements, il a annoncé en juin 1986 que les États-Unis cesseront de respecter le traité SALT II (non ratifié par le Congrès américain et arrivé à échéance à la fin 1985, mais dont les deux grandes puissances ont accepté de respecter les termes). Sans compter les gestes de défi à l'égard du Kremlin : la demande de diminution du personnel de la mission soviétique auprès des Nations Unies à New York, l'envoi de navires de guerre en mer Noire pour exercer le droit de passage dans les eaux territoriales soviétiques, le veto apposé au compromis sur le document final de la conférence de Berne sur les contacts humains entre l'Est et l'Ouest... Et le spectaculaire bombardement de Tripoli en avril 1986.

Les démonstrations de force, seules, ne font cependant pas une politique cohérente. Embourbée dans ces divisions internes, l'administration Reagan reste incapable de définir des objectifs stratégiques clairs pour les États-Unis, non seulement vis-à-vis de l'Union soviétique, mais également de l'Europe occidentale, du Japon, du Moyen-Orient et des autres zones de tensions dans le tiers monde. L'Amérique de Reagan, paradoxalement, se replie sur elle-même. De plus en plus obsédée par l'affirmation de sa puissance et par les conflits qui se déroulent à ses frontières, en Amérique centrale, elle s'enferme dans une sorte de néo-isolationnisme belliqueux, fait d'initiatives unilatérales, sans consultation des amis ou des alliés. L'action diplomatique des États-Unis se résume ainsi à des pressions, des coups de main ou des défis qui ont plus à voir avec des problèmes de politique intérieure et d'équilibres au sein du gouvernement qu'avec l'exercice d'un leadership mondial.

L'enjeu européen

Ce mouvement de repli sur son bastion et son voisinage immédiat a aussi touché curieusement l'autre grande puissance. L'URSS de Mikhaïl Gorbatchev semble avoir pris conscience de ses limites. La nouvelle équipe au pouvoir veut se concentrer sur les immenses problèmes intérieurs, consolider son « glacis » est-européen et faire baisser la tension aux frontières asiatiques. Les Soviétiques ne sont pas prêts, bien sûr, à abandonner leurs positions dans le reste du monde, mais l'activisme dans l'hémisphère Sud n'a plus la même priorité. Contrairement aux États-Unis, toutefois, cette rétraction s'accompagne d'un effort diplomatique considérable. Pris de court par l'intransigeance américaine et inquiet de la montée en puissance de son principal adversaire, le Kremlin cherche à compenser ses faiblesses du moment par un surcroît de subtilité politique.

Dès son accession au pouvoir suprême, Mikhaïl Gorbatchev a tenté de renouer le dialogue avec la Chine et le Japon, ainsi qu'avec les parties directement intéressées au conflit en Afghanistan. Mais c'est surtout l'Europe qui est au centre du « nouveau cours » de la diplomatie soviétique. S'appuyant sur un fait incontournable – l'URSS est une puissance européenne –, le Kremlin met en avant l'idée de détente et de sécurité commune sur le vieux continent. Une manière de chercher à creuser un fossé entre les Européens, « raisonnables », cherchant à éviter les tensions, acquis aux échanges et au dialogue patient, et les Américains, d'autant plus « aventuristes » que, vivant au-delà de l'océan, ils n'ont pas à payer directement le prix de leur fermeté.

Toutes les grandes propositions de désarmement annoncées par Mikhaïl Gorbatchev sont ainsi pratiquement centrées sur l'Europe : élimination des missiles nucléaires pointés sur le vieux continent, destruction de l'arsenal d'armes chimiques dont la plupart sont destinées à servir sur le front centre-européen, réduction des forces conventionnelles « de l'Atlantique à l'Oural ». Le Kremlin joue sur l'inquiétude européenne face à l'abandon de SALT II par la Maison Blanche et au projet de « guerre des étoiles ». Même la catastrophe de la centrale nucléaire de Tchernobyl, en mai 1986, a servi à Mikhaïl Gorbatchev pour rappeler que, face aux dangers de l'atome – militaire et civil opportunément mêlés –, tous les « Européens » sont dans le même bateau. Et le numéro un soviétique d'annoncer dans la foulée la poursuite, jusqu'au 6 août 1986, de son moratoire unilatéral sur les essais nucléaires. Puis, pour faire bonne mesure, l'URSS déclare qu'elle reconnaît finalement la Communauté européenne, rompant ainsi avec une politique d'hostilité envers la CEE vieille de trente ans.

L'offensive de charme du Kremlin peut-elle pour autant déboucher sur un processus de discussions sérieuses visant à faire disparaître le « rideau de fer » ? Rien n'est moins sûr. Les dirigeants soviétiques ne sont pas prêts à relâcher leur emprise sur les pays d'Europe de l'Est. Dans ces conditions, Moscou n'a pas grand-chose à offrir (hormis

Quelques procès désarmants

Fous, surréalistes, provocateurs, empêcheurs de désarmer en rond, farfelus,... La presse a rivalisé de mots pour qualifier les quelques « voyous » (Le Canard enchaîné) *de l'association européenne Droit contre raison d'État, qui, depuis le début de 1985, tentent de mettre le droit dans l'engrenage de la politique internationale et des sommets, à coup de vrais procès en bonne et due forme, de « gags solidement fondés en droit »* (Libération), *d'actions en justice « pour le moins originales »* (Le Monde).

– A l'occasion de la rencontre des ministres des Affaires étrangères américain et soviétique, le 7 janvier 1985 à Genève, Droit contre raison d'État déposait devant le procureur du canton de Genève une plainte pénale contre George Shultz et Andreï Gromyko pour « association de malfaiteurs, abus de confiance, mise en danger de la vie d'autrui, apologie du crime ».

– Au lendemain de « La guerre en face », l'émission de la chaîne de télévision FR3 *en faveur de l'*Initiative de défense stratégique *animée par Yves Montand, l'association invoquait « la protection des consommateurs du conflit Est-Ouest » et portait plainte contre l'émission pour « publicité mensongère ».*

– Au moment du sommet Gorbatchev-Reagan de novembre 1985, elle déposait une requête de mesures protectrices devant le Tribunal de première instance de Genève, sollicitant « la désignation d'un huissier de justice pour assister aux entretiens des deux Grands, les enregistrer et en communiquer le contenu intégral aux médias et populations du monde entier ».

– En février 1986, Droit contre raison d'État conseillait et représentait le compositeur catalan Luis Llach dans le procès qu'il intentait au chef du gouvernement espagnol, Felipe Gonzalez, pour « inexécution de la promesse électorale » de quitter l'OTAN.

– Début mai 1986, lors du sommet de Tokyo, l'association s'adressait au secrétaire général de l'ONU et à la Cour internationale de justice, les enjoignant de contrôler la légalité des politiques « anti-terroristes » des États, comme la Charte des Nations Unies leur en donne le droit et l'obligation.

Dans ces procès spectaculaires, Droit contre raison d'État dénonce l'interprétation erronée et abusive du droit par les gouvernements et la « fausse légalité » construite autour de la raison d'État. Les décisions judiciaires rendues jusqu'en juin 1986 n'ont pas encore vraiment relevé le défi lancé par l'association. Ce défi n'a cependant pas échappé à tout le monde : le ministère suisse des Affaires étrangères a choisi la procédure pénale Shultz-Gromyko comme thème d'examen de droit pour les candidats à la carrière diplomatique ; la Faculté de philosophie politique de Paris-I a invité Droit contre raison d'État à animer un séminaire autour des questions inhérentes aux actions engagées ; plusieurs organisations internationales ont demandé à l'association de se pencher sur les questions de développement et de la dette du tiers monde dans la perspective « droit-raison des États » et celle d'une éventuelle non-assistance à personnes en danger. Quant au secrétariat général de l'ONU, il considère la démarche de l'association comme « stimulante » et lui demande son « appui » et sa « réflexion », dans la période difficile que traverse l'ONU ». Affaires à suivre...

Caroline Mecary

quelques grands contrats industriels) en contrepartie d'une attitude plus souple de la part des Européens de l'Ouest. Les Soviétiques peuvent marquer des points vis-à-vis de l'opinion publique occidentale et même réussir quelques percées diplomatiques mineures sur le vieux continent. Mais cette habileté trouve ses limites dans leur incapacité à faire de réelles concessions et à imaginer les formes d'un nouvel équilibre stratégique stable, en Europe et dans le monde.

Blocage américain et activisme politique soviétique se conjuguent donc pour créer une situation particulièrement délicate. Chacun des deux Grands exprime son repli sur son pré carré, par des grandes initiatives unilatérales – militaires ou diplomatiques – tenant plus de la tactique pour gagner du temps que d'une stratégie réfléchie. L'« ordre » mondial des années soixante-dix sanctionnait la domination des deux grandes puissances sur le reste de la planète, mais il était un ordre. Aujourd'hui, l'incertitude est de retour, particulièrement en Europe qui redevient peu à peu l'enjeu central du bras de fer Est-Ouest.

Cette dangereuse instabilité peut-elle se poursuivre longtemps encore? Aux États-Unis, l'ère Reagan touche à sa fin, mais personne ne peut prédire quelle Amérique sortira des prochaines élections présidentielles. En Union soviétique, le capital d'autorité de Mikhaïl Gorbatchev n'est pas illimité. Déjà plusieurs voix se sont élevées pour l'accuser de « mollesse » face à l'« ennemi impérialiste ». L'intransigeance reaganienne va-t-elle provoquer l'apparition d'un Reagan soviétique? Une nouvelle guerre froide aurait alors de beaux jours devant elle. Par ailleurs, le fait que l'ensemble des éléments qui constituent l'« équilibre » des puissances soit mis en question pourrait paradoxalement permettre une nou-

BIBLIOGRAPHIE

Ouvrages

DE LA GORCE P.M., *La guerre et l'atome*, Plon, Paris, 1985.

DE SA REGO C., TONELLO F., *La guerre des étoiles*, La Découverte, Paris, 1986.

FREEDMAN L., *La stratégie mondiale*, Bordas, Paris, 1985.

World Armaments and Disarmament: SIPRI Yearbook 1985, Sipri/Taylor & Francis, Londres, 1985.

Articles

BOGDANOV R., « Le bouclier de la sécurité collective », *Le Monde diplomatique*, novembre 1985.

CARTIGNY C., « La négociation de Genève : blocages et perspectives », *Recherches internationales*, n° 19, 1er trimestre 1986.

DE LA GORCE P.M., « La sauvegarde des équilibres stratégiques au cours des négociations de Genève », *Le Monde diplomatique*, novembre 1985.

JACOBSEN C.G., « Arms Control – Last Chance or Lost Chance », *End Papers*, n° 10, Nottingham, 1985.

Dossier

« Mémento défense désarmement 1986 », *GRIP informations*, n° 7, hiver 1985-1986.

velle définition des relations internationales, plus stable, moins sujette aux aléas des humeurs politiques.

A y regarder de plus près, les deux Grands ne sont pas si éloignés, techniquement, d'un nouvel accord global sur la question des armements. Reste, on l'a vu, que la volonté de s'entendre varie selon les aléas de la conjoncture. En attendant le miracle, les alliés et clients de Washington et de Moscou cherchent à se rassurer comme ils le peuvent, et si chacun continue de prêter allégeance publique à sa puissance « protectrice », tous tentent aussi de défendre au mieux leurs intérêts propres. Les attitudes du « chacun pour soi » se généralisent, ajoutant ainsi à la confusion. Ni l'Alliance atlantique, ni le pacte de Varsovie ne sont à l'abri de sérieux remous internes, surtout si la tension et les incertitudes se prolongent. Une situation dangereuse, à proximité des poudrières où trop d'étincelles peuvent se produire.

Alfredo G. A. Valladão

Les nouveaux enjeux de l'endettement mondial

En été 1985, les dirigeants américains s'inquiètent. Vont-ils devoir faire appel au Fonds monétaire international (FMI)? Les États-Unis s'endettent de plus en plus. Ils ont réussi un véritable exploit : passer en trois ans de la situation de premier créancier à celle de premier débiteur mondial. Leurs avoirs sur l'extérieur étaient supérieurs à leurs engagements de 120 à 130 milliards de dollars en 1983; ils étaient inférieurs de plus de 100 milliards en 1985. Retournement remarquable dans sa rapidité : ils ont fait mieux que le Mexique et le Brésil en leur temps. Henry Wallich, grand penseur sur l'endettement international, qualifiait en 1983 cette évolution extraordinaire « d'aberration temporaire ». Elle semble pourtant devoir durer. En 1990, la position extérieure nette des États-Unis devrait être débitrice, suivant les circonstances, de 450 à 700 milliards de dollars : ils sont entrés sur la voie de l'endettement extérieur.

Ils ne sont pas les seuls : tous les pays du tiers monde, à l'exception de cinq États pétroliers du golfe Persique et de la Libye, sont débiteurs, ainsi que la Chine et tous les pays de l'Est, dont l'Union soviétique. Ils ne sont pas non plus en trop mauvaise compagnie : de nombreux pays industrialisés ont une position extérieure débitrice, le Canada et l'Australie depuis longtemps, des petits pays comme le Danemark, l'Irlande et la Suède depuis quelques années, mais aussi l'Italie et la France qui a rejoint le club des débiteurs en 1982-1983.

Résurrection des marchés financiers internationaux

L'objectif du développement du tiers monde a justifié pendant trente ans l'aide des pays de l'Est, des pays arabes, des pays industrialisés et des investissements directs dont ont aussi bénéficié le Canada, l'Australie et certains pays d'Europe. A partir de 1970, les marchés internationaux de capitaux, engloutis par les catastrophes de 1930-1945, ont fait leur réapparition sur la scène mondiale sous l'impulsion des grandes banques américaines et européennes. Elles ont développé de nouveaux marchés financiers, a-nationaux, les euromarchés, et multiplié les liens entre marchés nationaux. Elles ont effectué la majeure partie du recyclage des excédents pétroliers. Elles ont facilité, par leurs innovations, la diversification des emprunts et des prêts internationaux. Leur part dans les avoirs et les engagements extérieurs de leur pays d'origine a beaucoup augmenté depuis le début des années soixante-dix, de 20 % à 50-70 % du total.

C'est ainsi que les émirs arabes ou les minorités privilégiées d'Amérique latine font des dépôts dans les banques américaines ou suisses qui les confient à leurs succursales à l'étranger; celles-ci les transforment en crédits bancaires syndiqués, en association avec d'autres banques, au profit du gouvernement coréen, mexicain ou ivoirien, ou encore d'une société minière chilienne (le dynamisme de l'activité bancaire internationale est dû en grande partie à l'absence de contrôle ou de fiscalité : le Luxembourg, les Bahamas ou Singapour, centres « hors-lieu », ont la réputation d'être des paradis fiscaux; en fait, les capitaux étrangers sont pratiquement toujours exemptés d'impôts, que ce soit en Suisse ou en Italie, à Amsterdam ou à Miami.) De même, les filiales des banques japonaises, installées à Londres, ouvrent des prêts bancaires à la Malaisie, à la Colombie ou à une filiale de Peugeot en Asie. Les firmes multinationales effectuent une partie croissante de leurs investissements à l'étranger en empruntant. Les marchés financiers se sont développés aussi pour les particuliers et les sociétés de placement. Ainsi, les caisses de retraite américaines, privées, estiment toutes indispensable de détenir dans leur portefeuille des titres étrangers; et les compagnies d'assurances japonaises sont friandes de bons du Trésor américain. Autre cas de figure : celui des grandes entreprises publiques françaises – EDF, la SNCF, la Caisse nationale des télécommunications –, qui ont financé une partie de leurs investissements en empruntant à l'étranger, faisant entrer des devises bien utiles pour financer le déficit extérieur ou la constitution de réserves de changes. Car les mouvements de capitaux d'un pays à l'autre se compensent de moins en moins : la très grande majorité des pays se retrouve avec un endettement extérieur net.

Toute dette extérieure résulte d'un besoin de financement et engendre un service. Le déficit courant comprend, en plus du déficit commercial, les transferts privés, envois des travailleurs immigrés, remises de bénéfices et paiements d'intérêts sur les dettes; il est le principal facteur à l'origine d'une variation de la position extérieure nette d'un pays. Car les pays du tiers monde ont cherché, en empruntant à l'extérieur, à financer leur développement, les pays de l'Est à accélérer leur industrialisation et leur modernisation et les pays industrialisés, dans un premier temps, à supporter la hausse du prix du pétrole. Dans tous ces cas, le financement extérieur est tentant, solution de facilité qui paraît d'autant plus normale qu'elle est si généralement utilisée. Le déséquilibre extérieur devient alors une notion incertaine, floue et même facile à maquiller. Les responsables de la politique économique laissent glisser leur gestion dans une douce insouciance et négligent les risques à moyen terme. Ils engagent leur pays sur une voie inconnue dont ils peuvent toujours espérer qu'elle sera celle du succès, tout du moins tant qu'ils seront là.

La résurrection des marchés financiers internationaux est allée de pair avec la disparition du système monétaire de l'après-guerre. A Bretton-Woods, où celui-ci fut conçu, le financement international fut ignoré. Les mouvements de capitaux étaient considérés comme des phénomènes marginaux, étranges, même dangereux, et qu'il fallait garder sous contrôle. Les restrictions étaient courantes et avaient droit de cité dans les statuts du FMI, gardien du système des changes fixes. Les déséquilibres des paiements extérieurs étaient temporaires et limités. Les États-Unis avaient un rôle central, fournisseur à la fois de la liquidité internationale (donc débiteur à court terme du monde entier) et de financement à long terme, privé (firmes multinationales) et public (aide civile et militaire).

Le système monétaire à la dérive

L'abandon des changes fixes en 1971-1973 a ouvert une ère nouvelle. L'équilibre extérieur a cessé d'être une obligation pour le maintien du taux de change; il était supposé au contraire résulter de sa variation. Si un pays est en déficit, sa monnaie devrait perdre de la valeur. En réalité, les mouvements de capitaux ont des effets beaucoup plus complexes sur les marchés des changes. Le volume des capitaux sur les euromarchés est passé, en milliards de dollars, de 76 en 1970 à près de 1 000 en 1981; les errements des taux de changes ont surpris les opérateurs les plus roués. L'inflation est devenue un phénomène mondial; les taux d'intérêt ne compensaient pas la dépréciation de la monnaie; il était avantageux d'emprunter, en particulier en dollars dont la valeur baissait irrégulièrement, mais sûrement, par rapport aux autres devises. Le prix du pétrole quadruplait en 1973, puis doublait en 1979-1980; les cours des matières premières, libellés en dollars, étaient devenus encore plus instables. Les changes flottants ont-ils permis de supporter les perturbations violentes dont a été victime le système des paiements internationaux, ou les ont-ils alimentées? Le libre jeu des marchés des changes est-il inséparable de la liberté des mouvements de capitaux ou est-il incompatible avec celle-ci?

L'inflation mondiale est dangereuse; elle se nourrit elle-même et s'amplifie; les risques de crise monétaire internationale se sont précisés à la fin des années soixante-dix. Les excès monétaires devaient être corrigés. Les pays industrialisés ont réagi à partir de 1978, en ordre dispersé et suivant des considérations de politique intérieure, mais avec succès. L'inflation est revenue à de faibles niveaux; les différences entre pays, plus ou moins corrigées par les écarts entre taux d'intérêt, ne justifient plus de grands mouvements d'une devise à l'autre. Simultanément, les taux d'intérêt ont monté prodigieusement, jusqu'à 20 % sur le dollar en 1980. Tel était le prix à payer pour « casser » l'inflation. La correction des excès monétaires a mis en évidence les excès financiers. Ainsi, la brutale montée des taux d'intérêt survint alors que les pays en développement voyaient, pour la première fois depuis trente ans, diminuer leurs revenus d'exportation. Ils ont donc cherché à emprunter davantage, mais les banques n'ont pas voulu continuer de prêter. Et en 1982, le spectre d'un krach financier mondial a resurgi. Il a été évité au prix d'une très forte réduction des importations et du revenu par tête de la plupart des pays en développement : l'Amérique latine, l'Afrique et quelques pays d'Asie subissent depuis 1980 la « crise de la dette », qui n'est toujours pas résolue.

Au cours de cette période, la clientèle des marchés financiers internationaux a changé. Le deuxième choc pétrolier a en effet suscité des demandes de la part de plusieurs pays industrialisés : la France a relancé son économie à contre-courant en 1981-1982; les États-Unis, surtout, se sont mis à capter l'intérêt des investisseurs. Au lieu des 42 milliards de dollars de prêts bancaires nets à l'étranger en 1981, ils en ont reçu 24 milliards en 1983, un retournement de 66 milliards, plus que la baisse des prêts aux pays en développement. Le déficit budgétaire américain s'est vu confié un rôle de premier plan. Une nouvelle phase de l'endettement mondial était ainsi ouverte.

Les pays débiteurs sont désormais plus variés, nombreux et les montants nets plus importants. Fin 1986, plus de 900 milliards de dollars pour les pays en développement (dont la moitié auprès des marchés de capitaux), près de 80 milliards pour les pays de l'Est, de 450 à 500 milliards pour les pays industrialisés, dont 200 pour les États-Unis et 35 à 40 pour la France. Soit un total mondial très approximatif de 1 400 à 1 500 milliards de dollars. C'est peu : le service de cet endettement net ne représente que 10 à 15 % du commerce mondial. Mais ce sont les États-Unis qui recourent désormais systématiquement au financement extérieur. Au lieu d'alimenter le circuit financier international, ils le ponctionnent. C'est un changement majeur.

Selon les critères ordinaires, les États-Unis ne sont pas très endettés : en 1986, le rapport dette/exportations est de trois fois inférieur à celui des pays latino-américains. Il reste que la situation évolue vite, et de façon alarmante : en 1990, la dette devrait avoir doublé en proportion des exportations. Mais les critères « ordinaires » ne suffisent pas pour apprécier la situation exceptionnelle des États-Unis, qui constituent une économie à part. L'entrée de capitaux – qui traduit une demande d'actifs financiers libellés en dollars – tend à en faire monter la valeur sur les marchés des changes. Cela favorise les importations et nuit aux exportations américaines : le déficit commercial augmente en conséquence, et avec lui, le besoin de financement. D'où la pression sur les taux d'intérêt : pour attirer des capitaux étrangers, il faut un taux attrayant, donc élevé. Les paiements d'intérêt sur la dette le sont aussi, et il faut emprunter plus. D'autres pays endettés ont pris conscience des pièges de l'endettement : taux de change surévalué favorable aux emprunts à l'extérieur et taux d'intérêt trop élevés qui en alourdissent la charge. Les États-Unis ont commencé par négliger ces inconvénients avec superbe : il fallait, selon leurs déclarations de 1980-1984, « laisser jouer les forces du marché », « être libre d'emprunter et d'investir », « miser sur le renouveau de l'économie américaine et sa capacité de se développer ».

Mais la surévaluation du dollar, témoignage flamboyant du renouveau américain, signifiait aussi des importations bon marché, des problèmes pour les producteurs américains, des pressions protectionnistes en tout genre auxquelles le gouvernement a, dans l'ensemble, résisté. Elle signifiait surtout que le dollar pouvait chuter brutalement des cimes où il était allègrement monté. Début 1985, la grande question était : atterrissage en douceur ou en catastrophe ?

Nouvelles règles du jeu pour les États-Unis

Comment devancer les hésitations des marchés à l'égard des besoins de financement des États-Unis ? Comment un pays déficitaire peut-il rompre le cercle vicieux d'une monnaie surévaluée et de taux d'intérêt trop élevés ? En cas extrême, il peut s'adresser au FMI : improbable pour les États-Unis, et surtout risqué ; ce serait pour les marchés un vrai coup de semonce propre à provoquer la perte de confiance qu'il faut absolument éviter. Les États-Unis ont préféré l'intimité d'une enceinte plus restreinte, où ils se sont retrouvés avec leurs principaux partenaires, le Japon, l'Allemagne fédérale, le Royaume-Uni et la France. L'économie américaine est trop importante pour recevoir le même traitement que n'importe quelle économie, et ses principaux partenaires ne peuvent rester indifférents : les

États-Unis représentent le tiers du produit des pays industrialisés, le quart de leurs importations. Le dollar est aussi le support de la majeure partie des paiements internationaux. Il fallait une initiative exceptionnelle. Ce fut l'entrevue du groupe des Cinq au Plaza, à New York, en septembre 1985.

Discussions feutrées, décisions secrètes, entente en ombre chinoise, les ministres des Finances ont suffisamment recherché la plus extrême confidentialité pour que le monde entier sache que quelque chose d'important venait d'arriver. Les marchés des changes, à l'affût depuis des mois d'une baisse du dollar, ont suivi : quelques interventions de la Banque du Japon, quelques déclarations pleines de sous-entendus ont fait le reste. En six mois, le dollar s'est déprécié de 30-35 % par rapport au yen et au mark allemand. Par paliers successifs, décrochements réguliers, vol plané en finesse, sans drame, il a perdu le tiers de sa valeur par rapport à ces deux devises clés.

En dehors de la dévaluation de leur monnaie, le FMI suggère aux pays qui sollicitent son assistance de diminuer leur déficit budgétaire. Les Américains n'ont pas été très réceptifs à cette supplique que leur ont adressée pratiquement tous les autres pays depuis 1982. Ils ont pourtant reconnu, fin 1985, que c'était devenu indispensable. Le Congrès a adopté une loi, le *Gramm-Rudmann-Hollings Act,* en vertu de laquelle le déficit devrait disparaître en 1991-1992, ce dont les pays étrangers ne sont pas tous convaincus. Mais parmi les dépenses publiques, il en est une difficile à réduire par simple décision administrative : la charge des intérêts sur la dette publique. Entre 1978 et 1986, elle est passée de 8 % à 17,5 % du total des dépenses publiques, soit presque la totalité du déficit public en 1986. Les États-Unis ont compris finalement la demande des pays débiteurs en développement : diminuer les taux d'intérêt dont le niveau rend la dette très lourde à supporter et paralyse les investissements productifs.

L'inflation a régressé suffisamment depuis 1980 pour que les fameuses anticipations inflationnistes, supposées à l'origine de taux nominaux si élevés, se soient un peu calmées. Mais les États-Unis pouvaient difficilement réduire leurs taux seuls, sous peine de provoquer une chute trop brutale du dollar sur les marchés des changes. Ils ont alors recherché la coopération des autres pays, en particulier du Japon et de l'Allemagne fédérale. Tel fut l'objet principal de la deuxième réunion du groupe des Cinq, à Londres, en janvier 1986. L'enthousiasme ne fut pas unanime; la France était soucieuse de préserver le franc à la veille d'une échéance électorale, le Royaume-Uni de défendre la livre sterling, victime de la chute du prix du pétrole. Messieurs les Japonais et les Allemands, tirez les premiers! Début mars, les taux d'intérêt ont été réduits de 0,5 % à 2 % sur les principales devises, dans un mouvement savamment orchestré qui a permis aux Américains de suivre, et non de précéder.

« Croire en la magie du marché »... les États-Unis semblent avoir un peu oublié leur profession de foi des premières années de l'ère Reagan. Depuis septembre 1985, les événements ont montré qu'ils ont pris conscience de l'impossibilité, pour un pays, de venir seul à bout de ses difficultés quand elles résultent pour partie de divergences avec l'évolution des économies étrangères. La France l'a compris en 1982-1983, les pays en développement l'ont répété à l'envi, mais les États-Unis étaient sourds. La baisse du dollar et des taux d'intérêt a prouvé que des actions coordonnées des pouvoirs publics agissent favorablement sur les marchés, qui, peut-être, n'attendent que cela pour mieux fonctionner. Les pays débiteurs en développement, laissés à leurs problèmes depuis 1982, peuvent estimer avec amertume que les règles du jeu ne sont modifiées que lorsque le joueur le plus fort le décide.

Qui sont les créanciers ?

L'endettement mondial des années quatre-vingt marque en tout cas une véritable rupture dans les relations économiques internationales. Les États-Unis, centre du système depuis des décennies, se retrouvent dans une position durable de débiteur. Mais qui sont les créanciers? Certains pays pétroliers le sont devenus depuis 1973; leurs avoirs nets seraient d'encore 400 milliards de dollars fin 1986. Mais ils sont fragiles, comme l'a montré la chute du prix du pétrole de décembre 1985 à mai 1986. Les États-Unis ont cédé la place à d'autres pays industrialisés. Dans le club très restreint des créanciers, la Hollande et la Suisse côtoient le Royaume-Uni, dont la position extérieure nette (80 milliards de dollars) est délicate à attribuer car Londres est un centre financier; mais surtout l'Allemagne fédérale, qui détiendrait des avoirs nets de 70 milliards, et le Japon, premier créancier mondial avec 180-200 milliards fin 1986. Ces pays vont-ils être en mesure d'imposer un nouvel ordre monétaire mondial plus conforme à leur place prééminente?

Les attitudes à cet égard ont évolué. Les États-Unis, surpris en 1982 par la proposition de la France de tenir une nouvelle conférence comme celle de Bretton-Woods, semblent en comprendre l'utilité depuis le début 1986. Une certaine structure des taux de change est plus ou moins implicite dans les efforts de correction déployés depuis septembre 1985; mais il est difficile de se mettre d'accord sur de nouvelles règles, d'autant plus que les questions monétaires et financières sont étroitement imbriquées. Le financement international repose en effet sur des taux variables, à court terme; et les mouvements de capitaux influencent fortement le fonctionnement des marchés des changes. Mais cette imbrication est peu reconnue, et même difficile à connaître : on estime ainsi que, face à un endettement mondial d'environ 1 500 milliards de dollars, les avoirs nets des pays créanciers ne seraient que de 600 à 800 milliards.

Les créanciers sont parmi nous, mais où sont-ils? Les statistiques sont insuffisantes, comme si les méthodes actuelles n'étaient plus adaptées pour cerner cette réalité nouvelle. Les mouvements sont mal enregistrés, les avoirs mal comptabilisés, et les variations de changes rendent plus aléatoires des estimations globales d'avoirs libellés en monnaies variées. Ces imperfections sont graves; elles augmentent l'incertitude et favorisent des réactions excessives ou irrationnelles sur les marchés des changes et des capitaux. Au niveau mondial, le déficit statistique en compte courant a quadruplé entre 1981 et 1982, année de l'éclosion des problèmes d'endettement extérieur. Il n'a pas diminué depuis. Les déficits paraissant plus importants, les excédents moins élevés, les autorités pensent que la situation extérieure est plus vulnérable qu'elle ne l'est en réalité et optent pour une politique plus déflationniste. Le système monétaire et financier international est toujours exposé à de très grands risques.

Depuis septembre 1985, le dollar a perdu le tiers de sa valeur par rapport au yen japonais, le prix du pétrole a été divisé par deux. Ces brusques fluctuations des prix trahissent une étonnante instabilité des paiements internationaux; elles sont qualifiées d'ajustements. Le dollar n'était-il pas surévalué? Et le prix du pétrole exagéré? Mais comment s'ajuster à un milieu international aussi instable? Les pays en développement n'ont pas la tâche facile, auxquels l'ajustement est présenté comme le remède miracle! Sont-ils près d'ailleurs de résoudre leurs problèmes financiers? Les Américains ont proposé, en octobre 1985, lors de la réunion annuelle du FMI et de la Banque mondiale, à Séoul, de continuer à augmenter leurs dettes pour mieux en assurer les échéances : étrange initiative que celle du secrétaire américain au Trésor, James Baker, qui néglige les excès des années soixante-dix auxquels les États-Unis ont largement participé ! L'instabilité des paiements internationaux est désormais aggravée par leur propre endettement extérieur. Interdépendance, concertation, pragmatisme, les responsables de la politique économique cherchent à s'imprégner de ces notions pour éviter le pire. Une croissance mondiale régulière et équitable exige un régime des changes capable de favoriser des ajustements progressifs des paiements internationaux et des formules originales pour traiter les problèmes d'endettement international.

Pascal Arnaud

BIBLIOGRAPHIE

Ouvrages

ARNAUD P., *La dette du tiers monde,* nouvelle édition, La Découverte, Paris, 1986.

BEKOLO-EBE B., *Le statut de l'endettement extérieur dans l'économie sous-développée : analyse critique,* Présence africaine, Paris, 1985.

BOURGUINAT H., *L'économie mondiale à découvert,* Calmann-Lévy, Paris, 1985.

L'HÉRITEAU M.-F., *Le fonds monétaire international et les pays du tiers monde,* PUF / IEDES, Paris, 1986.

LOMBARDI R.W., *Le piège bancaire. Dettes et développement,* Flammarion, Paris, 1985.

OMINAMI C., *Le tiers monde dans la crise. Essai sur les transformations récentes des rapports Nord-Sud,* La Découverte, Paris, 1986.

Articles

BARTHÉLÉMY F., « Dette et démocratie : vents de révolte en Amérique latine, *Le Monde diplomatique,* octobre 1985.

GERVAIS D., SALAME G., « Seuil d'urgence dans la crise de l'endettement », *Le Monde diplomatique,* mars 1986.

JEDLICKI C., « Le seigneuriage américain et la crise d'endettement du tiers monde : incertitudes sur le système financier international », *Revue tiers monde,* n° 104, octobre-décembre 1985.

MAYER P., MENTRE P., GUIHANNEC Y., « Endettement international et économie mondiale », *Défense nationale,* juillet 1985.

PAYE D., « La dette des pays subsahariens », *Le Mois en Afrique,* n°s 241-242, février-mars 1986.

SALAMA P., « Dettes et dollarisation », *Problèmes d'Amérique latine,* n° 77, 3e trimestre 1985.

Dossier

« Le fardeau de la dette africaine », *Le Monde diplomatique,* avril 1986.

Télécommunications. Les enjeux de la déréglementation

En quelques années, le secteur des télécommunications a basculé : depuis le début des années quatre-vingt, le modèle qui s'était établi à l'échelle internationale au cours des dernières décennies a fait l'objet d'un débat important, d'envergure planétaire, que l'on nomme dérégulation, ou déréglementation si l'on préfère sauvegarder une apparence de mot français. Jusqu'alors, la stabilité était garantie par les notions de monopole (le secteur étant réservé à un opérateur, dans la plupart des cas une administration) et de service public (l'opérateur devant respecter certaines règles, comme l'égalité des citoyens devant l'accès au service par exemple).

La nouvelle donne

La remise en cause de ce modèle paraît brutale et surprenante; elle tient à la conjonction de trois phénomènes :

– Le téléphone, devenu un service largement répandu, n'apparaît plus comme un secteur porteur. Les réseaux nationaux ne s'élargissent plus à un rythme rapide et ne font qu'offrir un marché de remplacement. Les investissements dans le secteur des télécommunications se sont ralentis en monnaie constante, depuis 1975 aux États-Unis, et depuis la fin des années soixante-dix au Japon et en Europe occidentale. De ce fait, les marchés nationaux sont devenus trop étroits pour les groupes industriels qui fabriquent les matériels d'équipement de réseau, et ceux-ci se sont trouvés de plus en plus en concurrence sur le marché mondial.

– Les progrès considérables des techniques de communication ne sont plus confinés dans les laboratoires de recherche. Ils ont débouché sur des services nouveaux et des produits sophistiqués qui commencent à être accessibles à une partie du grand public. Alors qu'au début des années soixante-dix, les administrations des télécommunications n'offraient que trois produits différents, le téléphone, le télex et les liaisons spécialisées, en 1986 on en dénombre plus d'une quinzaine avec la télécopie, le vidéotex, l'audioconférence, les transmissions de données, ou les systèmes d'appel de personnes (connus en France sous le nom de « bip »). D'ici à l'an 2000 ce chiffre sera, selon toute vraisemblance, encore multiplié par deux, dans l'attente des services futurs à base de visiophonie que tous les pays commencent à expérimenter (Biarritz en France, Mitaka au Japon, Orlando en Floride...).

Ces développements sont l'affaire des pays riches, où de nombreux prétendants s'affairent autour de ces nouvelles techniques. L'enjeu est de taille : il ne s'agit pas d'une innovation mineure, mais bien de la quatrième révolution industrielle, celle qui ouvre les portes de la « société de l'information ». Parmi ces prétendants, on trouve les grands opérateurs de réseaux téléphoniques, comme l'American Telegraph & Telephone (ATT) aux États-Unis, la Nippon Telegraph & Telephone (NTT) au Japon, et les administrations européennes (PTT en France, British Telecom au Royaume-Uni, ou encore la Bundespost en Allemagne fédérale...). Mais comme ces activités nouvelles ne sont plus véritablement liées au service téléphonique classique, d'autres s'y intéressent également, en particulier les industriels des télécommunications (ATT, Philips, Siemens, Ericsson, Alcatel, etc.) qui cherchent à suivre l'évolution de leur marché traditionnel, ainsi que les industriels de l'informatique (avec, bien sûr, IBM) déjà bien implantés auprès de la clientèle professionnelle, leur première cible solvable pour ces nouveaux services.

La concurrence acharnée sur un marché considérablement élargi, mais qui a perdu son unité antérieure, est le deuxième élément moteur de la déréglementation.

– Le progrès technique, qui bouleverse l'exploitation même des services traditionnels de télécommunications, est le troisième facteur explicatif. Les principaux utilisateurs – à nouveau les grandes entreprises – ont pris conscience que la technique offre désormais de multiples possibilités, que l'application trop stricte des textes réglementaires vieux de plusieurs décennies les empêche d'exploiter (comme en France, le code des PTT). Ils réclament donc un assouplissement des règles, de manière à acquérir la maîtrise de leurs réseaux de communications et à ne plus dépendre du bon vouloir d'un monopole au pouvoir régalien. Cette demande de fonds est confortée par des motivations économiques à court terme : la technique moderne permet en effet d'établir des communications avec le monde entier et, contrairement aux principes de tarification qui n'ont pas bougé, le coût effectif n'est plus fonction de la distance entre les interlocuteurs, mais de la durée de leur échange. Dans tous les pays, l'évolution technique a devancé la remise en cause des tarifs, une incitation supplémentaire pour les gros consommateurs de trafic interurbain ou international à développer, pour eux-mêmes ou à plusieurs, leurs propres infrastructures de télécommunications en marge des réseaux publics.

On comprend que face à cette nouvelle donne, le cadre institutionnel, vieilli, s'adapte mal de lui-même, et qu'il soit nécessaire de définir de nouvelles règles d'ensemble, fixant à nouveau les limites du monopole et des obligations de service public, et ouvrant les autres services au secteur privé concurrentiel. Tel est l'énoncé le plus simple de la déréglementation : l'introduction de la concurrence dans les services de télécommunications.

États-Unis : régulation par la concurrence

Ce sont les États-Unis qui ont ouvert le bal dès les années soixante : le processus qui a conduit au démantèlement de l'ATT au début de 1984 a duré plus de vingt ans. La concurrence a été introduite de manière très progressive. Limitée dans un premier temps aux équipements terminaux connectés au réseau téléphonique, elle s'est élargie aux liaisons point à point (d'un émetteur localisé vers un récepteur déterminé) avant de gagner les communications par satellites, les liaisons internationales et les réseaux de télécommunications eux-mêmes. Si bien qu'en 1986, s'il n'est pas encore possible de parler aux États-Unis d'une libération totale du métier de « transporteur d'informations », ce but n'est plus très éloigné. Seul le téléphone local est une chasse réservée à l'une des sept compagnies issues du démantèlement d'ATT, et reste géré dans un cadre monopolistique. Pour tout autre service, l'usager a acquis concrètement la possibilité de confier ses besoins en télécommunications à la société de son choix, en fonction du rapport qualité prix qu'il lui offre.

Ce résultat peut paraître bien mince en regard de l'énergie déployée, ne serait-ce que pour remettre en marche le service désorganisé par le démantèlement. Certes, le visiteur remarque le foisonnement d'antennes paraboliques sur les toits des immeubles américains et l'observateur averti est sensible au rôle croissant de Microwave Communication Incorporated (MCI), le concurrent d'ATT le plus actif. Mais ce sont là les seuls éléments concrets à mettre au crédit de la déréglementation américaine. Les conséquences économiques à court terme sont même discutables. Le sursaut des investissements en télécommunications, constaté depuis 1984 aux États-Unis, a surtout profité aux fournisseurs étrangers : Canadiens, Japonais et Européens se sont bousculés pour profiter de l'ouverture d'un marché représentant à lui seul la moitié du marché de la planète. Leur agressivité conjuguée a creusé en quelques années un déficit important (1 milliard de dollars) de la balance commerciale sectorielle américaine, traditionnellement bénéficiaire.

La décision américaine relève donc de motivations plus profondes, dont les plus apparentes peuvent se résumer ainsi :

– Déréglementer, aux États-Unis, c'était mettre fin au monopole de fait d'ATT, un « scandale » – si on se réfère à l'idéologie dominante – qu'il avait bien fallu tolérer pendant plus d'un demi-siècle. Le secteur des télécommunications a dû à son tour se plier aux règles libérales orthodoxes qui sont censées avoir assuré le rôle dominant des États-Unis. Et faisant d'une pierre deux coups, le démantèlement d'ATT, et son intervention dans des domaines très voisins de ceux de l'informatique, ont été en même temps une réponse à la domination d'IBM. Ces deux sociétés de taille comparable interviennent désormais de manière concurrente sur le marché des technologies de l'information. Annoncée depuis longtemps, cette mise en concurrence est devenue réalité en 1984-1985, comme le montrent le lancement par ATT de produits informatiques et ses accords avec Olivetti, ainsi que les prises de participation d'IBM dans Rolm (fabricant de matériels de télécommunications) et surtout dans MCI. Le domaine à explorer reste vaste et les stratégies d'alliance et d'encerclement qui se développent ne céderont pas avant longtemps la place à une concurrence frontale des deux géants.

– Les États-Unis se sont donné en même temps les coudées franches pour retrouver leur hégémonie sur les communications internationales. Les flux transfrontières de données et les communications par satellites sont des domaines à forte croissance, difficiles à contrôler par les États.

Des organisations internationales assurent une nécessaire coordination. C'est ainsi qu'INTELSAT exploite depuis 1964 les liaisons par satellites; en 1986, elle compte cent dix membres et achemine les deux tiers du trafic téléphonique intercontinental et la totalité du trafic de télévision. Or, le président Reagan, en libéralisant totalement l'accès au métier de « transporteur international », a autorisé en 1985 les sociétés américaines à concurrencer INTELSAT, c'est-à-dire à ouvrir leurs propres liaisons transatlantiques. La conséquence instantanée a été le développement d'une guerre des prix, qui a obligé les administrateurs des télécommunications occidentales à s'aligner, sous peine d'être exclues de ce marché.

– Enfin, les États-Unis réclament avec insistance l'ouverture des marchés de télécommunications encore fermés, citant nommément le Japon et la France. Ils cherchent en particulier à étendre les procédures de l'Accord général sur les tarifs douaniers et le commerce (GATT), qui régissent le libre-échange dans la plupart des secteurs industriels, aux produits de télécommunications. Les réticences sont nombreuses, mais au Japon, la NTT a déjà signé des accords triennaux (1982-1984 et 1985-1987) avec le gouvernement américain, s'engageant à ouvrir ses marchés publics aux fournisseurs étrangers; en France, ce sujet a été au centre de l'accord entre ATT et la Compagnie générale d'électricité (CGE), à l'étude depuis le printemps 1985. En substance, il s'agit de savoir si les PTT français sont prêts à garantir une ouverture de 20 % des marchés de la Direction générale des télécommunications aux industriels américains. Ces pressions sont d'autant plus justifiées que les pays visés sont tous engagés dans une politique commerciale ciblée sur les États-Unis, le marché le plus vaste, le plus avancé et le plus rémunérateur au monde.

Royaume-Uni, Japon : « contre-offensive »

On est donc loin d'une vision essentiellement technique de la déréglementation. Les considérations économiques et idéologiques occupent également le devant de la scène, comme le montrent les expériences anglaise et japonaise.

En Grande-Bretagne, c'est la privatisation qui est au premier plan. La vente de 51 % des actions de British Telecom, en décembre 1984, à la City de Londres a été l'événement majeur. En revanche, la concurrence n'a été introduite qu'à dose homéopathique, avec l'homologation d'un seul concurrent (la société Mercury) pour les liaisons interurbaines, de deux concurrents pour les réseaux de radiotéléphonie cellulaire (qui ne nécessitent plus la pose de câbles), et elle n'est véritable que dans le secteur des réseaux à valeur ajoutée (ce terme générique recouvre tous les services qui, au-delà du simple transport des informations, fonction première des télécommunications, allient des traitements informatiques comme le stockage, le codage, ou l'accès à des bases de données). Cette expérience a pourtant des répercussions internationales importantes, car British Telecom est devenue à son tour un acteur sur la scène mondiale, multipliant les alliances sur le continent américain (par exemple, le rachat de MITEL en 1985).

Le cas japonais est tout aussi spécifique. La stratégie choisie a pour objet la recherche de la compétitivité à long terme, et, sur le marché mondial, l'insertion des groupes industriels japonais dans tous les nouveaux métiers de traitements de l'information. A l'image de ce qui se passe quotidiennement dans l'électronique, ils se sont lancés dans une première phase de concurrence acharnée pour se placer sur le marché intérieur. C'est ce marché qu'ouvre le nouveau texte de loi en vigueur depuis le 1er avril 1985. Déjà cinq projets concurrents ont été autorisés : ils offriront en 1988 des services de téléphonie et de transfert de données entre Tokyo et Osaka. Les accords des principaux groupes industriels japonais avec leurs homologues américains se sont multipliés dans le secteur des réseaux à valeur ajoutée. La privatisation de la Nippon Telegraph & Telephone reste en revanche une opération partielle et graduelle, puisqu'elle doit se dérouler sur cinq ans, d'ici à 1990.

Réorientation de la stratégie française

Les autres États du monde occidental ont préféré, pour des raisons stratégiques, différer leurs décisions. C'est le cas de la France, engagée depuis la publication du rapport Nora-Minc (1981) dans une voie diamétralement opposée aux thèses des partisans de la déréglementation. La démarche française se caractérise par une subordination des intérêts de tous les acteurs à la politique industrielle nationale. Elle s'appuie sur des programmes de recherche ambitieux, sur la volonté de faire homologuer ses propres standards par les instances internationales de normalisation, sur une promotion constante des matériels français à l'étranger, jointe à une protection draconienne du marché intérieur, et sur la mise en chantier de programmes gigantesques, comme la numérisation du réseau, l'annuaire électronique, le plan câble, et pour l'avenir, le réseau à tout faire, le Réseau national à intégration de service (RNIS). A cet égard, 1985 et 1986 apparaissent comme des années charnières, car elles marquent une réorientation nette de la stratégie française, et même des inversions de tendance constatées principalement dans quatre domaines.

– La volonté de normaliser les rapports entre l'État et la Direction générale des télécommunications (DGT), et d'éviter les ponctions par trop arbitraires sur le budget des PTT, évaluées à plus de 15 milliards de francs en 1985 (soit près de 20 % des recettes des PTT). C'est ainsi que le sujet tabou de la réforme du statut des PTT a resurgi brusquement en décembre 1985 avec des prises de position nombreuses, en particulier celles des cadres dirigeants de l'administration des PTT, favorables à sa transformation en entreprise publique.

– Le coup d'arrêt porté à l'élargissement des responsabilités de la DGT. Dans un passé récent, son rôle s'était considérablement accru, puisqu'elle exerçait sa tutelle sur de nombreux organismes comme Télévision de France (TDF), le Centre national d'études spatiales (CNES), les entreprises des secteurs des Télécommunications, informatique et bureautique (TIB). Or, la première décision du gouvernement Chirac en avril 1986 a été de lui retirer cette tutelle industrielle et de la rendre au ministère de l'Industrie.

– La perception de l'affaiblissement de la France sur les marchés internationaux : depuis 1984, les nouveaux contrats gagnés sur la concurrence étrangère en matériels de télécommunications civils se sont faits rares. Et dans le meilleur des cas, la France ne peut guère espérer dépasser 10 % du marché mondial, ce qui limite considérablement la portée de sa volonté de normalisation internationale à partir de son propre territoire.

– L'annonce, par les sociétés pri-

BIBLIOGRAPHIE

Ouvrages

AURELLE B., *Les télécommunications,* La Découverte, Paris, 1986.

BERTHO C., *Télégraphes et téléphone : de Valmy au microprocesseur,* Livre de poche, Paris, 1981.

DARMON J., *Le grand dérangement. La guerre du téléphone,* J.-C. Lattès, Paris, 1985.

EVANS D.S., *Breaking up Bell* (Essays on Industrial Organization and Regulation), CERA, Research Study North-Holland, 1983.

GRESEA, *Du télégraphe au télétexte : les réseaux du profit,* Les Éditions ouvrières, Vie ouvrière, Paris, Bruxelles, 1982.

Article

SCHILLER D., « L'espace, nouveau tremplin de la puissance américaine. Comment perpétuer la domination sur les télécommunications », *Le Monde diplomatique,* février 1985.

Dossier

GRESEA, « Évolution récente de trois sociétés : ATT, CIT-Alcatel, Ericsson, *Télétextes du GRESEA,* n° 1 et n° 2, Bruxelles, 1984.

vées, qu'elles sont prêtes à investir dans les services où l'administration des PTT s'est montrée inefficace. En 1986, ces propositions concernent les cabines publiques, la radiotéléphonie cellulaire et les réseaux à valeur ajoutée.

La France, et d'autres pays, vont vraisemblablement rejoindre le camp des pays déréglementés, en organisant une concurrence restreinte sur des activités encore protégées par le monopole, et en scindant plus nettement les actions de contrôle, du ressort de l'État, et celles d'exploitation du service. Il est cependant intéressant de noter que la réponse des pays européens dans cette affaire s'est effectuée en ordre dispersé, alors que la riposte la plus appropriée aux exigences américaines aurait dû être communautaire, car c'est bien à l'échelle européenne que se posent les problèmes de télécommunications modernes.

Bruno Aurelle

Les hésitations de l'Europe technologique

Il est devenu banal de constater qu'au plan technologique, l'Europe est en retard sur les États-Unis et le Japon, depuis que les années 1984 et 1985 ont vu la reconnaissance officielle et générale de ce problème, au niveau le plus élevé des États concernés. Partie plus tard, l'Europe est ainsi dans la situation du lièvre de la fable, d'autant plus contrainte d'accélérer que ses concurrents sont loin de jouer le rôle de la tortue...

Comme par le passé, l'enjeu technologique est primordial, mais il l'est plus que par le passé : en effet, électronique et biotechnologies s'infiltrent ou s'infiltreront dans toutes les activités économiques, pour en bouleverser les données fondamentales de performances, de compétitivité et d'organisation sociale.

S'il faut éviter de sombrer dans l'« europessimisme », les retards européens n'en sont pas moins incontestables. Selon une évaluation du Comité économique et social de la CEE, la dépense intérieure brute en recherche et développement a crû de 25 % en volume entre 1975 et 1983 dans la Communauté, atteignant 2,05 % du PIB, pour des croissances de 40 % aux États-Unis (2,7 % du PIB) et de 80 % au Japon (2,6 % du PIB). Même si le montant absolu des dépenses reste sensiblement plus élevé dans la CEE (53 milliards d'ECU) qu'au Japon (34 milliards), ce chiffre global est trompeur, car il recouvre des réalités contrastées : en Europe, juxtaposition de programmes nationaux de recherche non coordonnés, souvent redondants ou contradictoires; au Japon, stratégie fortement concertée et structurée.

Résultat : dans la plupart des secteurs de pointe, aux exceptions notables de l'aéronautique, de l'espace et de l'énergie nucléaire, l'Europe marque le pas face à ses rivaux. En productique, géants nippons et américains se disputent la première place : domination des producteurs japonais pour la plupart des matériels standardisés (commandes numériques, robots, centres d'usinage); règne des grands groupes américains dans l'élaboration d'une architecture d'usine automatisée et flexible (systèmes, logiciels, réseaux de communication). Dans le domaine des biotechnologies, les entreprises européennes ont pris tardivement conscience des enjeux. Cette inertie s'explique sans doute partiellement par des handicaps structurels, notamment les conséquences de la politique agricole commune. Celle-ci, par son système de prix garantis au-dessus du niveau du marché mondial pour de nombreuses denrées agricoles, a eu l'effet pervers de renchérir la matière première des industries biotechnologiques européennes. Le démarrage s'avère laborieux, alors que 60 % des ingénieurs et chercheurs confirmés dans ce secteur travaillent aux États-Unis, et qu'un effort considérable de rattrapage est déployé avec quelque succès au Japon.

retard de diffusion de l'électronique dans ses divers usages. La consommation de semi-conducteurs par habitant était, en 1984, de 61 dollars au Japon, de 52 aux États-Unis et de 14 en Europe. Ce retard dans la diffusion va logiquement de pair avec une faiblesse relative dans le développement et la fabrication des produits : la part de l'Europe dans la production électronique mondiale est passée de 32 % en 1978 à 26 % en

1983 contre des gains de 43 à 45 % pour les États-Unis et de 16 % à 19 % pour le Japon. Cette faiblesse se constate dans presque tous les segments de la filière électronique, à l'exception de l'électronique militaire et des télécommunications, mais elle est particulièrement marquée pour les semi-conducteurs, technologie clé de l'ensemble du secteur, pour lesquels l'industrie

Électronique : l'Europe à la traîne

C'est pourtant dans la filière électronique que le retard est à la fois le plus évident et le plus lourd de conséquences. Il s'agit d'abord d'un

européenne ne couvre guère que 40 % de son propre marché et 10 % du marché mondial. En 1985, sur les dix premiers producteurs, face à cinq Japonais et quatre Américains figurait un seul Européen, Philips, à la sixième place. De fait, tandis que les sociétés américaines ont établi leur prééminence dans le domaine des microprocesseurs (Intel et Motorola), les groupes japonais, eux, contrôlent presque totalement le marché des mémoires.

Cette faiblesse européenne est grave, car structurante : les composants électroniques sont en effet des produits intermédiaires, servant de fondements à la composition des systèmes les plus divers, à usage professionnel ou domestique (ordinateurs, équipements de communication, audio et vidéo, robots, jeux, équipements ménagers...), dont ils déterminent l'architecture, les fonctions et les performances. Les groupes japonais dominent largement le marché de l'électronique grand public (vidéo), les sociétés américaines celui de la micro-informatique. Même dans le secteur des télécommunications, la position européenne, traditionnellement forte, s'érode continûment, avec une perte de part du marché à l'exportation de l'ordre de 1 % par an, selon les consultants d'Arthur D. Little, face à des exportations américaines et japonaises en très forte progression.

Ces évolutions de fond correspondent à des projets politiques tout à fait explicites aux États-Unis et au Japon. Outre-Atlantique, les assouplissements successifs des lois antitrust par les autorités fédérales, l'abandon des poursuites contre IBM, le compromis négocié avec ATT, ont consacré l'avènement d'une vision plus unanimiste des stratégies industrielles nationales. Les grands groupes unissent ainsi de plus en plus fréquemment leurs efforts, dans des programmes de recherche coopératifs ou dans des programmes collectifs de normalisation (projet *MAP* piloté par General Motors en productique, par exemple, avec le Gotha de l'informatique et de l'automatique américaines). Au Japon, les grands programmes finalisés pilotés par le ministère de l'Industrie et du Commerce international (MITI) mobilisent les ressources et distribuent les tâches sur de grandes priorités collectives (atelier flexible au laser, ordinateur de cinquième génération, etc.). Ainsi, les regroupements oligopolistiques visant à constituer des masses gigantesques de ressources financières et humaines caractérisent l'actualité industrielle tant américaine que japonaise, face à une Europe encore marquée par le morcellement.

Le danger est considérable car ni Tokyo ni Washington ne peuvent dissimuler leur tendance (au demeurant compréhensible) à la rétention des technologies lorsqu'elles gouvernent une position commerciale et industrielle dominante.

Eurêka : démarrage laborieux

Ce danger, l'Europe ne peut être assez aveugle pour l'ignorer. Les années 1984 et 1985 ont été marquées par une reconnaissance officielle quasi unanime du problème. Le lancement de l'*Initiative de défense stratégique* (IDS) par le président Ronald Reagan en mars 1983, en laissant prévoir une intensification de l'effort technologique américain sous la houlette fédératrice du Pentagone, a contribué à cette prise de conscience. Des voix inquiètes se sont élevées, au premier semestre 1985, pour dénoncer le risque d'une fuite des cerveaux européens outre-Atlantique. Pour y parer, le président français François Mitterrand a proposé à ses partenaires européens, le 17 avril 1985, de promouvoir des programmes de coopération technologique, en télécommunications, robotique, biotechnologie et développement des matériaux, sous le label *Eurêka.* L'initiative, parrainée par la France et la République fédérale d'Allemagne, favorablement accueillie par les entreprises (qui y voient surtout une source potentielle de subventions à ne pas négliger), a connu pourtant un démarrage laborieux. Le manque d'objectif unificateur fortement incitatif au plan politique, comme l'est un programme militaire majeur, ne permet pas de clarifier les intentions et les arrière-pensées des uns et des autres : adhésions de pure façade, marchandages de chaque pays, dispersion de projets nombreux et peu coordonnés, maigreur des crédits publics apportés par les États. Les dix premiers projets *Eurêka* enregistrés à la conférence de Hanovre, le 6 novembre 1985, sont de taille limitée et leur portée peut difficilement être mise en balance avec les grands programmes américains et japonais. A la mi-1986, *Eurêka* n'avait pas donné toute sa mesure, mais il n'avait pas encore échoué : l'espoir subsistait que le mouvement enfin amorcé acquière une accélération irréversible.

Eurêka n'est pas né sur un terrain vierge. Plusieurs programmes de recherche communautaires ont été lancés depuis 1983 : *Esprit* (février 1984, 750 millions d'ECU en cinq ans) dans le domaine des technologies de l'information; *Brite* (mars 1985, 125 millions d'ECU), pour l'introduction des nouvelles technologies dans les industries dites « traditionnelles »; *Race* (juillet 1985), pour favoriser la mise en place d'un réseau numérique intégré à large bande (RNIS) dans la CEE, l'infrastructure du futur (l' « autoroute des communications », qui permettra de transmettre l'information sous toutes ses formes : voix-son, image, texte, données); une phase-pilote d'étude préalable a été lancée pour 43 millions d'ECU. Ces trois programmes présentent des caractéristiques communes : montants modestes (le budget d'*Esprit* représente 7 % du budget de recherche d'IBM), grande dispersion, efficacité limitée. Mais ils auront permis de « marier » des centaines de laboratoires et d'entreprises européens, par-dessus les frontières.

La guerre des normes

D'autres « frémissements » précurseurs d'une future Communauté technologique sont perceptibles : première brèche aménagée dans l'édifice de la politique agricole commune par les ministres de l'Agriculture des Douze, le 25 février 1986, en faveur des industries biotechnologiques, avec l'adoption d'un régime spécial des prix du sucre de betterave et de l'amidon destinés à l'industrie chimique; décision, en juillet 1985, de relever les droits de douane en électronique grand public, pour aider Thomson, Philips et Thorn-EMI à tenter de refaire leur handicap face aux groupes japonais. Surtout, des avancées considérables ont eu lieu sur le front de la normalisation : champ de bataille très technique, peu ou mal connu du grand public, mais où se livrent des luttes décisives pour l'avenir industriel. La mise au point puis l'adoption de normes communes pour les générations futures de produits est un terrain privilégié pour les alliances européennes, car il ne met pas en jeu de rivalités commerciales immédiates, et il permet de dégager clairement les convergences d'intérêt à plus long terme.

Thomson, Grundig, Philips, Agfa et BASF se sont mis d'accord pour développer en commun une norme de magnétoscope numérique (la « vidéo des années quatre-vingt-dix »). La France et la RFA ont adopté en 1985 une norme commune de transmission de programmes de télévision par satellite (D2 MAC), et tentent d'opposer, avec les Pays-Bas, un front commun à la norme MUSE de « télévision haute définition » promue par le Japon et les États-Unis. Derrière ce combat ésotérique, c'est en fait la lutte entre les industries européenne et japonaise de la vidéo qui se joue.

L'épisode le plus important de cette « guerre des normes » est l'offensive anti-IBM que les industriels européens de l'informatique, unis au sein du groupe des Douze (qui inclut, notamment, ICL, Siemens, Philips, Olivetti, Bull et CGE), ont lancée le 15 mars 1984, en décidant de soutenir et de développer collectivement les normes internationales de communication entre systèmes informatiques, dites OSI (normes « ouvertes » : elles permettent de brancher de nouveaux équipements sur un dispositif existant, sans frais spécifiques d'adaptation, d'« interfaçage », dans une logique de transparence « multivendeurs »; ouverture technique, donc, mais aussi commerciale). Il s'agit de mettre fin à la normalisation opaque et *de facto* d'IBM, qui prend sa clientèle au piège de la compatibilité.

Accords européens et forces centrifuges

A ce meilleur environnement répondent quelques résultats concrets, avec la conclusion d'accords stratégiques de firmes intraeuropéens. Bull, Siemens et ICL ont lancé en 1983 un centre de recherche commun en intelligence artificielle en Bavière. Le 26 octobre 1984, le Français Alcatel et l'Italien Italtel ont signé un accord pour développer en commun des composants de futures générations de centraux téléphoniques, dans un consortium auquel se sont bientôt joints l'Anglais GEC et l'Allemand Siemens. La coopération la plus déterminante s'est nouée – malheureusement sans la France – entre Philips et Siemens, qui ont décidé, en avril 1984, de développer ensemble les nouvelles générations de mémoires électroniques. Le projet, d'un coût total de 4 milliards de francs (pris en charge, pour un tiers, par les gouvernements de Bonn et de La Haye), est très ambitieux : il s'agit de rien moins que de briser le quasi-monopole japonais sur le marché mondial des mémoires.

Ces avancées ne peuvent cependant pas effacer ce qui reste, de loin, la réalité dominante : une Europe écartelée par les tendances centrifuges, et ouverte à tous les vents.

La toile de fond est constituée par un réseau très dense d'accords entre groupes européens et partenaires tiers, américains ou japonais, généralement en position de force. Dans les télécommunications, les géants américains IBM et ATT ont commencé à tisser leurs toiles d'araignée pour un futur Yalta, ATT gagnant Philips et Olivetti à sa cause et courtisant CGE, IBM s'alliant au groupe italien STET et à British Telecom (accord partiellement bloqué par les autorités de Londres). Dans la forêt des accords informatiques, signalons ceux de Bull avec le Japonais NEC, de Siemens et ICL avec Fujitsu, d'Olivetti avec Hitachi... En micro-informatique, les tentatives de rapprochement entre Thomson et Philips ont échoué et Philips s'est tourné vers la norme japonaise MSX... Enfin, la part de la production électronique européenne détenue par les filiales de groupes américains (semi-conducteurs) et japonais (électronique grand public) reste déterminante. A cette toile de fond sont venus s'ajouter de nouveaux accords : Siemens avec l'Américain GTE en téléphonie en janvier 1986; l'Italien SGS avec ATT pour les semi-conducteurs en février 1986; le roboticien transalpin COMAU avec l'informaticien américain DEC en décembre 1985.

Les entreprises européennes ont, spontanément, toutes les raisons de se tourner vers des partenaires d'outre-Atlantique ou d'outre-Asie : ils trouvent auprès d'eux les technologies qui leur font défaut et l'ouverture éventuelle de marchés lointains. Seule la volonté politique des gouvernants peut contrebalancer les impératifs du marché à court terme. Cette volonté politique, on l'a vu, a commencé à s'affirmer, mais non sans hésitations et sans ambiguïté.

Tout en se proclamant « pro-*Eurêka* », les dirigeants de Londres et de

Bonn ont mis un empressement remarquable à officialiser leur adhésion à l'*IDS* américaine, respectivement les 6 et 18 décembre 1985. La tendance au parti pris anti-européen de la politique industrielle de Margaret Thatcher (choix de fournisseurs extracommunautaires dans le secteur du téléphone, contre Alcatel et Siemens, en octobre 1984; soutiens financiers aux implantations japonaises dans les secteurs sensibles de l'électronique grand public et de la machine-outil) a débouché sur une crise politique ouverte, en janvier 1986, avec l'affaire Westland, et le soutien apporté par le ministre de l'Industrie et du Commerce, Leon Brittan, au rachat du producteur anglais d'hélicoptères par la société américaine Sikorsky, contre un consortium européen.

Ambiguïtés

Péripéties inévitables, certes. Mais deux données nouvelles sont inquiétantes, car elles affectent ceux qui devraient être les principaux artisans de l'Europe technologique. D'une part, la Commission de Bruxelles semble de plus en plus partagée entre son « européisme » naturel et son libéralisme idéologique. Alors que foisonnent les discours en faveur d'une relance volontariste de l'Europe technologique, les autorités bruxelloises prétendent imposer, au nom du respect de la libre concurrence, un strict encadrement des aides publiques à la recherche, soupçonnées de « polluer le marché »... Le texte proposé par la Commission en 1985 fait abstraction de la concurrence des pays extérieurs à la CEE, plafonne universellement à 50 % le taux d'aide publique à la recherche et impose un taux d'aide d'autant plus bas que le projet se rapproche du débouché commercial, ce qui configure, en filigrane, un véritable « anti-*Eurêka* »...

Deuxième symptôme inquiétant : le couple moteur RFA-France de la construction européenne s'affaiblit. Malgré son parrainage initial, la

BIBLIOGRAPHIE

Ouvrages

DELMAS P., *Le cow-boy et le samouraï. Réflexions sur la compétition nippo-américaine dans les hautes technologies*, Ministère des Relations extérieures, CAP, Paris, 1984.

Livre blanc sur le marché intérieur, Commission des Communautés européennes, Bruxelles, 1985.

MESSINE P., *Liberté, égalité, modernité*, La Découverte, Paris, 1985.

RAMSES, *Rapport annuel mondial sur les systèmes économiques et les stratégies*, IFRI, Atlas/Economica, Paris, 1985.

RICHONNIER M., *Les métamorphoses de l'Europe, de 1769 à 2001*, Flammarion, Paris, 1983.

Articles

HOWE Sir G., « L'Europe face à ses défis : sécurité, intégration, technologies », *Politique étrangère*, n° 2, 1985.

« Le programme FAST à mi-chemin », *Futuribles*, n° 97, mars 1986.

Dossier

« Les ambitions d'Eurêka », *Le Monde diplomatique*, août 1985.

RFA est restée obstinément absente de la quasi-totalité des projets *Eurêka.* A l'échec des négociations sur l'avion de combat, à l'automne 1985, s'est ajouté le refus persistant de Bonn de participer au projet *Hermès* de navette spatiale cher à France.

Or, pendant ce temps, la tortue continue d'avancer. Certes, aucun retard n'est irrémédiable. Mais le rattrapage suppose un véritable projet stratégique appuyé sur une volonté politique sans faille et une mobilisation résolue de toutes les ressources. La montée de la puissance technologique japonaise de 1960 à 1985 en fournit une bonne illustration historique. A l'inverse, si le lièvre batifole en chemin, il a peu de chances de rattraper la tortue... Le risque existe aujourd'hui que le discours de l'Europe technologique, enfin triomphant, ne soit déjà décalé, en rupture avec une réalité galopante; un discours à vide, en quelque sorte. L'Europe, certes, n'en resterait pas moins un espace géographique caractérisé par un niveau élevé de technicité et de prospérité, mais en tant que concept géopolitique, au sens strict, elle cesserait d'exister. Elle ne serait plus qu'une région riche mais marginale pour l'analyse politique et stratégique, qu'on le déplore ou non.

On n'en est pas là. L'alternative existe, et la surface des choses frémit. Les marges de manœuvre sont beaucoup plus larges que l'europessimisme ambiant ne donnerait à le penser. Si l'Europe sait en jouer, elle pourra écarter, année après année, l'étau des contraintes. A condition de le vouloir.

Philippe Messine

Europe de l'Est. L'effet Gorbatchev

L'arrivée au pouvoir de Mikhaïl Gorbatchev (en mars 1985) en URSS signifie-t-elle une nouvelle donne en Europe de l'Est? Faut-il en attendre plus de cohésion entre les pays socialistes, ou au contraire un développement de tendances centrifuges? Quelles répercussions peut-on en observer ou escompter, dans l'ordre politique, militaire ou économique? Un premier bilan d'un année permet déjà de situer l'« effet Gorbatchev » : dans le domaine politique des relations inter-partis, comme dans l'ordre militaire des rapports entre les membres du pacte de Varsovie, on assiste à une stabilisation marquée. Dans le domaine économique de la coopération au sein du CAEM (Conseil d'assistance économique mutuelle), des changements structurels s'esquissent; ils doivent plus, cependant, à la conjoncture internationale qu'à l'avènement d'un nouveau chef en URSS.

« Cohésion accrue »

En politique, le rajeunissement de la direction soviétique a mis en lumière l'âge avancé des leaders est-européens, dont quatre (Todor Jivkov en Bulgarie, Erich Honecker en RDA, Janos Kadar en Hongrie et Gustav Husak en Tchécoslovaquie) ont plus de soixante-dix ans, et deux (Nicolae Ceaucescu en Roumanie et Wojciech Jaruzelski en Pologne) plus de soixante ans. M. Gorbatchev peut escompter une longévité politique qui devrait le conduire au seuil du XXIe siècle, tandis que plusieurs de ses partenaires n'iront sans doute pas au-delà de 1990.

L'URSS émerge donc comme le coordonnateur nécessaire de la communauté socialiste, et dans son discours d'ouverture (le 11 mars 1985), M. Gorbatchev a défini le « premier commandement » du Parti et de l'État : « Préserver et renforcer de toutes les manières l'amitié fraternelle » avec les pays socialistes. Au cours de l'année 1985, il a rencontré individuellement chacun des chefs de parti, sauf N. Ceaucescu, au moins une fois. En outre, tous les dirigeants se sont retrouvés ensemble quatre fois, aux obsèques de Constantin Tchernenko (mars), au renouvellement du pacte de Varsovie (avril, à Varsovie), au sommet des pays membres du pacte (octobre, à Sofia), et enfin à Prague en novembre, juste après le sommet Reagan-Gorbatchev. Une nouvelle occasion leur en a été donnée fin février-début mars 1986 au XXVIIe congrès du Parti communiste de l'Union Soviétique (PCUS). Le nouveau programme du PCUS adopté à cette occasion souligne la nécessité d'une « cohésion accrue », mais en même temps « l'enrichissement mutuel de la pratique de direction de la société ».

Ce dernier thème ne semble pas avoir reçu d'application concrète en 1985-1986. Dans chaque pays, la vie politique interne a été marquée par une grande continuité. Seul fait nouveau, en juin 1985, la Hongrie a expérimenté un mode de scrutin rompant avec la pratique du candidat unique par circonscription pour les élections législatives. Mais « l'enrichissement mutuel » n'est pas exclu en ce domaine ; dans son discours au XXVIIe congrès, M. Gorbatchev a appelé de ses vœux « des corrections nécessaires à notre pratique électorale », ce qui doit s'entendre comme l'éventualité de candidatures multiples dans le système électoral soviétique.

Dans le domaine militaire, 1985 a marqué le trentième anniversaire du pacte de Varsovie. A cette occasion, le 26 avril, le pacte a été renouvelé pour vingt ans, avec une extension automatique de dix ans, selon la même procédure qu'en 1955. Dès avant la réunion, l'Union soviétique avait plaidé pour un renforcement de la coopération militaire entre les pays membres; le communiqué commun publié à l'issue de la réunion insistait sur la nécessité d'une alliance défensive plus solide, impliquant sans doute une contribution en hausse des petits pays membres à la défense commune (l'URSS supporte environ 90 % du budget total du pacte). Le programme du PCUS justifie « le perfectionnement de l'activité » du pacte par le maintien de l'OTAN, tout en renouvelant l'appel en faveur d'une dissolution commune de l'OTAN et du pacte qui figure traditionnellement dans tous les documents fondamentaux du Parti.

L'organe politique suprême du pacte de Varsovie, le Comité politique consultatif, a été présidé pour la première fois par M. Gorbatchev les 21-23 octobre 1985, à la veille du sommet de Genève, et a adopté une déclaration sur l'élimination de la menace nucléaire. Cette déclaration contenait un ensemble de propositions de désarmement, dont le gel des forces armées classiques américaines et soviétiques. Dans l'ordre politique, la nécessité d'une « combinaison harmonieuse des intérêts nationaux et internationaux » était affirmée. Cette formule, apparemment banale, se référait à un débat important, engagé peu avant, sur la légitimité de la défense des intérêts propres à chaque pays dans la communauté socialiste. En effet, un article publié dans la *Pravda* du 21 juin 1985 mettait en garde contre la prééminence des intérêts et particularismes nationaux, sous la signature pseudonyme de Vladimirov (attribuée à un responsable soviétique des relations avec les partis communistes et ouvriers des pays frères). En sens inverse, dans le *Kommunist* de juillet 1985, Oleg Bogomolov, économiste réputé favorable aux réformes en Europe de l'Est, soulignait la spécificité nécessaire de ces intérêts. Venant ensuite, la position du Comité politique consultatif paraissait accréditer les attitudes de la Hongrie et de la RDA, les pays les plus ouverts au développement d'échanges et de dialogue avec l'Ouest, dont les leaders devaient d'ailleurs discuter bilatéralement cette question fin octobre 1985.

Quant aux discussions au sommet Reagan-Gorbatchev, le premier secrétaire du PCUS lui-même en a informé ses partenaires les 23-24 novembre 1985, confirmant ainsi un souci de concertation politique particulièrement apprécié en Hongrie. Il semble donc bien, pour reprendre les termes du nouveau programme du PCUS, qu'on assiste à une « activation de toutes les formes de coopération politique » entre les pays membres du pacte de Varsovie, sans qu'il soit possible, au milieu de 1986, de mettre en évidence des orientations plus concrètes.

Économie : restructuration au profit de l'URSS

Les problèmes les plus urgents sont, en effet, d'ordre économique. L'intégration socialiste au sein du CAEM a été dominée, en 1985-1986, par une nouvelle politique volontariste de l'URSS, et par la chute du prix du pétrole sur le marché mondial.

La politique soviétique vis-à-vis du CAEM avait été inaugurée lors du sommet de l'organisation, en juin 1984. Jusque-là, l'URSS avait toléré la croissance de la dette des petits pays socialistes européens à son égard, qui atteignait à cette date, en équivalents dollars, un peu moins de vingt milliards. Ce surplus cumulé de la balance commerciale soviétique vis-à-vis des Six s'était développé à partir de 1975, lorsque l'URSS avait doublé d'un coup le prix de vente de son pétrole, le maintenant néanmoins nettement en dessous du prix mondial (lequel avait plus que quadruplé entre 1973 et 1975). L'excédent soviétique étant libellé en roubles transférables, monnaie collective inconvertible du CAEM, il ne pouvait donc être utilisé par l'URSS pour autre chose qu'à des achats en provenance de ses partenaires. Or ceux-ci, aux prises avec des difficultés économiques graves, surtout depuis 1980, n'ont pas accru leurs ventes à l'URSS dans la proportion requise pour éponger ce surplus. En 1984, pour la première fois, l'URSS a tenu un langage très ferme : elle s'engageait à maintenir ses livraisons d'énergie et de matières premières à ses partenaires uniquement si ceux-ci acceptaient de restructurer leur propre industrie, de manière à lui fournir les marchandises qui lui étaient nécessaires, à savoir des produits alimentaires, des biens industriels et des équipements de haute qualité, conformes aux standards mondiaux. Ce nouveau langage a été réitéré à la session ordinaire du CAEM, en juin 1985.

Que signifie cette restructuration orientée vers les besoins soviétiques? Les petits pays de l'Est doivent désormais approvisionner l'URSS par priorité, de préférence à leur marché domestique ou aux ventes à l'Ouest. Qui plus est, la modernisation, à cette fin, de leur industrie suppose des dépenses en devises pour acquérir à l'Ouest les équipements indispensables. En même temps, reprenant une forme de coopération développée à la fin des années soixante-dix, puis suspendue en raison des difficultés économiques de l'Europe de l'Est, l'URSS demande à ses partenaires d'investir sur son territoire (mais sans acquérir des droits de propriété) pour la mise en valeur de ses ressources : construction d'un complexe d'enrichissement de minerai de fer à Krivoi Rog en Ukraine, installation d'un nouveau gazoduc euro-sibérien « doublant » celui qui a été construit en 1981-1984 avec l'aide des capitaux occidentaux, développement des capacités d'électricité nucléaire de l'URSS. Ces investissements représentent un prélèvement sur les ressources nationales des pays membres, y compris sous la forme d'achats à l'Ouest pour les besoins de l'URSS.

Ces mesures s'appuient sur un réseau d'accords bilatéraux signés entre l'URSS et chacun de ses partenaires pour une période allant jusqu'en 2000; les accords détaillent les objectifs de coopération, et ont été signés entre mai 1984 (Pologne) et juin 1985 (Bulgarie) avec cinq des six pays du CAEM concernés, l'accord avec la Roumanie étant en préparation au début de 1986. Parallèlement, à une session extraordinaire du CAEM tenue les 17-18 décembre 1985, un « Programme intégré de développement du progrès scientifique et technique » a été adopté pour la période allant jusqu'à l'an 2000, que l'on peut considérer comme une sorte d'*Eurêka* d'Europe de l'Est. Ce programme, dans la ligne de la modernisation économique accélérée que Gorbatchev souhaite introduire aussi en URSS, définit cinq secteurs prioritaires : électronique (construction de superordinateurs, de systèmes de communication à fibres optiques, etc.), automatisation (incluant le développement de la production de robots), énergie nucléaire, nouveaux matériaux, biotechnologies.

Comment peut-on mettre en œuvre ce programme? Sa dimension internationale suppose un perfectionnement des mécanismes mêmes du CAEM. On sait que dans les économies de marché, les transferts internationaux de technologie sont principalement véhiculés par les firmes multinationales et les liens directs de production entre filiales. A l'intérieur du CAEM, la forme dominante de coopération est interétatique. Le développement de rapports directs entre entreprises est encore embryonnaire, quoique officiellement souhaité par les Soviétiques. Mais pour dynamiser ces rapports, il faudrait d'abord insuffler, dans chaque pays, un esprit d'entreprise aux unités économiques. Cela implique un essor des réformes économiques internes, dans le sens d'un recours plus grand au marché. Or seule la Hongrie s'est résolument engagée dans cette voie.

Qu'est-ce qui freine les réformes en 1986? L'Union soviétique elle-même a assoupli ses positions. Le discours de M. Gorbatchev au XXVIIe congrès du PCUS contenait des allusions aux réformes menées par l'Europe de l'Est, en particulier au renouveau du secteur coopératif dans l'artisanat, la petite industrie et à de nouvelles formes d'organisation dans l'agriculture. Mais même si le « feu vert » soviétique a été donné, il n'est pas sûr que tous les pays socialistes adhèrent à des innovations radicales. Le conservatisme de la majeure partie des pays est un obstacle. Enfin le déploiement des réformes est sans conteste freiné par les mauvaises performances de l'économie : en 1985, les taux de croissance du produit national sont demeurés faibles (3,5 % pour l'ensemble des pays), et seule la RDA poursuit une croissance dynamique (+ 4,8 %).

La chute des prix du pétrole

Dans cette situation défavorable, la baisse non prévue des prix du pétrole sur le marché mondial ajoute d'autres perturbations. Cette baisse affecte fortement les ressources en devises de l'URSS, constituées à 80 % de recettes issues de la vente d'hydrocarbures. Or c'est la première fois, depuis 1973, que l'URSS se trouve affrontée à une contrainte extérieure réelle. L'impact sur les petits pays de l'Est peut être double : l'URSS réduira ses ventes de pétrole à l'Est pour maintenir ses ventes à l'Ouest, surtout dans un contexte orienté, depuis 1983, à la baisse de sa production domestique; elle exercera par ailleurs une pression croissante à la « récupération » de sa créance sur les petits pays socialistes, épargnant peut-être la Pologne.

En outre, le mécanisme de formation des prix internationaux entre les pays du CAEM conduit à des effets pervers dès lors que les prix mondiaux baissent. En effet, le prix intra-CAEM est déterminé, pour un produit donné, sur la base du prix mondial (par exemple, le prix du pétrole se fonde traditionnellement sur celui de l'Arabian Light) : on prend pour référence la moyenne des prix mondiaux des cinq années précédentes, et le calcul est actualisé chaque année. Si le prix mondial baisse, cette réduction n'est répercutée que progressivement à travers le calcul de la moyenne. Les pays de l'Est n'auraient-ils pas alors intérêt à s'approvisionner au Moyen-Orient plutôt que d'acheter du pétrole soviétique nettement plus coûteux? Début 1986, le prix soviétique était d'environ vingt-neuf dollars le baril, en convertissant la valeur du baril exprimée en roubles sur la base du taux de change officiel rouble-dollar. Or ce taux est nettement surévalué. Un taux plus bas, correspon-

BIBLIOGRAPHIE

Ouvrages

CARRÈRE D'ENCAUSSE H., *Le grand frère, l'Union soviétique et l'Europe soviétisée,* Flammarion, Paris, 1983.

LAVIGNE M., *Économie internationale des pays socialistes,* Armand Colin, Paris, 1985.

Article

TIRASPOLSKY A., « Interrogations sur l'avenir du CAEM », *Le Courrier des pays de l'Est,* n° 291, janvier 1985.

dant à un change plus « réaliste », ferait apparaître le pétrole soviétique relativement plus avantageux; ce prix « réel » se situerait, selon les experts occidentaux, aux environs de quinze dollars le baril. Et de toute façon, le pétrole n'est pas payé à l'URSS en dollars (sauf dans le cas de la Roumanie).

Enfin la baisse du prix du pétrole sur le marché mondial touche les pays de l'Est comme vendeurs (de pétrole brut acheté au Moyen-Orient et réexporté, ou de produits raffinés), et compromet donc, dans une proportion moindre que dans le cas de l'URSS, leurs ventes à l'Ouest.

Face à ces conditions extérieures défavorables, l'URSS cherchera à resserrer les rangs. De même que le renforcement du pacte de Varsovie a été justifié par les menées agressives de l'OTAN, de même la coopération intra-CAEM et le développement de l'intégration socialiste sont présentés comme une réponse solidaire aux mesures discriminatoires prises à l'Ouest contre les pays socialistes (protectionnisme, restrictions aux exportations de technologie). Le nouveau choc pétrolier pourra justifier, dans l'avenir, une mobilisation analogue.

Cela ne signifie pas que l'URSS soit en mesure de définir une politique économique concertée du CAEM vis-à-vis de la CEE. L'année 1985 a été marquée par une reprise du dialogue CAEM-CEE, interrompu depuis 1981. En mai, M. Gorbatchev s'est déclaré favorable à des « relations mutuellement avantageuses » entre les deux institutions. Des échanges de lettres ont suivi entre le secrétariat du CAEM et celui de la Commission. Pour la première fois, le CAEM a reconnu qu'un arrangement général pourrait s'accompagner d'accords commerciaux bilatéraux entre la CEE et chacun des pays socialistes, ce que la CEE souhaite mais que l'URSS considère traditionnellement avec défaveur. Si ce mouvement se confirmait en 1986, on pourrait y voir une conciliation des intérêts nationaux des pays de l'Est avec l'intérêt international de la communauté socialiste, qui irait dans le sens de la problématique dominante depuis l'arrivée au pouvoir de M. Gorbatchev.

Marie Lavigne

Proche-Orient. Espoirs déçus

Après deux années – 1983 et 1984 – indécises et confuses, marquées par l'aggravation de l'imbroglio libanais, le gel des efforts de paix dans le conflit israélo-arabe et le retrait des Occidentaux de la scène politique proche-orientale, au début de 1985, le paysage politique s'est animé dans la région.

Reagan venait d'être réélu. C'est un travailliste, Shimon Pérès, qui était Premier ministre d'Israël, et Yasser Arafat avait obtenu du Conseil national palestinien le feu vert pour aller de l'avant avec le roi Hussein de Jordanie. L'année, ouverte sur le retrait israélien du Sud-Liban et sur la relance d'un processus de paix par l'accord jordano-palestinien du 11 février 1985, semblait annoncer une nouvelle donne diplomatique.

Ces espoirs allaient pourtant être déçus. La baisse du prix du pétrole et le développement du terrorisme ont alourdi le climat, et les percées diplomatiques attendues au Liban, dans le conflit israélo-arabe, voire dans la guerre irano-irakienne, ont échoué. Enfin, les États-Unis ont inauguré, au nom de la lutte contre le terrorisme, une nouvelle politique de fermeté.

Sur le marché pétrolier, 1985 a été une année de rupture : la tension suscitée depuis plusieurs années par le ralentissement de la demande et l'arrivée sur le marché des producteurs non membres de l'OPEP (Norvège, Royaume-Uni) a débouché sur une crise ouverte au sein de l'Organisation. En janvier 1985, l'OPEP, résignée, reconnaissait son incapacité à maintenir la discipline de ses membres. Fin 1985, l'Arabie saoudite renonçait à la logique des quotas et décidait d'augmenter sa production. La structure des prix concertée n'existait plus, les cours se sont effondrés. De 1979 à 1985, l'OPEP a perdu 50 % de ses parts de marché et le prix du baril est passé de 34 à 15 dollars en trois ans.

Cette évolution, même tenue pour provisoire, a été ressentie dans le monde arabe comme un événement majeur : une menace et un signe du destin. Les gouvernements des États pétroliers ont révisé leurs budgets, différé leurs grands projets et réduit leurs exportations. A l'intérieur, c'est tout le système de redistribution sociale qui est entré en crise, ce qui n'est pas grave dans un pays comme l'Arabie saoudite, mais dramatique en Égypte. A l'extérieur, c'est le système du clientélisme international qui s'est effrité avec la limitation des aides arabes aux « pays frères ». L'Égypte encore, mais aussi la Jordanie, la Syrie, le Maroc, et l'Irak ont été affecté et contraints à leur tour de prendre des mesures d'austérité impopulaires. Dans le même temps, le renvoi d'une partie des 6,8 millions d'immigrés arabes travaillant dans le Golfe a frappé de plein fouet un pays comme l'Égypte. La plupart des États de la région ont subi, à des degrés divers, le contrecoup de la baisse du prix du pétrole, notamment la Syrie, l'Égypte et l'Irak.

A l'été 1986, il était difficile d'évaluer l'impact de cette baisse des ressources pétrolières sur la stabilité de la région ou sur les conflits en cours : dans la guerre irano-irakienne, les adversaires ont vu leurs revenus nettement amputés, mais ce manque à gagner n'a pas encore altéré leur détermination à poursuivre les combats. Plus généralement, l'image d'un monde arabe puissant, riche et ambitieux s'est estompée et, avec elle, une partie de son influence, même si l'hypothèse d'un nouveau choc pétrolier à l'horizon des années quatre-vingt-dix est présente dans tous les esprits.

Le « nouveau terrorisme »

Endémique depuis vingt ans au Proche-Orient, le terrorisme s'est aggravé. Il a frappé sur une grande échelle au Liban où les prises d'otages libanais se comptent par milliers dans les deux camps – chrétien et musulman – et où les attentats à la voiture piégée sont fréquents. A des degrés divers, plusieurs pays de la région ont été touchés, Israël, mais aussi la Jordanie, le Koweït qui ont connu début 1986 de graves attentats. En quelques années, les cibles, les techniques, la nature même du phénomène terroriste ont changé : jadis motivé par le souci d'attirer l'attention des opinions publiques par des opérations spectaculaires, il s'étend désormais délibérément aux Occidentaux. Après les attentats contre la Force multinationale à Beyrouth en 1983, sont venus les attaques contre les ambassades américaine et française au Liban, puis le détournement du Boeing de la TWA en juin 1985 et celui de l'*Achille Lauro* en octobre, suivis par les attentats de Rome, Vienne en décembre, et en 1986, Paris, et Berlin.

Dans le même temps – et c'est la nouveauté – le terrorisme s'est professionnalisé, les techniques sont devenues plus militaires, les réseaux mieux organisés, les aspects médiatiques largement pris en compte. Plus qu'une internationale du terrorisme, qui semble largement mythique, il y a un « savoir-faire terroriste » et un « marché de services » du terrorisme qui a son centre à Beyrouth et au Liban. Tout à la fois camp d'entraînement, école de cadres, centre financier et cœur médiatique du terrorisme, Beyrouth et le Liban se sont imposés comme une vraie « zone franche » du terrorisme. Tous les attentats procèdent de l'un des conflits qui déchirent la région, et les prises d'otages sont désormais un moyen de signifier à l'adversaire du moment telle mise en garde, tel chantage.

Les acteurs en sont habituellement des petits groupes censés être autonomes et mener un combat clairement identifié. Mais avec le temps, ces groupes, qui masquent leur identité sous de multiples appellations, se sont mués en prestataires de services pour d'autres groupes, voire pour des États qui peuvent ainsi porter des coups interdits autrement, ou susciter des stratégies de la tension utiles à leurs intérêts. A cet égard, les États-Unis ont clairement mis en cause la Libye, mais aussi la Syrie et le Liban.

L'apparition de ce « nouveau terrorisme », qui est devenu un élément destructif mais banalisé de la vie politique au Proche-Orient, souligne la fragilité d'une région déjà confrontée à de multiples facteurs d'instabilité : la baisse des revenus, la persistance d'une démographie mal maîtrisée, la faiblesse des structures étatiques, la montée de l'intégrisme islamique et la permanence de conflits non résolus.

Iran-Irak, un autre conflit insoluble?

L'an VI de la guerre du Golfe aura marqué la fin des illusions : les Irakiens savent désormais qu'ils peuvent perdre cette guerre, malgré leur supériorité militaire. Les Iraniens, de leur côté, ont mesuré les coûts et les impasses qu'implique une stratégie jusqu'au-boutiste.

Depuis 1985, la stratégie de Saddam Hussein consiste à contraindre l'Iran à la négociation. C'est le sens des offensives successives appelées « guerre des pétroliers » en 1984-1985, guerre des villes au printemps 1985, et des opérations menées depuis sur les frontières. Toutes ces actions ont été des échecs relatifs car elles se sont heurtées à des parades efficaces des Iraniens.

La « guerre des pétroliers » n'a pas gravement perturbé les exportations de pétrole de l'Iran, qui ont été acheminées par des bateaux plus petits et moins vulnérables. Les bombardements répétés du terminal pétrolier de l'île iranienne de Kharg ont été efficaces, mais là aussi, les Iraniens ont rapidement dispersé sur la côte plusieurs mini-terminaux. Enfin, la « guerre des villes » lancée par l'Irak pour démoraliser l'opinion iranienne a suscité en riposte des attaques de missiles sur Bagdad qui ont rapidement conduit l'Irak à mettre un terme à une escalade dangereuse pour son propre pouvoir.

En dépit de ses efforts, de la cohérence de ses choix, de la supériorité encore évidente de son armée, des appuis internationaux dont il dispose, l'Irak a connu en 1985 quelques sérieux revers. A l'intérieur, la population se lasse d'une guerre interminable, la situation économique est difficile et Bagdad, pour la première fois, doit rééchelonner ses paiements vis-à-vis de plusieurs de ses créanciers. En outre, un certain flottement est apparu parmi les alliés arabes : s'il n'a pas duré, il a mis en lumière l'isolement relatif de l'Irak au sein de la « Conférence islamique » de Fès en octobre 1985. Mais surtout, l'occupation par l'Iran de Fao et de la bande côtière qui commande l'accès de l'Irak au Golfe constitue un signal négatif. En juin 1986, les Irakiens semblaient sur la défensive et paraissaient hésiter sur les moyens de reprendre l'initiative, comme s'ils plaçaient leurs espoirs dans un basculement du rapport de forces à Téhéran ou sur une mobilisation de leurs soutiens extérieurs.

L'Iran, de son côté, n'a pas échappé aux débats internes sur l'opportunité de poursuivre ou non la guerre. Mais ils ont été arbitrés dans le sens d'un maintien de la ligne dure à l'égard du régime baathiste et de son chef. Sur le terrain, la tactique de l'Iran est symétrique de celle de l'Irak : il mène une guerre terrestre, frontalière, pour forcer Bagdad à maintenir une ligne de défense continue, coûteuse et vulnérable tout au long de la frontière. Les Iraniens ont échoué dans leur grande offensive de mars 1985, mais ils ont réussi, on l'a vu, à s'emparer de Fao, dont l'intérêt militaire direct est limité, mais dont l'impact politique est considérable. Sur le plan diplomatique, l'Iran, dont les contacts se limitaient à la Syrie et la Libye, semble s'être avisé de l'intérêt d'un minimum de dialogue international. On le voit dans les rapports « techniques » renoués avec certains pays européens, le Japon, l'URSS et quelques pays arabes du Golfe. La lente normalisation des rapports avec la France, amorcée en 1985 et poursuivie après mars 1986, s'inscrit dans la même logique. Mais si le langage est moins abrupt, la « ligne » suivie par la République islamique reste inflexible.

Après six ans de conflit, ni la victoire militaire d'un des belligérants, ni une percée diplomatique décisive ne paraissaient vraisemblables à court terme. Le rapport de forces s'est stabilisé entre deux pays à bout de souffle qui se trouvent entraînés dans la logique suicidaire d'une guerre d'usure. En 1986, cette situation inquiète la communauté internationale, les pays arabes du Golfe et les superpuissances, alors que depuis cinq ans, ils paraissaient plus préoccupés de circonscrire le conflit que de le faire cesser. La poursuite de la guerre risque en effet de déborder sur les États voisins, au Koweït et au Liban où l'on voit apparaître les premières conséquences du pourrissement du conflit irano-irakien, avec l'affirmation de groupes et de partis se réclamant de la révolution khomeyniste. Les différents acteurs de la région sont conscients de cette évolution : le vice-président américain, George Bush, a ainsi réaffirmé, lors de sa tournée dans le Golfe début 1986, son soutien aux États de la région contre « toute menace ». Depuis, la tentative du roi Hussein de Jordanie (mai 1986), manifestement appuyée par les pays arabes du Golfe, de réconcilier la Syrie et l'Irak est venue apporter un élément nouveau. Reste à savoir si celui-ci sera de nature à fléchir l'intransigeance iranienne et à l'amener à accepter un compromis, afin de ne pas laisser s'installer au Proche-Orient un nouveau conflit insoluble.

L'initiative jordano-palestinienne

La réélection de Reagan et l'arrivée de Shimon Pérès à la tête du gouvernement israélien ont donné le signal d'une relance des conversations de paix. A la fin 1984, le dialogue reprenait entre Hussein et Arafat et, passant outre aux réserves de son aile dure, le président de l'OLP s'engageait le 11 février 1985 dans un accord jordano-palestinien fondé sur l'idée d'un échange : « les territoires (occupés) contre la paix ».

Le compromis entre les deux hommes, laborieux, était le résultat d'un rapport de forces : affaiblis, Hussein et Arafat avaient un intérêt commun à occuper le terrain de la négociation de paix et à y impliquer les États-Unis. Le roi Hussein redoutait que soit remise à l'ordre du jour l'idée d'une « solution jordanienne », qui consisterait – comme le veulent les Israéliens – à régler le problème palestinien dans le cadre de la seule Jordanie. Arafat, de son côté, était conscient de la faiblesse de l'OLP, de l'hostilité déterminée des Syriens et de l'attentisme soviétique à son égard. La proposition d'Hussein lui permettait donc de gagner du temps, de renforcer l'OLP avec le soutien des pays arabes « modérés » et de nouer enfin un dialogue avec Washington.

Le projet était habilement présenté : il ne s'agissait pas, à ce stade, de définir un règlement de fond, mais de trouver un accord sur une procédure de discussion. La délégation jordano-palestinienne rencontrerait d'abord les Américains, puis négocierait avec les Israéliens. Enfin, une conférence internationale parachèverait la négociation. La partie arabe faisait des concessions notables : acceptation de la fameuse résolution 242 de l'ONU, c'est-à-dire la reconnaissance d'Israël, et renonciation à la constitution d'un État palestinien autonome, puisque celui-ci serait fondu dans une confédération jordano-palestinienne. Elle demandait en revanche la reconnaissance de l'OLP, sa participation à la négociation et une conférence internationale ouverte aux cinq membres permanents du Conseil de sécurité (et donc à l'URSS). Toute l'opération était en fait dirigée vers les États-Unis, qu'il fallait amener à reconnaître l'OLP, c'est-à-dire à revenir sur leurs engagements à l'égard d'Israël de ne pas entamer de dialogue avec l'organisation palestinienne. De fait, les Américains devaient être, tout au long de la négociation, les vrais maîtres du jeu.

L'accueil fait à ces propositions a été sans surprise : la Syrie était hostile, l'URSS exprimait ses réserves. Israël, préoccupé par les risques d'un dialogue direct américano-palestinien, sans bloquer carrément le processus, refusait de discuter avec l'OLP et répétait sa volonté de négocier directement avec la Jordanie et les Palestiniens des territoires occupés.

Après des mois de contacts préparatoires, l'affaire a échoué : la délégation jordano-palestinienne n'a pas rencontré les Américains, le roi Hussein, dans un discours retentissant, en a rejeté la responponsabilité sur l'OLP. Le prétexte de l'échec était le refus de l'OLP d'accepter la résolution 242 sans contrepartie, c'est-à-dire sans avoir obtenu des États-Unis la reconnaissance des droits à l'autodétermination du peuple palestinien et la participation de l'OLP à la négociation.

Début 1986, l'impasse restait entière : l'OLP tentait de resserrer ses rangs sur une position plus orthodoxe et plus dure, les contacts avec l'URSS avaient repris, la priorité pour Yasser Arafat redevenait la situation libanaise et les relations avec Damas. De son côté, le roi Hussein, après s'être reconcilié avec la Syrie, prenait ses distances avec l'OLP et limitait ses activités sur le sol jordanien. Le thème d'une OLP affaiblie et en perte de vitesse est revenu en force, dans le discours israélien et occidental, avec le souci de nouveau exprimé par le Premier ministre britannique, lors de son voyage en Israël en mai 1986, de favoriser « l'émergence de nouveaux interlocuteurs palestiniens » issus des territoires occupés. Les discussions cependant n'ont pas été interrompues : Hussein poursuit ses contacts et nul doute qu'il veuille préserver l'élan donné par l'accord jordano-palestinien.

Liban : la Syrie à l'épreuve

Le rétablissement opéré par le président syrien Hafez el-Assad après l'invasion israélienne du Liban a été rapide et spectaculaire : en moins de deux ans, Damas a obtenu la dénonciation de l'accord libano-israélien et la formation d'un gouvernement libanais d'union nationale largement soumis au contrôle des alliés de la Syrie.

Dans le même temps, le départ des contingents de la Force multinationale et l'effacement politique des Occidentaux lui ont laissé le champ libre. Au Sud-Liban, une résistance nationale, soutenue par Damas, a progressivement conduit Israël à envisager un retrait du Liban qui a eu, dans tout le Moyen-Orient, la résonance d'une défaite.

Au début 1985, la Syrie semblait en mesure d'atteindre au Liban les trois objectifs qu'elle considérait comme essentiels à la consolidation de son rôle régional : « tenir » les Palestiniens, contrôler la normalisation politique libanaise, conserver les moyens de négocier seule les garanties de sécurité d'Israël au Sud-Liban. Cette politique manœuvrière et souvent habile a pourtant été mise à rude épreuve.

Les deux objectifs de la Syrie dans le camp musulman – empêcher l'OLP, qu'elle tient pour un obstacle à son leadership régional, de se réinstaller en force au Liban, et assurer le contrôle exclusif de ses alliés druzes du Parti socialiste progressiste (PSP) et chiites d'Amal sur les régions musulmanes – se sont heurtés en effet à de fortes résistances.

Considérablement renforcés par l'OLP, en prévision de la « guerre des camps » lancée contre eux par Amal, les Palestiniens sont en effet parvenus à maintenir une implantation de l'OLP dans la plupart des zones palestiniennes du Liban. De même, l'action du PSP et d'Amal pour s'imposer dans les régions musulmanes a cristallisé peu à peu le fort sentiment antisyrien perceptible dans le pays. On a donc assisté à l'entrée en rébellion des sunnites intégristes de Cheikh Chaaban à Tripoli, appuyés par l'OLP, qui ont « fixé » pendant des semaines les troupes des alliés de Damas. Surtout, et c'est l'événement majeur de l'année 1985, Damas s'est trouvé confronté à la montée en puissance des éléments chiites radicaux pro-iraniens rassemblés dans le Hezbollah.

Mouvement politique récent, le Hezbollah, qui a bénéficié un temps de la sollicitude syrienne, est lié à la révolution islamique. Par un discours politique ultra-militant, une pratique politique populiste, une implantation centrée sur les mosquées et très active dans le prolétariat urbain, le Hezbollah a rapidement radicalisé la jeunesse chiite sur des positions dures et créé une dynamique politique autonome au Liban. L'affaire des otages français a montré qu'il constitue une force capable de résister à la Syrie.

Parallèlement à la montée en puissance du Hezbollah, l'Iran a manifesté un intérêt grandissant pour les affaires libanaises et ses interventions ont pesé sur les relations entre la Syrie laïque et la République islamique, au point que le roi Hussein a pu entreprendre, fin mai 1985, une médiation entre les frères ennemis syriens et irakiens.

Au sein du camp chrétien, le *modus vivendi* syro-libanais, qui avait suivi la conférence de Lausanne en 1983, s'est effrité rapidement. La communauté chrétienne, dans cette période décisive pour son destin, n'a ni leadership incontestable ni programme. Le président Amine Gémayel, contesté par des dissidences successives au sein de sa communauté, manœuvre inlassablement pour maintenir un pouvoir qui est tout d'apparence. En réalité, les chrétiens sont divisés sur le fond. Résignés à l'attentisme occidental, ils sont partagés entre ceux qui croient inéluctable un compromis avec Damas et ceux qui préfèrent résister et attendre que le rapport de forces régional évolue au détriment de Damas et leur redonne l'initiative.

Soucieuse de son côté de conforter la situation d'Amal et du PSP, la Syrie a hâté imprudemment le dénouement politique et, en décembre 1985, elle a imposé à ses partenaires réticents la signature d'un accord constitutionnel inacceptable pour les chrétiens. Amine Gémayel a utilisé la résistance de ces derniers à l'accord tripartite, signé à Damas, pour refaire leur unité.

Hésitant encore sur la politique à suivre, la Syrie n'avait toujours pas décidé, en juin 1986, de recourir à la manière forte pour imposer une *pax syriana*. Les adversaires chrétiens, chiites et palestiniens de Damas paraissaient en mesure de résister à ses pressions et à celles de ses alliés. Dans le jeu subtil et risqué qu'il mène au Liban, le président Hafez el-Assad n'est pas parvenu à concilier les différentes clientèles et à coordonner les multiples actions qu'il conduit. Placé, par la position stratégique de son pays, au cœur de trois conflits qui déchirent la région, il joue au Liban l'avenir de son leadership régional.

Raidissement américain

Si 1985 n'a vu aucune initiative majeure de l'Union soviétique, l'année a été marquée par la maturation d'une nouvelle politique américaine. Mais pour la première fois depuis longtemps, les États-Unis affichent sur la gestion du terrorisme une politique d'ensemble qui va influencer toute action dans la région. Si cette politique mûrit en fait depuis des années, c'est le détournement du *Boeing* de la TWA en juin 1985, qui a marqué un tournant dans les esprits à Washington. L'approbation retentissante du raid israélien sur Tunis, l'arraisonnement par la chasse américaine de l'avion transportant les pirates de l'*Achille Lauro* ont annonçé le raid sur Tripoli en avril 1986, après les attentats de Rome et de Vienne. Ce raidissement américain est fondé sur trois idées :

– les États-Unis veulent surmonter les souvenirs de l'enlisement vietnamien et les revers de l'époque Carter, sans prendre le risque de nouveaux engagements terrestres. Ils entendent donc être prêts à des actions militaires ponctuelles et dissuasives dans le tiers monde ;

– pour frapper le terrorisme, il faut frapper les États qui le cautionnent ;

– la lutte contre le terrorisme doit constituer l'un des éléments d'une politique concertée des Occidentaux au Moyen-Orient.

Il est sans doute trop tôt pour tenter un bilan de cette politique. Le raid sur Tripoli visait, au-delà de la déstabilisation du régime libyen, la démoralisation des groupes terroristes, le basculement des « modérés » arabes, la mobilisation des alliés occidentaux et aussi le silence des Soviétiques. Début juin 1986, le colonel Kadhafi était vivant mais affaibli, l'effort dissuasif poursuivi par les Américains semblait, pour un temps, avoir frappé les esprits, même si la base terroriste de Beyrouth était restée intacte et si l'antiaméricanisme connaissait un vif regain au sein des jeunesses arabes. En revanche, l'attentisme des États arabes et de l'URSS correspond à ce qu'avaient probablement escompté les Américains. Quand aux

BIBLIOGRAPHIE

Ouvrage

GRESH A., VIDAL D., *Les 100 portes du Proche-Orient*, *Autrement*, Paris, 1986.

Dossiers

Institut français de polémologie, « Le conflit israélo-arabe. Tome I : 1945-1973, tome II : 1974-1984 », *Notes et études documentaires*, n° 4791, 1985 et n° 4792, 1985.

« Michel Seurat, l'œuvre d'un médiateur », *Esprit*, juin 1986.

« Moyen-Orient », *Politique internationale*, n° 28, été 1985.

« Moyen-Orient », *recherches internationales*, n° 18, 4e trimestre 1985.

« La paix fallacieuse. L'Égypte face à Israël », *Revue d'études palestiniennes*, n° 19, printemps 1986.

alliés européens, réticents à tout engagement politique trop contraignant, ils ont acquiescé au programme de coopération antiterroriste du sommet de Tokyo.

Reste à savoir, après cette inflexion majeure, quelle sera la politique américaine dans la région. Chacun perçoit les limites d'une action seulement militaire et principalement dissuasive dans une zone marquée par la persistance de conflits non résolus. Les États-Unis auront-ils, au-delà d'une vision antiterroriste, une politique de présence et d'action sur les grands conflits du Moyen-Orient? Seront-ils à même de susciter avec leurs partenaires de la région, avec leurs alliés et éventuellement avec les Soviétiques, les évolutions nécessaires?

Réunis à Genève en novembre 1985, Reagan et Gorbatchev n'ont pas cru nécessaire, au cours de leur première rencontre, d'évoquer la question du Moyen-Orient. Ce fait peut surprendre, alors même que la situation dans cette région, qui demeure une zone stratégique essentielle, est plus fragile que jamais. Tout se passe comme si les États-Unis et l'URSS, préoccupés, les uns par la poussée terroriste, l'autre par la poussée intégriste, s'accordaient pour y observer une commune réserve. Ainsi pourrait s'expliquer la nouvelle tonalité de la politique soviétique, qui depuis trente ans semblait vouée au soutien de tous les extrémismes, et qui s'est fait plus attentive aux « modérés » ouvrant des ambassades dans deux pays du Golfe et s'efforçant même de renouer avec Israël sur la question des Juifs soviétiques.

Pour un temps, une commune circonspection semble prévaloir à l'égard d'une région qui est passée insensiblement du statut d'enjeu convoité à celui de zone de tous les dangers. Dans ce contexte, l'Europe, principal partenaire économique du monde arabe, et principale victime extérieure du terrorisme, joue, faute de volonté, un rôle limité. A l'exception de la Grande-Bretagne, qui a retrouvé, après des années d'éclipse et à la faveur de liens étroits noués avec les États-Unis, les moyens d'une diplomatie active et, semble-t-il, fructueuse.

Jean Gilles.

Le chantage économique de Prétoria

Le président Pieter Botha brandit régulièrement la menace : « En creusant un trou pour enterrer l'Afrique du Sud, les pays occidentaux pourraient bien se faire du tort à eux-mêmes », déclarait-il lors d'un rassemblement politique en octobre 1985. Quatre ans auparavant, le chef de la minorité blanche avait déjà mis en garde : « Ces pays disent que nous ne pouvons pas vivre sans eux, mais qu'ils avouent aussi qu'ils ne peuvent pas vivre sans nous!... Nous n'acceptons pas qu'on nous dicte ce que nous devons faire chez nous, sinon, vous trouverez notre petite nation sur votre chemin. »

Alors que la répression qui a sévi dans les ghettos noirs tout au long de l'année 1985 et début 1986 a relancé les campagnes en faveur des sanctions contre Prétoria, l'Afrique du Sud a laissé ainsi entendre, à intervalles réguliers, qu'elle ne se laisserait pas faire les bras croisés. De quels moyens de rétorsion dispose-t-elle? En octobre 1985, Botha a évoqué la possibilité de suspendre les exportations de chrome aux pays qui prendraient des sanctions contre son régime, affirmant qu'il pourrait ainsi mettre un million d'Américains au chômage, notamment dans les industries automobile et aéronautique... Menace aussitôt nuancée par son porte-parole, qui a souligné que « tout ce que le président a fait a été de mettre en relief une série de conséquences hypothétiques des sanctions occidentales contre Prétoria, afin de souligner la folie de telles mesures ».

Cette « petite phrase » du chef de l'État sud-africain a malgré tout fait resurgir en Occident de vieilles peurs oubliées depuis la crise pétrolière (le manque d'énergie...), et a relancé, surtout aux États-Unis, un débat sur la dépendance en ce qui concerne les minerais stratégiques, surtout ceux pour lesquels il n'existe pas de substitut (chrome, cobalt, manganèse, platine et vanadium). Ainsi, pour Don Fuqua, président de la Commission pour la science et la technologie de la Chambre des représentants, il faut prendre la menace au sérieux. « Le chrome est aussi capital que les produits pétroliers à long terme. Nous n'avons formulé aucune politique nationale à cet égard », dit-il, demandant que les États-Unis mettent au point des produits de substitution.

Les minerais stratégiques

Le paradoxe de ces menaces est qu'en 1985, l'Afrique du Sud avait surtout utilisé l'argument des minerais pour convaincre l'Occident de sa propre importance stratégique, et du risque qu'il y aurait à les voir tomber sous contrôle soviétique. Devant le peu d'impact de l'argument, Prétoria a franchi une nouvelle étape, en menaçant de décréter elle-même l'embargo tant redouté. Techniquement, cela n'est pas impossible. « En théorie », note la publication britannique spécialisée *Metal Bulletin*, « l'Afrique du Sud pourrait couper le robinet des minerais stratégiques à relativement peu de coût pour elle, dans une action de contre-sanctions. » En effet, l'ensemble des minerais dits stratégiques ne représente que 5 à 6 % des exportations totales de l'Afrique du Sud, alors que l'or en représente 50 %, le charbon 15 %.

Les conséquences d'un tel embargo seraient assurément sérieuses. Sans les *Big Four*, ces quatre minerais qu'on appelle « stratégiques » (chrome, cobalt, manganèse, platine), « vous ne pouvez pas fabriquer un moteur de jet ou une automobile, faire fonctionner un train, construire une raffinerie de pétrole ou une centrale électrique. Vous ne pouvez transformer de la nourriture avec les procédés actuels, ou faire fonctionner un bloc opératoire, ni fabriquer d'ordinateurs ou purifier l'eau », estime une étude américaine, *The World of Strategic Metals*... Le nombre d'emplois concernés varie selon les « scénarios catastrophe » à l'étude dans les principaux pays occidentaux, mais il est sans nul doute élevé.

Le pays de l'apartheid occupe une position centrale dans la production de ces minerais à l'échelle mondiale, mais encore plus à l'échelle occidentale :

1. *Chrome* : la République sud-africaine (RSA) est le premier producteur mondial avec 33 % (son voisin le Zimbabwé, également gros producteur, exporte son chrome *via* l'Afrique du Sud), et détient de 70 à 80 % des réserves;
2. *Platine et métaux associés* : Prétoria assure quasiment la moitié de la production mondiale, à égalité avec l'URSS. 84 % des réserves mondiales se trouvent en Afrique du Sud, le reste surtout en URSS;
3. *Manganèse* : deuxième producteur du monde (12 %) après l'Union soviétique, l'Afrique du Sud possède la moitié des réserves du globe;
4. *Vanadium* : 30 % de la production et 42 % des réserves mondiales;
5. *Cobalt* : la RSA contrôle, par le transit, les exportations du Zaïre et de la Zambie, qui assurent 61 % des besoins des États-Unis.

A cela s'ajoutent l'or, dont l'Afrique du Sud assure 59 % de la production mondiale, les diamants (15 %) et l'uranium (23 %, Namibie comprise), même s'il ne s'agit pas là de productions classées parmi les matières « stratégiques ».

Cette position unique renforce le régime de Prétoria face à ceux qui réclament des sanctions totales contre lui. « Un isolement immédiat et total (de l'Afrique du Sud) est impossible de la part de ceux qui en seraient les premières victimes, tout au moins pour certaines substances minérales : platine et rhodium, vanadium, or, manganèse, chrome principalement », estimait ainsi Jean-Yves Barrère, un expert des questions minières, dans une communication à un colloque du Mouvement anti-apartheid français sur « l'isolement de l'Afrique du Sud », en octobre 1985. Selon Barrère, l'Afrique du Sud a suivi depuis vingt ans une stratégie délibérée de mise en dépendance des pays occidentaux, en jouant habilement d'une politique de prix, de fiabilité et d'adaptation aux évolutions technologiques et industrielles. Résultat : « On peut parler de soumission – au mieux d'aveuglement – de la part des pays occidentaux clients de l'Afrique du Sud, face à une stratégie explicite. » Pourtant, dans de nombreux cas, les alternatives existaient, comme le montre l'exemple du manganèse où la France s'est alliée à un pays producteur, le Gabon.

Il reste que si l'Afrique du Sud a, en théorie, la possibilité de faire pression sur l'Occident, une interruption des livraisons n'est guère prise au sérieux dans les chancelleries, sinon comme le geste désespéré d'un régime aux abois. Pas plus que celle évoquée en novembre 1985, dans une interview au journal ouest-allemand *Die Welt*, par le ministre sud-africain de l'Emploi, Pietie du Plessis, qui n'a pas exclu de mettre en place des cartels avec l'URSS pour les matières premières stratégiques, si les gouvernements occidentaux aggravent leurs sanctions économiques : « Si les Occidentaux continuent leurs pressions, un développement dans ce sens n'est pas exclu. Nous travaillons déjà de concert avec les Soviétiques dans le commerce du diamant et nous nous entendons très bien avec eux... » Des « ententes » existeraient également sur l'or et le platine.

Les responsables américains, premiers concernés, ne sont pas véritablement inquiets : Frank Wisner, le vice-secrétaire d'État adjoint aux Affaires africaines, a déclaré, en octobre 1985, qu'une interruption totale des fournitures de minerais stratégiques d'Afrique du Sud « est une éventualité que le Département d'État considère comme peu probable à l'heure actuelle ». A plus long terme, les Américains restent confiants : même si un mouvement de guérilla prenait le pouvoir en Afrique du Sud, estime Bob Reilly, directeur du Bureau des métaux et minerais au ministère du Commerce, il serait très vite obligé de commercialiser ces minerais pour obtenir des devises... D'autant qu'un rapport du Congrès publié à l'automne 1985 montre que les États-Unis ont été confontés à quatre reprises à des arrêts de livraisons depuis la Seconde Guerre mondiale, et ont su faire preuve de « souplesse » et d'« adaptation ». Ils disposent, il est vrai, de « stocks stratégiques » plus importants que l'Europe de l'Ouest.

Pressions sur les pays voisins

Les minerais ne constituent pas le seul moyen de représailles. A l'échelle régionale, d'autres mesures de rétorsion ont également été envisagées, et ont déjà été ponctuellement utilisées pour appuyer des objectifs politiques précis. En effet, la plupart des pays de la région, à l'exception de l'Angola et de la Tanzanie, mais Zaïre inclus, dépendent à des degrés divers de l'Afrique du Sud. Héritage colonial mais aussi résultat d'une politique délibérée, l'intégration économique régionale est une réalité incontournable, malgré les efforts collectifs récents de la Conférence de coordination pour le développement de l'Afrique australe (SADCC).

Depuis 1975, pour exporter son cuivre, le Zaïre ne peut plus utiliser le chemin de fer de Benguela, qui traverse l'Angola en guerre, mais doit emprunter la route du Sud. Le Zimbabwé, pays enclavé, qui dispose de débouchés naturels aux ports mozambicains de Beira et de Maputo, est lui aussi contraint par la guérilla entretenue par Prétoria d'utiliser la route du Sud... Seul son carburant passe par le pipe-line Beira-Mutare, que l'armée zimbabwéenne doit protéger en permanence. Sans parler du Lésotho, otage géographique absolu, ou du Malawi, qui a fait le choix de la dépendance à l'égard de Prétoria. Au total, sur 15 millions de tonnes d'exportations par an des pays concernés, 2,5 millions passent par Dar-es-Salam et 0,7 million par Beira. Le reste transite par l'Afrique du Sud. Un moyen de pression efficace : il suffit par exemple de retarder le retour des wagons, ou de ne plus louer de locomotives, bref, comme l'explique le *Financial Mail* de Johannesburg, « il existe plusieurs autres façons de tuer un chat que de l'étrangler publiquement ! ».

Ceux qui ont tenté d'échapper à cette réalité l'ont payé cher. Le Mozambique, dont les deux principales sources de revenus avant l'indépendance étaient les mandats des mineurs employés en Afrique du Sud et le transit des produits sud-africains exportés par Maputo, a été mis à genoux pour avoir voulu prendre ses distances. Mais l'exemple le plus criant des pressions exercées par Prétoria sur les pays voisins concerne le Lésotho. En décembre 1985, afin d'obtenir du gouvernement de Maseru qu'il expulse les réfugiés sud-africains du Congrès national africain (ANC, parti illégal), Prétoria a mis en place un blocus économique de ce royaume enclavé. En deux semaines, en jouant des contradictions du régime de Maseru, l'Afrique du Sud a entraîné un coup d'État militaire qui lui a donné satisfaction. Les appels de Maseru pour établir un pont aérien américain ou britannique sont restés lettre morte...

Les pays de la région ont un autre point faible. Depuis le début de l'industrialisation de l'Afrique du Sud, une partie de leur main-d'œuvre a été drainée vers le Sud. Ces travailleurs immigrés sont devenus une arme pour Prétoria. En juillet 1985, tout en imposant l'état d'urgence, Pieter Botha a menacé pour la première fois de les expulser si des sanctions internationales étaient décrétées. Selon le chef de l'État, il y aurait un million et demi de travailleurs étrangers noirs en Afrique du Sud, dont un tiers à peine légalement employés, principalement dans le secteur minier. Ils sont devenus un moyen de chantage non seulement sur la région, mais aussi sur le reste du monde. Dans son interview à *Die Welt*, le ministre de l'Emploi déclarait que « la perte des emplois de ces gens serait de la responsabilité morale des pays occidentaux »...

Il ne s'agit pas d'une menace en l'air. Même s'il déclare qu'il n'a pas de « plans ou de désir immédiat » d'expulser les étrangers, le gouvernement en a d'ores et déjà discuté avec la Chambre patronale des mines, premier organisme concerné qui a vivement réagi : son président, Clive Knobs, a estimé que « tout rapatriement sur une large échelle serait un élément fortement perturbateur sur les plans économique, social et politique. Les conséquences seraient terribles, non seulement en termes économiques, mais en dégâts causés à la confiance dans l'industrie minière sud-africaine aux niveaux national et international ». Pour Gordon Waddell, président de la société minière Johannesburg Consolidated Investment, un tel plan serait « contraire aux vœux de la majorité de l'industrie minière » et constituerait une « provocation extrême ». Quant au syndicat des mineurs noirs, il a aussitôt menacé de déclencher une grève générale si les travailleurs étrangers, qui constituent environ

40 % des effectifs du secteur minier, étaient renvoyés.

Le double bluff des sanctions

Tout ce débat est clairement lié à d'hypothétiques sanctions internationales contre Prétoria. Or en 1985, l'année la plus sanglante de l'histoire de la résistance noire à l'apartheid, les partisans des sanctions ont réussi à franchir plusieurs barrages. Même Ronald Reagan, confronté à un vaste mouvement d'opinion anti-apartheid aux États-Unis, a dû se résoudre à signer en septembre un décret présidentiel instaurant les premières sanctions américaines : arrêt de la vente des pièces d'or Krugerrands aux États-Unis, interdiction de livrer des ordinateurs aux services de sécurité sud-africains, embargo sur la technologie nucléaire, restrictions sur les prêts bancaires... Quelques jours plus tard, la CEE adoptait à son tour un train de mesures, avec notamment le retrait des attachés militaires d'Afrique du Sud et un embargo sur tout « matériel sensible ». Après hésitation, la Grande-Bretagne s'y est jointe, tout comme elle s'est associée, au sommet du Commonwealth à Nassau à la mi-octobre, après de difficiles négociations, à une résolution appelant à des sanctions sélectives contre Prétoria.

La France, autrefois considérée comme le « meilleur ami » de l'Afrique du Sud, du temps où elle équipait son armée et signait des contrats nucléaires, a adopté, dans ce débat, une position en flèche. Parmi les principaux partenaires économiques de Prétoria, c'est elle qui est allée le plus loin sur le terrain des pressions. Le recours aux sanctions annoncé par le Premier ministre, Laurent Fabius, au lendemain de la proclamation par Prétoria de l'état d'urgence, le 21 juillet 1985, constituait, même pour le gouvernement socialiste, un virage à 180 degrés : interdiction de tout nouvel investissement français en Afrique du Sud, rappel de l'ambassadeur de France à Prétoria. Le 26 juillet, Paris a également fait adopter par le Conseil de sécurité de l'ONU une résolution appelant à des sanctions volontaires contre l'Afrique du Sud, qui restait cependant bien en retrait de la demande africaine en faveur de sanctions « globales et obligatoires ». Le 13 novembre 1985, Laurent Fabius a décrété le non-renouvellement des contrats d'importation de charbon sud-africain.

Malgré la montée en puissance des pressions, les mesures adoptées en Occident sont restées largement symboliques ; surtout elles ont été prises à contrecœur par plusieurs gouvernements, notamment ceux de Margaret Thatcher et de Ronald Reagan, plutôt conciliants à l'égard de Prétoria. Paradoxalement, les pouvoirs publics des pays occidentaux se sont trouvés doublés sur ce terrain par les véritables acteurs, les milieux d'affaires, dont le comportement répond à des calculs économiques plutôt que politiques. La décision des banques américaines et européennes, en septembre 1985, de ne pas renouveler les prêts accordés à l'Afrique du Sud, la fuite massive des capitaux qui a accompagné l'état d'urgence, l'effondrement du rand, tombé à 35 cents américains alors qu'il était encore, en 1984, à parité avec le dollar, ont plus ébranlé Prétoria en quelques semaines que les décisions timides des chancelleries.

Ce qui compte pour Pieter Botha, c'est de regagner la confiance de ces milieux d'affaires. Pour le reste, comme le soulignait fin 1985 le *Financial Mail* d'Afrique du Sud, « toute la question des sanctions ressemble de plus en plus à un jeu de double bluff, avec l'Occident qui menace d'imposer des sanctions peu susceptibles de provoquer le genre de changements qu'il espère, tandis que Prétoria agite à son tour le drapeau de sanctions en représailles, sachant que leur valeur tient essentiellement dans la propagande, et qu'elles constituent un atout de négociation ». En fait, la vraie bataille se déroule à l'intérieur du pays.

Pierre Haski

LE JOURNAL DE L'ANNÉE

Note : On trouvera une chronologie des événements mondiaux de janvier 1980 à décembre 1980 dans l'édition 1981 de *L'État du monde,* de janvier 1981 à mai 1982 dans l'édition 1982, de juin 1982 à mai 1983 dans l'édition 1983, de juin 1983 à mai 1984 dans l'édition 1984, de juin 1984 à mai 1985 dans l'édition 1985.

On trouvera à la fin de cette section une liste des changements et reconductions de chefs d'État de janvier 1985 à mai 1986.

Juin 1985

1. Pérou. Le Conseil national des élections proclame Alan García « président élu », renonçant au second tour du scrutin présidentiel (47,75 % des voix au premier tour).

2. Grèce. Élections législatives anticipées. Le PASOK (socialiste) d'Andréas Papandréou maintient la majorité absolue : 161 sièges contre 125 à la Nouvelle démocratie (droite).

3. France-Guinée équatoriale. Visite officielle en France du président Teodoro Obiang Nguema.

5. Afrique du Sud-États-Unis. La Chambre des représentants américaine adopte une série de sanctions économiques contre l'Afrique du Sud.

6. Inde. Le Premier ministre Rajiv Gandhi fait une visite officielle en France suivie d'un séjour en Algérie et aux États-Unis.

Espace. Lancement du vaisseau spatial soviétique *Soyouz T-13* (deux cosmonautes à bord) qui rejoint le 8 la station orbitale *Saliout-7*.

8. Golfe Persique. Le bombardement de l'aéroport militaire de Bagdad entraîne une recrudescence des hostilités entre l'Iran et l'Irak.

9. Chypre. Rauf Denktash est élu président de la « République turque de Chypre du Nord » (70 % des voix). Aux élections législatives du 23, son parti n'obtiendra que 24 des 50 sièges.

Italie. 54,3 % des Italiens votent pour le maintien du décret-loi qui gèle partiellement l'échelle mobile des salaires. Ce référendum est une victoire pour le gouvernement de Bettino Craxi.

10. Liban. Malgré l'annonce du retrait des troupes israéliennes, quelques centaines de militaires sont maintenus dans la « zone de sécurité » auprès de l'Armée du Liban Sud.

France-RDA. Première visite officielle à Berlin-Est d'un chef de gouvernement d'une des trois grandes puissances occidentales en la personne de Laurent Fabius.

France-Togo. Début de la visite d'État du général Gnassingbe Eyadema, président du Togo.

11. CEE. La RFA use de son droit de veto pour s'opposer à la baisse de 1,8 % sur le prix des céréales proposée par la Commission. Le 12, signature à Lisbonne et à Madrid des traités confirmant l'adhésion du Portugal et de l'Espagne à la CEE.

12. États-Unis-Nicaragua. La Chambre des représentants vote une aide « civile » de 27 millions de dollars à la guérilla anti-sandiniste. Le 13, Managua annule le gel des achats d'armements décidé en février.

13. Portugal. Les ministres membres du Parti social-démocrate démissionnent du gouvernement de coalition formé avec le Parti socialiste. Le 27, Mario Soares, Premier ministre, démissionne.

14. Proche-Orient. Détournement vers Beyrouth d'un *Boeing 707* de la TWA (liaison Athènes-Rome). Les pirates de l'air réclament la libération de 767 prisonniers libanais détenus en Israël. Nabih Berri, chef du mouvement chiite Amal et ministre de la Justice libanais, annonce le 16 qu'il prend en charge les 39 otages américains faits prisonniers (un passager a été assassiné, 97 ont été libérés). Ils quitteront Beyrouth le 30 après d'intenses négociations où la Syrie joue un rôle important.

Argentine. Adoption, sous la pression du FMI, d'un très sévère plan de rigueur. Le 24, 300 banques internationales accordent à Buenos Aires un crédit de 4,2 milliards de dollars.

3otswana. Raid sud-africain contre
es installations du Congrès national
.fricain (ANC) à Gaberone (15
norts). Condamnation unanime par
e Conseil de sécurité de l'ONU.

17. Liban. L'accord entre le mou-
'ement chiite Amal et les organisa-
ions palestiniennes hostiles à Yasser
Arafat met fin à la guerre des camps
palestiniens de Beyrouth (300 morts
n un mois).
Namibie. Prétoria installe un gouvernement et une assemblée intérimai-
es à Windhoek. Le Conseil de sécu-
ité de l'ONU adopte une résolution
nenaçant l'Afrique du Sud de sanc-
ions si elle ne met fin à cette
occupation illégale.
Espace. Succès de la 18e mission
l'une navette spatiale américaine
Discovery). Un Français et un
Saoudien à bord.

19. Salvador. Attentat contre un
estaurant de San Salvador revendiqué par la guérilla (13 morts dont 6
Américains).

20. Canada. Démission de René
Lévesque, Premier ministre du Québec, de la présidence du Parti québécois après le recul de ce dernier
aux élections législatives partielles.
Népal. Plusieurs attentats à la
bombe (8 morts) sont revendiqués
par un groupe d'extrême gauche qui
veut mettre fin au régime du roi
Birendra Ier.

23. Océan Atlantique. Un *Boeing 747* d'Air India (liaison Toronto-Bombay) s'écrase en mer, au sud-ouest de l'Irlande (329 morts). L'explosion pourrait être due à un acte terroriste sikh.

24. Royaume-Uni. L'arrestation de plusieurs membres de l'IRA empêche, selon la police britannique, une vague d'attentats à Londres et dans plusieurs stations balnéaires.
Italie. Élections présidentielles. Francesco Cossiga (démocrate chrétien) est élu au premier tour (752 voix sur 977).

28. CEE. Conseil européen à Milan. Les Dix ne peuvent se mettre d'accord sur l'avenir institutionnel de la Communauté mais ils soutiennent unanimement le projet *Eurêka* d'Europe de la technologie.

Juillet 1985

1. Dominique. Élections législatives. 15 des 21 sièges vont au parti du
Premier ministre, Eugenia Charles.
Zimbabwé. Élections législatives.
Victoire de la ZANU, parti du
Premier ministre Robert Mugabe
(64 sièges sur 80). La ZAPU de
Joshua Nkomo obtient 15 sièges. Le
27 juin, le scrutin réservé aux députés de la minorité blanche avait
donné 15 des 20 sièges à l'Alliance
conservatrice d'Ian Smith.

2. URSS. Andreï Gromyko est élu
chef de l'État soviétique. Édouard
Chevardnadze lui succède aux Affaires étrangères.
Espace. Nouvelle mission de la fusée
européenne *Ariane*. Le 3, lancement
de la sonde *Giotto* vers la comète de Halley.

3. Égypte. Les mosquées privées sont placées sous contrôle de l'État. Une centaine d'extrémistes musulmans sont arrêtés au cours du mois.
Israël. Libération de 300 des 735 Libanais détenus au camp d'Atlit. 100 autres seront relâchés le 24.

4. Guinée. Échec de la tentative de putsch du colonel Diara Traoré contre le régime du colonel Lansana Conté. 200 arrestations.

7. Mexique. Élections législatives. Victoire du Parti révolutionnaire institutionnel (PRI) avec 64,8 % des suffrages exprimés.

Tchécoslovaquie. 150 000 catholiques se réunissent à Velehrad (Moravie) pour commémorer le 1 100e anniversaire de la mort de saint Méthode, apôtre des Slaves. Jean-Paul II n'a pas été autorisé à se rendre en Tchécoslovaquie.

9. Argentine-Royaume-Uni. Levée de l'embargo britannique sur les importations en provenance de l'Argentine en vigueur depuis la guerre des Malouines (1982).
Liban. Accord entre les dirigeants des communautés islamiques libanaises (sunnites, chiites et druzes) pour mettre fin aux conflits intermusulmans à Beyrouth. Des officiers syriens sont chargés de veiller à l'application du plan de sécurité adopté. Au sud du pays (frontière israélienne), quatre attentats à la voiture suicide font un total de 35 morts dans le courant du mois.

10. Nouvelle-Zélande. Le *Rainbow Warrior*, navire du mouvement écologiste Greenpeace qui préparait une campagne contre les prochains essais nucléaires français à Mururoa, est coulé dans le port d'Auckland (un mort). Le 12, arrestation d'un couple de citoyens français. Ils seront inculpés de meurtre le 23.
États-Unis. Baisse du cours du dollar qui passe au-dessous de 9 francs à la Bourse de Paris.

11. Koweït. Les attentats à la bombe dans deux restaurants de la capitale (9 morts) sont revendiqués le 12 par les Brigades révolutionnaires arabes.

12. Portugal. Dissolution du Parlement. Les élections législatives sont fixées au 6 octobre.

13. Afrique. Deux concerts de rock organisés par Bob Geldof et retransmis à l'échelle mondiale depuis Wembley (Grande-Bretagne) et Philadelphie (États-Unis) permettent de recueillir plus de 600 millions de francs au profit des victimes de la famine en Afrique.

14. Bolivie. Élections présidentielle et législative. Le parti du président sortant (gauche), Hernan Siles Zuazo, n'obtient que 12,79 % des voix et aucun candidat n'a la majorité absolue (Hugo Banzer, droite : 28,56 % des voix; Victor Paz Estenssoro, centre-droit : 26,49 %).

16. Belgique. Crise gouvernementale. Le roi Baudouin refuse la démission du Premier ministre Wilfried Martens. Les élections législatives sont avancées au 13 octobre.

17. Europe. Dix-sept pays européens participent aux assises européennes de la technologie qui lancent le programme *Eurêka*.
Pologne. Rééchelonnement de la dette extérieure polonaise portant sur 12 milliards de francs jusqu'en 1996.

18. OUA. XXIe sommet de l'Organisation de l'unité africaine à Addis Abeba. Le chef de l'État sénégalais, Abdou Diouf, devient président. Adoption d'un plan économique d'urgence de cinq ans.

19. Italie. La rupture de la digue d'un lac artificiel à Tesero fait plus de 300 victimes.

20. CEE. Réajustement des parités au sein du serpent monétaire européen (SME) : dévaluation de la lire de 6 %, réévaluation de sept autres monnaies.

21. Afrique du Sud. Décret instituant l'état d'urgence dans 36 districts. Affrontements et arrestations se poursuivent jusqu'à la fin du mois. Le 24, rappel de l'ambassadeur français et suspension de tout nouvel investissement français en Afrique du Sud. Le 26, le Conseil de sécurité de l'ONU adopte une résolution appelant les États membres à prendre des sanctions économiques contre Prétoria.

22. Haïti. « Référendum sur la démocratisation » : 99,98 % de « oui ».

23. Chine-États-Unis. Ronald Reagan (opéré le 13 d'un cancer du colon) et le président chinois, Li Xiannian, en visite à Washington, signent un accord de coopération nucléaire.

24. Inde. Accord entre Rajiv Gandhi et le principal dirigeant des Sikhs modérés, Harchand Singh Longowal, visant à mettre fin à l'agitation dans l'État du Pendjab.

25. OPEP. Réunis à Genève, les treize pays membres décident une diminution (0,5 %) du prix moyen du baril (27,82 dollars) qui reste cependant supérieur à la moyenne des prix sur le marché libre.

27. ONU. Clôture de la conférence internationale organisée à Nairobi pour marquer la fin de la décennie de la femme.

Ouganda. Un coup d'État militaire renverse Milton Obote. Le général Tito Okello, commandant en chef des forces armées, est désigné comme nouveau chef de l'État.

29. Nouvelle-Calédonie. Violents affrontements entre militants indépendantistes et gendarmes à Thio.

30. Est-Ouest. Le dixième anniversaire de la signature de l'Acte final de la Conférence sur la sécurité et la coopération en Europe (CSCE) est célébré à Helsinki en présence des ministres des Affaires étrangères de 35 pays.

Août 1985

1. Europe. A Turin, la France refuse de s'associer au projet d'avion de combat européen (*FACE*) qui ne répond pas aux besoins de son armée. Le Royaume-Uni, l'Italie, la RFA, puis l'Espagne signent l'accord de construction.

Chili. Inculpation de 14 carabiniers pour l'assassinat, en mars, de trois dirigeants communistes. Le 2, démission du général César Mendoza, directeur des carabiniers et membre de la junte.

5. Bolivie. Le Parlement élit Victor Paz Estenssoro (centre-droit) à la présidence de la République (94 voix sur 157).

Libye. Début des expulsions de travailleurs immigrés maliens, nigérians, tunisiens et égyptiens. Crise entre Tripoli et Tunis qui décide de rapatrier ses ressortissants (27 000 à la fin du mois).

Pacifique. Seizième forum du Pacifique sud à Rarotonga (îles Cook). Les 14 pays participants signent un traité de dénucléarisation de la zone et condamnent les essais nucléaires de la France à Mururoa.

6. Guyana. Le Premier ministre, Desmond Hoyte succède *ad interim* au président Forbes Burnham, décédé.

Afrique du Sud. Début des émeutes dans les faubourgs de Durban, épargnés par l'état d'urgence (73 morts en une semaine).

7. Ligue arabe. Sommet extraordinaire convoqué à Casablanca par le roi Hassan II sur les problèmes du Proche-Orient. L'Algérie, la Libye, le Liban, la Syrie et le Yémen du Sud boycottent la réunion.

8. France-Nouvelle-Zélande. Montée de la tension entre les deux pays alors que la presse française met en cause la Direction générale de la sécurité extérieure (DGSE) dans l'attentat contre le *Rainbow Warrior*. Laurent Fabius charge Bernard Tricot d'enquêter sur la responsabilité des services français dans l'affaire.

RFA. Un attentat à la voiture piégée contre la base militaire américaine de Francfort (2 morts, 11 blessés) est revendiqué par la Fraction armée rouge et Action directe.

Afrique du Sud-États-Unis. Entretiens à Vienne entre Robert McFarlane, conseiller du président Reagan pour les affaires de sécurité, Chester Crocker, secrétaire d'État adjoint

pour les Affaires africaines, et « Pik » Botha, ministre sud-africain des Affaires étrangères.
Vatican-Afrique. Le pape Jean-Paul II entame son troisième voyage en Afrique : Togo, Côte-d'Ivoire, Centrafrique, Cameroun, Zaïre, Kenya et Maroc. Le 19, à Casablanca, il se dit partisan du dialogue avec l'islam.

12. Japon. Un *Boeing 747* de la Japan Airlines s'écrase sur le mont Osutaka (524 morts). C'est le deuxième accident d'une série de catastrophes aériennes (le 2, un *Tristar* de la Delta Airlines s'écrase à Dallas, 134 morts; le 22 un *Boeing 737* de la British Airways prend feu au décollage à Manchester, 54 morts) qui pose la question de la sécurité aérienne.

13. Israël. Libération de 135 Libanais encore détenus au camp d'Atlit. Le 28, 113 autres prisonniers sont libérés.
Est-Ouest. Mikhaïl Gorbatchev propose aux États-Unis un arrêt complet des essais nucléaires. Le 16, il suggère la convocation d'une conférence internationale pour la démilitarisation de l'espace.

15. Inde. Signature d'un accord intercommunautaire en Assam visant à mettre fin à la campagne contre les immigrés.
Irak-Iran. Attaque de l'aviation irakienne contre le terminal pétrolier de l'île de Kharg.

16. Vietnam-Cambodge. Le gouvernement vietnamien annonce le retrait total de ses troupes au Cambodge en 1990.
Iran. Ali Khameneï est réélu chef de l'État (85,6 % des voix).

17. Sri Lanka. Au nord de l'île, affrontements sanglants entre l'armée et les séparatistes tamouls. Le 22, rupture des négociations.

19. RFA. La défection de Hans-Joachim Tiedge, un des principaux responsables du contre-espionnage ouest-allemand, provoque d'importants remous politiques.

20. Inde. Assassinat du dirigeant sikh modéré, Harchant Singh Longowal, par des extrémistes sikhs.

22. Liban. Après deux semaines de bombardements et d'attentats à la voiture piégée entre les quartiers musulmans et chrétiens de Beyrouth (environ 120 morts et 1 100 blessés), un accord de cessez-le-feu est conclu sous l'égide de la Syrie.

23. Grèce-Albanie. Fin de « l'état de guerre » existant entre les deux pays depuis 1940.

24. Amérique latine. A Cartagène (Colombie) les pays membres du groupe de Lima (Argentine, Brésil, Pérou et Uruguay) déclarent leur soutien aux efforts du groupe de Contadora (Colombie, Mexique, Panama et Vénézuela) pour trouver une solution pacifique aux conflits d'Amérique centrale.

25. Ouganda. Paulo Muwaga, Premier ministre depuis le putsch du 27 juillet, est remplacé par Abraham Waligo, afin de faciliter les négociations entre le gouvernement et le Mouvement de résistance nationale (NRM) de Yoweri Museweni.

26. Brésil. Gilson Funaro succède à Francisco Dornelles au ministère des Finances. Ce dernier était partisan des mesures d'austérité prônées par le FMI.
Chili. L'opposition, sauf le Parti communiste, soutenue par l'Église catholique conclut un « accord national pour la transition vers une démocratie totale ».

27. Argentine. Rééchelonnement sur 12 ans de la dette extérieure pour 1985. Le gouvernement de Raúl Alfonsín obtient un nouveau crédit de 4,2 milliards de dollars.
Nigéria. Coup d'État militaire. Le général Ibrahim Babangida, chef d'état-major de l'armée de terre, remplace le général Mohamed Buhari.
France-Nouvelle-Zélande. Le Premier ministre néo-zélandais, David Lange, conteste les conclusions du « rapport Tricot » sur l'affaire

Greenpeace mais se déclare « satisfait » des assurances données par Laurent Fabius sur les poursuites judiciaires qui seront entreprises en France si la justice néo-zélandaise fournit la preuve d'actes criminels commis par des agents français.

28. Afrique du Sud. Répression d'une manifestation en faveur de Nelson Mandela, dirigeant historique du Congrès national africain (ANC) emprisonné depuis 1962 et des émeutes qui s'ensuivent dans la région du Cap (28 morts).

Septembre 1985

1. Afrique du Sud. Suspension des transferts de capitaux vers l'étranger et du remboursement de la dette extérieure (12 milliards de dollars dus à moins d'un an). Les banques américaines et européennes suspendent les crédits à court terme pour les opérations commerciales avec l'Afrique du Sud.

2. Cambodge. Son Sen succède à Pol Pot à la tête de l'armée des Khmers rouges.

4. Sri Lanka. Instauration du couvre-feu après la multiplication des affrontements entre forces de l'ordre, Tamouls et Cinghalais.
Chili. Première journée nationale de protestation à Santiago depuis la levée de l'état de siège, le 16 juin (10 morts).
Égypte. Démission du gouvernement du général Kamal Hassan. Il est remplacé par Ali Loutfi.
Angola. Début de la conférence des « non-alignés » à Luanda. Le Zimbabwé prendra la présidence du mouvement en septembre 1986.

8. Israël. Le gouvernement décide de renforcer sa présence militaire dans les territoires occupés.
Norvège. Élections législatives. La coalition gouvernementale (centre droit) conserve la majorité (80 sièges sur 157), les travaillistes gagnent 5 sièges (71).

[illegible]. Afrique du Sud. Ronald Reagan annonce des sanctions économiques limitées contre Prétoria. Le 10, il est suivi par les membres de la CEE, l'Espagne et le Portugal puis, le 25, par le Royaume-Uni.
Thaïlande. Échec d'une tentative de putsch par un colonel retraité, Manoon Roopkhachorn (5 morts).
Royaume-Uni. Violentes émeutes à Birmingham, dans le quartier de Handsworth à majorité antillaise et pakistanaise (2 morts, des dizaines de blessés). Le 28, nouvelle flambée de violence à Brixton, peuplée surtout d'Antillais.

10. Israël. Libération des 119 derniers prisonniers libanais détenus au camp d'Atlit.
France-Albanie. Première visite d'un membre du gouvernement français (Jean-Michel Baylet, secrétaire d'État) en Albanie depuis 1946.

12. Royaume-Uni-URSS. La défection d'Oleg Gordievsky, responsable du KGB à Londres, provoque une série d'expulsions de ressortissants soviétiques et britanniques.

13. France-Pacifique. François Mitterrand, en visite au centre d'essais nucléaires de Mururoa, préside la première réunion du comité de coordination du Pacifique Sud et annonce, à son retour, la poursuite des expérimentations.
Afrique du Sud. Des représentants des milieux d'affaires sud-africains rencontrent en Zambie des responsables du Congrès national africain (ANC), interdit en Afrique du Sud.
Espace. Succès du premier essai de lancement d'un missile antisatellite américain contre une cible dans l'espace.

15. Liban. A Tripoli, violents affrontements entre les miliciens du Mouvement d'unification islamique (MUI, intégriste-sunnite) et ceux du Parti arabe démocratique (PAD, pro-syrien) qui dureront jusqu'à la fin du mois (environ 400 morts).
Pérou. Épuration dans l'armée pour sanctionner les violations aux droits de l'homme commises dans la lutte contre Sentier lumineux.
Suède. Élections législatives. Le parti social-démocrate d'Olof Palme conserve le pouvoir (159 sièges sur 349). Progression de l'opposition « bourgeoise » (171 sièges).

17. Est-Ouest. Ronald Reagan affirme que les recherches sur l'IDS ne peuvent faire l'objet de négociations avec Moscou avant le stade du déploiement. Il répond ainsi aux propositions de Mikhaïl Gorbatchev (*Time* du 1er septembre) d'interdire les recherches sur les armes spatiales hors laboratoire.

18. Afrique du Sud-Angola. Raid de l'armée sud-africaine au sud de l'Angola, condamné à l'unanimité au Conseil de sécurité de l'ONU, le 20.
France-Argentine. Après s'être rendu en Yougoslavie et en RDA, Raúl Alfonsín, chef de l'État argentin, effectue une visite officielle en France qui aboutira à la signature d'un accord-cadre de coopération économique.
Chine. Seconde conférence nationale du PC depuis 1949. Élection d'une centaine de nouveaux membres pour remplacer des « vétérans », démissionnaires, dans les organes dirigeants. Deng Xiaoping reste l'homme fort du régime.

19. Bolivie. Proclamation de l'état de siège pour mettre fin à la grève générale déclenchée le 4 par la Centrale ouvrière bolivienne (COB).
Mexique. Un très violent séisme fait au moins 10 000 morts dans le centre de Mexico.

20. France-Nouvelle-Zélande. Démission de Charles Hernu, ministre de la Défense, et limogeage de l'amiral Pierre Lacoste, directeur général de la DGSE, en raison de leur responsabilité dans l'affaire Greenpeace. Le 23, Roland Dumas, ministre des Affaires étrangères, rencontre Geoffrey Palmer, le Vice-Premier ministre néo-zélandais à New York : la France est disposée à reconnaître ses torts et à verser des indemnisations.
Corées. Les gouvernements des deux pays autorisent les premières visites familiales transfrontières.
États-Unis. Le ministre des Finances des Cinq (États-Unis, France, Royaume-Uni, Japon et RFA), réunis à New-York, décident de faire baisser le dollar.

24. Iran-Irak. Les dégâts causés par les raids de l'aviation irakienne sur le terminal de l'île de Kharg font cesser les chargements de pétrole iranien.

25. Inde. Élections locales au Pendjab. Victoire du parti sikh modéré Akali Dal (73 sièges sur 115).
Proche-Orient. Trois Israéliens sont tués à bord d'un yacht à Larnaca (Chypre) par un commando palestinien.

26. Libye-Tunisie. Tunis rompt les relations diplomatiques avec Tripoli à la suite des expulsions de plus de 30 000 travailleurs tunisiens.

27. Est-Ouest. Édouard Chevardnadze, ministre soviétique des Affaires étrangères, communique au président Ronald Reagan les nouvelles propositions de Mikhaïl Gorbatchev : réduction commune de 50 % des arsenaux nucléaires et renonciation des États-Unis au programme IDS.
URSS. Nikolaï Tikhonov, chef du gouvernement, est remplacé par Nikolaï Ryjkov (56 ans).

28. Panama. L'assemblée législative désigne le premier vice-président, Éric del Valle, pour succéder au président Nicolas Ardito Barletta, démissionnaire.

29. Canada. Pierre-Marc Johnson est élu président du Parti québécois

Le 1er octobre, il devient Premier ministre du Québec.

30. Liban. Enlèvement à Beyrouth de quatre diplomates soviétiques revendiqué par l'Organisation islamique de libération.

Octobre 1985

1. Sierra Léone. Élection du général Joseph Momoh à la présidence de la République. Il succédera à Sakia Stevens le 28 novembre.

Tunisie. Raid de l'aviation israélienne sur le quartier général de l'OLP, à côté de Tunis (60 morts). Le 4, condamnation du Conseil de sécurité de l'ONU (abstention des États-Unis).

2. Liban. L'un des quatre otages soviétiques enlevés à Beyrouth le 30 septembre est exécuté en représailles contre l'offensive des forces pro-syriennes à Tripoli. Après l'accord signé le 3 à Damas, les combats cessent et l'armée syrienne s'installe le 6 à Tripoli (plus de 500 morts en 20 jours).

France-URSS. En visite en France, Mikhaïl Gorbatchev propose d'engager des discussions directes avec la France et le Royaume-Uni sur leurs forces de dissuasion.

3. OPEP. L'Équateur se retire de l'Organisation des pays exportateurs de pétrole.

5. Égypte-Israël. Au Sinaï, sept vacanciers israéliens sont abattus par un militaire égyptien.

6. Royaume-Uni. Violentes émeutes à Tottenham, faubourg de Londres à majorité antillaise. Un policier est tué.

Portugal. Élections législatives. Le Parti social-démocrate (PSD) d'Anibal Cavaco Silva obtient 88 des 250 sièges. Le Parti socialiste de Mario Soares n'a plus que 57 sièges. Le 31, formation d'un gouvernement social-démocrate minoritaire.

7. Proche-Orient. Détournement par un commando palestinien du paquebot de croisière italien *Achille Lauro* près des côtes égyptiennes. Les quatre pirates se rendent le 9 après avoir tué un passager juif américain. Le 11, l'avion égyptien qui devait les remettre à l'OLP est intercepté par la chasse américaine. Ils seront inculpés par la justice italienne. Tensions entre l'Égypte, l'Italie et les États-Unis.

8. FMI. Assemblée générale du Fonds monétaire international à Séoul. James Baker, secrétaire américain au Trésor, propose d'augmenter les prêts aux pays du tiers monde les plus endettés.

11. Grèce. Le gouvernement dévalue la drachme de 15 % et adopte une série de mesures d'austérité.

13. Suisse. Élections au Grand conseil de Genève. Le parti nationaliste « Vigilants » passe de 7 à 19 sièges.

Pologne. Élections législatives. La participation est évaluée à 78,86 % par le pouvoir, à 66 % par Solidarité qui avait appelé au boycottage.

Belgique. Élections législatives. La coalition social-démocrate-libérale, au pouvoir, obtient 115 des 212 sièges. Le 16, Wilfried Martens est chargé de former le nouveau gouvernement.

15. Libéria. Élection présidentielle. Samuel Doe est réélu avec 51,05 % des voix.

Nicaragua. Pour faire face aux « activités contre-révolutionnaires », le commandant Ortega suspend pour un an certaines libertés individuelles.

URSS. Plénum du Comité central. Mikhaïl Gorbatchev présente les nouvelles orientations économiques du gouvernement.

16. Commonwealth. Sommet des 49 chefs d'État et de gouvernement aux Bahamas. Malgré les réticences de Margaret Thatcher, adoption de sanctions économiques contre l'Afrique du Sud.

17. Italie. Démission du gouvernement Craxi à la suite de l'affaire de l'*Achille Lauro*. A la fin du mois, il sera reconduit sans changement.

18. Afrique du Sud. Pendaison de Benjamin Moloïse, militant noir condamné à mort pour le meurtre d'un policier. Réprobation internationale. Des manifestants noirs agressent des Blancs dans le centre de Johannesburg. Le 26, l'état d'urgence est étendu à huit districts de la région du Cap.

19. Égypte-États-Unis. Violentes manifestations anti-américaines au Caire faisant suite aux protestations d'Hosni Moubarak contre l'intervention des États-Unis dans l'affaire de l'*Achille Lauro*.

21. ONU. A l'Assemblée générale, Shimon Pérès, Premier ministre israélien, propose l'ouverture de négociations directes avec la Jordanie qui seraient parrainées par un « forum international ».
Est-Ouest. Réunion à Sofia des sept pays membres du pacte de Varsovie. Ils proposent le gel des effectifs des forces classiques soviétiques et américaines.

23. Sahara occidental. Le roi du Maroc, Hassan II, proclame un cessez-le-feu unilatéral et la tenue d'un référendum, début 1986, sous le contrôle de l'ONU.
Salvador. Après la libération de 128 guérilleros, la fille du président Napoleon Duarte, enlevée le 10 septembre, est relâchée.

24. Est-Ouest. Célébration du 40e anniversaire de l'ONU. Ronald Reagan propose à l'URSS de rechercher conjointement un règlement à cinq conflits régionaux : l'Afghanistan, l'Angola, le Cambodge, l'Éthiopie et le Nicaragua.

25. Argentine. Instauration de l'état de siège pour 60 jours, après une série d'attentats à la bombe.

27. Tanzanie. Ali Hassan Mwinyi, candidat du parti unique, est élu à la présidence de la République. Il succède à Julius Nyerere.

30. Espace. 22e mission de la navette spatiale américaine, *Challenger*, avec huit astronautes à bord dont un Hollandais et deux Allemands.
Liban. Libération des trois otages soviétiques survivants.

Les prix Nobel

11 octobre : prix Nobel de la Paix à l'Internationale des médecins pour la prévention de la guerre nucléaire (IPPNW).
14 octobre : prix Nobel de médecine à Michael Brown et Joseph Goldstein (États-Unis) pour leurs recherches sur le contrôle du métabolisme du cholestérol.
15 octobre : prix Nobel d'économie à Franco Modigliani (États-Unis) pour ses études sur l'épargne et les marchés financiers.
16 octobre : prix Nobel de physique à Klaus von Klitzing (RFA) pour sa découverte de l'effet Hall quantique.
16 octobre : prix Nobel de chimie à Herbert Hauptman et Jerome Karle (États-Unis) pour l'élaboration de méthodes directes d'analyse des cristaux.
17 octobre : prix Nobel de littérature à Claude Simon (France).

Novembre 1985

1. Algérie. Violents affrontements entre Kabyles et forces de l'ordre. Le 10, grève générale à Tizi-Ouzou.

Est-Ouest. Répondant aux propositions de Mikhaïl Gorbatchev, les États-Unis se déclarent prêts à envisager une réduction de 50 % des arsenaux nucléaires stratégiques.
Pays-Bas. Le gouvernement de Ruud Lubbers accepte l'installation des 48 missiles de croisière de l'OTAN, fin 1988.

2. Afrique du Sud. Interdiction à la presse sud-africaine et étrangère de photographier ou enregistrer les manifestations de violence.

3. Golfe Persique. Les représentants des six pays membres du Conseil de coopération du Golfe se réunissent à Mascate (Oman).
Argentine. Élections législatives partielles. Le parti de Raúl Alfonsín, l'Union civique radicale (UCR), renforce sa majorité absolue (132 sièges sur 254).
Guatémala. Premier tour de l'élection présidentielle. Vinicio Cerezo, candidat de la Démocratie chrétienne, arrive en tête.
Philippines. Sur la pression des États-Unis, le président Ferdinand Marcos accepte de convoquer une élection présidentielle anticipée, début 1986.

4. Belgique. Début d'une série d'attentats à la bombe contre des compagnies bancaires à Bruxelles, Charleroi et Louvain. Elles seront revendiquées par les Cellules communistes combattantes.

5. Europe. Les ministres des Affaires étrangères et de la Recherche de 18 pays européens, réunis à Hanovre, adoptent la charte du projet *Eurêka* de coopération technologique européenne et se mettent d'accord sur dix projets.

6. Colombie. Occupation, avec prise d'otages, du palais de justice de Bogota par des guérilleros du M 19. Le 7, le président Belisario Betancour fait donner l'assaut (une centaine de morts).
Pologne. Le général Wojcieh Jaruzelski, premier secrétaire du Parti, devient chef de l'État. Zbigniew Messner lui succède à la tête du gouvernement.

7. Proche-Orient. Yasser Arafat, en visite au Caire, tout en se prononçant contre le terrorisme, affirme le droit des Palestiniens à « résister à l'occupation israélienne de leur territoire ». Le 16, il rencontre le roi Hussein de Jordanie à Amman.
France-RFA. Lors du 44ᵉ sommet régulier franco-allemand, François Mitterrand propose une participation française de 10 % au projet d'avion de combat européen.

8. Tunisie. Le secrétaire général de l'Union générale des travailleurs tunisiens (UGTT), Habib Achour, est assigné à résidence.

12. Libéria. Échec de la tentative de coup d'État du général Thomas Quiwonkpa contre le régime du général Samuel Doe.
Proche-Orient. Rapprochement jordano-syrien : Zeid Rifaï, Premier ministre jordanien, effectue une visite à Damas.

13. Colombie. L'éruption du volcan Nevado del Ruiz fait près de 25 000 morts dans la région d'Armero.
France-Afrique du Sud. Le Premier ministre Laurent Fabius annonce que les contrats d'achat de charbon à l'Afrique du Sud ne seront pas renouvelés.

14. FAO. A l'occasion du 40ᵉ anniversaire de l'Organisation, François Mitterrand rappelle la nécessité de la solidarité Nord-Sud.

15. Irlande du Nord. Signature à Belfast d'un accord entre le Royaume-Uni et l'Irlande prévoyant la création d'une conférence intergouvernementale ayant un rôle consultatif dans les affaires de l'Irlande du Nord.

19. Est-Ouest. Mikhaïl Gorbatchev et Ronald Reagan se rencontrent à Genève pour le premier sommet americano-soviétique depuis juin 1979. Signature d'accords bilatéraux. Le dialogue sera intensifié.

20. Liban. De très violents combats opposent à Beyrouth les milices « alliées » chiites et druzes (65 morts).

22. France-Nouvelle-Zélande. Les deux agents des services secrets français (les faux époux Turenge), arrêtés à Auckland le 10 juillet, sont condamnés à dix ans de réclusion.

23. Proche-Orient. Détournement sur La Valette (Malte) d'un *Boeing 737* de la compagnie Egypt Air par cinq pirates se réclamant des « Révolutionnaires d'Égypte ». Trois otages sont exécutés. Le 24, l'appareil est pris d'assaut par un commando d'élite égyptien (57 passagers tués). Le Caire met en cause la Libye.

24. Honduras. Élection présidentielle. José Simon Azcona (Parti libéral) l'emporte sur les trois candidats du Parti national (opposition). Il prendra ses fonctions en janvier 1986.

Vatican. Ouverture des travaux du synode extraordinaire des évêques convoqué par le pape Jean-Paul II pour faire le bilan de l'application de Vatican II (1962-1965).

28. Belgique. Après la victoire de Wilfried Martens aux élections d'octobre, reconduction de la coalition gouvernementale entre sociaux-chrétiens et libéraux.

GATT. Les pays signataires de l'Accord général sur les tarifs douaniers et le commerce, réunis à Genève, décident de convoquer, en septembre 1986, un nouveau cycle de négociations commerciales multilatérales, sur la pression des États-Unis.

Décembre 1985

1. Afrique du Sud. Regroupement de 35 syndicats de travailleurs noirs en une seule fédération, la COSATU (Congress of South African Trade Unions).

2. Canada. Élections provinciales au Québec : le Parti libéral de Robert Bourassa obtient 99 des 122 sièges, contre 23 sièges au Parti québécois. Le 12, Pierre-Marc Johnson, Premier ministre, est remplacé par M. Bourassa.

Éthiopie. Expulsion de l'organisation Médecins sans frontières qui a dénoncé les déplacements forcés de population à l'intérieur du pays.

Philippines. Acquittement du général Fabian Ver, chef des forces armées, et de 24 autres militaires jugés pour le meurtre de Benigno Aquino, dirigeant de l'opposition, le 23 août 1983.

CEE. Conclusion d'un accord sur la révision du traité de Rome visant, entre autres, à la libre circulation des marchandises, des personnes, des services et des capitaux.

4. France-Pologne. Le général Wojcieh Jaruzelski est reçu à l'Élysée par François Mitterrand. Vives critiques en France.

6. États-Unis-Royaume-Uni. Accord cadre de coopération sur l'Initiative américaine de défense stratégique (IDS).

7. Vatican. Fin du synode extraordinaire des évêques. Les grandes orientations de Vatican II sont réaffirmées.

OPEP. Réunion à Genève des représentants des pays membres de l'Organisation des pays exportateurs de pétrole. La défense de leur part de marché primera désormais sur le soutien des prix. Chute des cours du brut sur les marchés libres.

8. Chypre. Élections législatives anticipées. Victoire du Parti démocratique du président Spyros Kyprianou.

Guatémala. Élection de Vinicio Cerezo (démocrate-chrétien) à la présidence de la République. Le 14 janvier 1986, il succédera au général Oscar Mejia.

9. Argentine. Condamnation, pour violation des droits de l'homme, de

cinq des neuf chefs militaires qui ont gouverné l'Argentine de mars 1976 à juin 1982. Le général Videla et l'amiral Masera sont condamnés à perpétuité. Levée de l'état de siège.
Guyana. Élections générales. Le Congrès national du peuple (PNC) du président *ad interim*, Desmond Hoyte, obtient 42 des 53 sièges au Parlement. M. Hoyte devient président pour cinq ans.

11. États-Unis. Adoption par le Congrès d'un projet de loi visant à résorber en cinq ans le déficit budgétaire américain (211,9 milliards de dollars en 1985).
Philippines. Accord de l'opposition sur la candidature de Corazon Aquino, veuve de Benigno Aquino, à l'élection présidentielle anticipée fixée au 11 février 1986.
France-Afrique. Réunion à Paris du XXIIe sommet franco-africain. Le président Mitterrand adresse une nouvelle mise en garde à la Libye contre l'occupation du Tchad.

13. France-Chine. Signature d'un accord pour la livraison de la centrale nucléaire de Daya Bay portant sur un total de 12 milliards de francs.

16. Belgique. Arrestation à Namur de quatre personnes, dont Pierre Carette, responsable présumé des Cellules communistes combattantes qui ont revendiqué 27 attentats terroristes depuis octobre.
Inde. Élections régionales en Assam. La Conférence du peuple assamais (AGP), le parti « anti-immigrés », obtient la majorité absole. Effondrement du Parti du Congrès de Rajiv Gandhi.

17. Ouganda. Signature d'un « accord de paix », à Nairobi, entre le gouvernement militaire du général Tito Okello et l'Armée nationale de résistance (NRA) de Yoweri Museweni. La guerre civile se poursuit en dépit de cet accord.
CAEM. Réunion extraordinaire à Moscou des dix pays membres de l'organisation. Adoption d'un programme de développement scientifique et technologique jusqu'à l'an 2000 qui fait pendant au programme *Eurêka* de l'Europe occidentale.

18. Côte d'Ivoire-Israël. Annonce à Genève de la reprise des relations diplomatiques entre les deux pays.

20. Lésotho. A Maseru, assassinat de neuf personnes, dont six réfugiés sud-africains. Revendiqué par l'Armée de libération du Lésotho (LLA), il aurait été commis par un commando sud-africain.

25. Bourkina-Mali. Début d'un conflit frontalier entre les deux pays (une centaine de morts). Un cessez-le-feu sera signé le 29.

26. Algérie. Adoption du projet de nouvelle Charte nationale par le Congrès extraordinaire du Front de libération nationale (FLN), réuni à Alger. Le 16 janvier 1986, il sera soumis à un référendum.

27. Autriche-Italie. Les comptoirs de la compagnie israélienne El Al sont attaqués simultanément dans les aéroports de Vienne et de Rome (19 morts, 114 blessés). Le groupe palestinien dissident de l'OLP dirigé par Abou Nidal est mis en cause ainsi que la Libye, qui le soutient.
Pérou. Après l'expiration de l'ultimatum lancé aux compagnies pétrolières étrangères, le président Alan García annonce que l'État prend le contrôle de tous les actifs de la compagnie américaine Belco Petroleum.

28. Liban. Signature à Damas d'un accord de paix entre les trois principales milices combattantes (chrétienne, chiite et druze).

30. Pakistan. Levée de la loi martiale décrétée en juillet 1977.
Jordanie-Syrie. Visite officielle à Damas du roi Hussein de Jordanie.

31. UNESCO. Le Royaume-Uni annonce son retrait de l'Organisation.

Janvier 1986

1. Lésotho-Afrique du Sud. Prétoria décrète le blocus économique contre son voisin pour protester contre la présence à Maseru de membres du Congrès national africain (ANC).

CEE. L'Espagne et le Portugal entrent officiellement dans la Communauté européenne qui devient l'« Europe des Douze ».

États-Unis-URSS. Ronald Reagan et Mikhaïl Gorbatchev expriment leur volonté de paix dans leurs allocutions télévisées à l'intention des Soviétiques et des Américains, respectivement.

7. Libye-États-Unis. Ronald Reagan annonce la rupture totale des relations économiques et commerciales avec la Libye, accusant le colonel Kadhafi de soutenir le terrorisme international.

9. Royaume-Uni. Démission du ministre de la Défense, Michael Heseltine. Il s'oppose à la prise de contrôle de la société Westland (constructeur d'hélicoptères) par le groupe américain Sikorsky.

13. Yémen du Sud. Début des affrontements, à Aden, entre les deux tendances rivales du parti unique pro-soviétique : environ 10 000 morts. Les combats dureront jusqu'au 24.

15. Chine-URSS. Pékin rejette la proposition soviétique d'un traité de non-agression.

États-Unis-URSS. Mikhaïl Gorbatchev propose un plan de désarmement visant à supprimer les armes nucléaires d'ici à l'an 2000.

Liban. A Beyrouth-Est, reprise des combats entre chrétiens après que le président Amine Gemayel a refusé d'avaliser l'accord intermilice signé à Damas le 28 décembre. Samir Geagea, qui a remplacé Élie Hobeika à la tête des Forces libanaises (milice chrétienne), demande que l'accord soit renégocié.

16. Algérie. Référendum sur la nouvelle Charte nationale : 98,37 % des votants l'approuvent.

17. Espagne-Israël. Annonce de l'établissement de relations diplomatiques entre les deux pays. Le 21, les Premiers ministres Felipe Gonzalez et Shimon Pérès se rencontrent à La Haye.

18. Groupe des Cinq. Réunion à Londres des ministres des Finances des États-Unis, de la France, du Royaume-Uni, du Japon et de la RFA. La France et le Japon proposent une diminution concertée des taux d'intérêt, qui est rejetée par les États-Unis et le Royaume-Uni. Nouvelle baisse du dollar.

19. Lésotho. Un coup d'État militaire renverse le Premier ministre, Leabua Jonathan. Le général Justin Lekhanya est nommé président du Conseil militaire. Le 22, il annonce le départ des réfugiés sud-africains. Le 25, le blocus de Prétoria est levé.

20. OPEP-Royaume-Uni. Après la chute des cours du pétrole brut (moins de 20 dollars le baril), l'Arabie saoudite demande au Royaume-Uni de réduire sa production pétrolière. Le 28, Margaret Thatcher rejette toute concertation avec l'OPEP en vue de stabiliser les prix.

21. Danemark-CEE. Le projet de réforme institutionnelle adopté le 2 décembre par le Conseil européen de Luxembourg est rejeté par le Parlement danois (80 voix contre 75).

24. Espace. La sonde américaine *Voyager 2*, arrivée à proximité d'Uranus, transmet des données d'une grande importance pour l'astronomie.

Royaume-Uni. Le ministre du Commerce et de l'Industrie, Leon Brittan, est contraint de démissionner en

raison des fuites organisées en rapport avec l' « affaire Westland ».
Yémen du Sud. Le Premier ministre, Haydar Abou Bakr el-Attas, est nommé chef de l'État à titre intérimaire, après la défaite des forces soutenant le président Ali Nasser Mohamed.

25. Ouganda. L'Armée nationale de résistance (NRA), dirigée par Yoweri Museweni, prend le contrôle de Kampala. Les forces du général Tito Okello, chef de l'État, se replient vers le nord du pays.

26. Inde. Les extrémistes sikhs reprennent le contrôle du Temple d'or d'Amritsar qu'ils avaient dû évacuer le 6 juin 1984.
Portugal. Premier tour de l'élection présidentielle. Freitas do Amaral, démocrate-chrétien vient en tête avec plus de 46 % des voix. L'ancien Premier ministre Mario Soares, avec 25,5 % des suffrages, reste le mieux placé des candidats de la gauche.

28. Algérie-Libye. Reprise du dialogue entre les deux pays : le colonel Kadhafi rencontre le président Chadli Bendjedid dans le Sud algérien.
Espace. Explosion de la navette *Challenger*, 75 secondes après son décollage, tuant les sept astronautes à bord.

29. Proche-Orient. A Strasbourg, le président égyptien Hosni Moubarak propose au Parlement européen de former un « groupe de contact » chargé de préparer une conférence internationale sur le problème du Proche-Orient.

30. Angola-États-Unis. Ronald Reagan promet une aide militaire de 15 milliards de dollars à Jonas Savimbi, chef de l'UNITA, en visite à Washington.

31. Haïti. A la suite de violentes manifestations contre le régime (environ 70 morts), le président Jean-Claude Duvalier décrète l'état de siège. La veille, les États-Unis avaient suspendu la moitié de l'aide économique au pays pour violation des droits de l'homme.
Afrique du Sud. Le président Pieter Botha annonce que les laissez-passer pour la population noire seront bientôt supprimés. Il qualifie en outre l'apartheid de « concept périmé ».

Février 1986

1. France-URSS. Expulsion de quatre diplomates soviétiques en liaison avec une affaire d'espionnage. Le 3, Moscou demande le départ de quatre employés de l'ambassade de France.
Vatican. Début du « voyage pastoral » de Jean-Paul II en Inde.

2. Costa Rica. Élection présidentielle : avec 54 % des suffrages, victoire d'Oscar Arias (Parti de libération national, au pouvoir) qui succédera le 8 mai à Luis Alberto Monge.

4. États-Unis : Discours sur l'état de l'Union. Ronald Reagan se déclare en faveur de taux de changes « prévisibles ». Le 5, il présente le budget pour l'exercice 1987 qui prévoit une réduction du déficit de 200 milliards à 144 milliards de dollars.
Israël-Libye. Interception par la chasse israélienne d'un avion libyen supposé transporter des responsables palestiniens. Vives protestations internationales.
Cuba. Réélection par acclamation de Fidel Castro à la tête du PC cubain. Remaniement du Comité central et du bureau politique.

7. Philippines. Élection présidentielle dans un climat de violence et de fraude massive. Le président Ferdinand Marcos et la candidate de l'opposition, Corazon Aquino, se déclarent tous deux victorieux. Le 15, l'Assemblée nationale proclame Marcos vainqueur.

Haïti. Sous la pression des États-Unis, le président à vie, Jean-Claude Duvalier, se réfugie en France, à Talloires. Un nouveau gouvernement est formé le 10, dirigé par le général Henri Namphy.

Pérou. Proclamation de l'état d'urgence après une série d'attentats revendiqués par les guérilleros de Sentier lumineux.

8. Yémen du Sud. Haidar Abou Bakr al-Attas, chef de l'État par intérim depuis le 24 janvier, est élu président de la République.

9. Iran-Irak. Nouvelle offensive iranienne dans le sud-est de l'Irak. Prise de l'ancien port pétrolier de Fao. Le 24, une autre offensive est lancée dans le Kurdistan.

11. URSS. Libération du dissident juif soviétique emprisonné, Anatoli Chtcharanski, qui gagne Jérusalem.

12. Royaume-Uni. Les actionnaires du constructeur d'hélicoptères Westland approuvent la prise de participation (30 %) de la firme américaine Sikorsky.

14. Inde. Affrontements meurtriers entre musulmans et hindouistes dans l'Uttar Pradesh, le Madhya Pradesh et à Delhi. Le 19, Sikhs et Hindous s'affrontent au Pendjab.

16. France-Tchad. Après la reprise des combats au nord du Tchad, raid aérien français contre la base libyenne de Ouadi Doum (opération *Épervier)*. Réplique libyenne le 17 par un bombardement sur l'aéroport de N'Djamena.
Portugal. Second tour de l'élection présidentielle : le socialiste Mario Soarès est élu avec 51,35 % des voix, contre 48,65 % à Fretas Do Amaral (démocrate-chrétien).

17. France. Ouverture du premier sommet de la francophonie à Versailles et à Paris. Les représentants de 42 États ou communautés de langue française y participent.
Liban-Israël. Après l'enlèvement de deux soldats israéliens dans la zone de sécurité au nord d'Israël, opération de « ratissage » dans les villages chiites du Sud-Liban. Le 19, assassinat d'Eli Hallak, le quatrième otage juif tué en deux mois.

18. Pétrole. Le baril de brut tombe au-dessous de 15 dollars.

19. Proche-Orient. Le roi Hussein de Jordanie annonce la fin des pourparlers avec l'OLP prévus par l'accord jordano-palestinien du 11 février 1985.

22. Espace. Succès du 16e tir de la fusée européenne *Ariane*. Mise en orbite du satellite français *Spot-1* (observation de la Terre) et d'un satellite scientifique suédois, *Viking*.

23. Espagne. Plusieurs centaines de milliers d'Espagnols manifestent à Madrid contre l'OTAN.
États-Unis-URSS. Ronald Reagan propose à Mikhaïl Gorbatchev d'éliminer, jusqu'en 1990, des missiles nucléaires de portée intermédiaire stationnés en Asie et en Europe.

25. Philippines. Après le ralliement à Corazon Aquino, le 22, du ministre de la Défense, Juan Ponce Enrile et du chef d'état-major des armées par intérim, Fidel Ramos, Mme Aquino prête serment en tant que présidente des Philippines et forme un gouvernement. Ferdinand Marcos accepte de s'exiler et se réfugie à Hawaii le 26.
URSS. Ouverture du XXVIIe congrès du PC. Mikhaïl Gorbatchev demande une « réforme radicale » de l'économie.
Égypte. Mutineries, à Guizeh, des jeunes appelés des forces de police. Affrontements avec l'armée (bilan officieux : 150 morts). Le couvre-feu est décrété le 26.

26. France. Première réunion, à l'Élysée, du Conseil du Pacifique-Sud créé en décembre 1985.

Vénézuela. Rééchelonnement, sur douze ans et demi, de la dette publique vénézuélienne (portant sur 21,2 des 29 milliards de dollars).

27. Danemark-CEE. Les Danois adoptent la réforme des institutions de la CEE par référendum, avec 56,2 % des voix. Le 28, signature de l'Acte unique par le Danemark, l'Italie et la Grèce.

28. Brésil. Adoption du « plan tropical » pour redresser l'économie brésilienne.

Pays-Bas. Le Parlement approuve l'installation de 48 missiles de croisière de l'OTAN sur le sol néerlandais.

Suède. Assassinat à Stockholm du Premier ministre social-démocrate, Olof Palme. Ingvar Carlsson, Vice-Premier ministre, est chargé de l'intérim.

Mars 1986

2. Cisjordanie. Assassinat du maire palestinien de Naplouse, Zafer al-Masri, désigné en novembre 1985 par les autorités israéliennes.
Suisse. Progrès de l'Action nationale aux élections des cantons de Vaud et de Zurich.

3. Royaume-Uni. Violents affrontements à l'occasion de la grève générale de 24 heures des protestants irlandais pour protester contre l'accord anglo-irlandais du 15 novembre 1985.
Maroc. Fête anniversaire des 25 ans de règne de Hassan II.

4. Autriche. Le Congrès juif mondial accuse Kurt Waldheim, candidat des populistes aux élections présidentielles, d'avoir participé à des massacres de partisans yougoslaves et à la déportation de juifs grecs pendant la Seconde Guerre mondiale. Waldheim dément.

5. France-Liban. Le Djihad islamique annonce l'exécution de Michel Seurat, l'un des quatre otages français détenu au Liban. Il s'agirait d'une riposte à l'expulsion, par la France, le 19 février, de deux opposants irakiens, renvoyés dans leur pays.
Tchad. L'offensive des troupes prolibyennes du GUNT dans la région de Kalaït-Oum-Chalouba est repoussée par les troupes d'Hissène Habré. Le GUNT subit de lourdes pertes.

6. Finances mondiales. La RFA et les Pays-Bas décident de réduire leur taux d'escompte de 4 % à 3,5 %. Ils sont suivis par la plupart des pays occidentaux qui décident par ailleurs de mettre fin à la baisse du dollar.
URSS. Clôture du XXVIIe congrès du PC soviétique. Les instances dirigeantes sont profondément remaniées.

7. Afrique du Sud. Levée de l'état d'urgence, en vigueur depuis juillet 1985, dans 23 circonscriptions. Les troubles continuent jusqu'à la fin du mois.
Équateur. Rébellion de l'ancien chef d'état-major de l'armée de l'air, Frank Vargas, contre le président León Febres Cordero. Il est fait prisonnier le 14.

8. France-Liban. Enlèvement à Beyrouth des quatre membres d'une équipe de la chaîne de télévision *Antenne 2*, revendiqué par le Djihad islamique.

12. Espagne. Référendum sur le maintien de l'Espagne dans l'OTAN : 52,6 % de « oui ».
Suède. Le parlement élit Ingvar Carlsson, chef de gouvernement par intérim, à la fonction de Premier ministre. Le 15, obsèques d'Olof Palme en présence de nombreux chefs d'État et de gouvernement.

13. Espace. Lancement du vaisseau spatial soviétique *Soyouz T-15*, avec deux cosmonautes à bord.

Finlande. Grève de 250 000 salariés revendiquant la semaine de travail de 35 heures.
Colombie. Alvaro Fayad Delgado, chef du mouvement de guérilla M 19, est tué par la police.
Espace. La sonde européenne *Giotto* s'approche à 577 kilomètres de la comète de Halley.

16. Suisse. Référendum sur l'adhésion de la Suisse à l'ONU : 75,67 % de « non ».
France. Élections législatives à la proportionnelle à un tour. La coalition RPR/UDF obtient 40,98 % des voix (277 sièges sur 577) et la majorité absolue avec l'appoint des divers droite (3,90 %, 14 sièges). Front national : 9,65 % des voix, 35 sièges. Parti communiste : 9,78 %, 35 sièges. Parti socialiste : 31,04 %, 196 sièges. MRG-divers gauches : 4,65 %, 20 sièges. Les élections régionales qui ont lieu le même jour confirment les tendances des législatives.

19. Égypte-Israël. A la foire internationale du Caire, une fonctionnaire israélienne est tuée et trois Israéliens sont blessés. La « Révolution égyptienne » revendique l'attentat.

20. États-Unis-Nicaragua. La Chambre des représentants refuse (222 voix contre 210) au président Reagan les 100 millions de dollars d'aide à la guérilla antisandiniste. Le 27, le Sénat vote pour l'octroi de l'aide.
France. Jacques Chirac (RPR) est nommé au poste de Premier ministre. Dans une déclaration, il fixe les limites de la cohabitation.

21. Iran-Irak. Le Conseil de sécurité de l'ONU condamne l'Irak pour utilisation d'armes chimiques contre les forces iraniennes.

24. OPEP. Suspension de la conférence extraordinaire à Genève : les ministres du pétrole des 13 pays membres n'ont pas trouvé d'accord sur la limitation de leur production. Les prix du pétrole continuent de chuter.

États-Unis-Libye. Après que les navires de la VIe flotte américaine ont franchi, dans le golfe de Syrte, la limite fixée par la Libye pour ses eaux territoriales, les forces américaines détruisent quatre vedettes lance-missiles et des installations sur la côte libyenne, en riposte à des attaques de missiles libyens. Le 27, fin des manœuvres américaines.

25. Philippines. Corazon Aquino promulgue une Constitution provisoire qui lui donne les pleins pouvoirs.

26. Inde. Au Pendjab, reprise des affrontements entre Sikhs extrémistes et modérés, suivis par des combats entre fondamentalistes hindous et Sikhs extrémistes.

Centrafrique. Un *Jaguar* de l'armée de l'air française s'écrase au centre de Bangui (35 morts). Violentes manifestations antifrançaises.

27. États-Unis-RFA. Signature à Washington d'un accord sur la participation de Bonn à l'Initiative de défense stratégique (IDS).

28. Tchad. Rencontre manquée entre le président Hissène Habré et le président du GUNT, Goukouni Weddeye, qui a refusé de se rendre au Congo.

29. États-Unis-URSS. Mikhaïl Gorbatchev propose une rencontre à Ronald Reagan pour négocier un arrêt total des essais nucléaires. Refus de Reagan.

30. Royaume-Uni. Manifestation de républicains catholiques en Irlande du Nord, suivie d'affrontements avec les protestants.

Espace. Succès du 17e tir de la fusée européenne, *Ariane*.

CEE-États-Unis. Après la décision communautaire de réduire les exportations américaines vers l'Espagne et le Portugal, Washington menace la CEE de représailles commerciales.

Avril 1986

1. Liban-France. Paris annonce le retrait des 45 « casques blancs » chargés de contrôler l'application du cessez-le-feu au Liban.

Grèce. Explosion d'une bombe à bord d'un *Boeing 727* de la TWA (4 morts, 9 blessés). L'attentat est revendiqué par les Cellules révolutionnaires arabes d'Al Kassam.

Soudan. Début des élections législatives qui dureront quinze jours.

4. CEE. Réunion des ministres des Finances des Douze à Ootmarsum (Pays-Bas). Le 6, à la demande de la France, réajustement des parités des huit monnaies qui appartiennent au système monétaire européen (SME), se traduisant par une dévaluation du franc français.

5. Berlin-Ouest. Explosion d'une bombe dans une discothèque fréquentée par des soldats américains (2 morts, 240 blessés). La Libye est mise en cause.

Vatican. Publication par la Congrégation romaine pour la doctrine de la foi de l'instruction « Liberté chrétienne et libération ».

Royaume-Uni. Attaques de domiciles de policiers par des unionistes irlandais. Le 6, la police investit le quartier général de l'organisation paramilitaire protestante Ulster Defence Association.

7. Corée du Sud-CEE. Début de la tournée en Europe du président Chon Doo Hwan : Royaume-Uni, RFA, France, Belgique.

9. Iran-France. Le secrétaire général du Quai d'Orsay, André Ross et le directeur du département Afrique du Nord et Moyen-Orient, Marc Bonnefous, effectuent une « visite de normalisation » à Téhéran.

10. Pakistan. A son retour d'exil, Mlle Benazir Bhutto, chef de l'opposition, est accueillie à Lahore par des centaines de milliers de sympathisants. Elle réclame la démission du président Zia et des élections anticipées.
OLP. Le général Atallah (alias Abou Zaïm), chef d'état-major adjoint des forces palestiniennes, est exclu du Fath.

11. Est-Ouest. A la suite d'un nouvel essai nucléaire américain, Mikhaïl Gorbatchev annonce la levée du moratoire unilatéral sur les essais nucléaires décrété en août 1985.

13. Philippines. 10 000 partisans de l'ancien président Ferdinand Marcos manifestent à Manille.
Vatican. Première historique : le pape Jean-Paul II se rend à la synagogue de Rome.

15. Libye-États-Unis. 18 bombardiers américains *F-111* stationnés en Grande-Bretagne bombardent Tripoli et Benghazi dans la nuit du 14 au 15 (37 morts, selon les autorités libyennes). La France et l'Espagne n'ont pas autorisé le survol de leur territoire. Aux États-Unis, manifestations de soutien au président Reagan. Condamnation du raid par les pays arabes. Le 17, au Liban, un otage américain et trois britanniques sont exécutés.

16. États-Unis-Nicaragua. Nouveau refus de la Chambre des représentants de voter l'aide aux *contras* demandée par Ronald Reagan.
Syrie. Série d'attentats dans plusieurs villes du Nord (près de 150 morts, selon les médias chrétiens libanais).

17. OCDE. Réunion à Paris du Conseil des ministres de l'organisation sous la présidence de Turgut Özal, Premier ministre turc.
RDA. Ouverture du XIe congrès du PC est-allemand à Berlin-Est. Le 18, Mikhaïl Gorbatchev y propose une réduction des forces terrestres et aériennes conventionnelles en Europe, « de l'Atlantique à l'Oural ».

18. Finances mondiales. Les États-Unis baissent leur taux d'escompte de 7 % à 6,5 %. Ils sont suivis par le Japon, la France et le Royaume-Uni. Nouvelle chute du dollar (au-dessous de 7 francs).

21. CEE-Libye. Les ministres des Affaires étrangères des Douze décident de réduire le nombre de diplomates libyens dans leurs pays respectifs. Des expulsions ont lieu les jours suivants.
Espagne. Dissolution des Cortès et annonce d'élections législatives anticipées (22 juin).
OPEP. Décision sur le plafonnement de la production de pétrole à 16,7 millions de barils par jour, sans précision sur la répartition entre les pays. Les cours varient entre 11 et 13 dollars le baril (30 dollars début novembre 1985).

22. Afghanistan. Après trois semaines de combats, chute de la principale base de la résistance dans la province de Paktia.
Autriche. Après la publication de nouveaux documents concernant le passé de Kurt Waldheim, candidat à la Présidence, et consultation des archives de l'ONU sur les criminels de guerre, le président de la République, Rudolf Kirschläger, fait une déclaration « d'apaisement » : Waldheim ne pouvait ignorer les agissements nazis dans la guerre des Balkans, mais la preuve n'est pas faite qu'il soit lui-même un criminel de guerre.

25. CEE. Compromis des ministres de l'Agriculture des Douze : gel des prix pour la campagne 1986-1987 et réforme du marché des céréales.
Espagne. Explosion d'une voiture piégée, imputée à l'ETA-militaire (5 morts).
Swaziland. Mswati III est sacré roi du Swaziland.
URSS. Une fuite radioactive dans la centrale nucléaire de Tchernobyl (Ukraine) est suivie d'une explosion le 27. Forte augmentation de la radioactivité dans l'Europe du Nord et de l'Est. Moscou fait état de l'accident le 28 (2 morts, 97 hospi-

talisés), puis reconnaît qu'il s'agit du plus grave accident nucléaire civil de l'histoire.

29. Norvège. Démission du Premier ministre Kaare Willoch après que le parlement a rejeté son plan d'austérité.

30. Inde. Après la proclamation le 29 de l'« État souverain et indépendant » du Khalistan, la police évacue les extrémistes sihks qui occupaient le Temple d'or d'Amritsar depuis le 26 janvier.

Mai 1986

2. Norvège. Démission du gouvernement de coalition de Kaare Willoch (centre droit) après que le Parlement ait refusé son plan d'austérité. Le 9, Mme Gro Harlem Brundtland forme un gouvernement minoritaire travailliste. Le 11, dévaluation de 12 % de la couronne norvégienne.

3. Sri Lanka. Explosion d'une bombe à bord d'un avion à l'aéroport de Colombo (20 morts). Deux autres attentats le 9 et le 30 sont également attribués aux séparatistes tamouls. Offensive de l'armée cinghalaise à partir du 17.

4. Afghanistan. Babrak Karmal est remplacé par Mohammed Nadjibullah à la tête du PC afghan. Il reste le chef de l'État.

Autriche. Victoire de Kurt Waldheim, avec 46,64 % des voix, au premier tour de l'élection présidentielle. Le candidat socialiste, Kurt Steyrer, obtient 43,66 % des voix. Waldheim remportera le second tour, le 8 juin, avec 53,9 % des voix.

5. Sommet de Tokyo. Au 12e sommet des pays occidentaux les plus industrialisés, adoption de deux déclarations : l'une concerne le renforcement de la lutte contre le terrorisme, mettant en cause la Libye ; l'autre la sécurité nucléaire, après la catastrophe de la centrale soviétique de Tchernobyl. Au plan économique, la nécessité d'une meilleure coordination entre les Sept est affirmée.

Jordanie-Syrie. Le président Hafez el-Assad se rend en Jordanie. Cette visite est suivie d'une tentative de médiation du roi Hussein entre la Syrie et l'Irak.

6. Soudan. A la suite d'élections législatives, le général Sewar al-Dahab remet le pouvoir à un gouvernement civil dirigé par Sadek el-Mahdi. Les fonctions de chef de l'État sont assurées par un Conseil présidentiel dirigé par Ali el-Mirghani.

7. Bangladesh. Élections législatives marquées par la fraude et la violence. Le Jatiya, qui soutient le général Ershad, obtient 152 des 300 sièges.

8. Royaume-Uni. Baisse du Parti conservateur aux élections locales et à deux élections législatives partielles. Le 21, Mme Thatcher remanie son gouvernement.

9. France-Afrique du Sud. L'ambassadeur de France, rappelé en juillet 1985 par le gouvernement Fabius, regagne son poste à Prétoria.

14. URSS. Première allocution télévisée de Mikhaïl Gorbatchev au sujet de la catastrophe de Tchernobyl. Il se déclare favorable à une coopération internationale pour la prévention des accidents nucléaires et annonce la prorogation, jusqu'en août 1986, du moratoire sur les essais nucléaires.

15. CEE-États-Unis. Le président Reagan annonce des mesures de rétorsion commerciale contre la Communauté européenne.

16. République dominicaine. Élection présidentielle. L'ancien président Joaquin Balaguer (Parti réformiste social-chrétien) est élu.
Yougoslavie. Branco Mikulic est nommé chef du gouvernement pour quatre ans.

19. Afrique du Sud. Triple raid des forces armées sud-africaines contre les bases du Congrès national africain (ANC) : à Gaberone (Botswana), à Harare (Zimbabwé) et à Lusaka (Zambie). Vive protestation internationale.

20. France-Iran. Le Vice-Premier ministre iranien, Ali Reza Moyeri entame une visite officielle à Paris.

21. Pays-Bas. Élections législatives. Succès du Parti chrétien-démocrate (CDA) du Premier ministre Ruud Lubbers (59 sièges sur 150 au Parlement) ; 27 sièges vont aux libéraux-conservateurs (VVD, coalition gouvernementale) et 52 au Parti socialiste (PVDA).

23. Belgique. Adoption d'un plan d'austérité qui déclenche une vive agitation sociale.

25. Nord-Sud. 20 millions de personnes dans 75 pays participent à la course de solidarité pour « l'Afrique qui a faim », à l'initiative de l'UNICEF et de *Sport Aid*, organisation du chanteur irlandais Bob Geldof.
Colombie. Élection présidentielle. Victoire de Virgilio Barco (Parti libéral) qui succédera en août à Belisario Betancour (conservateur).

27. Est-Ouest. Ronald Reagan annonce que les États-Unis ne respecteront plus les clauses de SALT II sur la limitation des armements nucléaires. En réponse, Mikhaïl Gorbatchev fait savoir qu'il prendra les mesures nécessaires pour rétablir la parité stratégique.
ONU-Afrique. Début de la session spéciale de l'Assemblée générale de l'ONU consacrée aux problèmes de développement de l'Afrique. Adoption d'un plan quinquennal de redressement le 1er juin.

28. **Barbade.** Élections législatives. Victoire du Parti travailliste démocratique qui remporte 24 des 27 sièges du Parlement. Errol Barrow succède à Bernard Saint-John à la tête du gouvernement.

29. **CEE.** Les Douze adoptent des normes sur le taux de radioactivité admissible pour les denrées alimentaires commercialisées au sein du Marché commun. Ils lèvent l'interdiction d'importation de produits en provenance de l'Europe de l'Est instaurée après la catastrophe de Tchernobyl.

30. **Espace.** Le 18e tir de la fusée européenne *Ariane* est un échec.

Norvège. Signature d'un important contrat de livraison de gaz norvégien avec un consortium d'acheteurs de Belgique, France, Pays-Bas, RFA. En l'an 2000, 25 % des importations de gaz de ces pays proviendront de Norvège.

31. **Mexique.** Ouverture à Mexico de la 13e Coupe du monde de football.

Pologne. Annonce de l'arrestation du principal dirigeant clandestin de Solidarité, Zbigniew Bujak.

CHANGEMENTS ET RECONDUCTIONS DE CHEFS D'ÉTAT de janvier 1985 à mai 1986

– 1985 –

Syrie. 10 février. Réélection de Hafez el-Assad à la présidence de la République.

Grèce. 29 mars. Christos Sartzetakis est élu président par le Parlement, en remplacement de Constantin Caramanlis, démissionnaire.

Soudan. 6 avril. Le général Sewar al-Dahab prend la tête du Conseil militaire de transition (CMT) après le coup d'État qui a renversé le maréchal Gaafar Nemeiry.

Albanie. 11 avril. Ramiz Alia remplace Enver Hodja, décédé, comme chef de l'État et du Parti.

Brésil. 21 avril. Le vice-président José Sarney devient officiellement président après le décès de Tancrédo Neves, qui avait été nommé chef de l'État le 15 janvier.

Pérou. 1er juin. Alan García (social-démocrate) est proclamé président par le Conseil national des élections, après son succès au premier tour.

Italie. 24 juin. Francesco Cossiga (démocrate-chrétien) est élu président au premier tour. Il remplace Sandro Pertini.

URSS. 2 juillet. Andreï Gromyko est élu chef de l'État en remplacement de Constantin Tchernenko, décédé le 10 mars.

Ouganda. 27 juillet. Après un coup d'État militaire, le général Tito Okello remplace Milton Obote comme chef de l'État.

Bolivie. 5 août. Victor Paz Estenssoro (centre-droit) est élu président au second tour par le Parlement.

Iran. 16 août. Ali Khameneï est réélu chef de l'État.

Nigéria. 27 août. Après un coup d'État militaire, le général Ibrahim Babangida remplace le général Mohamed Buhari à la Présidence.

Panama. 28 septembre. Éric Arturo del Valle est désigné président par l'Assemblée, en remplacement de Nicolas Ardito Barletta, démissionnaire.

Saint Thomas et Prince. 1er octobre. Réélection de Pinta da Costa à la Présidence.

Sierra Léone. 1er octobre. Le général Joseph Momoh est élu président. Il remplace Siaka Stevens le 28 novembre.

Libéria. 15 octobre. Samuel Doe est réélu à la Présidence.

Tanzanie. 27 octobre. Ali Hassan Mwinyi est élu à la Présidence en remplacement de Julius Nyerere.

Pologne. 6 novembre. Le général Wojcieh Jaruzelski, premier secrétaire du Parti, devient chef de l'État.

Honduras. 24 novembre. José Simon Azcona Hoyo (Parti libéral) est élu président à la place de Roberto Suazo

Cordova. Il prend ses fonctions en janvier 1986.

Guatémala. 8 décembre. Vinicio Cerezo Arévalo (démocrate-chrétien) est élu président au second tour des élections. Il remplace le général Oscar Mejía Victores.

Guyana. 9 décembre. Desmond Hoyte (Congrès national du peuple) devenu président par intérim le 6 août, après le décès de Forbes Burnham, est élu pour cinq ans.

– 1986 –

Cap-Vert. 16 janvier. Réélection du président Aristide Pereira, chef du parti unique, pour un mandat de cinq ans.

Yémen du Sud. 24 janvier. Après la victoire des forces hostiles au président Ali Nasser Mohamed, son Premier ministre Haydar Abou Bakr el-Attas est nommé chef de l'État à titre intérimaire. Il le devient officiellement le 8 février.

Costa Rica. 2 février. Oscar Arias Sanchez (Parti de libération nationale) est élu président en remplacement de Luis Alberto Monge.

Haïti. 10 février. Le général Henri Namphy devient le chef du Conseil national du gouvernement qui a remplacé Jean-Claude Duvalier, président à vie, réfugié en France.

Portugal. 16 février. Le socialiste Mario Soarès est élu président de la République au second tour de scrutin. Il remplace le général Antonio Ramalho Eanes.

Philippines. 25 février. Corazón Aquino est proclamée présidente après que Marcos ait d'abord été déclaré vainqueur aux élections du 7 février.

Swaziland. 25 avril. Le prince héritier Makhosotivo devient le roi Mswati III à l'âge de dix-huit ans. Il succède à son père Sobhuza II, décédé le 21 août 1982.

Soudan. 6 mai. A la suite des élections législatives d'avril, le général Sewar al-Dahab cède le pouvoir à M. Ahmed Ali el-Mirghani, élu président du Conseil présidentiel de cinq membres qui remplit les fonctions de chef de l'État.

République dominicaine. 16 mai. Élection de Joaquin Balaguer (conservateur) à la présidence. Il remplace Jorge Salvador Blanco le 16 août.

Colombie. 25 mai. Victoire de Virgilio Barco (Parti libéral) aux élections présidentielles. Il succède le 7 août à Belisario Bétancour.

PAYS ET RÉGIONS DU MONDE

Les 34 grands États

URSS. Prudence

Au printemps 1985, les débuts de Mikhaïl Gorbatchev à la tête de l'Union soviétique avaient pris l'aspect d'une véritable marche triomphale, ce que l'on n'avait pas vu depuis bien longtemps dans l'histoire du communisme soviétique. Épuisé par une longue lutte défensive contre ses adversaires réformateurs, le groupe dirigeant brejnévien, ou plutôt ce qu'il en restait à la mort de Constantin Tchernenko, était incapable d'offrir une véritable résistance au nouveau secrétaire général. Aussi, le rythme accéléré des changements de personnel intervenus entre avril 1985 et le XXVIIe Congrès du Parti communiste soviétique en février 1986 a-t-il pu impressionner les observateurs et donner de l'URSS l'image d'un pays en pleine effervescence.

Toutefois, dans de nombreux domaines, et de manière quasi simultanée, des difficultés ont été enregistrées dès l'été 1985. Au-delà de la mise à l'écart de telle ou telle personnalité du passé, les problèmes de fond du développement de l'Union soviétique demeurent tout aussi aigus. La politique étrangère n'est pas moins délicate à manœuvrer, et le poids de l'héritage y apparaît plus lourd que prévu. Enfin, des clivages ont déjà fait leur apparition au sein même du nouveau personnel politique.

Ceci explique assurément l'impression de retombée de la dynamique qu'a donnée l'Union soviétique au lendemain du XXVIIe Congrès, qui s'est révélé nettement moins spectaculaire que prévu. De même, si la tenue du sommet Reagan-Gorbatchev en novembre 1985 a symboliquement marqué le retour au dialogue soviéto-américain, aucune percée significative n'a pu être enregistrée sur le front diplomatique depuis lors, les questions les plus aiguës ayant été renvoyées au sommet suivant.

C'est dans ce contexte un peu maussade qu'est survenue en mai 1986 la catastrophe de Tchernobyl. Au-delà des conséquences à long terme, qui concernent toute la politique énergétique de l'Union soviétique, et même du COMECON, Tchernobyl a aussi provoqué de vifs remous politiques, qui expliquent en partie le silence persistant observé par le secrétaire général pendant les vingt et un jours qui ont suivi l'explosion. S'il était encore tôt à l'été 1986 pour entrevoir les conséquences de cette crise sur la politique intérieure du pays, il apparaissait d'ores et déjà que cette première grave épreuve avait mis à mal la solidarité du groupe dirigeant et posé à tous les Soviétiques des problèmes fondamentaux pour leur avenir, tant sur le plan économique et sanitaire que sur celui de leur accès à l'information. Il apparaissait que Gorbatchev avait déjà mangé son pain blanc dans tous les domaines, et qu'il lui faudrait trancher dans le vif plus qu'il ne l'avait fait jusqu'alors, au risque de retomber, faute de cela, dans les hésitations du passé brejnévien.

La nouvelle équipe de Gorbatchev

Les premiers mois de la nouvelle équipe au pouvoir ont largement été consacrés à l'apurement des comptes du passé. On a assisté successivement à l'élimination complète du seul rival important de Gorbatchev, Grigory Romanov (juin 1985), à l'entrée au Supersecrétariat (qui réunit les membres du Secrétariat siégeant au Bureau politique) de trois nouveaux responsables : Igor Ligachev et Nikolaï Ryjkov (mai 1985), et Lev Zaïkov (février 1986). Au niveau gouvernemental, le Premier ministre Nikolaï Tikhonov a été remplacé par Ryjkov (octobre 1985); le patron inamovible du Gosplan, Nikolaï Baïbakov, a cédé la place à un spécialiste des hautes technologies, Nikolaï Talyzine, qui est entré comme suppléant au Politburo; les secrétaires de Moscou, Victor Grichine et son ami Vladimir Promyslov, maire de la capitale, ont été destitués pour corruption et plusieurs vieux secrétaires du Comité central (dont Boris Ponomarev) ont été mis à la retraite. La plupart des ministères clefs ont changé de main, notamment les Finances, l'Agriculture, le Commerce extérieur et l'Industrie d'armement. Une purge vigoureuse a été menée dans la plupart des Républiques d'Asie centrale. Enfin, deux grandes figures militaires très âgées, le grand amiral Sergeï Gortchkov, commandant en chef de la marine et le chef de la direction politique de l'armée, Alexeï Iepichev ont été mises à la retraite.

Tous ces mouvements de personnel étaient, d'une certaine manière, attendus. Dès l'automne 1984, Gorbatchev n'avait pas hésité à se désolidariser, notamment dans le domaine agricole dont il avait encore la charge, de la politique suivie par Tchernenko. Ce qui a davantage surpris les observateurs, compte tenu de la bonne entente supposée avoir existé entre Youri Andropov et Mikhaïl Gorbatchev, c'est l'extension de ces bouleversements à certains proches de l'ancien chef du KGB. La « Révolution des places » ne s'est donc pas opérée au détriment d'un seul des camps en présence : ainsi, un très proche collaborateur d'Andropov, Vassili Fëdortchouk, s'est vu retirer le ministère de l'Intérieur à la veille du Congrès, au profit d'un collègue provincial de Gorbatchev, Alexandre Vlassov. Il n'est pas jusqu'au nouveau ministre des Affaires étrangères, Edouard Chevarnadze, ancien responsable du KGB en Géorgie, qui n'ait vu nombre de ses amis locaux épurés pour cause de corruption, et pour finir, n'ait dû encaisser la nomination d'un très influent et très compétent coadjuteur, l'ancien ambassadeur aux États-Unis, Anatoli Dobrynine. Celui-ci a été placé par Gorbatchev à la tête d'un nouveau secrétariat aux relations internationales, nettement élargi dans sa compétence. Il faut enfin noter que le nom d'Andropov, pas plus que ceux des autres secrétaires généraux décédés, n'a été mentionné au cours du XXVIIe Congrès : le nouveau secrétaire général a eu le souci de se dissocier assez clairement de tout parrainage et de définir lui-même les axes de sa nouvelle politique.

Diplomatie, défense : le poids de l'héritage

C'est dans les domaines de la diplomatie et de la défense que la

URSS

Union des Républiques socialistes soviétiques.
Capitale : Moscou.
Superficie : 22 402 200 km² (41 fois la France).
Carte : p. 86-87.
Monnaie : rouble (1 rouble = 9,87 FF au 18.6.86).
Langues : russe (52 % de la population); 112 autres langues reconnues.
Chef de l'État : Andreï Gromyko (élu le 2.7.85).
Chef du Parti : Mikhaïl Gorbatchev (depuis le 11.3.85).
Nature de l'État : État socialiste fédéral et multinational (15 Républiques et 20 Républiques autonomes).
Nature du régime : État du « socialisme développé », basé sur le « centralisme démocratique » et le régime du parti unique.
Parti politique : Parti communiste de l'Union soviétique (PCUS), au pouvoir depuis 1917.

UNION SOVIÉTIQUE

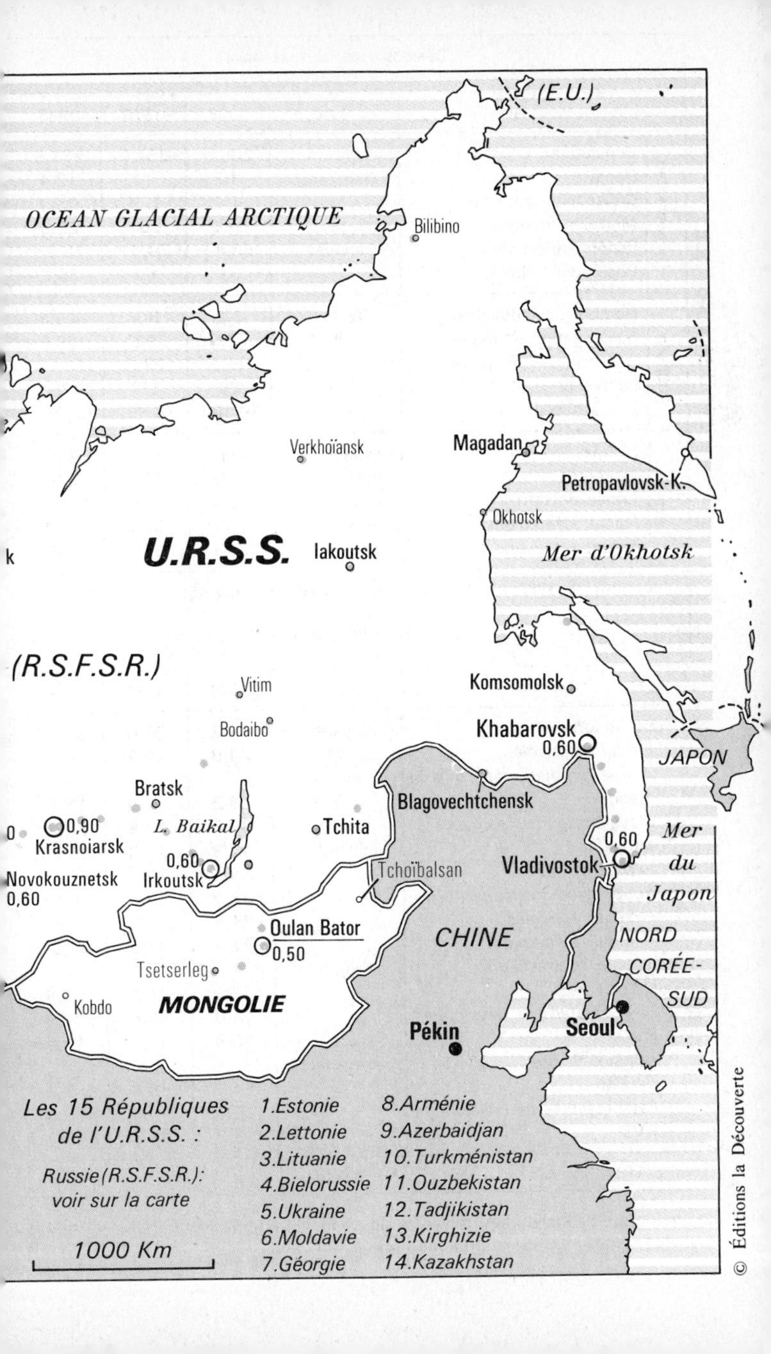
(E.U.)
OCEAN GLACIAL ARCTIQUE
Bilibino
Verkhoïansk
Magadan
Petropavlovsk-K.
Okhotsk
U.R.S.S.
Iakoutsk
Mer d'Okhotsk
(R.S.F.S.R.)
Vitim
Bodaibo
Komsomolsk
Khabarovsk
0,60
JAPON
Bratsk
Blagovechtchensk
0,90
Krasnoiarsk
L. Baikal
Tchita
Mer
du
Japon
0,60
0,60
Irkoutsk
Tchoïbalsan
Vladivostok
Novokouznetsk
0,60
Oulan Bator
0,50
CHINE
NORD
CORÉE-
SUD
Tsetserleg
Kobdo
MONGOLIE
Pékin
Seoul
Les 15 Républiques de l'U.R.S.S. :
Russie (R.S.F.S.R.): voir sur la carte
1000 Km
1.Estonie
2.Lettonie
3.Lituanie
4.Bielorussie
5.Ukraine
6.Moldavie
7.Géorgie
8.Arménie
9.Azerbaidjan
10.Turkménistan
11.Ouzbekistan
12.Tadjikistan
13.Kirghizie
14.Kazakhstan

1. DÉMOGRAPHIE, CULTURE, ARMÉE

	INDICATEUR	UNITÉ	1965	1975	1985
Démographie	Population	million	230,9	254,5	277,6
	Densité	hab./km²	10	11	12,4
	Croissance annuelle	%	1,1	0,9	0,9 [e]
	Mortalité infantile	‰	27,2	26 [d]	22,0
	Espérance de vie	années	69,4 [c]	70,4 [d]	70,9 [e]
	Population urbaine	%	51	61	66,3
Culture	Nombre de médecins	‰ hab.	2,2	3,4	4,1 [a]
	Scolarisation *2e degré* [f]	%	72,0	92	99 [b]
	3e degré	%	29,5	22,2	21,2 [b]
	Postes tv	‰	68	217	308 [b]
	Livres publiés	titre	76 101	78 697	82 790 [a]
Armée	Marine	millier d'h.	450	500	480
	Aviation	millier d'h.	510	400	570
	Armée de terre	millier d'h.	1 500	1 825	1 995
	Forces stratégiques	millier d'h.	250	350	420
	Défense aérienne	millier d'h.	500	500	635

a. 1984 ; b. 1983 ; c. 1960-65 ; d. 1970-75 ; e. 1980-85 ; f. 12-16 ans.

2. COMMERCE EXTÉRIEUR [c]

INDICATEUR	UNITÉ	1970	1975	1985
Total imports	milliard $	11,7	37,0	82,29
Produits agricoles	%	24,9	29,2	24,6 [a]
Autres produits de consommation	%	18,3	12,9	11,7 [a]
Machines et équipement	%	35,6	33,9	36,6 [a]
Total exports	milliard $	12,8	27,8	86,29
Pétrole et gaz	%	15,1	30,7	55,0 [a]
Autres produits miniers [b]	%	22,9	17,5	7,7 [a]
Produits agricoles	%	11,5	7,3	2,9 [a]
Produits industriels	%	42,4	37,6	31,3 [a]
Principaux fournisseurs	% imports			
CAEM		57,0	48,3	54,5
Pays capitalistes développés		24,0	36,4	27,9
PVD		10,9	11,2	11,0
Principaux clients	% exports			
CAEM		54,4	55,6	55,3
Pays capitalistes développés		18,7	25,6	25,6
PVD		15,9	13,7	13,3

a. 1984 ; b. Métaux compris ; c. Marchandises.

volonté de Gorbatchev de voler de ses propres ailes est la plus manifeste. Andropov avait déjà considérablement innové en la matière, en

3. Économie

Indicateur	Unité	1965	1975	1985
PMN	milliard r.	193,5	363,3	567
Croissance annuelle	%	7,0	5,0	3,1
Par habitant	roubles	838	1 428	2 043 [c]
Structure du PMN				
Agriculture	% } 100 %	22,5	17,1	19,9 [a e]
Industrie	% } 100 %	61,0	64,0	56,7 [a]
Services	% } 100 %	16,5	18,9	23,4 [a]
Dette extérieure nette	milliard $	1	7,5	12,8
Taux d'inflation	%	. .	0,8	. .
Population active	million	117,7 [f]	126,6	137,0 [a]
Agriculture	% } 100 %	39,8 [f]	22,8	19,6 [a]
Industrie	% } 100 %	32,4 [f]	38,0	38,4 [a]
Services	% } 100 %	27,8 [f]	38,2	42,0 [a]
Dépenses publiques				
Éducation	% PMN	7,3	7,6	6,6 [b]
Défense	% PMN	. .	. .	d
Recherche et développement	% PMN	2,2	4,8	4,7 [b]
Production d'énergie	million TEC	966	1 578	2066 [b]
Consommation d'énergie	million TEC	836	1 278	1612 [b]

a. 1984; b. 1983; c. Le PIB par habitant, d'après la Wharton Econometrics, est de 5 727 dollars par habitant; d. 3,2 % d'après les autorités soviétiques, 10 à 20 % selon les sources occidentales; e. 15,1 % en 1980; f. 1960.

prônant ouvertement l'entrée en lice de nouveaux interlocuteurs, essentiellement l'Europe et la Chine, qui, selon lui, pourraient pallier en partie la détérioration des relations soviéto-américaines, qu'il estimait devoir être durable. Dès sa mort, de puissants courants institutionnels avaient contesté ces nouvelles orientations et, épaulés par les victimes putatives de la nouvelle diplomatie (Tchèques, Bulgares, Vietnamiens), ils étaient parvenus en grande partie à les paralyser au cours de l'année 1984. Andreï Gromyko avait été le principal artisan de cet enterrement des ouvertures andropoviennes tant vis-à-vis des Allemands que de la Chine.

Si Gorbatchev, en élevant Gromyko – qui n'est autre que l'oncle de son épouse – à la dignité de chef de l'État (juin 1985), est parvenu à se débarrasser d'un mentor par trop autoritaire dans la conduite de la politique extérieure, il n'en a pas moins conservé l'attitude prudemment réservée qui avait été celle du chef de la diplomatie : à Berlin-Est, en avril 1986, il a multiplié les attentions à l'égard d'Erich Honecker et les éloges envers l'esprit laborieux et discipliné des citoyens de la RDA. Mais il n'a pas pour autant autorisé le dirigeant est-allemand à se rendre en RFA. De même, les ouvertures envers la Chine ont été beaucoup plus prudentes que sous Andropov, et sur plusieurs théâtres (Vietnam, Corée du Nord, Pakistan), les Soviétiques se sont fort peu souciés de ménager Pékin, à la différence de ce qui s'était esquissé trois ans auparavant.

En revanche, dans la continuité de la diplomatie de Gromyko, les rapports soviéto-américains ont été l'objet d'un soin constant. Dans un interview à *Time Magazine* en septembre 1985, le secrétaire général n'a pas hésité à invoquer Dieu lui-même pour souhaiter le retour à la détente entre les deux grandes nations, et après avoir tempêté pour que le sommet de Genève, en novembre, parvienne à un début de solution de la controverse sur la militarisation de l'espace, il a fini par se résigner à ce que les principaux problèmes soient renvoyés au sommet suivant, peut-être à l'automne 1986.

Si les points les plus controversés des relations soviéto-américaines n'ont pas encore été résolus, loin s'en faut, la dégradation des rapports a en tout cas été enrayée, certains échanges économiques et culturels ont repris, et l'ouverture réciproque de consulats en province a fait l'objet d'un accord. Néanmoins, en dépit de l'évidente bonne volonté des Soviétiques qui misent, à n'en pas douter, sur un démantèlement progressif de la stratégie reaganienne, la partie américaine n'a pas facilité la tâche du nouveau secrétaire général et a clairement indiqué les limites d'un rapprochement éventuel.

Face à ces manœuvres en recul, qui ne ferment pas pour autant la porte à un compromis, la diplomatie soviétique, conduite par Dobrynine, a davantage cherché à renforcer sa crédibilité dans l'opinion publique américaine qu'à isoler les États-Unis par des mouvements en direction d'autres partenaires possibles.

Par rapport aux déclarations nettement pro-européennes de ses débuts, Gorbatchev a incontestablement déçu. Son voyage en France a certes été un succès de relations publiques, mais sa proposition d'ouvrir des négociations bilatérales sur les armes nucléaires françaises est apparue comme maladroite, compte tenu des positions traditionnelles de la France dans ce domaine. La diplomatie soviétique s'est aussi efforcée de développer ses rapports avec l'Italie, l'Espagne et s'est engagée dans une reconnaissance officielle de la CEE. Mais toutes ce initiatives, encore timides, se heurtent au problème allemand, vis-à-vis duquel la plus grande circonspection demeure de mise à Moscou, depuis l'été 1984. Dans ces conditions, la carte européenne a été jouée avec trop peu de conviction.

Reste le Moyen-Orient, où l'Union soviétique a englouti des investissements politiques considérables et où une situation mouvante pouvait se prêter à des initiatives spectaculaires. Dès l'arrivée aux affaires d'Edouard Chevarnadze, on a pu discerner une véritable volonté d'ouverture. La nouvelle stratégie adoptée visait à faire de l'Union soviétique l'interlocuteur obligé de toutes les parties en présence afin d'agir en faveur d'un règlement global qui renforcerait l'autorité de Moscou dans son dialogue-affrontement avec les États-Unis. Dans cette optique, l'URSS a donc cherché des percées diplomatiques dans deux directions nouvelles, l'Arabie saoudite et Israël. Mais, après le bombardement du quartier général de l'OLP à Tunis, en octobre 1985, par l'armée de l'air israélienne et le coup d'État d'Aden en janvier 1986, la situation générale est apparue par trop volatile aux Soviétiques pour qu'ils y prennent la moindre initiative de taille. Ce gel de la diplomatie soviétique au Moyen-Orient s'est dessiné à partir de l'hiver 1986, parallèlement à la relative baisse d'influence du ministre Chevarnadze au profit de Dobrynine. Là encore, il semble que l'équipe de Gorbatchev ait fait l'expérience du manque de plasticité des rapports internationaux : il en a résulté un certain repli sur soi.

Mais c'est dans le domaine militaire que la rigidité des équilibres s'est montrée le plus clairement. A son avènement, Gorbatchev a hérité d'une armée divisée dans son commandement, traumatisée par la mise à l'écart même partielle de son chef, le maréchal Nikolaï Ogarkov (en 1984), éprouvée par une prestation en Afghanistan peu convaincante au total, et confrontée à l'accélération du progrès technologique de son adversaire américain.

Dès juillet 1985, le nouveau secrétaire général a réuni les chefs militaires à Minsk et a essayé de leur imposer de nouveau la discipline vis-à-vis d'un parti dont l'autorité s'était effritée au fil des successions. Le fait que le discours de Minsk soit demeuré secret et que les mouvements de personnel ayant affecté les grands commandements puissent être interprétés de façon contradictoire, confirme les hésitations du pouvoir politique. Pour la première fois depuis 1972, le ministre de la Défense, le septuagénaire Sergeï Sokolov, ne s'est pas vu attribuer de siège en tant que membre titulaire du Politburo; sa situation de membre suppléant indique qu'aux yeux de la direction, sa présence à la tête de l'armée a un caractère provisoire. Aucun accord n'ayant pu se dégager, ni en termes d'hommes, ni en termes de stratégie, Gorbatchev semble s'être accommodé d'un étrange jeu de balancier entre fractions opposées qui, sans doute, laisse intact son pouvoir d'arbitrage. En même temps, il est incontestable que la campagne visant à retirer à l'armée la voix au chapitre en matière de politique globale s'est poursuivie, aussi bien par voie de la presse qu'à travers l'exercice de la contrainte économique.

Ambiguïtés de la « réforme » économique

Mais c'est évidemment sur la gestion globale de l'économie que Gorbatchev sera jugé. Dans ce domaine, les contradictions de la démarche suivie sont particulièrement frappantes et lourdes de conséquences : une fois éliminée la faction brejnévienne hostile au progrès technique et à ses conséquences déstabilisantes pour le Parti, les vrais choix doivent être accomplis. Depuis l'arrivée au pouvoir d'Andropov fin 1982, un débat partage les économistes soviétiques en deux tendances : d'une part, les partisans de la « manœuvre » macro-écnomique à grande échelle qui vise à substituer, dans les secteurs clefs, le facteur travail par l'usage massif des technologies modernes; ceux, d'autre part, qui attendent d'un assainissement des structures économiques (prix, autonomie des entreprises, délais de livraison, mobilité de la main d'œuvre) un relèvement de la productivité qui favoriserait l'investissement de manière plus décentralisée. Gorbatchev semble avoir opté pour un mode de croissance à mi-chemin des deux analyses : dans l'agriculture et certaines branches des industries de consommation, des efforts ont été faits pour introduire une vraie souplesse d'utilisation du capital productif. En revanche, les décisions prises dans les secteurs clefs de l'industrie lourde visent à accélérer l'introduction du progrès technique au moyen d'une réactivation des mécanismes centralisés de contrôle de l'économie. L'avenir dira si ce choix complexe est favorable à longue échéance; il s'est traduit tout au long de l'année 1985 par un mélange inédit d'appels à la bonne gestion, à l'utilisation plus responsable des ressources rares et de coups de trompette volontaristes, allant jusqu'à exalter à nouveau l'effort des « stakhanovistes » (septembre 1985). Parallèlement, l'invocation d'une « réforme radicale », et les vives critiques portées à l'esprit de routine (discours de Leningrad, mai 1985) laissent penser que la nouvelle direction entend combiner croissance des investissements et réforme de la gestion.

Toutefois, dans un premier temps au moins, et en dehors de l'agriculture, il semble bien que la réforme doive être pilotée par le haut, par un renforcement de la planification centrale. Très significatif à cet égard est la nomination du nouveau président du Gosplan, Nikolaï Talyzine, qui a été successivement ministre des Télécommunications et représentant de l'URSS au COMECON. Ce nouveau patron de la planification siège au Politburo – encore à titre de membre suppléant – ce qui atteste de la volonté de moderniser par le haut.

De tels objectifs supposent que

soient plafonnés pour plusieurs années des investissements de roulement des industries traditionnelles et que soit freinée la croissance de branches entières. Cette « manœuvre économique » de grande ampleur n'ira pas sans sacrifices, notamment dans le domaine de la consommation des ménages, et pourrait entraîner un chômage de friction.

Dans un domaine au moins, celui des économies d'énergie, les dirigeants ont éludé, avec des conséquences imprévues, les choix draconiens qui s'offraient à eux : la chute accélérée du cours du pétrole brut, aggravée par la baisse du dollar – monnaie dans laquelle sont libellés les achats de pétrole soviétique en Europe de l'Est – a d'ores et déjà des conséquences très graves pour les échanges extérieurs, encore alourdies par la baisse des ventes d'armes aux pays pétroliers du Moyen-Orient devenus insolvables. Pour faire face à cette nouvelle situation, l'URSS a décidé d'augmenter sa production de pétrole raffiné de manière à récupérer une valeur ajoutée importante, et accélérer parallèlement la production d'énergie électro-nucléaire à bas coût de fabrication. La catastrophe de Tchernobyl s'est produite en pleine phase d'accélération de ces investissements (la part de l'électro-nucléaire doit passer de 10 à 20 % de la production d'électricité de 1985 à 1990). Sans y voir la cause directe du sinistre, on ne peut s'empêcher de penser que l'introduction

BIBLIOGRAPHIE

Ouvrages

CARRÈRE D'ENCAUSSE H., *Ni paix, ni guerre*, Flammarion, Paris, 1986.

GARROS V., MANDRILLON M.-H., *Transsibéries, Autrement*, hors série, nº 16, Paris, 1986.

KERBLAY B., LAVIGNE M., *Les Soviétiques des années 80*, Armand Colin, Paris, 1985.

Articles

FERRO M., « Y a-t-il trop de démocratie en URSS? » *Annales* nº 4, juillet-août 1985.

GIROUX A., « Gorbatchev et l'agriculture. Cinq ans pour réussir », *Courrier des pays de l'Est*, nº 305, avril 1986.

LAVIGNE M., « Conjoncture soviétique : mars 85-86. Quels changements sous Gorbatchev? », *Chronique SEDEIS*, 15 mars 1986.

« L'URSS de Gorbatchev », *Courrier des pays de l'Est*, nº 297, juillet-août 1985.

Dossiers

BERTON-HOGGE R. (dossier constitué par), « Armée et société en URSS », *Problèmes politiques et sociaux*, nº 519, septembre 1985.

JOYAUX F. (dossier constitué par), « La politique de l'URSS en Asie orientale », *Problèmes politiques et sociaux*, nº 525, décembre 1985.

LEVY L.-F. (dossier constitué par), « L'URSS et la question allemande », *Problèmes politiques et sociaux*, nº 532, mars 1986.

SCHREIBER T. (sous la dir. de), « L'URSS et l'Europe de l'Est », *Notes et études documentaires*, nº 4793, 1985.

de méthodes de « travail de choc », peu compatibles avec la rigidité des mesures de sécurité nécessaires à ce type d'installation, a pu contribuer à la gravité de l'accident.

Si dans un discours prononcé devant les secrétaires à l'économie des pays du bloc soviétique en septembre 1985, Gorbatchev excluait de suivre la voie chinoise qui lui semblait être allée trop loin « vers la droite », après les excès « de gauche » de la Révolution culturelle, il n'est pas certain que la « voie du centre » adoptée entre novembre 1985 et février 1986 soit suffisante, alors que l'URSS subit le triple défi de l'accélération du progrès technique américain, de l'effondrement des échanges de produits énergétiques, et des retombées immédiates de Tchernobyl, en particulier sur la production agricole. Si le relèvement de la croissance du revenu national de 3,1 % en 1985 à 5 % environ dès 1986 reste possible, compte tenu de l'accélération des investissements, il faudra sans doute que la direction soviétique dynamise le rythme d'un changement qui demeure encore à l'état d'esquisse, aussi intéressante soit-elle.

Alexandre Adler

États-Unis. Le réalisme prévaut

1985 était la première année du second mandat de Ronald Reagan. Malgré les proclamations présidentielles annonçant une « seconde révolution américaine », le réalisme a finalement prévalu sur les questions les plus importantes, qu'il s'agisse du budget, du sort du dollar ou des relations avec l'Union soviétique. Au début de 1986, la lutte contre le terrorisme a toutefois donné l'occasion au chef de la Maison-Blanche de recourir de nouveau à une rhétorique vigoureuse et à l'usage de la force.

Confortablement réélu en novembre 1984, Ronald Reagan exaltait dans son discours sur l'état de l'Union, le 6 février, une Amérique « forte et sûre d'elle-même ». Il laissait là libre cours à son optimisme naturel que la réalité, notamment dans le domaine économique, aurait dû tempérer. En effet, si, conjoncturellement, l'année 1984 avait été satisfaisante tant pour la croissance (+ 6,8 %) que pour l'inflation (+ 4,5 %) ou le chômage (7,5 %), structurellement, l'existence de déficits importants de la balance commerciale et des paiements et le déséquilibre budgétaire représentaient de graves sources de préoccupations. Moins euphorique que le chef de l'exécutif, Paul Volcker, président de la Réserve fédérale, comparait le déficit budgétaire des États-Unis, de l'ordre de 200 mil-

ÉTATS-UNIS D'AMÉRIQUE

États-Unis d'Amérique
Capitale : Washington.
Superficie : 9 363 123 km² (17 fois la France).
Carte : p. 94-95.
Monnaie : dollar (1 dollar = 7,07 FF au 20.5.86).
Langues : anglais; espagnol, italien, polonais, etc.
Chef de l'État : Ronald W. Reagan, président (réélu le 4.11.84).
Nature de l'État : république fédérale (50 États et le District de Columbia).
Nature du régime : démocratie parlementaire.
Principaux partis politiques : *Gouvernement :* Parti républicain. *Opposition :* Parti démocrate.

ÉTATS UNIS D'AMÉRIQUE

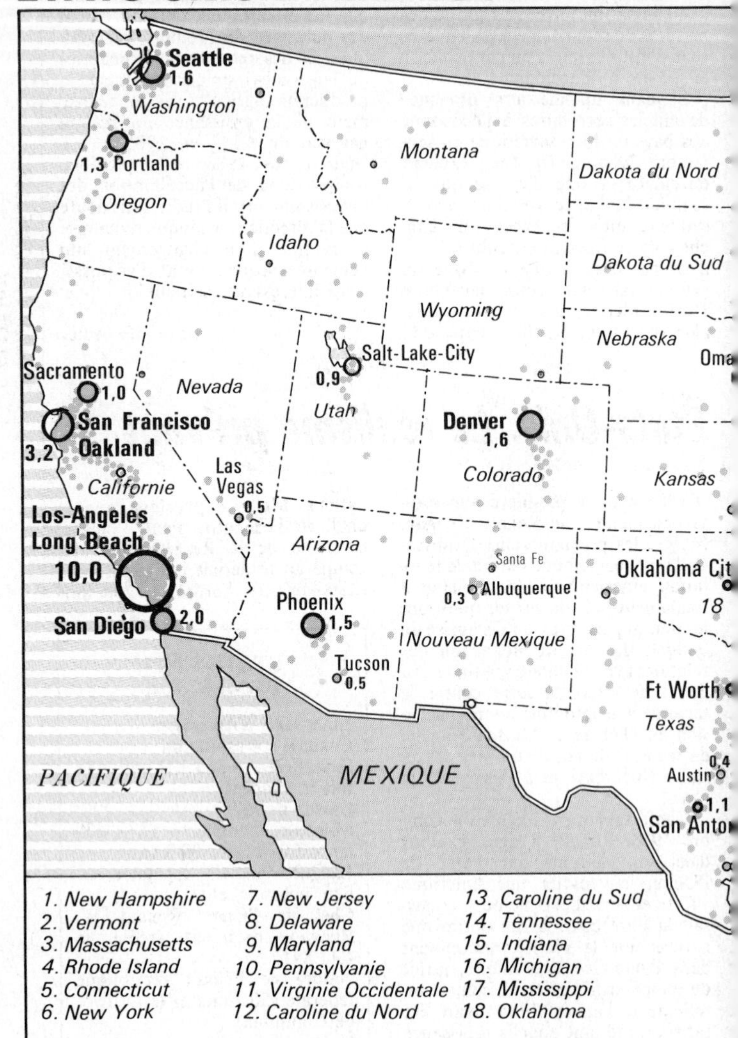

CANADA
Grands Lacs
Maine
Duluth 0,3
Minnesota
Wisconsin
St-Paul Minn. 2,1
16
2
1
6
Boston 2,8
3
5
4
Flint
Buffalo 0,5
Milwaukee 0,6
Detroit 4,3
1,9 Cleveland
10
15,3 New York
Iowa
Chicago 6,8
Toledo
Pittsburgh 2,3
Des Moines
15
Akron
Philadelphie 4,7
Illinois
Columbus 1,1
Ohio
9
Indianapolis 0,7
11
3,1 Washington
Baltimore 2,1
Cincinnati 1,3
Kansas Cy 1,3
2,4 St-Louis
1,0 Louisville
Richemond 0,8
Norfolk
Kentucky
Virginie
Missouri
Nashville 0,8 Davidson
12
Tulsa 0,4
0,3 Charlotte
Memphis 0,9
14
Columbia 0,4
Little Rock
Atlanta 2,0
Arkansas
Birmingham
13
Charleston
ATLANTIQUE
Dallas 2,9
Montgomery
Géorgie
Savannah
17
Alabama
Louisiane
Jacksonville 0,6
Floride
Houston 2,9
0,5
New Orleans 1,2
Tampa 1,6
Golfe du Mexique
Miami 2,6

100 000 habitants

Population urbaine, en millions 0,8

500 km

liards de dollars, à « un pistolet chargé pointé sur le cœur de l'économie américaine ».

Le dollar « sous contrôle »

Mais une chose est de connaître le mal, une autre de se donner les moyens de le combattre. Par sa politique monétaire anti-inflationniste, la Réserve fédérale a eu sa part de responsabilité dans la situation dénoncée par son président. Les taux d'intérêt élevés découlant de cette politique ont attiré une masse de capitaux étrangers bien utiles pour financer le déficit budgétaire, puisque Ronald Reagan s'est refusé à le combler, soit en diminuant l'énorme budget de la défense, soit en augmentant la pression fiscale, soit encore en s'engageant simultanément dans ces deux directions. Il ne faut pas aller chercher plus loin les causes de la fantastique montée du dollar : le 26 février 1985, la monnaie américaine était cotée au taux record de 10,61 francs français.

Toujours aussi confiant dans les vertus américaines, Ronald Reagan avait tendance à voir dans cette hausse vertigineuse une conséquence de la faiblesse des économies européennes. Il lui a fallu pourtant, assez rapidement, regarder la réalité en face. En accentuant la perte de compétitivité de l'industrie américaine, le dollar cher rendait impossible le rétablissement rapide de l'équilibre de la balance des échanges. En outre, il mettait en péril l'économie internationale en alourdissant dans des proportions intolérables la dette extérieure de nombreux pays du tiers monde.

Un mouvement à la baisse était donc inévitable, d'autant que les perspectives de croissance aux États-Unis se révélaient moins bonnes que prévu (+ 2,2 % sur l'année 1985). Le 20 mars, le dollar repassait sous la barre des 10 francs et à la mi-juillet sous celle des 9 francs. Mais l'événement majeur reste la décision prise le 22 septembre à New York par les ministres des Finances de cinq pays (États-Unis, Allemagne Fédérale, Grande-Bretagne, France, Japon). Ces cinq grands argentiers se sont mis d'accord pour procéder à des interventions concertées de leurs banques centrales afin de faire « fléchir » la devise américaine. Étonnant retournement de situation si l'on se rappelle le refus catégorique opposé traditionnellement par Washington à toute action concertée des pays occidentaux sur le front monétaire et en la croyance quasi mystique de Ronald Reagan dans les vertus du marché. A la fin de décembre 1985, le dollar s'établissait autour de 7,50 francs pour se fixer, dans les semaines suivantes, sur le seuil des 7 francs.

Batailles budgétaire et fiscale

C'est sur cet arrière-plan monétaire que s'est déroulée pendant toute la première moitié de l'année 1985 entre le président et le Congrès, une dure bataille budgétaire. Après diverses escarmouches, Ronald Reagan a accepté, en mai, que l'augmentation des dépenses militaires soit limitée à l'inflation (environ 3 %). Cette concession – de taille – n'a pas mis fin pour autant à toutes les controverses, le Congrès argumentant durement à propos des coupes dans le domaine social. Le document budgétaire n'a finalement été voté que le 1er août, à la veille du départ en vacances des congressistes. Il prévoyait un déficit de 170 milliards de dollars. Il devrait, en réalité, être sensiblement plus élevé.

L'affrontement a repris avec la préparation du budget 1986-1987. Entre-temps, l'obligation de réduire le déficit est devenue plus contraignante, le Congrès ayant adopté le 11 décembre 1985 un dispositif

1. Démographie, culture, armée

	Indicateur	Unité	1965	1975	1985
Démographie	Population	million	194,3	216,0	238,8
	Densité	hab./km²	21	23,1	25,5
	Croissance annuelle	%	1,3 [f]	1,1 [g]	0,9 [d]
	Mortalité infantile	‰	24,7	18 [e]	11,0
	Espérance de vie	année	69,0	71,3 [e]	74 [d]
	Population urbaine	%	68	70	74,2
Culture	Nombre de médecins	‰ hab.	1,5	1,7	1,8 [a]
	Scolarisation *1er et 2e degré*	%	101	101	98 [b]
	3e degré	%	40,2	58,2	56,4 [b]
	Postes tv	‰	362	586	790 [b]
	Livres publiés	titre	54 378	85 287	76 976 [c]
Armée	Marine	millier d'h.	867	733	767
	Aviation	millier d'h.	829	612	604
	Armée de terre	millier d'h.	963	785	781

a. 1980; b. 1982; c. 1981; d. 1980-85; e. 1970-75; f. 1960-70; g. 1970-80.

2. Commerce extérieur [a]

Indicateur	Unité	1965	1975	1985
Commerce extérieur	% PIB	3,7	7,0	7,4
Total imports	milliard de $	21,5	103,0	361,6
Produits agricoles	%	24,5	12,9	9,1
Pétrole et gaz	%	9,0	25,7	15,6
Produits industriels	%	59,9	56,4	74,7
Total exports	milliard de $	26,5	106,2	213,1
Produits agricoles	%	25,8	22,9	17,7
Produits miniers [b]	%	4,3	2,1	1,8
Produits industriels	%	69,9	71,8	75,6
Principaux fournisseurs	% imports			
CEE		15,6	17,2	18,9
Canada		22,6	22,8	19,2
Japon		11,3	11,8	20,0
Principaux clients	% exports			
CEE		18,2	21,2	21,5
Canada		20,3	20,2	22,2
Amérique latine		13,7	14,6	14,6

a. Marchandises; b. Produits énergétiques non compris.

législatif (loi Gramm-Rudman), qui prévoit un retour progressif à l'équilibre des comptes publics en 1991. La loi, dont la constitutionnalité était encore examinée en mai 1986 par la Cour suprême, indique qu'en cas d'impasse parlementaire, les coupes indispensables pour mainte-

3. ÉCONOMIE

INDICATEUR	UNITÉ	1965	1975	1985
PNB	milliard $	687,1	1 526,5	3 865,0
Croissance annuelle	%	4,3 [b]	12,3 [c]	2,2 [f]
Par habitant	$	3 540	7 150	16 185
Structure du PIB				
Agriculture	% } 100 %	3,0	3,0	2,5 [a]
Industrie	% } 100 %	35,7	32,7	32,0 [a]
Services	% } 100 %	61,3	64,3	65,5 [a]
Taux d'inflation	%	2,7 [d]	8,0 [e]	3,8
Population active	million	74,5	93,8	115,5
Agriculture	%	6,3	4,1	3,1
Industrie	%	35,5	30,6	28,0
Services	%	58,2	65,3	68,8
Chômage [h]	%	3,7	7,8	6,8
Dépenses publiques				
Éducation	% PNB	4,7	6,5	6,8 [g]
Défense	% PNB	7,2	5,8	6,3
Recherche et développement	% PNB	4,1	2,3	2,8
Production d'énergie	million TEC	1 712	1 963	1905 [i]
Consommation d'énergie	million TEC	1 783	2 261	2175 [i]

a. 1984; b. 1960-73; c. 1973-83; d. 1960-70; e. 1974-78 ; f. 6,5 % en 1984, 3,5 % en 1983; g. 1981; h. Fin d'année; i. 1983.

nir le déficit en deçà du seuil toléré seront effectuées automatiquement, de façon égale, dans les dépenses civiles et militaires. Un tel mécanisme met en danger certains programmes d'armements défendus par Ronald Reagan. D'où les pressions exercées sur le Congrès pour qu'il « sabre » encore plus largement qu'auparavant dans les dépenses sociales.

Simultanément, le gouvernement, tout en rejetant les tendances protectionnistes les plus extrêmes, a été amené à prendre certaines mesures restrictives dans l'espoir de réduire le déficit commercial. L'embargo a été mis sur l'importation de pâtes alimentaires, l'entrée des aciers européens a été plus sévèrement réglementée, les achats de textiles en provenance de différents pays du tiers monde diminués. Cela n'a pas empêché les échanges d'enregistrer, à la fin de l'année, un solde négatif de 148 milliards de dollars. L'entrée de l'Espagne et du Portugal dans la Communauté européenne, le 1er janvier 1986, en menaçant notamment les exportations américaines de soja dans ces deux pays, a aigri les relations de Washington avec Bruxelles et débouché sur une nouvelle guerre commerciale entre le Marché commun et les États-Unis.

L'œuvre à laquelle le président Reagan souhaiterait toutefois attacher son nom reste son projet de réforme fiscale. Annoncé le 28 mai 1985 avec solennité – il s'agit de « donner une force et un sens nouveaux aux mots de liberté, d'équité et d'espoir », déclarait Ronald Reagan –, ce projet vise à simplifier un système fiscal rendu passablement compliqué par la multiplication des exemptions et des déductions. Il propose de remplacer les quinze taux d'imposition existants par seulement trois, le taux le plus élevé pour les personnes privées étant fixé à 35 % au lieu de 50 %. L'impôt sur les sociétés passerait, lui, de 46 % à 33 %. Enfin, les possibilités de déduction au titre des amortissements industriels seraient très limitées, ce qui favoriserait les secteurs moins gourmands en capital au détriment des industries lourdes.

Après bien des péripéties, la Chambre des représentants a finalement donné son feu vert, le 17 décembre, à cette réforme. Son adoption définitive devait cependant faire l'objet d'autres débats parlementaires, le Sénat travaillant à sa propre version du projet. Un accord du Congrès signifierait, en tout cas pour Ronald Reagan un pas de plus dans l'accomplissement de sa révolution conservatrice. Électoralement, un tel succès pourrait se révéler payant lors des élections intermédiaires de novembre 1986 (renouvellement de la Chambre des représentants et du tiers des sénateurs). Mais il est clair que la diminution de la pression fiscale n'est pas le meilleur moyen de contribuer à la réduction du déficit budgétaire.

C'est ce genre de contradictions qui ont amené certains collaborateurs de Reagan, comme David Stockman, le directeur du budget, à s'éloigner de lui (1er août 1985). Remaniée à l'aube du deuxième mandat, l'équipe présidentielle a connu d'autres tiraillements et des querelles de compétences favorisées par le style de travail de Reagan et par ses ennuis médicaux passagers.

Dialogue très classique avec l'URSS

Ces frictions se sont manifestées particulièrement dans la conduite de la politique étrangère. Bien que contesté par les ultra-conservateurs, George Shultz, le secrétaire d'État, a consolidé son autorité, imposant, en ce domaine aussi, un plus grand réalisme, notamment dans les rapports Est-Ouest. L'égérie des reaganiens « durs », Jeane Kirkpatrick, ancienne déléguée aux Nations Unies, a fait les frais de cette réorientation. Et, depuis le départ de Robert McFarlane, conseiller du président pour les Affaires de sécurité, en conflit avec le secrétaire de la Maison Blanche, Donald Regan, George Shultz est le seul vrai patron de la diplomatie américaine, ce qui ne règle pas pour autant tous les problèmes.

Le principal différend existant depuis le début de 1985 au sein du gouvernement Reagan en matière de politique étrangère a opposé George Shultz à Caspar Weinberger, le secrétaire à la Défense. Farouchement antisoviétique, Weinberger s'est montré très méfiant envers tout compromis envers Moscou sur la question des armes stratégiques ou spatiales. Il n'a pas manqué de faire connaître son point de vue à la veille de la rencontre de Reagan avec le numéro un soviétique, Mikhaïl Gorbatchev, le 19 novembre 1985. Il accusait les Russes de violer les traités existants, notamment le traité ABM sur les systèmes de défenses antibalistiques, et mettait en garde contre le chantage de Moscou sur la « guerre des étoiles ».

Cette attitude négative du chef du Pentagone l'a exclu de la reprise de contacts avec Moscou, rendue possible par le redémarrage, dès le mois de mars 1985, des négociations sur les armements stratégiques, interrompues depuis décembre 1983. Avant même sa réélection, Reagan s'était dit prêt à rechercher des « relations plus constructives » avec l'URSS si les Soviétiques acceptaient de revenir à la table des discussions. Autre signe témoignant d'une volonté commune d'ouvrir à nouveau le dialogue : en mai 1985, le secrétaire au Commerce, Malcolm Baldridge, se rendait à Moscou pour la première réunion depuis 1978 de la commission économique soviéto-américaine. Les échanges entre les deux pays avaient, au demeurant, fortement progressé (+ 80 %) en 1984.

La rencontre Reagan-Gorbatchev, du 19 au 21 novembre, à

Genève, a symbolisé cette évolution. Grand événement médiatique, elle a servi l'image des deux hommes. En acceptant de rencontrer le représentant de l'« empire du mal », le président Reagan a donné à comprendre qu'il n'épargnerait aucun effort pour rechercher les moyens de la paix. Nouveau venu sur la scène internationale, le dirigeant soviétique a, quant à lui, montré qu'il était un interlocuteur valable, ouvert en apparence, mais déterminé et en tout cas mieux rompu que ses prédécesseurs aux périlleux exercices de la diplomatie publique.

Sur le fond, ces entretiens n'ont pas permis de percée décisive, mais les deux pays se sont engagés à « accélérer » les négociations sur les armes nucléaires et spatiales à propos desquelles subsistent, malgré tout, de « sérieuses divergences ». Moscou a maintenu son exigence de l'abandon par Washington de son Initiative de défense stratégique (IDS). Seul résultat tangible de la rencontre : la conclusion de divers accords bilatéraux (culturel, consulaire) et la réouverture des liaisons aériennes entre les deux pays. En décembre, quatre cents hommes d'affaires américains se sont rendus à Moscou, peu de temps après que les États-Unis eurent autorisé à nouveau l'octroi de crédits à l'URSS.

Ainsi, trois années de dénonciations de l'« empire du mal » et des illusions de la détente n'ont conduit qu'à la reprise d'un dialogue très classique entre les deux grandes puissances. Au centre se trouve la négociation sur le contrôle des armements. Une situation qui n'empêche pas la persistance de conflits régionaux, où les deux Grands s'affrontent par pays tiers interposés.

De tous ces affrontements, c'est incontestablement celui qui se déroule en Amérique centrale qui a le plus retenu l'attention de Washington. L'objectif du gouvernement Reagan est d'empêcher l'intégration du Nicaragua au bloc soviétique et l'extension de la révolution dans les autres pays de la région. La pression américaine sur le régime de Managua a été renforcée par le vote (12 juin 1985) par la Chambre des représentants d'une aide « civile » de 27 millions de dollars aux *contras* antisandinistes. En principe, ces fonds ne peuvent pas transiter par le Pentagone ou la CIA. En fait, l'aide fournie est multiforme et l'armée américaine a transformé le Honduras, voisin du Nicaragua, en un véritable porte-avions.

Enhardi par son succès, Reagan a réclamé au début de 1986 la fourniture aux *contras* d'une nouvelle aide d'un montant, cette fois, de 100 millions de dollars, dont 70 millions de nature militaire. Un tel cliquetis d'armes laissait peu de chances aux efforts de paix déployés par le groupe de Contadora (Mexique, Colombie, Vénézuela, Panama). Tout au moins, l'action modératrice de ces pays a-t-elle peut-être permis d'éviter le pire, c'est-à-dire une intervention armée directe des États-Unis au Nicaragua.

Si, en Amérique centrale, l'action américaine s'est caractérisée par sa continuité, en d'autres points chauds elle a su être suffisamment habile pour donner l'impression d'accompagner les évolutions afin de sauvegarder l'essentiel. On a pu le constater en Haïti et aux Philippines. Dans les deux cas, Washington, après avoir soutenu jusqu'au bout les dictatures en place, a su, au dernier moment, donner le coup de pouce nécessaire pour provoquer le changement. C'est le souci de l'ordre, plus que celui de la réforme, qui a dominé. En particulier, aux Philippines, Reagan semblait, au printemps 1986, pencher vers l'attentisme vis-à-vis de Corazon Aquino, malgré l'américanophilie de cette dernière.

En dehors de ces deux foyers de crise, le fait qui a dominé la fin de 1985 et le début de 1986 a été la brusque montée du thème du terrorisme. A la suite de plusieurs attentats visant des citoyens américains (détournement du navire *Achille Lauro* en octobre 1985, fusillades dans les aéroports de Rome et de Vienne en décembre) Reagan, qui avait ressenti comme une humiliation la capture d'un avion de la TWA à Beyrouth (juin 1985) et la longue détention de ses passagers, décidait de passer à la contre-attaque. Ce fut d'abord l'arraisonnement en vol d'un appareil transportant les auteurs du détournement de l'*Achille Lauro*, puis deux séries de bombardements sur la Libye (15 avril 1986).

La dernière de ces opérations devait ouvrir une crise avec la France, Paris (comme Madrid) ayant refusé le survol de son territoire aux *F-111* américains. Reagan n'en obtenait pas moins à Tokyo, au sommet des sept pays industrialisés (4-6 mai 1986), l'accord de ses partenaires pour une plus grande concertation dans la lutte antiterroriste. Cette satisfaction personnelle cachait cependant le revers de la médaille : ces bombardements interdisaient sans doute, pour un certain temps, à la diplomatie américaine toute possibilité d'action au Proche-Orient.

Manuel Lucbert

BIBLIOGRAPHIE

Ouvrages

ALIMAN T.D., *Un destin ambigu. Les illusions et les ravages de la politique étrangère américaine de la doctrine de Monroe à la guerre de Reagan en Amérique centrale*, Flammarion, Paris, 1986.

ARTAUD D., *La fin de l'innocence. Les États-Unis de Wilson à Reagan*, Armand Colin, Paris, 1985.

BERNHEIM N., *Voyage en Amérique noire*, Stock, Paris, 1985.

BOWLES S., GORDON D.M., WEISSKOPF T.E., *L'économie du gaspillage. La crise américaine et les politiques reaganiennes*, La Découverte, Paris, 1985.

HARRINGTON M., *The New American Poverty*, Penguin Books, New York, 1985.

LACORNE D., RUPNIK J., TOINET M.-F. (sous la dir. de), *L'Amérique dans les têtes. Un siècle de fascinations et d'aversions*, Hachette, Paris, 1986.

Articles

BEAUGE F., « La face cachée de l'Amérique », *Le Monde diplomatique*, juillet 1985.

CORYELL S., « Reaganisme et pouvoir judiciaire. La bataille de la Cour suprême », *Le Monde diplomatique*, août 1985.

DOMMERGUES P., « Les syndicats acculés à faire peau neuve. Aux États-Unis, un virage difficile à négocier », *Le Monde diplomatique*, février 1986.

Chine. Un bilan mitigé

A l'euphorie qui prévalait en 1984 a succédé, en 1985, une certaine inquiétude des dirigeants chinois face à la surchauffe qui s'est emparée de l'économie en début d'année. Concilier le développement d'une

CHINE

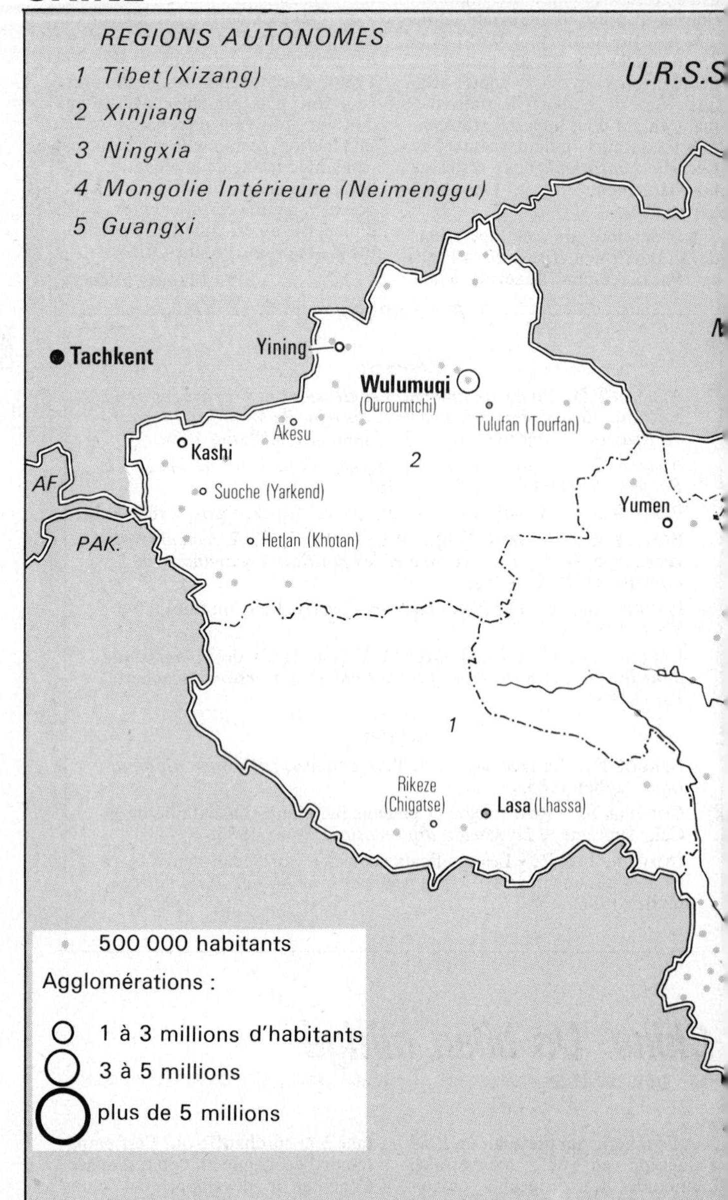
REGIONS AUTONOMES
1 Tibet (Xizang)
2 Xinjiang
3 Ningxia
4 Mongolie Intérieure (Neimenggu)
5 Guangxi
U.R.S.S
Tachkent
Yining
Wulumuqi
(Ouroumtchi)
Tulufan (Tourfan)
Akesu
Kashi
2
AF.
Suoche (Yarkend)
PAK.
Hetlan (Khotan)
Yumen
1
Rikeze
(Chigatse)
Lasa (Lhassa)
500 000 habitants
Agglomérations :
1 à 3 millions d'habitants
3 à 5 millions
plus de 5 millions

U.R.S.S.
Qiqihar
Harbin
lan Bator
GOLIE
Changchun
Mer du Japon
Shenyang
Fushun
Anshan
4
COREE DU NORD
Tangshan
Baotou
Beijing (Pekin)
9,2
7,8
Lüda
Séoul
Tianjin
COREE DU SUD
Taiyuan
Huanghe
3
Qingdao
Jinan
Zhengzhou
Xuzhou
Lanzhou
Nanjing
Xi'An
CHINE
Shanghai 11,8
Hefei
Wuhan
Hangzhou
Chengdu
Nanchang
hongqing
(Yang Tsé)
Changsha
Guiyang
Fuzhou
Taibei
Xiamen
TAIWAN
Shantou
Guangzhou (Canton)
nming
5
Nanning
5,1
Mer de Chine
V. N.
HONG KONG
AOS
HAINAN
LUÇON
500 Km

économie de marché avec le maintien d'un système de planification, poursuivre la politique d'ouverture tout en limitant les ravages de la « pollution idéologique capitaliste et bourgeoise », tels sont les problèmes qui se sont posés à la direction chinoise à la veille de l'adoption du septième Plan quinquennal.

Les dangers de la « surchauffe »

En novembre 1985, Deng Xiaoping a réaffirmé son espoir de voir la valeur de la production industrielle et agricole quadrupler d'ici à l'an 2000, le produit national brut de la Chine devant atteindre alors 1 000 milliards de dollars. Dans les campagnes, les réformes structurelles qui devaient aboutir au démembrement des 54 000 communes populaires et à leur remplacement par 90 000 gouvernements cantonaux uniquement chargés des questions administratives sont pratiquement achevées. Le système de responsabilité mis en place en 1980 a été renforcé. Au début de l'année 1985, le système de livraison de quotas obligatoires à l'État a été aboli, ce dernier ne conservant qu'un rôle de régulateur du marché, grâce à des achats importants de céréales et de coton. La diversification des activités dans les campagnes a été encouragée ainsi que l'installation de petites entreprises industrielles et commerciales dans les bourgs et les petites villes. Les transferts de technologie ainsi que le recours aux investissements étrangers pour la réalisation de grands projets comme la mise en valeur de la grande plaine du Nord constituent l'un des objectifs du gouvernement. De 1980 à 1985, la valeur de la production agricole chinoise a augmenté en moyenne de 10,2 % par an.

1985 a vu également l'extension de la réforme économique des campagnes aux villes. La décision en avait été prise au XIIe congrès du Parti communiste en octobre 1984. L'autonomie financière des entreprises a été accrue, les financements par crédits bancaires devant peu à peu remplacer les investissements directs par l'État. C'est ainsi que pour drainer des capitaux, la Banque industrielle et commerciale de Shanghai a émis pour la première fois, le 1er novembre 1985, pour 15 millions de yuans d'obligations. Les plans indicatifs et le système de régulation par le marché devraient progressivement se substituer aux plans de production impératifs fixés par l'État. Si de 1980 à 1985, la production industrielle a augmenté, en moyenne, de 11 % par an, cette augmentation a dépassé 23 % pendant les six premiers mois de l'année 1985 par rapport à la même période de l'année précédente. En 1985, les investissements dans la construction de base ont dépassé de 44 % le montant prévu par le sixième Plan quinquennal.

Pour soutenir la libéralisation de l'économie, le gouvernement chinois a entrepris en 1985 une importante réforme du système des prix. Le but de cette réforme était de remédier à la lourdeur et à l'irrationalité de l'ancien système de fixation des prix par les organes centraux, en espérant que les lois du marché suffiraient à éviter des hausses trop importantes. Cependant, en 1985, la hausse des prix aurait été de 9 % en moyenne, avec des pointes de 50 % dans les grandes villes, mal compensées par les subventions accordées aux citadins. Parallèlement, la politique d'ouverture sur l'étranger s'est poursuivie. Les provinces ont reçu une autonomie beaucoup plus grande pour traiter directement avec les investisseurs étrangers. De 1978 à 1985, 17,2 milliards de dollars de capitaux étrangers ont été investis en Chine. En 1985, 900 entreprises à capitaux mixtes ont été installées.

En dépit de résultats économiques très encourageants, les dirigeants chinois ont laissé pointer un certain pessimisme dans leurs déclarations. Si le Vice-Premier ministre Li Peng a affirmé le 18 novembre 1985, devant l'Assemblée populaire nationale, que l'économie chinoise avait connu de 1978 à 1985 ses années les plus productives depuis la fondation de la République populaire de Chine, il a aussi insisté sur les retards et les inégalités de développement qui subsistaient. Les discours des dirigeants chinois ont surtout porté sur la nécessité de ne pas rechercher un rythme de croissance trop élevé. En effet, certains dysfonctionnements du nouveau système économique sont apparus en 1985.

Dans l'agriculture, la course au profit a entraîné une baisse de la production céréalière de 25 millions de tonnes par rapport à 1984, au profit de productions plus rentables comme le coton, la canne à sucre, les oléagineux, le tabac ou le chanvre. Les inégalités de développement se sont accrues entre les régions et entre les paysans riches et pauvres. 80 % de la population des campagnes fait encore partie de la catégorie des paysans pauvres et les discours dithyrambiques sur les « familles à 10 000 yuan » se sont fait plus mesurés. L'État a prévu pour le septième Plan quinquennal un accroissement de 3,4 % par an de la production céréalière et songe à accorder des subventions aux producteurs de grain.

Dans l'industrie, les goulots d'étranglement traditionnels de l'énergie et des transports ont freiné le développement des entreprises. De janvier à mars 1985, la production industrielle a augmenté de 23 % par rapport à la même période de l'année précédente, alors que la production énergétique n'a augmenté que de 11 %. De plus, la Chine a beaucoup de mal à attirer les capitaux étrangers vers ces secteurs vitaux pour elle, mais peu rémunérateurs. Le problème des transports s'est fait particulièrement sentir dans les régions traditionnellement peu développées de l'Ouest de la Chine. 94 % de la production industrielle et agricole est concentrée dans les provinces orientales plus accessibles.

Dans les zones côtières, le développement rapide mais quelque peu anarchique des zones économiques spéciales et des villes ouvertes, très gourmandes en devises, a entraîné certaines remises en cause. Si la zone économique spéciale de Shenzhen conserve un rôle important de référence pour le reste du pays, un certain ralentissement de l'activité s'y est fait jour à partir du mois de septembre 1985. La politique des villes ouvertes mise en œuvre en 1984 a été fortement freinée. Plusieurs contrats avec des firmes étrangères ont été annulés en 1985. Désormais, seules quatre villes sur les quatorze initialement prévues sont concernées par cette politique. Il s'agit de celles qui étaient déjà dotées des infrastructures les plus

CHINE

République populaire de Chine
Capitale : Pékin (Beijing).
Superficie : 9 596 961 km² (17,5 fois la France).
Carte : p. 102-103.
Monnaie : yuan (1 yuan = 2,23 FF au 30.4.86).
Langues : mandarin de Pékin (langue dominante); huit dialectes avec de nombreuses variantes; les minorités nationales ont leur propre langue.
Chef de l'État : Li Xiannian, président de la République.
Premier ministre : Zhao Ziyang.
Nature de l'État : république socialiste unitaire et multinationale (21 provinces, 3 régions autonomes, 3 grandes municipalités).
Nature du régime : démocratie populaire basée sur le régime du parti unique et une idéologie d'État : le marxisme-léninisme.
Parti politique : Parti communiste chinois, (secrétaire général : Hu Yaobang). Deng Xiaoping, membre du Comité central du Parti et chef de la Commission militaire, reste l'homme fort du régime.

1. Démographie, culture, armée

	Indicateur	Unité	1965	1975	1985
Démographie	Population	million	745,4	924,2	1 061,1
	Densité	hab./km²	77,7	96,3	110,6
	Croissance annuelle	%	2,3 [c]	1,7 [d]	1,2 [e]
	Mortalité infantile	‰	..	66 [i]	33,0
	Espérance de vie	année	57,1	59,1 [i]	67,4 [e]
	Population urbaine	%	18 [g]	..	21,0
Culture	Analphabétisme	%	57 [g]	..	30,7
	Nombre de médecins	‰ hab.	0,13	0,40	0,52 [a]
	Scolarisation *2e degré* [f]	%	23 [h]	44	34 [b]
	3e degré	%	0,07 [h]	0,6	1,3 [b]
	Postes tv	‰	—	1,0	7,0 [b]
	Livres publiés	titre	20 143	13 716	31 602
Armée	Marine	millier d'h.	136	230	350
	Aviation	millier d'h.	100	220	490
	Armée de terre	millier d'h.	2 250	2 800	2 973

a. 1981; b. 1983; c. 1960-70; d. 1970-80; e. 1980-85; f. 12-16 ans; g. 1960; h. 1970; i. 1970-75.

2. Commerce extérieur [b]

Indicateur	Unité	1970	1975	1985
Total imports	milliard $	2,28	7,9	42,5
Produits agricoles	%	26,7	22,0	18,8 [a]
Produits miniers	%	3,3	3,1	—
Produits industriels	%	70,0	74,9	81,2 [a]
Total exports	milliard $	2,31	7,7	27,3
Produits agricoles	%	47,0	39,6	21,6 [a]
Produits miniers	%	5,9	16,7	22,2 [a]
Produits industriels	%	47,1	43,7	56,2 [a]
Principaux fournisseurs	% imports			
PCD		56,7 [c]	70,6	70,1
PVD		15,4 [c]	16,4	23,1
Pays socialistes		27,9 [c]	12,8	6,7
Principaux clients	% exports			
PCD		32,3 [c]	36,8	41,7
PVD		35,8 [c]	28,5	49,4
Pays socialistes		31,9 [c]	20,6	8,8

a. 1984; b. Marchandises; c. 1966.

complètes : Canton, Dalian, Shanghai et Tianjin. La chute brutale des réserves en devises qui sont tombées de 16,3 milliards de dollars en 1984 à 7 milliards de dollars au mois de novembre 1985 a poussé le gouvernement à faire preuve de plus de prudence dans ses projets de développement de régions encore trop peu équipées.

3. Économie

Indicateur	Unité	1965	1975	1985
PMN [f]	milliard $	56,3	134,6	230,4
Croissance annuelle	%	4,0 [c]	5,6 [d]	12,3
Par habitant	$	77,7	145,6	217,0 [g]
Structure du PMN [f]				
Agriculture	% } 100 %	41,3 [e]	39,4	44,9 [a]
Industrie	% } 100 %	44,2 [e]	49,0	46,9 [a]
Services	% } 100 %	14,5 [e]	11,6	8,2 [a]
Taux d'inflation	%	– 2,7	0,3	12,2
Population active	million	..	..	521,5 [b]
Agriculture	% } 100 %	..	..	73,7 [b]
Industrie	% } 100 %	..	..	16,0 [b]
Services	% } 100 %	..	..	10,3 [b]
Dépenses publiques				
Éducation	% PMN [f]	..	1,9	2,7 [a]
Défense	% PMN [f]	..	..	3,8 [b]
Production d'énergie	million TEC	317,9	474,0	683 [a]
Consommation d'énergie	million TEC	316,8	434,2	629 [a]

a. 1983; b. 1982; c. 1960-70; d. 1970-80; e. 1970; f. Produit matériel net; g. PNB par habitant : 310 dollars en 1984 d'après la Banque mondiale. Taux de croissance du PNB : 6,1 % par an entre 1973 et 1983.

Les limites de la politique d'ouverture

Le problème principal pour la Chine reste cependant celui du déficit du commerce extérieur qui s'est élevé à 7,6 milliards de dollars en 1985. Si de janvier à juin 1985, les importations ont augmenté de 70,4 % par rapport aux six premiers mois de l'année 1984, les exportations ont baissé de 1,3 %. La satisfaction des besoins les plus immédiats et l'amélioration du niveau de vie ont entraîné une demande accrue de produits importés. Les « quatre choses essentielles » ne sont plus la montre, la machine à coudre, la radio et la bicyclette, mais la télévision, la machine à laver, le réfrigérateur et le magnétophone à cassettes importés. De nombreux scandales ont éclaté, en particulier dans l'île de Hainan, portant sur l'importation abusive et frauduleuse de ces nouveaux équipements. Des mesures coercitives ont été prises par le Conseil des affaires de l'État pour lutter contre les importations de ces « produits de luxe ». A l'inverse, les produits chinois ont du mal à s'exporter vers les pays développés en raison de leur mauvaise qualité et de leur inadéquation aux marchés de ces pays.

Le septième Plan quinquennal, pour 1986-1990, dont les objectifs ont été approuvés par l'Assemblée populaire nationale au mois de mars 1986, reflète ces dysfonctionnements. Il est prévu que la réforme économique et la politique d'ouverture seront poursuivies, mais l'accent a été mis sur les projets clefs dans le domaine des transports et de l'énergie, de la modernisation des entreprises existantes et de la formation des cadres. Le renforcement des secteurs de l'agro-alimentaire, du textile et de l'électroménager devrait permettre de satisfaire les besoins de la population en produits nouveaux, plus sophistiqués, et de développer les exportations. Les deux premières années du nouveau Plan seront consacrées en priorité à la consolidation des réformes et à la remise en ordre de l'économie, le rythme de croissance ne devant pas dépasser 7 % par an, jusqu'en 1990.

La politique d'ouverture sur l'étranger et les consignes d'enrichissement personnel ont entraîné le développement, à une plus large échelle, de phénomènes sociaux jugés négatifs. La spéculation sur les produits étrangers et la corruption de fonctionnaires semblent désormais monnaie courante. La multiplication, en 1985, de directives du Conseil des affaires de l'État appelant à plus de fermeté dans la condamnation de ces pratiques et la dénonciation permanente de nouveaux scandales impliquant des hauts fonctionnaires et des cadres du Parti communiste ont montré l'impuissance du gouvernement à contrôler ces phénomènes. Au sein même du Parti, des factions hostiles à l'accélération de la réforme économique et aux changements de mentalité que cette dernière a entraînés ont trouvé leur porte-parole en la personne de Chen Yun, premier secrétaire de la commission de la discipline du PCC. Ce dernier a rappelé au mois de septembre 1985, devant une conférence des représentants du Parti, la nécessité de maintenir la prépondérance de l'économie planifiée et de lutter contre les effets néfastes des « idéologies décadentes ».

Cependant, l'entreprise de rajeunissement des équipes dirigeantes du PCC s'est poursuivie. Le Comité central a pris la décision de réorganiser toutes les équipes dirigeantes du Parti et de l'administration avant le XIIIe Congrès du PCC en 1987. Au mois de septembre 1985, soixante-quatre membres du Parti, dont la moyenne d'âge ne dépassait pas cinquante ans, ont été nommés au Comité central. Six nouveaux membres ont été également nommés au Bureau politique du Comité central, parmi lesquels les « étoiles montantes » Hu Qili, Li Peng, Qiao Shi et Tian Jiyun, chargés de préparer la relève. Ces jeunes réformateurs, proches de Deng Xiaoping, ont pris eux-mêmes en charge la lutte contre la corruption. Au mois de janvier 1986, Hu Qili, secrétaire du Comité central, a convoqué une nouvelle conférence des délégués des organes centraux du Parti, devant laquelle il a dénoncé l'individualisme, le libéralisme, le manque de sens de la discipline et de dignité personnelle dans les contacts avec l'étranger. Les réformateurs espèrent ainsi se dédouaner auprès des quelques représentants de la vieille garde, plus prudente, regroupée autour de Chen Yun.

L'attitude de la Chine vis-à-vis des pays occidentaux est restée dominée par la volonté de maintenir la confiance de ses partenaires et d'encourager les investissements étrangers qui, seuls, lui permettront de combler son énorme retard technologique. Le 27 janvier 1986, le Premier ministre Zhao Ziyang a déclaré que la lutte contre les activités économiques illégales ne devait pas compromettre la politique d'ouverture. De plus, les Chinois ont poursuivi la mise en place de l'arsenal législatif nécessaire au développement des affaires avec l'étranger. Le 21 mars 1985, l'Assemblée nationale a adopté la loi sur les contrats avec l'étranger. Le 2 avril, le Conseil des affaires de l'État a réglementé l'ouverture de banques à capitaux mixtes et à capitaux étrangers dans les zones économiques spéciales. Vingt banques étrangères ont été autorisées à établir des institutions financières dans la province de Guangdong.

Si les États-Unis sont restés le troisième partenaire commercial de la Chine après Hong Kong et le Japon, les exportations de produits chinois vers les États-Unis ont diminué de 25 % pendant les six premiers mois de l'année 1985. Le président de la République, Li Xiannian, a profité de sa visite aux États-Unis au mois de juillet 1985 pour rappeler les obstacles qui nuisent à la parfaite entente qui doit régner entre les deux pays. Un des problèmes principaux est celui des limites portées par le Congrès aux importations de produits textiles. A ces problèmes économiques s'ajoute celui du statut de Taïwan, toujours mentionné par les dirigeants chinois.

Le problème du déficit commercial de la Chine avec le Japon a également perturbé les relations entre ces deux pays. Les critiques chinoises contre le militarisme japonais ont repris, attisées par la visite, au mois d'août 1985, du Premier ministre japonais au temple de Yasukuni où sont déposées les tablettes mortuaires de criminels de guerre japonais.

Pour rééquilibrer leurs relations avec les pays occidentaux, les Chinois se sont tournés de plus en plus vers les pays socialistes. En 1985, les échanges économiques se sont développés avec tous les pays d'Europe de l'Est, y compris l'Albanie avec laquelle un accord commercial a été signé le 4 décembre. De nombreux accords de troc ont été directement conclus entre des provinces chinoises et les pays de l'Est. Entre la Chine et l'URSS, le volume des échanges commerciaux a augmenté de 70 % entre 1984 et 1985. Cependant, en dépit de l'accroissement de ces échanges, le développement des relations sino-soviétiques a été freiné par la permanence des problèmes de l'Afghanistan, de la présence d'importantes troupes soviétiques à la frontière chinoise et de l'occupation du Cambodge par le Vietnam. Les septièmes consultations sino-soviétiques qui se sont déroulées au mois d'octobre 1985 n'ont pas permis de résoudre ces problèmes, même s'il a été décidé de multiplier les échanges entre des représentants non gouvernementaux des deux pays.

Valérie Niquet-Cabestan

BIBLIOGRAPHIE

Ouvrages

DENG XIAOPING, *Édifier un socialisme à la chinoise*, Éditions en langues étrangères, Pékin, 1985.

GODEMENT F., *Le monde déchiffré, la Chine*, IFRI, Paris, 1985.

LEMOINE F., *L'économie chinoise*, La Découverte, Paris, 1986.

L'agriculture en Chine : perspectives pour la production et les échanges, OCDE, Paris, 1985.

Articles

BIANCO L., « La transition démographique en Chine populaire et à Taïwan », *Revue d'études comparatives Est-Ouest*, n° 2, juin 1985.

CABESTAN J.-P., « Comment devient-on ministre en Chine populaire? », *Revue d'études comparatives Est-Ouest*, n° 4, décembre 1985.

CADART C., « La nouvelle politique étrangère chinoise », *Le Débat*, n° 35, mai 1985.

DOMENACH J.-L., « Chine : la victoire ambiguë du vieil homme », *Revue française de science politique*, n° 3, juin 1985.

ZAFANOLLI W., « Chine : de la transition socialiste à la transition capitaliste », *Revue d'études comparatives Est-Ouest*, n° 4, décembre 1985.

Inde. Rajiv part en croisade

Rajiv Gandhi a découvert, en 1985, une Inde plus rebelle à ses volontés de changement et à ses désirs de modernisation qu'il ne l'espérait. Nommé Premier ministre le 31 octobre 1984, le jour même de l'assassinat de sa mère Indira Gandhi, conforté par une très large victoire aux élections législatives en décembre de la même année, l'héritier de la dynastie Nehru a voulu aller vite, très vite. Tout de suite, il s'est colleté aux problèmes les plus brûlants qui menaçaient l'union indienne : le Pendjab, l'Assam. Il a aussi voulu réformer son parti (le Congrès national indien), la fonction publique, et secouer l'économie, bousculant son pays avec une ardeur de néophyte. Cette croisade s'est soldée par des succès indéniables : l'Inde a cru quelques mois que du Pendjab à l'Assam, en passant par la corruption, ses plaies étaient soignées. Rajiv Gandhi a vogué alors en plein état de grâce, vivant une véritable lune de miel avec son peuple qu'il ne connaissait guère et qui ne le connaissait pas plus. L'Inde n'attendait que peu de chose de ce jeune homme de quarante et un ans, pratiquement inconnu, resté des années durant dans l'ombre de sa mère, sans la moindre appétence ou inclinaison avouées pour le pouvoir.

Mais en quelques mois, Rajiv Gandhi a su imposer un style de gouvernement propre et efficace et prendre des décisions qui ont conquis ses concitoyens. Puis est venu le temps des épreuves, des désillusions. Après la tornade Rajiv, l'Inde a paru reprendre son souffle et le pays, avec ses seize langues, sa multitude de castes, de religions, de régions souvent antagonistes, a montré sa résistance aux changements. Aux dithyrambes ont succédé les critiques, tout aussi immérités et excessifs les uns que les autres. Mais, même en baisse, la popularité de Rajiv Gandhi – tous les sondages l'ont montré – est restée très élevée et, face à une opposition déliquescente, il est le seul leader du pays.

Forces centrifuges

Le cas du Pendjab est tout à fait symptomatique de la méthode du nouveau Premier ministre, convaincu qu'il fallait vite trouver une solution à la question sikh. Rajiv Gandhi a consacré, dès le début de son mandat, tous ses soins à cet État en proie, depuis 1983, à une vague de violence extrême qui a causé des centaines de morts dont celle de sa mère, tuée par ses gardes du corps sikhs pour avoir ordonné l'assaut de leur sanctuaire du Temple d'or, à Amritsar. A peine six mois après son accession au pouvoir, malgré une nouvelle offensive des terroristes qui atteignait la capitale en juin 1985, Rajiv Gandhi signait le 24 juillet un accord avec Harchand Singh Longowal, le leader du parti sikh modéré, l'Akali Dal. Aux termes de cet arrangement, des élections devaient se tenir au Pendjab dès le mois de septembre et l'armée, qui y assurait le maintien de l'ordre, devait se retirer. Par ailleurs, Chandigarh, la capitale que se partagent le Pendjab et l'Haryana, serait remise au Pendjab comme le demandaient les Sikhs depuis des années.

But de la manœuvre : couper les Sikhs extrémistes, ceux qui veulent un État indépendant, le Khalistan, du reste de la communauté, opposée à la violence et qui voudrait surtout continuer à faire ses affaires tranquillement. Le Pendjab (16 millions d'habitants dont la moitié de Sikhs) est l'État le plus riche de l'Inde et entend le rester sans que les terroristes troublent son économie. Avec près de 50 millions de tonnes de céréales produites par an, il assure plus d'un quart de la production indienne et exporte dans tout le pays. Les extrémistes sikhs, déjouant la manœuvre, assassinaient Longowal en août 1985 : l'accord semblait une nouvelle fois compromis. Mais Rajiv Gandhi tenait bon et les élections avaient lieu en septembre. Les appels au boycott n'étaient pas entendus et les Sikhs et les hindous du Pendjab se rendaient aux urnes dans le calme, le 28 septembre 1985. L'Akali Dal remportait les élections haut la main, écrasant le parti de Rajiv.

Mais si le Premier ministre avait perdu une bataille politique, il pensait bien avoir gagné la guerre contre le terrorisme : les électeurs du Pendjab avaient plébiscité « son » accord. L'Akali prenait le pouvoir au Pendjab, les Sikhs allaient pouvoir régler leurs problèmes en famille : les Indiens respiraient et croyaient le cauchemar du Pendjab terminé. La violence politique s'apaisait, de fait, quelques mois, mais les terroristes allaient très vite tirer profit des divisions et des hésitations de l'Akali, ainsi que des maladresses de New Delhi qui était revenu sur ses promesses, notamment sur Chandigarh. De nouveau, la situation allait basculer, et la violence reprendre avec son cortège d'assassinats de politiciens, de policiers ou de simples Indiens qui n'avaient que le défaut d'être hindous ou sikhs modérés. Au début de l'année 1986, les extrémistes réussissaient à s'emparer du Temple d'or. On se croyait revenu à juin 1984, lorsque les hommes du leader sikh fondamentaliste Bhindrawale tenaient le sanctuaire le plus saint du sikhisme. Le gouvernement du Pendjab, voulant éviter un nouveau bain de sang, laissait faire et le champ libre paraissait être rendu aux terroristes. Devant l'aggravation de la situation, durant le seul mois de mars 1986, soixante-sept personnes étaient tuées au Pendjab, et il était de nouveau question de faire appel à l'armée. Pour le Pendjab, c'était pratiquement un retour à la case départ.

A l'autre extrémité de l'Inde, en Assam, le gouvernement de Rajiv Gandhi a aussi tenté de mettre fin à une crise qui a provoqué la mort de centaines de personnes. Avec, semble-t-il, plus de succès qu'au Pendjab. L'Assam, riche de ses thés et de son pétrole, a été depuis plusieurs années le théâtre d'affrontements entre les Assamais de souche et les « immigrés » venus du reste de l'Inde, du Népal ou du Bangladesh. En 1983, durant des élections régionales, les Assamais s'en sont pris aux immigrés. Bilan : plusieurs milliers de morts. Deux ans plus tard, Rajiv Gandhi a signé avec les nationalistes assamais un accord selon lequel les immigrés récents devaient être rayés

INDE

Union indienne.
Capitale : New Delhi.
Superficie : 3 287 590 km² (6 fois la France).
Carte : p. 112.
Monnaie : roupie (1 roupie = 0,57 FF au 30.4.86).
Langues : hindi (officielle), anglais (véhiculaire). 16 langues régionales sont reconnues par la Constitution. Environ 4 000 langues et dialectes non officiels.
Chef de l'État : Zail Singh, président.
Chef du gouvernement : Rajiv Gandhi, Premier ministre (au 1.6.86).
Nature de l'État : république fédérale (22 États et territoires de l'Union).
Nature du régime : démocratie parlementaire.
Principaux partis politiques : *Gouvernement :* Congrès national indien. *Opposition :* Telugu Desam (nationaliste Telugu, Andhra Pradesh); Dalit Mazdoor Kisan Party (DMK, droite); Bharatiya Janata Party (BJP, droite hindouiste); Janata Party (droite); Communist Party of India (CPI-Marxist, au pouvoir au Bengale); Communist Party of India (CPI); Akali Dal (parti sikh, modéré).

INDE ET SA PÉRIPHÉRIE

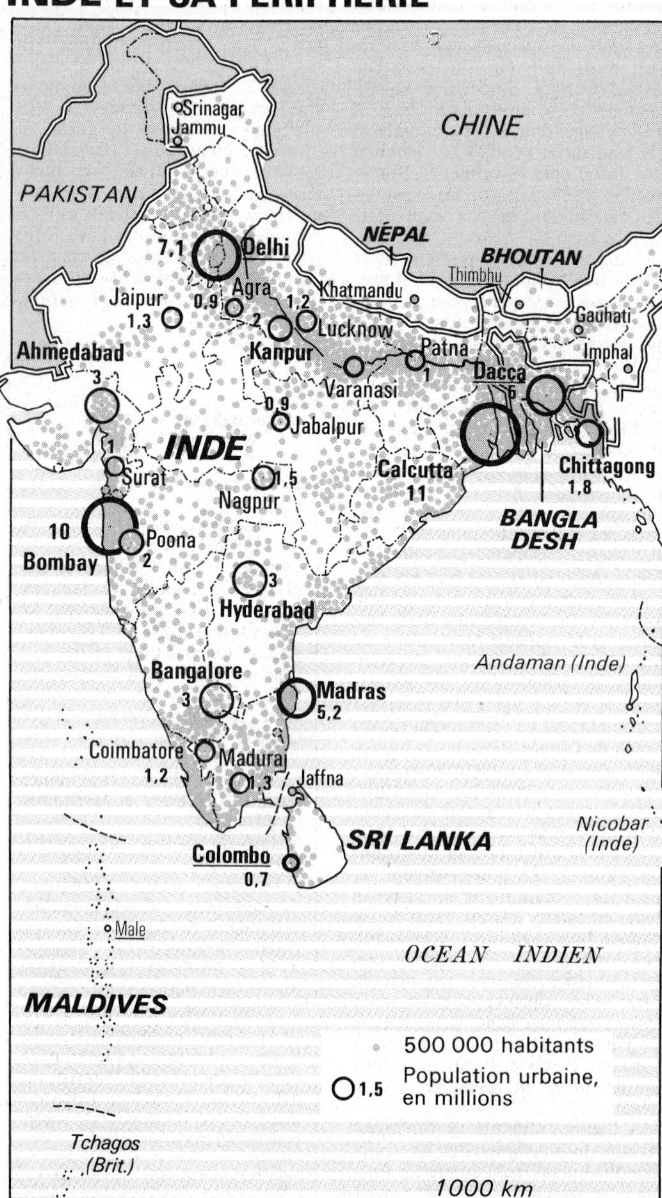

1. Démographie, culture, armée

	Indicateur	Unité	1965	1975	1985
Démographie	Population	million	482,5	600,8	750,9
	Densité	hab./km²	147	183	228
	Croissance annuelle	%	2,1 [a]	2,2 [f]	1,9 [e]
	Mortalité infantile	‰	146 [i]	133 [d]	106
	Espérance de vie	année	42 [i]	48,4 [d]	52,5 [e]
	Population urbaine	%	18 [i]	21	25,5
Culture	Analphabétisme	%	. .	65,9 [h]	56,5
	Nombre de médecins	‰ hab.	0,2	0,3	0,4 [g]
	Scolarisation *6-11 ans*	%	58,7	60,5	64,4
	12-17 ans	%	25,1	25,1	27,3
	3e degré	%	5,0	8,8	. .
	Postes tv (L)	‰	0,0	0,8	2,9 [b]
	Livres publiés	titre	13 094	12 708	10 649 [c]
Armée	Marine	millier d'h.	16	30	47
	Aviation	millier d'h.	28	100	113
	Armée de terre	millier d'h.	825	826	1 100

a. 1960-70; b. 1983; c. 1982; d. 1970-75; e. 1980-85; f. 1970-80; g. 1981; h. 1971; i. 1960.

2. Commerce extérieur [b]

Indicateur	Unité	1965	1975	1985
Commerce extérieur	% PIB	4,5	6,1	6,3
Total imports	milliard $	3,0	6,4	14,3
Produits agricoles	%	33	27,4	7,3 [a]
Pétrole	%	4,9	22,6	32,0 [a]
Autres prod. miniers	%	1,4	2,0	1,2 [a]
Total exports	milliard $	1,7	4,4	8,4
Produits agricoles	%	40,9	40,8	20,3 [a]
Minerais [c]	%	10,4	7,7	2,8 [a]
Produits industriels	%	48,7	50,6	66,8 [a]
Principaux fournisseurs	% imports			
États-Unis		34,6	22,4	10,2
CEE		27,6	34,3	26,4
PVD		14,2	27,8	36,6
CAEM		9,9	9,2	9,4
Principaux clients	% exports			
États-Unis		18,6	10,9	22,9
CEE		26,4	20,1	18,8
PVD		22,1	37,0	23,0
CAEM		17,6	17,8	18,7

a. 1984; b. Marchandises; c. Produits pétroliers non compris.

3. Économie

Indicateur	Unité	1965	1975	1985
P I B	milliard $	41,0	86,0	179,3
Croissance annuelle	%	3,6 [b]	4,2 [c]	3,6
Par habitant	$	90	140	239
Structure du P I B				
Agriculture	% } 100 %	40,6	36,1	40,4 [a]
Industrie	% } 100 %	21,3	21,7	22,6 [a]
Services	% } 100 %	38,1	42,2	37,0 [a]
Dette extérieure	milliard $	. .	12,5	30,7 [a]
Taux d'inflation	%	6,4 [d]	6,7 [g]	12,9
Population active	million	. .	240,3	271 [f]
Agriculture	%	74	72,1	69 [f]
Industrie	%	11	10,3	13 [f]
Services	%	15	17,6	18 [f]
Dépenses publiques				
Éducation	% P I B	2,4	2,8	3,2 [e]
Défense	% P I B	3,4	3,4	3,9
Recherche et développement	% P I B	0,4	0,5	0,7
Production d'énergie	million T E C	74,4	87,2	160 [f]
Consommation d'énergie	million T E C	83,8	99,6	169 [f]

a. 1984 ; b. 1960-73 ; c. 1973-83 ; d. 1960-70 ; e. 1982 ; f. 1983 ; g. 1974-78.

des listes électorales et pouvaient être déportés de l'Assam. Fort de cet accord tout à fait favorable aux Assamais, New Delhi a organisé des élections en décembre 1985 qui se sont déroulées dans le calme. Le Parti du Congrès espérait remporter ce scrutin et appliquer, avec modération, l'accord signé ; mais les « immigrés », soutiens traditionnels du Congrès, se sentant les sacrifiés de l'accord, ont abandonné Rajiv Gandhi et les nationalistes ont gagné haut la main. A peine élus, ils ont menacé d'appliquer tout leur programme aux relents anti-immigrés plus que racistes. Au printemps 1986, New Delhi avait réussi à contenir leurs ardeurs et le calme régnait en Assam, mais tout déplacement de population risquait de réveiller la violence.

D'autres États indiens ont aussi été la proie de conflits ethniques, religieux ou castéistes. C'est le cas du Cachemire, à l'extrême nord du pays. Les musulmans, majoritaires, et les hindous s'y sont affrontés au début de l'année 1986 et, à la suite de ces troubles, le Premier ministre du Cachemire a été démis par New Delhi. Quant au Gujarat, État industriel situé à l'ouest du sous-continent, il a connu des affrontements entre hindous de haute et de basse caste. Les heurts entre castes sont fréquents en Inde mais ils ont pris au Gujarat une dimension sans précédent depuis le printemps 1985, faisant des dizaines de morts et ralentissant la vie économique de la capitale, Ahmedabad.

Pour impressionnante que puisse paraître cette énumération d'États agités par ces conflits, elle ne signifie pas que l'Inde soit à feu et à sang. Tous ces troubles ne s'ajoutent pas et, à l'exception du terrorisme sikh qui a gagné New Delhi, ils restent circonscrits. Ils montrent toutefois que toute la détermination et l'énergie de Rajiv n'ont pas mis fin aux violences du sous-continent comme les Indiens ont paru un moment l'espérer.

Libéralisation économique

La volonté de changement prônée par Rajiv Gandhi n'a pas épargné son propre parti. Dès les élections de décembre 1985, il avait renouvelé les candidats du parti du Congrès, chassant les plus corrompus et les plus usés par bientôt quarante ans de pouvoir pratiquement ininterrompus. Dans les États de l'Union indienne, il a aussi fait élire ses propres hommes et n'a pas hésité au Maharastra à limoger le Premier ministre coupable d'avoir usé de son influence pour que sa fille obtienne son diplôme de médecin. Une première en Inde où le népotisme est une seconde nature pour les politiciens. Il a aussi fait voter une loi interdisant aux membres des assemblées de passer d'un parti à un autre durant une même législature, source infinie de corruption, notamment dans les États aux majorités branlantes. Dans son cabinet, il s'est entouré de collaborateurs qui n'avaient pas travaillé avec sa mère. Aux caciques du Congrès, il a préféré des hommes jeunes qui ont fait leurs premières armes dans les affaires plutôt que dans la politique. C'est le cas d'Arun Nehru ou d'Arjun Singh, ses deux plus proches collaborateurs. Ces hommes modernes, peut-être trop pour un pays si vieux, pèchent un peu par inexpérience et, depuis que l'état de grâce est terminé, de nombreuses critiques émanant des hommes évincés par le jeune Premier ministre se sont fait jour au Congrès contre les *computer boys* de Rajiv.

Autre grande réforme du nouveau gouvernement indien : l'économie. C'est peut-être dans ce secteur que Rajiv Gandhi a entamé la plus profonde des révolutions. Avec son ministre des Finances, Pratap Singh, Rajiv Gandhi a remis en cause les vaches sacrées de l'économie indienne comme la planification, un secteur public hyperdéveloppé et l'omniprésence de l'État. Le temps du libéralisme est venu pour l'Inde. Les procédures d'investissement – y compris étranger –, d'importations, d'exportations, qui toutes exigeaient le blanc-seing de l'administration et nourrissaient la corruption, ont été allégées ou supprimées. Les impôts sur les tranches des revenus les plus élevées ont été réduits. La Bourse indienne a salué cette nouvelle orientation; les émissions d'actions, notamment de filiales de sociétés étrangères, ont été souscrites dix ou vingt fois. Les adversaires de Rajiv Gandhi l'ont aussitôt accusé de favoriser les 70 ou 100 millions d'Indiens des classes moyennes urbanisées et d'oublier le reste du pays : les pauvres et les paysans qui, s'ils ne créent que 35 % du PNB, représentent 70 % de la population active. Enfin, au début de 1986, le gouvernement indien a brutalement augmenté le prix des carburants, une hausse qui s'est aussitôt répercutée sur les transports en commun alors que le prix du pétrole baissait. Profitant de ce faux pas, l'opposition, pour la première fois unie depuis l'arrivée au pouvoir de Rajiv, a organisé des manifestations très suivies qui ont obligé le gouvernement à revenir sur sa décision.

Le budget présenté en mars 1986 répond au souci de pas se couper du « reste de l'Inde ». Il prévoit une hausse massive des programmes de lutte contre la pauvreté et pour le développement de l'agriculture. Par ailleurs, les taxes sur les produits importés ainsi que sur les biens de luxe comme les télévisions couleur ou les climatiseurs ont été augmentées. Néanmoins, en présentant son budget, le ministre a assuré que sa philosophie économique de base restait inchangée.

La politique d'ouverture sur l'extérieur a creusé le déficit commercial de l'Inde qui est passé de 55 milliards de roupies en 1985 à 80 milliards en 1986, soit près de 7 milliards de dollars. Les exportations ont diminué de 3,5 % alors que les importations augmentaient de 22 % en raison de l'accélération du rythme de croissance industriel. Les achats de biens d'investissements notamment ont fortement augmenté. L'excellent crédit extérieur de l'Inde – l'un des pays du Sud les moins endettés – a commencé à se détériorer et la Banque mondiale a demandé *mezzo voce* une dévaluation de la roupie indienne : selon elle, c'est la seule solution pour que l'Inde continue sa politique d'ouverture, condition d'un taux de croissance élevé (plus de 5 % en moyenne annuelle entre 1980 et 1985).

Rééquilibrage diplomatique

Enfin, Rajiv Gandhi a voulu innover en matière de politique étrangère, mais là comme ailleurs, les pesanteurs indiennes ont limité sa marge de manœuvre. Le fils d'Indira Gandhi a d'abord voulu rééquilibrer la diplomatie indienne en direction de l'Occident et des États-Unis. L'Inde est signataire d'un traité d'amitié avec l'URSS et, sans jamais être alignée, elle avait pris sur l'Afghanistan ou le Cambodge des positions proches de celles de Moscou. Son armée est très largement équipée d'armes soviétiques. Mais la géopolitique a ses lois, et la proximité de la Chine et du Pakistan, soutenu et armé par Washington, a limité les inclinations pro-américaines de la nouvelle équipe au pouvoir. De plus, Washington, après avoir promis de vendre du matériel militaire de haute technologie à l'Inde, est revenu sur sa décision, craignant toujours qu'il ne tombe dans les mains de gens trop curieux. Ces réserves n'ont pas empêché Rajiv Gandhi – jusqu'en août 1986, président du Mouvement des non-alignés – de se faire connaître à l'étranger et dans les seize premiers mois de son mandat, le Premier ministre indien a beaucoup voyagé : États-Unis, Grande-Bretagne, Japon, France, Algérie, URSS.

Second objectif de Rajiv Gandhi : améliorer ses relations avec ses voisins. Il a ainsi tenté de trouver une

BIBLIOGRAPHIE

Ouvrages

AKBAR M.J., *India : the Siege within*, Penguin Books, Londres, 1985.

BERNARD J.-A., *L'Inde : le pouvoir et la puissance*, Fayard, Paris, 1985.

BILLETER J.-F., ÉTIENNE G., MAURER J.-L., *Sociétés asiatiques, mutations et continuité : Chine, Inde, Indonésie*, PUF, Paris, 1985.

CRUSE D. (sous la dir. de), *L'Inde : séduction et tumulte*, *Autrement*, hors série, n° 13, Paris, 1985.

ÉTIENNE G., *L'économie de l'Inde*, PUF, Paris, 1985.

FISHLOCK T., *Les Indiens*, Belfond, Paris, 1985.

Articles

BOILLOT J.-J., « L'Inde entre la continuité et l'ouverture », *Économie prospective internationale*, n° 22, 2e trimestre 1985.

DARDAUD J.-P., « L'Inde aux prises avec l'extrémisme sikh », *Le Monde diplomatique*, octobre 1985.

MURKHERJEE P., « L'héritier, Rajiv », *Défense nationale*, juin 1985.

solution au conflit qui ravage le Sri Lanka, mettant tout son poids pour que les extrémistes tamouls exilés en Inde négocient avec le gouvernement srilankais. Un an plus tard, les résultats n'étaient guère probants et il semblait que Colombo avait surtout profité de la trêve arrachée par Rajiv Gandhi en juin 1985 pour renforcer son armée. Avec Islamabad, malgré une visite en Inde du général Zia en décembre 1985, les relations sont toujours empreintes de méfiance et le voyage de Rajiv Gandhi au Pakistan a été remis de mois en mois.

En arrivant au pouvoir, Rajiv Gandhi a voulu donner à son pays une nouvelle diplomatie, une nouvelle politique économique, une nouvelle vie politique ; il a voulu changer les relations entre les différents peuples de l'Inde. Mais, aussi justes qu'aient pu être ces objectifs, l'Inde a vite montré à l'héritier de la dynastie qu'elle ne se laisserait pas bousculer ainsi.

François Sergent

Japon. Moins d'État, plus de consensus

Le monde politique japonais a été marqué en 1985 par la guerre de succession que se livrent les héritiers des diverses factions et sous-factions qui forment le Parti conservateur, au pouvoir sans interruption depuis plus de trente ans. Le Jiminto est en fait un agrégat de plusieurs petits partis de droite. La règle veut qu'il y ait une rotation au pouvoir des divers chefs de factions et qu'un Premier ministre ne puisse pas monopoliser le poste plus de quatre ans. M. Yasuhiro Nakasone devait donc normalement laisser la place à d'autres « dauphins » vers la fin de l'année 1986 au plus tard.

Pas d'alternance en vue

Mais au début de 1986, la conjoncture politique était telle que la règle semblait ne pas devoir jouer, pour plusieurs raisons : tout d'abord l'homme fort du Parti conservateur, l'ancien Premier ministre Kakuei Tanaka, impliqué dans l'affaire des pots-de-vin de la société aéronautique Lockheed et principal accusé de ce procès (qui a commencé en 1976), n'était toujours pas remis de l'attaque cérébrale qui l'avait terrassé le 1er mars 1985. On doutait fort qu'il le pût, à en juger d'après les photos publiées dans la presse. N'ayant pas désigné de successeur, ses lieutenants pouvaient difficilement le quitter pour un nouveau chef, malgré leur désir : la statue du commandeur bougeait encore.

Il semble que les manœuvres du ministre des Finances, Noboru Takeshita, issu de la faction Tanaka, n'auraient pas été étrangères à l'attaque cérébrale de Kakuei Tanaka : le 7 février 1985, M. Takeshita avait fondé la Sôseikai, groupe de travail qui s'était donné pour objectif de réfléchir à une « meilleure politique », rassemblant autour de lui un tiers des députés et des sénateurs de la faction Tanaka, la plus puissante, avec cent vingt membres. Tanaka aurait pris de plein fouet ce « débauchage » de ses fidèles alors qu'il était toujours sous le coup du jugement rendu en 1983, le condamnant à quatre ans de prison. En agissant ainsi, M. Takeshita s'est assuré le soutien d'une partie de la faction

1. Démographie, culture, armée

	Indicateur	Unité	1965	1975	1985
Démographie	Population	million	98,9	111,6	120,8
	Densité	hab./km²	266	300	324
	Croissance annuelle	%	1,1	1,2	0,6 [c]
	Mortalité infantile	‰	18,5	12 [b]	7,0
	Espérance de vie	année	70	73,3 [b]	76,6 [c]
	Population urbaine	%	67	75	76,5
Culture	Nombre de médecins	‰ hab	1,1	1,2	1,3 [a]
	Scolarisation *2e degré* [d]	%	82	91	93,8
	3e degré	%	12,9	24,6	37,6
	Postes tv (L)	‰	183	237	556
	Livres publiés	titre	24 203	34 590	43 339
Armée	Marine	millier d'h.	35	39	44
	Aviation	millier d'h.	39	42	44
	Armée de terre	millier d'h.	172	155	155

a. 1983; b. 1970-75; c. 1980-85; d. 12-17 ans.

2. Commerce extérieur [a]

Indicateur	Unité	1965	1975	1985
Commerce extérieur	% P N B	9,1	11,4	11,8
Total imports	milliard $	8,2	57,9	130,5
Produits agricoles	%	55,6	24,9	20,9
Produits énergétiques	%	19,9	44,3	43,1
Autres produits miniers	%	14,3	8,6	5,0
Total exports	milliard $	8,5	55,8	177,2
Produits industriels	%	92,6	96,7	98,2
Produits agricoles	%	7	1,7	1,0
Autres	%	0,4	1,6	..
Principaux fournisseurs	% imports			
États-Unis		29,0	20,1	19,9
C E E		4,8	5,8	6,9
P V D [b]		41,8	53,3	52,4
Principaux clients	% exports			
États-Unis		29,7	20,2	37,2
C E E		5,7	10,2	11,4
P V D [b]		42,9	49,2	32,4

a. Marchandises; b. Chine, Vietnam, Corée du Nord, etc., non compris.

Tanaka, qui voulait tourner une fois pour toutes la page du scandale Lockheed, mais il s'est aussi attiré l'hostilité des « purs et durs » du clan de « Tanaka Sensei » (maître Tanaka), comme M. Nikaido qui a assuré la régence depuis la maladie du patron. Si le Premier ministre venait à être remplacé en 1986, il ne paraissait pas certain que M. Take-

3. Économie

Indicateur	Unité	1965	1975	1985
P N B	milliard $	89,0	498,8	1 307,6
Croissance annuelle	%	10,6 [b]	4,2 [c]	4,6
Par habitant	$	900	4 470	10 825
Structure du P I B				
Agriculture	% } 100 %	6,8	5,2	3,3 [e]
Industrie	% } 100 %	41,5	39,9	42,1 [e]
Services	% } 100 %	51,7	54,9	54,6 [e]
Taux d'inflation	%	5,2 [d]	11,3 [g]	1,8
Population active	million	47,9	53,2	59,6
Agriculture	%	23,5	12,7	8,8
Industrie	%	32,4	35,9	34,9
Services	%	44,1	51,5	56,4
Chômage [h]	%	1,1	1,9	2,9
Dépenses publiques				
Éducation	% P N B	2,8	5,5	5,7 [f]
Défense	% P N B	0,9	0,78	1,0
Recherche et développement	% P N B	–	2,0	2,6 [e]
Production d'énergie	million T E C	62,1	36,3	43,8 [e]
Consommation d'énergie	million T E C	215,7	394,9	403,8 [e]

a. 1984 ; b. 1960-73 ; c. 1973-83 ; d. 1961-70 ; e. 1983 ; f. 1982 ; g. 1974-78 ; h. Fin d'année.

shita fût soutenu par la faction Tanaka tout entière. D'autant que d'autres prétendants attendaient eux aussi leur tour, comme Kiichi Miyazawa ou Shintaro Abe, ministre des Affaires étrangères, et héritier présomptif de la faction Fukuda (quarante-six députés).

Enfin, le Premier ministre Nakasone a réussi une performance assez rare dans la vie politique japonaise : alors que dans les premiers mois de son ministère, sa cote de popularité était en dessous de 30 % (février 1983), elle a dépassé 50 % en mars 1986. Voulant profiter de cette conjoncture favorable, il a obtenu fin mai l'accord du Parti libéral démocratique pour dissoudre l'Assemblée et organiser des élections anticipées en juillet 1986. Le Jimînto s'est assuré une bonne majorité, grâce aux efforts de M. Nakasone pour renforcer l'image du Parti conservateur dans la population. En effet, depuis les élections de 1983, le Jiminto est passé de 286 sièges à 300 en juillet 1986. Avant cette date, les conservateurs avaient dû faire appel, pour obtenir la majorité, aux ex-sécessionnistes du Jiminto, le Shinjiyu club et aux indépendants.

C'est une fois de plus le Parti socialiste japonais (PSJ) qui a fait les frais d'une perte de sièges aux élections de juillet. Son président, Masashi Ishibashi, a essayé, sans succès, de lui sculpter un profil de parti présentant une véritable alternative au pouvoir conservateur. Pour cela, il a proposé de lâcher du lest sur les thèmes jusqu'alors chers au Parti socialiste, comme le nucléaire (utilisation civile), et de reconnaître l'armée d'auto-défense *(Jieitai)*. En changeant ainsi ses positions l'année du quarantième anniversaire d'Hiroshima et de Nagasaki, il pensait pouvoir se rapprocher des deux grands partis d'opposition, le Komeito (Parti bouddhiste) et le Minshato, afin de former un front commun. Mais il n'a pas obtenu l'appui escompté du côté des jeunes militants, tout en décourageant certains vieux militants.

Alors que le Parti socialiste regardait vers le Parti bouddhiste issu de la puissante secte Soka-gakkai et dirigé par Takeiri, ce dernier tournait ses regards plus à droite encore, du côté du Parti conservateur. Que veut le Komeito? Qu'on ne touche pas à la Constitution, que le budget de la défense ne dépasse pas le seuil d'un pour cent du PNB, que le gouvernement ne développe pas la puissance militaire du pays. Si le Parti conservateur était prêt à respecter ces demandes, le Komeito accepterait de collaborer avec lui, à condition que le Premier ministre ne fût pas Nakasone.

Ainsi, en mars 1986, le rapprochement des positions du Parti bouddhiste et du parti gouvernemental ne permettait pas d'espérer une alternance des partis d'opposition dans les années à venir. Le front commun de la gauche et du centre semblait être en panne pour longtemps.

L'un des grands débats qui ont agité le Parlement en 1985 a été la réforme électorale. Pour élire un député dans la quatrième circonscription située dans la préfecture de Chiba (banlieue de Tokyo), où vivent les classes moyennes, il faut totaliser 348 000 votes, alors qu'il n'en faut que 82 000 dans la cinquième circonscription de la préfecture de Hyogo. Certaines préfectures rurales acquises au Parti conservateur se sont en effet vidées peu à peu par le phénomène de l'exode des campagnes. Il fallait corriger ce déséquilibre.

Le gouvernement a proposé une réforme visant à ce que les députés des préfectures urbaines ne soient pas élus avec un quotient de voix supérieur à trois par rapport aux préfectures rurales. Les partis d'opposition, qui puisent leur soutien surtout dans les villes, voulaient abaisser ce rapport de un à deux. L'enjeu était important. Le gouvernement a donc été amené à établir un projet appelé *rokuzo rokugen* (six augmentations, six réductions) : on supprime six députés dans les préfectures les plus vides, et on redécoupe la carte électorale des préfectures urbaines pour leur adjoindre six nouveaux députés. Dans un pays de plus de 84 millions d'électeurs (on vote à vingt ans), cette demi-réforme a mécontenté tous les partis politiques : ceux qui perdaient leur siège et ceux qui en attendaient davantage.

Cependant, les partis politiques partageaient une préoccupation commune : l'apathie des jeunes générations à l'égard de la vie politique. Les jeunes ont évolué vers un « individualisme mou », privilégiant leurs loisirs, leurs amis ; le couple a pris plus d'importance, au détriment de la vie de l'entreprise et des grands débats politiques.

Privatisation

Dans cette atmosphère d'indifférence sociale et de prospérité économique, le Premier ministre Nakasone a réalisé peu à peu ses projets : augmentation du budget militaire, réhabilitation du passé, privatisation de grands secteurs publics comme le téléphone, les tabacs et le sel, et bientôt les chemins de fer, réforme de l'éducation.

On avait annoncé le 25 décembre 1985 que le budget militaire avait atteint 1,007 % du PNB, mais, la même journée, un nouveau calcul à la hausse du PNB faisait repasser ce même budget en dessous du plafond fixé à 1 % (0,989 %). Or, comme le PNB nippon augmente substantiellement chaque année, le budget militaire connaît lui aussi un accroissement.

Pour la première fois en 1985, le Premier ministre s'est rendu officiellement au temple shinto de Yasukuni, construit à la mémoire des soldats nippons morts pendant la Seconde Guerre mondiale. Ce geste a été vu par beaucoup comme un acte de réhabilitation de la période militariste qui a conduit le pays à la guerre. Si Nakasone devait rester Premier ministre en 1986, il retournerait vraisemblablement à Yasukuni. Mais si un autre lui succédait suivrait-il le même chemin?

Par ailleurs, le Japon de M. Nakasone a avancé assez vite sur le chemin des privatisations. La compagnie des téléphones, Dendenkosha, est devenue le 1er avril 1985 la NTT (Nihon Telegraph and Telephone). C'est la plus grande entreprise privée du Japon, avec 320 000 employés et un capital de quatre milliards de dollars. Le 1er avril également, la régie des tabacs, monopole de l'État depuis 1906, a été transformée en société anonyme et a pris le nom de Nihon Tabacco Sangyo Kabushiki Kaisha, avec un capital d'environ 500 millions de yens. L'État a gardé la totalité des actions mais il envisageait d'en vendre une partie, tout en restant majoritaire. Le chemin de fer figurait en troisième position sur la liste des dénationalisations. Après une bataille épique avec son président, Iwao Nisugi, qui n'acceptait pas le principe du démantèlement de la compagnie en plusieurs sociétés régionales, le gouvernement a obligé celui-ci à démissionner. Son successeur, M. Sugiura, a accepté le plan du gouvernement et le 26 juillet 1985, il a été décidé que le Kokutetsu serait scindé en six sociétés privées; ses effectifs seraient réduits de 90 000 personnes dans les années à venir et de nombreux terrains appartenant aux chemins de fer seraient mis en vente pour remédier à son déficit chronique. La date de la privatisation n'était pas encore fixée en mars 1986, mais le Premier ministre voulait en faire l'un des thèmes de discussion à la session parlementaire du printemps.

La série des privatisations ne s'est pas arrêtée là. L'accident du *Boeing* de la Japan Airlines (JAL), le 12 août 1985, qui causa la mort de 520 personnes dans la préfecture de Gunma, a sans doute joué un rôle d'accélérateur dans la critique dont la compagnie d'aviation était l'objet. Dans un premier temps, la JAL devait céder des vols internationaux aux deux autres compagnies japonaises privées, la TDA et la Zenniku. Le 1er mars 1986, la Zenniku, jusque-là la compagnie intérieure, a effectué son premier vol vers Guam.

En privatisant au maximum et en introduisant le principe de la concurrence, le gouvernement espérait juguler le déficit du budget de l'État. En 1985, 19,46 % du budget avait été mobilisé par le remboursement de la dette et l'on prévoyait que ce taux s'élèverait à 21 % en 1986.

Parallèlement, le Premier ministre s'est attaqué à la réforme du système éducatif. Une commission *(Rinkyoshin)* désignée en 1984 pour trois ans a été chargée d'émettre des propositions visant à établir un nou-

JAPON

Japon
Capitale : Tokyo.
Superficie : 372 313 km² (0,68 fois la France).
Carte : p. 409.
Monnaie : yen (1 yen = 0,04 FF au 30.4.86).
Langue : japonais.
Chef de l'État : Hiro Hito, empereur.
Chef du gouvernement : Yasuhiro Nakasone (au 1.7.86).
Nature de l'État : empire, mais l'empereur n'a aucun pouvoir pour gouverner.
Nature du régime : monarchie parlementaire. L'empereur demeure constitutionnellement le symbole de l'État et le garant de l'unité de la nation. Le pouvoir est détenu par un gouvernement investi par la Diète (Parlement).
Principaux partis politiques : Jiminto (conservateur); Shinjiyu club (droite); Moshuzoku (indépendants, droite); Komeito (bouddhiste, centriste); Minshato (Parti social-démocrate); Shakaito (parti socialiste); Parti communiste japonais.

veau système éducatif pour le XXIe siècle, plus adapté aux exigences de la recherche et des industries de pointe. Dans cette commission, qui compte peu d'enseignants, propositions de réformes et critiques du système existant se sont entrecroisées. Que veut-on au juste? Réduire le budget de l'éducation nationale ou verser des sommes plus importantes à la recherche? Veut-on développer davantage l'enseignement privé et payant, en reconnaissant les boîtes à concours *(juku* et *yobiko)?* Veut-on recruter des enseignants plus dociles et moins critiques à l'égard du gouvernement? Veut-on encore créer un système à deux vitesses : le premier, où l'on s'occuperait de donner une formation solide aux futures élites; le second, pour les Japonais « ordinaires », où l'on développerait davantage les qualités sportives et la sociabilité de l'individu? Rien de décisif n'est encore sorti de ces débats mais si l'on regarde, dans leur ensemble, les réalisations et les projets de M. Nakasone, la cohérence est claire : moins d'État, moins de fonctionnariat, et de ce fait, moins d'opposition politique. S'achemine-t-on encore une fois vers un « grand consensus » où tous les partis et les couches sociales (au Japon il n'y a pas de classe), enfin réconciliés, collaboreraient à une œuvre commune? Mais laquelle?

Rééquilibrages économiques

Le grand événement financier de l'année 1985 a été la chute du dollar et la réévaluation du yen. En janvier 1985, le dollar valait 253 yens. En mars 1986, il était à 180 yens et l'on pensait que la baisse se poursuivrait. Si le dollar atteignait 150 yens, les « frictions économiques » entre le Japon et ses partenaires se dissiperaient. Malgré ce rééquilibrage, le déficit commercial avec les Etats-Unis et la CEE a encore augmenté en février 1986 pour atteindre un nouveau record de 3,9 milliards de dollars. Le solde positif des Japonais pour l'année fiscale – qui se terminait en mars 1986 – devait approcher les 50 milliards de dollars.

Pour parer à une montée du protectionnisme, les Japonais ont continué d'investir à l'étranger, d'y reprendre des entreprises en difficulté ou d'y installer les leurs. Les reproches sont venus surtout des Américains qui les accusent d'être *unfair* en matière de commerce et de pratiquer le dumping, dans le domaine des semi-conducteurs par exemple.

Pourtant, si le montant des ventes japonaises à l'étranger a poursuivi sa hausse malgré ou à cause de la chute du dollar, le nombre des faillites des petites et moyennes entreprises est resté important. Début janvier 1986, on comptait 18 812 faillites pour l'année 1985 (9,7 % de moins qu'en 1984 certes), mais un montant des dettes accru (+ 15,4 %) dû au dépôt de bilan de la Sankokisen, la plus grande compagnie de transport maritime du Japon, dont l'un des leaders du Parti conservateur, M. Komoto, était le président.

Pour relancer la demande intérieure, une baisse du taux d'intérêt de 1 %, en deux paliers, a été décidée en janvier et février 1986. Le taux était alors de 4 %, mais une autre baisse devait avoir lieu en mars.

Le gouvernement a promis d'ouvrir le marché japonais, en allégeant ou supprimant les barrières douanières. Mais les listes annoncées, si elles ouvraient la porte à de nombreux produits d'Asie du Sud-Est, excluaient encore trop de produits américains et européens (fromage, chocolat, meubles, cuir, viande...). Quant aux Chinois, qui avaient accusé un déficit de leur balance commerciale de 1,2 milliard de dollars en 1984, ils avaient aussi de bonnes raisons d'être mécontents.

La rencontre Reagan-Gorbatchev à Genève à l'automne 1985 a donné le signal d'un réchauffement des rapports entre le Japon et l'Union soviétique. Déjà, lors des obsèques de Constantin Tchernenko, le 12 mars 1985, M. Nakasone avait rencontré M. Mikhaïl Gorbatchev à Moscou (la première rencontre au niveau des chefs d'État depuis 1973). M. Nakasone avait proposé un traité de paix, si le problème des territoires du Nord (il s'agit des îles Kouriles du Sud, occupées par l'URSS depuis 1945, et renvendiquées par Tokyo) trouvait un arrangement, et il avait invité le ministre des Affaires étrangères, M. Édouard Chevarnadze, qui s'est rendu à Tokyo au début de 1986. Cependant, si les Soviétiques, les Américains et les Japonais ont signé le 20 novembre 1985, à Washington, un accord pour la protection de l'aviation civile, et si après les propositions du numéro un soviétique de supprimer les armes nucléaires, les Japonais se sont dit prêts à envisager une collaboration technologique plus approfondie avec l'URSS, il n'en restait pas moins vrai que le volume autorisé pour la pêche nippone en mer soviétique avait encore diminué en 1985 (de 40 000 tonnes à 37 600 tonnes) et que le désaccord sur les territoires du Nord semblait devoir persister au-delà de 1986.

En 1985, l'économie japonaise aura encore été l'une des plus prospères de la planète avec un PNB représentant 10 % du PNB mondial (croissance légèrement supérieure à 4 % pour l'année 1985). Le chômage « officiel » est resté peu préoccupant (au-dessous de 2,9 %) : alors que de nombreux jeunes Français sont sans emploi, sept Japonais sur dix vont à l'école jusqu'à vingt ans. L'inflation est parmi les plus faibles des pays développés (2,6 %). Les Japonais ont pourtant des sujets d'inquiétude : resteront-ils les premiers de la classe? La population a vieilli (10,1 % avait plus de soixante-cinq ans en 1985), l'outil industriel a vieilli de même, le péril du protectionnisme n'a pas été levé, et la production de certains secteurs jusque-là porteurs de l'économie a chuté (38,6 % en moins dans les semi-conducteurs chez Mitsubishi Denki en 1985).

Pourtant, le Japon semble être resté à l'écart des problèmes qui minent d'autres pays : chômage, ter-

BIBLIOGRAPHIE

Ouvrages

CESTA, *Japon, l'évolution des systèmes,* Paris, 1986.

SABOURET J.-F., *L'empire du concours. Lycéens et enseignants au Japon, Autrement,* Paris, 1985.

VOGEL E.F., *Le Japon, médaille d'or,* Gallimard, Paris, 1985.

Articles

ALSTON J.P., « Le Japon numéro un? Difficultés sociales dans les prochaines décennies », *Futuribles,* février 1986.

MAKOTO I., « The Economy : Japan's Trade War », *Ampo,* n° 4, 1985.

YAMANE H., « Le Japon, de la puissance économique à la puissance militaire? », *Le Monde diplomatique,* mai 1986.

Dossiers

CHUNG B. (dossier constitué par), « L'entreprise dans la société japonaise », *Problèmes politiques et sociaux,* n° 517, août 1985.

« Le Japon », *Pouvoirs,* n° 35, 1985.

« Japon », *Problèmes économiques,* n° 1969, avril 1986.

rorisme (malgré l'attentat de l'aéroport de Narita le 23 juin 1985, attribué aux Sikhs, et qui a coûté la vie à deux personnes); la paix sociale s'est maintenue, bien que le 29 novembre 1985, plusieurs sabotages dans diverses parties du pays et un incendie à la gare d'Asakusa à Tokyo aient perturbé six millions et demi de personnes qui se rendaient au travail (sabotages effectués pour protester contre le démantèlement de la régie des chemins de fer). Ce ne sont que des tempêtes dans un verre d'eau. L'essentiel est à l'image de l'Exposition universelle de Tsukuba : l'objectif majeur a été atteint. A Tsukuba, dans la cité des sciences, quarante-sept pays étrangers et vingt-sept groupes ou régions japonais ont exposé sur le thème de la technologie au service de l'individu. Pendant les six mois qu'a duré l'Exposition (de mars à septembre 1985) vingt millions de visiteurs ont pu constater *de visu* la puissance et la santé de l'industrie et de l'économie du « grand Japon ».

Jean-François Sabouret

Brésil. L'an I de la nouvelle République

L'année qui a suivi l'instauration de la « nouvelle République » au Brésil a été riche en événements et en transformations. Le retour à la démocratie s'est fait sans heurts. Le gouvernement a tenu sa promesse d'abroger les lois autoritaires et d'en promulguer de nouvelles, même si le décret de la réforme agraire a constitué un pas en arrière par rapport au projet initial, et si l'action en matière sociale est restée timide par rapport aux immenses besoins. L'armée, qui pourtant a gardé intacte son autonomie et ses institutions, a adopté une attitude très discrète. Ses rapports avec le président Sarney ont été corrects.

José Sarney, devenu président en mars 1985, a su s'imposer à la classe politique comme un habile manœuvrier, arbitrant entre les différents courants de la majorité gouvernementale et parlementaire. Surtout, il s'est bâti une incontestable popularité aux yeux de tous les Brésiliens, grâce aux changements apportés à la politique économique.

Les échéances électorales

Le 15 novembre 1985, les Brésiliens habitant les grandes villes ont élu leurs maires au suffrage universel. Ces élections ont apporté une première preuve des changements intervenus dans le rapport de forces entre les principaux partis. Surtout, elles ont montré leur fluidité et le caractère encore très personnalisé de la politique brésilienne. Une fois de plus le populisme s'est révélé payant, donnant l'occasion à l'ancien président Janio Quadros, membre du petit Parti travailliste brésilien (PTB) de gagner de justesse l'importante mairie de Saõ Paulo à la tête d'une coalition de forces de droite, et au gouverneur de Rio de Janeiro, Lionel Brizola, chef du Parti du travaillisme démocratique (PDT), et héritier du populisme de gauche d'avant le régime autoritaire, de voir ses candidats l'emporter à

Rio de Janeiro et Porto Alegre. Autre phénomène marquant de cette élection : la poussée du Parti des travailleurs (PT) qui a obtenu un cinquième des votes à Saõ Paulo et une victoire tout à fait inattendue et retentissante à Fortaleza. Quant au Parti du mouvement démocratique brésilien (PMDB, au gouvernement), il est sorti de cette élection affaibli et divisé intérieurement, en dépit du très grand nombre des mairies conquises.

Les partis politiques se sont lancés ensuite dans la préparation des élections de novembre 1986 pour le renouvellement de la Chambre fédérale des députés, de deux tiers du Sénat, des gouverneurs et des assemblées législatives des divers États. L'importance de ces élections tient au fait que le nouveau Parlement fédéral aura les attributions d'une assemblée constituante appelée à doter le pays d'une nouvelle Constitution parachevant la transition démocratique.

Six mois avant cette première élection générale de la nouvelle République, tout portait à croire qu'elle allait apporter des changements significatifs dans le rapport des forces entre les différents partis et qu'elle allait peut-être même aboutir à l'éclatement des formations existantes et à la création de nouvelles. Le Parti du front libéral (PFL) comme le PMDB sont en fait des coalitions plus ou moins conjoncturelles de politiciens représentant des courants idéologiques hétéroclites. La grande question était de savoir si l'aile centre-gauche du PMDB réussirait à redonner à son parti une certaine cohésion autour d'un programme social-démocrate et quelle serait l'évolution du PT qui semblait avoir le vent en poupe. Le sort du PMDB est fortement lié à celui du « plan tropical ». Le PFL avait toutes les raisons d'être satisfait des ministères importants qui lui ont été attribués par le président Sarney lors de la restructuration du gouvernement en février 1986. Mais rien ne prouvait que sa force électorale se verrait accrue. La situation était très confuse dans l'État de Saõ Paulo où quatre candidats se disputaient les faveurs de l'électorat : les représentants du PMDB, du PT, du PTB et du PDS.

Quant au président Sarney, il pouvait compter sur un solide appui au sein des principaux partis, à l'exception du PT et du PDT.

Le « plan tropical »

De mars à août 1985, le gouvernement brésilien a essayé en vain de concilier une politique de rigueur financière conforme aux préceptes du FMI avec le refus d'accepter la récession et ses conséquences sociales désastreuses.

Un changement de cap décisif dans la politique économique est

BRÉSIL

États-Unis du Brésil.
Capitale : Brasilia.
Superficie : 8 511 965 km² (15,6 fois la France).
Carte : p. 126.
Monnaie : cruzeiro (1 cruzado = 0,50 FF au 30.4.86).
Langue : portugais.
Chef de l'État : José Sarney (depuis le 15.3.85).
Nature de l'État : république fédérale (23 États et 3 territoires fédéraux).
Nature du régime : démocratie présidentielle.
Principaux partis politiques (partis représentés au Parlement avant les élections du 15.11.86) : *Gouvernement :* Alliance démocratique composée du Parti du mouvement démocratique brésilien (PMDB) et du Parti front libéral. *Autres partis :* Parti des travailleurs (PT, principal parti d'opposition); Parti du travaillisme démocratique (PDT); Parti démocratique social (PDS); Parti travailliste brésilien (PTB).

BRÉSIL

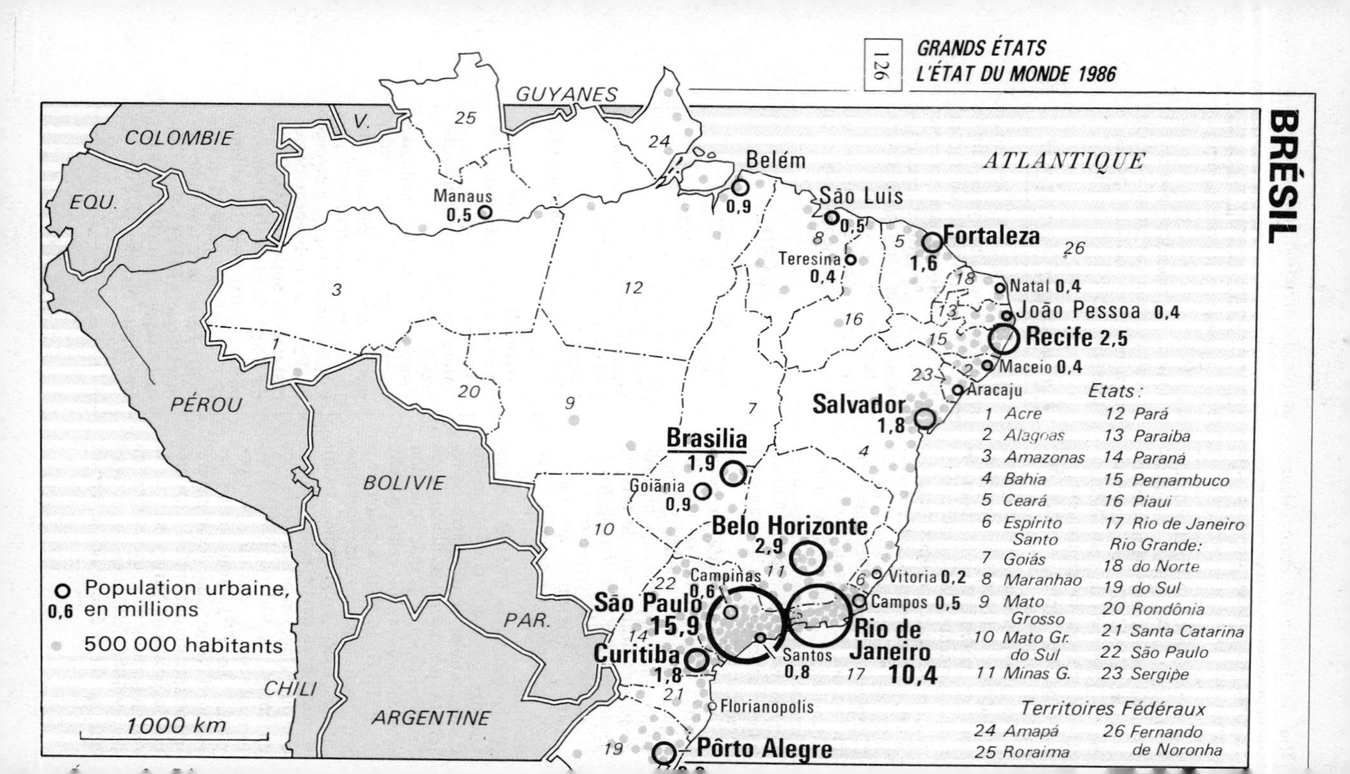
ATLANTIQUE
GUYANES
COLOMBIE
EQU.
V.
PÉROU
BOLIVIE
PAR.
CHILI
ARGENTINE
Manaus 0,5
Belém 0,9
São Luis 0,5
Teresina 0,4
Fortaleza 1,6
Natal 0,4
João Pessoa 0,4
Recife 2,5
Maceio 0,4
Aracaju
Salvador 1,8
Brasilia 1,9
Goiãnia 0,9
Belo Horizonte 2,9
Vitoria 0,2
Campos 0,5
Campinas 0,6
São Paulo 15,9
Santos 0,8
Rio de Janeiro 10,4
Curitiba 1,8
Florianopolis
Pôrto Alegre
Population urbaine, en millions
0,6
500 000 habitants
1000 km
Etats :
1 Acre
2 Alagoas
3 Amazonas
4 Bahia
5 Ceará
6 Espirito Santo
7 Goiás
8 Maranhao
9 Mato Grosso
10 Mato Gr. do Sul
11 Minas G.
12 Pará
13 Paraiba
14 Paraná
15 Pernambuco
16 Piaui
17 Rio de Janeiro
Rio Grande:
18 do Norte
19 do Sul
20 Rondônia
21 Santa Catarina
22 São Paulo
23 Sergipe
Territoires Fédéraux
24 Amapá
25 Roraima
26 Fernando de Noronha

intervenu en août 1985 avec la nomination de Dilson Funaro au poste clé de ministre des Finances. L'année 1985 s'est terminée par une croissance très forte (plus de 8 %, mettant le Brésil au premier rang mondial), une petite réduction du chômage grâce à la création de 1,5 million d'emplois, et une amélioration du pouvoir d'achat des salaires.

La balance des paiements a une fois de plus été très fortement excédentaire (+ 12,4 milliards de dollars) au prix d'une compression drastique des importations, ramenées pratiquement à la moitié des exportations, (25,6 milliards de dollars d'exportations, soit 5 % de moins qu'en 1984). Ce résultat a été rendu possible par l'essor de la production industrielle remplaçant les importations et par la baisse des prix du pétrole. Le Brésil a ainsi réussi à reconstituer ses réserves en devises et à s'acquitter du service de sa dette extérieure (laquelle atteint 100 milliards de dollars), moyennant le transfert à l'étranger de 5 % de son PIB, ce qui constitue, à la longue, une saignée intolérable.

En contrepartie, la dette intérieure a continué sa croissance en boule de neige du fait de la nécessité de procéder au rachat des devises pour le paiement du service de la dette extérieure et en raison du coût exorbitant de son recyclage dans une économie soumise à une inflation de 235 % en 1985. A la fin de 1985, la dette intérieure atteignait 47 % du PIB (contre 24,4 % en 1982).

Pour lutter contre l'inflation, le président Sarney a lancé l'idée d'un pacte social tripartite entre l'État, les entreprises publiques et privées, et les syndicats, mais les pourparlers ont très vite échoué. L'inflation s'est accélérée au début de 1986, pour atteindre le palier de 15 % par mois. Devant la menace de l'hyperinflation, le gouvernement a lancé, fin février, le « plan tropical » analogue à plusieurs égards au « plan austral » argentin. Une nouvelle monnaie, le cruzado – valant 1 000 cruzeros – a été introduite en même temps que le gel des prix, des salaires, du cours du change du cruzado, et la désindexation de l'économie (auparavant toutes les transactions étaient soumises à la « correction monétaire » : les prix et les revenus étaient indexés sur l'inflation). Le gouvernement a tenu toutefois à sauvegarder le pouvoir d'achat réel moyen des salaires, qui ont bénéficié à l'occasion d'une bonification de 8 %. Il a prévu en outre un réajustement automatique des salaires chaque fois que l'augmentation des prix dépasserait 20 %.

Le « plan tropical » est fondé sur les travaux du courant structuraliste des économistes latino-américains ; il est l'aboutissement de la critique des politiques d'austérité et de compression des dépenses publiques proposées – et imposées – par le FMI qui, sans rien résoudre, n'apportent que récession, chômage et inflation accrue. Il ne constitue toutefois qu'un préalable pour s'attaquer aux problèmes structurels du pays par les mesures suivantes :

– la réduction du taux excessif du loyer de l'argent (entre 25 et 30 % par mois pour les entreprises, environ 50 % pour les crédits de consommation) accompagnée d'une réforme bancaire, en préparation ;

– la réorganisation durable de la dette extérieure sur le modèle péruvien ;

– une réforme agraire plus poussée que celle qui a été mise en œuvre en 1985 ;

– une réforme fiscale plus radicale que les amendements décidés à la fin de 1985.

S'il était trop tôt, au printemps 1986, pour juger le « plan tropical », son succès auprès de l'opinion publique a été retentissant : la population tout entière s'est mise à contrôler les prix dans le commerce et le président Sarney a bénéficié d'une cote de popularité sans précédent. Les deux premiers mois se sont passés sans trop de difficulté, malgré une réduction du pouvoir d'achat de certaines catégories salariales allant – selon les milieux syndicaux – de 2,5 à 10 %. Cependant, des problèmes de déphasage de certains prix et

1. Démographie, culture, armée

	Indicateur	Unité	1965	1975	1985
Démographie	Population	million	81,01	106,23	135,6
	Densité	hab./km²	10	12	15,9
	Croissance annuelle	%	2,9 [d]	2,5 [e]	2,2 [f]
	Mortalité infantile	‰	128 [a]	91 [g]	63,0
	Espérance de vie	année	55 [a]	59,8 [g]	63,4 [f]
	Population urbaine	%	50	61	72,7
Culture	Analphabétisme	%	39 [a]	24	22,3
	Nombre de médecins	‰ hab.	0,48	0,61	. .
	Scolarisation *6-11 ans*	%	55,5	65,3	73,5
	12-17 ans	%	37,7	58,9	67,3
	3e degré	%	2,2	11,0	11,4 [c]
	Postes tv	‰ hab.	. .	84	127 [b]
	Livres publiés	titre	1 497	12 296	19 179 [c]
Armée	Marine	millier d'h.	44,4	49,5	48,0
	Aviation	millier d'h.	30	35	45,0
	Armée de terre	millier d'h.	120	170	183,0

a. 1960; b. 1983; c. 1982; d. 1960-70; e. 1970-80; f. 1980-85; g. 1970-75.

2. Commerce extérieur [a]

Indicateur	Unité	1965	1975	1985
Commerce extérieur	% PIB	4,7	8,4	9,8 [b]
Total imports	milliard $	1,1	13,6	13,2
Pétrole	%	18,2	24,3	50,8
Produits agricoles	%	20,7	7,1	9,4 [b]
Produits industriels	%	55,7	60,8	36,3 [b]
Total exports	milliard $	1,6	8,7	25,6
Produits agricoles	%	80,7	57,8	39,6 [b]
Minerais [c]	%	9,0	11,8	7,0 [b]
Produits industriels	%	8,7	28,1	46,6 [b]
Principaux fournisseurs	% imports			
États-Unis		29,7	24,9	19,8
Moyen-Orient		5	19,6	21,4
CEE		17	24,5	13,7
Principaux clients	% exports			
États-Unis		32,6	15,4	26,6
CEE		25,9	27,8	23,9
Amérique latine		12,7	14,5	9,7

a. Marchandises; b. 1984; c. Produits pétroliers non compris.

tarifs ont subsisté, les négociations entre les branches industrielles au sujet des nouveaux prix ont été difficiles, quelques produits ont disparu du marché, des cas de fraude ont été signalés, les industries de la

3. ÉCONOMIE

INDICATEUR	UNITÉ	1965	1975	1985
PIB	milliard $	23,0	110,1	209,3 [a]
Croissance annuelle	%	6,6 [b]	4,4 [c]	8,3
Par habitant	$	220	1 030	1 579 [a]
Structure du PIB				
Agriculture	% } 100 %	15,9	10,5	11,0 [e]
Industrie	% } 100 %	32,5	39,4	31,0 [e]
Services	% } 100 %	51,5	50,0	58,0 [e]
Dette extérieure	milliard $	4,9 [d]	23,5	107,3
Taux d'inflation	%	42 [g]	42 [h]	248,5
Population active	million	26,0	40,2	43,8 [f]
Agriculture	%	54 [d]	36,3	30 [f]
Industrie	%	13,2 [d]	25	24 [f]
Services	%	32,8 [d]	38,7	46 [f]
Dépenses publiques				
Éducation	% PIB	1,1	3,1	3,2 [e]
Défense	% PIB	2,5	..	2,7 [a]
Production d'énergie	million TEC	12,10	24,5	50,3 [e]
Consommation d'énergie	million TEC	29,7	71,2	85,7 [e]

a. 1984; b. 1960-73; c. 1973-83; d. 1970; e. 1983; f. 1981; g. 1960-70; h. 1974-78.

confection ont augmenté leurs prix sous prétexte de livrer des produits nouveaux, etc. Plus grave, à moyen terme, a été la grogne des syndicats, mécontents de la renégociation des contrats collectifs en avril 1986, notamment dans l'industrie métallurgique de la banlieue de São Paulo, et de la perspective des licienciements des employés des banques.

Mais c'est au niveau des finances publiques que devait se jouer la partie la plus serrée. Le gouvernement parviendrait-il, comme il l'espérait, à résorber pratiquement tout le déficit public sans trop sacrifier les projets d'investissement des différents ministères et le financement, essentiel, de l'agriculture? Le service de la dette continuait à peser lourdement sur ses marges de manœuvre.

Même en cas de succès absolu du Plan, il aura au mieux stabilisé les salaires à leur niveau le plus bas depuis trente-cinq ans (le pouvoir d'achat du salaire minimum garanti brésilien est inférieur de moitié à ce qu'il était alors). D'où l'urgence de lancer un programme de redressement social d'une envergure bien supérieure aux projets d'assistance envisagés par le gouvernement. Le rapport sur la situation sociale du Brésil, élaboré à la demande du président Sarney, fait état de deux tiers de la population – 70 millions de personnes – ne mangeant pas à leur faim. 38 millions essaient de survivre dans la misère absolue avec un revenu d'un salaire minimum (SMIG) par famille (804 cruzados, soit 400 francs au cours officiel, et environ 600 à 800 francs en parité de pouvoir d'achat); 32 millions disposent de revenus allant de un à deux SMIG par famille. Le chômage et le sous-emploi frappent 25 % de la population active. Alors que le Brésil s'est doté d'une économie de niveau européen, avec un PIB de 310 milliards de dollars (sixième rang dans le monde capitaliste), les inégalités sociales y sont encore plus criantes qu'au Mexique. La mortalité infantile (65 p. 1000) supérieure à celle de la Corée du Sud ou de la Colombie.

C'est à l'aune des progrès accomplis en matière sociale (et aussi dans le domaine de la préservation d'un riche patrimoine naturel très éprouvé par la croissance sauvage) que sera jugée la nouvelle République. La Constituante qui sera élue en novembre 1986 aura la tâche difficile d'aménager un cadre institutionnel favorable à l'élimination rapide de la dette sociale et écologique.

Ignacy Sachs

BIBLIOGRAPHIE

Ouvrages

DESHAYES J.-L., WEIBEL P., *Le Brésil et la dépendance*, Hatier, Paris, 1985.

LEURAY C., *Brésil, le défi des communautés de base*, L'Harmattan, Paris, 1986.

ROUQUIÉ A., *La démocratie ou l'apprentissage de la vertu*, A.M. Métaillé, Paris, 1985.

THERY H., *Le Brésil*, Masson, Paris, 1985.

Articles

ADDA J., « Conditions et limites de la croissance extravertie : comparaison des expériences brésilienne et sud-coréenne », *Problèmes d'Amérique latine*, n° 76, 2e trimestre 1985.

CARDOSO R., SACHS I., « Brésil : la démocratie venue d'en bas », *Autogestions*, n° 22, 1985-1986.

LÖWY M., « Un parti de type nouveau : le Parti des travailleurs au Brésil », *Amérique latine*, n° 24, octobre-décembre 1985.

MALAN A., « Évolution des relations professionnelles au Brésil », *Travail*, n° 10, novembre 1985.

« La réforme agraire au Brésil », *Braise*, n° 4, hiver 1985-1986.

Nigéria. Non au FMI

L'histoire se répète au Nigéria : le 31 décembre 1983, le général Mohammed Buhari avait pris le pouvoir, justifiant son coup d'État militaire contre le régime civil du président Shehu Shagari par l'état « déplorable » de la situation économique du pays. Il avait à ses côtés le général Ibrahim Babangida, qui devint chef d'état-major de l'armée de terre. Les deux hommes, à la tête du Conseil militaire suprême, entreprirent de remettre de l'ordre dans le pays et de restaurer sa crédibilité extérieure, atteinte notamment par l'incapacité de Lagos à rembourser ses dettes. Des mesures draconiennes d'austérité furent appliquées, mais le général Buhari hésitait à franchir un cap décisif : la négociation d'un accord avec le Fonds monétaire international (FMI) qui, en échange d'un prêt de 2,5 milliards de dollars, exigeait que Lagos consente à appliquer plusieurs mesures : une dévaluation massive de la monnaie nationale, le naira, l'arrêt des subventions au secteur pétrolier et la libéralisation du commerce.

Coup d'État militaire

Le 27 août 1985, le général Babangida provoquait un coup d'État militaire qu'il expliquait en mettant en cause l'incapacité du général Buhari à résoudre les problèmes intérieurs (inflation et chômage) et extérieurs (négociation avec le FMI et rééchelonnement de la dette). Tout en maintenant l'interdiction des partis politiques, décidée en décembre 1983, le nouvel organe suprême, le Conseil de gouvernement des forces armées, affichait son intention de se livrer à un changement de cap plus économique que politique. Avec un réalisme qui tranchait sur l'intransigeance de son prédécesseur, pour qui le Nigéria devait régler seul ses problèmes économiques, le président Babangida faisait part de sa volonté de tenir compte de l'environnement international. La situation économique était en effet encore plus préoccupante que celle qui prévalait avant le coup d'État de décembre 1983.

Le Nigéria, « géant » de l'Afrique avec ses 93,7 millions d'habitants, s'est peu à peu retranché dans une position isolationniste, d'une part en fermant ses frontières (elles ont été rouvertes – sauf avec le Tchad – le 1er mars 1986), ce qui a eu pour effet de provoquer un marasme du commerce intérieur et, plus encore, d'affecter gravement les économies de ses voisins; d'autre part, en restreignant l'obtention de licences d'importation. Cette décision, combinée à une augmentation des ventes de pétrole, a certes entraîné un excédent de la balance commerciale, mais elle a surtout accentué les difficultés des industries nationales et des sociétés étrangères implantées au Nigéria. Faute de matières premières et de pièces de rechange, licenciements et faillites se sont multipliés.

Avec une pénurie des biens de première nécessité et une inflation supérieure à 20 %, cette politique d'austérité a atteint un seuil critique pour les catégories sociales les plus défavorisées.

Sur le plan intérieur, dès son arrivée au pouvoir, le général Babangida a fait relâcher tous les journalistes emprisonnés par son prédécessaur et a annoncé que son gouvernement accepterait les critiques. La presse nigériane a ainsi retrouvé une liberté d'expression qui faisait sa singularité et sa renommée sur tout le continent. Elle a joué un rôle essentiel dans le vaste débat national qui, en septembre 1985, s'est ouvert sur l'opportunité ou non d'accepter les conditions posées par le FMI. L'opinion publique qui, pendant la période Buhari, avait été nourrie d'arguments hostiles à cet accord, ressenti comme une humiliation, s'est déchaînée, encouragée en cela par les hommes d'affaires et respon-

NIGÉRIA

République fédérale du Nigéria.
Capitale : Lagos.
Superficie : 923 768 km² (1,7 fois la France).
Carte : p. 287.
Monnaie : naira (1 naira = 7,13 FF au 30.4.86).
Langues : anglais (non officiel, mais utilisé dans tous les documents administratifs); 200 langues, dont le haoussa (Nord), l'ibo (Est), le yoruba (Ouest).
Chef de l'État : général Ibrahim Babangida, président (au 30.6.86).
Nature de l'État : république fédérale (19 États).
Nature du régime : militaire.
Principaux partis politiques : interdits.

1. DÉMOGRAPHIE, CULTURE, ARMÉE

	INDICATEUR	UNITÉ	1965	1975	1985
Démographie	Population	million	48,7	67,7	95,2
	Densité	hab./km²	53	73,4	103
	Croissance annuelle	%	2,8 [g]	3,5 [i]	3,4 [e]
	Mortalité infantile	‰	207 [h]	135 [d]	105
	Espérance de vie	année	39 [a]	44,5 [d]	48,5 [e]
	Population urbaine	%	13 [a]	18	23
Culture	Analphabétisme	%	85	. .	57,6
	Nombre de médecins	‰ hab.	0,04	0,07	0,1 [f]
	Scolarisation *6-11 ans*	%	27,6	41,8	85,7
	12-17 ans	%	12,9	23,5	42,6
	3e degré	%	0,2	0,8	2,5 [c]
	Postes tv	‰	0,6	1,5	5 [b]
	Livres publiés	titre	159	1 324	1 495 [b]
Armée	Marine	millier d'h.	1,5	3	5
	Aviation	millier d'h.	1	5	9
	Armée de terre	millier d'h.	9	200	80

a. 1960; b. 1983; c. 1981; d. 1970-75; e. 1980-85; f. 1980; g. 1960-70; h. 1962; i. 1975-80.

2. COMMERCE EXTÉRIEUR [a]

INDICATEUR	UNITÉ	1965	1975	1985
Commerce extérieur	% PIB	16,1	20,0	16,5
Total imports	milliard $	0,8	6,0	8,3
Produits agricoles	%	10,0	9,6	14,6
Produits miniers	%	7,7	3,6	2,9
Produits industriels	%	82,3	86,8	80,2
Total exports	milliard $	0,7	8,0	12,0
Pétrole	%	24,8	93,3	97,2
Cacao	%	16,1	3,7	2,2
Autres produits agricoles	%	48,7	1,9	0,6
Principaux fournisseurs	% imports			
Royaume-Uni		30,9	23,0	17,9
CEE		56,3	61,0	48,5
Japon		12,0	10,2	5,1
Principaux clients	% exports			
États-Unis		10,2	29,0	20,1
CEE		71,0	47,6	49,3
Dont Royaume-Uni		38,5	14,5	5,3

a. Marchandises.

sables politiques musulmans du Nord, qui voyaient dans cette perspective une remise en cause de leurs intérêts. Le général Babangida a-t-il

3. Économie

Indicateur	Unité	1965	1975	1985
PIB	milliard $	4,7	32,9	61,6
Croissance annuelle	%	6,2 [b]	1,5 [c]	– 0,6 [e]
Par habitant	$	80	500	647
Structure du PIB				
Agriculture	% } 100 %	53	..	26 [f]
Industrie	% } 100 %	19	..	34 [f]
Services	% } 100 %	29	..	40 [f]
Dette extérieure publique	milliard $	..	1,2	19,3
Inflation	%	4,2 [d]	22 [a]	– 0,1
Population active	million	..	24,7	31,4 [f]
Agriculture	%	67	57,7	54 [g]
Industrie	%	12	..	19 [g]
Services	%	21	..	27 [g]
Dépenses publiques				
Éducation	% PNB	1,8	4,2	2,1 [f]
Défense	% PNB	1,4	5,5	2,2 [f]
Production d'énergie	million TEC	20,8	129,7	968 [f]
Consommation d'énergie	million TEC	2,6	5,2	170 [f]

a. 1974-78; b. 1960-73; c. 1973-83; d. 1960-70; e. Le PIB est tombé de 14 % entre 1979 et 1984; f. 1983; g. 1981.

craint de s'aliéner la neutralité politique de ces groupes de pression économique ? Toujours est-il que le « débat » s'est transformé en un défoulement collectif sur fond de nationalisme, chacun, de l'homme d'affaires à l'homme de la rue, manifestant son refus de pactiser avec le « diable » FMI. Le 12 décembre, le chef de l'État résumait cette consultation populaire en déclarant que « la voie de l'honneur et l'essence du patriotisme résident dans l'arrêt des négociations avec le FMI ».

État d'urgence économique

Entre-temps, le général Babangida a accentué la politique d'austérité. Le 1er octobre, il a décrété un « état d'urgence économique », valable pour quinze mois, et annoncé l'interdiction des importations – massives – de riz et de maïs, sans pour autant proposer de palliatifs. L'agriculture nigériane, en dépit des promesses des gouvernements successifs de lui accorder une « priorité », s'effondre chaque année un peu plus, victime du « mirage » pétrolier. Le cacao, par exemple, qui procure une part importante des recettes d'exportation non pétrolières, a connu sa plus mauvaise récolte depuis 1958 au cours de la campagne 1984-1985.

Cette politique de « repli sur soi » a conduit le gouvernement à présenter un budget pour 1986 particulièrement austère. Une réduction des salaires des militaires – allant jusqu'à 20 % –, étendue ensuite à tous les fonctionnaires, puis aux salariés du secteur public, a été effectuée. Parallèlement, le Nigéria a décidé de plafonner le remboursement de sa dette extérieure à 30 % de ses recettes d'exportation. Des impôts nouveaux ont été créés, comme la taxation supplémentaire de 30 % sur toutes les importations. Enfin, les subventions sur les produits pétroliers devaient être sévèrement touchées avec une baisse prévue de 20 %, qui allait entraîner de fortes hausses des prix à la consommation, notamment du gazole, et donc un renchérissement du coût des transports intérieurs.

Sur le plan monétaire et financier, les autorités de Lagos ont décidé de laisser flotter la monnaie, qui avait déjà perdu en mars 1986 20 % de sa valeur par rapport au dollar, et le naira a atteint une quasi-parité avec la devise américaine. Bref, tout en ayant refusé les conditions du Fonds monétaire international, au motif que la tutelle financière de cette institution porterait atteinte à la souveraineté de leur pays, les dirigeants nigérians ont pris des mesures qui se rapprochaient d'au moins deux des trois recommandations du FMI : la dévaluation de la monnaie et l'arrêt des subventions aux produits pétroliers. Mais, outre qu'il n'a pas obtenu le prêt de 2,5 milliards de dollars, le Nigéria s'est vu *de facto* interdire le rééchelonnement de sa dette extérieure (globalement, environ 25 milliards de dollars), dont le montant exigible en 1986 était, théoriquement, de 4,4 milliards de dollars.

La décision du Nigéria de plafonner le montant de ses remboursements extérieurs, ce qui porte préjudice à sa crédibilité financière et va sans doute lui fermer l'accès au marché des capitaux extérieurs, s'explique par la chute de ses recettes pétrolières (qui représentent 83 % des recettes d'exportation, contre 95 % dans le passé), consécutive à l'effondrement du marché pétrolier mondial et à la dépréciation de la monnaie américaine. En 1985, le Nigéria a largement dépassé le quota de production pétrolière que lui imposait l'OPEP – de 1,3 à 1,7 million de barils par jour –, ce qui lui a permis de compenser la baisse du prix du baril. Si celle-ci se poursuivait en 1986, le régime du général Babangida risquerait fort d'être asphyxié financièrement.

Pour tenter de faire face à ses échéances, Lagos a entamé, en mars 1986, des négociations avec les banques commerciales occidentales, pour obtenir un rééchelonnement de ses dettes commerciales, qui atteignaient 7 milliards de dollars. Le régime militaire a d'autre part amélioré ses relations avec plusieurs partenaires occidentaux, notamment les États-Unis, la France et la Grande-Bretagne. Paris a consenti à débloquer de nouveaux prêts, et Londres et Lagos ont renoué des relations diplomatiques normales.

La situation politique intérieure du Nigéria reste cependant précaire,

BIBLIOGRAPHIE

Ouvrage

BACH D.C. (sous la dir. de), *Le Nigéria contemporain*, CNRS, Paris, 1986.

Articles

LOBE EWANE M., « L'horizon demeure sombre pour le Nigéria », *Le Monde diplomatique*, octobre 1985.

MOODY J., « Striking a Delicate Balance », *Times*, 17 février 1986.

SOUDAN F., « La politique d'équilibre en douceur de Babangida », *Jeune Afrique*, 23 décembre 1985.

Supplément du *Financial Times*, 24 février 1986.

WALDMEIR P., « Lagos Keeps the IMF at Bay », *Financial Times*, 5 juin 1985.

comme l'a illustré la découverte d'une tentative de coup d'État en décembre 1985, suivie de l'exécution de dix officiers, début mars. L'annonce, par le général Babangida, du retour à un régime civil avant le 1er octobre 1990 et l'ouverture d'un débat national sur l'avenir du pays n'ont pas suffi à faire disparaître les tensions politiques, ethniques et religieuses. Sur ce point, l'adhésion du Nigéria à l'Organisation de la conférence islamique (OCI) a envenimé les relations entre les communautés musulmane et chrétienne. Devant ces multiples contraintes et échéances, tant politiques qu'économiques, la marge de manœuvre du président Babangida apparaît bien mince. Son échec risquerait d'être sanctionné par un nouveau coup d'État militaire, qui pourrait être, cette fois-ci, beaucoup plus radical.

Laurent Zecchini

Indonésie. Révolution verte et choc pétrolier

L'année 1985 a été celle des anniversaires. Apparaîtra-t-elle comme celle des grands tournants? Quarante ans après la proclamation de l'indépendance (17 août 1945), trente ans après la conférence de Bandung (25 avril 1955) et vingt ans après l'émergence du régime d'Ordre nouveau du général Suharto (1er octobre 1965), l'Indonésie s'est libérée de la contrainte alimentaire avec la confirmation du succès de sa révolution verte. Mais elle a dû faire face à la convergence de trois défis : l'islamisme, l'extension du chômage, et la menace d'une grave crise économique liée à la chute du prix du pétrole.

Les mois qui ont suivi les désordres islamiques et terroristes de la fin 1984 et du début 1985 ont vu un certain retour au calme. De la rue, la scène politique s'est déplacée vers des lieux d'agitation plus feutrés : les allées du pouvoir et les tribunaux. Après sa « désislamisation » par les militaires et son adhésion contrainte à l'idéologie sécularisme de l'État *(Pancasila)*, le parti musulman officiel (Partai Persatuan Pembangunan, PPP) s'est scindé en deux factions concurrentes, « obligeant » le ministre de l'Intérieur à intervenir à plusieurs reprises dans ses affaires internes pour y rétablir un semblant d'union. Très affaibli, ce parti, qui avait jusque-là rallié l'essentiel de l'opposition officielle, ne semblait guère en mesure de résister au Golkar (parti gouvernemental) lors des élections législatives de 1987.

Raidissement

Les procès des islamistes impliqués dans les émeutes de Tanjung Priok (12 septembre 1984) et dans les divers attentats qui ont suivi ont été rondement menés jusqu'à la fin de l'année 1985. Les condamnations ont été lourdes (de quinze à vingt ans en moyenne). Parallèlement, le général Dharsono, qui avait mis en cause le gouvernement dans l'affaire de Tanjung Priok, a été jugé pour subversion, et son flirt avec les islamistes lui a valu une peine de dix ans de prison (décembre 1985). Ancien secrétaire général de l'ANSEA, et l'un des fondateurs de l'Ordre nouveau, Dharsono anime depuis plusieurs années un groupe de généraux

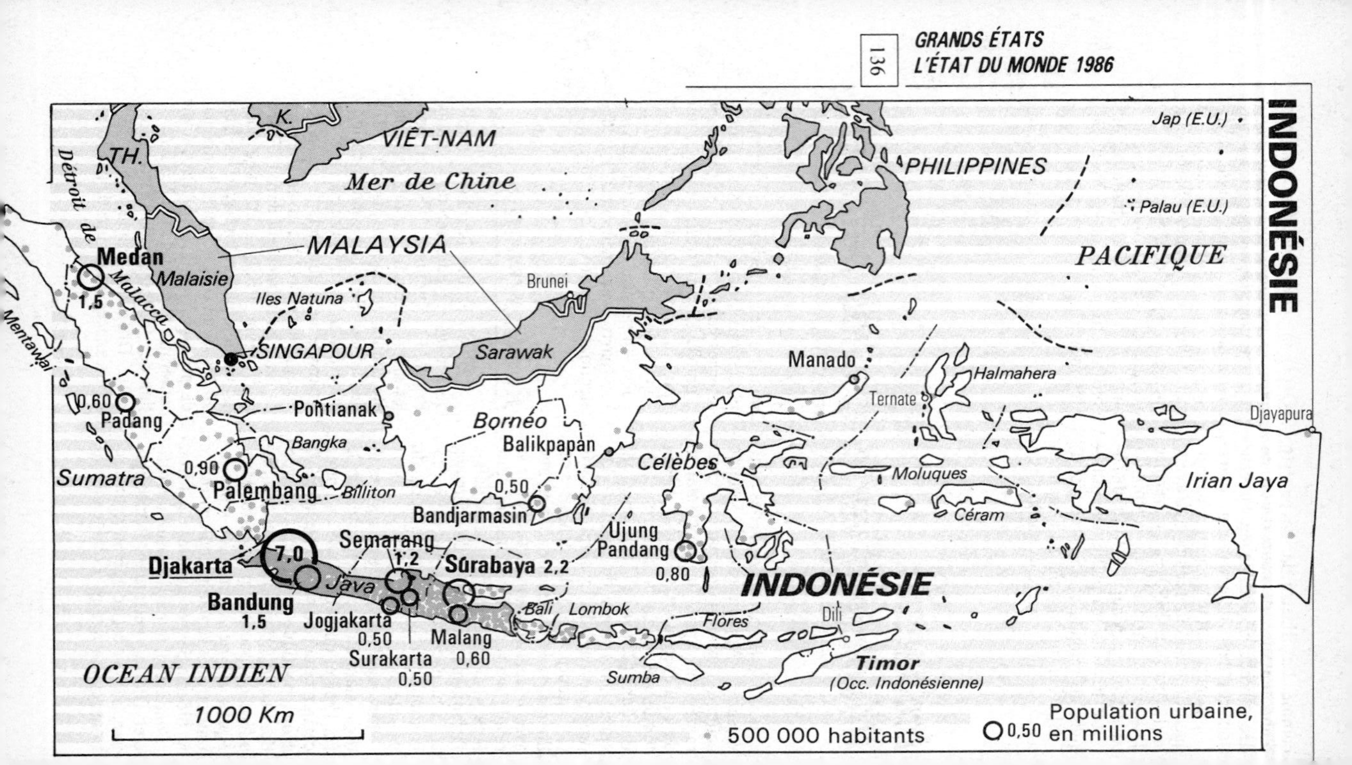
INDONÉSIE
TH.
K.
VIÊT-NAM
Mer de Chine
PHILIPPINES
Jap (E.U.)
Palau (E.U.)
PACIFIQUE
Détroit de Malacca
Medan
1,5
Malaisie
MALAYSIA
Brunei
Iles Natuna
SINGAPOUR
Sarawak
Mentawai
0,60
Padang
Pontianak
Borneo
Balikpapan
Manado
Ternate
Halmahera
Djayapura
Bangka
0,90
Palembang
Sumatra
Billiton
0,50
Bandjarmasin
Célèbes
Moluques
Irian Jaya
Céram
Ujung
Pandang
0,80
7,0
Djakarta
Semarang
1,2
Surabaya 2,2
INDONÉSIE
Java
Bandung
1,5
Jogjakarta
0,50
Surakarta
0,50
Malang
0,60
Bali
Lombok
Flores
Dili
Timor
(Occ. Indonésienne)
Sumba
OCEAN INDIEN
1000 Km
500 000 habitants
Population urbaine,
0,50 en millions

en retraite devenus hostiles au président Suharto.

Le vieillissement du régime, la radicalisation et l'alliance éventuelles des oppositions autour de l'islamisme, la diffusion dans les couches urbaines d'un mécontentement lié aux difficultés sociales et la crainte d'une contagion de l'exemple philippin (la chute du président Marcos) ont amené un certain raidissement de la part du groupe dirigeant. En outre, à un an des élections législatives d'avril 1987, était à nouveau posé le problème de la succession du général Suharto (né en 1921) dont le quatrième mandat présidentiel s'achève en 1988. Les peines prononcées contre les islamistes et les généraux d'opposition et la publicité donnée à leurs procès, mais aussi peut-être l'exécution de plusieurs communistes emprisonnés depuis 1965, ont constitué autant d'avertissements à l'opinion politique. La réorganisation du système de défense territoriale qui vise à améliorer l'efficacité en réduisant de dix-sept à huit le nombre des commandements régionaux a aussi été interprétée comme un resserrement du contrôle du centre sur les militaires d'active : il y aura moins d'officiers.

Parallèlement, l'utilisation des symboles nationalistes s'est accentuée avec la célébration solennelle des grands anniversaires de la République, notamment à travers l'exposition de la production nationale inaugurée à Jakarta le 17 août 1985 pour marquer quarante années d'indépendance et le développement économique mené par le général Suharto. Ouvert quelques mois auparavant, le nouvel aéroport international de Jakarta construit par les Français (coût : 400 millions de dollars) a été baptisé du nom des deux proclamateurs de l'indépendance : Sukarno et Hatta. Enfin, l' « esprit de Bandung » a été célébré dans des cérémonies fastueuses.

La situation socio-économique est restée assez stable en 1985, mais elle menaçait de se détériorer rapidement en 1986. Si la croissance économique globale a pu être maintenue à quelque 5 %, tandis que le taux d'inflation baissait à 4,3 % en 1985 (contre 8,7 % en 1984), le mérite en est essentiellement revenu aux performances de l'agriculture avec une production de riz record de 26,3 millions de tonnes (contre 25,8 en 1984). Alors que l'Indonésie était le premier importateur mondial de riz, elle est devenue non seulement autosuffisante mais a dû faire face à l'accumulation des excédents (3,5 millions de tonnes en 1985). Seule une petite partie a pu être exportée (vers le Vietnam notamment), et le reste a dû être entreposé sur place au titre de la réserve alimentaire et du stock régulateur. Le stockage coûte cher, et les prix du riz ne doivent pas tomber trop bas pour ne pas décourager les paysans lors des prochaines campagnes. Pour la première fois, des fonds importants ont été inscrits au budget pour

INDONÉSIE

République d'Indonésie.
Capitale : Jakarta.
Superficie 2 027 087 km² (3,7 fois la France).
Carte : p. 136.
Monnaie : roupie (1 roupie = 0,006 FF au 30.4.86).
Langues : Bahasa Indonesia (officielle) ; 200 langues et dialectes régionaux.
Chef de l'État : général Suharto, président (au 30.6.86).
Nature de l'État : république.
Nature du régime : régime présidentiel autoritaire dominé par l'armée de terre.
Principaux partis politiques : *Gouvernement :* Golkar (Golongan Karya, sorte de fédération de « groupes fonctionnels » où les militaires occupent une grande place). *Opposition légale :* Partai Persatuan Pembangunan (parti du développement uni, coalition musulmane) ; Parti démocratique indonésien (chrétien-nationaliste).

1. Démographie, culture, armée

	Indicateur	Unité	1965	1975	1985
Démographie	Population	million	105,3	130,5	163,4
	Densité	hab./km²	52	64,4	80,6
	Croissance annuelle	%	2,6 [a]	2,3 [e]	2,1 [c]
	Mortalité infantile	‰	125	112 [d]	76,0
	Espérance de vie	année	41	47,5 [d]	52,2 [c]
	Population urbaine	%	15 [h]	18	25,3
Culture	Analphabétisme	%	51 [h]	43,4 [j]	25,9
	Nombre de médecins	‰ hab.	0,03	0,07	0,08 [g]
	Scolarisation *6-11 ans*	%	50,8	63,1	82,5
	12-17 ans	%	29,9	36,3	47,2
	3e degré	%	1,5	2,3	4,2 [f]
	Postes tv	‰	0,4	2,2	22 [b]
	Livres publiés	titre	791 [i]	2 187	5 731 [b]
Armée	Marine	millier d'h.	40	38	36,9
	Aviation	millier d'h.	22	28	25,1
	Armée de terre	millier d'h.	350	200	216,0

a. 1960-70; b. 1983; c. 1980-85; d. 1970-75; e. 1975-80; f. 1982; g. 1980; h. 1960; i. 1962; j. 1971.

2. Commerce extérieur [b]

Indicateur	Unité	1965	1975	1985
Commerce extérieur	% PIB	9,4	20,4	21,4 [a]
Total imports	milliard $	0,7	4,8	10,2
Produits agricoles	%	22,8	15,3	10,4 [a]
Pétrole et gaz	%	1,8	5,4	19,4 [a]
Produits industriels	%	76,8	78,7	68,7 [a]
Total exports	milliard $	0,7	7,1	18,5
Produits pétroliers	%	38,4	74,8	47,0
Caoutchouc	%	31,4	5,0	3,9
Autres produits agricoles	%	25,3	15,4	9,3 [e]
Principaux fournisseurs	% imports			
Japon		26,3	31,0	28,1
États-Unis		9,4	14,0	14,4
Singapour		0,0	7,2	5,3
Principaux clients	% exports			
Japon		15,8	43,9	49,1
États-Unis		22,4	26,3	22,7
Singapour		9,0	8,9	6,0

a. 1984; b. 1982.

financer les excédents de riz et soutenir les cours.

La réussite de la révolution verte a certes assuré au général Suharto une base sociale importante en milieu rural, mais elle a probablement été

3. Économie

Indicateur	Unité	1965	1975	1985
PIB	milliard $	7,5	29,1	85,4 [a]
Croissance annuelle	%	4,4 [b]	6,8 [c]	3,0
Par habitant	$	85	220	540 [a]
Structure du PIB				
Agriculture	% } 100 %	51,9	26,9	29,5
Industrie	% } 100 %	18,6	38,0	30,2
Services	% } 100 %	29,5	35,1	40,4
Dette extérieure	milliard $	..	10,4	32,5 [a]
Taux d'inflation	%	67 [e]	19,1 [h]	4,4
Population active	million	..	47,0	57,8 [d]
Agriculture	%	75 [f]	..	54,6 [d]
Industrie	%	8 [f]	..	14,9 [d]
Services	%	17 [f]	..	30,5 [d]
Dépenses publiques				
Éducation	% PIB	1,2	3,0	2,2 [g]
Défense	% PIB	2,2	3,8	3,0
Production d'énergie	million TEC	39,8	97,3	120,1 [i]
Consommation d'énergie	million TEC	11,9	22,1	38,3 [i]

a. 1984; b. 1960-73; c. 1973-83; d. 1982; e. 1966-70; f. 1960; g. 1981; h. 1974-78; i. 1984.

aussi l'un des facteurs d'aggravation du chômage. L'agriculture produisant plus avec moins de bras, elle ne peut fournir d'emplois aux 2 millions de jeunes arrivant sur le marché du travail chaque année (le quatrième Plan quinquennal prévoit 9,3 millions de nouveaux demandeurs d'emploi de 1984 à 1989). La relative stagnation de l'industrie en 1985 (investissements étrangers stables à 800 millions de dollars, investissements domestiques en hausse avec 3 milliards de dollars) a suscité un regain d'intérêt pour le secteur informel comme moyen de résorption du chômage.

Budget d'austérité

Au printemps 1986, il semblait que le retournement de la conjoncture lié à la chute du prix du pétrole (60 % des recettes extérieures et du budget public) allait mettre à rude épreuve la stabilité du régime. Il a incité, fin 1985, les ministres technocrates à présenter un budget d'austérité qui rappelait celui de 1983. Mais le tour de vis était plus serré, puisque le budget 1986-1987 était en baisse de 7 % par rapport à l'exercice précédent, une première dans l'Ordre nouveau. Équilibré à 21 milliards de dollars, ce budget visait à compenser la diminution des recettes pétrolières par l'augmentation des recettes intérieures : TVA, nouvelle taxe foncière, impôt sur le revenu. En contrepartie, le traitement des fonctionnaires était bloqué et de sévères économies étaient prévues. Les dépenses d'équipement baissaient de 22 %. La priorité était donnée aux projets en cours de réalisation, financés par l'aide, ou générateurs d'emplois. Les autres opérations de développement étaient reportées, à l'exception des équipements du secteur éducatif et du réseau routier. Au total, la diminution du rôle de l'État reflétée par la baisse du budget devait être compensée par le secteur privé. Compte tenu du poids de la bureaucratie et de la faiblesse traditionnelle du secteur privé, cette attente risquait d'être déçue, malgré les efforts déployés pour créer de meilleures conditions d'activité, comme la remise en ordre des douanes dont la fonction de contrôle a été confiée à une société de surveillance suisse.

De plus, ce budget, calculé sur la base d'un baril à 25 dollars, semblait devoir être remis en cause par l'accélération de la baisse du prix du pétrole, tombé à moins de la moitié au début 1986 (quand le baril perd 1 dollar, les entrées de devises diminuent de 300 millions). La tentation de compenser la baisse des prix pétroliers par l'augmentation des quantités pompées et vendues risquait d'être contre-productive.

La promotion des exportations non pétrolières, qui avait remporté un certain succès en 1985, a néanmoins souffert de la chute des cours des produits de base (sauf le café) vendus par l'Indonésie (caoutchouc et étain notamment), tandis que des produits finis tels les textiles se heurtaient au protectionnisme des pays industrialisés, et en particulier des États-Unis. Le déficit de la balance des paiements courants en 1986-1987 devait atteindre 8 milliards (+ 5 %) tandis que le remboursement de la dette extérieure (30 milliards) augmenterait de 18 %. Toutefois, les réserves restaient élevées début 1986 : 10,7 milliards, soit neuf mois d'importations.

Sur le plan extérieur, l'Indonésie a renforcé l'image de non-alignement actif qu'elle souhaite donner, avec notamment deux voyages officiels du président Suharto : tout d'abord en Turquie, Roumanie et Hongrie (fin septembre 1985), puis à Rome, où il a représenté les pays en développement à la FAO, en raison du succès de la révolution verte en Indonésie (15 novembre 1985) et rencontré le président François Mitterrand.

Les relations avec l'Australie se sont améliorées après que le Premier ministre travailliste Bob Hawke eut confirmé la reconnaissance par son pays (juillet 1985) de l'intégration de Timor oriental à l'Indonésie, même s'il s'est déclaré préoccupé par l'application des droits de l'homme dans le territoire annexé en 1975.

La reprise des contacts avec la république populaire de Chine n'a pas permis de normaliser les relations diplomatiques (gelées depuis 1967), malgré la visite en Indonésie du ministre chinois des Affaires étrangères et le voyage de membres de la Chambre de commerce indonésienne à Pékin en août 1985.

François Raillon

BIBLIOGRAPHIE

Ouvrage

BILLETER J.-F., ÉTIENNE G., MAURER J.-L., *Sociétés asiatiques, mutations et continuité : Chine, Inde, Indonésie*, PUF, Paris, 1985.

Articles

BOSSE-PLATIÈRE P., « Indonésie : tout est encore à faire », *Faim-développement dossiers*, n° 12, 1985.

BOUC A., « Une vague d'attentats signale un regain de tension en Indonésie », *Le Monde diplomatique*, avril 1985.

RAILLON F., « Les classes moyennes en Indonésie. Opacités culturelles et réalités économiques », *Revue tiers monde*, n° 101, janvier-mars 1985.

RAILLON F., « Islam et ordre nouveau ou l'imbroglio de la foi et de la politique », *Archipel*, n° 30, 1985.

Australie.
Trois ans de pouvoir travailliste

1985 a été une année paradoxale pour le Premier ministre travailliste Robert (Bob) Hawke. Accusé de faiblesse politique, crédité de résultats économiques mitigés, jugé par certains trop lié aux syndicats, Hawke a pourtant achevé sa troisième année à la tête de l'Australie avec une cote de popularité plus élevée qu'en mars 1983, date à laquelle le Parti travailliste australien (ALP) était porté au pouvoir, après trente-quatre années de règne quasi ininterrompu de la droite.

En mars 1986, lorsque le fringant dirigeant de cinquante-six ans à la chevelure argentée a entamé sa quatrième année comme chef de gouvernement fédéral, son taux de popularité personnelle était de 59 % et celui du Parti travailliste de 49 %, soit six points de plus que l'Alliance conservatrice dirigée depuis septembre 1985 par le chef du Parti libéral, John Howard, un homme de droite « pur et dur », connu aux antipodes comme le « Thatcher australien ». Quelques mois auparavant, à la suite d'élections dans deux États de la fédération, le Parti travailliste avait été reconduit au pouvoir, ce qui lui assurait le contrôle de quatre États sur six. Avec une telle base électorale, Bob Hawke avait de bonnes chances de remporter, sauf accident, les élections fédérales prévues à la fin de 1987 et d'être ainsi le premier dirigeant travailliste de toute l'histoire de l'Australie à donner à son parti trois victoires consécutives au plan national.

L'année 1985 avait pourtant mal débuté, après une baisse de 1,6 % de l'ALP lors d'élections anticipées, en décembre 1984, qui avaient rétréci la majorité gouvernementale de Hawke à la Chambre des représentants. Son style de plus en plus présidentiel, dans un pays habitué à la démocratie parlementaire, et le mécontentement de l'électorat ouvrier face à une politique centriste favorisant plutôt les classes moyennes avaient contribué à ce revers.

En février 1985, Hawke subissait un affront personnel dans le secteur de la défense, très sensible en Australie. Des fuites avaient révélé qu'il

AUSTRALIE

Commonwealth d'Australie.
Capitale : Canberra.
Superficie : 7 682 300 km² (14 fois la France).
Carte : p. 418.
Monnaie : dollar australien (1 dollar australien = 5,15 FF au 30.4.86).
Langue : anglais (officielle).
Chef de l'État : Sir Ninian Stevens, gouverneur général représentant la reine Élisabeth II.
Chef du gouvernement : Robert Hawke, Premier ministre (au 30.6.86)
Nature de l'État : fédération de 6 États et 2 territoires.
Nature du régime : démocratie parlementaire.
Principaux partis politiques : *Gouvernement :* Parti travailliste australien. *Opposition :* Parti libéral d'Australie; National Country Party of Australia; Parti des démocrates australiens; Country-liberal Party (Territoire du Nord); Parti communiste d'Australie (communiste indépendant); Parti socialiste d'Australie (prosoviétique); Parti communiste d'Australie (marxiste-léniniste, prochinois); Parti pour le désarmement nucléaire (NDP).

1. Démographie, culture, armée

	Indicateur	Unité	1965	1975	1985
Démographie	Population	million	11,5	13,8	15,7
	Densité	hab./km²	1,5	1,8	2,0
	Croissance annuelle	%	2,0	0,9	1,2 [e]
	Mortalité infantile	‰	20,9	17 [d]	9,0
	Espérance de vie	année	70,9	71,7 [d]	74,4 [e]
	Population urbaine	%	85,2	87,2	86,8
Culture	Nombre de médecins	‰ hab	1,2	1,5	1,8 [f]
	Scolarisation *2e degré* [a]	%	46	87	92 [b]
	3e degré	%	13,1	24,0	26,3 [b]
	Postes tv	‰	172	330	423 [b]
	Livres publiés	titre	3 306	5 563	2 358 [c]
Armée	Marine	millier d'h.	14,0	16,0	16,0
	Aviation	millier d'h.	17,7	21,4	22,7
	Armée de terre	millier d'h.	37,5	31,4	32,0

a. 12-16 ans; b. 1983; c. 1982; d. 1970-75; e. 1980-85; f. 1980.

2. Commerce extérieur [a]

Indicateur	Unité	1965	1975	1985
Commerce extérieur	% PIB	14,8	15,6	16,0
Total imports	milliard $	3,8	11,1	26,2
Produits agricoles	%	9,8	7,4	6,7
Produits pétroliers	%	8,4	10,4	6,9
Autres produits miniers	%	1,4	1,5	1,4
Total exports	milliard $	3,0	11,9	22,9
Produits agricoles	%	72,9	45,9	38,2
Produits miniers	%	7,1	29,1	29,6
Produits industriels	%	20,0	25,0	22,8
Principaux fournisseurs	% imports			
PVD		15,4	19,0	18,0
Japon		9,7	17,6	23,1
CEE		38,8	29,7	22,0
Principaux clients	% exports			
PVD		19,5	26,4	32,5
Japon		16,4	29,2	27,5
CEE		32,4	14,9	12,6

a. Marchandises.

avait donné secrètement son accord à la fourniture d'une assistance technique pour des essais du missile américain *MX*, ce qui déclencha une tempête de protestations dans le pays et une entrée en dissidence ouverte de députés de l'aile gauche travailliste. Hawke était contraint de faire marche arrière. Cette volte-face fut perçue par le monde des

3. Économie

Indicateur	Unité	1965	1975	1985
PIB	milliard $	22,5	87,3	153,8
Croissance annuelle	%	5,1 [b]	2,3 [c]	4,9
Par habitant	$	1 957	6 326	9 796
Structure du PIB				
Agriculture	% } 100 %	9,2	5,0	4,9 [a]
Industrie	% } 100 %	33,2	29,9	32,8 [a]
Services	% } 100 %	57,6	65,1	62,3 [a]
Taux d'inflation	%	2,5 [d]	12,7 [g]	8,2
Population active	million	4,7	6,1	7,3
Agriculture	%	9,9	6,8	6,2
Industrie	%	39,9	33,5	27,7
Services	%	50,2	59,7	66,2
Chômage [h]	%	1,4	4,5	7,7
Dépenses publiques				
Éducation	% PIB	4,4 [e]	6,2	5,9 [f]
Défense	% PIB	3,3 [e]	2,7	2,9
Recherche et développement	% PIB	1,2	1,0	1,0 [e]
Production d'énergie	million TEC	37,0	94,1	135,4 [i]
Consommation d'énergie	million TEC	29,7	75,0	92,0 [i]

a. 1984; b. 1960-73; c. 1973-83; d. 1960-70; e. 1982; f. 1980; g. 1974-78; h. Fin d'année; i. 1983.

affaires comme un gage donné à la gauche radicale, une gifle à l'allié privilégié du pays, et comme le signe de faiblesse politique. Conséquence de cette « crise des missiles », mais aussi des fluctuations monétaires internationales, le dollar australien – que le gouvernement avait laissé flotter en 1983 – plongeait à un niveau record, enregistrant une dépréciation d'environ 22 % par rapport au dollar américain pour l'année fiscale 1984-1985.

Remous autour de la réforme fiscale

Mais les plus grandes difficultés devaient surgir à l'occasion d'un sommet convoqué par Hawke, en juillet 1985, pour réformer le système fiscal, avec la participation du patronat, des syndicats et des gouvernements des États et de la fédération. Après son arrivée au pouvoir, Hawke avait réussi, par le biais d'un sommet économique similaire, à ramener la paix sociale, le consensus ayant succédé à plusieurs décades d'agitation. Il comptait rééditer ce succès avec son « sommet fiscal ». Le sommet de 1983 avait façonné la politique économique travailliste grâce à un accord avec la puissante confédération syndicale, l'Australian Council of Trade Unions (ACTU), qui avait accepté de soutenir les efforts gouvernementaux pour ranimer une économie en proie à sa pire récession depuis les années trente. Les syndicats avaient accepté une compression des salaires qui n'étaient désormais augmentés que bi-annuellement par indexation sur les prix. L'accord fonctionnait remarquablement bien dans un pays où 60 % des travailleurs sont syndiqués, engendrant à la fois le plus bas taux de grèves depuis plus de quinze ans et un blocage de l'inflation.

Le « sommet fiscal » ne devait pas connaître le même succès. Des diminutions de l'impôt sur le revenu avaient été promises aux syndicats en échange de leur bonne conduite. Ces réductions étaient l'un des éléments d'une « trilogie » de promesses électorales faites en décembre 1984 : l'augmentation, en pourcentage, de l'impôt sur le revenu et des dépenses de l'État ne dépasserait pas l'augmentation du PNB; le déficit budgétaire serait réduit dans une proportion égale à la variation du PNB. Mais les propositions du ministre des Finances, Paul Keating, d'introduire des impôts indirects en contrepartie des diminutions de l'impôt sur le revenu provoquèrent la colère des syndicats, qui l'accusèrent de frapper les plus démunis. Le sommet tourna au fiasco et le gouvernement enregistra une chute sensible dans les sondages. Après des semaines d'atermoiement, l'exécutif travailliste décidait d'annuler cet impôt sur la consommation et d'introduire un impôt sur les plus-values et des taxes sur les frais professionnels. Cette fois, ce fut le patronat et la droite qui se mirent en colère : Hawke, président de l'ACTU de 1967 à 1977, était accusé d'être inféodé à la gauche et d'avoir remis la direction du pays entre les mains des syndicats. Le mécontentement culmina lorsque Hawke promit aux syndicats non seulement l'introduction d'une baisse sur les impôts en septembre 1986, mais encore un système de retraite financé par le patronat. En revanche, les syndicats acceptèrent une réduction de 2 % des salaires en 1986.

En dépit de ce chapelet de difficultés, la bonne étoile du Premier ministre s'est mise à luire de nouveau à la fin de 1985 et les sondages à lui accorder leurs faveurs. Il a surtout bénéficié d'une crise inespérée au sein des instances dirigeantes de l'opposition, encore non résolue en juin 1986. En effet, le charismatique dirigeant libéral Andrew Peacock a été remplacé en septembre 1985 à la direction du Parti libéral (LP) par John Howard, ancien ministre des Finances, tenant d'une idéologie ultraconservatrice peu prisée dans les milieux politiques australiens, plutôt enclins à la modération. Défenseur de la petite entreprise contre le « big business », ardent partisan de la privatisation et critique virulent de l'accord du gouvernement avec l'ACTU, « Honest John » n'a pas réussi à s'assurer un large soutien au sein de son parti.

Économie : succès mitigés

Cependant, Bob Hawke peut se prévaloir de succès économiques incontestables depuis son arrivée au pouvoir : plus de 500 000 emplois créés, une baisse du taux de chômage de 10 % en 1983 à 7,8 % en 1985 – pour les jeunes, de 28 à 22 % pendant la même période –, une réduction de l'inflation de 11 % en 1983 à 8,2 % en 1985 (tout de même deux fois supérieure à celle des pays de l'OCDE). Le taux de croissance était de 4,6 % pour l'année fiscale 1984-1985, en légère diminution par rapport aux 4,9 % de 1983-1984.

Les ombres au tableau : les Australiens à faible revenu se sont plaints de taux d'intérêts qui se situent aux alentours des 27 %. Parallèlement, la dépréciation du dollar australien après le « flottement » de 1983 n'a pas réussi à donner le coup de fouet espéré aux exportations, tandis que les prix des matières premières australiennes ont chuté sur le marché mondial et que le volume des importations s'est accru. Autrefois huitième exportateur mondial, l'Australie, qui vend principalement des produits agricoles et miniers, est tombée au vingtneuvième rang. En l'espace de dix ans, elle a vu diminuer de moitié sa part des exportations vers ses partenaires asiatiques traditionnels qui, pour la plupart, ont fait plus vite qu'elle la transition vers une économie postindustrielle. Le secteur industriel australien a continué de stagner, avec une diminution de 17 000 emplois en 1985, alors que les avancées technologiques sont restées faibles, de même que la part de l'investissement dans la recherche. On en est même venu à craindre que le pays, incapable de transformer son économie agraire et minière et de réduire le déficit de sa dette extérieure – 56 milliards de dollars australiens en été 1986 (le service de la dette s'élevant à 33 % du montant des exportations) – ne devienne le « sous-développé blanc de l'Asie ». On attendait pour avant la fin de 1986 la mise en chantier d'un plan de restructuration industrielle et une remise en question du protectionnisme, deux mesures qui promettaient de déclencher un intense débat entre gauche et droite du Parti travailliste.

La défense, autre thème conflictuel au sein de l'ALP, devait aussi faire l'objet d'affrontements en raison surtout de la politique quelque peu ambiguë du gouvernement Hawke, officiellement antinucléaire et favorable au désarmement, mais aussi étroitement liée à cette puissance nucléaire que sont les États-Unis. L'ALP a été à l'origine de la signature par treize pays, en août 1985, à Rarotonga (îles Cook), du Traité pour la dénucléarisation du Pacifique Sud qui a provoqué l'irritation de l'allié américain. Il a aussi refusé de se joindre à la « guerre des étoiles » du président Reagan, tout en s'abstenant de faire des recommandations en la matière aux industriels locaux. Mais parallèlement, le gouvernement n'a pas soutenu la Nouvelle-Zélande qui refusait des facilités portuaires aux bâtiments nucléaires américains et il a fait pression pour que le traité de Rarotonga donne le droit aux signataires d'honorer leurs traités et alliances en recevant, s'ils le souhaitent, des navires de guerre nucléaires. Enfin, c'est en 1986 que l'Australie doit se prononcer sur la prolongation du bail d'une des trois bases stratégiques américaines et l'on s'attend, au cours du débat qui accompagnera cette décision, à une sévère confrontation entre la direction travailliste et sa base, largement influencée par les idées pacifistes très en vogue dans le pays.

Claire Rosemberg

BIBLIOGRAPHIE

Ouvrages

COHEN B., *Australie, état des lieux. Manières d'être aux antipodes*, Ramsay, Paris, 1985.

OCDE, *Études économiques de l'OCDE : Australie*, OCDE, Paris, 1985.

Articles

BONNEMAISON J., « A propos de l' “ affaire ” Greenpeace... Là-bas, à l'ouest de l'Occident : Australie et Nouvelle-Zélande », *Hérodote*, nº 40, janvier-mars 1986.

COUTEAU-BEGARIE H., « L'Australie, la Nouvelle-Zélande et la crise de l'ANZUS », *Politique étrangère*, nº 4, 1985.

Pakistan. Levée de la loi martiale

1985 a vu la levée de la loi martiale au Pakistan. Le 30 décembre, le général-président Zia ul-Haq, au pouvoir depuis 1977, a annoncé la restauration des « libertés fondamentales », le démantèlement des tribunaux militaires et a mis fin à un état d'urgence qui durait depuis vingt ans.

Si elles ont été bienvenues, ces mesures n'ont toutefois modifié en rien le paysage politique. Au début de 1986, le pouvoir était toujours largement accaparé par le général Zia ul-Haq qui, en plus de demeurer chef d'état-major des armées, jouissait d'une position présidentielle renforcée en vertu d'amendements constitutionnels adoptés en mars 1985. Il pouvait aussi « légitimement » gouverner jusqu'en 1990 : Zia a en effet conclu qu'en approuvant sa politique d'islamisation lors du référendum de décembre 1984, la population lui donnait le mandat de poursuivre son œuvre pendant encore cinq ans!

Quant à l'opposition, elle ne représentait toujours pas, au début de 1986, une menace sérieuse pour le régime. Certes, elle a profité du rétablissement du droit d'association pour organiser plusieurs manifestations et ces dernières ont donné lieu à des rassemblements impressionnants à Lahore, à Rawalpindi, au Peshawar... Ils étaient même 70 000 à Karachi, le 29 janvier 1986, pour dénoncer le régime et réclamer de nouvelles élections. Toutefois, privée d'audience par la concentration des médias dans les mains du pouvoir et désorganisée par huit années de loi martiale, l'opposition souffrait toujours d'un manque chronique de militants. Des onze partis qui composaient le Mouvement pour la restauration de la démocratie (MRD), seul le Parti populaire du Pakistan (PPP) de Benazir Bhutto (fille du Premier ministre Ali Bhutto exécuté en 1979) avait une base populaire (dans le Sind, au sud du pays).

Pour le MRD, 1985 a été une année de « marginalisation », résultat de l'erreur tactique qu'a constitué le boycottage des élections nationales du 28 février 1985. Honnêtes, ces élections – où il était interdit de se présenter sous la bannière d'un parti – ont été coûteuses pour l'opposition. Tout d'abord parce que Zia a gagné en légitimité, 57 % des inscrits ayant voté malgré l'appel au boycottage. Ensuite parce que l'absence de l'opposition a permis au Jamaat-i-Islami et à la Ligue musulmane pakistanaise (deux partis relativement pro-Zia) de remplir les rangs de l'Assemblée nationale.

Dès la session inaugurale de l'Assemblée nationale, en juin 1985, Zia ul-Haq a nommé Mohammad Khan Junejo, membre de la Ligue musulmane pakistanaise, au poste de Premier ministre. Ce dernier a immédiatement pallié l'absence de partis politiques en regroupant ses partisans sous la bannière du Groupe parlementaire officiel (GPO), alors que les membre du Jamaat-e-Islami et autres indépendants formaient le Groupe parlementaire indépendant (GPI).

Le 14 juillet 1985, jour anniversaire de l'indépendance, Junejo a annoncé la levée de la loi martiale pour la fin de l'année. D'intenses négociations ont suivi entre le Parlement et Zia, portant sur divers amendements constitutionnels. Préférant que les amendements soient adoptés par consensus plutôt qu'à la majorité, Zia a fait d'importantes concessions au GPO et au GPI : il acceptait d'abolir le Conseil national de sécurité – supra-législature dont la mise sur pied était prévue dans les amendements constitutionnels de mars – et consentait d'importantes limitations aux pouvoirs du président. En contrepartie, l'Assemblée validait tous les gestes commis durant la loi martiale, préparant le terrain pour la levée de cette dernière.

1. DÉMOGRAPHIE, CULTURE, ARMÉE

	INDICATEUR	UNITÉ	1965	1975	1985
Démographie	Population	million	50,2	70,3	96,2
	Densité	hab./km²	62	87	119,6
	Croissance annuelle	%	2,1 [a]	3,1 [h]	2,6 [g]
	Mortalité infantile	‰	142 [i]	140 [d]	108
	Espérance de vie	année	44 [i]	46,5 [d]	50 [g]
	Population urbaine	%	22 [i]	26	29,8
Culture	Analphabétisme	%	85 [i]	79	70,4
	Nombre de médecins	‰ hab.	0,2	0,3	0,3 [f]
	Scolarisation *6-11 ans,*	%	29,2	38,7	54,5
	12-17 ans	%	9,9	11,7	16,0
	3e degré	%	1,8	1,8	2,0 [e]
	Postes tv	‰	0,2	5,0	12 [b]
	Livres publiés	titre	2 027	1 143	1 600 [c]
Armée	Marine	millier d'h.	8	10	15,2
	Aviation	millier d'h.	20	17	17,6
	Armée de terre	millier d'h.	160	365	450,0

a. 1960-70; b. 1983; c. 1982; d. 1970-75; e. 1979; f. 1981; g. 1980-85; h. 1970-80; i. 1960.

2. COMMERCE EXTÉRIEUR [b]

INDICATEUR	UNITÉ	1965	1975	1985
Commerce extérieur	% PIB	7,6	14,2	13,6
Total imports	milliard $	1,0	2,2	5,9
Produits agricoles	%	22,5	26,9	12,2 [a]
Produits énergétiques	%	3,3	17,9	26,5 [a]
Produits industriels	%	73,3	52,9	58,5 [a]
Total exports	milliard $	0,5	1,0	2,7
Produits agricoles	%	62,3	42,9	29,7 [a]
Produits miniers	%	1,6	1,4	1,8 [a]
Produits industriels	%	36,1	55,6	68,5 [a]
Principaux fournisseurs	% imports			
États-Unis		35,0	12,6	14,0
PVD		6,9	35,8	44,0
CEE		37,4	15,4	19,1
Japon		9,8	12,9	12,6
Principaux clients	% exports			
Japon		4,5	6,8	11,3
CEE		28,8	18,6	20,9
PVD		35,6	59,1	44,9

a. 1984; b. Marchandises.

En s'affirmant devant le président, l'Assemblée a démontré qu'elle jouissait d'une certaine indépendance et qu'elle pouvait consti-

3. Économie

Indicateur	Unité	1965	1975	1985
PIB	milliard $	4,3	11,3	31,55
Croissance annuelle	%	6,4 [b]	6,2 [c]	8,4
Par habitant	$	85	160	328
Structure du PIB				
Agriculture	% } 100 %	35,8	28,6	22,1
Industrie	% } 100 %	20,3	21,5	25,0
Services	% } 100 %	43,9	49,9	52,9
Dette extérieure	milliard $	..	5,1	11,7 [f]
Taux d'inflation	%	3,2 [a]	13,9 [d]	5,4
Population active	million	..	20,4	28,6
Agriculture	%	53,4	55,0	50,7
Industrie	%	20,2	18,0	18,7
Services	%	26,4	27,0	26,4
Dépenses publiques				
Éducation	% PIB	0,7	2,2	2,0 [e]
Défense	% PIB	4,0	6,1	5,8
Production d'énergie	million TEC	4,3	7,6	14,3 [e]
Consommation d'énergie	million TEC	6,1	12,2	21,7 [e]

a. 1960-70; b. 1960-73; c. 1973-83; d. 1974-78; e. 1983; f. 1984.

tuer une alternative valable aux partis traditionnels du MRD. Cela a évidemment fait le jeu de Zia ul-Haq qui voulait marginaliser l'opposition, en particulier le PPP dont le retour au pouvoir pourrait signifier la fin de la suprématie des Pendjabis dans le gouvernement : constituant 55 % de la population, ils occupent 80 % des postes dans l'armée et sont fortement majoritaires à tous les échelons de l'administration publique.

L'opposition, pour sa part, a contribué à sa marginalisation en refusant de s'enregistrer officiellement en conformité avec la loi sur les partis politiques. La majorité des partis formant le MRD préfèrent de loin le prestige que leur confère le statut d'opposition extra-parlementaire à une participation à l'ordre nouveau qui les réduirait à l'insignifiance, en raison de la faiblesse de leurs appuis électoraux. D'autant plus que pour être conformes à la loi, les partis doivent accepter de procéder à des élections internes (le PPP n'en a pas tenu depuis 1969), publier leur comptes et sont tenus d'adhérer à une clause antidéfection (un député qui changerait de parti en cours de législature perdrait automatiquement son siège). Il va sans dire que le Premier ministre a déjà fait enregistrer sa Ligue musulmane pakistanaise, composée de la plupart des parlementaires...

Le parlementarisme est donc devenu la nouvelle base de légitimité de Zia, alors que l'islamisation s'est vue reléguée au second plan. Cette dernière a longtemps servi à Zia comme cri de ralliement contre le PPP de Bhutto, trop associé à l'Occident. La mise en veilleuse de l'islamisation lui a cependant coûté le soutien des islamistes, qui constituaient sa seule base de pouvoir, en dehors des militaires. Même ralenti, le processus d'islamisation des institutions ne sera pas renversé. En l'absence de tradition de militantisme politique, l'islam constitue un ciment social important : le Pakistan est un État à 95 % musulman...

Une économie en sursis

A première vue, 1985 a été une année profitable à l'économie du Pakistan. La croissance a été de 8,4 %, l'inflation a été contenue à 7,5 % et la production agricole s'est accrue de 10 %.

Pourtant, en janvier 1986, la Banque d'État émettait un rapport révélant les problèmes structurels de l'économie. Le déficit budgétaire a atteint, en 1985, le plafond record de 2,4 milliards de dollars, soit 40,6 % de plus que ce qu'avait prévu le gouvernement. Un tel déficit résulte d'une baisse importante des revenus due à un système de taxation déficient et d'un accroissement important des dépenses gouvernementales dans les secteurs non productifs. La défense, les subventions à l'agriculture et le service de la dette absorbent 74 % du budget du gouvernement.

D'autre part, le taux réel d'épargne, déjà anémique en 1984 alors qu'il était à 4,3 %, a chuté à 3,9 % en 1985. Conséquence : le développement a dû être financé par des prêts étrangers et les réserves de change du pays. Ces dernières sont d'ailleurs passées de 2,5 milliards de dollars en juin 1984 à 613,5 millions de dollars à la mi-décembre 1985. Quant à la dette extérieure, elle atteignait 12,6 milliards au début de 1986, le service de la dette s'élevant à près d'un milliard par an.

Le déséquilibre de la balance des paiements s'est accru, passant de 997 millions de dollars en 1984 à 1 609 millions en 1985, principalement en raison de la baisse des prix à l'exportation et de la diminution, pour la deuxième année consécutive, du montant des fonds rapatriés par les Pakistanais travaillant dans la péninsule arabique.

La situation s'est toutefois améliorée au début de 1986, grâce à une récolte record de 6,3 millions de balles de coton, principale exportation du pays. Récolte on ne peut plus opportune si l'on considère que la production de canne à sucre et de maïs a connu une baisse de 18 %. Mais les performances de l'agriculture ne constituent qu'un sursis pour l'économie pakistanaise. Au printemps 1986, il paraissait que le gouvernement ne pourrait dépenser indéfiniment au-dessus de ses

PAKISTAN

République islamique du Pakistan.
Capitale : Islamabad.
Superficie : 803 943 km² (1,47 fois la France).
Carte : p. 388.
Monnaie : roupiah (1 roupiah = 0,43 FF au 30.4.86).
Langues : ourdou (officielle); pundjabi, sindhi, pushtu et anglais.
Chef de l'État et du gouvernement : général Mohammad Zia ul-Haq.
Nature de l'État : république islamique.
Nature du régime : régime semi-présidentiel.
Principaux partis politiques : *Opposition :* Mouvement pour la restauration de la démocratie (MRD), alliance de onze partis dont : Front national de libération (QMA); Mouvement démocratique, Awami Tehrik (gauche, Sind); Parti démocratique pakistanais (PDP); Parti national pakistanais, PNP (gauche, Baloutchistan); Parti populaire pakistanais, PPP (ex-parti d'Ali Bhuto, centre); Parti des travailleurs et paysans, MKP (gauche). Autres partis d'opposition modérée : Jamiat ul-Ulema-i Pakistan (sunnite); Tehrik-i Nifaz-i Fiqah-i Jafaria (chiite). *Pro-gouvernementaux :* Jamaat-i-Islami (islamiste); Ligue musulmane pakistanaise (groupe Pagara); Ligue musulmane pakistanaise (groupe Qayyum Khan); Parti populaire pakistanais (groupe Kausar Mi Azi).

moyens sans que les effets ne s'en fassent sentir dans l'infrastructure économique. Les solutions préconisées : dénationaliser l'économie pour que l'État ne paie plus seul la facture du développement, déréglementer pour attirer les investissements et réformer le système de taxation afin d'augmenter les revenus du gouvernement. Ce programme a été mis en avant tout au long de 1985 par le ministre des Finances et de la Planification, M. Manbubul Haq. Les résistances ont été cependant nombreuses et les plus vives sont évidemment venues de la bureaucratie : une libéralisation de l'économie signifierait pour elle une perte d'influence, de pouvoir et d'argent. Haq est d'ailleurs allé trop loin lorsqu'il a parlé, à l'automne 1985, de taxer le secteur agricole : les propriétaires féodaux sont légion au Parlement... En janvier 1986, Haq a perdu son poste.

En attendant, le Pakistan continue de bénéficier largement de l'aide étrangère. Pour la seule année fiscale 1986, les pays occidentaux se sont engagés à fournir 2,1 milliards de dollars d'aide économique au Pakistan. Le justificatif d'une telle aide : la présence soviétique en Afghanistan qui oblige le Pakistan à accueillir quelque trois millions de réfugiés. Les relations entre les deux pays sont d'ailleurs restées tendues en 1985 malgré la poursuite des négociations à Genève où l'on avait cru, un temps, avoir enregistré quelques progrès. Impression vite dissipée par la situation sur le terrain : les offensives de l'armée soviétique en Afghanistan se sont multipliées tout au long de l'année et on a signalé de nombreuses incursions de l'Armée rouge en territoire pakistanais.

Pour ce qui est des relations avec l'Inde, 1985 a été une année de rapprochement. Des rencontres entre Zia et Rajiv Ghandi à New York (octobre), puis à Oman et à New Delhi, ont permis aux deux pays d'atténuer leur traditionnelle méfiance réciproque. Il faut dire que les points de friction ne manquent pas : le Cachemire est toujours l'objet de tensions à la frontière, et l'Inde voit d'un très mauvais œil le développement rapide de la capacité nucléaire du Pakistan. Malgré tout, 1985 a été une bonne année pour Zia ul-Haq. Quant à l'année 1986, elle s'amorçait dans l'incertitude avec le retour d'exil de Benazir Bhutto, dont les discours lui donnaient de plus en plus des allures de Corazón Aquino...

Daniel Girard

BIBLIOGRAPHIE

Articles

AYOB M., « Dateline Pakistan : a Passage to Anarchy ? », *Foreign Policy*, automne 1985.

KORSON J.H., MASKIELL M., « Islamization and Social Policy in Pakistan », *Asian Survey*, juin 1985.

RICHTER W.L., « Pakistan out of the Praetorian Labyrinth », *Current History*, mars 1986.

Dossier

« Le Pakistan à l'épreuve », *Défis afghans*, nº 4, août-septembre 1985.

Canada. L'année des maladresses

Décidément, le Parti conservateur n'a pas de chance. La croissance économique, plus forte que prévu en 1985, et la poursuite de la baisse du chômage, qui, pour la première fois en quatre ans, a glissé sous la barre des 10 % pour se situer à 9,6 % au printemps 1986, auraient normalement dû permettre au gouvernement de Brian Mulroney de caracoler dans les sondages. Il n'en a rien été. Il a dû se contenter d'une précaire égalité avec le Parti libéral de John Turner, alors même que le Nouveau parti démocratique, toujours bon troisième, enregistrait des gains significatifs.

Cette dégradation de l'image du gouvernement a pris sa source dans une impressionnante série de bévues et de maladresses politiques. Soucieux de réduire l'ampleur du déficit gouvernemental, le ministre des Finances, Michael Wilson, a voulu diminuer dans son budget de mai 1985 les prestations aux personnes âgées. Mal lui en prit, une large résistance s'organisa et Brian Mulroney dut faire volte-face, non sans dommage pour sa crédibilité. En septembre 1985, deux banques canadiennes que le gouvernement avait imprudemment soutenues fermèrent leurs portes, ce qui coûta environ deux milliards de dollars aux contribuables puisque l'État remboursa les banques ayant participé à la vaine opération de sauvetage. Le spectacle d'un gouvernement désireux de grignoter les revenus des gens modestes et marchant main dans la main avec les plus grosses banques du pays n'est pas passé inaperçu. Puis le burlesque prit la relève : l'automne 1985 ne fut que démissions de ministres (quatre), déclarations douteuses du Premier ministre et cas flagrants de népotisme de la part de certains ministres en vue. (Une autre démission est intervenue en mai 1986!).

Entre deux péripéties de cette série noire, s'est glissée une décision à la fois courageuse et astucieuse, celle de ne pas participer aux travaux de recherche de l'Initiative de défense stratégique (la « guerre des étoiles » de Reagan). Les considérations de politique intérieure ont ainsi davantage joué que le désir de donner satisfaction à Ronald Reagan. Les entreprises canadiennes sont cependant libres d'y participer.

Priorité : réduire le déficit budgétaire

La préparation du budget pour l'année fiscale 1986-1987 aurait pu

CANADA

Canada.
Capitale : Ottawa.
Superficie : 9 976 139 km² (18,2 fois la France).
Carte : p. 152.
Monnaie : dollar canadien (1 dollar canadien = 5,07 FF au 30.4.86).
Langues : anglais et français.
Chef de l'État : reine Élisabeth II.
Chef du gouvernement : Brian Mulroney, Premier ministre (au 30.6.86).
Nature de l'État : État fédéral (10 provinces et 2 territoires).
Nature du régime : démocratie parlementaire.
Principaux partis politiques : *Au niveau fédéral et provincial :* Parti progressiste-conservateur (conservateur); Parti libéral; Nouveau parti démocratique (social-démocrate). *Au niveau provincial* seulement : Parti du crédit social (Colombie-Britannique), Parti québécois (Québec).

CANADA

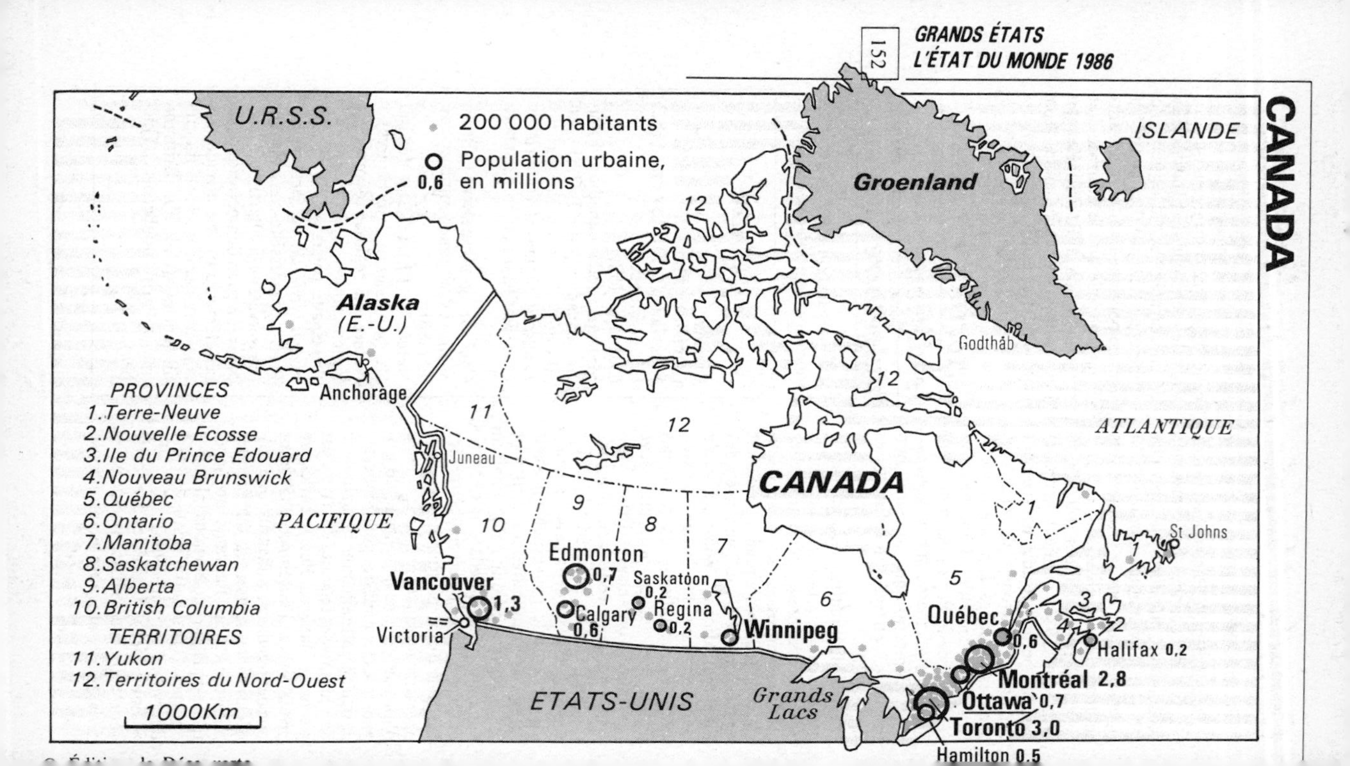
U.R.S.S.
200 000 habitants
0,6 Population urbaine, en millions
Groenland
ISLANDE
Alaska (E.-U.)
Anchorage
Godthåb
ATLANTIQUE
PACIFIQUE
CANADA
Juneau
Edmonton 0,7
Vancouver 1,3
Victoria
Calgary 0,6
Saskatoon 0,2
Regina 0,2
Winnipeg
Québec 0,6
Montréal 2,8
Ottawa 0,7
Toronto 3,0
Hamilton 0.5
Halifax 0,2
St Johns
ETATS-UNIS
Grands Lacs
PROVINCES
1.Terre-Neuve
2.Nouvelle Ecosse
3.Ile du Prince Edouard
4.Nouveau Brunswick
5.Québec
6.Ontario
7.Manitoba
8.Saskatchewan
9.Alberta
10.British Columbia
TERRITOIRES
11.Yukon
12.Territoires du Nord-Ouest
1000Km

1. Démographie, culture, armée

	Indicateur	Unité	1965	1975	1985
Démographie	Population	million	19,7	22,7	25,4
	Densité	hab./km²	2	2,3	2,5
	Croissance annuelle	%	1,8 [i]	1,2 [h]	1,2 [f]
	Mortalité infantile	‰	23,6	16 [d]	10
	Espérance de vie	année	71	73,2 [d]	74,9 [f]
	Population urbaine	%	69 [a]	75,6	75,0
Culture	Nombre de médecins	‰ hab.	1,2	1,7	1,9 [g]
	Scolarisation *2e degré* [j]	%	62	91	101 [b]
	3e degré	%	26,3	39,3	42,1 [b]
	Postes tv	‰	270	413	463 [b]
	Livres publiés	titre	3 781	6 735	19 063 [c]
Armée	Marine	millier d'h.	20,7	14,0	5,5 [e]
	Aviation	millier d'h.	50,7	35,0	15,3 [e]
	Armée de terre	millier d'h.	49,0	28,0	21,0 [e]

a. 1960 ; b. 1983 ; c. 1980 ; d. 1970-75 ; e. Services communs : 41,2 milliers d'hommes ; f. 1980-85 ; g. 1981 ; h. 1970-80 ; i. 1960-70 ; j. 12-17 ans.

2. Commerce extérieur [a]

Indicateur	Unité	1965	1975	1985
Commerce extérieur	% PIB	16,4	21,3	25,9
Total imports	milliard $	8,7	34,1	81,5
Produits agricoles	%	11,6	10,1	8,7
Produits énergétiques	%	7,3	12,0	6,0
Autres produits miniers	%	2,9	1,9	0,9
Total exports	milliard $	8,5	32,2	90,6
Produits agricoles	%	28,4	17,4	17,9
Produits énergétiques	%	5,1	16,5	14,3
Autres produits miniers	%	12,5	8,3	4,5
Principaux fournisseurs	% imports			
États-Unis		70,1	68,1	71,1
Japon		2,7	3,5	5,8
CEE		5,9	9,5	9,9
Principaux clients	% exports			
États-Unis		57,6	65,7	78,2
Japon		3,6	6,4	4,8
CEE		7,3	12,5	5,7

a. Marchandises.

fournir au gouvernement l'occasion de redorer son image. La réduction du déficit, qui représentait 7,5 % du PNB en 1985, est restée la grande priorité, d'autant plus qu'on l'a rendu responsable de la faiblesse du

3. ÉCONOMIE

Indicateur	Unité	1965	1975	1985
P N B	milliard $	52,0	163,9	332,3
Croissance annuelle	%	5,5 [b]	2,1 [c]	4,5
Par habitant	$	2 640	7 210	13 083
Structure du P I B				
Agriculture	% } 100 %	4,0	3,7	3,2 [a]
Industrie	% } 100 %	32,9	30,5	30,3 [a]
Services	% } 100 %	63,1	65,8	66,5 [a]
Taux d'inflation	%	2,7 [f]	9,3 [d]	4,4
Population active	million	7,2	10,0	12,6
Agriculture	%	10,0	6,1	5,2
Industrie	%	33,2	29,3	25,5
Services	%	56,8	64,6	69,3
Chômage [g]	%	3,4	7,1	9,9
Dépenses publiques				
Éducation	% P N B	5,8	7,8	8,0 [e]
Défense	% P N B	3,1	1,9	2,0 [a]
Recherche et développement	% P N B	0,9	1,1	1,3 [a]
Production d'énergie	million T E C	139,1	261,6	281 [e]
Consommation d'énergie	million T E C	139,2	224,0	239 [e]

a. 1984; b. 1960-73; c. 1973-83; d. 1974-78; e. 1983; f. 1960-70; g. Fin d'année.

dollar canadien face à la devise américaine, alors même que la croissance canadienne surpassait celle de son puissant voisin. Michael Wilson a donc voulu ramener le déficit de 33,8 milliards de dollars (pour l'exercice fiscal 1985-1986) à 29,5 milliards pour le nouvel exercice. Ce budget de février 1986 a intégré la leçon de mai 1985 : aucune prestation sociale n'a été réduite. Le ministre a dû s'en remettre à des hausses d'impôts pour les entreprises et les particuliers à haut revenu, à des taxes supplémentaires sur la consommation et à la réduction des dépenses de fonctionnement du gouvernement et des institutions qui en dépendent, ce qui implique des mises à pied au sein de la fonction publique et para-publique.

L'horizon économique, au printemps 1986, n'était cependant pas dépourvu de nuages. Le Canada est un exportateur net de pétrole. Or le budget Wilson escomptait un prix moyen de 22,50 dollars américains le baril, ce qui paraissait utopique. La période de vaches maigres était déjà bien entamée pour l'Alberta, la principale province productrice, et les entreprises pétrolières n'ont cessé d'amputer leurs dépenses d'exploration. Le gouvernement croyait cependant disposer d'une position de repli. Les rapports MacDonald, Nielsen et Forget, publiés entre septembre 1985 et août 1986, ont recommandé des réaménagements majeurs dans divers programmes sociaux, et Michael Wilson n'a pas caché son intention de s'en inspirer pour opérer, lors du prochain budget, une refonte totale de ces programmes. Le fameux débat sur l'universalité des programmes sociaux semblait donc voué à refaire surface.

Mais l'évolution de la situation pétrolière échappe au gouvernement fédéral, de même que celle du libre-échange avec les États-Unis, dont on a beaucoup discuté au Canada. Mulroney et Reagan veulent tous deux parvenir à un accord à ce sujet avant la fin de 1988. Les négociations ont été amorcées en mai 1986 ... dans un climat orageux : le Congrès américain est d'humeur protectionniste et Ronald Reagan n'a pas hésité à décréter unilatéralement d'importants droits de douane sur les importations de cèdre canadien, violant de ce fait ses engagements antérieurs. De plus, les provinces de l'Ontario et du Québec sont plutôt hostiles au libre-échange, qui pourrait endommager leur tissu industriel.

C'est en fait au Québec que la cote des conservateurs a le plus décliné, malgré la cordialité qui marque les rapports Ottawa-Québec depuis l'arrivée de Brian Mulroney au pouvoir. Ce nouveau climat a d'ailleurs permis la tenue du premier sommet de la francophonie à Paris, en février 1986, auquel ont participé et le Canada et le Québec. Mais les Québécois ont les yeux ailleurs : ils constatent l'impuissance de leurs députés conservateurs à faire débloquer des dossiers importants pour le Québec. La lune de miel entre les deux capitales ne saurait d'ailleurs durer indéfiniment, malgré le retour au pouvoir des fédéralistes orthodoxes que sont les libéraux provinciaux.

Québec : le retour de Bourassa

Au Québec, le taux de chômage a légèrement régressé au cours de 1985, atteignant 11,7 % à la fin de l'année. La croissance économique y a été un peu moins élevée que dans l'ensemble du Canada. Il aurait fallu beaucoup plus que cela pour sauver le gouvernement péquiste de la défaite, lors du scrutin provincial du 2 décembre 1985.

Robert Bourassa, redevenu chef du Parti libéral en octobre 1983, attendait ce moment depuis neuf ans et son parti était fin prêt. Le Parti québécois, quant à lui, avait un nouveau chef fort populaire (Pierre-Marc Johnson a succédé à René Lévesque en septembre 1985), mais une très mauvaise image. Usé et décimé par les querelles intestines, il ne pouvait miser que sur l'image de P. M. Johnson. Ce dernier était cependant coincé face à Robert Bourassa : il ne pouvait ni dévoiler l'état réel des finances publiques, ni suivre son adversaire sur le terrain des promesses électorales formelles. Ces dernières, pas toujours limpides, ont occupé le devant de la scène : réductions de taxes, solutions à l'engorgement déplorable des salles d'urgences dans les hôpitaux... Bourassa s'est également fait fort de réduire la place de l'État dans l'économie, et surtout de mener à bien son mégaprojet d'exportation massive d'hydroélectricité québécoise vers le Nord-Est américain. La place du Québec au sein du Canada n'a pas été un thème majeur de cette élection.

La victoire des libéraux a été décisive, bien que ternie par la défaite personnelle de R. Bourassa dans son comté. (Il a dû par la suite chercher refuge dans un comté sûr.) Avec 57 % des voix, ils ont obtenu 99 sièges, et le Parti québécois a recueilli 38 % des voix et 23 sièges. C'était peu, mais P. M. Johnson avait sauvé les meubles.

Pour le nouveau gouvernement, le redressement des finances publiques s'est révélé beaucoup plus ardu que prévu : pour maintenir le déficit à 3 milliards en 1986-1987, il a fallu une nouvelle série de compressions budgétaires et de taxes directes et indirectes additionnelles. Le Québec ne perdra pas facilement son titre de « province la plus taxée ». Mettra-t-on en cause la gratuité des soins de santé ? Des affrontements entre l'État et divers groupes sociaux (fonctionnaires, professeurs, infirmières) se dessinaient pour l'automne 1986. Quant au rêve des « hydrodollars », la chute brutale du prix du pétrole imposait un temps de réflexion aux États américains susceptibles d'être intéressés par les mégawatts de la baie James.

Pendant ce temps, P. M. Johnson poursuivait la redéfinition du Parti québécois. Son programme doit être entièrement repensé. L'idéal souverainiste semble devoir faire place à un objectif de la plus large autonomie possible pour le Québec, à l'intérieur du cadre fédéral. Le Québec n'a toujours pas apposé sa signature au bas de la Constitution de 1982 : le gouvernement devait faire connaître en 1986 les conditions d'une telle signature. Mais personne au Canada anglais ne veut entendre parler de Constitution, et l'amitié de Robert Bourassa et de Brian Mulroney se heurtera peut-être là à des obstacles insurmontables. Quant aux milieux nationalistes québécois, ils sont déjà aiguillonnés par le laxisme du nouveau gouvernement en matière linguistique, et particulièrement en matière d'affichage commercial à Montréal. Les affrontements linguistiques n'ont pas disparu, ils avaient simplement été mis entre parenthèses.

Georges Mathews

BIBLIOGRAPHIE

Ouvrages

BELANGER J.-P., LAMONDE P., *L'utopie du plein emploi. Croissance économique et aspirations au travail, Québec 1971-1981*, Le Boréal, Montréal, 1986.

BOURASSA R., *L'énergie du Nord*, Québec-Amérique, Montréal, 1985.

GAGNON L., *Chroniques politiques*, Le Boréal, Montréal, 1985.

OCDE, *Canada, études économiques*, OCDE, Paris, 1985.

Articles

LUCBERT M., « La fin du rêve québécois », *Le Monde*, 4 décembre 1985. « Naissance de la francophonie » *Le Monde*, 17 et 21 février 1986.

Argentine. La démocratie s'installe

Alors que le président radical Raúl Alfonsín terminait la première moitié de son mandat de six ans, la vie politique argentine a été marquée par deux faits majeurs : les effets du programme économique – le « plan austral » – et la pacification de la société à la suite du jugement et de la condamnation des militaires impliqués dans les violations des droits de l'homme pendant la dernière période de dictature (mars 1976-décembre 1983).

Les méfaits du plan austral

Le plan austral, mis en place le 13 juin 1985, a d'abord enregistré des résultats spectaculaires dans la lutte contre l'inflation, qui atteignait à cette date 1 128,9 % pour l'année. L'indice des prix à la consommation, qui avait augmenté de 26,5 % en mars, de 35,1 % en juin, a amorcé sa chute en juillet (6,2 %) pour atteindre 1,9 % en octobre. Le taux d'inflation restait élevé, mais le risque hyperinflationniste était tout au moins écarté. Les Argentins, habitués depuis des années à voir les prix grimper à un rythme accéléré, constataient tout à coup que leurs revenus perdaient moins de terrain par rapport à la hausse des prix.

Pourtant, après les premiers mois d'euphorie, l'économie argentine a commencé à payer les méfaits du programme économique gouvernemental. En effet, malgré certaines « nouveautés » qui rompaient avec les recommandations habituelles des plans d'ajustement du FMI (le contrôle des prix, par exemple), le plan austral s'est révélé être un programme récessif typique, fondé sur le transfert des revenus du secteur salarié au capital. De plus, l'accumulation ainsi engendrée ne s'est pas traduite par des investissements productifs, qu'il s'agisse du capital privé – les forts taux d'intérêt pratiqués par les banques pour les dépôts d'argent ont incité davantage à la spéculation – ou de l'État, qui a dû consacrer la majeure partie de ses ressources (8 % du PIB, soit un tiers des dépenses publiques) au paiement du service de la dette extérieure.

Les chiffres donnent une idée de l'étau qui s'est resserré sur l'économie argentine : en 1985, le PIB a chuté de 4,4 % et le produit industriel de 10,6 %, le chômage a atteint 10 % de la population active; l'excédent de la balance commerciale a été de 3 milliards de dollars, mais le service de la dette extérieure a absorbé plus de 6 milliards. Un déficit de cette nature n'a pu être comblé qu'avec un surcroît d'endettement – comme cela avait été le cas en 1984 – ce qui a fait passer la dette extérieure de 43,6 milliards de dollars en décembre 1983 (date à laquelle Raúl Alfonsín a accédé à la magistrature suprême) à 52 milliards en juin 1985.

C'est alors que le gouvernement a tout tenté pour faire asseoir à la table de négociations la Confédération générale du travail (CGT), qui regroupe tous les salariés, et les patrons de l'Union industrielle argentine, afin de conclure avec eux un pacte social. La tâche semblait pourtant quasi impossible : le salaire minimum était d'un peu plus de cent dollars alors que le coût officiel du « panier familial » (aliments de base nécessaires à une famille de quatre personnes) dépassait les 400 dollars par mois. Or aucune des parties en présence n'était prête à faire de concessions.

Cette situation économique a entraîné une dégradation du climat social dès le début de l'année 1986. En janvier et mars, la CGT a organisé deux grandes grèves nationales et, au milieu de l'année, elle se

ARGENTINE

République d'Argentine.
Capitale : Buenos Aires.
Superficie : 2 766 889 km² (5,1 fois la France).
Carte : P. 367.
Monnaie : austral (1 austral = 8,29 FF au 30.4.86).
Langue : espagnol.
Chef de l'État : Raúl Alfonsín, président de la République.
Nature de l'État : république fédérale (22 provinces, un territoire national et un district fédéral).
Nature du régime : démocratie parlementaire. Séparation des trois pouvoirs, exécutif, législatif et judiciaire. Chaque province est administrée par un gouverneur élu au suffrage direct.
Principaux partis politiques : *Gouvernement :* Union civique radicale (UCR). Parti justicialiste (PJ, péroniste). *Autres partis nationaux :* Partido intransigente (gauche non marxiste); Mouvement d'affirmation socialiste (MAS); Parti communiste; Mouvement intégration et développement (MID, droite); Union du centre démocratique (UCD, droite).

1. DÉMOGRAPHIE, CULTURE, ARMÉE

	INDICATEUR	UNITÉ	1965	1975	1985
Démographie	Population	million	22,2	26,0	30,56
	Densité	hab./km²	8	9,4	11,0
	Croissance annuelle	%	1,4 [a]	1,6 [e]	1,6 [f]
	Mortalité infantile	‰	62	49 [d]	32,0
	Espérance de vie	année	66	67,3 [d]	69,7 [f]
	Population urbaine	%	74 [g]	81	84,6
Culture	Analphabétisme	%	9 [g]	6	4,5
	Nombre de médecins	‰ hab.	1,5	1,9	2,6 [c]
	Scolarisation *6-11 ans*	%	93,2	100	100
	12-17 ans	%	53,2	65,7	74,0
	3e degré	%	14,5	28,1	25,2 [b]
	Postes tv	‰	72	160	199 [b]
	Livres publiés	titre	3 539	5 141	4 216 [b]
Armée	Marine	millier d'h.	25	33	36,0
	Aviation	millier d'h.	15	17	17,0
	Armée de terre	millier d'h.	132	133,5	55,0

a. 1960-70; b. 1983; c. 1980; d. 1970-75; e. 1975-80; f. 1980-85; g. 1970.

2. COMMERCE EXTÉRIEUR [d]

INDICATEUR	UNITÉ	1965	1975	1985
Commerce extérieur	% P I B	9,7	5,5	9,5 [a]
Total imports	milliard $	1,2	3,9	3,8
Produits agricoles	%	16,6	5,3	6,3 [a]
Produits miniers	%	12,6	10,0	15,9 [c]
Produits industriels	%	70,8	84,7	81,7 [c]
Total exports	milliard $	1,5	3,0	8,5
Produits agricoles	%	93,6	75,1	79,8 [a]
Produits miniers	%	0,9	0,5	7,0 [b]
Produits industriels	%	5,5	24,4	31,5 [b]
Principaux fournisseurs	% imports			
États-Unis		22,8	16,3	17,5
C E E		28,9	27,4	31,0
Amérique latine		24,9	22,6	32,4
Principaux clients	% exports			
C E E		51	28,9	27,1
C A E M		7,6	11,5	20,6
Amérique latine		16,9	24,8	16,7

a. 1984; b. 1983; c. 1982; d. Marchandises.

préparait à intensifier sa campagne d'opposition. A la même époque, le gouvernement argentin tentait de rompre le cercle vicieux en cher-

3. Économie

Indicateur	Unité	1965	1975	1985
P I B	milliard $	21,2	47,7	67,15 [a]
Croissance annuelle	%	4,2 [b]	– 0,2 [c]	– 4,0
Par habitant	$	954	1 876	2 232 [a]
Structure du P I B				
Agriculture	% } 100 %	14,6	12,2	12,7 [f]
Industrie	% } 100 %	36,2	38,9	43,5 [f]
Services	% } 100 %	49,2	48,9	43,8 [f]
Dette extérieure	milliard $	1,9 [dh]	3,1 [d]	50,8
Taux d'inflation	%	19 [i]	222 [k]	385,4
Population active	million d'h.	. .	9,8	10,5 [e]
Agriculture	%	20 [j]	14,8 [h]	12,0 [g]
Industrie	%	36 [j]	29,2 [h]	31,5 [g]
Services	%	44 [j]	47,3 [h]	49,6 [g]
Dépenses publiques				
Éducation	% P I B	2,9	2,5	2,5 [e]
Défense	% P I B	. .	1,3	3,6 [a]
Production d'énergie	million T E C	26,6	41,1	56,8 [f]
Consommation	million T E C	31,1	43,1	50,9 [f]

a. 1984; b. 1960-73; c. 1973-83; d. Dette publique seulement; e. 1982; f. 1983; g. 1980; h. 1970; i. 1960-70; j. 1966; k. 1974-78.

chant une issue au problème qui consiste à augmenter les niveaux de production économique, tout en réduisant l'inflation et en remboursant la dette extérieure. Avec la chute du cours international des matières premières et la tendance à la baisse du dollar, qui laissait présager une concurrence sévère des États-Unis sur les marchés des céréales, les prévisions les plus optimistes indiquaient que l'excédent de la balance commerciale argentine passerait de 3 milliards de dollars en 1986 à moins de 2,5 milliards en 1987. Dans un tel contexte, le débat national sur un éventuel moratoire de la dette extérieure ne pouvait qu'être relancé, atteignant au milieu de 1986 tous les secteurs de la société, y compris le parti au pouvoir.

L'héritage de la dictature

Le 9 décembre 1985 est à marquer d'une pierre blanche dans l'histoire argentine et latino-américaine. Ce jour-là, un tribunal composé de cinq juges de la Chambre fédérale a condamné à la peine perpétuelle le général Jorge Rafael Videla et l'amiral Emilio Masera, à dix-sept ans de prison le général Roberto Viola, à huit ans l'amiral Armando Lambruschini et à quatre le général de brigade Orlando Agosti. Les condamnés avaient été reconnus coupables, à des degrés divers, de graves violations des droits de l'homme sous la dictature militaire. Pour la première fois dans le sous-continent, des militaires étaient jugés pour avoir violé l'ordre constitutionnel et exercé une dictature.

L'énorme impact de ces condamnations sur l'opinion internationale a dissimulé le fait que quatre autres accusés (le général Leopoldo Galtieri, l'amiral Leandro Anaya et les généraux de brigade Omar Grafigna et Basilio Lami Dozo) avaient été acquittés et que quelque 1 500 autres militaires étaient accusés de délits divers par la société argentine. Dans le pays, ce verdict a empoisonné, tout au long de l'année 1986, un climat politique et social déjà tendu.

Tiraillé entre les pressions des militaires, qui avaient très mal accepté la condamnation des hauts gradés et qui essayaient d'empêcher les autres procès, et la pression sociale pour que justice soit faite, le gouvernement a hésité pendant cinq mois : en mai 1986, le ministre de la Défense, German Lopez, donnait des instructions au Conseil suprême des forces armées pour qu'il accélère les procès en recommandant de tenir compte pour les subordonnés, du principe de « l'obéissance due ». Les organisations de défense des droits de l'homme et une bonne partie de l'opinion ont vu dans cette initiative une manœuvre gouvernementale destinée à acquitter de fait les autres accusés. Le 16 mai, 30 000 personnes défilaient dans les rues de Buenos Aires pour demander « le jugement et le châtiment de tous les coupables ».

Cette revendication de l'opinion fait partie de l'héritage, politiquement difficile à assumer, qu'a reçu le gouvernement radical, mais elle n'en représente qu'un volet. Les nombreux services de renseignement (outre ceux qui relèvent de l'État, il en existe pour chaque corps d'arme, pour les polices fédérales et provinciales, et pour la gendarmerie) se sont démesurément étendus pendant les années de dictature. Ils ont dégénéré en véritables mafias impliquées dans presque toutes les branches du délit organisé : jeux, enlèvements d'industriels et trafic de drogue. Leurs agents sont infiltrés dans l'appareil d'État, dans les organisations politiques, syndicales ou étudiantes et dans pratiquement toutes les classes de la société. Par ailleurs, les organismes privés de « protection » ont également proliféré sous la dictature (quelque 28 000 civils armés et entraînés, pour la plupart membres ou anciens membres des forces armées ou de l'appareil de sécurité).

Le gouvernement du président Alfonsín a pu « apprécier » à plusieurs reprises le fonctionnement de ces groupes qui constituent une sorte de pouvoir parallèle, menaçant les institutions démocratiques. En août 1985, a éclaté le « scandale Sivak », du nom d'un financier enlevé et pour lequel la famille a versé une rançon d'un million de dollars, sans jamais obtenir sa libération. En mai 1986, on découvrait que trois des fonctionnaires des services de renseignement désignés pour mener l'enquête étaient tout simplement liés aux auteurs de l'enlèvement. En novembre 1985, juste avant les élections législatives et l'annonce du verdict de la Chambre fédérale dans le procès des commandants, une vague d'attentats à la bombe a secoué tout le pays, en particulier la capitale fédérale, dans le but évident de terroriser la population. Le gouvernement a alors décrété l'état de siège et a arrêté douze personnes – civiles et militaires – accusées d'avoir mené la campagne terroriste. Si la justice n'a pas été en mesure de prouver la culpabilité des accusés, les attentats ont cessé et les élections, comme le procès des généraux, ont pu se dérouler normalement. En tout état de cause, l'opinion publique a parfaitement perçu le lien étroit qui existe entre les militaires nostalgiques du passé, l'*establishment* économique et financier et les services de renseignement.

Enfin, le 15 mai 1986, le Conseil suprême des forces armées s'est prononcé sur le problème douloureux des responsabilités dans la défaite de la guerre des Malouines, livrée contre l'Angleterre (avril-juin 1982). Les trois membres de la junte militaire qui gouvernait alors le pays – le général Leopoldo Galtieri, l'amiral Jorge Anaya et le général de brigade Basilio Lami Dozo – ont été condamnés respectivement à douze, quatorze et huit ans de prison pour « négligence, imprévision et inefficacité » au cours des combats. Ce nouveau verdict a encore suscité de violentes polémiques, dans la mesure où de nombreux officiers ont été acquittés. Là encore, une partie de l'opinion publique a vu dans cette sentence une volonté de désigner des victimes expiatoires – les principaux responsables –, pour éviter que les forces armées ne soient jugées en tant qu'institution.

Toutes ces difficultés n'ont pourtant pas empêché la démocratie argentine de progresser. Les procès, malgré leurs limitations, ont créé un précédent et ravivé quelque peu la confiance de l'opinion dans les institutions du pays. Les élections législatives du 3 novembre 1985 ont confirmé l'impression de vigueur du gouvernement (le Parti radical d'Alfonsín a obtenu 43 % des suffrages) et la volonté de participation des Argentins (85 %), tout en relançant le débat politique et culturel à tous les niveaux de la société. En janvier 1986, le gouvernement Alfonsín a même remporté une grande victoire de politique étrangère en obtenant de l'assemblée générale des Nations Unies qu'elle adopte une motion recommandant au Royaume-Uni de reprendre les discussions sur la souveraineté des îles Malouines. D'autre part, la participation de la diplomatie argentine à la recherche de solutions de paix en Amérique centrale a été décisive dans la création d'un groupe d'appui aux efforts de Contadora.

Enfin, en avril 1986, le président Alfonsín a pris une initiative spectaculaire : fonder une nouvelle République. Pour cela, il a proposé de transférer la capitale fédérale à Viedma, située à 1 000 kilomètres au sud de Buenos Aires, de réformer et de moderniser la justice et l'administration, de modifier la Constitution pour ramener la durée du mandat présidentiel de six à quatre ans et pour permettre sa réélection, et de créer la fonction de Premier ministre, à la manière des démocraties parlementaires européennes. Taxée par une partie de l'opposition d'« opportuniste » et de « rideau de fumée pour escamoter les graves problèmes nationaux », cette proposition a néanmoins été reçue avec un optimisme mesuré par une opinion publique rendue sceptique par des années de frustration mais en mal de messages d'espoir.

Placée sous une menace permanente, la démocratie argentine, mal assurée, donne pourtant l'impression d'avancer, un œil fixé sur l'évolution des démocraties voisines (Uruguay, Brésil, Bolivie) et sur une éventuelle démocratisation du Chili et du Paraguay, et l'autre sur les développements de la crise économique mondiale.

Carlos Gabetta

BIBLIOGRAPHIE

Ouvrages

REEVE C., *Exotisme s'abstenir. Journal d'un voyage en Amérique latine,* Acratie, Mauléon, 1985.

ROUQUIÉ A., *La démocratie ou l'apprentissage de la vertu,* A. M. Métaillé, Paris, 1985.

Articles

GABETTA C., « L'Argentine et le plan austral », *le Monde diplomatique,* octobre 1985.

SCHWARZER J., « Le plan austral et le contrôle de l'inflation en Argentine », *Amérique latine,* nº 24, octobre-décembre 1985.

RFA. Helmut Kohl en baisse

Les années de grande commémoration sont des années difficiles en République fédérale d'Allemagne. 1985 n'a pas échappé à la règle : le quarantième anniversaire de la fin de la Seconde Guerre mondiale a donné lieu à de nombreuses polémiques. Tant dans l'opinion publique qu'au sein des milieux politiques, est apparue une division sur la façon d'assumer le passé. Les milieux les plus conservateurs ont tendu à souligner que l'Allemagne avait été non seulement la responsable, mais aussi – au même titre que d'autres pays – la victime du totalitarisme.

Querelles sur le passé

Le débat s'est envenimé à plusieurs reprises. Il a porté tout d'abord sur la Silésie, ce territoire anciennement allemand devenu polonais à la fin de la guerre. Les réfugiés silésiens avaient annoncé que leur congrès annuel aurait pour thème « La Silésie reste nôtre ». C'était prêter le flanc à la campagne soviétique et polonaise contre le « revanchisme » allemand. Le 22 janvier 1985, les organisations silésiennes ont choisi une nouvelle formule, à peine modifiée : « La Silésie reste notre avenir dans une Europe des peuples libres. » Malgré cette concession de pure forme – et en dépit de violentes attaques des milieux silésiens contre le président allemand Richard von Weizsäcker, jugé trop modéré – le chancelier Helmut Kohl décidait de maintenir sa participation au congrès des Silésiens.

Les querelles ont repris de plus belle en mars et en avril à propos d'un projet de loi contre le « mensonge d'Auschwitz ». Les chrétiens-démocrates (CDU), les chrétiens-sociaux bavarois (CSU) et les libéraux (FDP) se sont entendus pour que soient poursuivis d'office ceux qui nient les crimes nazis, bien sûr, mais aussi les exactions imputables « à d'autres régimes totalitaires ». Les sociaux-démocrates (SPD) et les Verts (Die Grünen) ont combattu une réforme juridique susceptible de relativiser les forfaits commis sous le IIIe Reich.

A l'instance du chancelier Kohl, le président américain Ronald Reagan a visité le 5 mai 1985 le cimetière militaire de Bitburg où sont enterrés une quarantaine de *Waffen SS*. « L'affaire de Bitburg » a suscité de vives réactions, notamment aux États-Unis. L'Allemagne en a éprouvé une grande gêne et l'opposition a estimé que le comportement de Helmut Kohl avait nui à la cause de la réconciliation. Le 12 mai, une manifestation contre une réunion d'anciens Waffen SS dans la petite ville de Nesselwang entraînait de graves heurts avec la police.

A la fin de l'année a resurgi la question du dédommagement des Juifs qui avaient été contraints de travailler dans l'industrie de guerre et plus particulièrement dans les usines du groupe Flick. Dans un premier temps, les dirigeants ont refusé tout versement aux survivants. Mais sous la pression des médias, une entreprise du groupe Flick rachetée par la Deutsche Bank a annoncé le paiement de cinq millions de marks aux organisations juives. En avril 1986, le chancelier Kohl a témoigné de l'attitude qui prévaut dans les milieux conservateurs en apportant son soutien au candidat à la présidence autrichienne, Kurt Waldheim, en butte à de graves accusations du Congrès juif mondial concernant son rôle dans l'état-major allemand pendant la guerre des Balkans.

La coalition gouvernementale sur la défensive

Si l'année 1985 a renvoyé l'Allemagne à son passé, c'est le futur immédiat – les élections législatives de janvier 1987 – qui a préoccupé la classe politique. Malgré la très nette reprise économique et l'optimisme des milieux d'affaires, la coalition gouvernementale s'est trouvée constamment sur la défensive. Dans une série de scrutins régionaux et communaux, la CDU et le petit FDP ont subi de sérieux revers. Par contre, le SPD a remporté, le 10 mars 1985, dans le *Land* de Sarre, une victoire absolue qui a conforté le porte-parole de l'aile gauche du parti, Oskar Lafontaine, nouveau chef du gouvernement régional. Deux mois plus tard, le SPD triomphait de la CDU en Rhénanie-Westphalie : dans le plus grand des *Länder* allemands, il obtenait le 12 mai 52,1 % des suffrages. Le ministre-président de Rhénanie-Westphalie, Johannes Rau, l'un des chefs de file des sociaux-démocrates modérés, a remporté un beau succès personnel et s'est imposé en tant que candidat à la chancellerie fédérale et « challenger » de Helmut Kohl.

En revanche, les Verts, en proie à des dissensions internes, ont marqué le pas. Mais cela n'a pas empêché la signature, le 22 octobre, d'un accord de coalition entre le SPD et les Verts dans le *Land* de Hesse, dont le gouvernement régional compte désormais un ministre de l'Environnement issu des rangs du parti écologiste, Joschka Fischer. En définitive, la CDU n'a pu maintenir ses positions qu'aux élections à Berlin le 10 mars 1985. Mais loin d'en profiter, le gouvernement du bourgmestre-régnant, Eberhard Diepgen, a été ébranlé quelques mois plus tard par un scandale immobilier.

1984 avait été en Allemagne l'année des scandales; 1985 en a subi les séquelles, d'autant plus qu'ont éclaté une série de nouvelles « affaires ». Il y a eu l'énorme scandale du vin frelaté. Les syndicats ont été durement frappés par la déconfiture de leur empire immobilier, Neue Heimat. Le gouvernement, pour sa part, n'a pas été épargné : ouverture du procès contre le comte Otto von Lambsdorff, ancien ministre de l'Économie accusé de corruption dans le cadre de l'affaire Flick; ouverture de deux procédures d'instruction concernant le chancelier Kohl, soupçonné de faux témoignage dans la même affaire; démission du porte-parole du gouvernement, Peter Boenisch, suite à des ennuis fiscaux; disparition subite d'une demi-douzaine de secrétaires

RÉPUBLIQUE FÉDÉRALE D'ALLEMAGNE

République fédérale d'Allemagne
Capitale : Bonn.
Superficie : 249 147 km², y compris Berlin-Ouest (0,45 fois la France).
Carte : p. 427.
Monnaie : deutsche mark (1 mark = 3,19 FF au 2.5.86).
Langue : allemand.
Chef de l'État : Richard von Weizsäcker, président.
Chef du gouvernement : Helmut Kohl, chancelier fédéral.
Nature de l'État : république fédérale (10 Länder, statut séparé pour Berlin-Ouest). La Constitution de l'État (Grundgesetz) est provisoire.
Nature du régime : démocratie parlementaire.
Principaux partis politiques : *Gouvernement :* Union démocrate chrétienne (CDU); Union sociale chrétienne (CSU); Parti libéral (FDP). *Opposition :* Parti social-démocrate (SPD); Die Grünen (les « Verts », écologistes); Parti communiste allemand (DKP, prosoviétique).

1. Démographie, culture, armée

	Indicateur	Unité	1965	1975	1985
Démographie	Population	million	58,6	61,8	61,0
	Densité	hab./km²	236	249	244,9
	Croissance annuelle	%	0,9 [f]	0,1 [g]	0,0 [e]
	Mortalité infantile	‰	23,8	22 [d]	11,0
	Espérance de vie	année	70	70,6 [d]	73,3 [e]
	Population urbaine	%	79	83	86,1
Culture	Nombre de médecins	‰ hab.	1,6	2,0	2,3 [a]
	Scolarisation *1er, + 2e degré*	%	..	80	78 [b]
	3e degré	%	8,4	24,5	29,6 [c]
	Postes tv (L)	‰	193	311	360 [b]
	Livres publiés	titre	25 994	40 616	58 489 [b]
Armée	Marine	millier d'h.	35	39	36,2
	Aviation	millier d'h.	97	111	106,0
	Armée de terre	millier d'h.	306	345	335,6

a. 1980; b. 1983; c. 1982; d. 1970-75; e. 1980-85; f. 1960-70; g. 1970-80.

2. Commerce extérieur [c]

Indicateur	Unité	1965	1975	1985
Commerce extérieur	% PIB	15,5	18,3	28,0
Total imports [a]	milliard $	17,5	74,2	158,5
Produits agricoles	%	31,4	20,1	15,4
Pétrole	%	7,6	15,8	15,6
Autres produits miniers	%	5,8	4,1	2,7
Total exports [a]	milliard $	17,9	90,0	183,9
Produits agricoles	%	4,4	6,0	5,8
Produits miniers [b]	%	4,0	0,7	1,4
Produits industriels	%	91,6	91,3	90,0
Principaux fournisseurs	% imports			
CEE		45,5	50,5	48,6
Pays socialistes [a]		4,2	3,4	5,7
PVD		19,2	26,7	19,1
Principaux clients	% exports			
CEE		43,8	44,8	47,4
Pays socialistes [a]		3,8	6,0	5,2
PVD		14,2	19,8	17,3

a. Commerce avec la RDA non compris; b. Produits pétroliers non compris; c. Marchandises.

bien placées dans la haute administration et passage à l'Est d'un des responsables du contre-espionnage, Hans-Joachim Tiedge, un alcoolique notoire; révélation de bavures dans la lutte antiterroriste. Cette accumu-

3. Économie

Indicateur	Unité	1965	1975	1985
PNB	milliard $	115,0	420,3	624,3
Croissance annuelle	%	4,6 [b]	2,1 [c]	2,4
Par habitant	$	1 960	6 800	10 234
Structure du P I B				
Agriculture	% } 100 %	3,8	2,6	1,7
Industrie	% } 100 %	52,4	45,7	41,4
Services	% } 100 %	43,8	51,7	56,9
Taux d'inflation	%	2,6 [d]	4,7 [a]	1,8
Population active	million	26,6	26,4	27,3
Agriculture	%	10,9	7,0	5,6
Industrie	%	49,3	45,4	40,9
Services	%	39,8	47,6	53,5
Chômage [g]	%	0,6	4,9	8,4
Dépenses publiques				
Éducation	% P I B	3,3	5,1	4,6 [e]
Défense	% P I B	4,3	3,3	2,7
Recherche et développement	% P I B	2,1	2,2	2,6 [f]
Production d'énergie	million T E C	185	167,6	157,8 [f]
Consommation d'énergie	million T E C	258	328,0	339,7 [f]

a. 1974-78 ; b. 1960-73 ; c. 1973-83 ; d. 1960-70 ; e. 1982 ; f. 1983 ; g. Fin d'année.

lation de déboires a accéléré la baisse de popularité du chancelier Kohl.

L'indignation générale lorsque la presse a révélé, en avril 1986, la teneur des accords secrets avec les États-Unis sur la participation allemande à l'Initiative de défense stratégique (IDS) témoigne de cette perte de prestige : il s'est avéré que le gouvernement avait accepté des conditions très défavorables, notamment en ce qui concerne les exportations de haute technologie vers les pays de l'Est. Au sommet des Sept à Bonn, le 2 mai 1985, le chancelier Kohl n'a pas hésité à brusquer son partenaire français, le président Mitterrand, très réticent en matière de défense spatiale. Le vice-chancelier libéral et ministre des Affaires étrangères, Hans-Dietrich Genscher, étant également opposé au projet américain, les tensions ont été très vives au sein de la coalition gouvernementale jusqu'à la signature des deux accords « secrets », le 27 mars 1986.

De ce fait, et pour un maigre avantage économique, le chancelier Kohl a couru délibérément le risque de détériorer un peu plus ses relations avec le Kremlin dont la politique est de ne pas faire de cadeaux aux conservateurs, en attendant le retour aux affaires des sociaux-démocrates. C'est en vain que le chef du parti et du gouvernement de RDA, Erich Honecker, a attendu le feu vert de Moscou pour se rendre en RFA et visiter sa Sarre natale. « En attendant Honecker » a été le leitmotiv des relations interallemandes. Des signes annonciateurs, la visite à Bonn du numéro deux est-allemand, Horst Sindermann, une interview-fleuve de Erich Honecker à un hebdomadaire hambourgeois et certaines déclarations sibyllines n'ont pas été suivies d'effets. Kohl et Honecker se sont tout de même entretenus en marge des obsèques du secrétaire général soviétique, Constantin Tchernenko, le 12 mars 1985. Les Églises réformées des deux Allemagnes ont lancé en commun, le 18 mars, un appel pour la paix. Le premier jumelage entre deux villes allemandes, Sarrelouis à l'Ouest et Eisenhüttenstadt à l'Est, est intervenu le 22 janvier 1986.

Avec une croissance de 2,5 % et une inflation dérisoire, on a assisté en 1985 à ce que d'aucuns ont appelé le « deuxième miracle allemand »; il est dû, pour l'essentiel, aux exportations. En effet, la demande intérieure n'a pas suivi le rythme. Le nombre de chômeurs (2,2 millions) est resté élevé. Le gouvernement a voulu profiter de la crise syndicale pour durcir la réglementation sur les grèves; il s'est attiré les foudres de la Confédération des syndicats (DGB). En revanche, une réforme fiscale entraînant à terme une diminution d'impôts de 20 milliards de marks a été fort bien accueillie : à l'approche des élections, la coalition a défendu avec de plus en plus de vigueur ses électeurs traditionnels et en particulier les paysans.

Une brève chronique de l'année 1985 serait incomplète si elle n'évoquait l'engouement des Allemands pour leur nouveau héros national, le joueur de tennis Boris Becker, qui, à dix-sept ans, a remporté le 17 juillet 1985 le prestigieux tournoi de Wimbledon. Une véritable *Becker-mania* s'est emparée d'un pays en manque de figures d'identification.

Roger de Weck

BIBLIOGRAPHIE

Ouvrages

DEMERIN P., *Passion d'Allemagne : une citadelle instable, Autrement,* Paris, 1986.

GROSSER A., *L'Allemagne en Occident. La République fédérale 40 ans après,* Fayard, Paris, 1985.

WALRAFF G., *Tête de Turc,* La Découverte, Paris, 1986.

Articles

CHESNAIS J.-C., « A l'Est et à l'Ouest, la dépopulation allemande », *Projet,* n° 192, mars-avril 1985.

LENTZ J.-J., « Le couple France-Allemagne », *Commentaire,* n° 33, printemps 1986.

SCHMIDT H., « L'équation allemande », *Politique internationale,* n° 27, printemps 1985.

Dossiers

BRIANÇON A. (dossier constitué par), « Environnement et politique en République fédérale d'Allemagne », *Problèmes politiques et sociaux,* n° 533, avril 1986.

« RFA », *Problèmes économiques,* n° 1971, avril 1986.

France.
Alternance dans le brouillard

La période couvrant la dernière année de gestion socialiste s'est caractérisée par une grande continuité avec la précédente. Sûr de la victoire de la droite aux élections législatives de mars 1986, le Parti socialiste a cherché à incarner un centre moderniste et gestionnaire, afin d'améliorer à moyen terme ses chances de retour aux affaires. S'accrochant à toute occasion de consensus, devançant les initiatives libérales de la droite, il n'a pu cependant empêcher une grave défaite des forces de gauche. Mais, étant parvenu à vider largement la lutte politique de tout contenu social et idéologique et devenu le plus grand parti de France, il pouvait, au printemps 1986, envisager son propre avenir avec un relatif optimisme.

Classicisme économique, dégradation cachée

La gestion très classique et de plus en plus marquée de libéralisme économique a assuré au gouvernement de Laurent Fabius l'estime croissante des classes dirigeantes. L'attribution par la presse économique du titre de « meilleur financier de l'année » au ministre des Finances, Pierre Bérégovoy, à égalité avec le président du groupe Peugeot, illustrait bien cette tardive reconnaissance des élites.

D'un point de vue financier, les résultats ont été, en effet, spectaculaires. La part des profits dans le revenu national a presque retrouvé le niveau de 1973. Le taux d'inflation, que la droite avait laissé à 14 % en 1981 (7,2 % de plus qu'en Allemagne fédérale), est revenu à 4,7 % en 1985 (au-dessous de la moyenne des pays de la CEE, 2,9 % au-dessus du taux allemand); il était presque nul début 1986. La baisse du dollar et du prix du pétrole a joué un rôle certain dans ce ralentissement, mais la réduction de l'écart d'inflation est imputable à un contrôle sévère des salaires et des marges commerciales, progressivement relâché à la fin de 1985. Le pouvoir d'achat des ménages a pu ainsi légèrement augmenter (1 % en 1985 après deux années de baisse) : il aura crû de 5 % sur l'ensemble de la législature. Cette petite reprise, encouragée par quelques cadeaux fiscaux, alliée au rétablissement de la majorité des entreprises, a permis à l'investissement de retrouver son niveau de 1973.

Parallèlement, l'endettement du secteur public a été stabilisé à une part du produit intérieur brut qui est restée la plus basse des grands pays industrialisés. Enfin, la balance des paiements est revenue légèrement au-dessus de l'équilibre (pour la première fois depuis 1979), avec un déficit commercial légèrement croissant, mais qui équivaut à 0,4 % du PIB (meilleur résultat depuis 1978). Cette avalanche de bons indices, s'ajoutant à une réforme très sophistiquée des marchés financiers et une rémunération de l'épargne très élevée (6 % au-dessus de l'inflation), a fait de la Bourse de Paris le plus attirant des refuges pour les capitaux internationaux fuyant le dollar vacillant.

FRANCE

République française.
Capitale : Paris.
Superficie : 547 026 km^2.
Carte : p. 446.
Monnaie : franc (1 dollar = 7,07 FF au 20.5.86).
Langues : français; langues régionales : breton, occitan, basque, alsacien, néerlandais.
Chef de l'État : François Mitterrand, président.
Chef du gouvernement : Jacques Chirac.
Nature de l'État : république.
Nature du régime : démocratie parlementaire.
Principaux partis politiques : *Gouvernement :* Rassemblement pour la République (RPR); Union pour la démocratie française (UDF). *Opposition :* Parti communiste français (PCF); Parti socialiste (PS); Front national (FN).

Mais le classicisme même de ce succès avait ses contreparties. Privilégiant l'épargne au détriment des emprunteurs (industrie et jeunes ménages), attirant les capitaux au prix d'une politique de taux d'intérêt élevé et de franc surévalué, la gestion socialiste a finalement, malgré les subventions, entravé l'industrie qu'elle entendait pourtant reconstruire. Au fil de la législature, sa part sur le marché mondial a régressé et le niveau de la production n'a finalement pas retrouvé celui de 1979. Si le chômage a cessé de croître à la fin de la période, il faut y voir surtout l'efficacité des mesures sociales (stages, travaux d'utilité collective). Malgré la furieuse opposition du Parti communiste et de la CGT, qui n'a pas réussi à organiser plus que des actions de commandos (en perdant moins de voix toutefois que la très moderniste CFDT aux élections professionnelles), l'ensemble du salariat semblait désespérer de la possibilité d'une « autre politique » : le niveau des grèves a atteint un minimum historique.

La recherche d'un consensus au centre

Ce « consensus social par abstention » s'est retrouvé dans tous les domaines, et le gouvernement socialiste s'est appliqué à ôter ses armes à la propagande de droite, avec plus ou moins d'habileté (création en catastrophe de deux chaînes de télévision privées, concession d'une quasi-zone franche, fabuleusement subventionnée, à la société Disney pour la création d'un parc d'attractions).

Très significative a été l'affaire du *Rainbow Warrior*, navire d'observation du mouvement pacifiste international Greenpeace, coulé par un attentat qui fit un mort, dans le port d'Auckland (Nouvelle-Zélande), alors qu'il s'apprêtait à aller observer les essais nucléaires français dans l'atoll de Mururoa, début juillet 1985. Soumis aux pressions conjuguées de la Nouvelle-Zélande et de la presse française, qui démontraient progressivement l'implication des services secrets français, le gouvernement a joué alternativement la carte de la bonne foi surprise et de la résolution à faire la lumière, allant jusqu'à acculer le ministre de la Défense, Charles Hernu, à la démission, pour finalement n'en proclamer qu'avec plus de force le droit de la France à mener ses expériences dans le Pacifique et à les protéger coûte que coûte, quitte à s'aliéner tous les États du Pacifique Sud. La droite a d'abord cherché à exploiter le scandale, mais, d'accord sur le fond avec les objectifs des services secrets, elle n'a pu empêcher le président de ressouder autour du gouvernement (et de Charles Hernu, « bouc émissaire » dont la popularité atteignait des sommets) le consensus populaire sur la force française de dissuasion, que n'ont jamais pu ébranler les maigres mouvements pacifistes.

Le triomphe ambigu de la droite

Le dernier obstacle avant la campagne électorale ainsi éliminé, François Mitterrand s'est saisi, fin décembre 1985, de l'occasion que lui offrait une plate-forme de l'opposition trop marquée d'esprit de revanche pour lancer la campagne du PS dans un style très référendaire, sur deux thèmes : maintien de la politique de modernisation tranquille, mais sauvegarde des acquis sociaux du début de la législature. Campagne très simple et très efficace, qui marginalisait totalement un Parti communiste campant dans une opposition stérile, et une gauche alternative et écologiste incapable de proposer un programme et une stratégie politique unifiés.

La campagne a donc été marquée par une remontée assez régulière du PS qui n'entamait pas le poids total de la droite, mais qui soulignait ses profondes divisions. Division entre

1. DÉMOGRAPHIE, CULTURE, ARMÉE

	Indicateur	Unité	1965	1975	1985
Démographie	Population	million	48,8	52,8	55,2
	Densité	hab./km²	89	97	100
	Croissance annuelle	%	1,1 [g]	0,6 [a]	0,4 [e]
	Mortalité infantile	‰	22	16 [d]	9,0
	Espérance de vie	année	71	72,3 [d]	74,5 [e]
	Population urbaine	%	66	75	77,2
Culture	Nombre de médecins	‰	1,2	1,6	2,0 [c]
	Scolarisation *2e degré* [f]	%	83	82	89 [b]
	3e degré	%	18,2	24,4	28,4 [b]
	Postes tv	‰	. .	269	375 [b]
	Livres publiés	titre	17 138	29 371	37 576 [b]
Armée	Marine	millier d'h.	72,5	69,0	67,7
	Aviation	millier d'h.	122,5	102,0	96,6
	Armée de terre	millier d'h.	350,0	331,5	300,0

a. 1970-80; b. 1983; c. 1980; d. 1970-75; e. 1980-85; f. 11-17 ans; g. 1960-70.

2. COMMERCE EXTÉRIEUR [a]

Indicateur	Unité	1965	1975	1985
Commerce extérieur	% PIB	10,4	15,8	20,8
Total imports	milliard $	10,3	54,2	107,8
Produits agricoles	%	29,1	16,4	13,2
Produits énergétiques	%	15,5	22,9	22,3
Autres produits miniers	%	3,4	2,5	2,5
Total exports	milliard $	10,1	52,2	101,7
Produits agricoles	%	20,6	18,1	17,7
Produits miniers [b]	%	2,7	1,4	1,9
Produits industriels	%	73,5	77,8	76,5
Principaux fournisseurs	% imports			
CEE		38,8	48,9	51,3
PVD		29,1	15,3	20,6
États-Unis		10,5	7,5	7,6
Principaux clients	% exports			
CEE		40,9	49,2	49,6
Afrique		16,2	14,2	10,9
Autres PVD		16,0	15,5	11,7

a. Marchandises; b. Produits pétroliers non compris.

droite classique et extrême : tout en reprenant largement les thèmes sécuritaires et xénophobes du Front national de Jean-Marie Le Pen, l'alliance RPR-UDF proclamait son refus de gouverner avec lui. Division

3. ÉCONOMIE

Indicateur	Unité	1965	1975	1985
P I B	milliard $	98,6	338,9	503,1
Croissance annuelle	%	5,7 [b]	2,4 [c]	1,1
Par habitant	$	2 020	6 420	9 114
Structure du P I B				
Agriculture	% } 100 %	7,0	5,5	3,9 [a]
Industrie	% } 100 %	46,8	38,5	34,4 [a]
Services	% } 100 %	46,2	56,0	61,7 [a]
Taux d'inflation	%	4,0 [d]	10,7 [e]	4,8
Population active	million	19,8	21,8	23,3 [a]
Agriculture	%	18,3	10,3	7,8 [a]
Industrie	%	39,9	38,5	32,9 [a]
Services	%	41,8	51,1	59,3 [a]
Chômage [g]	%	0,7	4,4	9,8
Dépenses publiques				
Éducation	% P I B	3,4	5,3	5,1 [f]
Défense	% P I B	5,4	3,3	3,3
Recherche et développement	% P I B	1,4	1,8	2,3
Production d'énergie	million T E C	71,2	47,9	57,0 [h]
Consommation d'énergie	million T E C	150,6	197,5	208,2 [h]

a. 1984; b. 1960-73; c. 1973-83; d. 1960-70; e. 1974-78; f. 1980; g. Fin d'année. h. 1983.

sur le libéralisme économique : tout en adoptant un reaganisme de façade, le RPR et Raymond Barre restaient profondément fidèles au classicisme interventionniste de la droite française. Rivalité de personnes surtout, qui s'est cristallisée sur le problème de la « cohabitation ». La Constitution de la Vᵉ République partage en effet la direction de l'exécutif entre le président (dont la prochaine élection n'est prévue qu'en 1988) et le Premier ministre (responsable devant le Parlement). Raymond Barre, leader le plus populaire de l'UDF, avait intérêt à provoquer une crise institutionnelle rapide pour gagner une élection présidentielle anticipée, le leader du RPR (Jacques Chirac) et les deux leaders de l'UDF (Valéry Giscard d'Estaing et François Léotard) voyaient un avantage à jouer le jeu de la cohabitation pendant deux ans. Quant au PS, il comptait sur le scrutin proportionnel, succédant à trente ans de vote à deux tours, pour achever de laminer ses partenaires de gauche en appelant à voter « comme à un second tour », et pour laisser la droite se diviser.

L'objectif a presque été atteint. Les électeurs ont donné 55 % à la droite, 44 % à la gauche (son plus mauvais résultat depuis 1962). Mais le PC, avec moins de 10 % des voix, a perdu, en huit ans, la moitié de son électorat. Le PS, avec 32 %, a réalisé un score médiocre pour un second tour, mais plutôt bon pour un premier tour (23 % en 1978, 37 % en 1981). Surtout, en enlevant presque 10 % des voix, l'extrême droite n'a laissé à la droite classique qu'une majorité de deux sièges.

Nommé Premier ministre, Jacques Chirac a réservé au RPR la place forte des Finances (confiées au très classique Édouard Balladur), des Affaires sociales (le très ouvert Philippe Seguin) et de l'Intérieur (les très répressifs Charles Pasqua et Robert Pandraud). Il a accordé aux libéraux les ministères dépensiers et la Communication, tout en s'assurant du consentement présidentiel pour le choix de la Défense (André Giraud) et des Affaires étrangères (Jean-Bernard Raimond). Ses deux rivaux, MM. Barre et Giscard d'Estaing, se sont retrouvés privés de tout pouvoir, tandis que le Front national n'entrait dans la coalition qu'au niveau régional.

La situation, à l'été 1986, paraissait hautement instable, laissant au Parti socialiste le double bénéfice d'une opposition résolue (affirmée dès la dévaluation, pourtant souhaitable) et d'un certain pouvoir de veto présidentiel, et le mettant en bonne position pour les présidentielles. Les communistes, l'extrême gauche et les écologistes, entrés en crise profonde, allaient avoir bien du mal à réoccuper d'ici aux élections l'espace pourtant ouvert à une autre conception de la politique et du progrès social.

Alain Lipietz

BIBLIOGRAPHIE

Ouvrages

EIZNER N., *Les paradoxes de l'agriculture française : essai d'analyse à partir des États généraux du développement agricole,* L'Harmattan, Paris, 1985.

FONTENEAU A., MUET P.-A., *La gauche face à la crise,* Fondation national des sciences politiques, Paris, 1985.

MESSINE P., *Liberté, égalité, modernité,* La Découverte, Paris, 1986.

POTEL J.-Y., *L'état de la France et de ses habitants,* La Découverte, Paris, 1985.

Article

LIPIETZ A., « Le plébiscite repoussé », *Le Monde diplomatique,* février 1986.

Dossier

« Géopolitiques de la France », *Hérodote,* nº 40, 1er trimestre 1986.

Royaume-Uni. La solitude de Mme Thatcher

Après la défaite des mineurs en mars 1985, l'année s'annonçait plutôt bonne pour Mme Thatcher. Au cours du premier semestre, la vigueur de l'investissement des entreprises privées et la forte croissance des exportations ouvraient des perspectives économiques favorables. Et en effet, selon le National Institute, le PIB s'est accru de 2,75 % en 1985, le déficit de la balance commerciale des biens non pétroliers s'est légèrement réduit par rapport à 1984, avec 10,3 milliards de livres, et les profits industriels et commerciaux autres que ceux de la mer du Nord ont connu une hausse de 22 %. Mais, du côté de l'inflation et du chômage, les résultats ont été décevants : l'indice des prix de détail a accéléré sa hausse, atteignant 7 % en milieu d'année, avant de redescendre à environ 5 % au début de 1986. On a comptabilisé une moyenne annuelle de 3,27 millions de demandeurs d'emploi, soit 13,5 % de la population active (mais ce pourcentage aurait été de 15,5 % si l'on avait conservé les méthodes de calcul utilisées avant novembre 1982).

L'inquiétude des Lords

Ces indicateurs inquiétants, auxquels il faut ajouter le déclin préoccupant de l'industrie manufacturière, ont relancé les critiques de la démarche monétariste. Elles se sont cristallisées en partie autour d'un rapport de la très respectable Chambre des Lords, publié en octobre 1985, et qui a fait beaucoup de bruit en Grande-Bretagne. Les Lords se sont montrés très pessimistes au sujet des perspectives économiques du pays, analysées à l'horizon 1990, date à laquelle la production pétrolière de la mer du Nord aura atteint son plafond. Considérant que la politique du gouvernement Thatcher représentait une « menace grave pour le niveau et la stabilité économique et politique de la nation », ils prévoyaient notamment, à terme, une stagnation de l'économie et une poussée inflationniste dangereuses, doublées d'un chômage accru et difficilement réductible. Leurs conclusions avaient d'autant plus de poids au printemps 1986 que la conjoncture rendait la Grande-Bretagne très vulnérable à la chute du dollar et à celle des cours pétroliers. Si cette baisse permettait d'envisager de ramener le taux de l'inflation à 4 % en 1986, elle réduisait considérablement les ressources fiscales d'origine pétrolière en mer du Nord : le manque à gagner était estimé à environ 5 milliards de livres pour le budget 1986-1987.

Cependant, en dehors d'une augmentation plus importante que prévue des dépenses publiques, les autorités n'entendaient pas modifier les grands principes de leur politique économique. Pour renflouer les caisses de l'État tout en s'attirant les sympathies de l'électorat au moyen d'une réduction « substantielle » de l'impôt sur le revenu, elles projetaient entre autres une « accélération » du programme de dénationalisations qui devrait toucher en 1986-1987 des entreprises comme British Gas, British Airways, la Compagnie nationale des autobus, Rolls Royce, la Compagnie des eaux, etc. Cette stratégie, considérée comme une politique à court terme relevant de l'expédient, a provoqué un mécontentement jusque parmi les rangs des conservateurs. On a même comparé le gouvernement aux grandes familles qui vendaient leur argenterie pour s'assurer les dépenses courantes. Autre sujet de mécontentement, dénoncé comme une « politique d'abandon » des « intérêts nationaux » : la polémique sur l'avenir de la firme d'hélicoptères Westland qui a été déclenchée, le 9 janvier 1986, par la démission du ministre de la Défense, M. Michael Heseltine. Ce dernier s'était fait l'avocat d'une prise de participation européenne dans l'entreprise britannique en difficulté, et s'opposait en cela aux partisans d'une prise de contrôle par le groupe américain Sikorsky. Cette dernière solution a fini par l'emporter, mais elle a coûté à Mme Thatcher, soupçonnée d'avoir lourdement appuyé la firme américaine, la démission forcée de son plus fidèle collaborateur, le ministre de l'Industrie, M. Leon Brittan.

Cette affaire n'avait certainement pas la dimension d'un « Westergate » britannique, comme l'ont pensé certains. Mais pour être symbolique, elle n'en a pas moins révélé au grand jour la vulnérabilité de Mme Thatcher et la fragilité de sa position à la tête du Parti conservateur. Le débat a beaucoup tourné autour de la trop grande complaisance du gouvernement britannique à l'égard des intérêts américains et les éléments n'ont pas manqué qui pouvaient appuyer ce point de vue. On pense par exemple au projet de fusion entre Austin Rover et Ford auquel on a (provisoirement?) renoncé, ou encore au plan très controversé de rachat par General Motors des divisions poids lourds de British Leyland. De même, et à un autre niveau, il est probable que la pression de Washington a compté dans la décision du Royaume-Uni de se retirer de l'UNESCO, fin 1985. On n'oubliera pas non plus les remous suscités en 1985 par les révélations de l'hebdomadaire *New Statesman* faisant état de projets de lois et de règlements élaborés secrètement depuis 1979 et aboutissant, entre autres, à livrer en cas de guerre la population britannique à l'autorité non seulement de l'armée du Royaume-Uni, mais aussi, pour une large part, à celle de l'armée américaine. Enfin, le 15 avril 1986, Margaret Thatcher a eu bien du mal à convaincre les Communes et l'opinion britannique que « l'intérêt national » était en jeu lorsqu'elle a décidé de soutenir son « ami Reagan » dans son raid meurtrier contre la Libye, en laissant décoller les bombardiers *F-111* basés au nord de Londres.

On pourrait ainsi multiplier les exemples, qui, à commencer par l'affaire Westland, montrent que la contestation porte beaucoup plus et essentiellement sur un style de gouvernement, parfois taxé d'autoritarisme, qui oblige l'équipe du Premier ministre à se montrer docile et zélée en toutes circonstances; les Britanniques, plus habitués à une certaine « pudeur », sont choqués par la tendance de leur gouvernement à intervenir toujours plus directement et ostensiblement dans la vie économique et sociale du pays. La grève des mineurs (mars 1984-mars 1985) a été très révélatrice à cet égard, et la baisse de popularité du gouvernement Thatcher n'a cessé de se confirmer depuis leur défaite. Alors que les élections législatives devraient avoir lieu au plus tard en 1988, les stratégies pour la conquête du pouvoir se précisent.

Le consensus aux enchères

La recherche du « consensus » apparaît comme le thème favori des partis. Chez les Tories (conservateurs), après les batailles victorieuses, il s'exprime sous la forme d'une dénonciation des « politiques de l'affrontement » et de l'impuissance à maîtriser la situation économique.

ROYAUME-UNI

Royaume-Uni de Grande-Bretagne et d'Irlande du Nord.
Capitale : Londres.
Superficie : 244 046 km² (0,45 fois la France).
Carte : p. 442.
Monnaie : livre sterling (1 livre = 10,77 FF au 30.4.86).
Langues : anglais (officielle); gallois.
Chef de l'État : reine Élisabeth II.
Chef du gouvernement : Margaret Thatcher, Premier ministre.
Nature de l'État : monarchie constitutionnelle parlementaire.
Nature du régime : démocratie parlementaire.
Principaux partis politiques : *Gouvernement :* Parti conservateur; Parti unioniste. *Opposition :* Parti travailliste; Parti libéral; Parti social-démocrate; Parti démocrate unioniste (Irlande du Nord); Parti social-démocrate et travailliste (Irlande du Nord); Sinn Féin officiel (Irlande du Nord); Sinn Féin provisoire (Irlande du Nord); Parti communiste de Grande-Bretagne; Parti socialiste des travailleurs (SWP); Front national (extrême droite).

1. Démographie, culture, armée

	Indicateur	Unité	1965	1975	1985
Démographie	Population	million	54,3	55,9	56,6
	Densité	hab./km²	222	229	232
	Croissance annuelle	%	0,5 [f]	0,1 [g]	0,0 [e]
	Mortalité infantile	‰	19,6	17 [d]	11,0
	Espérance de vie	année	71 [a]	72 [d]	73,7 [e]
	Population urbaine	%	86 [a]	90	91,7
Culture	Nombre de médecins	‰ hab.	1,2	1,5	1,7 [h]
	Scolarisation *2e degré* [i]	%	66	83	85 [c]
	3e degré	%	12	15	20,1 [c]
	Postes tv	‰	249	361	479 [b]
	Livres publiés	titre	26 314	35 526	50 981 [b]
Armée	Marine	millier d'h.	100	76,3	70,0
	Aviation	millier d'h.	132	95	93,5
	Armée de terre	millier d'h.	208	167,1	163,0

a. 1960; b. 1983; c. 1982; d. 1970-75; e. 1980-85; f. 1960-70; g. 1970-80; h. 1980; i. 11-17 ans.

2. Commerce extérieur [a]

Indicateur	Unité	1965	1975	1985
Commerce extérieur	% PIB	15,0	21,1	24,0
Total imports	milliard $	16,1	53,5	109,2
Produits agricoles	%	44,5	23,8	14,4
Produits énergétiques	%	10,7	17,3	12,0
Autres produits miniers	%	4,4	2,6	3,0
Total exports	milliard $	13,7	44,1	101,3
Produits agricoles	%	8,4	13,2	7,3
Produits pétroliers	%	2,2	4,1	21,1
Autres produits miniers	%	1,7	1,3	1,8
Principaux fournisseurs	% imports			
CEE		17,3	37,0	46,2
PVD		27,5	24,1	15,7
États-Unis		11,7	10,0	11,7
Principaux clients	% exports			
CEE		20,0	32,3	46,1
PVD		25,7	25,6	20,9
États-Unis		10,6	8,9	14,9

a. Marchandises.

Le député Sir Anthony Meyer a même suggéré que Mme Thatcher se soumette au test de sa réélection à la tête du parti. Il est peu probable que celle-ci soit amenée à relever le défi avant le résultat des prochaines

3. Économie

Indicateur	Unité	1965	1975	1985
P I B	milliard $	99,3	230,4	438,4
Croissance annuelle	%	2,9 [b]	1,1 [c]	3,4
Par habitant	$	1 830	4 120	7 746
Structure du P I B				
Agriculture	% } 100 %	3,0	2,7	1,9 [a]
Industrie	% } 100 %	39,2	40,8	36,4 [a]
Services	% } 100 %	57,8	60,0	61,7 [a]
Taux d'inflation	%	3,9 [d]	16,0 [g]	5,7
Population active	million	25,1	25,5	27,1
Agriculture	%	3,8	2,7	2,6
Industrie	%	46,6	40,5	32,3
Services	%	49,6	56,8	65,1
Chômage [h]	%	1,4	4,4	13,3
Dépenses publiques				
Éducation	% P I B	3,3	6,7	5,5 [e]
Défense	% P I B	5,8	4,3	5,3
Recherche et développement	% P I B	1,6	2,1	2,3 [f]
Production d'énergie	million T E C	194,3	161,4	329,7 [h]
Consommation d'énergie	million T E C	277,0	271,0	260,6 [h]

a. 1984; b. 1960-73; c. 1973-83; d. 1960-70; e. 1982; f. 1983; g. 1974-78; h. Fin d'année.

législatives. Si les « mous » sont maintenant plus nombreux que les « durs » parmi les simples parlementaires, ils paraissent encore trop divisés; aucun leader incontesté ne se dégage des quatre groupes de pression rassemblant les députés conservateurs contestataires.

Du côté de la confédération syndicale TUC (Trades Union Congress) et du Labour, la déclaration conjointe sur la stratégie économique soumise à leurs congrès respectifs de septembre et d'octobre 1985 fait la part belle aux vertus de la concertation. On y retrouve les vieux remèdes miracle d'un accord avec les syndicats sur la limitation de la progression des salaires. Sous l'égide de son dirigeant, Neil Kinnock, le Parti travailliste a effectué un recentrage à droite assez spectaculaire. La « nouvelle gauche réaliste » mène la bataille pour les élections autour de la commission de coordination du Labour (LCC) et du groupe *Tribune* (autrefois l'organe de l'aile gauche du parti) et s'oriente dans une voie fortement marquée par le traumatisme de la défaite des mineurs : abandon des objectifs du plein emploi et de la renationalisation, refus de mise en cause de l'œuvre du gouvernement Thatcher, notamment de ses lois antisyndicales dont les « éléments clés » devraient être retenus.

Ce programme ressemble beaucoup à celui de l'Alliance, à cette différence près que le Parti social-démocrate (SDP) et les libéraux entendent briser les liens entre le Labour et les syndicats. L'Alliance se voit donc confirmée dans son rôle de « troisième force » très convoité par les deux autres dans la lutte pour le pouvoir. En effet, un sondage effectué par l'institut Gallup pendant la crise de Westland donnait au Labour 35,5 % des intentions de vote, 33,5 % à l'Alliance et 29,5 % aux conservateurs. Or il faut un minimum de 40 % des voix pour obtenir une majorité parlementaire.

Une situation qui pourrait conduire la Grande-Bretagne à s'interroger à son tour sur les délices de la cohabitation !

L'issue des élections dépendra beaucoup de la manière dont les représentants syndicaux et travaillistes réussiront à surmonter leurs difficultés. Celles-ci proviennent autant de tensions internes que des attaques contre certaines de leurs positions par le gouvernement Thatcher. En effet, sur le plan interne, la tension entre la droite et la gauche du Labour s'est accrue. Elle s'est polarisée autour de l'affaire de Liverpool, une municipalité pratiquement sinistrée où les dirigeants travaillistes, connus pour leur appartenance à la tendance trotskiste et très sectaire, Militant, ont adopté en 1985 un budget déficitaire en signe de protestation contre les limites financières imposées par une loi de 1982. Neil Kinnock a saisi l'occasion de ce geste « irresponsable » pour lancer contre eux une violente campagne et a mis sur pied une commission d'enquête interne dont les recommandations pourraient aboutir à leur exclusion. Mais une telle procédure pourrait raviver les querelles intestines si dommageables pour le parti, qui n'en serait pas pour autant débarrassé de Militant. Du côté des syndicats, la création en octobre 1985 d'un syndicat dissident chez les mineurs, l'UDM (Union des mineurs démocratiques), a renforcé les prétentions des adeptes du « nouveau réalisme » au sein du TUC. Leur chef de file, Eric Hammond, dirigeant du syndicat des électriciens et électroniciens (EETPU), a poursuivi activement une stratégie de recentrage à droite, refusant de se plier aux directives du TUC et menaçant de former une organisation rivale de la confédération si celle-ci sanctionnait par l'exclusion ses agissements et ceux de quelques autres organisations.

Toutes ces querelles ont redoublé l'efficacité des attaques menées de l'extérieur contre le TUC et le Labour. En effet, l'abolition le 31 mars 1986 des six conseils généraux urbains (Metropolitan Councils), dont celui du Grand Londres, répondait moins à un souci d'économie des deniers publics qu'à la volonté d'affaiblir le Parti travailliste qui les a presque toujours diri-

BIBLIOGRAPHIE

Ouvrages

HOLZ J.-P., *L'expérience Thatcher : succès et limites de la politique économique britannique*, Economica, Paris, 1985.

OCDE, *Royaume-Uni, Études économiques 1985-1986*, OCDE, Paris, 1986.

Articles

BARKER P., « Jeux dangereux en Angleterre », *Le Monde diplomatique*, juillet 1985.

HANLEY D., « Le thatchérisme », *Projet*, nº 194, juillet-août 1985.

HEARN M., « Margaret Thatcher, un portrait politique », *Études*, janvier 1986.

Dossiers

« La crise du mouvement syndical en Grande-Bretagne », *Problèmes politiques et sociaux*, nº 529, février 1986.

« La Grande-Bretagne », *Pouvoirs*, nº 37, avril 1986.

gés. D'autre part, les divisions des organisations professionnelles ont tendu à accentuer l'effet de démobilisation produit à la fois par les défaites passées et par les lois antisyndicales. Quand ils n'ont pas avorté, comme dans les chemins de fer (British Rail), les conflits sociaux n'ont reçu qu'un faible soutien dans l'opinion et parmi les autres syndicats, comme ce fut le cas chez les enseignants ou les ouvriers du Livre. Dans ce dernier exemple, la stratégie d'Eric Hammond a été particulièrement dommageable pour l'unité du monde du travail puisque, selon des méthodes qui lui sont devenues familières, il a brisé le monopole des syndicats du livre NGA (National Graphic Association) et SOGAT 82 (Society of Graphical and Allied Trades), signant avec les employeurs des accords limitant très sérieusement le recours à la grève et remettant en cause les acquis sociaux. Enfin, on ajoutera qu'avec 6 343 000 journées de travail perdues, l'année 1985 apparaît comme celle des moindres grèves.

Au printemps 1986, le vent du thatchérisme semblait avoir tourné, mais en dépit des sondages, les conservateurs n'étaient pas dans la plus mauvaise position. Comme toujours, Mme Thatcher, tirant sa force de la faiblesse des autres, pouvait encore espérer gouverner contre vents et marées.

Noëlle Burgi

Italie. Une année difficile pour Craxi

Les élections locales et régionales le 12 mai, le référendum sur l'échelle mobile le 9 juin et l'élection du président de la République le 24 juin ont été, en 1985, facteurs ou révélateurs de changement, dans le domaine politique mais aussi économique et social. Succès pour la Démocratie chrétienne et le Parti socialiste, ces scrutins ont représenté une lourde défaite pour le Parti communiste. La DC, sans retrouver encore son niveau de 1980, a confirmé en effet sa reprise après le désastre électoral de 1983, et récupéré sa place de premier parti italien, abandonnée au Parti communiste en 1984. Elle a repris également la présidence de la République avec l'élection de Francesco Cossiga, dès le premier tour de scrutin, par 752 voix sur 977 votants. Bettino Craxi, malgré la percée électorale modeste de son parti, a obtenu deux importants succès : son maintien à la tête du gouvernement (ce qui lui permettra de battre le record absolu de longévité) et la ratification par référendum de sa politique anti-inflationniste.

Déclin du PCI

Le PCI, en revanche, a enregistré un net recul qui, effaçant la victoire de 1984, le situe sur une pente descendante depuis 1979. Plus grave encore, sa défaite au référendum abrogatif du décret du 14 février 1984 (concernant la diminution de l'échelle mobile des salaires), référendum qu'il a voulu pour des raisons essentiellement politiques : il s'agissait de montrer qu'il est impossible de gouverner l'Italie contre les communistes. La nette victoire des « non » (54,4 %) a, en fait, démontré l'inadaptation du PCI aux transformations de la société italienne. Bloqué sur la défense d'un mécanisme archaïque comme celui de l'échelle mobile et des droits acquis d'une classe ouvrière traditionnelle en diminution, le parti d'Alessandro Natta a perdu sa capacité d'expansion parmi les nouvelles catégories socio-professionnelles et les jeunes générations. La preuve en est son déclin particulièrement sensible dans les zones économiquement et culturellement les plus avancées (nord-ouest du pays, grandes métropoles).

La première conséquence de sa défaite électorale a été l'exclusion du PCI de l'administration régionale piémontaise et de celle de nombreuses villes dont Turin, Milan, Rome, Venise et Gênes où des juntes « pentapartites » ont remplacé les juntes de gauche. La seconde a été d'ouvrir un large débat interne, préliminaire au congrès extraordinaire convoqué en avril 1986. Jamais, sans doute, la confrontation entre réformistes et traditionalistes n'a été aussi forte sur toutes les questions essentielles et sur l'identité même du parti. L'accord s'est fait cependant sur un point : la nécessité de sortir de l'isolement dans lequel le PCI s'est enfermé. L'élection présidentielle lui a offert une première occasion de se réinsérer dans le jeu politique national.

Mais c'est surtout vers la recherche de rapports moins conflictuels avec le PSI que se sont orientés les dirigeants communistes. Le rapprochement des deux partis de la gauche italienne a d'ailleurs été facilité par le souci de Bettino Craxi de trouver un contrepoids à l'hégémonie de la Démocratie chrétienne, au risque d'exacerber les contradictions internes de la majorité. Celles-ci ont éclaté en effet sur deux questions aussi primordiales que la politique étrangère et la politique économique.

La politique méditerranéenne mise à l'épreuve

La politique méditerranéenne du gouvernement, jugée trop autonome et trop favorable à l'OLP par une partie de la coalition, avait déjà provoqué de vives polémiques en 1984. En 1985, elle a été mise à l'épreuve par deux faits dramatiques : le détournement, le 7 octobre, d'un navire de croisière italien par quatre militants du Front de libération de la Palestine et l'attentat, contre le guichet de la compagnie israélienne El-Al à l'aéroport de Rome, le 27 décembre. Dans l'affaire de l'*Achille Lauro*, les responsables italiens ont réussi en quarante-huit heures, grâce à l'intervention des pays arabes et de l'OLP et de par leur propre indulgence envers les terroristes, à faire libérer les cinq cents otages sans autres pertes en vies humaines que celle d'un malheureux touriste américain. Mais ils n'ont pu éviter la montée des tensions avec les États-Unis ni une crise de la majorité. Le détournement par l'aviation américaine du *Boeing* égyptien ramenant les Palestiniens à Tunis, la désinvolture avec laquelle elle a utilisé la base de l'OTAN de Sigonella en Sicile et l'espace aérien italien, le refus de l'Italie d'arrêter et d'extrader le négociateur de l'OLP, Aboul Abbas, accusé par les Etats-Unis d'être l'instigateur de l'opération, tous ces faits ont constitué autant de points de friction entre les deux pays.

Au sein même du gouvernement italien, l'action menée par le président du Conseil et le ministre des Affaires étrangères, Giulio Andreotti, a suscité des réactions très dures. Le Parti républicain, en signe de désaccord total, a retiré ses ministres du gouvernement, obligeant Bettino Craxi à démissionner le 17 octobre. Une solution n'a été rapidement trouvée – avec le renvoi de la même équipe ministérielle devant le Parlement pour un simple vote de confiance – que parce que la DC l'a imposée à ses partenaires. Le parti catholique ne voulait à aucun prix d'une crise ouverte sur la politique extérieure, génératrice de reclassements inopportuns comme l'a montré l'accueil réservé à la Chambre au discours de M. Craxi. Suscitant l'in-

1. Démographie, culture, armée

	Indicateur	Unité	1965	1975	1985
Démographie	Population	million	52,0	55,4	57,1
	Densité	hab./km²	173	184	190
	Croissance annuelle	%	0,8 [g]	0,5 [f]	0,1 [e]
	Mortalité infantile	‰	35,6	26 [d]	13,0
	Espérance de vie	année	70	72,1 [d]	74,4 [e]
	Population urbaine	%	62	67	71,7
Culture	Nombre de médecins	‰ hab	1,7	2,1	2,9 [a]
	Scolarisation *2e degré* [c]	%	47	70	75 [b]
	3e degré	%	10,7	25,1	25,8 [b]
	Postes tv	‰	. .	. .	409 [a]
	Livres publiés	titre	10 385	9187	13 718 [b]
Armée	Marine	millier d'h.	38	44,5	44,5
	Aviation	millier d'h.	60	70	70,6
	Armée de terre	millier d'h.	292	306	270,0

a. 1982; b. 1983; c. 11-18 ans; d. 1970-75; e. 1980-85; f. 1970-80; g. 1960-70.

2. Commerce extérieur [a]

Indicateur	Unité	1965	1975	1985
Commerce extérieur	% PIB	11,6	19,1	24,0
Total imports	milliard $	7,4	38,4	91,1
Produits agricoles	%	36,4	25,3	18,5
Produits énergétiques	%	15,7	27	26,2
Autres produits miniers	%	5,9	4	4,1
Total exports	milliard $	7,2	34,8	79,0
Produits agricoles	%	14,5	9,5	7,9
Produits miniers [b]	%	0,8	0,4	1,2
Produits industriels	%	79,2	84,3	87,1
Principaux fournisseurs	% imports			
CEE		31,2	43	44,9
PVD		26,7	29,9	29,4
États-Unis		13,5	8,7	6,0
Principaux clients	% exports			
CEE		40,2	45,0	46,0
PVD		16,2	21,8	21,1
États-Unis		8,6	6,5	12,3

a. Marchandises; b. Produits pétroliers non compris.

dignation des républicains et des libéraux, celui-ci a été chaleureusement approuvé par le PCI qui appréciait autant la compréhension manifestée par le président du Conseil à l'égard de la lutte du peuple

3. ÉCONOMIE

INDICATEUR	UNITÉ	1965	1975	1985
P I B	milliard $	62,6	192,1	354,0
Croissance annuelle	%	5,0 [b]	2,2 [c]	2,25
Par habitant	$	1 200	3 440	6 200
Structure du P I B				
Agriculture	% } 100 %	11,2	8,1	5,3 [a]
Industrie	% } 100 %	38,2	40,9	39,9 [a]
Services	% } 100 %	50,6	51,0	54,8 [a]
Taux d'inflation	%	3,9 [d]	16,5 [e]	8,8
Population active	million	20,5	20,8	23,0
Agriculture	%	26,3	16,7	11,2
Industrie	%	37,0	39,1	33,6
Services	%	36,8	44,2	55,2
Chomage [g]	%	5,4	6,4	10,9
Dépenses publiques				
Éducation	% P I B	5,0	4,5	5,0 [f]
Défense	% P I B	3,4	1,9	2,4
Recherche et développement	% P I B	0,6	0,9	1,2 [a]
Production d'énergie	million T E C	20,5	27,2	27,6 [h]
Consommation d'énergie	million T E C	91,1	163,4	172,6 [h]

a. 1984; b. 1960-73; c. 1973-83; d. 1960-70; e. 1974-78; f. 1980; g. Fin d'année; h. 1983.

palestinien que sa « défense de l'autonomie et de l'indépendance nationale ».

L'attentat palestinien à l'aéroport de Rome, venant après dix autres de même origine commis en 1985 sur le sol italien, a relancé les polémiques à l'égard d'une politique accusée de faire de l'Italie la cible des extrémistes arabes. Les rapports avec la Libye, protectrice avouée des terroristes, ont particulièrement été mis en cause. Cependant, à l'exception de quelques concessions aux demandes de Ronald Reagan comme l'embargo sur les ventes d'armes et l'engagement de ne pas se substituer aux Américains, le gouvernement s'est abrité derrière une décision commune européenne d'envisager des représailles économiques plus sévères. Il ne peut en effet oublier que l'Italie est le premier partenaire commercial de la Libye, où travaillent cinq mille de ses ressortissants. Les mêmes préoccupations, les mêmes principes et les mêmes dissensions se sont exprimés lors de la grave crise américano-libyenne de mars-avril 1986. Les responsables italiens, qui ont jugé « provocatrices » et « inopportunes » les manœuvres américaines dans le golfe de Syrte, ont renouvelé leur désaccord à l'égard des représailles militaires. En même temps, les menaces du colonel Kadhafi contre les villes de l'Europe du Sud et l'attaque manquée contre l'île de Lampedusa ont fait l'objet d'une dure note de protestation et de l'assurance d'une réplique militaire à toute nouvelle agression libyenne. Mais, encore une fois, des voix se sont élevées dans la majorité pour regretter une position trop critique à l'égard des États-Unis, et pour douter de de l'efficacité des méthodes diplomatiques et juridiques de lutte contre le terrorisme.

La fin de l'État-Providence?

Autant que la politique étrangère, la politique économique a été en 1985 un sujet d'affrontements quant aux solutions à apporter à une situation particulièrement difficile. A la différence de 1984, tous les indicateurs sont repassés au rouge en 1985, année marquée par l'absentéisme d'un gouvernement paralysé par les échéances électorales jusqu'à l'été. L'inflation, dont la baisse a subi un arrêt, est restée, avec un taux de 8,6 %, supérieure à celle des partenaires commerciaux de l'Italie. Cela a eu pour conséquence un déficit record de la balance des paiements (– 8 500 milliards de lires) et une dévaluation de la lire le 20 juillet.

Mais les deux problèmes les plus aigus auxquels les dirigeants ont dû à nouveau faire face en 1985 ont été l'énorme déficit public et l'emploi. Devant un déficit de 108 000 milliards de lires et un endettement qui représente 99 % du PIB, le gouvernement, qui n'a pas voulu alourdir la charge fiscale déjà très forte et a refusé d'instituer un impôt sur le capital réclamé par le PCI, s'est engagé sur la voie du démantèlement de l'État-Providence. Mais le projet de loi de finances présenté en septembre et qui prévoyait la modulation des prestations sociales selon les revenus, l'augmentation des prix des services publics et des cotisations et la suppression de certains privilèges, atteignait les clientèles de toutes les formations. A ce titre, il a suscité les protestations et les résistances non seulement de l'opposition, des syndicats et des associations catégorielles mais de certains partis de la majorité. A la faveur du vote secret, une marée d'amendements de tous bords a réussi à infléchir la rigueur de la loi qui n'a été approuvée, le 5 février 1986, qu'après deux mois d'exercice provisoire, quatre votes de confiance et au prix d'un dépassement du plafond déjà très élevé (110 000 milliards de lires) fixé au déficit pour 1986.

Autre problème crucial : celui de l'emploi dans son double aspect du coût du travail et du chômage. Sur le premier point, le référendum a déblayé la voie à une révision de l'échelle mobile des salaires dénoncée par le patronat au lendemain même de la consultation. Si un accord a été trouvé dans la fonction publique (indexation réservée à un salaire minimal, « semestrialisation » du mécanisme, abolition du point unique), les négociations ont achoppé, dans le secteur privé, sur la

ITALIE

République italienne.
Capitale : Rome.
Superficie : 301 225 km² (0,55 fois la France).
Carte : p. 446.
Monnaie : lire (1 lire = 0,005 FF au 30.4.86).
Langues : italien (officielle); allemand, albanais, ladino, grec, français.
Chef de l'État : Francesco Cossiga.
Chef du gouvernement : Bettino Craxi, Président du conseil (jusqu'au 27-6-86).
Nature de l'État : république accordant une certaine autonomie aux régions.
Nature du régime : démocratie parlementaire.
Principaux partis politiques : Parti de la démocratie chrétienne (DC, participe au pouvoir depuis 1945); Parti communiste italien (PCI); Parti socialiste italien (PSI); Parti socialiste démocratique italien (PSDI); Parti libéral (PLI); Parti républicain (PRI); Parti radical (PR); Démocratie prolétaire (DP); Mouvement social italien-droite nationale (MSI-DN); Südtiroler Volkspartei (SVP); Parti sarde d'action; Union valdotaine.

réduction de deux heures par semaine du temps de travail réclamée par les syndicats comme l'un des seuls moyens de lutter contre le chômage. Avec une croissance retombée à 2 %, il n'y a pas eu création d'emplois nouveaux en 1985; et s'il est vrai que les réductions de main-d'œuvre dans l'industrie et l'agriculture ont été plus faibles que les années précédentes, l'absorption par le secteur tertiaire a été également moins soutenue. Avec un taux de chômage de 12,5 %, le coût social de la restructuration industrielle de ces dernières années a été élevé. Celle-ci a assuré par contre la prospérité des entreprises privées et même publiques qui ont affiché, dans leur majorité, d'excellents indices (profits, productivité, autofinancement, réduction de l'endettement). Grâce à ces réalisations, dont les prémices remontent à 1982, et grâce à l'explosion de la Bourse, l'année 1985 peut être considérée comme celle de la naissance d'un capitalisme moderne en Italie.

Geneviève Bibes

BIBLIOGRAPHIE

Ouvrages

NEGRI T., *Italie en rouge et noir,* Hachette, Paris, 1985.

OCDE, *Études économiques de l'OCDE : Italie,* OCDE, Paris 1985.

Dossier

BIBES G., « Italie », *in* « Les pays d'Europe occidentale 1985 », *Notes et études documentaires,* 2e trimestre 1986.

Espagne. Une démocratie ordinaire

En 1985, année du dixième anniversaire de la mort de Franco, l'Espagne socialiste a achevé sa normalisation, c'est-à-dire sa mise aux normes occidentales : entrée dans la CEE, rapprochement avec la France, poursuite d'une politique de « réalisme » économique, coup d'arrêt au tiers-mondisme en politique étrangère et enfin, confirmation de l'option atlantiste. L'Espagne modérée du Parti socialiste ouvrier espagnol (PSOE) est devenue une démocratie pragmatique, sage, ordinaire.

La signature, le 12 juin 1985, de l'accord d'adhésion à la communauté européenne a marqué solennellement le retour de la démocratie et la fin de l'isolement séculaire de l'Espagne. Consécration de sept années de négociations houleuses, souhaitée à l'unanimité de la classe politique, cette adhésion, devenue effective en janvier 1986, a été vécue comme une grande victoire nationale.

Économiquement, l'entrée dans la Communauté n'a fait que consacrer une réalité. Depuis longtemps déjà, l'Espagne gravitait essentiellement autour de l'orbite européenne. En 1984, les échanges hispano-communautaires atteignaient 176 milliards de francs, soit la moitié du commerce extérieur de ce pays.

Pour le gouvernement de Felipe Gonzalez, résolument libéral en matière économique, l'Europe est un stimulant capable de favoriser le développement et la modernisation. C'est dans cette perspective qu'avait été engagée, en 1983, la restructuration industrielle. En 1985, elle était considérée comme achevée. Son coût social était lourd : 70 000 emplois perdus dans les branches les plus vétustes de l'industrie (chantiers navals, sidérurgie, chimie, textiles), mais elle permettait à ces secteurs d'affronter dans de moins mauvaises conditions la compétition européenne.

Première conséquence de l'adhésion à la CEE : le rapprochement avec la France, après dix ans de méfiance et de malentendus. Il a été scellé solennellement par un pacte d'amitié, signé en juillet 1985, à l'occasion de la visite du roi Juan Carlos à Paris. Non seulement la France a cessé de se présenter comme un obstacle à l'intégration de l'Espagne dans l'Europe, mais elle a mis fin aux ergotages sur la collaboration à apporter à la lutte antiterroriste au Pays basque. En mars 1986, pour la première fois, un tribunal français a jugé cinq membres de l'ETA pour crimes de droit commun et les a condamnés à des peines de prison. Cependant, les séparatistes ont continué leurs attentats en 1985, mais leur action n'est plus regardée comme une menace pour la stabilité du pays, dans la mesure où l'opinion y est devenue indifférente.

Référendum sur l'OTAN

Seconde conséquence : une fois rassurés sur l'entrée effective de leur pays dans l'Europe, les socialistes espagnols, dont la « dérive atlantiste » avait été consacrée lors de leur trentième congrès, fin 1984, ont décidé de s'attaquer à la dernière manœuvre de leur arrimage à l'Occident : l'OTAN. Pour eux, c'était une gageure. Comment tenir la promesse d'un référendum faite en 1982, mais en proposant aux élec-

ESPAGNE

Espagne.
Capitale : Madrid.
Superficie : 504 782 km² (0,92 fois la France).
Carte : p. 446.
Monnaie : peseta (1 peseta = 0,05 FF au 30.4.86).
Langues : officielle nationale : espagnol (ou castillan); officielles régionales : basque (euskara); catalan; galicien; valencien.
Chef de l'État : roi Juan Carlos Ier de Bourbon.
Chef du gouvernement : Felipe Gonzalez, Premier ministre.
Nature de l'État : « unité indissoluble de la nation espagnole » et reconnaissance du « droit d'autonomie des nationalités et régions » (17 régions autonomes ont été mises en place).
Nature du régime : monarchie parlementaire.
Principaux partis politiques : *Nationaux :* Parti socialiste ouvrier espagnol (PSOE, au pouvoir); Parti communiste espagnol; Alliance populaire (droite); Parti réformiste et démocratique (PRD). *Régionaux :* Parti nationaliste basque (au pouvoir en Euskadi); Herri Batasuna (gauche nationaliste, proche de l'ETA-militaire); Euskadiko Eskerra (gauche nationaliste); Convergencia i Unió (au pouvoir en Catalogne); Parti socialiste unifié de Catalogne (PC catalan); Union do povo galego (gauche nationaliste).

1. DÉMOGRAPHIE, CULTURE, ARMÉE

	Indicateur	Unité	1965	1975	1985
Démographie	Population	million	32,1	35,6	38,6
	Densité	hab./km²	64	71	76,5
	Croissance annuelle	%	1,0 [f]	1,0 [g]	0,6 [e]
	Mortalité infantile	‰	37,3	22 [d]	11,0
	Espérance de vie	année	69	72,8 [d]	74,3 [e]
	Population urbaine	%	61	71	77,4
Culture	Analphabétisme	%	9,8	7,6	5,6
	Nombre de médecins	‰ hab.	1,3	1,8	2,6 [b]
	Scolarisation *2e degré* [a]	%	38	73,0	90 [b]
	3e degré	%	5,6	20,4	23,8 [b]
	Postes tv	‰	55	187	258 [c]
	Livres publiés	titre	17 342	23 527	32 138 [b]
Armée	Marine	millier d'h.	44	46,6	57
	Aviation	millier d'h.	38	35,7	33
	Armée de terre	millier d'h.	248	220	230

a. 11-17 ans; b. 1982; c. 1983; d. 1970-75; e. 1980-85; f. 1960-70; g. 1970-80.

2. COMMERCE EXTÉRIEUR [c]

Indicateur	Unité	1965	1975	1985
Commerce extérieur	% PIB	8,5	11,4	16,2
Total imports	milliard $	3,0	16,2	30,0
Produits agricoles	%	26,8	21,4	15,5
Produits énergétiques	%	10,0	26,0	35,6
Autres produits miniers	%	4,0	5,2	4,7 [a]
Total exports	milliard $	1,0	7,7	24,2
Produits agricoles	%	51	23,6	16,9
Produits miniers [b]	%	2,0	1,3	1,0 [a]
Produits industriels	%	41,9	71,8	72,7
Principaux fournisseurs	% imports			
CEE		37,4	34,7	36,1
Moyen-Orient		5,8	18,3	13,6
États-Unis		17,4	15,9	10,9
Principaux clients	% exports			
CEE		35,7	44,7	49,1
Afrique		5,3	9,8	6,1
Amérique latine		11,0	9,9	4,8

a. 1984; b. Produits énergétiques non compris; c. Marchandises.

teurs le maintien de l'Espagne dans l'OTAN et non plus son retrait?

Ce changement de doctrine a été à l'origine de la première crise gouvernementale depuis l'arrivée du PSOE au pouvoir en décembre 1982. Elle est intervenue en juillet 1985 : la victime en a été le ministre

3. Économie

Indicateur	Unité	1965	1975	1985
P I B	milliard $	23,4	104,8	167,5
Croissance annuelle	%	7,0 [b]	1,8 [c]	2,1
Par habitant	$	730	2 950	4 339
Structure du P I B				
Agriculture	% } 100 %	16,3	9,9	6,3 [a]
Industrie	% } 100 %	38,6	39,5	33,4 [a]
Services	% } 100 %	45,1	50,6	60,3 [a]
Taux d'inflation	%	5,6 [g]	18,3 [d]	8,1
Population active	million	12,1	12,9	13,4
Agriculture	%	33,3	21,6	16,9
Industrie	%	35,6	37,2	32,1
Services	%	31,1	41,2	50,9
Chômage [f]	%	1,3	4,7	22,0
Dépenses publiques				
Éducation	% P I B	0,9	2,1	2,6 [e]
Défense	% P I B	3,4	2,6	2,4 [a]
Production d'énergie	million T E C	16,0	18,5	27,7 [h]
Consommation d'énergie	million T E C	32,7	76,5	81,8 [h]

a. 1984 ; b. 1960-73 ; c. 1973-83 ; d. 1974-78 ; e. 1980 ; f. Fin d'année ; g. 1960-70 ; h. 1983.

des Affaires étrangères, Fernando Moran, contraint de démissionner pour cause de fidélité à l'ancienne ligne anti-atlantiste du parti. Felipe Gonzalez l'a remplacé par un social-démocrate, Francisco Fernandez Ordoñez, ancien ministre de l'équipe centriste d'Adolfo Suarez. Cette affaire a agi comme un révélateur, l'aile gauche du PSOE rejoignant les manifestations pacifistes où se trouvaient déjà communistes, antinucléaires, syndicalistes et anarchistes.

Quelques jours plus tard, c'était la « démission » du super-ministre de l'Économie et des Finances, Miguel Boyer. Il était bien dans la ligne mais ses ambitions l'ont perdu. Là encore on a vite tiré la morale de l'histoire : pas d'État dans l'État. L'autorité demeurait entre les mains de Felipe Gonzalez et de son *alter ego*, le vice-président du gouvernement, Alfonso Guerra.

Il ne restait donc plus au chef du gouvernement qu'à convaincre les Espagnols de voter oui à l'OTAN. La tâche était difficile car ils sont, dans leur majorité, neutralistes et antiaméricains. L'absence de l'Espagne de tous les conflits internationaux du siècle, le soutien des États-Unis au régime franquiste et la présence, sur le sol national, de quatre bases américaines – 12 500 hommes – ont engendré un sentiment de méfiance envers les blocs et un refus farouche d'être impliqué dans un éventuel affrontement.

D'où l'ambiguïté du choix proposé lors du référendum : maintenir le pays dans l'OTAN, dénucléarisé, sans participation au commandement intégré, avec à la clé une réduction possible de la présence américaine, ou un retrait de l'Organisation, mais accompagné d'un *statu quo* sur les bases américaines.

Pour gagner la consultation – ce qui est vite devenu un enjeu personnel pour Felipe Gonzalez –, le gouvernement comptait sur l'appui promis par l'opposition de droite. Mais la Coalition populaire de Manuel Fraga Iribarne – 102 députés sur 350 – était en pleine crise : malgré une maigre victoire aux élections locales de Galice, en novembre 1985, le parti demeurait prisonnier de ses nostalgies franquistes et n'avait aucune chance de progresser aux législatives d'octobre 1986. Pensant réaliser une bonne opération politique, Fraga décida donc de retirer son soutien au « oui » et prôna l'abstention.

Seul face à une gauche motivée, Felipe Gonzalez a vu pour la première fois sa bonne étoile menacée. Contraint de s'impliquer dans la campagne, il n'a réussi à faire passer son référendum, le 12 mars 1986, avec 52,5 % des voix qu'après une manipulation dégradante de l'opinion, jouant sur la menace et la peur de l'apocalypse si l'Espagne quittait l'OTAN. Le coût de cette opération a été lourd : la droite est sortie discréditée, et le PSOE, brisé, a perdu un quart de son électorat en même temps que son image de parti de gauche.

Une nouvelle gauche a en effet surgi. Avec 7 millions de voix, elle va bien au-delà des 800 000 électeurs que se disputent trois partis communistes issus de scissions successives. Au printemps 1986, certes, elle paraissait hétéroclite et sans leader, mais le secrétaire général du PCE : l'authentique Parti communiste –, Gerardo Iglesias, ne désespérait pas d'exploiter au maximum cette alliance ponctuelle en vue des élections législatives. Initialement prévues en octobre 1986, le gouvernement les a avancées au 22 juin pour profiter de la « bonne conjoncture ». Même s'il a perdu 2 % des suffrages exprimés par rapport à la consultation d'octobre 1982, le PSOE a emporté la majorité absolue avec 44 % des voix (184 députés sur 350).

Avec cette affaire, Felipe Gonzalez semble avoir touché du doigt les limites du pragmatisme. Car les Espagnols avaient jusqu'alors supporté avec une patience étonnante une situation économique difficile ; le chômage, en 1985, a frôlé les 3 millions (22 % de la population active, le taux le plus élevé d'Europe). La croissance zéro du pouvoir d'achat et le gel des salaires réels demeurent au programme jusqu'à la fin des années quatre-vingt. Un plan de relance a bien été mis en place en juin 1985, consistant surtout en un abaissement de la fiscalité, mais il vise essentiellement la stimulation des investissements par le biais de facilités aux entreprises. Le niveau de vie a continué de s'effriter. Pour la première fois en 1985, le dirigeant de l'Union générale des travailleurs (socialiste), Nicolas Redondo, a

BIBLIOGRAPHIE

Ouvrages

Diez años en la vida de los Espagnoles, Plaza y Janès, Barcelone, 1985.

HERMET G., *L'Espagne au XXe siècle*, PUF, Paris, 1986.

LAVROFF D.G., *Le régime politique espagnol*, PUF, Paris, 1985.

LOUAPRE E.E., *L'Espagne d'aujourd'hui*, Loudreys, Paris, 1986.

OCDE, *Études économiques de l'OCDE : Espagne*, OCDE, Paris, 1986.

RUPEREZ J., *España en la OTAN*, Plaza y Janès, Barcelone, 1985.

UBOLDI R., *Juan Carlos*, Flammarion, Paris, 1985.

accusé le gouvernement d'improvisation, décrivant les deux dernières années d'austérité comme un échec social.

C'est dans cette même optique de normalisation qu'il faut placer la rupture de l'Espagne avec le Front Polisario, en 1985, et son éloignement de tous les régimes progressistes du tiers monde qu'elle a soutenus (Algérie, Nicaragua sandiniste), mais aussi la priorité accordée aux bonnes relations avec le Maroc – où Juan Carlos s'est rendu, en février 1986, pour assister aux cérémonies anniversaires –, et enfin, l'annonce, un mois auparavant, de l'établissement de relations diplomatiques avec Israël. Cette reconnaissance, attendue de longue date, a mis fin à un anachronisme. Cependant, elle risquait d'avoir de lourdes conséquences sur les liens privilégiés entre Madrid et le monde arabe. Conscient de ce danger, deux mois plus tard, le gouvernement élevait la représentation de l'OLP en Espagne au rang d'ambassade, un geste essentiellement symbolique. Surtout, le 15 avril 1986, il interdisait le survol du territoire espagnol aux bombardiers américains qui allaient effectuer un raid meurtrier sur la Libye, marquant ainsi les limites de son engagement auprès des quinze pays de l'OTAN.

Le rêve de Felipe Gonzalez de faire du PSOE un grand parti centriste, symbole de la nouvelle Espagne, ne pouvait, semble-t-il, se réaliser qu'au prix de ces renoncements et d'une autocensure permanente. Le dixième anniversaire de la mort de Franco, le 20 novembre 1985, a été l'occasion de faire cette examen de conscience : les Espagnols ont compris qu'ils ont vécu dix ans de paix politique et sociale notamment parce qu'ils ont éludé tous les débats de fond (forme de l'État, nationalités, politique étrangère). Cette attitude a engendré une société qui a toutes les apparences de la maturité, qui s'acharne à donner une image de modération politique sans avoir vécu les affrontements d'idées qui sont le propre des démocraties, et qui survalorise les libertés individuelles – la *movida*, expression d'une recherche culturelle hâtive de la jeunesse en est un exemple – faute d'avoir épuisé le contenu des valeurs traditionnelles. Le fait qu'un référendum truqué offrant une fausse alternative – comme ce fut le cas de la consultation sur l'OTAN – ait pu réveiller des passions aussi vives prouve peut-être que cette maturité n'est pas aussi profonde que le monde s'est plu à le répéter.

Anne-Marie Romero

Pologne. Les succès du général-secrétaire

A l'évidence, l'année 1985-1986 a été pour le général Jaruzelski celle des premiers grands succès. Il a retrouvé une certaine assise internationale en renouant les relations diplomatiques avec l'Occident, son entente avec son voisin soviétique semble être au beau fixe, tandis qu'à l'intérieur du pays, il est parvenu à deux reprises à imposer de nouvelles hausses des prix sans réactions sérieuses de la société. L'Église, tout en clamant son indépendance et en maintenant son soutien de principe à Solidarité, a normalisé ses relations avec le général-secrétaire, alors que le syndicat Solidarité a pesé de moins en moins sur le cours des événements. La répression a continué à s'abattre, drue.

1. Démographie, culture, armée

	Indicateur	Unité	1965	1975	1985
Démographie	Population	million	31,5	34,0	37,3
	Densité	hab./km²	101	109	119
	Croissance annuelle	%	1,0 [c]	0,9 [e]	1,0 [f]
	Mortalité infantile	‰	43,2	27 [d]	18,0
	Espérance de vie	année	68,3 [g]	70,6 [d]	72 [f]
	Population urbaine	%	49,7	55,7	59,2
Culture	Nombre de médecins	‰ hab.	1,3	2,2	2,38 [b]
	Scolarisation *2e degré* [h]	%	61,0	72	75 [a]
	3e degré	%	17,5	16,8	15,7 [a]
	Postes tv (L)	‰	66	189	236,5 [b]
	Livres publiés	titre	8 509	10 277	9 195 [b]
Armée	Marine	millier d'h.	17	25	19
	Aviation	millier d'h.	45	58	90
	Armée de terre	millier d'h.	215	210	210

a. 1983; b. 1984; c. 1960-70; d. 1970-75; e. 1970-80; f. 1980-85; g. 1960-65; h. 15-18 ans.

2. Commerce extérieur [c]

Indicateur	Unité	1965	1975	1985
Total imports	milliard $	2,3	12,5	10,8
Machines et biens d'équipement	%	32,8	37,4	33,5
Produits agricoles	%	22,3	17,8	11,5
Produits énergétiques	%	7,3	9,5	22,2
Total exports	milliard $	2,2	10,8	11,5
Produits énergétiques	%	15,8	19,7	15,5
Produits agricoles	%	24,6	11,5	9,8
Produits industriels	%	52,0	59,4	73,7
Principaux fournisseurs	% imports			
URSS		31,1	25,3	45,4 [b]
PCD		28,7	49,3	18,9 [a]
PVD		9,2	4,9	4,9 [a]
Principaux clients	% exports			
URSS		35,1	31,5	39,5 [b]
PCD		30,0	31,5	23,5 [a]
PVD		7,4	8,6	8,4 [a]

a. 1984; b. 1983; c. Marchandises.

A bien des égards le régime polonais, ébranlé par un mouvement social sans précédent de 1980 à 1981, a réussi à rétablir la situation. Il s'est installé dans la durée. Les déséquilibres toujours perceptibles

3. Économie

Indicateur	Unité	1965	1975	1985
P M N [f]	milliard zloty	531,3	1 349,7	7 181,8 [a]
Croissance annuelle	%	6,1 [h]	5,2 [i]	3,0
Par habitant	millier zloty	16,9	39,7	193,6 [a b]
Structure du P M N [f]				
Agriculture	% } 100 %	19,2	14,8	17,5 [a]
Industrie	% } 100 %	60,8	70,8	61,2 [a]
Services	% } 100 %	20,0	14,4	21,3 [a]
Dette extérieure nette [g]	milliard $	1,1 [k]	7,4	29,3 [e]
Inflation	%	..	..	13,0
Population active	million	..	18,3	20,6 [a]
Agriculture	%	41,4	37,3	30,2 [a]
Industrie et construction	%	33,6	35,0	37,1 [a]
Services	%	25,0	27,7	32,7 [a]
Dépenses publiques				
Éducation	% P M N [f]	..	3,7	4,3 [e]
Défense	% P M N [f]	7,2	3,9	3,0 [a]
Recherche et développement	% P M N [f]	1,8 [j]	2,7	1,0 [d]
Production d'énergie	million T E C	128,1	159,3	170,9 [c]
Consommation d'énergie	million T E C	110,7	142,3	161,4 [c]

a. 1984 ; b. Le P I B par habitant a été, selon Wharton Econometrics, de 4 081 dollars en 1985 ; c. 1983 ; d. 1982 ; e. Dette envers le C A E M : 5,6 milliards de roubles ; f. Produit matériel net ; g. Envers l'Occident ; h. 1960-70 ; i. 1970-80 ; j. 1967 ; k. 1970.

ont pris une envergure moindre, et si la Pologne n'est pas encore complètement entrée dans le rang, elle n'est plus au bord de l'explosion sociale.

La meilleure réussite du général a été son « escale » surprise à Paris, en décembre 1985, pour un entretien avec François Mitterrand. Si elle a « troublé » le Premier ministre Laurent Fabius et a choqué l'opinion française, cette visite a symbolisé surtout la fin de l'isolement diplomatique de la Pologne. La France s'était en effet distinguée par sa fermeté envers la junte militaire issue du coup de force du 13 décembre 1981, contrairement à la RFA, par exemple, qui s'était montrée plus compréhensive. Cette rencontre parisienne n'a débouché sur aucune mesure spectaculaire, sinon sur un voyage d'affaires, en janvier 1986, de Jean-Michel Baylet, secrétaire d'État aux relations extérieures. Paris a ainsi affirmé sa volonté de relancer les échanges économiques avec la Pologne et, pour la première fois depuis septembre 1981, la commission mixte franco-polonaise s'est réunie à cette occasion. Il faut dire qu'en quatre ans, la part de la France dans les importations polonaises avait fortement diminué au profit d'autres pays occidentaux, en particulier des États-Unis qui avaient pourtant décrété des sanctions économiques contre le régime polonais.

Mais au-delà de ces évolutions françaises, la reconnaissance internationale du général Jaruzelski s'est accélérée pendant cette période. Washington a levé l'essentiel des sanctions, plusieurs personnalités politiques occidentales ont fait le voyage à Varsovie, notamment l'ancien chancelier ouest-allemand Willy Brandt, jusqu'au président du

Congrès juif mondial venu en décembre 1985 à l'invitation du général. Ce dernier avait d'ailleurs essayé d'améliorer son image internationale en se rendant pour la première fois, en septembre 1985, devant l'Assemblée générale de l'ONU, où il avait prononcé un discours sans surprise. Cette ouverture avait malgré tout ses limites. Mettant les bouchées doubles, le gouvernement polonais a eu l'idée de rééditer en janvier 1986 le Congrès des intellectuels pour la paix de 1948. Toutes les grandes figures internationales avaient été sollicitées, mais toutes ont décliné l'invitation et le Congrès s'est réuni avec les seuls compagnons de route habituels des partis communistes. Un échec donc.

Reste que le bilan diplomatique de l'année a été globalement positif et a placé dans l'embarras les opposants démocratiques au régime. Lors de la promenade parisienne du général, Lech Walesa et ses amis ont d'ailleurs été beaucoup moins critiques que leurs sympathisants en France. Ils espéraient qu'il en sortirait quelque chose de positif pour la Pologne.

Hausse des prix

C'est qu'à l'intérieur du pays, cette normalisation des relations extérieures a correspondu à une reprise en main d'une société assez passive. Alors que la situation économique est loin d'être redressée – un rapport de la très officielle Académie des sciences présenté au gouvernement début 1985 s'est montré extrêmement pessimiste –, par deux fois des hausses considérables des prix à la consommation ont été décidées. De mars à juillet 1985, le premier train de hausses, d'abord prévu pour février, s'est étalé en trois phases, suite à une « négociation » avec les syndicats officiels. Ces hausses concernaient, pour le 1er mars, la farine et le pain (30 à 42 %) avec suppression parallèle du rationnement, le sucre (45 %), toujours rationné, et une série d'autres produits; pour le 1er avril, le charbon (20 %), l'électricité (22 %) et le gaz domestique (30 %); en juin-juillet, le beurre et les graisses (jusqu'à 90 %), et enfin la viande (10 à 15 %), toujours rationnée. D'abord, ces augmentations ont été accueillies par un mot d'ordre de grève que Solidarité abandonna au dernier moment. Ensuite, seules quelques entreprises ont protesté localement, ce qui n'est pas sans signification lorsqu'on se souvient que de 1970 à 1982 les autorités polonaises n'avaient pu augmenter les prix sans déclencher d'importantes réactions sociales (1970-1971, 1976, 1980). Or, l'impressionnant déploiement policier à la porte des usines en avril 1985 ne suffit pas à expliquer cette faible riposte. Un an plus tard, d'ailleurs, les autorités ont récidivé en augmentant, le 17 mars 1986, les prix d'un grand nombre de produits alimentaires – de 8 à 20 % –, mais aussi du charbon, du gaz et de l'électricité et des transports en commun. Les réactions ont alors été encore plus dispersées et Lech Walesa s'est limité à un vague : « Je pense qu'une protestation de la classe ouvrière serait justifiée. »

Second test du rétablissement de l'ordre intérieur, les élections législatives d'octobre 1985. Il s'agissait des premières du genre depuis février 1980. Plusieurs fois repoussées, elles s'annonçaient difficiles pour le régime, en particulier après le demi-échec des élections municipales de juin 1984. L'opposition démocratique a demandé là encore à la population de ne pas se rendre aux urnes pour manifester son désaccord avec « le mensonge, la terreur, l'existence de prisonniers politiques et une législation indigne des populations civilisées »; le chef de l'Église, le cardinal primat Josef Glemp, annonçait un mois avant le scrutin qu'il « ne voterait pas ». Pourtant, le résultat a été jugé « satisfaisant » par le gouvernement, et Solidarité a reconnu que le succès du boycott avait été « modéré ». Selon les deux estimations, une majorité plus large qu'aux municipales a voté (66 % des inscrits selon Solidarité, 78,8 % selon les autorités) et les défections ont surtout été constatées dans les grandes villes. Zbigniew Bujak, le dirigeant clandestin du syndicat indépendant, arrêté depuis, n'a d'ailleurs pas caché, lors d'une rencontre avec la presse occidentale, « une certaine déception, même si un raisonnement lucide ne permettait guère d'espérer mieux ».

Le général Jaruzelski a tiré symboliquement les conséquences de cette nouvelle « légitimité » en déconcentrant formellement l'exercice du pouvoir. Il a renoncé, début novembre 1985, à son poste de Premier ministre, se réservant celui du chef de l'État, et il a épuré le bureau politique du Parti communiste (POUP) des personnages considérés comme les plus « durs ». En fait, il est devenu clair que ses succès, petits et grands, à l'intérieur comme à l'extérieur, lui ont donné la marge de manœuvre suffisante pour unifier l'équipe de ses fidèles et pour s'assurer la pérennité dans la conduite des affaires du pays.

L'opposition démobilisée

Ainsi, après cinq ans de mesures lentes, difficiles mais obstinées, le général-secrétaire a commencé à récolter les fruits de sa politique normalisatrice. Et l'opposition s'est trouvée dans une situation et sous des pressions de plus en plus lourdes. Si le prestige de Solidarité est demeuré intact dans le cœur des Polonais, le souvenir des belles années 1980-1981 a commencé à s'estomper, les difficultés de la vie quotidienne, la fatigue et les initiatives du pouvoir entretenant une réelle démobilisation : signes de résignation, repli sur la vie privée, éloignement de l'action sociale et politique. La génération qui s'est battue sans interruption depuis le milieu des années soixante-dix s'est essoufflée, la nouvelle n'a guère d'illusions, et les actions centrales de Solidarité se sont faites de plus en plus rares. Le syndicat rencontre de moins en moins d'enthousiasme à la lutte, les clandestins s'interrogent sur leur rôle, n'y trouvant plus qu'une justification morale. « Nous n'avons vraiment pas le choix ; trop de gens nous ont fait confiance », confessait Bujak en octobre 1985. Car chacun sait que la qualité et le niveau de diffusion de la presse clandestine ont baissé et qu'en dépit d'un accueil sympathique, la population n'y croit plus beaucoup. Les relais sociaux des clandestins et de l'opposition démocratique se sont amenuisés.

POLOGNE

République populaire de Pologne.
Capitale : Varsovie.
Superficie : 312 677 km² (0,57 fois la France).
Carte : p. 462.
Monnaie : zloty (1 zloty = 0,042 FF au 18.6.86).
Langue : polonais.
Chef de l'État : général Wojcieh Jaruzelski, président du Conseil d'État.
Premier ministre : Zbigniew Messner.
Nature de l'État : État socialiste.
Nature du régime : régime de type soviétique à plusieurs dimensions hétérodoxes : Église, paysannerie, large opposition sociale et politique.
Principaux partis politiques : Parti ouvrier unifié polonais (POUP) ; Parti démocrate ; Parti paysan unifié (ces trois partis et d'autres associations forment le Mouvement patriotique pour la renaissance nationale (PRON), sous la direction du POUP). *Éléments d'un pluralisme politique parallèle :* TKK, direction clandestine du syndicat Solidarité.

Le sigle « Solidarité » lui-même recouvre des réalités très différentes selon les régions ou dans une même ville. L'implantation dans les entreprises est certes restée sans commune mesure avec ce que l'on peut observer dans le reste du bloc soviétique. En ce sens, la braise n'est pas éteinte et le rapport des forces peut encore basculer. Mais l'éparpillement de l'opposition renvoie aussi à une diversité politique grandissante et à des débats souvent très confus sur l'avenir et la stratégie à adopter. Le recul de la mobilisation sociale alimente un repli des militants sur eux-mêmes et des discussions en cercles fermés, toujours plus difficilement mises à l'épreuve de la pratique.

Et puis il y a surtout la répression qui, pour être plus sélective, ne s'est pas ralentie. Elle se veut même plus efficace, s'attaquant d'abord aux dirigeants du mouvement, à l'infrastructure clandestine (imprimeries) et aux militants d'entreprises. Les peines ont été aggravées et l'on a recensé – selon les autorités – plus de quatre cents prisonniers politiques au début de 1986. Cette année devait rester la plus noire pour la direction clandestine du syndicat indépendant. En février, Bogdan Borusewicz, leader de Gdansk et homme clé de cette région, était arrêté; et surtout, le 31 mai, Zbigniew Bujak, porte-parole et principal responsable de la direction nationale clandestine, tombait à son tour. Le peu d'espoir des membres de Solidarité peut-il être résumé par les résultats d'un sondage effectué début 1986 auprès de cinq cents militants et adhérents du syndicat? 65 % d'entre eux considéraient que « seul un bouleversement international pouvait changer la situation de la Pologne ».

Jean-Yves Potel

BIBLIOGRAPHIE

Ouvrages

DAVIES N., *Histoire de la Pologne*, Fayard, Paris, 1986.

MICHEL P., MINK G., *La mort d'un prêtre*, Fayard, Paris, 1985.

ZAGAJEWSKI A., *Solidarité, solitude*, Fayard, Paris, 1986.

Articles

JULIEN C., « Droit de l'homme et démocratie : croisade polonaise », *Le Monde diplomatique*, janvier 1986.

LABA R., « Solidarité et les luttes ouvrière en Pologne », *Actes de la recherche en sciences sociales*, mars 1986.

MINK G., « Le pari de l'aide étrangère à l'agriculture polonaise », *Le Courrier des pays de l'Est*, janvier 1985.

MINK G., STRZELECKI J., « Rapport des académiciens polonais : le pouvoir confronté à l'hypothèse d'un effondrement général », *Le Courrier des pays de l'Est*, juin 1985.

Solidarnosc, « Pologne, cinq ans après », *Autogestions*, n° 22, 1985-1986.

Iran. Puissance incertaine

L'image de l'Iran dans l'opinion occidentale et dans certains pays arabes est celle d'une force menaçante. Le président Reagan l'a rangé parmi les cinq pays qui propagent le terrorisme international; en Italie, après l'attentat de Rome de décembre 1985, les responsables de la sécurité ont déclaré que ses auteurs avaient été entraînés en Iran; les pays membres du Conseil de coopération du Golfe n'ont cessé de se dire menacés par l'Iran, et l'Irak a dénoncé maintes fois l'agression iranienne. Le Djihad islamique est perçu comme l'un des « instruments » de la diplomatie iranienne : en fait, on considère ce pays comme une force de déstabilisation régionale et internationale.

A côté de cette image, l'année 1985 a été témoin de l'incapacité constante des fractions au pouvoir en Iran à élaborer un projet politico-économique minimal. Tout au long de l'année, le régime iranien a continué d'agir selon les directions propres à chacun des groupes composant le bloc hégémonique au pouvoir, c'est-à-dire dans des directions différentes, voire contradictoires.

Contradictions

Ainsi le 4 février 1985, le « boucher de Téhéran », l'ayatollah Ladjevardi, qui, en tant que procureur des tribunaux révolutionnaires de Téhéran, avait condamné à mort des milliers de personnes, était évincé en raison de la dureté de son comportement à l'endroit des prisonniers. A peine une semaine plus tard, le 11 février, le siège de l'unique organisation politique d'opposition officielle (le Mouvement de libération de l'Iran) était saccagé, ses membres battus, y compris son chef, M. Mehdi Bazargan. Trois mois après, le ministre de l'Intérieur, M. Nateq-nuri, déclarait que cette même organisation pouvait participer aux élections présidentielles.

Ces divergences se sont également manifestées en matière de politique étrangère. Le 24 janvier 1985, en visite officielle de trois jours au Nicaragua, le Premier ministre Hosseyn Mussavi faisait des déclarations de soutien aux sandinistes et des offres d'amitié réciproque. Du 26 juin au 5 juillet, à la tête d'une importante délégation au Japon et en république populaire de Chine, le président du Parlement, l'hodjatoleslam Hachemi Rafsandjani, invitait les États-Unis à prendre l'initiative pour le rétablissement des relations avec l'Iran. Les mêmes contradictions ont marqué les rapports avec le monde arabe. La Libye, l'Algérie et la Syrie sont les alliés privilégiés du régime, le discours officiel dénonce les pays arabes « réactionnaires »; au mois d'avril cependant, l'Iran ouvrait un bureau de commerce à Dubaï afin d'élargir

IRAN

République islamique d'Iran.
Capitale : Téhéran.
Superficie : 1 648 000 km² (3 fois la France).
Carte : p. 388.
Monnaie : rial (1 rial = 0,09 FF au 30.4.86).
Langues : farsi (officielle), kurde, azeri, baloutch, turkmène, etc.
Chef de l'État : ayatollah Khomeyni; son dauphin, l'ayatollah Montazeri, a été désigné le 24.11.85.
Président de la République : Ali Khameneï.
Premier ministre : Hosseyn Moussavi.
Nature de l'État : république islamique.
Nature du régime : théocratie basée sur les principes et l'éthique de l'islam, combinée à quelques éléments de démocratie parlementaire.
Principaux partis politiques : *Légaux :* Parti de la république islamique; Mouvement de libération de l'Iran. *Illégaux :* Parti démocrate du Kurdistan; Mouvement de la résistance d'Iran; Organisation des Modjahedins du peuple d'Iran.

ses échanges économiques avec les États arabes du Golfe, et un mois plus tard, le ministre des Affaires étrangères de l'Arabie saoudite, le prince Saoud al-Fayçal, se rendait à Téhéran.

Au plan intérieur, ces comportements politiques contradictoires s'expliquent par le discours démagogique d'un régime populiste, par les options divergentes des différentes fractions au pouvoir et leurs coalitions, partielles et passagères, selon le champ d'intervention. C'est pourquoi ni la réforme agraire, ni la nationalisation du commerce extérieur, ni la refonte de la législation du travail et de la sécurité sociale n'ont encore pu être entreprises. En matière de politique étrangère, les options politiques oscillent entre l'unité panislamiste, la solidarité tiers mondiste et des options plus pragmatiques. Ces contradictions reflètent également le comportement centrifuge des fractions au pouvoir dont l'État n'a pas encore réussi à devenir le lieu d'articulation dans leurs autonomies. Ce contexte explique que les fractions ont laissé se reproduire en 1985 le *statu quo* institutionnel : c'est ainsi qu'on peut interpréter la réélection du président sortant, Ali Khameneï (16 août 1985), avec une majorité « décisive » (85,6 % des voix selon les chiffres officiels); aussi a-t-il, à son tour, reconduit dans ses fonctions le Premier ministre sortant, Hosseyn Moussavi. Quant à la confirmation officielle, le 24 novembre, de l'ayatollah Hossein Ali Montazeri comme futur successeur du « guide de la Révolution », l'imam Khomeyni, elle reflétait bien plus le souci de maintenir le *statu quo* qu'une véritable option pour l'avenir institutionnel du régime.

Une opposition vivace

Les groupes d'opposition numériquement les plus importants demeurent le Parti démocrate du Kurdistan, qui opère essentiellement dans le Kurdistan iranien; le Mouvement de la résistance d'Iran dirigé de Paris par le dernier Premier ministre du shah, M. Shahpour Bakhtiar, qui a revendiqué la responsabilité des grandes manifestations du 17 mai 1985 à Téhéran; l'Organisation des Modjahedins du peuple d'Iran, qui fit alliance avec le régime de Khomeyni de 1979 à 1981. Ces deux derniers groupes rivalisent dans leur prétention à représenter la principale force d'opposition au régime. En 1985, les formes les plus spectaculaires de contestation intérieure ont été des attentats à la bombe, plus fréquents qu'en 1984, souvent dans des lieux publics, parfois avec des cibles précises : en avril, l'attaque d'un centre des Gardiens de la révolution a fait quatorze morts et trente-cinq blessés.

Une autre forme d'opposition s'est fait jour dans les grandes villes, plus spontanée et souvent liée à la contestation de la guerre. Ces manifestations – comme celle du 22 mars 1985 dans des mosquées de Mashhad à l'occasion d'une prière du Nouvel An –, du seul fait qu'elles ont eu lieu, ont mis en évidence les limites de la légitimité du régime de l'ayatollah Khomeyni, puisque toute initiative politique autonome est interdite. Quant aux femmes, le discours moralisant de l'État à leur endroit et la manière dont les médias ont reflété les punitions infligées à celles qui refusaient le code d'éthique officiel comme seul valable témoignent d'une résistance continue de la part de larges secteurs de la population féminine urbaine. Paradoxalement, celles-ci ont réussi à cristalliser la résistance grâce à des réseaux de rencontres et d'échanges, en reprenant le privé comme bastion de résistance à un pouvoir qui veut régler leur vie jusque dans leurs derniers retranchements. A ces diverses formes d'opposition, se sont ajoutées revendications et manifestations qui, indépendamment de leur caractère économique, ont aussi une dimension politique, qu'il s'agisse

1. Démographie, culture, armée

	Indicateur	Unité	1965	1975	1985
Démographie	Population	million	24,8	33,4	44,8
	Densité	hab./km²	15	20	27,2
	Croissance annuelle	%	2,7 [a]	3,1 [c]	3,1 [e]
	Mortalité infantile	‰	200 [f]	129 [d]	88
	Espérance de vie	année	45 [f]	55,9 [d]	60,2 [e]
	Population urbaine	%	38	45	55
Culture	Analphabétisme	%	..	63,8 [h]	49,2
	Nombre de médecins	‰ hab.	0,27	0,40	0,37 [g]
	Scolarisation *6-11 ans*	%	49,9	75,8	86,3
	12-17 ans	%	27,8	46,7	64,8
	3e degré	%	1,6	5,0	3,9 [b]
	Postes tv	‰	4	51	55 [b]
	Livres publiés	titre	985	2 187	4 835 [b]
Armée	Marine	millier d'h.	6	15	20,0
	Aviation	millier d'h.	10	60	35,0
	Armée de terre	millier d'h.	164	175	250

a. 1961-70; b. 1983; c. 1971-80; d. 1970-75; e. 1980-85; f. 1960; g. 1980; h. 1976.

2. Commerce extérieur [b]

Indicateur	Unité	1965	1975	1985
Commerce extérieur	% PIB	17,1	29,4	12,1 [a]
Total imports	milliard $	0,9	10,3	10,9
Produits agricoles	%	20.7	18,9	20,4 [a]
Produits miniers	%	0,5	0,4	..
Produits industriels	%	78,8	80,7	..
Total exports	milliard $	1,3	20,2	13,2
Produits agricoles	%	7,8	1,6	0,8 [a]
Pétrole et gaz	%	86,7	96,9	98,0
Tapis	%	3,5	0,6	..
Principaux fournisseurs	% imports			
C E E		49,2	38,9	40,1
États-Unis		18,0	19,8	0,7
Japon		7,8	16,1	13,4
Principaux clients	% exports			
C E E		39,3	39,1	34,0
États-Unis		5,3	7,7	5,0
Japon		15,8	24,8	16,5

a. 1984; b. Marchandises.

3. ÉCONOMIE

INDICATEUR	UNITÉ	1965	1975	1985
P N B	milliard $	5,8	55,5	f
Croissance annuelle	%	9,8 [b]	1,8 [c]	e
Par habitant	$	230	1 660	. .
Structure du P I B				
Agriculture	% } 100 %	25,1	9,3	18,9 [d]
Industrie	% } 100 %	30,6	54,8	34,0 [d]
Services	% } 100 %	44,3	35,9	47,1 [d]
Dette extérieure publique	milliard $	. .	3,8	0,5
Taux d'inflation	%	1,7 [g]	15,3 [h]	4,4
Population active	million	. .	9,4	12,5
Agriculture	%	47	42,2	33 [a]
Industrie	%	26	32	34 [a]
Services	%	26	30	27 [a]
Dépenses publiques				
Éducation	% P N B	3,4	5,7 [i]	3,8 [d]
Défense	% P N B	5,2	. .	13,5
Production d'énergie	million T E C	140,3	419,7	190,8 [d]
Consommation d'énergie	million T E C	9,8	43,4	47,3 [d]

a. 1980; b. 1960-73; c. 1973-83; d. 1983; e. Le PIB est tombé de 13 % entre 1976 et 1979, et à nouveau de 14 % en 1980. Taux de croissance : 1,5 % en 1981, 15,2 % en 1982, 13,0 % en 1983, 0,0 % en 1984; f. Impossible de convertir en dollars en raison des multiples taux de change; g. 1960-70; h. 1974-78; i. 1976.

des manifestations simultanées de travailleurs dans plusieurs villes, le 27 janvier, ou des multiples accrochages de la population avec les forces de l'ordre dans les centres de distribution de rationnement.

L'évolution de la guerre irano-irakienne, déclenchée en septembre 1980, a abouti, surtout en février 1986, à des gains militaires pour l'Iran. Deux opérations successives lancées au sud, Al-fadjr-8, et au nord, Al-fadjr-9, ont permis à l'armée d'occuper le territoire irakien, indiquant un changement dans la stratégie militaire iranienne, à savoir la substitution des attaques en vagues humaines par des forces mieux entraînées, ainsi qu'une logistique mieux assurée. Indépendamment de ces victoires, la fonction centrale de la guerre est restée la même : c'est le moyen d'exercer le pouvoir par la crise; pour les dirigeants, la guerre est utile, car elle permet de militariser toujours davantage la société et de gérer le pays avec une économie de guerre. Une telle gestion semblait encore être, en 1986, la solution idéale pour un régime dont les différentes fractions n'arrivent pas à s'entendre sur un projet de société.

La structure fondamentale de l'économie n'a pas été modifiée : elle est restée dépendante avant tout de la rente pétrolière et son insertion dans le système économique mondial a continué de se faire par le biais de cette rente et de sa gestion. Cependant, on a constaté une détérioration générale de la situation en raison des coûts socio-économiques de la guerre, ainsi que des fluctuations et de la tendance continue à la baisse du prix du pétrole. La déclaration du 13 février 1985 de M. Mussavi, annonçant l'intention du gouvernement de vendre un certain nombre d'usines appartenant à l'État, et toutes les décisions prises en ce sens depuis, n'ont nullement inversé cette tendance. Dans le secteur privé, l'économie s'est caractérisée en 1985 et 1986 par un marché noir où circule la majeure partie des biens échangés, et un secteur public corrompu, de l'avis même de certains responsables de l'État. Si l'on ajoute à cela, d'une part le fait que toutes les denrées sont réparties selon des modalités visant à renforcer le clientélisme politique, et d'autre part l'absence de données statistiques vérifiables, alors on saisit mieux pourquoi le taux d'inflation, le taux de chômage et même le PNB ne sauraient être considérés comme des indicateurs économiques au sens habituel de ces termes. Cependant, le taux de désinvestissement a atteint en 1985 3,5 % dans l'ensemble des secteurs, ce qui en dit long sur l'état de dégradation générale dans lequel se trouve l'économie iranienne.

Au printemps 1986, il semblait que la répression, quelles qu'en soient les formes exercées par le régime, ne pouvait plus contenir le mécontentement grandissant dans la population. Le régime n'était pas au bout de ses difficultés...

Modj-ta-ba Sadria

BIBLIOGRAPHIE

Ouvrages

CARRÉ O., DUMONT P., *Radicalismes islamiques. Tome I : Iran, Liban, Turquie,* L'Harmattan, Paris, 1986.

HAGHIGHAT C., *Iran, la révolution islamique*, Complexe, Bruxelles, 1985.

KAPUŚCIŃSKI R., *Le shah ou la démesure du pouvoir*, Flammarion, Paris, 1986.

TAHERI A., *Khomeiny*, Balland, Paris, 1985.

Articles

MOBASSER S., « Le bazar de Téhéran », *Économie et humanisme*, nº 286, novembre-décembre 1985.

MOMAYEZI N., « Economic Correlates of Political Violence : the Case of Iran », *The Middle East Journal*, nº 1, hiver 1986.

SAMARBAKHSH G., « L'État de non-droit ou l'État sans parti », *L'Afrique et l'Asie modernes,* nº 145, été 1985.

République sud-africaine. L'état de siège permanent

L'Afrique du Sud a souvent fait la une de l'actualité en 1985 et au début de 1986 : révolte des ghettos noirs et sanctions internationales ont été les deux thèmes dominants. Mais, derrière la dénonciation du racisme institutionnel, souvent entachée de bonne conscience, comprend-on que ce qui se joue dans ce pays est la manifestation, sous des formes extrêmes, de l'affrontement Nord-Sud et que cela concerne toute l'humanité ?

L'évolution de la situation en 1985-1986 fait apparaître trois grands phénomènes : le pouvoir blanc, par la convergence d'une série de circonstances, a perdu l'hégémonie idéologique et morale tout en maintenant fermement sa puissance militaire et policière ; en second lieu, les Noirs sud-africains, et tout particulièrement leur fraction majoritaire jeune, urbanisée, ont instauré un état de révolte permanent. Enfin, l'évolution économique sape les bases de la domination blanche, tant dans ses manifestations internationales qu'à l'intérieur du pays.

Le pouvoir blanc ébranlé

L'apparente immobilité dans laquelle les racistes de Prétoria se drapent cache un effritement progressif de leurs positions. Ils sont désormais clairement entrés dans une phase de désarroi et ont perdu l'initiative idéologique, à l'intérieur du pays et sur le plan international, en reconnaissant l'échec du projet insensé d'apartheid. Il n'y a plus de doctrine chez les nationalistes blancs, qui se bornent à gérer l'État en réagissant aux initiatives qui s'imposent à eux, tant de la part des Noirs que des milieux financiers internationaux. Après Pik Botha, le ministre des Affaires étrangères, qui, en 1982, avait reconnu le désastre des bantoustans, Pieter W. Botha, le président, a avoué que le contrôle des entrées dans les zones blanches était périmé et, le 15 août 1985, il est revenu, en termes vagues, sur la question de la citoyenneté des Noirs. Le 31 janvier 1986, il a promis la suppression des passeports intérieurs imposés aux Noirs (300 000 arrestations annuelles). Cette promesse a été confirmée en avril par un livre blanc annonçant aussi l'abolition du couvre-feu. En même temps, le gouvernement a fait savoir que les détenus allaient être libérés.

Pik Botha, vite démenti, a même évoqué l'éventualité d'un président noir en l'an 2000. Provocation? Démagogie? Il n'empêche que ce type de déclaration tranche avec la doctrine conquérante de l'apartheid prônée par l'ex-président Vorster. Les effets ne se sont pas fait sentir que chez les Afrikaners, majoritaires chez les Blancs : les responsables de l'Anglo American, l'une des deux sociétés minières géantes du pays, ont rencontré, en septembre 1985, une délégation du Congrès national africain (ANC) en Zambie; les dirigeants de l'opposition blanche, le Parti progressiste fédéral (PFP) lui ont emboîté le pas et leur chef, Frederik Van Zyl Slabbert, a démissionné de son poste, déclarant qu'il n'y avait plus de chances de réformer le système de l'intérieur. Sur ce fond de désarroi idéologique, des réformes mineures ont été adoptées, sur les marges de l'édifice : ainsi, en juin 1985, l'abolition symbolique de l'interdiction des relations sexuelles dites « interraciales ».

Dans le même temps, le pouvoir blanc s'est trouvé, au moins partiellement, lâché sur le plan international; les États-Unis, malgré l'opposition farouche de Ronald Reagan, ont fini, sous la pression de leur opinion publique, par agréer et reconduire des sanctions économiques limitées (Chester Crocker, le responsable américain de la politique africaine, a parlé, à propos de l'ANC, de « combattants de la liberté »). Poudre aux yeux? La communauté bancaire internationale a pourtant suspendu ses crédits vers l'Afrique du Sud et l'a contrainte à négocier un moratoire pour ses 14 milliards de dollars de dette à court terme, finalement signé le 20 février 1986; pour la première fois, les financiers ont lié explicitement le maintien des accords financiers à la mise en œuvre de changements internes : devant l'ingouvernabilité des ghettos, ils ont demandé des gages.

Le pouvoir nationaliste s'est donc vu contraint à cheminer sur le créneau étroit du maintien du gouvernement exclusif des Blancs. Il s'est refusé à mettre en cause les trois piliers juridiques de l'apartheid : le *Land Act*, qui donne 87 % des terres aux Blancs; le *Group Areas Act*, qui répartit les « races » en zones exclusives de résidence, et le *Population Registration Act*, qui attribue une « race » à tout Sud-Africain. La force militaire et policière est restée intacte et a réussi à circonscrire, au prix d'un état de siège permanent, la révolte dans les ghettos, comme elle a continué de frapper les territoires des voisins quand bon lui semblait.

La révolte des ghettos

Dans le même temps, les jeunes Noirs urbanisés, du Cap à Johannesburg, ceux qui forment la majorité agissante du pays, ont renforcé leur détermination à payer le prix sanglant de leur révolte, montant par vagues sans cesse renouvelées à l'assaut des *sjamboks* et des balles qui les fauchent, dans leur adolescence. L'état d'urgence, instauré en juillet 1985, levé le 7 mars 1986 puis rétabli le 12 juin, n'y a rien changé, même s'il a encore étoffé l'arsenal infini des pouvoirs de répression que le président Botha n'a pas pu renforcer par lois avant la grève générale du 16 juin célébrant le dixième anniversaire de Soweto.

Le nombre des morts n'a pas décru : 1 100 depuis septembre 1984, 800 de juillet 1985 à mars 1986, auxquels s'ajoutent dix mille arrestations, quatorze morts en détention, tortures quotidiennes et exécutions capitales comme celle de Benjamin Moloïse, en octobre 1985. On a compté parmi les emprisonnés des centaines de membres du Front démocratique uni (UDF), mouvement de résistance qui a accru son audience. Avec ou sans état d'urgence, le boycott des écoles a subsisté de manière endémique, et celui des commerces blancs s'est révélé efficace. Pour ce qui est de l'activité syndicale, le niveau des grèves a encore augmenté en 1985 et, en décembre, une centrale unitaire a vu le jour, le COSATU (Congress of South African Trade Unions), regroupant la puissante FOSATU

AFRIQUE DU SUD

République sud-africaine.
Capitale : Prétoria.
Superficie : 1 221 037 km² (2,2 fois la France).
Carte : p. 323.
Monnaie : rand (1 rand = 3,39 FF au 30.4.86).
Langues : afrikaans et anglais (officielles); xhosa, zoulou, sesotho, etc. (langues africaines).
Chef de l'État : Pieter W. Botha, président.
Nature de l'État : république centralisée. L'État central domine en outre des bantoustans noirs « indépendants ».
Nature du régime : parlementaire : la législation électorale est soumise à des critères raciaux (apartheid).
Principaux partis politiques : *Blancs :* Parti national (au pouvoir); Parti progressiste fédéral; Parti de la nouvelle république; Parti conservateur (extrême droite); Herztigte Nazionale Party (afrikaaner calviniste, extrême droite). *Noirs :* African National Congress (ANC, illégal); Inkatha Yenkululeko Yesizwve (zoulou); Pan-africanist Congress (PAC, illégal). Azania People's Organization (AZAPO, conscience noire). *« Coloured » :* Parti travailliste d'Afrique du Sud. *Indien :* Indian National Congress; Indian Reform Party. *Non racial :* Front démocratique uni (UDF).

1. Démographie, culture, armée

	Indicateur	Unité	1965	1975	1985
Démographie	Population	million	19,6	25,5	32,4
	Densité	hab./km²	16	21	26,5
	Croissance annuelle	%	2,6 [c]	2,7	2,5 [a]
	Mortalité infantile	‰	..	110 [d]	83 [g]
	Espérance de vie	année	..	49,5 [d]	53,5 [ae]
	Population urbaine	%	47	48	55,9
Culture	Analphabétisme	%	..	..	50 [bf]
	Nombre de médecins	‰ hab.	0,7	0,6	..
	Scolarisation *2e degré*	%	15	..	..
	3e degré	%	3,8	4,9	..
	Postes tv	‰	..	3,9	71 [h]
	Livres publiés	titre	1526	3 849	..
Armée	Marine	millier d'h.	3,5	40	9,0
	Aviation	millier d'h.	4,0	8,5	13,0
	Armée de terre	millier d'h.	19,0	38,0	76,4

a. 1980-85; b. 1983; c. 1960-70; d. 1970-75; e. 63 ans d'après les sources sud-africaines; Blancs : 72,3, Asiatiques : 63,9, Noirs : 58,9, Métis : 56,1; f. Blancs : 3 %, Asiatiques : 20,5 %, Noirs 54,5 %, Métis 31,5 %; g. Blancs : 13 ‰, Asiatiques : 20,4 ‰, Noirs : 90 ‰, Métis : 61,9 ‰; h. 1982.

2. Commerce extérieur [e]

Indicateur	Unité	1965	1975	1985
Commerce extérieur	%	23,0	23,1	25,8
Total imports	milliard $	2,6	7,6	11,5
Produits agricoles	%	9,4	7,5	6,8
Produits pétroliers	%	5,9	.. [b]	14,5 [a]
Autres produits miniers	%	2,5	2,1	0,2 [a]
Total exports	milliard $	2,6	8,9	16,5
Or	%	42,0	39,0	42,1
Autres produits miniers [f]	%	15,2	12,2	13,5
Produits agricoles	%	21,9	19,4	5,0
Principaux fournisseurs [c]	% imports			
Japon		5,7	11,1	17,0
Europe occidentale		54,1	58,4	43,0
États-Unis		18,9	17,7	23,7
Principaux pays clients [d]	% exports			
Europe occidentale		55,8	53,6	43,3
États-Unis et Japon		16,1	23,5	29,6
Afrique		13,9	11,0	8,1

a. 1984; b. Confidentiel; c. 23 % des importations proviennent en 1985 de destinations non spécifiées. Les pourcentages se réfèrent à la partie des importations dont l'origine est spécifiée; d. Or non compris; e. Marchandises : les chiffres concernent l'Union douanière formée avec le Lésotho, le Swaziland, le Botswana et la Namibie; f. Platine et uranium (6,2 %) non compris.

3. Économie

Indicateur	Unité	1965	1975	1985
P I B	milliard $	11,2	37,5	54,3
Croissance annuelle	%	5,9 [b]	2,8 [c]	– 0,7
Par habitant	$	570,6	1 470,6	1 677,0
Structure du P I B				
Agriculture	% } 100 %	10,2	9,4	6,4
Industrie	% } 100 %	39,9	46,6	43,7
Services	% } 100 %	49,9	44,0	49,9
Dette extérieure	milliard $	..	13,8	23,0
Taux d'inflation	%	2,8 [h]	11,6 [i]	16,0
Population active	million	6,4	8,8	9,4 [a]
Agriculture	%	29,5 [d]	30,6 [e]	15,0 [f]
Industrie	%	27,3 [d]	27,5 [e]	32,4 [f]
Services	%	34,7 [d]	34,9 [e]	42,8 [f]
Dépenses publiques				
Éducation	% P I B	2,5	4,3 [j]	..
Défense	% P I B	3,2	2,8	3,7 [g]
Production d'énergie	million T E C	48,5	69,8	105,9 [g]
Consommation d'énergie	million T E C	54,8	84,2	99,9 [g]

a. 1984 ; b. 1960-73 ; c. 1973-83 ; d. 1960 ; e. 1970 ; f. 1980 ; g. 1983 ; h. 1960-70 ; i. 1974-78 ; j. 1976.

BIBLIOGRAPHIE

Ouvrages

AMNESTY INTERNATIONAL, *Afrique du Sud, répression des opposants à l'apartheid*, Paris, 1985.

BENSON M., *Nelson Mandela*, Penguin, Harmondsworth, 1986.

BREYTENBACH B., *Feuilles de route*, Seuil, Paris, 1985.

CONFÉRENCE INTERNATIONALE DU TRAVAIL, *Rapport spécial du directeur général sur l'application de l'apartheid en Afrique du Sud*, BIT, Genève, 1985.

LELYVELD J., *Afrique du Sud. L'apartheid au jour le jour*, Presses de la Cité, Paris, 1986.

LORY G. (sous la dir. de), *Afrique du Sud*, *Autrement*, hors série, n° 15, 1985.

MANDELA W., *Une part de mon âme*, Seuil, Paris, 1986.

NAIDOO I., *Dans les bagnes de l'apartheid*, Messidor, Paris, 1986.

ZORGBIBE C., *Les derniers jours de l'Afrique du Sud*, PUF, Paris, 1986.

Articles

BERÈS A., L'archipel des bantoustans, *Hérodote*, n° 41, 2e trimestre 1986.

CORNEVIN M., « L'Afrique du Sud : l'accélération de l'histoire depuis le 3 septembre 1984 », *Afrique contemporaine*, n° 136, octobre-décembre 1985.

(Federation of South African Trade Unions) et le syndicat des mines NUM (National Union of Mineworkers) avec d'autres syndicats.

Pour sa part, l'ANC, dont la figure de Nelson Mandela est plus que jamais populaire (manifestation en faveur de sa libération au Cap, fin août 1985), a poursuivi ses actions militaires de sabotage et des attentats qui ont fait, pour la première fois, des victimes blanches.

Dans son ensemble, le mouvement d'opposition noir, malgré des divergences internes, a le vent en poupe. Il ne lui reste pas moins un immense chemin à parcourir. Comment le fera-t-il? Certaines hypothèses sont terrifiantes.

Les faiblesses structurelles de l'économie sud-africaine ont été accentuées par la conjoncture internationale qui ne lui a pas été favorable, malgré un raffermissement des cours de l'or. Ces faiblesses sont connues : économie de sous-emploi endémique – un organisme gouvernemental prévoit un taux de 50 % de chômage chez les Noirs d'ici à l'an 2000; étroitesse des marchés intérieurs; dépendance de l'exportation des minerais; inflation des dépenses publiques, renforcée précisément par l'apartheid. L'inflation a connu en 1985 un taux annuel de 21 %. La monnaie sud-africaine, le rand, s'est nettement dévaluée, tombant à moins de 35 cents américains, puis remontant en janvier 1986 à 41 cents.

Dans ce contexte, l'organisation de sanctions et un mouvement notable de désinvestissements sont venus accroître les difficultés du pouvoir blanc. Sera-ce suffisant pour qu'il entende enfin raison? La question centrale est de savoir quelle sera l'étendue des mesures de sanctions nécessaires.

Le régime raciste est déterminé à maintenir un état de siège de fait, mais il n'est pas maître des évolutions. Ce blocage, compte tenu de la force brute disponible, pourrait encore durer longtemps.

Jean-Claude Barbier

Mexique. Année d'épreuves

En 1985 et pendant les premiers mois de 1986, le Mexique s'est enfoncé dans la crise économique. Leitmotiv : la dette extérieure (100 milliards de dollars), la chute des prix du pétrole et la reconstruction à la suite des séismes. Pour le Mexique, il n'est pas question de ne pas payer la dette, mais d'en obtenir un rééchelonnement acceptable n'entravant pas le développement du pays, à travers un traitement différencié des créanciers.

Pour les États-Unis et le FMI, un arrangement serait possible à condition que le Mexique fasse des concessions : infléchissement de sa politique centraméricaine, établissement d'un marché « ouvert » avec son voisin du Nord, abolition de la loi sur les investissements étrangers, accélération de la privatisation de l'économie nationale, ce que le Mexique ne peut accepter sans remettre en cause tout son système économique et politique. Ces exigences ont provoqué un regain de nationalisme autour de la défense de la souveraineté et de l'indépendance, alimenté par la campagne antimexicaine orchestrée aux États-Unis. Début juin 1986, la situation était telle que des secteurs de plus en plus larges de la société nationale réclamaient un moratoire du paiement de la dette.

A ces déboires s'est ajouté le désordre pétrolier international qui a provoqué la chute du prix de la principale source de devises. Cette situation repose avec acuité le problème de la diversification des exportations, défavorisée par le protectionnisme des pays industrialisés. Avec sa prochaine entrée au GATT (Accord général sur les tarifs douaniers et le commerce), très controversée dans le pays, le Mexique espère stimuler les exportations non pétrolières.

Le PIB a tout de même crû d'environ 3 %. Mais les Mexicains, dans leur vie quotidienne, ont surtout été sensibles à l'inflation, officiellement de 58 % en 1985, et qui pourrait dépasser les 80 % en 1986. Les réserves en devises de la Banque du Mexique ont chuté de 50 % en 1985. Quant à la monnaie, elle n'a cessé de se dévaluer : le dollar, qui valait 245 pesos début juillet 1985, s'achetait à 546 pesos fin mai 1986. La balance commerciale a baissé de 40,5 % entre janvier et septembre 1985 par rapport à la même période de 1984.

Les carences des pouvoirs publics

Le Mexique se trouve donc dans une situation économique très vulnérable, alors qu'il doit également faire face à la reconstruction après les tremblements de terre des 19 et 20 septembre 1985 qui ont secoué la capitale et les États de Guerrero, de Michoacán et de Jalisco. Une Commission nationale de reconstruction a été installée en octobre. Les chiffres officiels, dans un souci de minimiser la catastrophe, font état de 4 516 victimes, mais selon d'autres sources, leur nombre serait de dix à vingt mille... Le ministère du Développement urbain et de l'Écologie (SEDUE) estime à 500 000 le nombre de sinistrés. Ce désastre a mis en lumière les insuffisances du système. Ainsi, la moitié des édifices affectés sont des constructions publiques (écoles, hôpitaux, bâtiments gouvernementaux...). Une partie de l'aide internationale n'est jamais parvenue à ses destinataires et, à la veille de la Coupe du monde de football, de nombreux sinistrés vivaient encore dans les parcs sous des tentes et des cabanes de fortune. L'inertie du pouvoir des premiers jours a été compensé par la mobilisation spontanée de la société civile qui s'est organisée en dehors des institutions, officielles ou non. De nouveaux acteurs sont apparus (comme les couturières du syndicat « 19 septembre » et les organisations de sinistrés,

MEXIQUE

États unis du Mexique.
Capitale : Mexico.
Superficie : 1 967 183 km² (3,6 fois la France).
Carte : p. 341.
Monnaie : peso (1 peso = 0,013 FF au 28.5.86).
Langues : espagnol (officielle), langues indiennes.
Chef de l'État : Miguel de la Madrid Hurtado, président (1.8.85).
Nature de l'État : république fédérale (31 États et un district fédéral).
Nature du régime : démocratie présidentialiste très liée au PRI, parti officiel.
Principaux partis politiques : *Gouvernement :* Parti révolutionnaire institutionnel (PRI, centriste). *Opposition légale :* Parti d'action nationale (PAN, droite catholique); Parti socialiste unifié du Mexique (PSUM, influence prépondérante de l'ancien Parti communiste mexicain, PCM, prosoviétique); Parti populaire socialiste (PPS, gauche); Parti authentique de la révolution mexicaine (PARM); Parti démocratique mexicain (PDM, conservateur); Parti mexicain des travailleurs (PMT, gauche); Parti socialiste des travailleurs (PST); Parti révolutionnaire des travailleurs (PRT, trotskiste).

1. Démographie, culture, armée

	Indicateur	Unité	1965	1975	1985
Démographie	Population	million	41,3	60,2	78,5
	Densité	hab./km²	21	30	39,9
	Croissance annuelle	%	3,4 [a]	3,5 [g]	2,5 [e]
	Mortalité infantile	‰	78 [c]	69 [d]	47,0
	Espérance de vie	année	58 [c]	62,2 [d]	65,7 [e]
	Population urbaine	%	51 [c]	63	70,0
Culture	Analphabétisme	%	35 [c]	24	9,7
	Nombre de médecins	‰ hab.	0,57	0,80*	0.96 [h]
	Scolarisation *6-11 ans*	%	67,8	86,8	96,4
	12-17 ans	%	43,1	57,7	75,3
	3e degré	%	5,0	10,3	15,2 [f]
	Postes tv	‰	30	84	290 [f]
	Livres publiés	titre	..	5 822	2 818 [b]
Armée	Marine	millier d'h.	8,5	11,5	20,0
	Aviation	millier d'h.	6	6	5,5
	Armée de terre	millier d'h.	..	315	100,0

a. 1961-71; b. 1982; c. 1960; d. 1970-75; e. 1980-85; f. 1983; g. 1971-80; h. 1980.

2. Commerce extérieur [a]

Indicateur	Unité	1965	1975	1985
Commerce extérieur	% PIB	6,5	5,4	11,2
Total imports	milliard $	1,6	6,6	13,5
Produits agricoles	%	9,5	15,0	16,0
Produits miniers	%	5,5	9,2	2,2 [b]
Produits industriels	%	85,0	75,8	65,3 [b]
Total exports	milliard $	1,0	2,9	22,1
Produits agricoles	%	64,5	39,8	8,8 [b]
Pétrole et gaz	%	3,6	16,2	70,5 [c]
Autres produits miniers	%	9,8	6,0	2,6 [c]
Principaux fournisseurs	% imports			
États-Unis		65,7	62,8	68,5
CEE		19,6	16,6	10,0
Japon		2,5	4,6	5,6
Principaux clients	% exports			
États-Unis		54,9	61,6	62,6
Espagne		0,2	0,7	6,6
CEE		5,4	8,9	9,2

a. Marchandises; b. 1983; c. 1984.

3. Économie

Indicateur	Unité	1965	1975	1985
PIB	milliard $	20,6	88,0	158,31
Croissance annuelle	%	6,9 [b]	5,0 [c]	3,5
Par habitant	$	498	1 462	2 067
Structure du PIB				
Agriculture	% } 100 %	9,8	7,1	7,9 [e]
Industrie	% } 100 %	34,3	36,6	40,6 [e]
Services	% } 100 %	55,9	56,4	51,5 [e]
Dette extérieure	milliard $	2,9 [d i]	5,58 [d]	99,0
Taux d'inflation	%	2,0 [f]	30,0 [h]	63,7
Population active	million	. .	17,1	23,5 [a]
Agriculture	%	55 [g]	40,5	36 [e]
Industrie	%	20 [g]	22,3	26 [e]
Services	%	25 [g]	31,6	38 [e]
Dépenses publiques				
Éducation	% PIB	2,2	3,8	2,7 [e]
Défense	% PIB	1,1	0,6	0,3 [a]
Production d'énergie	million TEC	39,7	82,1	260,0 [e]
Consommation d'énergie	million TEC	32,8	73,7	130,4 [e]

a. 1984; b. 1960-73; c. 1973-83; d. Dette publique seulement; e. 1983; f. 1960-70; g. 1960; h. 1974-78; i. 1970.

telle la CUD, Coordinatrice unie des sinistrés), et les débats sur la décentralisation, la participation (devant l'absence de canaux institutionnels), l'espace urbain (Mexico est la ville la plus polluée du monde), la démocratisation du District fédéral, etc., ont été relancés. En novembre, le premier congrès national d'écologie s'est tenu au Mexique. Les carences des pouvoirs publics et le « débordement » du gouvernement ont ouvert la réflexion (même dans les rangs du parti officiel) sur l'acquisition de nouveaux espaces par la société civile, ce qui à plus ou moins long terme obligera les autorités à reconsidérer ses stratégies et ses pratiques.

Avec un taux d'abstention élevé, 49,5 % – chose habituelle au Mexique –, les élections fédérales du 7 juillet 1985 ont montré que le mécontentement était de plus en plus canalisé non par la gauche (le Parti socialiste unifié du Mexique, PSUM, n'a reçu que 3,1 % des voix) mais par la droite (le Parti d'action nationale, PAN, a obtenu 15,5 % des suffrages et 36 % dans l'État de Chihuahua). Le Parti révolutionnaire institutionnel (PRI), parti officiel, a recueilli 65 % des votes exprimés. Devant sa défaite, la gauche a engagé (à nouveau) un processus d'unification.

Sur le plan social, les campagnes sont restées explosives. Manifestations et blocage de la route internationale, violents délogements après occupations de terres qui ont provoqué plusieurs morts au Chiapas, etc. Dans les milieux ouvriers, protestations contre le hausse insuffisante des salaires qui ne suivent pas l'inflation, et demande d'une échelle mobile des salaires.

Le président Miguel de la Madrid a déployé en 1985 une intense activité diplomatique, qui l'a mené notamment en Europe (Belgique, Espagne, France, Royaume-Uni, RFA) au mois de juin. Les relations avec les États-Unis, toujours conflictuelles, ont porté sur la politique centraméricaine du Mexique, sur les échanges économiques, le trafic de drogue, la surveillance de la frontière commune, et les travailleurs mexicains illégaux (les *indocumentados*). On estime en effet à 1,5 million le nombre de Mexicains entrés aux États-Unis en 1985 et à 256 000 ceux qui ont été arrêtés à la frontière (y compris des ressortissants d'autres pays d'Amérique centrale). Une fois de plus, le voisin du Nord s'est montré peu habile à ménager le nationalisme mexicain, toujours vivace. A la suite d'accusations émises par certains sénateurs nord-américains, rendant le Mexique responsable de la hausse du trafic de drogue – alors que la demande nord-américaine n'a cessé d'augmenter –, une manifestation impressionnante a eu lieu le 21 mai 1986, à l'initiative d'organisations indépendantes de gauche, soutenue par de nombreux intellectuels et politiciens, et à laquelle s'est joint le PRI. Cette « marche pour la souveraineté nationale », regroupant des dizaines de milliers de personnes de toutes tendances politiques a montré que le nationalisme mexicain n'était pas l'apanage du parti officiel. Le gouvernement a envoyé une note de protestation à Washington.

En ce qui concerne l'Amérique centrale – chapitre fondamental de la politique étrangère mexicaine qui conditionne la sécurité nationale – le gouvernement a continué de participer au groupe de Contadora dans ses démarches en faveur de la paix dans la région. Même si ces dernières n'ont cessé de s'enliser, le Mexique n'en a pas moins retiré un prestige international certain. Des pourparlers ont été entamés avec le Guatémala concernant l'éventuel retour des réfugiés guatémaltèques, qui, pour le Mexique, doit être volontaire. Le transfert des réfugiés installés au Chiapas vers les États de Quintana Roo et de Campeche a été suspendu jusqu'à nouvel ordre, afin d'éviter un coût politique qui se révélerait inutile si les possibilités d'accueil venaient à se concrétiser au Guatémala. Le nouveau gouvernement de Vinizio Cerezo partage à bien des égards les préoccupations de son voisin : autonomie politique relative vis-à-vis des États-Unis, neu-

BIBLIOGRAPHIE

Ouvrages

PANABIÈRE L., *Pouvoirs et contre-pouvoirs dans la culture mexicaine,* CNRS, Paris, 1985.

TAPIA V. (dirigé par) *Mexico, Autrement,* hors série, nº 18, Paris, 1986.

VANNEPH A., *Le Mexique et ses populations*, Complexe, Bruxelles, 1986.

Articles

BAIRD P., « Mexico in Crisis », *Nacla,* nº 5, septembre-octobre 1985.

LOAEZA S., « Les classes moyennes mexicaines et la conjoncture économique actuelle », *Revue tiers monde*, nº 101, janvier-mars 1985.

RAMONET I., « Le Mexique sur les rails du néolibéralisme », *Le Monde diplomatique,* avril 1986.

RUDEL C., « L'ascension du Parti action nationale », *Le Monde diplomatique,* avril 1986.

tralité active dans les conflits centraméricains (Contadora pour le Mexique, Parlement centraméricain pour le Guatémala), acceptation du régime nicaraguayen. Les relations entre les deux pays sont donc excellentes.

Marie-Chantal Barre

Philippines. Marcos décroche

1986 marque un tournant pour les Philippines, avec la fin de la dictature Marcos qui avait été annoncée par de multiples signes au cours de l'année 1985, toutes les forces du pays s'étant liguées pour mettre fin à un régime que seule l'administration Reagan a soutenu jusqu'à la dernière extrémité.

Le premier signe avant-coureur de la chute de Marcos est survenu le 17 février 1985, avec « La déclaration préliminaire sur nos aspirations » de jeunes officiers qui résumaient leur programme en ces mots : « L'armée est pourrie, il faut faire quelque chose. » Le 15 mars, ils publiaient une *Déclaration sur nos aspirations communes,* et, le 20 avril, le mouvement s'étant mieux structuré et ayant pris le nom de « Reformed Armed Forces of the Philippines Movement » (RAFPM), ses leaders rencontraient le chef d'état-major des forces armées par intérim, le général Fidel Ramos, et le ministre de la Défense Juan Ponce Enrile. Ils s'élevaient alors contre les détournements de fonds se transformant en luxueuses villas, alors qu'eux-mêmes manquaient de tout, depuis les tenues de combat jusqu'aux postes de transmission, et les promotions imméritées symbolisées par la fulgurante ascension des fils du général Fabian Ver. Ils protestaient aussi contre le fait que si 70 % des colonels et officiers subalternes étaient issus du peuple, tous les postes de commandement étaient détenus par des officiers issus de la bourgeoisie. En juin, une délégation de quinze jeunes officiers, accompagnés du général Ramos, rencontrait le président Marcos, mais sans succès. En septembre, la rumeur courait que le RAFPM avait échoué dans un coup d'État contre Marcos.

PHILIPPINES

République des Philippines.
Capitale : Quézon City (Manille).
Superficie : 300 000 km² (0,55 fois la France).
Carte : p. 403.
Monnaie : peso (1 peso = 0,34 FF au 30.4.86).
Langues : tagalog, anglais, espagnol.
Chef de l'État : Corazon Aquino, présidente.
Nature de l'État : république.
Nature du régime : démocratie parlementaire.
Principaux partis politiques : *Gouvernement :* Mouvement de la lutte populaire ; Organisation unifiée démocratique et nationaliste ; Parti libéral ; Parti démocratique des Philippines-Force de la nation. *Opposition légale :* Mouvement pour la nouvelle société ; Parti nationaliste ; Parti communiste des Philippines (prosoviétique). *Illégaux :* Front de libération nationale moro ; Parti communiste des Philippines (marxiste-léniniste, indépendant).

Monopoles et fuite de capitaux

Côté économique, la situation en 1985 est devenue un peu moins catastrophique, mais les experts prévoyaient que les Philippines ne retrouveraient le niveau de 1982 qu'en 1990 au mieux, et encore, à condition que Marcos applique à la lettre leurs recommandations, ce qu'il ne fit pas, tout au contraire. Ainsi, au lieu de démanteler les monopoles des barons du régime – Roberto Benedicto pour le sucre, Eduardo Cojuangco pour la noix de coco, Antonio Floirendo pour la banane et Lucio Tan pour le tabac –, il voulut même en créer un autre pour la farine. Ce que la Maison Blanche réussit à éviter *in extremis* devant la fureur de la Banque mondiale, du FMI qui avait consenti un prêt de 615 millions de dollars, et des banques créditrices prêtes à avancer encore 3,95 milliards de dollars afin de remettre sur pied l'économie pour que soient remboursés les 26 milliards de dettes.

En 1985, le PNB a diminué de 3,95 %, après une régression de 5,3 % en 1984; le taux d'inflation est « tombé » à 24 %, les banques baissant leur taux d'intérêt, pour les prêts, de 40-50 % à 17-19 % officiellement, mais beaucoup plus en réalité si l'on tient compte des dessous-de-table. Cela, malgré une diminution de la facture pétrolière de 1,47 milliard de dollars en 1984 à 900 millions en 1985. Pour renflouer les caisses, le gouvernement a vendu à tout-va les biens de l'État, avions des Philippines Airlines, hôtels de luxe, cargos, cimenteries et usines de textiles. Rien n'y a fait et des milliards de dollars ont continué de fuir vers les États-Unis. Le nombre de chômeurs et de travailleurs au noir (deux millions) s'est accru en raison de la crise des cours de la noix de coco et du sucre, secteurs employant 37 % de la population active : les premières « grèves populaires » ont éclaté, en particulier dans l'île de Negros où, le 2 septembre 1985, les forces de l'ordre ont tiré sur les ouvriers agricoles, faisant vingt et un morts.

Dans le même temps, en juillet, un journal américain, le *San Jose Mercury*, révélait les scandaleuses fortunes des puissants du régime qui, à coups de millions de dollars, avaient acquis des propriétés en Californie, à New York et à Hawaii. Parmi ces privilégiés : Floirendo, Benedicto, Cojuangco et le ministre de la Défense, Juan Ponce Enrile. En janvier 1986, Stephen Solarz, président de la sous-commission de la chambre pour l'Asie et le Pacifique déclarait qu'à lui seul, Marcos possédait pour 350 millions de dollars de propriétés.

Ces révélations ont contribué à ce que le Congrès américain refuse d'accorder au président Reagan les montants prévus au titre de l'aide économique et militaire : le Congrès vota 125 millions de dollars d'aide économique (au lieu de 100 millions) mais seulement 55 millions d'aide militaire (contre 95 millions prévus). En outre, le quart de l'aide alimentaire (78 millions de dollars) était donné à l'Église pour qu'elle le distribue sans passer par les circuits officiels.

La fin du règne

Le 3 novembre, pour diminuer la tension, Marcos annonçait des élections présidentielles anticipées, mais la colère et la consternation atteignirent leur comble avec la nouvelle de l'acquittement du général Ver et des vingt-cinq coaccusés du meurtre du sénateur Aquino Benigno, le 2 décembre. Le lendemain, Corazon Aquino annonçait sa candidature et fondait le mouvement Lutte populaire (Laban ng Bayan). Le 7 décembre, Salvador Laurel, président de l'OUDN (Organisation unifiée démocratique et nationaliste), se joignait à elle, mais ne le déclarait officiellement que le 11 décembre, espérant que Corazon Aquino renon-

1. Démographie, culture, armée

	Indicateur	Unité	1965	1975	1985
Démographie	Population	million	31,8	42,3	54,4
	Densité	hab./km²	106	141	181
	Croissance annuelle	%	3,0 [a]	2,7 [g]	2,3 [b]
	Mortalité infantile	‰	98 [h]	68 [d]	42,0
	Espérance de vie	année	51 [h]	60,4 [d]	64,5 [b]
	Population urbaine	%	30 [h]	34	39,6
Culture	Analphabétisme	%	..	17	14,3
	Nombre de médecins	‰ hab.	0,04	0,07	0,15 [f]
	Scolarisation *6-11 ans*	%	77,8	80,3	82,4
	12-17 ans	%	48,4	59,4	65,5
	3e degré	%	18,8	18,5	26,5 [f]
	Postes tv	‰	3,8	18	26 [e]
	Livres publiés	titre	941	2 247	839 [c]
Armée	Marine	millier d'h.	4	14	28,0
	Aviation	millier d'h.	7	14	16,8
	Armée de terre	millier d'h.	5,5	39	70,0

a. 1961-70; b. 1980-85; c. 1982; d. 1970-75; e. 1983; f. 1981; g. 1970-80; h. 1960.

2. Commerce extérieur [b]

Indicateur	Unité	1965	1975	1985
Commerce extérieur	% PIB	7,6	19,2	14,4
Total imports	million $	894	3 756	5 353
Produits agricoles	%	24,2	13,2	10,5 [a]
Produits énergétiques	%	8,7	21,2	26,5 [a]
Produits industriels	%	66,3	64,3	62,6 [a]
Total exports	million $	698	2 294	4 589
Sucre et produits du coco	%	52,7	45,9	14,0
Autres produits agricoles	%	28,2	8,9	18,0 [a]
Produits miniers	%	10,4	12,8	5,9 [a]
Principaux fournisseurs	% imports			
Japon		24,0	27,9	14,0
États-Unis		35,0	22,2	25,1
Moyen-Orient		5,4	15,5	12,3
Principaux clients	% exports			
États-Unis		45,5	29,8	36,1
Japon		9,2	37,4	19,1
CEE		18,1	16,3	13,7

a. 1984; b. Marchandises.

cerait à son mouvement pour devenir membre de l'OUDN. Le même jour, Marcos choisissait comme coéquipier Arturo Tolentino, dit « crè-

3. ÉCONOMIE

INDICATEUR	UNITÉ	1965	1975	1985
PNB	milliard $	4,8	15,9	34,6
Croissance annuelle	%	5,4 [b]	5,3 [c]	– 4,0
Par habitant	$	150	380	636
Structure du PIB				
Agriculture	% } 100 %	21,2	21,4	25,3 [a]
Industrie	% } 100 %	26,1	40,1	33,8 [a]
Services	% } 100 %	52,7	38,5	40,9 [a]
Dette extérieure	milliard $	..	1,4	25,6
Taux d'inflation	%	5,3 [g]	12,3 [f]	5,7
Population active	million	..	15,7	21,0 [a]
Agriculture	%	61 [d]	51	49,2 [a]
Industrie	%	15 [d]	15	19,4 [a]
Services	%	24 [d]	34	31,4 [a]
Dépenses publiques				
Éducation	% PNB	2,9	1,9	2,0 [e]
Défense	% PNB	1,3	2,6	1,2
Production d'énergie	million TEC	0,29	0,35	2,6 [h]
Consommation d'énergie	million TEC	6,9	12,9	16,3 [h]

a. 1984; b. 1960-73; c. 1973-83; d. 1960; e. 1982; f. 1974-78; g. 1960-70; h. 1983.

me de caméléon » pour sa maîtrise dans l'art de retourner sa veste : il s'était acquis une réputation de « libéral indépendant » en s'opposant à Marcos, en fait dans le seul but d'obtenir une plus grosse part de gâteau qu'il se voyait enfin accordée.

La campagne fut très vive, Marcos se transformant en meneur de cirque, emportant avec lui danseurs et amuseurs publics pour draguer les foules; mais le tandem Aquino-Laurel en attirait de bien plus nombreuses avec des moyens plus réduits. Le 7 février 1986, jour du vote, c'était le chaos. Les fidèles de Marcos volaient des urnes, s'énervant et tirant à vue, et les observateurs américains du Congrès, ne pouvant rien « observer », rentrèrent chez eux. Le 10 février, Reagan déclarait que « les tricheries avaient été des deux côtés ». Le 15, Marcos se faisait proclamer président par l'Assemblée nationale. Mais déjà, il était lâché, et d'abord par son ministère des Affaires étrangères dont les représentants acceptaient mal d'être en butte aux critiques de tous les gouvernements occidentaux qui contestaient la validité des élections. Le 22 février, Ramos et Enrile rompaient avec Marcos qui refusait de limoger Ver et se préparait, encouragé par sa femme Imelda, à les remplacer par des parents de celle-ci. Soutenu par l'Église, le peuple et la RAFPM, ils faisaient reconnaître Aquino présidente le 25, alors que Marcos était cerné dans le palais de Malacañang. Dans la nuit, des hélicoptères américains emmenaient le président et les siens à la base aérienne Clark, puis à Hawaii, où il était acueilli par son compère Floirendo, heureux propriétaire, comme Marcos, d'une vaste propriété dans l'île.

Si Marcos a résisté si longtemps à la volonté populaire, c'est parce qu'il était soutenu par Ronald Reagan, le secrétaire d'État à la Défense Caspar Weinberger, le secrétaire du département d'État George Shultz et aussi par William Casey, le directeur de la CIA. Même si le gouvernement américain avait préparé une succession, il excluait Corazon Aquino, jugée « gauchisante » car elle croyait à la possibilité de négociations avec le Parti communiste des Philippines, et n'était pas fermement attachée au maintien des bases américaines. Si Marcos a été vaincu, c'est notamment grâce au député Stephen Solarz, qui fut un ami personnel de Benigno Aquino, et dont le département d'État essaya d'abord d'étouffer les révélations sur les magouilles financières de Marcos; c'est aussi grâce au Congrès, à la presse américaine et mondiale, à l'Église et au peuple philippin, sans oublier les gouvernements occidentaux qui l'abandonnèrent, alors que, curieusement, l'URSS n'en fit rien et que la Chine resta neutre. Si Marcos n'a pas fait verser le sang, c'est parce qu'il ne commandait plus rien face à Ramos et aux officiers du RAFPM.

En février 1986, une nouvelle ère s'est ouverte aux Philippines, celle d'une démocratie, certes encore bien fragile : déjà sont apparues les premières dissensions entre Cory Aquino et ses conseillers qui préconisent des changements radicaux pour éliminer toutes les traces du régime Marcos, mais aussi avec Laurel, partisan d'une transition dans la modération et le compromis. Finalement, le 25 mars, Cory Aquino a institué un gouvernement provisoire, mettant fin à la Constitution et dissolvant l'Assemblée nationale, ce qui lui confère des pouvoirs presque absolus pendant huit mois, c'est-à-dire jusqu'aux élections législatives prévues pour novembre 1986.

Martial Dassé

BIBLIOGRAPHIE

Articles

BELLO W., « Philippines : les États-Unis et M. Marcos, ou comment s'en débarrasser », *Le Monde diplomatique*, février 1986.

CHANDA N., PARINGAUX R.P., « Heure critique aux Philippines », *Le Monde diplomatique*, décembre 1985.

DORONILLA A., « The Transformation of Patron-Client Relations and its Political Consequences in the Philippines », *Journal of Southeast Asian Studies*, n° 1, mars 1985, National University of Singapore.

« Le FMI encore », *Philippines informations*, n° 35, octobre 1985 et n° 36, novembre 1985.

HERNANDEZ G.C., « Constitutional Authoritarianism and the Prospects for Democracy in the Philippines », *Journal of International Affairs*, n° 2, hiver 1985, Columbia University, New York.

MYERS R.H., « The Roots of the Philippines Economic Trouble », *Asia Pacific Community*, n° 27, Winter 1985, Tokyo.

« A Test of Democracy », *Solidaridad II*, n° 1, janvier-mars 1986.

Turquie. Retour aux vieux clivages politiques

Le bilan économique de la Turquie pour l'année 1985 ne diffère pas fondamentalement de celui de 1984. La même tendance libérale, fondée sur l'accroissement des exportations et l'endettement extérieur, a continué de produire les mêmes effets. L'accroissement parallèle des exportations et des importations a établi le déficit de la balance commerciale à 3,4 milliards de dollars, contre 3,7 milliards en 1984, et 3,5 milliards en 1983; l'inflation a été de 45 %, contre 48 % l'année précédente, et la croissance du PNB est restée aux environs de 4 %, ce qui est un taux appréciable.

Somme toute, la Turquie, au début de 1986, ne se trouve pas dans une situation particulièrement inconfortable si on la compare aux autres pays du tiers monde : avec 23 milliards de dollars de dette, elle ne vient qu'au sixième rang des pays endettés, après le Brésil, le Mexique, l'Argentine, le Vénézuela et les Philippines, et sa position stratégique, comme membre de l'OTAN voisin de l'URSS, lui assurera sans doute, le moment venu, un rééchelonnement sans douleur de sa dette.

Une autre tendance s'est confirmée en 1985 : l'appauvrissement des salariés et des agriculteurs. La part de la masse salariale dans l'ensemble des revenus est passée de 37 % en 1977 aux environs de 20 % en 1985. Le salaire minimal qui correspondait, en 1984, au quart des besoins alimentaires d'une famille de quatre personnes couvrait en 1985, après une augmentation substantielle, le tiers de ces mêmes besoins. Quant aux agriculteurs, qui détiennent eux aussi 20 % du revenu national, ils pouvaient acheter en 1979 un tracteur avec trente tonnes de blé ou une tonne de tabac alors qu'en 1985, il leur en fallait soixante-cinq tonnes et quatre tonnes, respectivement.

Dans cette grisaille des chiffres, deux événements ont marqué l'année 1985 en Turquie : l'éveil de la vie politique et le dernier recensement. Une intense activité, qui s'est accélérée depuis l'été 1985, a contribué à la reconstitution de l'échiquier politique sur le modèle d'avant le coup d'État du 12 septembre 1980. Les militaires avaient voulu créer, lors des élections de novembre 1983, un système bipartite composé d'un parti conservateur et d'un parti populiste. Un troisième larron, appuyé par les hommes d'affaires turcs et les bailleurs de fonds internationaux, le Parti libéral (PMP) de Turgut Özal, gagna la partie. Mais il se trouva bientôt face à une opposition extraparlementaire composée du Parti social-démocrate (PSP) et d'un parti se réclamant de la succession de l'ancien Parti libéral, dissous en 1980 (le Parti de la juste voie, PJV). Le casse-tête qui se posa par la suite au monde politique fut la reconstitution des tendances cassées en trois morceaux au sein de chaque famille politique : les partis politiques dissous après le coup d'État de 1980 qui tentaient de se reconstituer sous d'autres noms et avec des personnalités nouvelles, les anciennes étant interdites de politique par la Constitution de 1983; les partis tolérés en vue des élections de 1983; et enfin ceux qui s'étaient constitués après les élections.

Le parti populiste (PP), qui avait obtenu 30 % des voix en 1983, s'est trouvé rapidement concurrencé par le PSP, considéré comme plus représentatif des milieux sociaux-démocrates. Ainsi, aux élections locales de 1984, ces derniers obtenaient 23,5 % des suffrages tandis que le PP chutait à près de 9 %. Les deux partis faisant appel au même électorat, ils étaient condamnés à s'entendre. Des contacts engagés en 1984 ont abouti, en novembre 1985, à une fusion sous le nom de Parti populaire social-démocrate (PPS). Or c'est à cette même époque que Bülent Ecevit, le leader social-démocrate d'avant 1980, a décidé de former son propre Parti de la gauche démocratique (PGD), par l'intermédiaire de son épouse. Cette tentative, considérée comme une division, a semé le désarroi dans la gauche, et les deux partis, au printemps 1986, campaient sur leurs positions en se lançant des accusations réciproques.

Le parti libéral qui, en 1983, avait battu le parti conservateur mis en place par les généraux (PDN), groupait également dans son sein les éléments de l'extrême droite intégriste et néo-fasciste. Il était évident que ceux-ci tenteraient de se reconstituer à la première occasion. Ce sont les intégristes qui ont commencé avec le Parti du bien-être (PB). Les néo-fascistes ont suivi au mois de novembre 1985, si fertile en événements politiques, avec la création du Parti du travail nationaliste (PTN), et immédiatement après, une autre formation, le Parti de la démocratie réformiste (PDR) a vu le jour, se proposant de marier les deux tendances de l'extrême droite. Enfin Süleyman Demirel, le leader libéral d'avant 1980, ne pouvait pas manquer de fonder son propre parti par personnes interposées. Ce fut le Parti de la juste voie (PJV).

En mai 1986, le PDN a prononcé sa propre dissolution : une partie de ses députés a fondé, une semaine plus tard, un nouveau parti conservateur, le Parti démocrate libre (PLD) et le reste s'est départagé entre le Parti libéral de Özal et celui de la juste voie. A mi-chemin de la législature, le Parlement turc ne comptait donc plus aucun parti formé par les généraux, alors que ceux qui n'avaient pas été autorisés à se présenter aux élections de 1983 disposaient de groupes parlementaires, soit soixante-dix neuf députés pour le PPS et vingt et un pour le Parti de la juste voie.

Dynamisme démographique

Enfin, la publication des chiffres provisoires du recensement quinquennal d'octobre 1985 a causé une surprise. Le taux d'accroissement annuel de la population, en baisse constante depuis les années soixante, et ramené de 3 % à 2,2 % en 1980, a fait un saut brutal à 2,8 %, avec une population de 51,5 millions au lieu des 49 millions attendus. Le retour des travailleurs turcs de l'étranger

TURQUIE

République de Turquie.
Capitale : Ankara.
Superficie : 780 576 km² (1,4 fois la France).
Carte : p. 452.
Monnaie : livre (1 livre = 0,014 FF au 30.4.86).
Langues : turc (officielle), kurde.
Chef de l'État : général Kenan Evren, président de la République, président du Conseil national de sécurité.
Chef du gouvernement : Turgut Özal.
Nature de l'État : république centralisée.
Nature du régime : démocratie limitée, contrôlée par les militaires.
Principaux partis politiques : *Représentés au Parlement en juin 1986 :* Parti de la mère patrie (PMP, conservateur); Parti populaire social-démocrate (PPS); Parti libre démocrate; Partie de la juste voie (droite); Parti de la gauche démocratique (PGD, centre-gauche); Parti du citoyen; Indépendants. *Extra-parlementaires :* Parti du bien-être (intégriste); Parti du travail nationaliste (PTN, extrême droite néofasciste); Parti de la démocratie réformiste.

1. Démographie, culture, armée

	Indicateur	Unité	1965	1975	1985
Démographie	Population	million	31,4	40,0	49,3
	Densité	hab./km²	40	51	63,1
	Croissance annuelle	%	2,5 [a]	2,3 [g]	2,1 [b]
	Mortalité infantile	‰	187 [h]	140 [d]	90,0
	Espérance de vie	année	51 [h]	57,6 [d]	63 [b]
	Population urbaine	%	30 [h]	43	48,1
Culture	Analphabétisme	%	62 [h]	40	25,8 [f]
	Nombre de médecins	‰ hab.	0,4	0,6	0,6
	Scolarisation *6-11 ans*	%	65,3	72,7	77,8
	12-17 ans	%	33,7	43,3	51,9
	3e degré	%	4,4	6,7	7,3 [c]
	Postes tv	‰	0,1	26	118 [e]
	Livres publiés	titre	5 442	6 320	6 869 [e]
Armée	Marine	millier d'h.	37	40	55
	Aviation	millier d'h.	45	48	55
	Armée de terre	millier d'h.	360	365	520

a. 1961-70 ; b. 1980-85 ; c. 1983 ; d. 1970-75 ; e. 1983 ; f. 1984 ; g. 1970-80 ; h. 1961.

2. Commerce extérieur [b]

Indicateur	Unité	1965	1975	1985
Commerce extérieur	% PIB	6,1	8,6	18,2
Total imports	milliard $	0,6	4,6	11,3
Pétrole	%	10,0	16,9	29,3 [a]
Autres produits miniers	%	0,7	1,9	2,0 [a]
Produits agricoles	%	13,0	9,4	3,9 [a]
Total exports	milliard $	0,5	1,4	8,0
Produits agricoles	%	88,9	65,7	21,0
Produits industriels	%	6,1	24,1	75,0
Produits miniers [c]	%	5,0	7,5	3,4 [a]
Principaux fournisseurs	% imports			
CEE		39,2	49,4	28,8
États-Unis		28,1	9,0	10,5
Moyen-Orient		10,0	15,2	35,2
Principaux clients	% exports			
CEE		45,0	43,7	40,1
Moyen-Orient		8,2	14,7	37,1
États-Unis		17,5	10,5	5,7

a. 1984 ; b. Marchandises ; c. Produits énergétiques non compris.

pourrait partiellement expliquer cette situation, mais la cartographie des résultats par département indique qu'en dehors des trois grandes

3. Économie

Indicateur	Unité	1965	1975	1985
PNB	milliard $	8,5	36,0	53,0
Croissance annuelle	%	6,5 [b]	3,5 [c]	5,1
Par habitant	$	270	900	1075
Structure du PIB				
Agriculture	% } 100 %	34,0	25,5	21,0 [a]
Industrie	% } 100 %	25,7	25,9	32,5 [a]
Services	% } 100 %	43,9	48,6	46,5 [a]
Dette extérieure	milliard $	..	3,2	25,0
Taux d'inflation	%	4,0 [d]	25,0 [f]	44,5
Population active	million	14,2	16,4	18,1 [a]
Agriculture	%	71,2	62,8	52,1 [a]
Industrie	%	12,1	15,9	25,0 [a]
Services	%	16,7	21,3	22,9 [a]
Dépenses publiques				
Éducation	% PNB	2,4	3,0	3,4 [e]
Défense	% PNB	4,7	3,7	3,1
Production d'énergie	million TEC	7,7	13,2	15,5 [e]
Consommation d'énergie	million TEC	10,6	26,2	35,5 [e]

a. 1984; b. 1960-73; c. 1973-83; d. 1960-70; e. 1983; f. 1974-78.

villes du pays, Istanbul, Ankara, Izmir et leur aire d'influence immédiate, tous les autres départements ayant atteint un taux d'accroissement supérieur à la moyenne se trouvent alignés sur un axe qui relie la Méditerranée à la frontière iranienne en longeant les frontières syrienne et irakienne. C'est-à-dire la région où se trouve concentrée la population kurde. Même si, au printemps 1986, il fallait attendre des résultats définitifs et détaillés pour se prononcer, l'accroissement parallèle de la population rurale et de la population urbaine dans cette région semblait indiquer aussi bien une croissance démographique supérieure à celle du reste du pays qu'une migration interne à cette région, conduisant les ruraux beaucoup plus vers les centres urbains régionaux que vers les grands centres nationaux. La tendance observée n'est pas nouvelle, puisque la région du Sud-Est de la Turquie, si

BIBLIOGRAPHIE

Ouvrages

AKTAR G., *L'occidentalisation en Turquie*, L'Harmattan, Paris, 1986.

CARRÉ O., DUMONT P., *Radicalismes islamiques. Tome I : Iran, Liban, Turquie*, L'Harmattan, Paris, 1986.

Dossier

« Turquie : constante et évolution politiques », *Problèmes économiques et sociaux*, n° 509, 1985.

elle n'est pas la plus densément peuplée du pays, est celle qui a montré un dynamisme démographique constant et supérieur à la moyenne depuis cinquante ans. Ainsi au début de 1986, dans une ambiance économique où les bas revenus se trouvaient de plus en plus pressurés, la situation démographique pouvait devenir, au moins localement, explosive.

Stéphane Yerasimos

Thaïlande. Morosité

Le fait marquant de l'année 1985 en Thaïlande a été le coup d'État manqué du 9 septembre, dirigé apparemment par le colonel Manoon Roopkajorn, le chef des « Jeunes Turcs », déjà auteur du précédent putsch raté du 1er au 3 avril 1981. En fait, il semble que les deux factions rivales au sein de l'armée aient encouragé cette tentative, l'une pour renverser le gouvernement, l'autre pour mieux circonvenir sa rivale. La défection d'unités blindées sensées appuyer les conjurés a rapidement fait avorter l'affaire, qui s'est soldée néanmoins par au moins dix morts.

Si ce coup de force n'a duré qu'une matinée, il a laissé des séquelles durables. Bien qu'il ait terni l'image que cherche à projeter le régime d'un « royaume serein en voie de démocratisation », cet accès de fièvre militaire marque paradoxalement un renforcement du pouvoir civil. Pour la première fois en effet, les auteurs présumés du putsch ont été traduits devant un tribunal civil, et leur dossier instruit par la police (plutôt que classé par l'armée). Même si aucun des quarante inculpés – une dizaine d'entre eux étaient toujours en fuite au printemps 1986 – n'appartenait aux forces vives des deux factions de l'armée, cinq généraux en retraite (dont l'ancien Premier ministre Kriangsak Chamanand), figuraient dans le lot des détenus. Ce procès public a cependant été une source de tensions continues entre civils et militaires. La mise en liberté sous caution des cinq généraux, fin février 1986, laissait penser qu'après avoir fait la preuve de sa détermination, le gouvernement entendait désamorcer cette bombe : une amnistie paraissait probable à l'occasion du prochain anniversaire du souverain ou du suivant. (Le roi Bhumibol Adulyadej aura soixante ans en décembre 1987.)

Règlement de comptes feutré de l'après-coup d'État ? Les promotions militaires de septembre 1985 ont favorisé le général Chawalit Yongjaiyut et d'autres officiers « démocratiques », aux dépens du général Pijit Kunlawanit, chef de la 1re armée (Bangkok), considéré, à tort ou à raison, comme ayant encouragé le colonel Manoon. Nommé chef d'état-major adjoint de l'armée, le général Chawalit est apparu dès lors comme le successeur probable du général Arthit Kamlang-ek, dont le double mandat de commandant en chef de l'armée et de commandant interarmes avait été prolongé exceptionnellement d'un an à partir de septembre 1985. En mai 1986, il a été effectivement relevé de ses fonctions et remplacé par Chawalit.

Le « coup », comme on dit en thaï, a aussi précipité un remaniement ministériel longtemps reporté. Un autre a eu lieu à la mi-janvier 1986 pour calmer la discorde provoquée au sein du principal parti au pouvoir (*Kit Sangkom,* « Action sociale ») par le retrait de son chef historique, le vieux et brillant prince Kukrit Pramot. Ces deux remaniements ont été l'occasion pour le Premier ministre Prem Tinasulanond, au pouvoir depuis mars 1980, de conforter son assise au Parlement et d'accroître encore son quota de ministres « non partisans » (technocrates ou amis d'enfance, en tout cas royalistes intègres).

La stabilité foncière de son régime et la montée des non-partisans n'a pas fait l'affaire d'une classe politique avide de faveurs et de « fromages ». Les dissensions internes ont déchiré tour à tour tous les partis, de gouvernement comme d'opposition. Plus cohérent que les autres, le Parti démocrate s'est adjugé toutes les élections partielles de l'année, a reconquis sa base de Bangkok, mais il a laissé échapper le poste de gouverneur au profit d'un candidat pauvre, bouddhiste ascète, voire ultra, et ancien secrétaire du Premier ministre, le colonel Jamlong Srimeuang. Les démocrates semblaient devoir être les principaux bénéficiaires des élections législatives anticipées, fixées au 27 juillet 1986 après que le Premier ministre eut dissous le Parlement le 2 mai, suite à une crise politique. A mesure que cette échéance se rapprochait, querelles internes, rivalités partisanes et reclassements individuels et claniques s'accéléraient, dans un climat général de morosité croissante.

Stagnation économique

« La pire année de stagnation économique depuis vingt ans » : c'est ainsi que le président de la Bangkok Bank, Chatri Soponpanit, a qualifié l'année 1985, reflétant le point de vue de la plupart des milieux d'affaires locaux qui ont pâti des mesures d'assainissement financier et de la politique d'austérité maintenus par le gouvernement.

Si le taux de croissance global du PNB est resté positif (4 % en 1985), il est tendanciellement à la baisse, freiné par la piètre performance des secteurs agricoles (20 % du PNB, 3,3 % d'expansion) et minier, l'un et l'autre frappés par la dépression des cours mondiaux. Le cas du riz, aliment de base et principale exportation, est dramatique. La tonne, vendue 5 000 bahts en 1981, ne valait plus que 2 000 bahts en 1985-1986. Pour la première fois depuis près d'une décennie, des riziculteurs ont manifesté à Bangkok début janvier 1986. Les prix locaux du manioc et du sucre ont décliné respectivement de 47 % et de 20 % entre les premiers semestres de 1984 et 1985. Même marasme pour l'ananas et l'étain, autres exportations importantes pour le royaume. En revanche, textiles, aliments en conserve, produits plastiques et bijoux ont progressé à l'exportation. Autre con-

THAÏLANDE

Royaume de Thaïlande.
Capitale : Bangkok.
Superficie : 514 000 km² (0,94 fois la France).
Carte : p. 397.
Monnaie : baht (1 baht = 0,26 FF. au 30.4.86).
Langue : thaï.
Chef de l'État : roi Bhumibol Adulyadej.
Chef du gouvernement : général Prem Tinasulanond (au 30.6.86).
Nature de l'État : royaume.
Nature du régime : monarchie constitutionnelle et parlementaire.
Principaux partis politiques : *Gouvernement :* Parti d'action sociale (Kit Sangkom); Parti démocrate (Prachatipat); Parti du peuple thaï (Prachakorn Thai); Parti progressiste (Kao Na). *Opposition parlementaire :* Parti de la nation thaï (Chart Thai). *Autres :* Parti de la nation et de la démocratie (Chart Prachatipataï); Parti social-démocratique (Sangkom Prachatipataï); Parti des forces nouvelles (Palang Maï), etc. *Illégal :* Parti communiste de Thaïlande.

1. Démographie, culture, armée

	Indicateur	Unité	1965	1975	1985
Démographie	Population	million	31,0	41,8	51,3
	Densité	hab./km²	60	81	100
	Croissance annuelle	%	3,0 [a]	2,6 [h]	1,9 [e]
	Mortalité infantile	‰	..	65 [d]	42,0
	Espérance de vie	année	51 [g]	59,6 [d]	62,7 [e]
	Population urbaine	%	13	14	15,6
Culture	Analphabétisme	%	32 [g]	16	9,0
	Nombre de médecins	‰ hab.	0,10	0,12	0,15 [f]
	Scolarisation *6-11 ans*	%	76,2	78,6	85,6
	12-17 ans	%	19,6	34,0	40,6
	3e degré	%	1,5	3,4	22,2 [c]
	Postes tv	‰	6	16	17
	Livres publiés	titre	..	2 419	6 819 [b]
Armée	Marine	millier d'h.	26,5	27	32,2
	Aviation	millier d'h.	20	42	43,1
	Armée de terre	millier d'h.	85	135	160,0

a. 1961-70; b. 1983; c. 1982; d. 1970-75; e. 1980-85; f. 1980; g. 1960; h. 1970-80.

2. Commerce extérieur [a]

Indicateur	Unité	1965	1975	1985
Commerce extérieur	% PIB	16,8	18,7	21,2
Total imports	milliard $	0,7	3,3	9,2
Produits agricoles	%	9,4	7,6	10,8
Produits énergétiques	%	8,5	19,1	22,1
Produits industriels	%	81,5	68,2	66,5
Total exports	milliard $	0,6	2,4	7,1
Manioc, riz, maïs	%	46,5	35,9	23,4
Autres produits agricoles	%	38,9	38,0	31,3
Étain	%	9,0	5,0	2,9
Principaux fournisseurs	% imports			
Japon		32,4	31,5	26,5
États-Unis		18,8	14,4	11,4
Moyen-Orient		3,9	15,7	8,0
Principaux clients	% exports			
Japon		18,5	27,8	13,4
États-Unis		6,4	10,6	19,7
CEE		18,2	16,0	18,6

a. Marchandises.

solation : la réduction progressive de la facture pétrolière.

Malgré l'imposition de fortes taxes à l'importation en avril 1985 et une modeste réforme fiscale en février 1986, l'État n'est pas par-

3. ÉCONOMIE

INDICATEUR	UNITÉ	1965	1975	1985
P I B	milliard $	4,9	14,7	38,6
Croissance annuelle	%	8,0 [b]	6,3 [c]	4,0
Par habitant	$	157	352	752
Structure du P I B				
Agriculture	% } 100 %	30,0	27,3	20,0 [a]
Industrie	% } 100 %	26,8	28,3	28,0 [a]
Services	% } 100 %	43,2	44,4	52,0 [a]
Dette extérieure	milliard $	..	1,4	15,28 [a]
Taux d'inflation	%	2,3 [e]	9,6 [f]	3,3
Population active	million	..	18,8	26,6 [a]
Agriculture	%	84	61,9	65,9 [a]
Industrie	%	4	14,2	12,1 [a]
Services et autres	%	12	23,0	21,0 [a]
Dépenses publiques				
Éducation	% P I B	2,3	3,6	3,9 [d]
Défense	% P I B	2,6	2,8	3,7
Production d'énergie	million T E C	0,15	0,58	3,5 [d]
Consommation d'énergie	million T E C	4,0	11,1	17,4 [d]

a. 1984 ; b. 1960-73 ; c. 1973-83 ; d. 1983 ; e. 1960-70 ; f. 1974-78.

venu à obtenir des revenus à la hauteur de ses besoins et a rogné sur des investissements essentiels, partagé entre la tentation d'emprunter et la hantise de grossir davantage la dette (15,5 milliards de dollars fin 1985), dont les tranches de remboursement doivent continuer de siphoner jusqu'à 30 % du budget chaque année, jusqu'en 1991 au moins. A cet égard, le gouvernement s'est livré, fin 1985, à un curieux psychodrame : suivant les conseils de la Banque mondiale, il a gelé pendant quarante-cinq jours tout son programme d'industrialisation lourde (une panoplie d'industries pétrochimiques à partir du gaz naturel du golfe du Siam) afin de réexaminer l'ensemble de ses priorités d'investissement ; il s'est finalement rendu aux pressions du Japon (qui finance tout le programme, en est et sera le principal fournisseur et bénéficiaire), en ignorant purement et simplement les recommandations d'économies du comité nommé à cet effet, et en donnant le feu vert à des investissements de base de l'ordre d'un milliard de dollars. Mais au premier trimestre 1986, le secteur privé n'était toujours pas convaincu de la rentabilité de la plupart des projets et hésitait à s'y engager.

Sur le plan social, les disparités ont continué à s'accuser. Tandis que Bangkok se hérisse de fastueux sièges bancaires, de grandes surfaces, d'hôtels de luxe, de condominiums – suscitant une consommation effrénée, artificielle et souvent à crédit –, plusieurs dizaines de milliers d'enfants sont morts de malnutrition, comme chaque année, dans le premier pays exportateur de riz au monde. Pas de révolution à l'horizon, toutefois, pour plusieurs raisons : la cohésion et les pesanteurs culturelles, l'absence d'une force révolutionnaire structurée (la mue du Parti communiste discrédité ou la maturation de ses dissidents semble devoir prendre des années) et, surtout, l'existence d'une économie parallèle prospère (prostitution, contrebande, industries de la contrefaçon et autres services « hors taxe ») qui assure à beaucoup des revenus occultes, recycle en partie l'argent vers les campagnes et adoucit ainsi beaucoup d'aspérités sociales.

En politique extérieure, les péripéties du conflit cambodgien ont continué d'alimenter la chronique et la paranoïa locales, sans laisser augurer d'évolution dramatique prochaine. En fait, en 1985, la diplomatie thaïlandaise, forte de sa participation pour l'année au Conseil de sécurité des Nations Unies, a donné la priorité aux problèmes commerciaux – recherche de marchés, diversification de l'approvisionnement énergétique, tentative de remédier aux déficits commerciaux chroniques et surtout, lutte contre la montée du protectionnisme. Principaux fronts d'intervention : les États-Unis, où le *Jenkins Bill* menaçait de coupes sombres les exportations textiles thaïlandaises et où le *Farm Act*, en subventionnant les exportations de riz américain, risquait de couper la Thaïlande de certains marchés traditionnels; le Japon, dont le déficit commercial, et la mainmise économique, n'ont cessé de croître; la Chine (dixième anniversaire de l'établissement des relations diplomatiques), et même l'Union soviétique, dont Bangkok a accepté désormais les avances commerciales sans pour autant lui consentir de faveurs politiques.

Enfin, en dépit des tensions commerciales, 1985 a marqué un resserrement sensible des liens militaires avec les États-Unis, qu'il s'agisse de l'achat coûteux et controversé de douze *F-16*, d'exercices conjoints *(Cobra Gold)* d'une ampleur sans précédent, ou de l'intensification de l'aide militaire américaine au royaume.

Marcel Barang

BIBLIOGRAPHIE

Articles

REIKO I., « Organizing for Real Development », *Ampo,* n° 14, 1985.

« A Rough Path for Thaïland's Workers », *Asia Labour Monitor,* n° 4, 1985.

« Thaïlande, préparer l'après-manioc? », *La Lettre de Solagral,* n° 35, mars 1985.

Dossier

« L'autre visage de la Thaïlande », *Sudest'Asie,* n° 39, 1985.

Corée du Sud. Nervosité

Des difficultés politiques débouchant sur une campagne de réforme constitutionnelle, et la persistance du ralentissement économique, amorcé au milieu de l'année 1984, ont causé bien des soucis au gouvernement de Chun Doo Hwan en 1985.

Après de bons résultats aux élections de 1984, l'opposition a harcelé le gouvernement pour obtenir davantage de démocratie et l'élection directe du président. Le Parti néo-démocratique de Corée (PNDC), dirigé officiellement par Lee Min Woo et indirectement par Kim

Young Sam et Kim Dae Jung (toujours privé de droits politiques), a affirmé son influence et popularisé son programme : économiquement, soutien plus large aux petites et moyennes industries, réforme du système salarial; politiquement, établissement d'un système présidentiel avec élections directes et un terme de quatre ans renouvelable une seule fois.

Campagne pour la réforme constitutionnelle

Chun a renoncé à sa promesse d'ouvrir le dialogue avec l'opposition, et les changements qu'il a opérés au sein du gouvernement et de son parti, le Parti de la justice et de la démocratie (PJD), ont marqué un retour de politiciens plus fermes aux côtés des technocrates qui se chargent de l'économie. Chun veut maintenir le choix du président selon un système électoral indirect et propose d'envisager des modifications après la désignation d'un nouveau président en 1989. En juin 1985, Lee et les deux Kim ont lancé un « ultimatum » pour la révision de la Constitution à la fin de 1986 et menacé de recourir à des actions extra-parlementaires. Devant la fermeté de Chun, une campagne de signatures a été lancée, se heurtant rapidement à la répression policière : Kim Dae Jung, en résidence surveillée, a été isolé; les campus ont été occupés et les textes politiques confisqués; les réunions de l'opposition ont été sabotées, puis surveillées; des bâtiments du PNDC ont fait l'objet de raids policiers et la campagne a été déclarée illégale. Tout cela n'a pas empêché l'opposition de redonner, au début de 1986, un nouvel élan à la campagne, avec le soutien des groupes catholiques et protestants. Chun a cédé un peu de terrain en autorisant les grands meetings urbains.

Le mécontentement populaire a touché de nombreuses couches sociales, y compris les classes moyennes qui craignent l'autoritarisme. Les grèves ouvrières se sont multipliées (146 durant le premier semestre, dont certaines brisées par la police) alors qu'elles sont soumises à une autorisation gouvernementale! Les grèves déclenchées pour obtenir une hausse de salaire dans une usine textile et une usine automobile du groupe Daewoo ont eu un certain retentissement. Les étudiants ont poursuivi leur campagne antiaméricaine pour protester contre le soutien des États-Unis à la dictature militaire de Chun (occupation d'une bibliothèque des services d'informations américains; manifestations contre l'ambassade américaine, etc.); ils se sont ralliés à la campagne constitutionnelle et ont occupé, en septembre 1985, un centre de formation du PJD. Devant l'ampleur des manifestations violentes, Chun a envisagé de créer des « centres de réorientation idéologique » pour les étudiants arrêtés, mais il a dû renoncer à son projet devant le

CORÉE DU SUD

République de Corée.
Capitale : Séoul.
Superficie : 99 484 km² (0,18 fois la France).
Carte : p. 409.
Monnaie : won (1 won = 0,008 FF au 30.4.86).
Langue : coréen.
Chef de l'État : Chun Doo Hwan, président.
Premier ministre : Lho Shin Yong.
Nature de l'État : république centralisée.
Nature du régime : régime militaire combiné avec des éléments de démocratie parlementaire.
Principaux partis politiques : Parti de la justice et de la démocratie (parti de Chun); Parti néo-démocratique de Corée (PNDC); Parti démocratique de Corée.

1. Démographie, culture, armée

	Indicateur	Unité	1965	1975	1985
Démographie	Population	million	28,3	35,3	41,21
	Densité	hab./km²	288	358	414
	Croissance annuelle	%	2,4 [i]	1,9 [j]	1,6 [e]
	Mortalité infantile	‰	62 [h]	43 [d]	25,0
	Espérance de vie	année	54 [h]	60,6 [d]	67,5 [e]
	Population urbaine	%	28 [h]	49	65,3
Culture	Analphabétisme	%	12,4 [c]	..	8,3 [b]
	Nombre de médecins	‰ hab.	0,4	0,5	0,7 [g]
	Scolarisation *6-11 ans*	%	92,1	100	100
	12-17 ans	%	44,8	59,2	88,8
	3e degré	%	6,2	9,6	26,6 [f]
	Postes tv (L)	‰	1,6	53	175 [a]
	Livres publiés	titre	..	10 921	35 512 [a]
Armée	Marine	millier d'h.	44	40	45
	Aviation	millier d'h.	20	25	33
	Armée de terre	millier d'h.	550	560	520

a. 1983; b. 1980; c. 1970; d. 1970-75; e. 1980-85; f. 1984; g. 1982; h. 1960; i. 1960-70; j. 1970-80.

2. Commerce extérieur [b]

Indicateur	Unité	1965	1975	1985
Commerce extérieur	% PIB	10,6	30,0	35,9 [c]
Total imports	milliard $	0,5	7,3	31,0
Produits agricoles	%	34,1	24,2	15,9
Produits énergétiques	%	6,7	19,1	23,6
Autres produits miniers	%	2,1	3,7	1,6
Total exports	milliard $	0,2	5,1	30,3
Produits agricoles	%	25,2	15,0	2,8
Produits miniers [a]	%	12,6	1,1	2,3
Produits industriels	%	61,1	81,8	91,8
Principaux fournisseurs	% imports			
Japon		36,0	33,4	24,3
États-Unis		39,3	25,9	20,8
PVD		14,5	25,3	32,7
Principaux clients	% exports			
États-Unis		35,2	30,3	35,5
Japon		25,1	25,4	15,0
PVD		25,0	19,6	25,7

a. Produits pétroliers non compris; b. Marchandises; c. 1984.

mécontentement populaire et sous la pression des États-Unis.

Le ralentissement économique s'est confirmé : une croissance inférieure à 5 % en 1985, contre 7,6 % en 1984 et 9,5 % en 1983. Les causes en

3. Économie

Indicateur	Unité	1965	1975	1985
PIB	milliard $	3,4	19,9	84,86 [a]
Croissance annuelle	%	9,5 [b]	7,0 [c]	5,0
Par habitant	$	120	560	2 092 [a]
Structure du PIB				
Agriculture	% } 100 %	32,8	25,5	13,7 [a]
Industrie	% } 100 %	28,7	29,7	39,6 [a]
Services	% } 100 %	38,5	44,8	46,7 [a]
Dette extérieure	milliard $	..	6,1	46,7
Taux d'inflation	%	13,7 [h]	17,8 [g]	3,2
Population active	million	..	12,3	15,6
Agriculture	%	66 [d]	41,7	24,9
Industrie	%	9 [d]	22,6	30,5
Services	%	25 [d]	33,1	44,5
Dépenses publiques				
Éducation	% PIB	2,6	2,2	5,1 [f]
Défense	% PIB	4,4	4,7	5,7 [a]
Recherche et développement	% PIB	0,3	0,4	1,1 [f]
Production d'énergie	million TEC	9,5 [e]	12,1	13,9 [f]
Consommation d'énergie	million TEC	20,9 [e]	32,0	57,8 [f]

a. 1984; b. 1960-73; c. 1973-83; d. 1960; e. 1970; f. 1983; g. 1974-78; h. 1970-80.

sont multiples, à la fois d'ordre externe et interne. Le protectionnisme croissant des États-Unis et de l'Europe, la chute de la construction au Moyen-Orient, la faiblesse de la demande étrangère en produits industriels légers et lourds expliquent une faible hausse des exportations : 3,5 % en volume. Les importations ont aussi baissé en raison du ralentissement du marché intérieur et de la dépréciation du won par rapport au dollar. La dette extérieure est restée forte (plus de 45 milliards de dollars), mais le ratio du service de la dette s'est maintenu à un niveau raisonnable, si bien que la Corée a obtenu un prêt de 300 millions de dollars de banques internationales en septembre 1985.

Sur le plan interne, les difficultés économiques sont de nature structurelle et concernent les grands groupes, les *chaebol*. En février 1985, le sixième grand groupe, Kukje, a fait faillite, révélant les maux de l'industrie coréenne. Ses activités étaient centrées sur la construction, les textiles et les chaussures. Il avait connu une expansion rapide au cours des années soixante-dix, en raison des fonds fournis généreusement par les banques contrôlées par le gouvernement et grâce à la technique des investissements croisés au sein du même conglomérat. Deux facteurs ont contribué à sa chute : le déclin de la demande étrangère pour une grande part de ses produits et l'incapacité à surmonter son endettement dans une période de contraction du crédit. Après avoir été le fer de lance de l'industrialisation rapide, les *chaebol* sont devenus une entrave à la reprise économique. Leur essor s'étant accompagné de l'étouffement des petites et moyennes industries, le gouvernement se trouvait, en 1986, devant des choix difficiles. En effet, des PMI performantes ont souvent souffert du manque de fonds et se sont placées sous la tutelle des grands groupes ou ont été absorbées. Désormais, les autorités tentent de les relancer.

Le gouvernement a été contraint d'assouplir sa politique financière en avril 1985 pour éviter l'étranglement des *chaebol;* les emprunts des trente premiers groupes, fixés au niveau de fin 1983, ont pu augmenter, car, en fait, ces groupes n'ont pas vendu – comme il leur était demandé – leurs biens immobiliers ni leurs affaires hors de leur activité principale; en revanche, ils se sont endettés sur le marché monétaire à court terme. Le contrôle de la croissance de l'offre de monnaie a été quelque peu relâché. Le taux de croissance de l'investissement n'a cessé de décliner : alors que, pendant vingt ans, il a été en moyenne de 16 % par an, il est passé à 5,6 % en 1984 et à 3 % environ lors des trois premiers trimestres de 1985. Le gouvernement a adopté un budget supplémentaire en août 1985 et a pris des mesures en octobre pour attirer davantage d'investissements étrangers.

Les banques sont dans une situation grave : au cours des années soixante-dix, alors que les taux d'intérêt réels étaient négatifs, les grands projets industriels étaient financés avec des fonds bon marché, mais, au milieu des années quatre-vingt, ils sont devenus des gouffres financiers. Les banques se trouvent surendettées; la politique du ministère des Finances est de leur accorder des prêts à bas taux d'intérêt, de leur donner plus de liberté pour fixer les taux de leurs prêts et d'accroître les taux sur les dépôts. Cependant, ces mesures, dans le contexte d'une faible inflation (3 %), produisent des effets négatifs sur les investissements. Par ailleurs, les conséquences de la politique d'importation du bétail de 1983 ont été désastreuses : chute des prix des produits animaux et grave endettement de la paysannerie.

Les relations extérieures ont été dominées par des rapports tendus avec les États-Unis. Tout d'abord, à propos de la sécurité du pays : le gouvernement n'a pas apprécié la livraison d'hélicoptères américains à la Corée du Nord par l'intermédiaire d'agents importateurs ouest-allemands. Ensuite, sur le plan du commerce bilatéral, le gouvernement américain a demandé à la Corée de

BIBLIOGRAPHIE

Ouvrages

CHAPONNIÈRE J.-R., *La puce et le riz,* Armand Colin, Paris, 1985.

THE ECONOMIST INTELLIGENCE UNIT, *South Korea to 1990,* Special Report, nº 225, Economic Prospects Series, Londres, 1986.

Articles

ADDA J., « Brésil-Corée. Conditions et limites de la croissance extravertie », *Problèmes d'Amérique latine,* nº 76, 2e trimestre 1985.

« Focus 85 on South Korea », *Far Eastern Economic Review,* 18 july 1985.

KOO B., « The Role of Government in Korea's Industrial Development », Korea Development Institute, Working Paper 8407, 1984.

PERRAUD A., « Industrie et dictature en Corée du Sud », *Le Monde diplomatique,* avril 1986.

SHORROCK T., « A New Phase in Korean-American Relations », *Ampo,* nº 3, 1985.

libéraliser ses importations en raison de son surplus commercial. Mais elle n'a libéralisé qu'à petits pas à cause des réticences du PJD; aussi le passage des produits de la liste « limitée » à celle « libéralisée » ne signifie pas grand-chose en raison des droits existants sur la plupart des articles « libérés ». Enfin, concernant les droits de l'homme, les États-Unis souhaitent que le gouvernement coréen change son image de marque.

Les contacts avec la Corée du Nord se sont poursuivis: reprise des entretiens sur la coopération économique en novembre 1985, contacts entre les Croix-Rouges des deux pays en décembre, nouvelles rencontres entre membres de familles séparées. Avec la Chine, les rapports commerciaux et aussi politiques – mais non officiels, en fait par l'intermédiaire de Hong Kong – se sont intensifiés; ils occupent une place de plus en plus importante dans la politique régionale de la Corée du Sud.

Patrick Tissier

Égypte. La fin de l'état de grâce

La fin de l'année 1985 et les premiers mois de 1986 ont fait éclater au grand jour les contradictions de la politique menée depuis trois ans par le successeur du président Anouar el Sadate: maintenir les accords de Camp David tout en se rapprochant du monde arabe et de l'OLP; renforcer l'axe Le Caire-Washington en ouvrant des voies de communication avec Moscou; décrisper la vie politique intérieure sans entamer l'hégémonie du Parti national démocratique; réformer l'économie mais en préservant la politique d'ouverture (*infitah*). Pendant la première partie de son mandat, M. Hosni Moubarak avait presque résolu la quadrature du cercle. En 1986 – la révolte des policiers du Caire n'en est qu'un des signes –, l'état de grâce est bien fini. Il est vrai que l'environnement régional n'a pas facilité la tâche du Raïs.

Camouflets

Le 1er octobre 1985, avec la bénédiction de l'administration Reagan, l'aviation israélienne bombardait le quartier général de l'OLP à Tunis, entraînant la mort d'une soixantaine de personnes. Ce grave incident a provoqué entre l'Égypte et les États-

ÉGYPTE

République arabe d'Égypte.
Capitale : Le Caire.
Superficie : 1 001 449 km² (1,8 fois la France).
Carte : p. 312.
Monnaie : livre (1 livre = 9,95 FF au 30.4.86).
Langue : arabe.
Chef de l'État : Hosni Moubarak, président de la République.
Premier ministre : Ali Loutfi.
Nature de l'État : république.
Nature du régime : régime présidentiel.
Principaux partis politiques : *Gouvernement :* Parti national démocratique. *Opposition légale :* Néo-Wafd (libéral); Parti socialiste du travail; Parti libéral (droite nassérienne); Rassemblement progressiste (marxistes et nassériens de gauche). *Illégaux :* Parti communiste égyptien; Al Jihad (islamique).

1. Démographie, culture, armée

	Indicateur	Unité	1965	1975	1985
Démographie	Population	million	29,4	37,2	45,8 [g]
	Densité	hab./km²	29	37	46 [g]
	Croissance annuelle	%	2,5 [a]	2,4 [j]	2,2 [e]
	Mortalité infantile	‰	..	140 [d]	97,0
	Espérance de vie	année	46 [i]	50,7 [d]	57,3 [e]
	Population urbaine	%	38 [i]	44	46,5
Culture	Analphabétisme	%	74 [i]	56,5 [g]	55,5
	Nombre de médecins	‰ hab.	0,5	0,9	1,23 [h]
	Scolarisation *6-11 ans*	%	69,9	67,5	73,1
	12-17 ans	%	26,4	40,3	52,6
	3e degré	%	6,8	13,7	15,5 [f]
	Postes tv	‰	11	17	44 [c]
	Livres publiés	titre	2 656	1 765	1 680 [b]
Armée	Marine	millier d'h.	11	17,5	20
	Aviation	millier d'h.	15	30	25
	Armée de terre	millier d'h.	150	275	320

a. 1961-70; b. 1980; c. 1983; d. 1970-75; e. 1980-85; f. 1982; g. 1984; h. 1981; i. 1960; j. 1970-80; k. 1976.

2. Commerce extérieur [c]

Indicateur	Unité	1965	1975	1985
Commerce extérieur	% PIB	15,1	21,4	21,0 [a]
Total imports	milliard $	0,9	3,9	9,2
Produits agricoles	%	35,5	40,7	35,0 [a]
Produits miniers	%	10,1	8,0	10,7 [b]
Produits industriels	%	54,4	51,3	53,0 [b]
Total exports	milliard $	0,6	1,4	3,5
Pétrole	%	..	9,4	54,5
Coton	%	55,6	37,0	12,5
Autres produits agricoles	%	16,2	18,9	6,4 [a]
Principaux fournisseurs	% imports			
États-Unis		20,2	19,2	18,9
CEE		27,2	33,8	40,7
CAEM		22,8	13,2	6,6
Principaux clients	% exports			
Israël		..	..	11,8
CEE		17,2	12,3	58,5
CAEM		52,8	64,0	10,7

a. 1984; b. 1983; c. Marchandises.

3. Économie

Indicateur	Unité	1965	1975	1985
PNB	milliard $	4,5	9,5	33,34 [a]
Croissance annuelle	%	4,0 [b]	9,1 [c]	6,9
Par habitant	$	150	260	728 [a]
Structure du PIB				
Agriculture	% } 100 %	25,3	30,2	21,1 [d]
Industrie	% } 100 %	23,1	25,0	27,0 [d]
Services	% } 100 %	51,6	44,8	51,9 [d]
Dette extérieure	milliard $	. .	4,8	32,5
Taux d'inflation	%	3,2 [i]	10,9 [g]	11,5
Population active	million	. .	9,3	10,7 [e]
Agriculture	%	58 [f]	47 [h]	36,8 [e]
Industrie	%	12 [f]	16 [h]	20,7 [e]
Services	%	30 [f]	37 [h]	47,6 [e]
Dépenses publiques				
Éducation	% PIB	5,6	5,0	4,1 [d]
Défense	% PIB	10,2	27,4	9,6 [a]
Production d'énergie	million TEC	9,8	18,0	56,5 [d]
Consommation d'énergie	million TEC	9,1	12,6	25,9 [d]

a. 1984; b. 1960-73; c. 1973-83; d. 1983; e. 1982; f. 1960; g. 1974-78; h. 1973; i. 1960-70.

Unis une vive tension, portée à son paroxysme par l'affaire de l'*Achille Lauro*. Ce paquebot italien était détourné, le 7 octobre, par un commando palestinien. Sous l'égide de Moubarak et d'Arafat des négociations s'engagèrent avec les quatre pirates qui acceptèrent de se rendre et furent embarqués sur un *Boeing 707* d'Egyptair pour être transférés à Tunis où l'OLP s'était engagée à les juger. Mais l'avion civil était détourné à son tour par la chasse américaine et contraint d'atterrir sur une base de l'OTAN en Italie; les quatre Palestiniens étaient livrés à la justice italienne. Cette violation de la législation internationale, bien accueillie en Occident, a été perçue en Égypte comme un camouflet. Les manifestations anti-américaines se sont multipliées au Caire et le Raïs a même déclaré : « Comme l'Égypte entière, je suis profondément choqué et blessé par le fait que ce soit un ami qui ait assené ce coup. » Il a exigé des excuses, de la Maison Blanche, mais en vain. En recevant pour la première fois les chefs des cinq partis d'opposition, le 16 octobre, il a tenté de restaurer le sentiment national bafoué. Tâche malaisée car le président sait qu'il ne peut aller trop loin avec « l'ami américain ».

Malgré un certain rééquilibrage de la politique sadatienne, l'Égypte est plus que jamais dépendante des États-Unis. L'armée s'équipe largement outre-Atlantique et le pays a reçu, pour l'année 1986, plus de deux milliards d'aide économique et militaire. Dans ces conditions, un affrontement avec Washington nécessiterait un renversement radical des orientations du Caire, ce que le Raïs ne peut ni ne veut effectuer.

Le manque de fermeté de Moubarak ne pouvait qu'exaspérer une fraction grandissante de l'opinion publique, nationaliste et anti-américaine. L'affaire Soliman Khater allait servir de révélateur. Le 5 octobre 1985, ce policier tuait sept Israéliens à Ras-Bourka, dans le Sinaï. En quelques semaines, il est devenu un héros et les partis d'opposition ont pris la défense du « champion de la lutte antisioniste ». Comme l'a écrit le journaliste égyptien Mohamed Sid-Ahmed : « L'envergure qu'a prise l'affaire Soliman Khater ne s'explique rationnellement que dans la mesure où, faute de trouver dans le cadre de l'État le héros dont ils rêvent – héros en mesure de juguler les raisons de leurs frustrations, d'apporter des solutions concrètes aux inextricables problèmes de leur vie quotidienne –, les Égyptiens ont créé de toutes pièces un héros. On le choisit là où le consensus est le plus facile, face à l'Israélien. Sans tenir compte que les victimes ont été des enfants, des femmes et des vieillards... » Le « suicide » de Khater, après sa condamnation à la prison à vie, a fait du héros un martyr.

Face à cette explosion nationaliste, le Raïs a éprouvé bien des difficultés à maintenir une voie moyenne. D'autant que le rapprochement esquissé avec le monde arabe a marqué le pas, comme en témoigne le refus des membres du sommet arabe d'août 1985 d'examiner le retour de l'Égypte dans la Ligue arabe. Dans ce contexte, Moubarak a jugé bon de maintenir une « paix froide » avec Israël, et surtout de confirmer et d'amplifier son soutien à l'OLP et à Yasser Arafat : l'appui aux Palestiniens reste une source de légitimité importante pour tout pouvoir au Proche-Orient.

Dépendance économique

La conjoncture régionale est d'autant plus préoccupante que l'économie, déjà bien mal en point, est entrée dans une zone de tempêtes. La nomination, en septembre 1985, d'un nouveau Premier ministre, M. Ali Loutfi, spécialiste de l'économie, n'a pas permis de redresser la situation. Malgré une production de 44,4 millions de tonnes de pétrole en 1985 (en hausse de 7,6 % par rapport à 1984), les ressources provenant de l'or noir ont diminué et le manque à gagner pour 1986 a été évalué à 1,2 milliard de dollars. Le tourisme a connu un effondrement spectaculaire à la suite des troubles sociaux. Les envois de devises par les deux millions d'expatriés ont aussi diminué, alors que bon nombre d'en-

BIBLIOGRAPHIE

Articles

ABDEL FADIL M., « La chute des revenus extérieurs frappe une économie sans ressort », *Le Monde diplomatique,* avril 1986.

KASSIR S., « Le président Moubarak otage de la politique d'ouverture », *Le Monde diplomatique,* avril 1986.

LONGUENESSE E., « Rente pétrolière et migrations de travail au Moyen-Orient, le cas de l'Égypte », *Recherches internationales,* n° 18, octobre-décembre 1985.

RONDOT P., « L'Égypte d'aujourd'hui », *L'Afrique et l'Asie modernes,* n° 147, hiver 1985-1986, et n° 148, printemps 1986.

SID AHMED ., « L'Égypte exaspérée en quête de paix », *Le Monde diplomatique,* février 1986.

Dossiers

« Le Caire », *Maghreb-Machrek,* n° 110, octobre-décembre 1985.

« La paix fallacieuse : l'Égypte face à Israël », *Revue d'études palestiniennes,* n° 19, printemps 1986.

tre eux rentrent au pays, compte tenu de la crise dans le Golfe. Enfin, dernière source de devises, le canal de Suez a vu ses recettes plafonner à 900 millions de dollars. Pour une économie fortement dépendante de ressources exogènes, le bilan s'apparente à une faillite que seule l'aide américaine est capable de retarder. Mais pour combien de temps?

La dégradation des conditions de vie de millions d'Égyptiens a suscité de nombreux conflits sociaux. D'importantes grèves ont secoué les centres ouvriers de Choubra al Kheima et Mehallah al Kobra, durement réprimées par les forces de l'ordre. Mais dans un pays où le mouvement syndical a été caporalisé, où les droits de l'opposition politique sont réduits, le mécontentement s'exprime surtout sous forme « d'explosion ». Le soulèvement des policiers du Caire en février 1986 – qui a fait, suivant les estimations officielles, une centaine de victimes et des millions de dollars de dégâts – a été le dernier exemple de cette forme d'opposition. Peut-être aussi le plus grave, car il n'a pas seulement révélé le dysfonctionnement du système mais ébranlé un des piliers d'un régime déjà affaibli.

Dans une société bloquée, où aucun courant – pas même les islamistes dont l'influence a cessé de s'étendre – n'apparaît capable d'offrir une solution de rechange, l'armée – qui a rétabli l'ordre dans la capitale au mois de février – a vu son prestige s'accroître. Pour certains, elle est avec son chef, le maréchal Abou Ghazalah – pro-américain convaincu et fervent musulman –, l'espoir suprême. Au début de 1986, on n'hésitait plus à évoquer au Caire un scénario « pakistanais », qui verrait les forces armées établir un « ordre nouveau » islamique et pro-occidental. M. Moubarak a laissé planer cette menace, demandant à l'opposition de faire preuve de plus de compréhension à son égard; celle-ci s'est d'ailleurs ralliée à lui durant les événements de février. Mais c'est avant tout de la résolution des problèmes fondamentaux du pays – l'économie et les relations avec le monde arabe et Israël – que dépend l'avenir du régime.

Alain Gresh

Norvège. Les aléas du pétrole

En 1983, Kaare Willoch (Parti conservateur) a formé un gouvernement en s'alliant au Parti chrétien-démocrate et au Parti centriste. Mais, après les élections des 8 et 9 septembre 1985, le Parti travailliste a regagné cinq sièges au Storting (le Parlement), réduisant la coalition gouvernementale à cinquante sièges. Les gains travaillistes (40,9 % des voix contre 30,4 % à leur principal adversaire, le Parti conservateur), obtenus malgré une conjoncture économique favorable, exprimaient le mécontentement de certaines régions et couches sociales qui n'ont guère profité de cette reprise, comme les personnes les plus dépendantes des services sociaux et les régions périphériques (nordiques et occidentales). Pour se maintenir au pouvoir, Kaare Willoch a dû s'assurer l'appui des deux députés du Parti du progrès (ultralibéral) qui ont joué un rôle clé dans les débats politiques jusqu'au moment où ils ont refusé, le 29 avril 1986, de voter le programme d'austérité économique du gouvernement. Mis en minorité, le Premier ministre a présenté sa démission au roi Olav V le 2 mai. Mme Gro Harlem Brundtland, leader de l'opposition travailliste, a formé un nouveau gouvernement minoritaire, ne disposant que de soixante et onze sièges sur cent cinquante-sept au Parlement.

Consensus sur l'Europe

Le gouvernement Willoch a continué de soutenir les politiques de l'OTAN, avec l'appui conditionnel des travaillistes, ceux-ci restant très réticents à la présence militaire américaine sur le territoire, surtout dans le Nord. Apparemment tenté par le retour à une politique de neutralité, le Parti travailliste avait invoqué un temps la possibilité de négociations avec les autres pays du Conseil nordique (Danemark, Finlande, Suède, Islande, Groenland), suivies de contacts directs avec l'Union soviétique, risquant ainsi de remettre en question l'appartenance de la Norvège à l'OTAN. Mais depuis, les neutralistes et les mouvements pacifistes ont perdu du terrain et le réchauffement relatif des relations soviéto-américaines a contribué à réduire les divisions internes en matière de politique étrangère, non sans que subsistent toutefois de sérieuses tensions dues au renforcement de la base militaire de Mourmansk et à la menace des missiles *SS 20.* C'est pourquoi la Norvège s'est opposée à une réduction des armements nucléaires français et britanniques si, de son côté, l'URSS ne réduisait pas le nombre de ses missiles intermédiaires. Et tant que de nouveaux accords concernant les armes nucléaires stratégiques ne sont pas conclus, le gouvernement estime essentiel que les deux superpuissances se conforment aux accords SALT (Négociations sur la limitation des armes stratégiques). Il a continué de participer aux activités de l'OTAN, poussant à la négociation avec les pays de l'Est, excluant en même temps toute initiative unilatérale qui nuirait à la coopération des alliés occidentaux. D'autre part, une délégation norvégienne s'est engagée avec des pays européens neutres et non alignés pour formuler des propositions globales sur le désarmement.

Le gouvernement a intensifié sa lutte pour le respect des droits de l'homme, notamment pour l'adoption de sanctions économiques plus dures contre l'Afrique du Sud, tout en réclamant le retrait des forces soviétiques en Afghanistan mais sans se montrer aussi sévère à l'égard des politiques du président Reagan en Amérique centrale. Membre du Conseil nordique et de l'Association européenne de libre échange (AELE), la Norvège collabore avec de nombreux organismes européens. Elle a conclu un accord avec l'Agence européenne de l'espace (AES) lui permettant de devenir membre en 1987. A l'automne 1985, elle a pris une position plus nettement positive que certains pays de la CEE en faveur du projet de coopération technologique *Eurêka* initié par la France, encouragée par la visite du ministre français des Relations extérieures (M. Roland Dumas) en mai 1985. La Norvège est surtout concernée par l'informatique, les nouvelles techniques d'exploitation pétrolière *offshore*, la biotechnologie et quelques autres domaines d'application industrielle et agricole. Notons aussi l'accord de coopération conclu en 1984 entre Norsk Data et la société française Matra (mini-ordinateurs) et le projet *Eurotrac* (pollution de l'air). La politique étrangère a donc fait l'objet d'un plus grand consensus, favorisé par un affaiblissement des partis situés aux extrémités d'un large éventail politique et par la reprise économique.

L'année 1985 a été bonne pour l'économie norvégienne, malgré quelques points faibles. Le taux de chômage est tombé en dessous de 3 % mais il n'a pas encore retrouvé le niveau de 1981 (1,8 %), qui faisait alors de la Norvège un modèle de plein emploi. En dépit des efforts de diversification de la production industrielle, la dépendance à l'égard des exportations de pétrole s'est maintenue. Celles-ci comptent pour plus de 50 % des exportations totales et sont constituées de pétrole non raffiné exporté surtout vers la Grande-Bretagne, par oléoduc. Les exportations de gaz (deux gazoducs) dirigées à peu près à part égale vers l'Allemagne fédérale et le Royaume-Uni représentent l'équivalent de près de la moitié des exportations de pétrole brut. Trois entreprises norvégiennes, Norsk Hydro, Saga et Statoil, ont reçu moins d'un tiers des profits tirés de cette exploitation, la majorité allant aux compagnies étrangères. Norsk Hydro (contrôlée par l'État) a cependant renforcé ses positions en modernisant ses équipements et en diversifiant sa production (électricité, exploitation pétrolière, industrie chimique, aluminium, magnésium, etc.); par ailleurs, elle a étendu ses activités à l'étranger, notamment en collaboration avec Hydro Québec.

Tout comme en Suède, la grande majorité des entreprises sont privées et les projets de nationalisation, même dans l'opposition travailliste, ont été mis en veilleuse. Mais les acquis de la social-démocratie ont été respectés par un gouvernement conservateur pragmatique et soucieux de ménager l'opposition. Très prudent dans ses décisions économiques et budgétaires, le gouvernement Willoch a poursuivi en 1985 une politique un peu moins expansionniste, favorisée par une augmentation de 3,8 % du PNB et une augmentation de 4,5 % du pouvoir d'achat des salariés. Cependant, on a observé une tendance au ralentissement des exportations et à une nouvelle érosion des coûts de production. On a pris conscience qu'il fallait désormais moins miser sur les exportations de pétrole, le prix réel du brut pouvant être réduit, selon les prévisions, de 30 % jusqu'en 1989, compte tenu de la dépréciation du dollar par rapport à la couronne. Ces exportations ont néanmoins réussi jusqu'en 1986 à maintenir une balance commerciale largement excédentaire, tout en favorisant l'expansion d'autres industries qui, sans cela, auraient été gravement menacées (construction navale, notamment). Le gouvernement a décidé d'augmenter de 11 % le budget de la recherche et a encouragé le développement de la technologie, spécialement dans les petites entreprises de pointe.

Quant à l'agriculture, l'exploitation forestière et les pêcheries, leur part dans le PNB a continué à diminuer. L'agriculture (environ 5,5 % de la main-d'œuvre) est restée fortement subventionnée; les fermes sont trop petites et la superficie cultivable, malgré les améliorations techniques, n'atteint même pas 3 % du total des terres. La politique agricole en vigueur s'est efforcée d'assurer un minimum d'autosuffisance alimentaire (à l'exception des céréales), en même temps qu'une meilleure occupation du territoire (spécialement dans les régions à faible densité de population). Pour ce qui est des pêcheries, elles comptaient en 1986 pour un peu plus de 1 % de l'emploi et 4 % des exportations.

Enfin, la coopération nordique (sauf avec la Suède) est restée fort limitée dans les échanges commerciaux, la force d'attraction de plusieurs pays de la CEE (Royaume-

NORVÈGE

Royaume de Norvège.
Capitale : Oslo.
Superficie : 324 220 km² (0,59 fois la France).
Carte : p. 436.
Monnaie : couronne (1 couronne = 1,002 FF au 30.4.86).
Langue : norvégien.
Chef de l'État : roi Olav V.
Chef du gouvernement : Gro Harlem Brundtland (au 30.6.86).
Nature de l'État : monarchie constitutionnelle.
Nature du régime : démocratie parlementaire.
Principaux partis politiques : *Gouvernement :* Parti travailliste. *Autres :* Parti libéral; Parti socialiste de gauche; Parti libéral populaire; Parti communiste de Norvège; Parti du progrès; Parti conservateur; Parti centriste; Parti chrétien-démocrate.

1. Démographie, culture, armée

	Indicateur	Unité	1965	1975	1985
Démographie	Population	million	3,7	4,0	4,15
	Densité	hab./km²	11,4	12,3	12,8
	Croissance annuelle	%	0,8 [e]	0,5 [f]	0,3 [d]
	Mortalité infantile	‰	19 [g]	12,0 [c]	7,0
	Espérance de vie	année	73 [g]	74,5 [c]	75,9 [d]
	Population urbaine	%	. .	. .	80,3
Culture	Nombre de médecins	‰ hab	1,11 [g]	1,38 [h]	2,03 [i]
	Scolarisation *2e degré* [j]	%	64	88,0	96 [b]
	3e degré	%	10,7	22,1	28,2 [b]
	Postes tv (L)	‰	132	260	319 [a]
	Livres publiés	titre	3217	4 855	5 540 [a]
Armée	Marine	millier d'h.	6,3	8,0	7,6
	Aviation	millier d'h.	10,0	9,0	9,4
	Armée de terre	millier d'h.	18,0	18,0	20,0

a. 1983; b. 1982; c. 1970-75; d. 1980-85; e. 1960-70; f. 1970-80; g. 1960; h. 1970; i. 1981; j. 13-18 ans.

2. Commerce extérieur [a]

Indicateur	Unité	1965	1975	1985
Commerce extérieur	% PNB	25,8	29,7	31,3
Total imports	million $	2 210	9 705	15 556
Produits agricoles	%	15,1	10,1	7,6
Produits miniers [b]	%	5,0	3,9	4,9
Produits industriels	%	72,5	76,2	78,8
Total exports	million $	1 443	7 232	19 853
Produits industriels	%	67,1	59,8	38,1
Produits agricoles	%	28,0	22,8	7,6
Produits pétroliers	%	1,7	12,6	35,9
Principaux fournisseurs	% imports			
Scandinavie		27,3	28,0	28,7
CEE		46,9	43,7	47,3
PVD		8,9	10,4	8,4
Principaux clients	% exports			
Scandinavie		25,3	26,5	14,1
CEE		51,1	51,8	69,0
PVD		10,6	10,7	11,1

a. Marchandises; b. Produits énergétiques non compris.

3. Économie

Indicateur	Unité	1965	1975	1985
P N B	milliard $	7,1	28,4	56,2
Croissance annuelle	%	4,8 [b]	3,4 [c]	3,0
Par habitant	$	1 913	7 112	13 542
Structure du P I B				
Agriculture	% } 100 %	7,5	5,5	3,2 [a]
Industrie	% } 100 %	36,3	35,9	41,4 [af]
Services	% } 100 %	56,2	58,6	55,4 [a]
Taux d'inflation	%	4,5 [i]	9,5 [d]	5,6
Population active	million	1,4	1,7	2,1
Agriculture	%	17,6	9,3	7,2
Industrie	%	36,4	34,4	27,8
Services	%	46,0	56,3	65,0
Chômage [h]	%	1,2	2,3	2,3
Dépenses publiques				
Éducation	% P N B	5,3	7,1	7,0 [g]
Défense	% P N B	3,8	2,9	3,0
Recherche et développement	% P N B	. .	1,4	1,4 [e]
Production d'énergie	million T E C	4 187 [h]	23 658	93,3 [g]
Consommation d'énergie	million T E C	9 323 [h]	19 635	23,7 [g]

a. 1984; b. 1960-73; c. 1973-83; d. 1974-78; e. 1982; f. Dont hydrocarbures : 18,8 %; g. 1983; h. 1960; i. 1960-70.

Uni et R F A surtout) s'étant encore accentuée en 1985. Depuis le traité signé en 1972 avec la Communauté européenne, le libre-échange est pratiqué pour plus de 80 % des marchandises, les périodes de transition fixées pour un certain nombre de produits étant venues à échéance. La concurrence n'en sera que plus difficile dans un pays qui jusqu'en 1986 a pu s'enorgueillir d'un niveau d'emploi et d'une qualité de vie remarquables.

Edmond Orban

BIBLIOGRAPHIE

Ouvrages

OCDE, *Études économiques*, Norvège, OCDE, Paris, 1985.

Orban E., *Le Conseil nordique : un modèle de souveraineté-association*?, Hurtubise, Montréal, 1980.

Quarterly Economic Review of Norway, Annual Suplement, Oslo, 1985.

Article

Orengo P., « La Norvège », *Notes et études documentaires*, nº 4783, 1985.

Algérie. Vers l'austérité

« C'est la crise » : l'année 1986, qui annonçait un second souffle pour le régime du président Chadli Bendjedid avec l'adoption de la nouvelle Charte nationale, a commencé dans un climat pessimiste. 98 % de ses recettes d'exportation provenant des hydrocarbures, l'Algérie se trouve frappée de plein fouet par la dégringolade des prix du pétrole (– 50 % en six mois) et l'érosion parallèle de la monnaie américaine, utilisée pour les transactions pétrolières, alors que le coût des biens d'équipement importés est resté à peu près stable. Ses revenus en devises, qui, selon les chiffres officiels, s'étaient maintenus en 1985 aux alentours de 12,8 milliards de dollars, pourraient tomber à seulement 8 ou 9 milliards.

Car la baisse des tarifs pétroliers a une incidence directe sur ceux du gaz, dont l'Algérie possède des réserves qui la placent au quatrième rang mondial. En raison d'une stratégie commerciale fondée sur des accords à long terme et des prix élevés, elle a perdu progressivement tous ses clients sur le marché américain et elle devait renégocier en 1986, avec ses partenaires belge, italien et français, dans des conditions peu favorables; pour ce pays de 23 millions d'habitants dont les besoins croissent au rythme d'une démographie « galopante », les temps difficiles de « l'après-pétrole » sont arrivés plus tôt que prévu.

Dès la fin février 1986, le gouvernement a décidé d'informer ses concitoyens de la situation et d'opérer des compressions budgétaires (– 20 % sur le programme d'importations, – 26 % sur les équipements). Et à partir du mois d'avril, les autorités algériennes ont commencé à expulser quelque 20 000 Maliens et Nigériens qui s'étaient installés illégalement dans le Sud saharien et devenaient un fardeau économique.

Dans ce contexte difficile, les dirigeants algériens ont gardé au moins deux motifs de satisfaction. D'abord la nette amélioration des performances de l'agriculture, grâce à l'aide accordée par l'État aux petits paysans, à la restructuration des domaines autogérés, au relèvement des prix offerts aux producteurs et à des pluies régulières. La récolte de céréales a ainsi atteint en 1985 le niveau exceptionnel de 30 millions de quintaux (dont 16,4 de blé) contre 16 millions l'année précédente, tandis que la production de pommes de terre a doublé en l'espace de deux ans (on en espérait 10,5 millions de quintaux en 1986). Ces progrès ont allégé d'autant la facture des importations alimentaires, lesquelles couvrent 60 % des besoins. L'autre indice de bonne santé économique est le niveau de la dette, maintenu – grâce à une gestion très prudente – autour de 17 milliards de dollars.

L'Algérie peut donc se permettre d'emprunter pour affronter cette mauvaise passe. Mais ses dirigeants semblent hésiter à la fois sur l'ampleur de la crise et sur la stratégie à adopter : si l'austérité (et non la simple rigueur) se révèle indispensable, qui va-t-elle toucher en priorité parmi les secteurs de l'État et dans la population? Et peut-on sans risque remettre brutalement en cause les alliances nouées avec les couches populaires sur la base d'un partage de la rente des hydrocarbures? On a vu affleurer dans la presse (suivant qu'elle est plus proche du Parti ou de la Présidence) un débat sur la crise qui paraît recouper assez exactement les discussions parfois très polémiques auxquelles on a assisté en 1985 à propos de la Charte nationale.

Adoption de la Charte nationale

Le président Chadli avait annoncé, début 1985, que ce document de base du socialisme algérien, adopté par référendum le 27 juin 1976 à l'issue d'un large débat populaire, serait « enrichi » à la lumière des dix années écoulées. Soumise fin décembre à un Congrès extraordinaire du Front de libération nationale (FLN), puis approuvée le 16 janvier 1986 par une écrasante majorité d'électeurs, la seconde mouture est le résultat d'un compromis plus malaisé que prévu entre les forces qui composent l'assise traditionnelle du régime (le Parti, la technocratie et l'armée), elles-mêmes partagées entre les défenseurs de « l'héritage » du président Boumediene et les partisans de réformes économiques audacieuses à la manière chinoise.

Le nouveau texte ne remet pas en cause « l'option socialiste » et consacre la prééminence du Parti, dont le rôle a été renforcé depuis l'arrivée au pouvoir du président Chadli en 1979. Mais il accorde aussi une plus grande place aux origines historiques de la nation algérienne (en reconnaissant notamment l'apport des royaumes berbères), à l'islam – qui devient la principale « référence idéologique » de la Charte –, et au secteur privé, considéré désormais comme un instrument du développement national, alors que le texte de 1976 le cantonnait dans l'artisanat et le commerce de détail. Employant déjà un quart de la main-d'œuvre industrielle, le capital privé est fortement sollicité pour la mise en valeur agricole du Grand Sud saharien, et dans les domaines du tourisme et des industries légères (10 % du secteur) ainsi que dans le bâtiment où il existe 5 000 à 6 000 petites entreprises, autorisées depuis peu à faire de la promotion immobilière.

La Charte met aussi l'accent sur le contrôle de la croissance démographique : avec un taux de 3,2 % par an, il fallait déjà scolariser, en 1985, près de 6 millions d'enfants et d'adolescents. Dans ce domaine, la rupture est nette avec les idées natalistes professées il y a dix ans dans la foulée d'un tiers mondisme militant.

Au lieu du remaniement en profondeur auquel on s'attendait après le plébiscite de la Charte, le président Chadli a seulement procédé à des changements « techniques » au sein du gouvernement et à la tête du Parti, sans toucher aux postes clés : certains compromis ont sans doute été nécessaires en raison des incertitudes économiques.

Montée de la contestation

Le régime a aussi dû faire face à une recrudescence de la contestation

ALGÉRIE

République algérienne démocratique et populaire.
Capitale : Alger.
Superficie : 2 381 741 km² (4,4 fois la France).
Carte : p. 269.
Monnaie : dinar (1 dinar = 1,51 FF au 30.4.86).
Langues : arabe (langue nationale), berbère, français.
Chef de l'État et du gouvernement : Chadli Bendjedid, président.
Nature de l'État : République démocratique et populaire; l'islam est religion d'État.
Nature du régime : présidentiel, démocratie socialiste à parti unique.
Principaux partis politiques : *Gouvernement :* Front de libération nationale (FLN). *Illégaux :* Parti communiste (PAGS); Mouvement pour la démocratie en Algérie (MDA, animé par A. Ben Bella).

1. Démographie, culture, armée

	Indicateur	Unité	1965	1975	1985
Démographie	Population	million	11,92	16,78	21,6
	Densité	hab./km²	5,0	7,0	9,1
	Croissance annuelle	%	2,9 [f]	2,6 [e]	3,4 [c]
	Mortalité infantile	‰	145 [g]	138 [d]	93
	Espérance de vie	année	46 [h]	53,5 [d]	57,8 [c]
	Population urbaine	%	30 [h]	. .	66,6
Culture	Analphabétisme	%	75	63	50,4
	Nombres de médecins	‰ hab.	0,1	0,2	0,5 [a]
	Scolarisation *6-11 ans*	%	53,0	76,7	88,1
	12-17 ans	%	25,3	37,4	54,6
	3e degré	%	0,8	3,2	5,5 [b]
	Postes tv	‰	6	30	65 [a]
	Livres publiés	Titre	131	. .	208 [a]
Armée	Marine	millier d'h.	1	3,5	8,0
	Aviation	millier d'h.	2	4,5	12,0
	Armée de terre	millier d'h.	45	55	150,0

a. 1983; b. 1982; c. 1980-85; d. 1970-75; e. 1970-80; f. 1960-70; g. 1970; h. 1960.

2. Commerce extérieur [b]

Indicateur	Unité	1965	1975	1985
Commerce extérieur	% P I B	21,3	37,6	20,2
Total imports	milliard $	0,7	6,0	10,4
Produits agricoles	%	28,3	23,8	23,4
Produits miniers	%	1,5	2,2	1,9 [a]
Produits industriels	%	70,2	74,0	74,6 [a]
Total exports	milliard $	0,6	4,7	13,1
Produits agricoles	%	37,3	4,2	0,6 [a]
Pétrole et gaz	%	53,7	92,4	97,6
Autres produits miniers	%	2,8	2,6	0,2 [a]
Principaux fournisseurs	% imports			
France		70,4	33,5	29,3
R F A		2,7	11,6	11,9
États-Unis		2,4	16,8	5,2
Principaux clients	% exports			
États-Unis		0,8	26,8	18,5
R F A		5,4	19,0	10,7
France		72,6	14,7	17,5

a. 1984; b. Marchandises.

interne, surtout de la part du courant « berbériste » et des fondamentalistes musulmans. La politique de réconciliation menée depuis 1984 à

3. ÉCONOMIE

INDICATEUR	UNITÉS	1965	1975	1985
P N B	milliard $	2,5	13,7	58,2
Croissance annuelle	%	5,0 [b]	5,8 [c]	6,0
Par habitant	$	210	870	2 694
Structure du P I B				
Agriculture	%	16,8	9,1	8,2 [a]
Industrie	% 100 %	38,2	48,2	58,2 [a]
Services	%	45,0	42,7	33,6 [a]
Dette extérieure	milliard $	–	4,5	13,8 [d]
Taux d'inflation	%	..	10,3	8,5
Population active	million	3	3,4 [f]	3,6 [a]
Agriculture	%	67	20,5 [f]	26,9 [a]
Industrie	%	12	22,2 [f]	30,4 [a]
Services	%	21	23,1 [f]	42,7 [a]
Dépenses publiques				
Éducation	% P I B	4,7	7,1	4,5 [g]
Défense	% P I B	4,0	2,1	1,6
Production d'énergie	million T E C	41,4	74,6	85,1 [a]
Consommation d'énergie	million T E C	2,9	10,3	12,8 [a]

a. 1983; b. 1960-73; c. 1973-83; d. 1984; f. 1977; g. 1982.

l'égard de certains opposants en exil ou des anciens « barons » de l'ère Boumediene (comme l'homme d'affaires Messaoud Zeggar, discrètement acquitté à l'automne 1985, après plusieurs années de détention) n'a pas convaincu les plus prestigieux d'entre eux. Et en décembre, deux chefs historiques du FLN, Hocine Ait-Ahmed et l'ex-président Ahmed Ben Bella ont annoncé à Londres une « initiative commune » pour la démocratie en Algérie, qui pourrait rencontrer un écho dans la communauté émigrée.

Au même moment se déroulait, devant la Cour de sûreté de l'État, le procès de douze membres de la Ligue algérienne des droits de l'homme (fondée le 30 juin 1985) et de onze « fils de Martyrs », autre association considérée comme illégale. Presque tous les accusés, qui appartenaient aux milieux berbéristes et dont l'arrestation a provoqué durant plusieurs mois des incidents en Kabylie, ont été condamnés à des peines variant entre six mois et trois ans de prison. Les mêmes juges se sont montrés beaucoup plus sévères envers les chefs d'un réseau benbelliste armé, constitué en 1983 dans les Aurès. Mais le plus grave défi lancé aux autorités est venu d'un groupe d'activistes musulmans qui a attaqué, fin août 1985, une caserne-école de police, tuant un garde et emportant des armes, avant de prendre le maquis dans les montagnes à trente kilomètres de la capitale. Après un violent accrochage qui fit cinq morts parmi les gendarmes, une partie de la bande a été capturée, mais son chef Mustafa Bouiali a réussi à s'échapper.

Soucieuses de distraire les jeunes de la propagande intégriste, qui trouve un terrain favorable dans les problèmes de logement (il en manquerait 1 million) ou de chômage (16,9 % en 1984 selon les chiffres officiels), les autorités ont tenté de rattraper le temps perdu sur le terrain culturel. La multiplication de festivals locaux et de centres de loisirs – tel l'ambitieux complexe de

Riad el-Feth sur les hauteurs d'Alger – a ouvert d'autres horizons aux moins de trente ans, qui forment plus de la moitié de la population.

L'unité du Maghreb reste par ailleurs la ligne directrice d'une diplomatie plus « pragmatique » que par le passé, et préoccupée avant tout de la stabilité de la région. Prise au dépourvu en 1984 par le traité maroco-libyen, l'Algérie a réussi, après une période de flottement, à renouer avec son turbulent voisin libyen. Le président Chadli et le colonel Kadhafi se sont rencontrés fin janvier 1986 à In Amenas, dans le désert algérien, afin de dissiper les malentendus. Alger a offert de dynamiser la coopération, tout en différant l'échéance d'une « fusion » politique que la Libye a déjà sollicitée à plusieurs reprises.

Car les Algériens ne veulent surtout pas compromettre leurs bonnes relations avec la Tunisie, qu'ils s'efforcent de protéger contre les menaces libyennes, et où ils défendent des intérêts vitaux (le gazoduc algéro-italien passe en territoire tunisien). Ils persistent aussi à rechercher une entente avec le Maroc dans l'espoir de régler enfin le conflit du Sahara occidental, à condition que Rabat fasse un geste envers le Front Polisario, qui revendique depuis treize ans cette ancienne colonie espagnole. En avril 1986, le royaume chérifien a accepté d'ouvrir à New York, sous l'égide des Nations Unies, des conversations préliminaires en vue d'établir un cessez-le-feu et d'organiser un référendum; mais il persistait dans son refus officiel de nouer des contacts directs avec le Polisario.

L'autre point saillant de la politique étrangère algérienne a été, à la fin mars 1986, la visite du président Chadli à Moscou, destinée à équilibrer, suivant les principes d'un strict non-alignement, celle qu'il avait effectuée un an auparavant à Washington.

Ce « retour à Moscou » ne semble pas avoir remis en cause la politique de dialogue avec l'Ouest et les États-Unis, dont les raids aériens contre la Libye ont cependant soulevé un tollé dans la presse et au sein du FLN, alors que le gouvernement adoptait une attitude nettement plus modérée. De tels contrastes indiquent que la « chadlisation » du régime n'est pas encore achevée et que le chef de l'État pourrait avoir besoin d'un troisième mandat pour mener à bien les réformes dans lesquelles il s'est engagé.

Joëlle Stolz

BIBLIOGRAPHIE

Ouvrages

LAACHER S., *Algérie : réalités sociales et pouvoir*, L'Harmattan, Paris, 1985.

MORIZOT J., *Les Kabyles : propos d'un témoin*, Centre des hautes études sur l'Afrique et l'Asie modernes, Paris, 1985.

Article

PERENNES J.-J., « La politique hydro-agricole de l'Algérie : données actuelles et principales contraintes », *Maghreb-Machrek*, n° 111, janvier-mars 1986.

Dossiers

« Algérie », *Afrique expansion*, n° 16, avril-mai 1986.
« Ordre et désarroi en Algérie », *Projet*, n° 193, mai-juin 1985.

Maroc.
La fête du trône, malgré tout

Trente ans d'indépendance, vingt-cinq ans du règne de Hassan II : 1986 a été au Maroc une année anniversaire exceptionnelle; cinq jours de congé, illuminations, portraits et arcs de triomphe, fêtes et cérémonies ont marqué la date symbolique – le 3 mars, jour de la fête du trône – de ce quart de siècle. Mais ce sont les mois qui précèdent comme ceux qui suivent qui se doivent d'être à la hauteur de cet anniversaire, et tout a été mis en œuvre à cet effet.

Le prestige du roi est d'autant plus grand qu'il est sans partage : jamais Premier ministre (Karim Lamrani) n'a été plus effacé et gouvernement plus soumis. Les deux grands partis nationaux, l'Istiqlal de Mohamed Boucetta et l'Union socialiste des forces populaires d'Abderrahim Bouabid, sont dans l'opposition depuis la formation du gouvernement en novembre 1983, et son renouvellement en avril 1985 n'a rien changé : le roi fait tout, il est tout.

Il est vrai qu'à certains égards, l'année diplomatique a été brillante : les 27, 28 et 29 avril, le Premier ministre français, Laurent Fabius, se rendait au Maroc pour sa première visite officielle dans un pays du Maghreb, et se félicitait de « l'excellence des relations bilatérales de coopération » entre les deux pays. Le 19 août, le pape Jean-Paul II s'arrêtait quelques heures à Casablanca, où il s'adressait à 80 000 jeunes rassemblés pour la circonstance. La rencontre du souverain pontife, chef des catholiques du monde entier, et du commandeur des croyants a été un événement médiatique d'importance : politiquement proches certes, par leur conservatisme, les deux hommes ont pourtant surpris dans ce face-à-face insolite, qui a donné pour un moment au roi du Maroc la dimension d'un souverain de l'islam, et d'un islam ouvert et tolérant, conforme à sa tradition.

Enfin, le 27 novembre, le roi Hassan II commençait sa première visite officielle en France depuis 1981 ; certes, elle avait été précédée par celle, particulièrement remarquée, du président algérien Chadli,

MAROC

Royaume du Maroc.
Capitale : Rabat.
Superficie : 450 000 km^2, sans le Sahara occidental (soit 0,82 fois la France).
Carte : p. 269.
Monnaie : dirham (1 dirham = 0,77 FF au 30.4.86).
Langues : arabe (dialectal) et berbère (trois dialectes différents).
Chef de l'État : roi Hassan II.
Premier ministre : Karim Lamrani.
Nature de l'État : monarchie absolue de droit divin.
Nature du régime : monarchie constitutionnelle.
Principaux partis politiques : *Gouvernement :* Union constitutionnelle; Rassemblement national des indépendants; Parti national démocratique; Mouvement populaire Istiqlal. *Opposition légale :* Union socialiste des forces populaires; Parti du progrès et du socialisme; Organisation de l'action démocratique et populaire (OADP). *Opposition clandestine :* Ibal Amam (En avant) et Mouvement du 23 mars, organisations marxistes-léninistes; différents mouvements islamiques.

1. Démographie, culture, armée

	Indicateur	Unité	1965	1975	1985
Démographie	Population	million	13,0	17,3	22,0
	Densité	hab./km²	29,1	38,7	48,8
	Croissance annuelle	%	2,8 [a]	3,0 [f]	2,5 [c]
	Mortalité infantile	‰	161 [h]	130 [d]	84
	Espérance de vie	année	49,2	52,9 [d]	57,9 [c]
	Population urbaine	%	29,3 [h]	35,2 [g]	43,9
Culture	Analphabétisme	%	78,6 [g]	..	66,9
	Nombre de médecins	‰ hab.	0,07	0,09	0,06 [e]
	Scolarisation *6-11 ans*	%	40,6	39,6	56,4
	12-17 ans	%	23,6	27,6	43,9
	3e degré	%	0,9	3,2	6,0 [b]
	Postes tv	‰	2,5	26	39 [b]
Armée	Marine	millier d'h.	1,0 [i]	2,0	6
	Aviation	millier d'h.	3,0 [i]	4,0	13
	Armée de terre	millier d'h.	50 [i]	55	130

a. 1961-70; b. 1983; c. 1980-85; d. 1970-75; e. 1981; f. 1970-80; g. 1971; h. 1960; i. 1969.

2. Commerce extérieur [c]

Indicateur	Unité	1965	1975	1985
Commerce extérieur	% PIB	17,0	22,8	21,2 [a]
Total imports	million $	456	2 567	3 814
Produits énergétiques	%	5,3	10,9	26,1 [a]
Produits agricoles	%	38,1	34,4	24,7 [a]
Produits industriels	%	56,2	54,3	43,8 [a]
Total exports	million $	434	1 540	2 170
Produits phosphatés [b]	%	25,4	55,0	42,4
Agrumes	%	14,4	9,5	6,8
Produits industriels	%	6,0	12,7	13,9
Principaux fournisseurs	% imports			
CEE		55,0	51,7	42,8
dont la France		38,3	30,1	24,4
États-Unis		11,9	7,7	5,4
Principaux clients	% exports			
CEE		68,1	54,1	50,6
dont la France		44,0	21,7	24,0
CAEM		9,4	15,7	5,8

a. 1984; b. Phosphates et acide phosphorique; c. Marchandises.

mais elle n'en avait pas été moins chaleureuse, donnant lieu aux cérémonies et aux coups de projecteurs qui font partie du rite.

Il reste cependant, dans les relations diplomatiques marocaines, de vraies difficultés. La première oppose le Maroc à l'Espagne au sujet

3. Économie

Indicateur	Unité	1965	1975	1985
PIB	milliard $	2,6	9,0	14,34 [a]
Croissance annuelle	%	4,0 [b]	4,5 [c]	4,3
Par habitant	$	202	520	668 [a]
Structure du PIB				
Agriculture	% } 100 %	20,4	17,4	16,9 [e]
Industrie	% } 100 %	25,2	33,0	31,9 [e]
Services	% } 100 %	54,4	49,6	51,1 [e]
Dette extérieure	million $	–	1,8	14,0
Taux d'inflation	%	2,3 [g]	11,2 [h]	10,1
Population active	million	..	4,5	6,0 [f]
Agriculture	%	62 [d]	..	45 [a]
Industrie	%	14 [d]	..	24[a]
Services	%	24 [d]	..	31 [a]
Dépenses publiques				
Éducation	% PIB	3,8	4,8	7,5 [e]
Défense	% PIB	4,9 [i]	2,7	4,0 [a]
Production d'énergie	million TEC	0,7 [j]	0,9	1,0 [e]
Consommation d'énergie	million TEC	2,9 [j]	4,5	6,6 [e]

a. 1984 ; b. 1960-73 ; c. 1973-83 ; d. 1960 ; e. 1983 ; f. 1982 ; g. 1960-70 ; h. 1974-78 ; i. 1968 ; j. 1970.

de la situation complexe des présides (les villes de Ceúta et de Melilla, et quelques îlots sur la côte marocaine nord). Territoire « national » depuis Isabelle la Catholique, réaffirmé à nouveau comme tel par le gouvernement espagnol, revendiqué par les nationalistes marocains comme partie intégrante de leur patrie, paradoxalement, les musulmans, au cours de manifestations au début de 1986, y ont réclamé la nationalité espagnole que Madrid leur refuse.

Les contradictions du « mariage » maroco-libyen constituent la seconde difficulté : selon les clauses du traité d'union signé à Oujda en août 1984, les deux pays sont solidaires en cas de conflit. Du côté américain, on a mal admis l'engagement de l'allié marocain aux côtés du « terroriste » Kadhafi : le mécontentement a augmenté à chacune des crises, celle des attentats de Rome et de Vienne en décembre 1985, puis celle de la passe d'armes dans le golfe de Syrte en mars 1986 qui a culminé avec le raid américain sur Tripoli et Benghagi le 15 avril, et les représailles libyennes. Du côté français, on s'est efforcé d'élucider le problème, lié à celui du Tchad, mais on n'a pu s'empêcher de constater, au moins, que le Maroc ne pouvait faire entendre raison au bouillant colonel.

Le conflit du Sahara occidental

Les tensions intermaghrébines sont restées sans solution puisque bloquées par le conflit du Sahara occidental où aucune perspective ne s'est dégagée en 1985. Certes, le Maroc a achevé la construction de ses murs, six au total, murailles de sable et de pierres sur lesquelles veille l'armée marocaine tout autour des territoires contestés de l'ancien Rio de Oro espagnol ; ces murs, qui longent les frontières algérienne et mauritanienne, n'empêchent pas les incursions du Front Polisario, mais ils les gênent; ils ont mis fin en tout cas aux spectaculaires opérations auxquelles se sont livrés les guérilleros depuis 1975. Ce succès relatif est dû à l'arrêt de l'aide libyenne au Polisario, clause essentielle du traité d'Oujda; mais combien de temps durera ce répit, lorsqu'on connaît les surprises de la diplomatie de Tripoli ?

C'est à propos du Sahara occidental que la diplomatie marocaine a subi de sévères défaites : la première, le 3 octobre 1985, a été la reconnaissance de la République arabe sahraouie démocratique (RASD) par l'Inde, chef de file des pays non-alignés (suivie par le Guatémala le 10 avril 1986). La seconde a été le vote de l'Assemblée générale des Nations Unies, en novembre 1985, qui donna 91 voix à la proposition algérienne sur le Sahara occidental contre 6 à la proposition marocaine et 41 abstentions... Au printemps 1986, des négociations « indirectes » ont été amorcées, sous l'égide des Nations Unies, entre le Maroc et le Polisario, plaçant le conflit hors du cadre où le Maroc entendait le laisser : celui des relations bilatérales avec l'Algérie.

Cette guerre qui n'en finit pas a pourtant ses avantages : elle occupe l'armée au loin et diminue les risques de coup d'État, hantise de la monarchie depuis 1971. Sous couvert de nationalisme, elle permet de réprimer tranquillement islamistes et gauchistes, accusés les uns et les autres de complicité avec l'étranger, en les isolant dans l'opinion publique. Les premiers ont été lourdement condamnés en août 1985, les autres en février 1986. Mais le climat nationaliste n'a pas pu étouffer tout à fait ni les longs mois passés en réanimation des jeunes grévistes de la faim de Marrakech, ni la mort suspecte d'un jeune ingénieur aux mains de la police en novembre 1985, ni la réprobation qu'a suscitée dans le monde le rapport d'Amnesty International sur la torture au Maroc.

La guerre au Sahara coûte cher (on a avancé le chiffre d'un milliard de dollars par an), et elle a aggravé les difficultés économiques et financières dans lesquelles se débat le pays. Dans ce domaine pourtant, une bonne surprise : il a plu, et beaucoup, au cours de l'hiver 1985-1986, et la récolte, au printemps 1986, s'annonçait prometteuse. Elle ne semblait pas pourtant devoir suffire à couvrir les besoins qui augmentent à la vitesse de l'accroissement démographique : 65 millions de quintaux de céréales étaient nécessaires, alors que la récolte précédente avait atteint 52 millions de quintaux, conformément aux objectifs. Certes, les États-Unis ont inclu le Maroc dans les quinze pays choisis par le plan Baker qui prévoit de nouvelles injections d'argent : 20 millions de dollars sur trois ans; mais la dette a atteint 13 milliards de dollars, et les consignes du FMI sont toujours austérité et vérité des mécanismes de l'économie.

De lourdes menaces pèsent d'autre part sur la paix sociale. La privatisation a commencé. Les produits marocains sont moins protégés : les droits de douane ont baissé entre 45 et 60 %. Les industriels redoutent, à partir de l'été 1986, de nouvelles fermetures d'entreprises (9 000 ouvriers auraient perdu leur emploi à Casablanca dans les derniers mois de 1985).

La baisse du dirham – la dégradation de 25 % par rapport au franc français semblait devoir se poursuivre – a accéléré la fuite des capitaux et diminué les bénéfices des exportations, sans pour autant élargir le marché; car enfin, vendre quoi et à qui ? La CEE s'est fermée. La France, pour éviter au Maroc le choc brutal de la concurrence espagnole et portugaise, a bien obtenu des Douze le maintien pour quatre ans des flux en provenance du Maroc, mais tout élargissement était exclu, et le *statu quo* lui-même, à terme, condamné. Cependant, le roi n'avait pas l'intention d'en rester là. En 1985, il avait déjà indiqué qu'il demanderait l'entrée de son pays, à part entière, dans la Communauté. A l'automne 1986, il doit aller plaider en personne son dossier devant le Parlement de Strasbourg, non sans avoir à donner quelques gages de démocratie.

La baisse du dirham a aussi contribué à la spirale inflationniste, comme devait le faire d'un jour à l'autre, semblait-il, l'application d'une TVA. En effet, les prix sont montés régulièrement (de 10 à 12 % pour l'année 1985) tandis que diminuaient les subventions de la caisse de compensation sur les produits de première nécessité qui n'étaient plus protégés.

En 1985 et jusqu'au printemps 1986, on a évité les explosions de mécontentement populaire qui avaient secoué le pays, en juin 1981 et en janvier 1984, mais jusqu'à quand? L'appareil d'État y veille en tout cas : les quatre nouvelles préfectures de Casablanca sont terminées, si provocantes dans leur luxe que l'inauguration officielle en aurait été écourtée... Mais les tensions sociales restaient sensibles : de décembre 1985 à mars 1986, 5 000 mineurs des phosphates, à Youssoufia puis à Khouribga, se sont mis en grève ; au Maroc, c'est un baromètre qui ne trompe pas.

Christine Jouvin

BIBLIOGRAPHIE

Ouvrages

ARIAM C., *Rencontres avec le Maroc*, La Découverte, Paris, 1986.

France-Maroc, continuité ou changement, Comité de lutte contre la répression au Maroc, Paris, 1985.

GUERRAOUI D., *Agriculture et développement au Maroc*, Publisud, Paris, 1986.

SALAHDINE M., *Maroc : tribus, makhzen et colons*, L'Harmattan, Paris, 1986.

Article

CODO L.C., « La politique du Maroc au sud du Sahara », *Le Mois en Afrique*, n° 239-240, décembre 1985-janvier 1986 et n° 241-242, février-mars 1986.

Pérou. Alan García sur tous les fronts

Le 28 juillet 1985, Alan García, élu dès le premier tour de scrutin, devenait à trente-six ans le plus jeune président de l'histoire du Pérou. Il nommait un gouvernement dirigé par le Premier ministre Luis Alava Castro, dont la politique signifiait une rupture avec les recettes néolibérales appliquées sous la présidence de Belaunde Terry, et un retour aux options nationalistes du régime militaire de Velasco Alvarado (1968-1975). Mais la volonté de changement du nouveau chef de l'État s'est heurtée à un contexte international défavorable et à de fortes oppositions de la part de ceux qui devraient l'appuyer au Pérou :

1. Démographie, culture, armée

	Indicateur	Unité	1965	1975	1985
Démographie	Population	million	11,7	15,2	19,7
	Densité	hab./km 2	9,1	11,8	15,3
	Croissance annuelle	%	3,0 [f]	2,5 [c]	2,3 [d]
	Mortalité infantile	‰	163 [g]	53 [c]	88,0
	Espérance de vie	année	47 [g]	55,5 [c]	58,6 [d]
	Population urbaine	%	46 [g]	..	67,4
Culture	Analphabétisme	%	39 [g]	..	15,2
	Nombre de médecins	‰ hab.	0,51 [g]	0,52 [e]	0,81 [b]
	Scolarisation *6-11 ans*	%	70,3	82,0	89,7
	12-17 ans	%	53,8	65,8	75,7
	3e degré	%	8,1	14,6	21,5 [b]
	Postes tv (L)	‰	18	40	49 [a]
	Livres publiés	titre	927	767	704 [a]
Armée	Marine	millier d'h.	..	8,0	27,0
	Aviation	millier d'h.	..	9,0	16,0
	Armée de terre	millier d'h.	..	39	850

a. 1983 ; b. 1982 ; c. 1970-75 ; d. 1980-85 ; e. 1970 ; f. 1960-70 ; g. 1960-70.

2. Commerce extérieur [b]

Indicateur	Unité	1965	1975	1985
Commerce extérieur	% P N B	16,3	14,1	15,2 [a]
Total imports	million $	729	2 551	1 835
Produits agricoles	%	19,0	17,9	7,3
Produits énergétiques	%	3,1	12,1	1,8
Autres produits miniers	%	0,4	1,0	2,5
Total exports	million $	685	1 291	2 966
Produits agricoles	%	59,9	50,0	11,7
Produits pétroliers	%	1,8	1,6	22,1
Autres produits miniers	%	14,5	21,6	41,6
Principaux fournisseurs	% imports			
États-Unis		39,8	31,2	24,6
C E E		26,0	24,8	17,0
Amérique latine		12,3	19,3	20,3
Japon		7,1	8,7	7,0
Principaux clients	% exports			
États-Unis		33,8	24,2	35,7
C E E		38,6	20,4	21,8
Amérique latine		9,4	18,6	10,6
Japon		9,2	11,5	10,3

a. 1984 ; b. Marchandises.

3. Économie

Indicateur	Unité	1965	1975	1985
P I B	milliard $	4,28	13,63	19,0
Croissance annuelle	%	5,1 [b]	1,3 [c]	1,9
Par habitant	$	366	897	964
Structure du P I B				
Agriculture	%	17,0 [e]	13,9	8,3 [a]
Industrie	% } 100 %	37,3 [e]	34,0	40,3 [a]
Services	%	45,7 [e]	52,2	51,4 [a]
Dette extérieure	million $	800 [f]	3 021	13 750
Taux d'inflation	%	9,5 [k]	33,1 [d]	158,3
Population active	million	3,1 [h]	3,9 [g]	6,6
Agriculture	%	49,7 [h]	40,9 [g]	36,6
Industrie	%	19,0 [h]	18,5 [g]	16,6
Services	%	27,3 [h]	33,6 [g]	46,8
Dépenses publiques				
Éducation	% P I B	5,1	3,5	3,3 [i]
Défense	% P I B	. .	2,2	7,8 [a]
Production d'énergie	millier T E C	4 341 [j]	6 890	14 709 [i]
Consommation d'énergie	millier T E C	3 931 [j]	10 214	11 777 [i]

a. 1984; b. 1960-73; c. 1973-83; d. 1974-78; e. 1968; f. 1970; g. 1972; h. 1961; i. 1983; j. 1960; k. 1960-70.

de larges secteurs de son propre parti, l'Action populaire révolutionnaire américaine (APRA) se sont montrés hostiles à des mesures progressistes; l'opposition de gauche s'est livrée à la surenchère et la guérilla de Sentier lumineux a multiplié ses actions contre le nouveau pouvoir, obligeant le président à instaurer l'état d'urgence à Lima, début février 1986.

C'est sur le plan de la politique internationale que les initiatives d'Alan García ont eu le plus d'écho. Non seulement il soutient les efforts du groupe de Contadora pour la paix en Amérique centrale, mais il a annoncé qu'il romprait avec les États-Unis si ces derniers envahissaient le Nicaragua. Dans le domaine économique, une des premières mesures a été de résilier les contrats de trois compagnies pétrolières étrangères qui contrôlaient la majeure partie de la production au Pérou. La Belco a été nationalisée, et l'Occidental Petroleum comme l'Oxy-Bridas ont accepté de renégo-

PÉROU

République du Pérou.
Capitale : Lima.
Superficie : 1 285 216 km² (2,34 fois la France).
Carte : p. 363.
Monnaie : inti (1 inti = 0,55 FF en décembre 1985, dernière cotation).
Langues : espagnol, ketchua, aymara.
Chef de l'État : Alan García.
Premier ministre : Luis Alava Castro.
Nature de l'État : république.
Nature du régime : présidentiel.
Principaux partis politiques : *Gouvernement :* Action populaire révolutionnaire américaine (APRA). *Opposition :* Parti populaire chrétien (PPC, droite); Action populaire (droite); Gauche unie (réunissant une quinzaine de partis). *Illégal :* Parti communiste du Pérou, dit Sentier lumineux.

cier des conditions plus favorables aux intérêts du pays. De même, l'État a pris une participation à l'entreprise Nestlé qui permet aux actionnaires péruviens d'être majoritaires.

Quant au paiement de la dette extérieure (14 milliards de dollars), Alan García a proclamé dans tous les forums internationaux qu'il n'y consacrerait que 10 % du montant des exportations. Cette attitude a provoqué des menaces de rétorsion de la part des États-Unis, des banques étrangères et du FMI dont le représentant au Pérou a été expulsé. En réalité, ces 10 % ne concernaient que les dettes de l'État et le gouvernement péruvien – qui n'a guère reçu d'appui, ni à l'intérieur du pays, ni en Amérique latine – a utilisé 48 % de ses ressources en devises pour le remboursement de la dette entre août 1985 et avril 1986. En avril, il a signé un accord avec le FMI prévoyant un calendrier de remboursement des créances. Néanmoins, le temps gagné lui a permis d'améliorer la situation de l'économie et de se présenter en meilleure posture pour renégocier l'ensemble de la dette avec le Club de Paris. Dans le même esprit, il a renoncé à l'achat de dix avions Mirage sur les vingt-six commandés à la France en 1982.

Ce recul sur la question de la dette a alimenté les campagnes de la gauche péruvienne qui prétend que les nouveaux contrats pétroliers sont également favorables aux intérêts étrangers. Elles ne tiennent compte ni du rapport de forces au niveau international, ni de l'impact des propositions d'Alan García sur les masses latino-américaines, en Argentine en particulier.

Économie : traitement de choc

Sur le plan intérieur, le gouvernement a fait de la lutte contre l'inflation une de ses priorités. Tout en augmentant le salaire minimal de 50 %, il a dévalué la monnaie de 12 % et bloqué le prix des denrées de première nécessité : en neuf mois, l'inflation annuelle a été ainsi ramenée de 138 % à 50 % et le pouvoir d'achat des milieux populaires urbains a légèrement augmenté.

Un autre secteur défini comme prioritaire est celui des populations indiennes dans les Andes du Sud, au sein desquelles Alan García affirme trouver les éléments d'une identité nationale qui reste à forger. Cette insistance sur le développement des populations les plus déshéritées répond également à la nécessité d'accroître la production d'aliments et de mettre fin à l'importation d'une partie d'entre eux.

Cependant, les mesures immédiatement prises en faveur du « trapèze andin » ont été annulées par le blocage des prix agricoles sur les marchés urbains, qui a exercé un effet dissuasif sur les agriculteurs au moment des semailles. Cette situation, amplifiée par le sabotage des intermédiaires, a provoqué une pénurie généralisée des denrées alimentaires entre les mois de novembre 1985 et de février 1986. Début janvier, le ministre de l'Agriculture a dû être remplacé par Rogelio Morales Bermudes.

Ne pouvant agir sur les prix, le gouvernement s'est efforcé d'abaisser les coûts de production. Le plan d'urgence en faveur de l'agriculture prévoit le soutien à quatorze productions stratégiques, la prise en main par l'État de la commercialisation, l'abaissement du prix des transports, la réduction des droits sur les importations de machines agricoles et d'engrais et, surtout, un crédit gratuit de la part de la Banque agricole pour les paysans du « trapèze andin » : 240 millions de dollars ont été alloués à l'agriculture dans le budget de 1986, dont 50 millions sont consacrés à un fond d'urgence.

Cet effort sans précédent en faveur des zones andines a également des finalités politico-militaires. C'est en effet dans certaines de ces régions – Ayacucho, Huancavelica, Apurimac – que la guérilla maoïste de Sentier lumineux a recruté de jeunes paysans. Depuis la fin de 1985, elle a fait un retour en force dans ses anciens fiefs, comme Huanta, d'où elle avait été chassée, exécutant systématiquement les représentants locaux de l'APRA. Elle s'est en outre implantée dans la région de Puno, adossée à la Bolivie. Aux yeux d'Alan García, aucune solution militaire n'est possible si elle ne s'accompagne pas d'une politique de développement.

Mais l'activité de Sentier lumineux a contribué à renforcer le poids de l'armée : le président a été impuissant à contrôler en particulier les violations graves des droits de l'homme dont elle a continué de se rendre coupable.

Parallèlement, après avoir mené une action vigoureuse contre les trafiquants de cocaïne et leurs complices à l'intérieur des services de police, dont plusieurs centaines d'officiers et d'agents ont été limogés, le président a dû faire face à des commandos d'extrême-droite qui se sont baptisés : « Sentier vert. »

Cependant, pour que sa politique soit effectivement appliquée sur le terrain, Alan García aurait besoin de relais organisationnels qui lui font défaut : malgré ses efforts, appuyés par les éléments jeunes, pour rénover l'APRA, celle-ci est restée un parti de notables dont les représentants locaux sont opposés à la nouvelle politique. Quant aux organisations populaires et aux syndicats, ils sont dans leur immense majorité contrôlés par la gauche qui a adopté une politique très critique à l'égard du nouveau pouvoir.

Alan García a donc été obligé de payer constamment de sa personne et de parcourir sans trêve le pays, dans la tradition des leaders populistes latino-américains des années cinquante. Un an après avoir assumé le pouvoir, sa popularité restait immense. Mais cette personnalisation du pouvoir sera-t-elle suffisante pour lui permettre de franchir les obstacles ? D'autant plus que la politique de son gouvernement a consisté à appliquer des mesures d'urgence sans que se soit dessiné un plan à long terme traduisant les objectifs poursuivis par l'APRA.

Alain Labrousse

BIBLIOGRAPHIE

Ouvrages

ALLIAGA F., *Pérou. La vie quotidienne des Indiens de la vallée du Mantaro*, L'Harmattan, Paris, 1985.

RUDEL C., *Les Amériques indiennes, le retour à l'histoire*, Karthala, Paris, 1985.

Articles

BORIS J.-P., « La tentation populiste de M. Alan García », *Le Monde diplomatique*, septembre 1985.

LABROUSSE A., « Perú, entre la democracia y la insurrección », *Perspectivas*, n° 1, décembre 1985, Paris.

Birmanie. Ne Win prépare sa succession

Immobilisme et rébellions, culte du secret et xénophobie, telles sont les caractéristiques de la Birmanie depuis son indépendance en 1948, qui lui ont valu le surnom mérité de « pays ermite ».

Le système politique birman est à la fois simple et très curieux. Le général Ne Win, depuis sa prise du pouvoir par un coup d'État en 1962, est véritablement l'homme fort, le guide qui dirige tout par lui-même. Mais, en raison de son âge (soixante-quinze ans en 1986), il prépare la succession. En 1981, il s'est fait remplacer à la présidence de la République par le général San Yu, tout en conservant le poste clé de président du parti unique, le Parti du programme socialiste birman (PPSB), qui lui confère la réalité du pouvoir. Lors du Ve congrès du PPSB, en août 1985, San Yu a été officiellement désigné comme successeur de Ne Win en accédant à la vice-présidence du parti, alors que les généraux en retraite, Aye Ko et Sein Lwin, étaient réélus comme secrétaire général et secrétaire général adjoint, respectivement. Secondé par ces trois disciples qu'il connaît depuis bientôt quarante ans, Ne Win tire les ficelles de l'armée, la seule force structurée du pays. Les députés du Congrès national du peuple, élus en octobre 1985, ne jouent aucun rôle, le peuple entérinant le choix du candidat unique présenté par le parti unique, et le Premier ministre Maung Maung Kha ne fait office que de figurant.

Le mot « socialiste » recouvre moins une idéologie qu'une attitude xénophobe, et n'a servi de prétexte que pour nationaliser le commerce tenu par les Indiens et les Chinois ainsi que les firmes étrangères contrôlées par les Occidentaux. Le régime est avant tout nationaliste et bouddhiste, donc contre les manipulations d'argent et pour une sage austérité ; quant au général Ne Win, âgé et malade, il consacre autant de temps à se réconcilier ses anciens ennemis ou à distribuer des dons pour racheter ses péchés et préparer sa prochaine réincarnation, qu'à s'occuper des affaires politiques.

Guérillas tous azimuts

Les Birmans proprement dits vivent dans la plaine centrale mais sont cernés par des minorités habitant dans les montagnes qui couvrent 47 % du territoire national. Dès 1948, les Karen sont entrés en révolte, suivis par les Shan (plus d'un million), qui en 1958, lorsque leurs chefs traditionnels refusèrent de renoncer à leurs privilèges, organisèrent une armée de l'État shan, forte de 2 000 hommes en 1986. Utilisant le paravent de la lutte nationale, des groupes de bandits dirigés par d'anciens membres du Kuomintang ont créé d'autre part des prétendus mouvements de libération, comme l'Armée unifiée shan ou l'Armée révolutionnaire de l'État shan, pour camoufler leurs activités de trafiquants de drogue. Toutes les autres minorités, les Pa-O (200 000), les Wa coupeurs de têtes (400 000), les Lahu (100 000) ont copié ce modèle pour se lancer dans des guerres dites d'indépendance, mais en réalité pour s'emparer d'une part de ce gâteau fabuleux que représente l'héroïne du Triangle d'or. En 1986, l'anarchie était à son comble dans l'État shan, tous ces brigands ne s'alliant que pour mieux s'entretuer. L'Armée pour l'indépendance

Kachin (AIK), fondée par des chrétiens baptistes, s'est soulevée en 1961 contre l'instauration du bouddhisme comme religion d'État. Bien que peu nombreux (environ 500 000), les Kachin, surnommés les « aimables assassins » pour la férocité joyeuse qu'ils montrent dans la guerre, sont des adversaires redoutables pour Rangoun, et ils frappent jusque dans Myitkyina, où ils ont assassiné un général de l'armée birmane en octobre 1985. Sur la frontière de l'Inde et du Bangladesh, les Chin (500 000) et les Mizo (100 000) sont aussi en révolte, comme les Môn (400 000) et les Karenni (100 000) sur la frontière de Thaïlande.

Si l'Inde, depuis juin 1984, a passé des accords de coopération militaire avec Rangoun pour empêcher la Chine d'envoyer des armes à ses propres minorités – en utilisant les Kachin et les Mizo comme intermédiaires –, la Thaïlande en revanche a continué de fournir de l'aide aux rebelles et, pour cette raison, n'est pas parvenue à nouer des liens étroits avec la Birmanie, malgré la visite de conciliation qu'a effectuée à Rangoun, en février 1986, le Vice-Premier ministre et ministre des Affaires étrangères de Thaïlande, Sitthi Savétasila. Par contre, les relations avec la Chine se sont améliorées depuis la visite, en mars 1985, du président Li Xiannian à Rangoun et celle de Ne Win en mai suivant à Pékin. Par voie de conséquence, les activités du Parti communiste de Birmanie prochinois ont décliné.

Ces guérillas tous azimuts ont pesé lourdement sur un budget d'à peine un milliard de dollars – au cours du change officiel – dont 22 % ont été consacrés au ministère de la Défense en 1985. La Birmanie est restée un pays très pauvre, les revenus provenant des exportations – riz (53 %), teck (27 %) et produits de la pêche (10 %) – ayant vu leurs cours continûment baisser. La dette extérieure atteignait, en janvier 1986, 2,8 milliards de dollars, ce qui est énorme si l'on sait que les réserves ne s'élevaient qu'à 50 millions de dollars, alors que le taux d'inflation, officiellement de moins de 10 %, s'est rapproché en fait des 25 % en 1985. Le cinquième Plan quadriennal (avril 1986-avril 1990) a prévu un taux de croissance annuel de 6,1 %, mais les experts estimaient qu'il se situerait plutôt entre 2 et 3 %.

La population manquerait de tout si la contrebande ne venait contrebalancer la pénurie permanente. De Malaisie et Singapour, *via* Moulmein, entrent les postes de radio, de télévision, des magnétoscopes. Les frontières avec la Thaïlande, la Chine et l'Inde sont de véritables passoires où filtrent, en vrac, de l'aileron de requin à la bicyclette. Tous ces produits se retrouvent sur les « marchés libres » dont le plus grand et le plus célèbre est celui de

BIRMANIE

République socialiste de l'union birmane.
Capitale : Rangoun.
Superficie : 676 552 km² (1,23 fois la France).
Carte : p. 397.
Monnaie : kyat (1 kyat = 0,96 FF au 30.4.86).
Langues : birman, anglais.
Chef de l'État : San Yu, président de la République.
Premier ministre : Maung Maung Kha. De fait, le général Ne Win, chef du parti unique, détient le pouvoir.
Nature de l'État : république.
Nature du régime : militaire à parti unique.
Partis politiques : *Gouvernement :* Parti du programme socialiste de Birmanie. *Principaux mouvements d'opposition armée :* Armée nationale de libération des Karen ; Armée pour l'indépendance Kachin ; Armée de l'État Shan ; Parti communiste birman-drapeau blanc (prochinois).

1. Démographie, culture, armée

	Indicateur	Unité	1965	1975	1985
Démographie	Population	million	24,7	30,2	38,5
	Densité	hab./km²	36,5	44,6	56,9
	Croissance annuelle	%	1,9 [g]	2,2 [f]	2,5 [d]
	Mortalité infantile	‰	158 [h]	121 [c]	82,0
	Espérance de vie	année	44 [h]	50,0 [c]	55,0 [d]
	Population urbaine	%	19 [h]	..	30
Culture	Analphabétisme	%	..	..	82
	Nombre de médecins	‰ hab.	0,06 [h]	0,11 [i]	0,20 [b]
	Scolarisation *6-11 ans*	%	50,4	61,6	71,4
	12-17 ans	%	18,8	23,8	19,0
	3e degré	%	1,3	2,2	5,1
	Postes tv (L)	‰	—	—	0,1 [a]
	Livres publiés	titre	1 898	1 164 [e]	..
Armée	Marine	millier d'h.	7,0 [i]	7,0	7,0
	Aviation	millier d'h.	6,5 [i]	7,0	9,0
	Armée de terre	millier d'h.	130,0 [i]	153,0	170,0

a. 1983; b. 1981; c. 1970-75; d. 1980-85; e. 1974; f. 1970-80; g. 1960-70; h. 1960; i. 1970.

2. Commerce extérieur [b]

Indicateur	Unité	1965	1975	1985
Commerce extérieur	% PIB	14,5	5,6	5,2
Total imports	million $	247	254	283
Produits agricoles	%	18,8	8,1	11,1 [a]
Produits énergétiques	%	3,8	13,4	..
Produits industriels	%	77,4	77,3	..
Total exports	million $	225	160	304
Riz	%	61,8	46,8	26,0
Bois	%	13,4	24,4	41,3
Autres prod. agricoles	%	21,9	17,9	24,9
Principaux fournisseurs	% imports			
États-Unis		6,7	11,7	1,8
CEE		21,1	19,1	24,7
PVD		16,2	20,0	28,2
Japon		28,9	29,7	31,6
Principaux clients	% exports			
États-Unis		0,4	0,1	2,6
CEE		16,2	29,4	10,0 [a]
PVD		54,3	42,4	69,2
Japon		9,8	13,6	6,4

a. 1984; b. Marchandises.

3. Économie

Indicateur	Unité	1965	1975	1985
P I B	million $	1 626	3 688	6 314
Croissance annuelle	%	2,9 [b]	5,9 [c]	6,6
Par habitant	$	65,8	122	164
Structure du P I B				
Agriculture	% } 100 %	35,1	47,1	48,0
Industrie	% } 100 %	12,7	10,8	12,8
Services	% } 100 %	52,1	42,2	39,2
Dette extérieure	million $	100 [d]	281	2 311 [a]
Taux d'inflation	%	4,8 [b]	9,6 [e]	4,2
Population active	million	..	11,9	14,8
Agriculture	%	..	69,0	66,1
Industrie	%	..	9,5	10,6
Services	%	..	17,0	23,2
Dépenses publiques				
Éducation	% P I B	2,7	1,7	..
Défense	% P I B	4,6 [g]	..	3,9
Production d'énergie	million T E C	0,841 [f]	1,718	2,990 [h]
Consommation d'énergie	million T E C	1,208 [f]	1,604	2,495 [h]

a. 1984; b. 1960-73; c. 1973-83; d. 1970; e. 1974-79; f. 1960; g. 1972; h. 1983.

Mandalay, qui se tient de nuit. La monnaie nationale, le kyat, n'a aucune valeur et si la banque l'échange à raison de 6,5 kyats pour un dollar, au marché noir on en obtient 30. Pour lutter contre l'argent ainsi illégalement acquis, le 3 novembre 1985, le billet de 100 kyats a été démonétisé : il était remboursé immédiatement jusqu'à concurrence de 2 500 kyats. Pour ceux qui en possédaient le double, il fallait en justifier la provenance, et au-delà de 5 000 kyats il n'y avait plus qu'à les brûler. Mais les fortunés ont tout simplement payé des hommes de paille allant en masse convertir chacun les 2 500 kyats fatidiques. Dans le même esprit, en février 1986, les cinquante-cinq compagnies d'État ont reçu l'ordre, au nom de l'austérité, de renvoyer au 1er avril au plus tard leurs mille assistants techniques birmans payés comme intermédiaires par des compagnies étrangères, car leurs salaires, trop élevés, entretenaient une atmosphère de décadence.

Un début d'ouverture

Pour renflouer ses caisses, la Birmanie a décidé de permettre aux entreprises nationalisées d'effectuer des investissements conjoints avec des firmes étrangères et de s'ouvrir au tourisme. Dans ce but, elle a requis l'aide de l'Allemagne fédérale qui est déjà son principal fournisseur d'armes et le pays où Ne Win va se faire soigner. Mais en 1986, le visa d'entrée en Birmanie n'était délivré que pour sept jours, les moyens de communication comme le train et l'avion étaient très incertains et insuffisants bien que d'un charme désuet, et les routes goudronnées fort rares. En 1985, le nombre de touristes n'a pas dépassé 30 000. C'est dommage, car la Birmanie est un pays magnifique aussi bien par ses paysages que par ses monuments, comme ceux de Pagan.

En 1986, la situation ne paraissait

guère pouvoir évoluer, le général San Yu (soixante-huit ans) étant un des principaux rédacteurs de la Constitution de 1974 qui prône un État unitaire et refuse toute autonomie aux minorités. La culture de l'opium s'est développée, malgré les raids incessants de l'armée, et l'on prévoyait 650 à 700 tonnes pour la récolte de 1986. L'exploitation des ressources naturelles a atteint son optimum alors que les très riches mines de jade sont pillées par les Kachin et celles d'étain et de tungstène par les Karen. De toute évidence, l'ermite devait sortir de sa coquille. Si tel était le vœu exprimé par la population, ce n'était pas celui du général Ne Win.

Martial Dassé

BIBLIOGRAPHIE

Ouvrage

BOUCAUD A. et L., *La Birmanie. Sur la piste des seigneurs de la guerre*, L'Harmattan, Paris, 1986.

Articles

BOUCAUD A. et L., « La filière de l'opium birman », *Le Monde diplomatique*, août 1985.

SILVERSTEIN J., « The Other Side of Burma's Struggle for Independance », *Pacific Affairs*, n° 1, Spring 1985, Vancouver, Canada.

SILVERSTEIN J., « Burma : a Time for Decision », *Current History*, n° 497, décembre 1984, Philadelphia, États-Unis.

SOLA R., « La Birmanie sous la férule japonaise », *L'Afrique et l'Asie modernes*, n° 148, printemps 1986.

Tunisie. Incertitudes de fin de règne

Austérité, morosité, inquiétude, tel est le triptyque qui a marqué la vie des Tunisiens depuis la fin de l'année 1985 et en 1986. Au malaise politique lié aux péripéties d'une interminable fin de règne, sont venues s'ajouter d'inquiétantes menaces extérieures et une crise économique dont plus personne ne songe désormais à contester l'ampleur.

L'année 1985 n'avait pourtant pas trop mal commencé pour un gouvernement encore traumatisé par les émeutes du pain de 1984, et le taux de croissance semblait devoir être moins défavorable que prévu. Les pluies ayant été abondantes et bien réparties dans le temps et l'espace, la Tunisie a connu en 1985 une récolte céréalière exceptionnelle, et la production a frisé les 2 millions de tonnes, ce qui ne s'était pas vu de mémoire d'homme. Sans être autosuffisant en blé tendre et en maïs pour l'alimentation du bétail, le pays a pu ainsi réaliser de substantielles économies en devises grâce à la réduction des importations céréalières.

Le tourisme a par ailleurs repris sa croissance, interrompue en 1983 et 1984, et ses recettes en devises ont dépassé les 400 millions de dinars. Ces deux secteurs ont contribué à eux seuls à près de 60 % de la croissance globale du PIB, les autres activités n'ayant pas connu le même dynamisme. Bien au contraire, le déficit de la balance des paiements a continué de se creuser pour atteindre 130 millions de dollars en 1985. Le gouvernement a donc dû continuer à appliquer une politique d'austérité, concrétisée entre autres par la poursuite du gel des salaires, faisant de l'accroissement de la production et de la productivité des entreprises la condition *sine qua non* de leur augmentation.

L'UGTT mise au pas

Cette politique s'est heurtée à l'hostilité de l'UGTT (Union générale des travailleurs tunisiens), et l'échec des négociations salariales dû à l'intransigeance gouvernementale a incité la centrale à lancer un vaste mouvement de grèves en août 1985. C'était justement l'époque choisie par Mouamar Kadhafi pour expulser sans préavis une trentaine de milliers de travailleurs tunisiens installés en Libye. Confronté lui-même à des problèmes économiques, mais surtout désireux d'aggraver ceux d'un pays qu'il continue à convoiter, le colonel espérait-il rendre ainsi la situation sociale de son voisin insupportable? Le Premier ministre Mohamed Mzali a en tout cas mis à profit cet acte d'hostilité vis-à-vis de la Tunisie pour créer une atmosphère d'union nationale et briser dans l'œuf l'offensive syndicale. Il s'est même décidé à mettre définitivement au pas une UGTT décidément trop remuante : dès le mois d'octobre, les directions régionales élues étaient évincées par des « comités » de syndicalistes affiliés au Parti socialiste destourien au pouvoir et, après avoir été assigné à résidence, le secrétaire général de la centrale, Habib Achour, était condamné à un an, puis deux ans de prison à la suite d'une inculpation de circonstance. La direction légitime de l'UGTT demeurait, au début de 1986, privée de toute possibilité d'agir, et le pouvoir manifestait son intention de consolider sa victoire en suscitant la convocation d'un congrès extraordinaire destiné à élire une nouvelle direction entièrement à sa dévotion.

Le raid lancé par Israël, le 1er octobre 1985, sur le quartier général de l'OLP situé dans la banlieue tunisoise, et qui a fait plusieurs dizaines de victimes palestiniennes et tunisiennes, n'a pu qu'inciter le Premier ministre à jouer sur la corde de l'unité nationale face aux agressions extérieures. Mais, au-delà de ses retombées conjoncturelles, l'opération israélienne risquait d'avoir des conséquences à plus long terme

TUNISIE

République tunisienne.
Capitale : Tunis.
Superficie : 164 000 km² (0,30 fois la France).
Carte : p. 269.
Monnaie : dinar. (1 dinar = 11 FF au 15.3.86).
Langues : arabe (officielle), français couramment parlé.
Chef de l'État : Habib Bourguiba depuis 1957, nommé président à vie en 1975.
Premier ministre : Mohamed Mzali jusqu'au 8-7-86; depuis, Rachid Sfar.
Nature de l'État : république.
Nature du régime : présidentiel.
Principaux partis politiques : Parti socialiste destourien au pouvoir depuis l'indépendance (PSD); Parti communiste tunisien (PCT); Mouvement des démocrates socialistes (MDS); Parti d'unité populaire (PUP); Mouvement de la tendance islamique (MTI, toléré mais non légal).

1. Démographie, culture, armée

	Indicateur	Unité	1965	1975	1985
Démographie	Population	million	4,6	5,6	7,1
	Densité	hab./km²	28,2	34,2	43,4
	Croissance annuelle	%	2,1 [g]	2,6 [f]	2,4 [d]
	Mortalité infantile	‰	159 [h]	124 [c]	71
	Espérance de vie	année	48 [h]	55,1 [c]	60,6 [d]
	Population urbaine	%	36 [h]	..	56,8
Culture	Analphabétisme	%	84 [h]	..	45,8
	Nombre de médecins	‰ hab.	0,11 [h]	0,17 [i]	0,28 [e]
	Scolarisation *6-11 ans*	%	68,9	80,1	86,4
	12-17 ans	%	43,1	37,2	53,4
	3e degré	%	1,9	4,2	5,3 [a]
	Postes tv (L)	‰	..	34	54 [a]
	Livres publiés	titre	200	107	172 [b]
Armée	Marine	millier d'h.	0,8 [i]	2,0	2,6
	Aviation	millier d'h.	0,75 [i]	2,0	2,5
	Armée de terre	millier d'h.	20,0 [i]	20,0	30,0

a. 1983; b. 1982; c. 1970-75; d. 1980-85; e. 1981; f. 1973-80; g. 1960-70; h. 1960; i. 1970.

2. Commerce extérieur [b]

Indicateur	Unité	1965	1975	1985
Commerce extérieur	% P I B	18,2	26,3	25,1
Total imports	million $	246	1 529	2 541
Produits agricoles	%	20,3	21,9	19,0 [a]
Produits énergétiques	%	5,7	10,4	10,0 [a]
Produits industriels	%	72,5	65,9	66,8 [a]
Total exports	million $	120	856	1 676
Produits agricoles	%	50,6	20,8	10,9
Produits pétroliers	%	0,1	43,6	44,3
Phosphates	%	33,6	18,5	10,2
Principaux fournisseurs	% imports			
États-Unis		16,2	6,7	5,8
C E E		59,9	63,8	59,6
P V D		11,3	13,0	16,5
France		39,2	34,6	26,4
Principaux clients	% exports			
États-Unis		1,6	10,3	6,6
C E E		58,3	47,8	62,5
P V D		20,3	16,2	15,5
France		31,1	19,1	25,4

a. 1984; b. Marchandises.

3. Économie

Indicateur	Unité	1965	1975	1985
P I B	million $	1 004	4 335	8 388
Croissance annuelle	%	5,6 [b]	5,9 [c]	4,0
Par habitant	$	217	772	1 181
Structure du P I B				
Agriculture	% } 100 %	19,9	17,9	13,1 [e]
Industrie	% } 100 %	20,5	27,7	31,0 [e]
Services	% } 100 %	59,0	54,5	55,9 [e]
Dette extérieure	million $	590 [k]	1 016	4 301 [a]
Taux d'inflation	%	2,7 [j]	6,3 [d]	6,5
Population active	million	1,1 [g]	1,6	1,8 [f]
Agriculture	%	41,0 [g]	32,4	30,5 [f]
Industrie	%	18,7 [g]	26,0	27,9 [f]
Services	%	29,7 [g]	24,8	25,5 [f]
Dépenses publiques				
Éducation	% P I B	4,0	5,1	4,5 [h]
Défense	% P I B	. .	0,8	5,0
Production d'énergie	million T E C	0,016 [i]	7,042	8,710 [h]
Consommation d'énergie	million T E C	0,716 [i]	2,407	4,340 [h]

a. 1984; b. 1960-73; c. 1973-83; d. 1974-76; e. 1982; f. 1980; g. 1966; h. 1983; i. 1960; j. 1966-70; k. 1970.

pour ce petit pays situé à la charnière de la Méditerranée occidentale et orientale, et fragilisé à l'extrême par une instabilité économique et sociale grandissante. La « trahison » de l'ami américain, qui a pris fait et cause pour l'État hébreu contre un de ses alliés les plus fidèles de la région, a sans nul doute accru l'hostilité populaire envers les États-Unis, contribuant à creuser le fossé qui ne cesse de s'élargir entre l'État et les citoyens. Sur le plan extérieur, elle a consolidé l'Algérie dans son rôle de protecteur de la petite Tunisie menacée à la fois par l'imprévisible voisin libyen et par l'extension du conflit israélo-arabe à la Méditerranée occidentale.

C'est dans ce contexte tourmenté que la Tunisie a abordé 1986, et les premiers événements de l'année n'ont guère contribué à éclaircir l'horizon. Le Premier ministre, qui est en même temps ministre de l'Intérieur et successeur constitutionnel du chef de l'État, n'a pas réussi à consolider son pouvoir face à ses concurrents potentiels, et sa disgrâce est survenue début juillet 1986, après que les intrigues de palais liées à la guerre d'influence que se livrent les clans autour du président Bourguiba aient repris de plus belle. Plusieurs scandales financiers ont éclaboussé une série de personnalités, mais la lutte contre la corruption officiellement entamée à cette occasion masque en réalité des règlements de comptes tendant à marginaliser l'épouse du « Combattant suprême », Mme Wassila Bourguiba, que l'on a parfois comparée à un véritable vice-président de la République au début des années quatre-vingt. Si elle est moins visible que naguère, la guerre de succession n'en continue donc pas moins de façon acharnée, aiguillonnée par la perspective de la disparition prochaine du vieux président, âgé de quatre-vingt-trois ans.

On conçoit que, pressés d'affermir leurs positions, les principaux dirigeants n'aient guère le loisir de s'attaquer aux maux qui rongent le pays. S'ils répondent désormais par la fermeté et le refus du dialogue à toute forme de contestation politique, syndicale ou universitaire, ils semblent dans l'incapacité d'élaborer une stratégie cohérente pour sortir de la crise économique. La production agricole de 1986, jugée simplement correcte, ne comble pourtant pas cette année les graves manques à gagner des autres secteurs. La baisse de la production d'hydrocarbures, principale richesse d'exportation, conjuguée à la chute des cours mondiaux, risque de faire passer les recettes nettes pétrolières à 200 millions de dollars en 1986, contre près de 300 millions en 1985. L'arrêt quasi total de l'émigration vers les pays européens et la fermeture de l'exutoire libyen ont également entraîné en 1986 une réduction des transferts des travailleurs tunisiens à l'étranger de 25 millions de dollars par rapport à 1985. Enfin, l'envolée du prix mondial du soufre a beaucoup renchéri le prix des engrais tunisiens qui constituent une importante ressource d'exportation. Pour contenir le déficit de la balance des paiements, les pouvoirs publics ont réduit les importations, mais l'industrie tunisienne étant peu intégrée, de nombreuses entreprises envisageaient, début 1986, de fermer leurs portes, faute d'être approvisionnées en matières premières, ce qui ne pouvait qu'entraîner un accroissement du chômage.

Les Tunisiens ont désormais conscience d'être entrés dans une période de turbulences, et il est inévitable que cette conjonction de facteurs négatifs conduise à une crise morale telle que la Tunisie indépendante n'en a jamais connu. Ne pouvant même plus se prévaloir de l'existence d'un consensus politique et culturel, au sens le plus large du terme, sur l'avenir de leur pays, les citoyens n'osent prévoir, qu'ils l'espèrent ou l'appréhendent, de quoi l'après-bourguibisme sera fait.

Sophie Bessis

BIBLIOGRAPHIE

Articles

BALTA P., « Confrontée à de dangereuses tensions extérieures et intérieures : la Tunisie de Mohamed Mzali », *Grand Maghreb*, n° 45, décembre 1985.

RAULIER A., « La Tunisie emportée dans la tourmente néo-libérale », *Le Monde diplomatique*, décembre 1985.

« Où va la Tunisie? », *Afrique Asie*, n° 370, mars 1986.

Israël. Difficile cohabitation

La politique israélienne a été marquée en 1985 par la perspective de l'alternance : le Premier ministre travailliste, Shimon Pérès, devait en effet céder sa place en octobre 1986 à Itzhak Shamir, chef du Likoud (droite nationaliste) et ministre des Affaires étrangères dans le gouvernement d'union nationale qui, à son tour, aura à diriger le gouvernement jusqu'aux élections de 1988. En dépit de la méfiance et des crises successives entre les deux grands blocs politiques qui forment le gouvernement d'union nationale, la cohabition à l'israélienne s'est maintenue contre vents et marées.

En l'absence d'une bonne excuse,

Shimon Pérès n'a pu faire éclater la coalition pour provoquer des élections anticipées comme il le souhaitait, encouragé par les sondages qui indiquaient régulièrement une nette préférence pour le front travailliste, le Maarakh, alors que le Likoud était déchiré par des dissensions internes. Celui-ci n'a même pas pu tenir son congrès national qui a dû se disperser dans un climat de chaos, juste après son ouverture (janvier 1986). La dernière chance de Pérès pour mettre fin à la coalition travailliste-Likoud lui a été fournie en novembre 1985, par les attaques virulentes du ministre du Commerce et de l'Industrie, le général Ariel Sharon. A la dernière minute cependant, Pérès a hésité à passer à l'acte, de crainte de perdre sa crédibilité auprès d'une opinion publique qui la lui avait longtemps contestée; ce n'est en effet que depuis les élections de juillet 1985 que sa cote de popularité a monté.

Enlisement diplomatique

Souhaitant ouvrir des négociations de paix avec la Jordanie, avec la participation de personnalités palestiniennes n'appartenant pas à l'OLP – espoir totalement irréaliste – Shimon Pérès a fait tout au long de l'année des allusions à l'ouverture prochaine de ces négociations. Pourtant, le refus catégorique d'Israël et des États-Unis, non seulement de reconnaître l'OLP comme partenaire possible à ces pourparlers et le droit des Palestiniens à l'autodétermination, mais aussi de convoquer une conférence internationale pour régler le conflit du Proche-Orient et le problème palestinien, a amené l'OLP à ne pas donner le « feu vert » au roi Hussein de Jordanie pour qu'il entame ces pourparlers avec Israël. La rupture, par le roi Hussein (février 1986) de l'accord jordano-palestinien du 11 février 1985 a brisé les espoirs de M. Pérès d'enga-

ISRAËL

Israël.
Capitale : Jérusalem.
Superficie : 20 325 km² (0,04 fois la France); territoires occupés : Golan (1 150 km²), Cisjordanie (5 879 km²), Gaza (378 km²).
Carte : p. 373.
Monnaie : nouveau shekel (1 nouveau shekel = 4,72 FF au 30.4.86).
Langues : hébreu et arabe (officielles); anglais, français.
Chef de l'État : Chaïm Herzog, président.
Premier ministre : Shimon Pérès (jusqu'à son remplacement par Itzhak Shamir, le 14.10.86).
Nature de l'État : Israël n'a pas de Constitution écrite, mais plusieurs « lois constitutionnelles » (dites fondamentales), devant évoluer vers une Constitution. Le pays est divisé en six districts administratifs.
Nature du régime : démocratie parlementaire combinée à une administration militaire dans les territoires occupés.
Principaux partis politiques : *Gouvernement :* Parti travailliste israélien (social-démocrate, sioniste); Likoud (bloc parlementaire de deux partis de la droite nationaliste, le Herout et les libéraux); Parti national religieux (droite religieuse, sioniste); Agoudat Israël (orthodoxes ashkenazes, non sionistes); Chass (Sépharades gardiens de la Thora, orthodoxes); Shinoï (centriste). *Opposition :* Parti communiste israélien (Rakah); Ratz (Liste des droits civiques, gauche libérale, sioniste); Mapam (sioniste, socialiste); Liste progressiste pour la paix (pacifiste); Tehiya (extrême droite); Kakh (fasciste); Tami (juifs originaires du Maghreb). *Mouvements extra-parlementaires :* Shalom Akhshav (La paix maintenant); Goush Emounim (Bloc de la foi, extrémiste-nationaliste religieux).

1. Démographie, culture, armée

	Indicateur	Unité	1965	1975	1985
Démographie	Population	million	2,6	3,5	4,2
	Densité	hab./km²	123	167	193
	Croissance annuelle	%	3,4 [a]	2,7 [g]	2,1 [e]
	Mortalité infantile	‰	31 [i]	23 [d]	13
	Espérance de vie	année	69 [i]	71,6 [d]	74 [e]
	Population urbaine	%	77 [i]	87	90,7
Culture	Analphabétisme	%	16 [i]	12	4,9
	Nombre de médecins	‰ hab.	2,4	2,9	2,5 [h]
	Scolarisation *2e degré* [f]	%	48	66	78 [c]
	3e degré	%	20	24	33,8 [c]
	Postes tv	‰	..	..	256 [c]
	Livres publiés	titre	1 446	1 907	1 892 [b]
Armée	Marine	millier d'h.	3	5	10
	Aviation	millier d'h.	8	16	28
	Armée de terre	millier d'h.	114	135	104

a. 1961-70; b. 1982; c. 1983; d. 1970-75; e. 1980-85; f. 14-17 ans; g. 1970-80; h. 1981; i. 1960.

2. Commerce extérieur [e]

Indicateur	Unité	1965	1975	1985
Commerce extérieur	% PIB	8,5	25,2	35,6
Total imports	milliard $	0,84	4,1	9,6
Produits agricoles	%	23,3	16,2	13,0 [a]
Produits énergétiques	%	6,4	15,3	17,3 [a]
Autres produits miniers	%	14,6	19,1	12,6 [a b]
Total exports	milliard $	0,43	1,8	6,3
Produits agricoles	%	28,2	21,3	9,6 [a]
Produits miniers	%	4,0	1,3	1,7 [a]
Produits industriels	%	67,8	77,6	88,5 [a c]
Principaux fournisseurs	% imports			
États-Unis		25,3	16,7	17,7
CEE		45,0	29,2	38,1
Confidentiel [d]		–	11,6	27,4
Principaux clients	% exports			
États-Unis		14,3	15,8	33,7
CEE		42,9	38,8	31,0
PVD		13,8	26,4	12,0
Confidentiel		–	1,6	14,2

a. 1984; b. Diamants bruts : 9,9 %; c. Diamants : 20,9 %; d. Produits pétroliers; e. Marchandises.

3. Économie

Indicateur	Unité	1965	1975	1985
PIB	milliard $	2,9	13,2	22,2
Croissance annuelle	%	8,9 [b]	3,1 [c]	1,7
Par habitant	$	1 130	3 790	5 286
Structure du PIB				
Agriculture	% } 100 %	8,3	5,3	4,0 [a]
Industrie	% } 100 %	37,1	32,2	30,6 [a]
Services	% } 100 %	54,6	62,5	65,4 [a]
Dette extérieure publique	milliard $	..	5,9	23,9
Taux d'inflation	%	5,6 [d]	39,0 [f]	185,2
Population active	million	0,9	1,1	1,4 [a]
Agriculture	%	12,5	6,3	5,1 [a]
Industrie	%	36,3	33,0	29,1 [a]
Services	%	47,4	58,5	62,2 [a]
Dépenses publiques				
Éducation	% PIB	5,8	6,9	8,4 [e]
Défense	% PIB	13,8	26,5	24,8 [a]
Recherche et developpement	% PIB	0,9	1,0	2,5 [e]
Production d'énergie	million TEC	0,4	7,42	0,1 [g]
Consommation d'énergie	million TEC	4,4	7,2	10,2 [g]

a. 1984; b. 1960-73; c. 1973-83; d. 1960-70; e. 1980; f. 1974-78; g. 1983.

ger des négociations sans avoir à en payer le prix : la participation de l'OLP. Celles-ci auraient d'ailleurs mis fin à la coalition israélienne, le Likoud s'opposant catégoriquement à tout compromis avec la Jordanie (les leaders du parti Herout – principale force du Likoud – considèrent que la Jordanie, dans son ensemble, fait partie intégrante du Grand Israël). Or, dans leur politique à l'égard des Palestiniens, et surtout de l'OLP, les travaillistes et la droite ne sont pas éloignés l'un de l'autre : tout comme l'ancien Premier ministre, Menahem Begin (Herout), Shimon Pérès a rejeté l'idée d'un dialogue avec l'OLP « même si elle reconnaît Israël ». Il a même donné son aval à la législation interdisant tout contact entre Israéliens et membres de l'OLP, quelle que soit la nature de cette rencontre; la loi a été déposée à la Knesset en juillet 1985 et approuvée en septembre en deuxième lecture.

Le bombardement par l'aviation israélienne, le 1er octobre 1985, du siège de l'OLP – où se trouvaient les bureaux de son chef Yasser Arafat – à Hammam Plage près de la capitale tunisienne et qui a fait soixante-dix morts et une centaine de blessés, a marqué le sommet de la guerre israélo-palestinienne. Présenté comme une mesure de représailles à l'assassinat de trois Israéliens à Larnaca (Chypre) quelques jours auparavant, il a été suivi par l'exécution sommaire de sept touristes israéliens à Ras Bourka, au nord-est du Sinaï, par un policier égyptien; les relations, déjà fragiles entre les deux pays, en ont encore été détériorées; deux diplomates israéliens ont été tués au Caire en 1985 et 1986. Israël a considéré d'un mauvais œil le rapprochement entre l'Égypte et l'OLP. Les conversations sur les modalités de règlement concernant l'enclave de Taba au nord-est du Sinaï ont piétiné à cause des obstacles posés par le Likoud, hostile à tout compromis avec Le Caire sur ce litige : la droite nationaliste israélienne craint qu'un accord sur Taba ne relance le processus de paix qui pourrait entraîner d'autres « concessions israéliennes aux Arabes »...

Au cours de l'année 1985, la bande étroite qu'Israël occupe au Sud-Liban a été le théâtre d'accrochages fréquents entre l'armée israélienne ou la milice libanaise à sa solde, avec les combattants (« terroristes », selon le langage officiel israélien) chiites libanais et palestiniens, faisant des victimes dans les deux camps. L'aviation israélienne a continué ses vols de reconnaissance dans le ciel libanais et a bombardé plusieurs fois des camps palestiniens et des bases de fedayins au Liban. Les roquettes de *Katyoucha* sont tombées de nouveau sur la Galilée (tout comme avant le cessez-le-feu de juillet 1981 qui avait précédé d'un an l'invasion israélienne du Liban). Israël a aussi cherché à nouer des relations secrètes avec le mouvement chiite Amal, devenu le principal adversaire des Palestiniens au Liban, mais sans succès.

La tension avec la Syrie, qu'Israël considère comme son adversaire le plus redoutable, s'est maintenue à « petit feu ». Elle a atteint son paroxysme en décembre 1985, lorsque Israël a abattu deux chasseurs syriens dans l'espace aérien syrien. L'incident s'est déroulé le jour même où les différentes factions libanaises signaient à Damas un accord (devenu depuis lettre morte) pour régler le conflit.

Assainissement économique

Le seul succès du gouvernement d'union nationale a incontestablement été d'ordre économique. L'inflation a été de 185 % en 1985 (contre 444,9 % en 1984). En juillet 1985, elle atteignait un chiffre record dans l'histoire du pays : 27,5 %, puis, après l'adoption d'un plan d'urgence de redressement économique, elle a décru régulièrement pour arriver en janvier 1986 au chiffre impensable de – 1,3 %. Depuis, l'inflation mensuelle a été de l'ordre de 3 % environ. Ce sont les salariés qui ont payé lourdement cette réussite : au cours de l'année 1985, les salaires réels moyens ont diminué de quelque 20 % pour arriver à l'équivalent de 450 dollars par mois environ. Les disparités sociales se sont approfondies : en 1985, 1 % de la population recevait 11,5 % du revenu national, 10 % s'en partageaient presque 40 %, et 14,5 % de la population vivaient au-dessous du seuil de pauvreté (avec moins de la moitié d'un salaire moyen). Le chômage a atteint 6,9 % en 1985 (contre 5,9 % en 1984), et les impôts sont restés parmi les plus élevés du monde. Grâce à l'accroissement de l'aide américaine (quelque 3 milliards de dollars en 1985, auxquels s'est ajouté un don de 750 millions de dollars), Israël a vu, pour la première fois, sa dette extérieure diminuer. Le déficit commercial a atteint 2 000 millions de dollars en 1985, contre 2 520 millions de dollars en 1984. La croissance économique a été insignifiante. L'économie israélienne est toujours malade de son budget militaire démesuré, ce qui a amené un humoriste israélien à dire : « Israël n'est pas un pays qui a une armée, mais c'est une armée qui possède un État. »

Dans les territoires occupés (Cisjordanie, Gaza, Golan où vivent environ 50 000 colons israéliens), la politique des faits accomplis et de la main de fer s'est poursuivie, bien qu'à un rythme moins accéléré, en raison du manque des crédits. Les expropriations de terres palestiniennes ont continué. En décembre 1985, un scandale dans lequel des leaders du Likoud étaient impliqués pour des affaires de corruption liées à « l'achat » des terres arabes, a failli causer une crise gouvernementale. La tension a atteint son paroxysme lorsqu'en mars 1986, le notable Zafer al-Masri, qui avait été nommé maire de Naplouse avec l'aval de la Jordanie et de l'OLP, a été assassiné par des extrémistes palestiniens. Ses funérailles ont donné lieu à une manifestation sans précédent de soutien à l'OLP et à Yasser Arafat.

Les relations avec les États-Unis se sont encore renforcées. Israël a été le troisième État (après le Canada et l'Allemagne fédérale) à adhérer officiellement au projet de la « guerre des étoiles » du président Reagan. Washington a applaudi le bombardement du quartier de l'OLP à Tunis et, échange de bons procédés, Israël a été un des rares pays au monde à se féliciter du bombardement de la Libye en avril 1986.

Enfin, l'immigration des juifs en Israël a atteint en 1985 son chiffre le plus bas depuis la création de l'État : 11 298 personnes ont choisi la Terre sainte (41 % de moins qu'en 1984), alors que le nombre d'émigrants a atteint quelque 10 000. Quant aux juifs éthiopiens (les Falachas) immigrés en Israël pendant la première moitié des années quatre-vingt, ils se sont heurtés au refus des autorités religieuses de les reconnaître comme juifs à part entière, ce qui a donné lieu à des manifestations de leur part.

Amnon Kapeliouk

BIBLIOGRAPHIE

Ouvrages

CHAGNOLLAUD J.-P., *Israël et les territoires occupés. La confrontation silencieuse*, L'Harmattan, Paris, 1985.

KAYYALI A.-W., *Histoire de la Palestine, 1896-1940*, L'Harmattan, Paris, 1985.

SOUSSAN M., *Moi, juif arabe en Israël*, Encre, Paris, 1986.

Articles

CODO L.C., « Israël et l'Afrique noire », *Le Mois en Afrique*, n° 233-234, juin-juillet 1985.

ESNET G., « Lutte contre l'inflation et politique d'austérité en Israël », *Le Monde diplomatique*, décembre 1985.

KAPELIOUK A., « L'option israélienne », *Le Monde diplomatique*, novembre 1985.

Dossiers

« Israël, Afrique du Sud », *Revue d'études palestiniennes*, n° 18, hiver 1986.

« Juifs éthiopiens en Israël », *Les Temps modernes*, n° 474, septembre 1986.

Tanzanie. Relèves et relances

La Tanzanie a longtemps suscité l'intérêt, sinon les passions. Une politique de développement autocentré, de non-alignement authentique, un style politique alliant morale démocratique et rigueur sans concession ni dogmatisme pouvaient caractériser la politique Nyerere. Or en 1985, Julius Kambarage Nyerere, le père de l'Indépendance, leader incontesté depuis plus de trente ans, a abandonné volontairement ses fonctions de chef de l'État dans une conjoncture morose. L'annonce de sa retraite pouvait susciter les ambitions rivales d'héritiers putatifs risquant de cristalliser des tensions que l'autorité du *Mwalimu* avait réussi à contrôler : tensions politiques, notamment à propos des rapports entre les deux composantes de la « République unie », le continent et les îles (Zanzibar et Pemba); tensions économiques surtout, car les faibles performances de l'appareil productif et des circuits de distribution rendaient de plus en plus inéluctables des choix d'autant plus douloureux qu'ils devaient être faits avec le spectre des fourches caudines du FMI. 1985-1986 aurait pu être l'année de tous les dangers si l'autorité incontestée du président sortant n'avait au moins permis de rendre crédible l'entité tanzanienne, tant à l'intérieur qu'à l'extérieur.

Changement et continuité politique

1985 a été une année électorale exceptionnelle, même si le système politique tanzanien est suffisamment stable pour que les échéances constitutionnelles aient été respectées depuis l'Indépendance. L'existence du parti unique n'empêche pas une certaine compétition dans les scrutins législatifs (deux candidats par circonscription, sélectionnés après des primaires disputées) et le renouvellement périodique d'une partie du personnel politique; les législatives du 27 octobre 1985 n'ont pas dérogé à ces traditions.

Mais ce jour-là, une élection présidentielle avait également lieu, sans la candidature de J. Nyerere. Sur sa proposition, le congrès du Chama Cha Mapinduzi (CCM) d'août 1985 avait retenu la candidature d'un autre *Mwalimu*, alors président du Conseil révolutionnaire de Zanzibar, Ali Hassan Mwinyi. Celui-ci fut élu par 4 778 114 voix, 215 626 électeurs se prononçant contre. Même en tenant compte des quelque 188 000 bulletins nuls, il reste une forte abstention (6 901 555 électeurs inscrits) qui peut être interprétée comme le signe de l'existence de problèmes de mobilisation en dépit d'une campagne électorale active.

Le nouveau président n'est pas un inconnu ; avant d'accéder à la tête du gouvernement de Zanzibar en janvier 1984, il avait fait partie de différents gouvernements de la Tanzanie, notamment aux délicates fonctions de ministre de l'Intérieur. Mais il ne peut prétendre d'emblée à la même autorité, *a fortiori* au même charisme, que son prédécesseur. Il n'y a cependant pas rupture, mais plutôt transition.

Le nouveau gouvernement constitué le 6 novembre 1985 comporte les principaux collaborateurs de J. Nyerere, qu'il s'agisse du nouveau Premier ministre, Joseph Warioba, et du Vice-Premier ministre, Salim Ahmed Salim (ancien Premier ministre). Surtout, le retrait de Nyerere n'est que partiel : quittant l'appareil d'État, il reste président du CCM, et continue ainsi à exercer la haute surveillance sur l'orientation du système politique. Âgé de soixante-trois ans (contre soixante à Mwinyi), il serait étonnant qu'il se comporte en retraité. Il s'agit plutôt d'une reprise du scénario de 1962, la situation du parti l'incitant à consacrer son énergie à son redressement. Vingt-trois ans plus tard, on parle à nouveau d'une nécessaire reprise en main, différentes difficultés étant plus ou moins imputées à des insuffisances de l'appareil partisan.

Après la révolution de janvier 1984 qui avait renversé le Sultanat régnant sur Zanzibar et Pemba, l'union avec le continent avait été proclamée dans un cadre constitutionnel original et peu « unitaire ». La « République unie de Tanzanie » laissait aux îles une large autonomie interne, qui avait autorisé la curieuse coexistence de J. Nyerere et d'un tyran sans guère de scrupules,

A. Karume. Ce dernier fut assassiné, et son successeur, A. Jumbe, tout en maintenant un style autoritaire dans les îles, était un vice-président plus présentable auprès du *Mwalimu*. Jouant, y compris sur le continent, son rôle de lieutenant, il devait pourtant démissionner de ses fonctions le 29 janvier 1984.

Ce départ soudain traduisait l'existence d'un malaise au sein de certains groupes zanzibarites opposés à un trop grand rapprochement avec un continent plus pauvre, mais bien peuplé. Le malaise pouvait s'alimenter de ressentiments nés de l'histoire ancienne (l'hégémonie du Sultanat) et récente (la fusion-intégration du parti unique zanzibarite – le Parti Afro-Shirazi – avec l'Union nationale africaine du Tanganyika – TANU – au sein du CCM). Il est apparu encore lorsque le 15 octobre 1985, le candidat unique du CCM à la présidence de Zanzibar, Idris Abdul Wakil n'était élu qu'avec 131 471 voix sur un total de 230 738 électeurs; 75 220 avaient voté « non ». Cela apportait la preuve de l'honnêteté du scrutin, satisfaction qui cachait mal l'inquiétude suscitée par un si médiocre succès, et aggravée par le fait que 23 % seulement des électeurs de Pemba avaient voté pour le candidat du CCM. Mais le défi principal que continentaux et insulaires doivent surmonter n'est pas dans le fait que les principales fonctions de l'appareil d'État tanzanien sont occupées par des personnalités originaires de Zanzibar; il est dans les décisions socio-économiques qui ne peuvent plus être ajournées.

Réorientation de la politique économique

L'éthique du socialisme *ujamaa* et de la *self-reliance* n'a pas suffi. La combinaison des mécanismes de domination impérialiste et des pratiques répressives à l'intérieur n'ont pas permis l'épanouissement d'un développement par la participation populaire. Bien que la Tanzanie ait été le principal bénéficiaire africain de l'aide internationale, la relance économique n'a pas eu lieu, et la dégradation réelle des termes de l'échance n'est pas seule en cause; ainsi la production agricole est-elle en déclin continu depuis le début des années soixante-dix; le secteur nationalisé (plantations, logements) ne parvient plus à répondre aux besoins élémentaires, ni même à ses fonctions sociales.

La relève politique de 1985 a aussi une dimension économique. Déjà, les derniers gouvernements Nyerere, avec Edward Sokoine puis Salim A. Salim comme Premiers ministres,

TANZANIE

République unie de Tanzanie.
Capitale : Dodoma (Dar-es-Salam reste le principal centre de l'administration d'État).
Superficie : 945 000 km² (1,7 fois la France).
Carte : p. 294.
Monnaie : shilling tanzanien (1 shilling = 0,35 FF au 30.4.86).
Langues : kiswahili, anglais.
Chef de l'État : Ali Hassan Mwinyi, président de la République; Idris Abdul Wakil, président du gouvernement de Zanzibar et vice-président de la République.
Premier ministre : Joseph Warioba.
Nature de l'État : république « unie », en fait de forme confédérale, avec une large autonomie du gouvernement des îles (Zanzibar-Pemba).
Nature du régime : régime présidentialiste à parti unique. Élections semi-concurrentielles (président et parlement élus pour cinq ans au suffrage universel direct).
Parti unique : Chama Cha Mapinduzi (CCM) (Rassemblement de la révolution), présidé par Julius Nyerere.

1. Démographie, culture, armée

	Indicateur	Unité	1965	1975	1985
Démographie	Population	million	11,7	15,9	21,7
	Densité	hab./km²	12,4	16,8	23,0
	Croissance annuelle	%	2,5 [g]	3,2 [f]	3,5 [e]
	Mortalité infantile	‰	152 [h]	124 [d]	90
	Espérance de vie	année	42 [h]	46,5 [d]	51 [e]
	Population urbaine	%	5,0 [h]	..	14,8
Culture	Analphabétisme	%	90 [h]	..	53,7 [c]
	Nombre de médecins	‰ hab.	0,06 [h]	0,05 [i]	0,06 [j]
	Scolarisation *6-11 ans*	%	27,6	43,1	80,1
	12-17 ans	%	20,9	44,5	53,3
	3e degré	%	0,05	0,2	0,4 [a]
	Postes tv	‰	..	0,3	0,4 [a]
	Livres publiés	titre	..	..	246 [b]
Armée	Marine	millier d'h.	0,6	0,6	0,85
	Aviation	millier d'h.	0,5	1,0	1,0
	Armée de terre	millier d'h.	10,0	13,0	38,5

a. 1983; b. 1982; c. 1979; d. 1970-75; e. 1980-85; f. 1976-80; g. 1960-70; h. 1960; i. 1970; j. 1980.

2. Commerce extérieur [b]

Indicateur	Unité	1965	1975	1985
Commerce extérieur	% P I B	23,5	22,3	12,4 [a]
Total imports	million $	197	778	1 028
Produits agricoles	%	9,3	20,8	13,0 [a]
Pétrole	%	2,5	10,8	20,1 [a]
Autres produits miniers	%	—	0,4	1,0 [a]
Total exports	million $	207	372	284
Café	%	11,7	17,5	38,5 [a]
Coton	%	16,5	10,7	12,4 [a]
Sisal	%	19,4	10,9	2,6 [a]
Principaux fournisseurs	% imports			
États-Unis		5,6	13,4	3,5
C E E		57,8	36,4	42,5
P V D		15,0	18,9	34,0
Chine		3,5	9,3	1,4
Principaux clients	% exports			
États-Unis		5,9	6,5	1,8
C E E		50,1	36,8	53,4
P V D		24,1	37,2	26,8
Chine		6,7	3,8	0,7

a. 1984; b. Marchandises.

3. ÉCONOMIE

INDICATEUR	UNITÉ	1965	1975	1985
P I B	million $	860	2 581	5 247
Croissance annuelle	%	5,8 [b]	2,6 [c]	. .
Par habitant	$	73,5	162,3	242
Structure du P I B				
Agriculture	% } 100 %	42,3	36,9	46,2 [e]
Industrie	% } 100 %	13,0	14,5	12,7 [e]
Services	% } 100 %	44,7	48,6	41,1 [e]
Dette extérieure	million $	300 [g]	798	3 329
Taux d'inflation	%	9,9 [a]	14,9 [h]	6,5
Population active	million	5,7 [f]	. .	8,6 [e]
Agriculture	%	90,8 [f]	. .	83,0 [d]
Industrie	%	2,3 [f]	. .	6,0 [d]
Services	%	5,8 [f]	. .	11,0 [d]
Dépenses publiques				
Éducation	% P I B	33	5,4	5,8 [e]
Défense	% P I B	. .	1,7	4,5 [e]
Production d'énergie	million T E C	0,041 [g]	0,054	0,067 [e]
Consommation d'énergie	million T E C	0,782 [g]	0,981	0,893 [e]

a. 1966-73; b. 1960-73; c. 1973-83; d. 1981; e. 1983; f. 1967; g. 1970; h. 1974-79.

avaient amorcé un réexamen profond de la ligne politique à suivre. La campagne de lutte contre la spéculation et le sabotage économique (1983) pouvait être présentée comme la condition politique et sociale préalable à une relance de l'initiative et des responsabilités privées. La suppression progressive de contraintes bureaucratiques vise à les stimuler, avec par exemple la relance des coopérations et le « programme d'ajustement structurel » dans le domaine agricole; une nouvelle politique des prix incitatrice pour le producteur (plus 10 à 15 %) a été annoncée pour 1986. C'est peut-être là une mesure élémentaire pour retrouver la couverture alimentaire du pays et, éventuellement, « capturer » le paysan.

Mais cette réorientation de la politique économique se fait sous haute surveillance : la Tanzanie est, elle aussi, aux prises avec le FMI. Avant son départ, Nyerere disait qu'on ne doit pas confondre négociation et ultimatum, entendant ainsi épargner à son pays les « émeutes FMI » que certains pays africains ont connues après avoir cédé aux directives drastiques des agents de l'Organisation. Mais un service de la dette s'élevant à 262 millions de dollars (1985), un taux d'inflation de 40 %, un taux de croissance (2,5 % en 1984) inférieur à celui de la population (3,3 %) ne placent pas en position de force. Les dévaluations successives, les efforts faits pour purger le secteur public d'effectifs excédentaires n'ont pas encore suffi pour faire (ré-) fléchir les décideurs du FMI, indifférents aux performances sociales (scolarisation, santé) accomplies par Dar-es-Salam.

Comme en 1985, le printemps 1986 a été pluvieux en Tanzanie; le cours du dollar et le prix du baril de pétrole ont chuté. Une reprise à la hausse de la production, un allégement substantiel du déficit du commerce extérieur s'ajoutant à la réinsertion de la Tanzanie dans l'espace économique est-africain et aux initiatives libératrices du gouvernement pourraient rasséréner le paysan, approvisionner le citadin, adoucir la médecine du FMI, remobiliser les partenaires traditionnels; bref, contribuer à renforcer l'autorité personnelle encore incertaine du président Mwinyi.

François Constantin

BIBLIOGRAPHIE

Ouvrages

BARKAN J.D., *Politics and Public Policy in Kenya and Tanzania*, Praeger, New York, 1984.

BATIBO H., MARTIN D., ed., *Tanzanie, l'Ujamaa face aux réalités*, Éditions recherches sur les civilisations, Paris, 1986.

SHIVJI I.S., *Law, State and the Working Class in Tanzania*, Heinemann, Londres, 1986.

Articles

CAMPBELL H., « The Budget and the People : Reflections on the 1984 Budget in Tanzania », *Ufahamu* 14 (2), 1985.

MARTIN D., « Les élections au Kénya et en Tanzanie. Quelques remarques méthodologiques », *Bulletin de liaison-CREDU*, nº 14, décembre 1984.

MITI K., « L'opération Nguyu Kazi à Dar-es-Salam », *Politique africaine*, nº 17, mars 1985.

MODERNE F., « Démocratie locale et participation populaire dans les pays africains et malgaches : l'exemple des villages communautaires tanzaniens », *Annuaire du tiers monde*, nº 8, 1983.

SINGH A., « The Continuing Crisis of the Tanzanian Economy : the Political Economy of Alternative Policy Options », *Africa Development*, nº 10, juin 1985.

PAYS ET RÉGIONS DU MONDE

Les 33 ensembles géopolitiques

Algérie, Libye, Maroc, Tunisie

L'**Algérie**, le **Maroc** et la **Tunisie** sont traités dans la section « Les 34 grands États ».

Jamahirya arabe libyenne populaire et socialiste
Nature du régime : militaire.
Chef de l'État : colonel Mouamar Kadhafi.
Monnaie : dinar libyen.
Langue : arabe.

En **Libye**, le colonel Kadhafi a de quoi être satisfait : pendant la seconde moitié de 1985 et au cours des premiers mois de 1986, il a fait plus d'une fois la « une » de la presse internationale grâce aux actions sensationnelles dont il a été, de près ou de loin, à l'origine. Est-ce pour faire oublier à son peuple que la Libye est entrée dans une période d'austérité dont il avait depuis longtemps oublié les rigueurs ?

C'est que le pétrole n'est plus ce qu'il était : la baisse continue du dollar depuis le début de l'année 1985 et la chute sans précédent du prix des hydrocarbures en 1986 ont aggravé la crise économique dans laquelle la « Jamahirya » se débat depuis 1984. Les recettes pétrolières ont péniblement atteint 10,9 milliards de dollars en 1985, contre 22 milliards en 1980. Si la somme peut paraître importante pour un pays qui compte moins de 4 millions de citoyens, elle se révèle en fait insuffisante pour satisfaire les appétits d'une population depuis longtemps habituée à vivre dans l'aisance. Les importations sont désormais strictement réglementées et les pénuries de produits de consommation courante sont devenues le lot quotidien de ce pays qui ne produit guère que de l'or noir.

L'état de crise a d'ailleurs été invoqué par les autorités libyennes pour justifier les expulsions massives de travailleurs étrangers, égyptiens et tunisiens surtout, qui ont eu lieu en août 1985. Mais il faut également voir dans cette initiative une manifestation d'hostilité de Kadhafi vis-à-vis de deux voisins jugés trop inféodés au camp occidental et rétifs à toutes les propositions de fusion. Quant à l'union avec le Maroc (traité d'Oujda d'août 1985), elle semble se résumer à une simple alliance contre la trop puissante Algérie avec laquelle toutefois le colonel a tenté de se réconcilier depuis janvier 1986 (le Premier ministre algérien Abdel Hamid Brahimi s'est rendu en Libye du 21 au 23 mars).

La recrudescence d'actes terroristes auxquels Kadhafi n'est pas étranger, dont les attentats spectaculaires aux aéroports de Rome et de Vienne contre les guichets d'El Al le 27 décembre 1985, ont pourtant paradoxalement sorti son régime de l'isolement dans lequel le maintenaient la plupart des États arabes. Les menaces américaines contre « le fou de Tripoli » ont provoqué de leur part un inévitable réflexe de solidarité vis-à-vis de celui qui demeure, malgré tout, un des leurs.

C'est d'abord au Tchad que Kadhafi a voulu trouver un dérivatif à ses problèmes intérieurs en lançant une nouvelle offensive contre le régime d'Hissène Habré en février 1986, après avoir partiellement neutralisé la tendance hostile à la guerre du Tchad au sein d'une armée dont il se méfie d'ailleurs de plus en plus. Si la tactique de la fuite en avant adoptée par Kadhafi pour consolider son régime semblait jusque-là lui réussir, le coup de théâtre, d'ailleurs prévisible, d'avril 1986 est venu bouleverser les données d'une conjoncture déjà passablement agitée : devant la multiplication des actes de

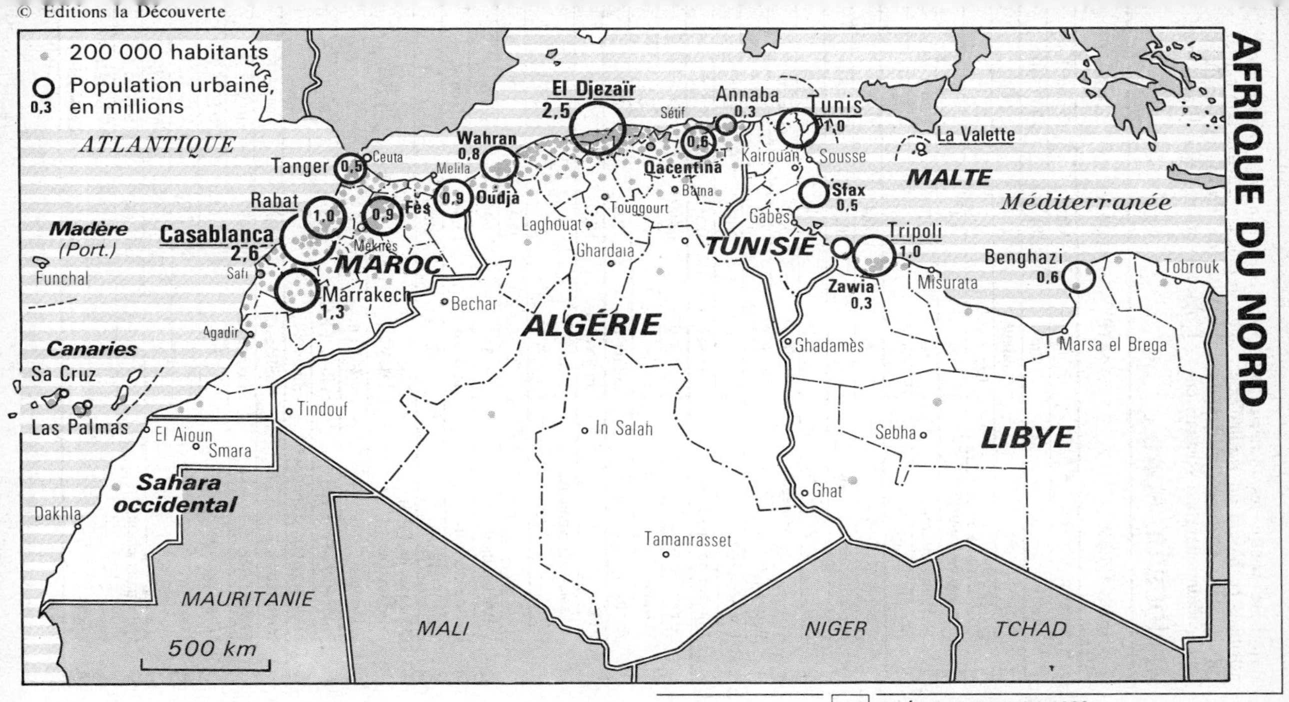
AFRIQUE DU NORD
200 000 habitants
Population urbaine, en millions
0,3
ATLANTIQUE
Méditerranée
Madère
(Port.)
Funchal
Canaries
Sa Cruz
Las Palmas
Tanger 0,5
Ceuta
Rabat 1,0
Casablanca 2,6
Safi
Marrakech 1,3
Agadir
Mekrès
Fès 0,9
MAROC
Melilla
Oudja 0,9
Wahran 0,8
El Djezaïr 2,5
Sétif
Annaba 0,3
Qacentina 0,6
Batna
Touggourt
Laghouat
Ghardaia
Bechar
ALGÉRIE
Tindouf
In Salah
Tamanrasset
El Aioun
Smara
Sahara occidental
Dakhla
Tunis 1,0
Kairouan
Sousse
Sfax 0,5
Gabès
TUNISIE
Tripoli 1,0
Zawia 0,3
Misurata
Ghadamès
Ghat
Sebha
LIBYE
Benghazi 0,6
Marsa el Brega
Tobrouk
La Valette
MALTE
MAURITANIE
MALI
NIGER
TCHAD
500 km

terrorisme contre les Américains attribués en bloc à un Kadhafi de plus en plus identifié au « démon du mal », l'administration Reagan envoyait, dans la nuit du 14 au 15 avril, plus de cinquante avions bombarder les villes de Tripoli et Benghazi. L'objectif officiel des États-Unis

AFRIQUE DU NORD

	INDICATEUR	UNITÉ	ALGÉRIE	LIBYE
	Capitale		Alger	Tripoli
	Superficie	km²	2 381 741	1 759 540
DÉMOGRAPHIE	Population (*)	million	21,6	3,62[a]
	Densité	hab./km²	9,1	2,1[a]
	Croissance annuelle[g]	%	3,4	5,0
	Mortalité infantile	‰	93,0	79,0
	Population urbaine	%	66,6	64,5
CULTURE	Analphabétisme	%	50,4	33,1
	Scolarisation 6-11 ans	%	88,1	. .
	12-17 ans	%	54,6	. .
	3e degré	%	5,5[c]	8,2[c]
	Postes tv[b]	‰ hab.	65	66
	Livres publiés	titre	208[b]	481[e]
	Nombre de médecins	‰ hab.	0,5[a]	1,52[d]
ARMÉE	Armée de terre	millier d'h.	150,0	58,0
	Marine	millier d'h.	8,0	6,5
	Aviation	millier d'h.	12,0	8,5
ÉCONOMIE	PIB	milliard $	58,2	25,33[a]
	Croissance annuelle 1973-83	%	5,8	3,6
	1985	%	6,0	– 1,5
	Par habitant	$	2 694	6 998[a]
	Dette extérieure	milliard $	13,8[a]	0,66
	Taux d'inflation	%	8,5	. .
	Dépenses de l'État Éducation	% PIB	4,5[c]	3,7[f]
	Défense	% PIB	1,6	2,4[c]
	Production d'énergie[a]	million TEC	100,0	85,1
	Consommation d'énergie[a]	million TEC	15,0	13,1
COMMERCE	Importations	millions $	10 382	5 186
	Exportations	millions $	13 087	10 929
	Principaux fournisseurs	%	CEE 64,0	CEE 55,7
		%	Fra 29,3	PVD 12,9
		%	PVD 9,2	CAEM 6,9
	Principaux clients	%	E-U 18,5	CEE 66,2
		%	CEE 58,7	PVD 14,3
		%	Fra 17,5	CAEM 3,5

était de montrer au maître de la Libye qu'on ne provoque pas impunément la puissance américaine, mais le raid avait en fait pour but de tuer le colonel et/ou de provoquer un coup d'État qui mettrait fin à un régime jugé menaçant pour les intérêts vitaux américains. A court terme, la « punition » dont son pays a été la victime a plutôt renforcé Mouamar Kadhafi en en faisant un « martyr de l'impérialisme américain ». Les conséquences à long terme d'un conflit qui est loin d'être terminé seront-elles pour lui aussi bénéfiques ? Pourra-t-il affronter à la fois la raréfaction de ressources financières qui constituent le seul pilier de sa puissance, l'hostilité grandissante du monde occidental et l'indifférence à peine voilée de la plupart des États arabes ? D'autant que, s'ils ont fait bloc autour de leur chef après l'agression américaine, les Libyens se demandent si la politique qu'il s'obstine à poursuivre est le meilleur moyen de dépenser un argent devenu rare. Jamais l'avenir du régime installé à Tripoli depuis 1969 n'est apparu plus incertain qu'après le raid américain.

Sophie Bessis

MAROC	TUNISIE
Rabat	Tunis
450 000	163 610
22,0	7,1
48,8	43,4
2,5	2,4
84,0	71,0
43,9	56,8
66,9	45,8
56,4	86,4
43,9	53,4
6,0	5,3[b]
39	54
..	172[c]
0,06[d]	0,28[d]
130,0	30,0
6,0	2,6
13,0	2,5
14,34[a]	8,22
4,5	5,9
4,3	4,0
668[a]	1 158
14,0	3,4
10,1	6,5
7,5[b]	4,5[b]
4,0[a]	5,0
1,0	8,6
6,8	4,7
3 814	2 757
2 170	1 738
CEE 42,8	CEE 65,8
Fra 24,4	PVD 14,0
Ars 13,9	Fra 26,4
CEE 50,6	CEE 69,7
Fra 24,0	PVD 14,2
CAEM 5,8	Fra 25,3

Chiffres 1985, sauf notes : a. 1984 ; b. 1983 ; c. 1982 ; d. 1981 ; e. 1978 ; f. 1980 ; g. 1980-85.

(*) Dernier recensement utilisable : Algérie, 1977 ; Libye, 1984 ; Maroc, 1982 ; Tunisie, 1984.

Afrique sahélienne

Bourkina, Mali, Mauritanie, Niger, Tchad

République démocratique populaire de Bourkina
Nature du régime : militaire et civil dirigé par le Conseil national de la révolution, partis politiques interdits.
Chef de l'État et du gouvernement : capitaine Thomas Sankara.
Monnaie : franc CFA.
Langues : français (off.), moré, dioula, gourmantché.

Bourkina. Tout comme en 1984, quelques jours après la célébration du deuxième anniversaire de la « révolution démocratique populaire », le Conseil national de la révolution (CNR), présidé par le capitaine Thomas Sankara, a décidé de dissoudre le gouvernement. Mais cette fois, l'équipe gouvernementale a été pratiquement reconduite. Cependant, deux nouvelles structures (le Conseil d'administration ministériel et la Commission du peuple chargée du secteur ministériel) ont été créées, renforçant l'influence des Comités de défense de la révolution (CDR) auprès de chaque ministre.

Les CDR, dirigés par le capitaine Pierre Ouédraogo, très lié au chef de l'État, sont désormais omniprésents dans la vie et l'administration du pays, et la position des militaires s'est encore sensiblement renforcée au sein du régime. En effet, depuis la mise à l'écart de la LIPAD-PAI (Ligue patriotique pour le développement-Parti africain pour l'indépendance) de tendance marxiste-léniniste, en août 1984, les forces civiles n'ont plus guère d'influence dans la direction du pays et les syndicats ont souvent dû s'effacer au profit des CDR créés dans les services. La Confédération syndicale bourkinabé (CSB), centrale la plus active qui avait soutenu le régime, semble être en sommeil, et son dirigeant, Soumane Touré, membre de la LIPAD-PAI, est détenu depuis janvier 1985. De nombreux responsables de syndicats contestataires proches du PCRV (Parti clandestin marxiste-léniniste, pro-albanais) ont été arrêtés puis relâchés à plusieurs reprises en 1985 et 1986.

Dans ce climat politique assez tendu, la guerre éclair qui a opposé le Bourkina au Mali à la fin du mois de décembre 1985, à propos d'un litige frontalier datant de l'indépendance, n'a pas suscité un élan national susceptible d'apaiser ces divisions. Du reste, profitant d'un meeting de « réconciliation avec les frères maliens », le président Sankara, soucieux d'apaiser les tensions internes au pays, a annoncé des mesures de clémence en faveur de hauts dirigeants des régimes précédents, dont les ex-présidents Saye Zerbo et Jean-Baptiste Ouédraogo. En février 1986, deux membres de la LIPAD-PAI, l'ancien ministre Adama Touré et son homonyme syndicaliste, emprisonnés en octobre 1984, ont été libérés. Enfin, alors que les suspensions et licenciements de fonctionnaires « pour attitude contre-révolutionnaire » s'étaient multipliés de façon inquiétante, les autorités ont officiellement réintégré 250 des 2 000 enseignants licenciés pour fait de grève en mars 1984.

Le CNR semble avoir péché en matière économique et sociale par un excès de pragmatisme et de précipitation qui a nui à sa crédibilité. Certaines mesures comme la suppression des loyers ou la réforme de l'école ont été rapportées. Le pays connaît une situation financière difficile : début mai 1986, le budget, sérieusement grevé par le service de la dette extérieure, n'était toujours pas clairement arrêté. L'effort populaire d'investissement s'est traduit par une ponction de 5 à 12 % sur les

AFRIQUE SAHÉLIENNE

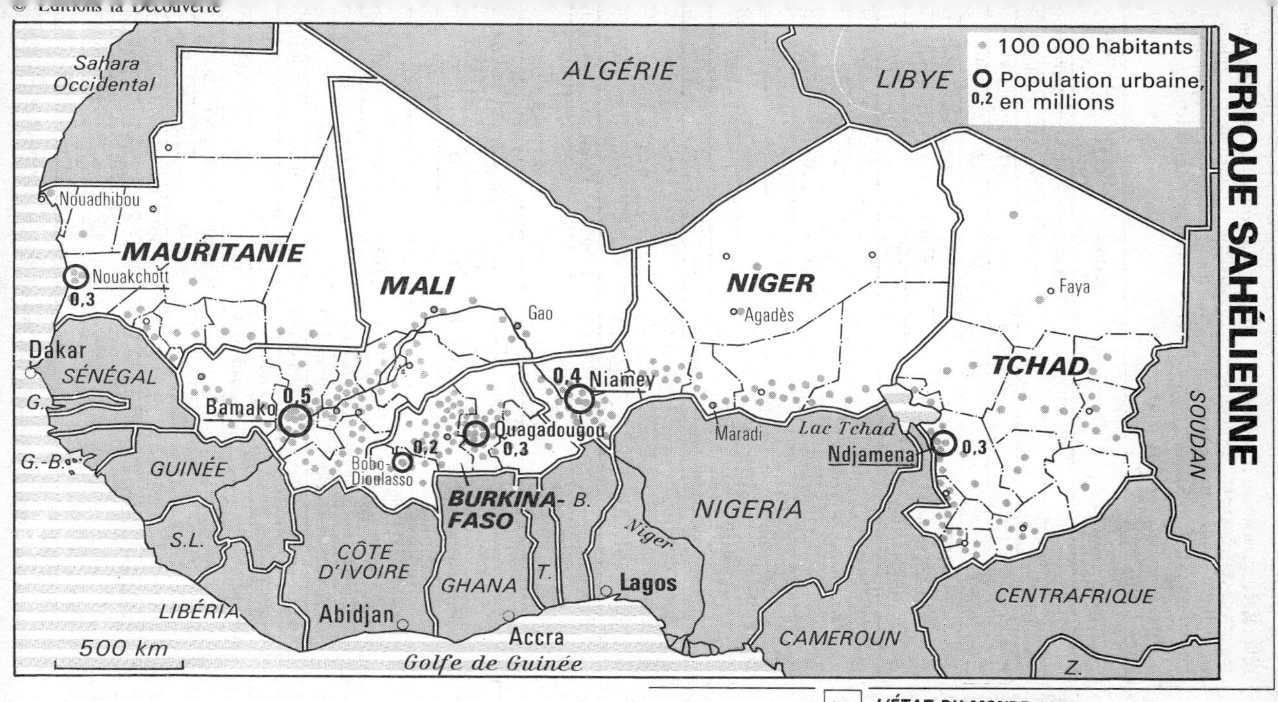

salaires, ce qui a accru le mécontentement de couches urbaines acquises au régime à ses débuts. La marge de manœuvre du CNR, qui entend toujours accorder la priorité à la paysannerie, s'est trouvée d'autant plus réduite. Par le biais de campagnes massives de vaccination, la

AFRIQUE SAHÉLIENNE

	INDICATEUR	UNITÉ	BOURKINA	MALI	MAURITANIE
	Capitale		Ouagadougou	Bamako	Nouakchott
	Superficie	km²	274 200	1 240 000	1 030 700
DÉMOGRAPHIE	Population (*)	million	6,64	8,21	1,83[a]
	Densité	hab./km²	24,2	6,6	1,8[a]
	Croissance annuelle[h]	%	1,6	2,3	2,1
	Mortalité infantile	‰	137,0	137,0	127,0
	Population urbaine	%	7,9	20,8	34,6
CULTURE	Analphabétisme	%	86,8	83,2	82,6[f]
	Scolarisation 6-11 ans	%	15,7	24,8	30,2
	12-17 ans	%	9,7	20,4	26,6
	3e degré	%	0,6[b]	0,9[c]	..
	Postes tv[b]	‰ hab	5,3	..	..
	Livres publiés	titre	4[c]	90[b]	..
	Nombre de médecins	‰ hab.	0,02[d]	0,04[e]	0,07[e]
ARMÉE	Armée de terre	millier d'h.	3,9	4,60	8,00
	Marine	millier d'h.	–	0,05	0,32
	Aviation	millier d'h.	0,1	0,30	0,15
ÉCONOMIE	PIB	million $	1 040[a]	1 060[a]	750[a]
	Croissance annuelle 1973-83	%	3,7	4,3	2,4
	1985	%	..	..	3,0
	Par habitant	$	160[a]	140[a]	450[a]
	Dette extérieure[a]	million $	437	1095	1327
	Taux d'inflation	%	1,3	..	10,5
	Dépenses de l'État Éducation	% PIB	3,2[b]	4,2[c]	7,4[b]
	Défense	% PIB	2,8[a]	2,6[a]	..
	Production d'énergie[a]	million TEC	–	0,01	–
	Consommation d'énergie[a]	million TEC	0,2	0,24	0,29
COMMERCE	Importations	million $	271,9	363	233
	Exportations	million $	65,9	172	375
	Principaux fournisseurs	%	PCD 64,4	PCD 68,5	PCD 77,0
		%	Fra 33,4	Fra 32,0	Fra 30,6
		%	CdI 20,0	CdI 17,9	PVD 23,0
	Principaux clients	%	CEE 51,8	PCD 73,1	CEE 67,3
		%	Fra. 29,0	CEE 72,1	PVD 6,3
		%	CdI 17,0	PVD 26,7	Jap 27,9

distribution de vivres dans les régions sahéliennes ou la participation à l'aménagement de la vallée du Sourou, les CDR, qui ont tenu en

NIGER	TCHAD
Niamey	Ndjamena
1 267 000	1 284 000
5,94[a]	4,90[a]
4,7[a]	3,8[a]
3,2	2,2
129,0	132,0
16,2	21,6
86,1	74,7
25,0	30,3
13,2	15,9
0,5[b]	..
1,9	..
5[c]	..
0,02[e]	0,02[e]
2,15	12,0
–	–
0,07	0,2
1 190[a]	360[c]
5,3	– 5,8[g]
..	..
190[a]	80[c]
947	115
– 5,0	..
4,3[e]	2,6[b]
0,9[a]	15,3[a]
0,05	–
0,34	0,10
354	218
223	113
CEE 53,5	Fra 22,2
Fra 29,8	PVD 43,1
Nig 12,8	Afr 15,9
CEE 48,9	CEE 21,6
Fra 47,5	Afr 17,8
Nig 7,1	Por 14,0

avril 1986 leur première conférence nationale, occupent le terrain, mais ils ne semblent plus emporter, comme auparavant, l'adhésion populaire. La campagne agricole de 1985-1986, satisfaisante (1,58 million de tonnes de céréales contre 1,14 millions en 1984) vient corriger ce tableau économique plutôt sombre.

Le Plan quinquennal de développement populaire (1986-1990) fera essentiellement appel aux bailleurs de fonds traditionnels. Si les projets du Sourou et du manganèse de Tambao ont marqué le pas, le financement du barrage de la Kompienga (35 milliards de francs CFA dont 3 financés par le Bourkina) est d'ores et déjà bouclé.

En dépit des discours chaleureux du colonel Kadhafi lors de sa visite en décembre 1985, l'assistance financière de la Libye est restée assez limitée. Après bien des atermoiements, les relations franco-bourkinabés se sont améliorées avec la signature en février 1986 de nouveaux accords de coopération se substituant à ceux de 1961, avec la rencontre Sankara-Mitterrand, quelques jours après, à Paris, et le maintien de concours financiers de la Caisse centrale de coopération économique (8,5 milliards de francs CFA en 1985 dans les secteurs agricole, minier et de l'hydroélectricité). Enfin, Thomas Sankara, qui a marqué la fin de son mandat à la présidence de la CEAO (Communauté économique de l'Afrique de l'Ouest) par la tenue de son troisième sommet à Ouagadougou (mars 1986), a affirmé la volonté de non-alignement du Bourkina en matière diplomatique en effectuant en septembre 1985 un voyage en Corée

Chiffres 1985, sauf notes : a. 1984; b. 1983; c. 1982; d. 1981; e. 1980; f. 1976; g. 1973-82; h. 1980-85.

(*) Dernier recensement utilisable : Bourkina, 1975; Mali, 1976; Mauritanie, 1976; Niger, 1977; Tchad, 1964.

du Nord avec escales et entretiens en Roumanie et en URSS.

République du Mali

Nature du régime : militaire, dirigé par le Comité militaire de libération nationale, parti unique.
Chef de l'État : général Moussa Traoré.
Premier ministre : Mamadou Dembélé.
Monnaie : franc CFA.
Langues : français (off.), bambara, senoufo, sarakolé, dogon, touareg, arabe.

Le conflit éclair (25 au 29 décembre 1985) qui a opposé le **Mali** au Bourkina a marqué la vie politique de ce pays dirigé depuis 1968 par le général Moussa Traoré, à la tête du Comité militaire de libération nationale (CMLN) et de l'Union démocratique du peuple malien (UDPM), parti unique. Pourtant, en 1983, les deux pays s'en étaient remis à la Cour internationale de justice de La Haye pour régler leur litige frontalier et ils entretenaient de bonnes relations qui avaient facilité le retour du Mali dans l'Union monétaire ouest-africaine (UMOA) en 1984. Le président Traoré et son gouvernement ont tiré le plus grand avantage de cet affrontement qui a suscité un surprenant élan national en leur faveur, alors que le climat social était particulièrement tendu au Mali suite au blocage des salaires dans le secteur public. Tandis que les deux pays achevaient d'en découdre, les autorités maliennes en ont profité pour dénoncer notamment le Syndicat national de l'enseignement et de la culture (SNEC), accusé de collusion avec le Bourkina, et pour lancer en janvier 1986 une campagne d'intimidation et de répression (arrestations et détentions prolongées arbitraires).

Soumis depuis 1982 à la thérapeutique du FMI (un troisième accord de confirmation couvre la période novembre 1985-mars 1987), le Mali n'en finit pas de guérir. Certes, le budget 1986 a été arrêté en équilibre à 69 milliards de francs CFA mais le chef de l'État, avec le FMI, a dû reconnaître en mars la persistance d'importants déséquilibres financiers et économiques en dépit des sacrifices exigés : licenciements dans le secteur public, baisse des dépenses sociales, forte hausse des prix (jusqu'à 100 %) avec le retour dans l'UMOA. Alors que la petite paysannerie est aux abois, une couche de nouveaux riches se développe : commerçants profitant de la libéralisation des circuits céréaliers, fonctionnaires corrompus au sein d'une administration de plus en plus inefficace.

La chute des cours du coton a entraîné en 1986 un manque à gagner de 20 milliards de francs CFA, malgré une récolte record de 175 000 tonnes. Les pluies assez tardives ont pourtant permis une amélioration sensible de la production vivrière après le déficit catastrophique de près de 500 000 tonnes en 1984-1985. Dans le cadre d'une politique d'investissements plutôt modérée (8 milliards de francs CFA sur les 42 milliards prévus en 1986) – en raison des incertitudes politiques –, le Mali est resté très dépendant des bailleurs de fonds étrangers au premier rang desquels se trouve la France.

République islamique de Mauritanie

Nature du régime : militaire, dirigé par le Comité de salut national.
Chef de l'État et du gouvernement : colonel Maaouya Ould Sid'Ahmed Taya.
Monnaie : ouguiya.
Langues : arabe, français (off.), hassaniya, peul, soninké, ouolof.

En prenant la tête du Comité militaire de salut national (CMSN), organe dirigeant du pays, suite à une révolution de palais en décembre 1984, le colonel Maaouya Ould Sid'Ahmed Taya entendait assainir l'économie de la **Mauritanie** et contribuer à la mise en place d'institutions démocratiques. L'État, dirigé par les militaires depuis le renversement du président Ould Daddah en 1978, devrait, selon un discours du chef de l'État, être doté d'ici à la fin de 1986 d'instances élues assurant la gestion des affaires des collectivités dans les capitales régionales et à Nouakchott. Certes, le dernier président renversé, Ould Haïdalla, et quelques-uns de ses proches restent en résidence surveillée, mais les putschistes de mars 1981 ont été amnistiés et le président Ould Daddah peut rentrer en Mauritanie.

Mais la priorité reste l'assainissement économique. Dotée d'importantes richesses minières (fer, cuivre) et de côtes très poissonneuses, la Mauritanie a pourtant été inscrite en février 1986 sur la liste des pays les moins avancés (PMA), et son endettement par rapport à son produit intérieur brut est le plus élevé d'Afrique (1,7 milliard de dollars, soit 2,5 fois le PIB). Marché du fer déprimé, sécheresse persistante depuis les années soixante-dix – qui a fait affluer à Nouakchott 300 000 de ses 500 000 habitants – mais surtout, une gestion peu rigoureuse des secteurs clés (fer, pêche) ont contraint les autorités à adopter en 1985 un plan de redressement financier et de relance économique sous la férule du FMI. Dévaluation de 16 % de l'ouguiya, réduction des dépenses sociales, ces mesures devraient contribuer à ramener à un niveau acceptable – selon les critères du FMI – les déficits budgétaires d'ici à 1988 et celui de la balance des paiements vers 1990. Pour réaliser ce plan, le Club de Paris a laissé espérer, en novembre 1985, un concours de 700 millions de dollars, soit 245 milliards de francs CFA pour la période 1986-1988, dont 87,5 milliards de francs serviraient à couvrir les investissements de 1986.

Une meilleure pluviosité en 1985 permet d'envisager que la production agricole nationale couvrira 40 % des besoins en 1986 (10 % en 1984). L'accent a été mis sur la restructuration de la pêche qui représente plus de la moitié de la valeur totale des exportations : augmentation du nombre de licences accordées à l'armement étranger, participation à des sociétés mixtes de pêche, maîtrise des exportations par une société nationale de commercialisation. Par ailleurs, un tiers des enfants seulement étant scolarisés, une campagne contre l'analphabétisme a été lancée en mars 1986.

La Mauritanie, qui s'est dégagée en 1979 du conflit du Sahara occidental, a rétabli ses relations diplomatiques avec le Maroc en 1985, tout en reconnaissant la République arabe sahraouie démocratique. Elle a renforcé ses liens de coopération avec les pays du Maghreb (Tunisie, Algérie), mais aussi avec le Mali et le Sénégal, tout en maintenant des liens économiques et militaires privilégiés avec la France.

République du Niger

Nature du régime : militaire, dirigé par le Conseil militaire suprême.
Chef de l'État : général Seyni Kountché.
Chef du gouvernement : Hamid Algabid.
Monnaie : franc CFA.
Langues : français (off.), haoussa, peul, zarma, kanuri.

Au **Niger**, selon les autorités, la très bonne campagne agricole de 1985 a facilité la relance de l'élaboration de la Charte nationale initiée en 1982. Depuis le coup d'État militaire d'avril 1974, c'est un premier pas vers un retour à une vie constitutionnelle normale. Le projet définitif devait être présenté pour avis au gouvernement en octobre 1986, au plus tard, puis soumis à la sanction populaire. Si, selon le chef de l'État, le général Seyni Kountché, la Charte doit faire du Niger « un État plus libéral », les membres du Conseil militaire suprême (CMS) conservent encore l'administration du territoire, le chef d'État cumule les portefeuilles de la Défense et de l'Intérieur, et deux militaires font partie de l'équipe gouvernementale, profondément remaniée en septembre 1985.

Le Niger a joué un rôle médiateur dans le conflit qui a opposé le Mali et le Bourkina en décembre 1985. L'ambassadeur du Niger à Tripoli a regagné son poste à la fin 1985, mettant fin à la suspension des relations diplomatiques avec la Libye, longtemps soupçonnée de vouloir déstabiliser le régime du général Kountché. Par ailleurs, le Nigéria a officiellement rouvert ses frontières en février 1986, ce qui a réactivé les circuits commerciaux.

Après des années de sécheresse, une bonne pluviosité en 1985 a permis une importante production céréalière, estimée à près de 1,8 million de tonnes, entraînant une forte baisse des prix (le mil est quatre fois moins cher qu'en 1984) et un ralentissement des cultures de contre-saison (haricots verts, tomates, oignons...) encouragées en 1984 pour compenser la sous-production de mil. Les pâturages, presque restaurés, sont restés sous-utilisés, 50 % du cheptel ayant été abattu en 1984 en raison de la sécheresse.

Cependant, le Niger, dont les ventes d'uranium stagnent (3 400 tonnes), connaît une situation financière difficile. L'important service de la dette (27 milliards de francs CFA en 1986 pour un budget de 87,9 milliards) rend les perspectives de redressement assez problématiques. Un troisième accord de confirmation avec le FMI a permis de rééchelonner 50 % du service de la dette. Mais ce n'est qu'un ballon d'oxygène (environ 15 milliards de francs CFA par an) car dès 1989, la fièvre de la dette devrait reprendre de plus belle. En décembre 1985, le Niger a donc négocié avec la Banque mondiale un important programme d'ajustement structurel et il peut compter sur les retombées de la Convention de Lomé III. Pour la période 1986-1988, 272 milliards de francs CFA d'investissements sont prévus, mais la part de l'État reste dérisoire (6 milliards sur 80 en 1986). La réactivation du secteur minier, mais surtout une relance agricole liée à l'amélioration de la maîtrise de l'eau et la reconstitution du cheptel, pourraient contribuer à sortir le Niger de cette profonde et durable austérité.

République du Tchad
Nature du régime : civil à parti unique.
Chef de l'État et du gouvernement : Hissène Habré.
Monnaie : franc CFA.
Langues : arabe, français (off.), sara, baguirmi, boulala, etc.

Vingt ans d'une guerre civile envenimée par des interventions extérieures africaines (Zaïre, Libye...) et extra-africaines (France, États-Unis) ont abouti à une partition de fait du **Tchad** au niveau du seizième parallèle. Au nord, le Gouvernement d'union nationale de transition (GUNT) de Goukouni Weddeye, basé à Bardaï et appuyé par la Libye, contrôle un territoire (Borkou-Ennedi-Tibesti) certes peu peuplé, mais représentant un tiers du pays. Au sud s'étend le domaine d'Hissène Habré, installé à N'Djaména depuis juin 1982, d'où, entouré d'une garde présidentielle de 3 000 à 4 000 hommes, il exerce un pouvoir sans partage, avec le soutien de Paris et de Washington.

A la fin de 1985, le GUNT semblait avoir refait son unité après la libération d'Acheikh Ibn Omar, leader de sa principale composante, le Conseil démocratique révolutionnaire (CDR). Ayant manifesté quelques velléités d'autonomie par rapport à Tripoli, il était détenu depuis un an par les hommes de Goukouni avec l'assentiment de la Libye. Désormais ministre d'État à la coordination du GUNT, Acheikh a ratifié les accords de Cotonou (30 août 1985) portant création du Conseil suprême de la révolution (CSR) présidé par Goukouni. L'opposition réunifiée a lancé une offensive militaire qui s'est soldée par un échec en février 1986. Cela a servi de prétexte à un raid aérien de la France, bombardant la piste de Ouadi Doum construite par Tripoli au nord du Tchad, et à la mise en place de l'opération militaire *Épervier* confirmée par le gouvernement de Jacques Chirac.

L'intransigeance d'Hissène Habré avait fait échouer en 1984 les conférences de réconciliation d'Addis-Abeba et de Brazzaville réunies à l'initiative de l'Organisation de l'unité africaine. A la fin de 1985 et au début de 1986, les accords signés sous l'égide du président gabonais, Omar Bongo, entre N'Djaména et des opposants (Comité d'action et de coordination au conseil démocratique révolutionnaire – CAC-CDR –, de Mahamat Senoussi, Front démocratique du Tchad – FDT – du général Djogo, et le colonel Kotiga dirigeant l'opposition armée des codos au sud) s'apparentaient à des ralliements. En effet, Hissène Habré est resté le maître absolu du jeu, tout en concédant quatre ministères à ces ralliés qui ont été invités à rejoindre l'Union nationale pour l'indépendance et la révolution (UNIR), parti unique. Aucune expression politique pluraliste n'est tolérée et l'Acte fondamental, défini par H. Habré, continuera de régir la vie politique et administrative du Tchad pour cinq ans. Le pays se trouve dans une nouvelle impasse politique et militaire, et des négociations Habré-Goukouni semblaient assez improbables après le rendez-vous manqué – par Goukouni – de Brazzaville, le 28 mars 1986.

Réunis à Genève en décembre 1985, les bailleurs de fonds ont laissé espérer une aide de 450 millions de dollars (157,5 milliards de francs CFA) pour le plan de reconstruction 1986-1990, mais aucun document n'a été signé. Le pays connaît une situation financière dramatique, due notamment à la baisse du cours du coton qui représentait 50 % des recettes budgétaires. Au début de 1986, la Cotontchad, qui injecte l'essentiel de la masse monétaire dans le pays, reconnaissait officiellement un déficit de 20 milliards de francs CFA (équivalent au budget du Tchad en 1986!) et recherchait 9 milliards de subventions pour payer les paysans producteurs. La moitié de son personnel devait être licenciée. La crise de la Cotontchad s'est répercutée sur l'ensemble des activités industrielles du pays. Pour faire face à l'impasse budgétaire, N'Djaména s'est lancé dans une politique fiscale irréaliste (taxation exorbitante des produits importés) et a recours à des contributions exceptionnelles (reconstruction, effort de guerre, cotisation obligatoire au parti unique), réduisant à néant le demi-salaire des fonctionnaires irrégulièrement versé. Seul point positif, la bonne campagne agricole de 1985 a effacé les famines des années passées dans un pays économiquement paralysé et soutenu à bout de bras par la France et les États-Unis.

Guy Labertit

Afrique extrême-occidentale

Cap-Vert, Gambie, Guinée, Guinée-Bissao, Libéria, Sénégal, Sierra Léone

République du Cap-Vert
Nature du régime : parti unique.
Chef de l'État : Aristides Maria Pereira.
Chef du gouvernement : Pedro Pires.
Monnaie : escudo capverdien.
Langues : portugais (off.), créole.

Le **Cap-Vert,** situé à 630 kilomètres au large de Dakar, est un archipel de dix îles dont neuf sont habitées. 20 % seulement des terres sont cultivables. Le pays compte 330 000 habitants, mais au début de 1985, on dénombrait environ 600 000 Cap-Verdiens vivant à l'étranger. Les mandats que ces émigrés envoient au pays représentent le tiers du revenu national. Le Cap-Vert dépend presque exclusivement de l'ex-

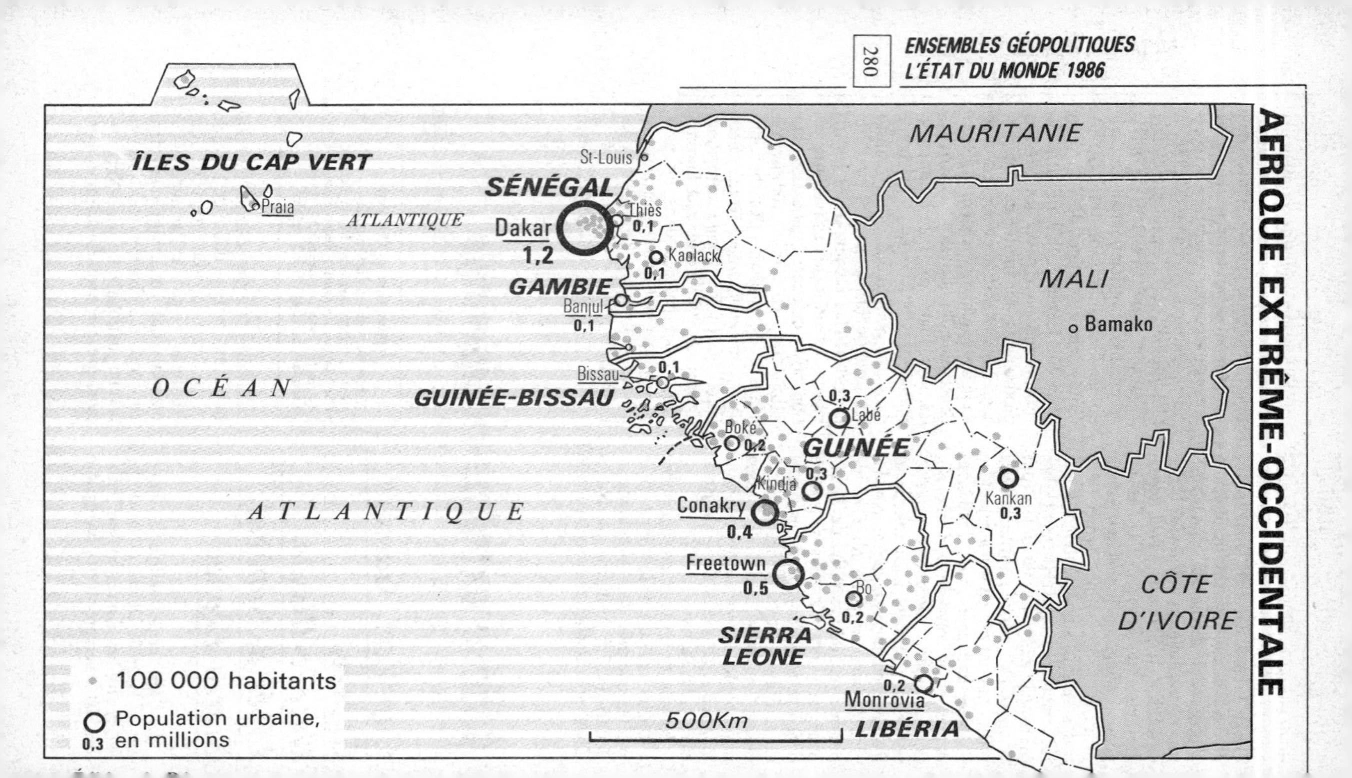
AFRIQUE EXTRÊME-OCCIDENTALE
MAURITANIE
MALI
Bamako
CÔTE D'IVOIRE
ÎLES DU CAP VERT
Praia
ATLANTIQUE
SÉNÉGAL
St-Louis
Dakar 1,2
Thiès 0,1
Kaolack 0,1
GAMBIE
Banjul 0,1
Bissau 0,1
GUINÉE-BISSAU
OCÉAN ATLANTIQUE
GUINÉE
Labé 0,3
Boké 0,2
Kindia 0,3
Conakry 0,4
Kankan 0,3
Freetown 0,5
Bo 0,2
SIERRA LEONE
Monrovia 0,2
LIBÉRIA
500Km
100 000 habitants
0,3 Population urbaine, en millions

térieur pour l'alimentation de sa population et pour ses investissements. Le pays fait partie de la Communauté économique pour le développement des États de l'Afrique de l'Ouest (CEDEAO) et du Comité inter-États de lutte contre la sécheresse dans le Sahel (CILSS).

Le président Aristide Pereira, chef du parti unique, le Parti africain pour l'indépendance du Cap-Vert (PAICU), a été réélu à la tête du pays le 13 janvier 1986, pour un nouveau mandat de cinq ans. Le Premier ministre Pedro Pires a été également reconduit dans ses fonctions par l'Assemblée nationale. Les deux hommes dirigent le pays depuis son indépendance en 1975.

République de Gambie
Nature du régime : parlementaire.
Chef de l'État et du gouvernement : Sir Dawda Jawara.
Monnaie : dalasi.
Langues : anglais (off.), ouolof, malinké, peul, etc.

De la **Gambie,** minuscule État s'étirant le long du fleuve Gambie, on a dit souvent qu'il était un index enfoncé dans le visage du Sénégal. Le Parti progressiste du peuple (PPP) de Dawda Jawara (parti au pouvoir) et le Parti du peuple gambien (PPG) de Assan Musa Camara en sont les principales forces politiques.

En février 1984, le Sénégal et la Gambie ont décidé de former une Confédération qui a pris le nom de Sénégambie. Les deux pays ont intégré leurs forces armées et de sécurité, de même qu'ils coordonnent leurs politiques dans les domaines des transports, des télécommunications et de l'information. Les discussions se sont poursuivies entre Sénégalais et Gambiens pour créer entre les deux pays une véritable zone de libre-échange devant aboutir à la suppression des droits de douane. Il est d'ailleurs de plus en plus question que la Gambie abandonne sa monnaie, le dalasi, pour entrer dans l'Union monétaire ouest-africaine (UMOA) et ainsi dans la zone franc.

République révolutionnaire populaire de Guinée
Nature du régime : présidentiel, militaire.
Chef de l'État et du gouvernement : Lansana Conté.
Monnaie : franc guinéen.
Langues : français (off.), malinké, peul, soussou, etc.

En **Guinée,** le 15 mai 1985, le Comité militaire de redressement national (CMRN) présidé par le colonel Lansana Conté décidait de libérer trente dignitaires de l'ancien régime de Sékou Touré : quatorze anciens membres du gouvernement, cinq hauts fonctionnaires, l'ancien chef d'état-major de l'armée de terre, le général Somah Kourouma, la fille aînée de l'ancien dictateur, Aminata Touré, neuf officiers et un homme de troupe. Mais à peine ces libérations étaient-elles effectuées, que les tensions internes au régime débouchaient sur une tentative de coup d'État. En effet, le 4 juillet 1985, la radio guinéenne annonçait que le CMRN était renversé et remplacé par un « Conseil suprême d'État », dirigé par le colonel Diarra Traoré. Mais la plus grande partie de l'armée est restée fidèle au président Conté, qui participait, au moment des événements au sommet de la CEDEAO à Lomé (Togo).

Le 5 juillet, il était patent que la tentative de coup d'État avait échoué. Parmi les conjurés se trouvaient, outre le colonel Diarra Traoré, le capitane Lanciné Kéita, secrétaire permanent du CMRN, M. Mamady Bayo, ministre de la Jeunesse, des Arts et des Sports, et les capitaines Bakary Sako ou Oumar Kébé. Ce coup d'État manqué a fait officiellement 18 morts et 229 blessés. On estime à deux cents (dont six membres du gouvernement) le nombre des personnes arrêtées. En prévision du procès des conjurés, deux ordonnances présidentielles ont été prises le 13 août, créant une Cour de sûreté de l'État et un tribunal militaire. Des rumeurs persistantes indiquent que, depuis juillet 1985, plus d'une vingtaine de prisonniers politiques auraient été exécutés sans procès par le régime du président Conté. Il s'agirait, outre le colonel Diarra Traoré, de certains anciens compagnons de

AFRIQUE EXTRÊME-OCCIDENTALE

	INDICATEUR	UNITÉ	CAP VERT	GAMBIE	GUINÉE
	Capitale		Praïa	Banjul	Conakry
	Superficie	km²	4 030	11 300	245 860
DÉMOGRAPHIE	Population (*)	million	0,32[a]	0,63[a]	5,93[a]
	Densité	hab./km²	79,4[a]	55,8[a]	24,1[a]
	Croissance annuelle[g]	%	2,0	2,7	2,0
	Mortalité infantile	‰	68,0	179,0	147,0
	Population urbaine	%	6,1	20,9	22,2
CULTURE	Analphabétisme	%	52,6	74,9	71,7
	Scolarisation 6-11 ans	%	90[e]	38,1	31,5
	12-17 ans	%	..	24,2	24,5
	3e degré	%	..	..	3,0[c]
	Postes tv[b]	‰ hab.	..	..	1,4
	Livres publiés	titre	..	101[b]	..
	Nombre de médecins	‰ hab.	0,16[d]	0,08[e]	0,06[e]
ARMÉE	Armée de terre	millier d'h.	1,00	0,40	8,5
	Marine	millier d'h.	0,16	0,05	0,6
	Aviation	millier d'h.	0,02	0,02	0,8
ÉCONOMIE	PIB	million $	100[a]	180[a]	1 810[a]
	Croissance annuelle 1973-83	%	6,9	2,3	2,2
	1985	%	..	..	..
	Par habitant	$	320[a]	260[a]	300[a]
	Dette extérieure[a]	million $	67	280	1 287
	Taux d'inflation	%	..	25,5	..
	Dépenses de l'État Éducation	% PIB	7,5[e]	5,9[d]	..
	Défense	% PIB	3,5[d]	–	5,2[c]
	Production d'énergie[a]	million TEC	–	–	0,01
	Consommation d'énergie[a]	million TEC	0,05	0,08	0,43
COMMERCE	Importations	million $	113	127	370
	Exportations	million $	4	39	465
	Principaux fournisseurs	%	CEE 54,3	PCD 64,9	PCD 79,8
		%	PVD 40,7	CEE 48,7	CEE 56,2
		%	Por 26,7	PVD 25,7	PVD 20,2
	Principaux clients	%	CEE 30,2	CEE 30,4	CEE 58,6
		%	Por 30,2	Gha 31,3	E-U 27,4
		%	Alg 20,9	Sui 18,0	PVD 11,9

Sékou Touré : Moussa Diakité, Ismael Touré, Siaka Touré, Mamady Kéita...

GUINÉE BISSAU	LIBÉRIA	SÉNÉGAL	SIERRA LÉONE
Bissao	Monrovia	Dakar	Freetown
36 120	111 370	196 200	71 740
0,88[a]	2,19[a]	6,40[a]	3,54[a]
24,4[a]	19,7[a]	32,6[a]	49,3[a]
1,8	3,3	2,9	2,2
132,0	103,0	130,0	186,0
23,8	39,5	42,4	28,3
68,6	65,0	71,9	70,7
75,9	47,2	43,4	40,1
61,2	49,5	23,9	24,6
..	2,5[f]	2,2[b]	0,6[e]
..	12	0,9	6
..	..	42[b]	..
0,14[e]	0,12[e]	0,08[d]	0,06[e]
6,20	6,30	8,5	3,0
0,27	0,45	0,7	0,1
0,07	–	0,5	..
160[a]	990[a]	2 647	1 120[a]
2,1	2,0	2,4	1,7
..	2,6	3,8	..
180[a]	470[a]	402	300[a]
180	1 027	20260	463
..	– 2,2	9,9	88,5
3,6[c]	6,3[e]	4,4[e]	3,8[e]
4,1	2,6[a]	2,4	0,9[a]
–	0,04	–	–
0,04	0,76	1,07	0,24
60,5	2 163,8	788	151
13,8	775,4	543	130
CEE 67,5	CEE 19,8	PCD 65,7	PCD 57,2
PVD 38,8	PVD 46,6	Fra 30,2	CEE 46,3
Por 20,1	E-U 3,7	PVD 29,7	Nig 17,8
Por 12,4	CEE 55,3	PCD 46,3	E-U 9,6
CEE 25,5	PVD 24,9	Fra 25,4	CEE 59,3
Rou 44,6	E-U 12,1	Afr. 20,6	PVD 4,6

L'un des problèmes les plus préoccupants pour le nouveau régime guinéen est celui des « Guinéens de l'étranger ». Ils sont environ deux millions à vivre soit en Europe (France, RFA), soit en Amérique (Canada, États-Unis), soit dans des pays africains limitrophes (Côte d'Ivoire, Sénégal). Le colonel Conté a voulu faire un geste en leur direction en créant un secrétariat d'État chargé des Guinéens de l'étranger, confié à Jean-Claude Diallo, psychiatre ayant passé une grande partie de sa vie en RFA. Mais cette politique a montré ses limites lorsque M. Diallo a démisionné du gouvernement le 18 mars 1986, alors qu'il se trouvait en mission à Genève.

La situation politique est trouble; la situation économique et monétaire, dramatique. Au début de 1985, on échangeait, au taux officiel, un dollar contre 25 silys (la monnaie nationale jusqu'à la réforme monétaire de 1986) alors qu'au taux parallèle, un dollar s'échangeait contre 300 silys! Le gouvernement Conté a donc entrepris la réorganisation de l'économie nationale en prenant un certain nombre de mesures : institution d'un code des investissements privés pour attirer les capitaux étrangers (3 octobre 1984), promulgation de la loi bancaire (6 mars 1985), organisation de la Chambre de commerce, d'industrie et d'agriculture (22 avril 1985), institution d'un code de la Sécurité sociale (17 mai 1985), création d'un comité de coordination économique et financière chargé de négocier avec le FMI et la Banque mondiale... Principale conséquence de ces mesures : en décembre 1985, les

Chiffres 1985, sauf notes : a. 1984; b. 1983; c. 1982; d. 1981; e. 1980; f. 1979; g. 1980-85.

(*) Dernier recensement utilisable : Cap-Vert, 1980; Gambie, 1983; Guinée, 1955; Guinée-Bissao, 1979; Libéria, 1974; Sénégal, 1976; Sierra Léone, 1974.

établissements bancaires d'État ont été remplacés par des banques à capitaux privés, ce qui a permis à trois banques françaises d'implanter des filiales en Guinée (la Banque internationale pour l'Afrique de l'Ouest, BIAO; la Banque nationale de Paris, BNP; la Société générale des banques).

Mais la principale réforme entreprise par le gouvernement Conté a été la réforme monétaire adoptée en janvier 1986. Elle comprend deux volets : d'une part, dévaluation massive du sily et fixation d'un double taux de change; pour les transactions privées, le dollar est désormais échangé contre 340 silys, alors que pour les transactions extérieures du secteur public, le DTS (droit de tirages spéciaux) est échangé contre 300 silys. Ces nouveaux taux de change correspondent à une dévaluation de l'ordre de 94 %. D'autre part, on a abandonné le sily comme unité monétaire pour revenir au franc guinéen. L'échange s'est fait sur la base d'un franc guinéen contre un sily. Cette mesure a été interprétée comme une étape vers la réintégration dans la zone franc.

A la suite de ces réformes, la Banque mondiale, le Fonds monétaire international, la France, le Japon, la Suisse et la RFA ont décidé de débloquer une somme de 170 millions de dollars pour venir en aide au redressement de la Guinée.

République de Guinée-Bissao
Nature du régime : parti unique.
Chef de l'État et du gouvernement : João Bernardo Vieira.
Monnaie : peso guinéen.
Langues : portugais (off.), créole, mandé, etc.

Les maux dont souffre la **Guinée-Bissao,** petit pays lusophone, enclavé entre la Guinée et le Sénégal, sont communs à beaucoup d'autres pays africains : le PNB par habitant est inférieur à 200 dollars par an; l'industrie occupe moins de 5 % de la population active, la facture énergétique est de 15 millions de dollars, soit deux fois la valeur des exportations; le déficit céréalier a dépassé 30 000 tonnes en 1985... Mais le pays possède quelques atouts : la forêt, le phosphate, la bauxite. Le sous-sol contient en outre du pétrole, mais l'exploitation ne pourra réellement démarrer que lorsque seront réglés les différends frontaliers avec la Guinée et le Sénégal.

Après avoir appliqué un plan de rigueur conseillé par le FMI, la Guinée-Bissau a obtenu en 1985 auprès des bailleurs de fonds étrangers un prêt de 132 millions de dollars pour équilibrer sa balance des paiements et garantir ses importations. L'entrée de la Guinée-Bissau dans la zone franc reste une question ouverte.

République du Libéria
Nature du régime : présidentiel, despotique.
Chef de l'État et du gouvernement : Samuel Kaneyon Doe.
Monnaie : dollar libérien.
Langue : anglais.

Au **Libéria,** le président Samuel Doe, arrivé au pouvoir par un coup d'État en 1980, voulait marquer l'année 1985 par la fin du régime militaire et le début d'un régime civil et démocratique. Mais l'espoir soulevé par l'annonce de la démocratisation a bien vite cédé le pas à la frayeur : le chef de l'État a réprimé tous ceux qui pouvaient gêner sa propre élection. Le 16 janvier 1985, le gouvernement suspendait *sine die* le quotidien *Daily Observer*, accusé de ne pas agir « dans l'intérêt national »; entre janvier et juillet, des partis d'opposition étaient suspendus : le Parti populaire libérien (LPP) du professeur Amos Sawyer et le Parti populaire unifié (UPP) de l'ancien ministre Gabriel Bacchus Mattews; enfin, Samuel Doe faisait arrêter des personnalités de l'opposition : John Karweay et Dusty Wolokolie, leaders du LPP; et surtout Ellen Johnson Sirleaf, ex-ministre des Finances, responsable éminente du Parti d'action libérien (LAP).

Dans ces conditions, les « élections » du 15 octobre ont été sans surprise : Samuel Doe a été élu malgré les protestations de l'opposition accusant le chef de l'État de s'être livré à des fraudes électorales et des trucages. C'est dans ce contexte qu'en novembre 1985, le gouvernement de Monrovia a annoncé la découverte d'une tentative de coup d'État. L'instigateur présumé de ce putsch, le général Quiwonkpa, était tué. La répression qui a suivi aurait fait 1 500 morts et donné lieu à 900 arrestations, parmi lesquelles Jackson Doe, ancien candidat à l'élection présidentielle. Malgré cette terrible répression, l'avenir immédiat du régime Doe semblait de plus en plus incertain. Le FMI ayant décidé de couper les vivres à Monrovia, les caisses de l'État sont vides et les fonctionnaires libériens n'ont pas été payés au cours des premiers mois de 1986. La colère grondait dans les rues et les arrestations continuaient. Mais jusqu'à quand?

République du Sénégal

Nature du régime : présidentiel, pluraliste.
Chef de l'État et du gouvernement : Abdou Diouf.
Monnaie : franc CFA.
Langues : français (off.), ouolof, etc.

En 1985-1986, le président du **Sénégal,** Abdou Diouf, s'est illustré par le rôle qu'il a joué sur la scène internationale africaine. Le 18 juillet 1985, il a été élu à l'unanimité président en exercice de l'Organisation de l'unité africaine (OUA) à Addis Abeba. Il s'est aussitôt attaqué à trois des principaux problèmes de l'Afrique : pour éviter un tête-à-tête entre les pays africains – trop faibles – et les organismes prêteurs, il a proposé une négociation globale de la dette africaine; pour mobiliser l'opinion africaine contre l'apartheid, il a apporté son soutien personnel aux pays de la ligne de front en visitant successivement en octobre 1985 la Zambie, le Zimbabwé, le Botswana, le Lésotho, le Swaziland, le Mozambique, l'Angola et la Tanzanie; il a tenté enfin d'organiser une rencontre entre Hissène Habré et Goukouni Weddeye pour trouver une solution au problème tchadien. Mais Goukouni n'est pas venu au rendez-vous qui devait se tenir le 28 mars 1986 à Brazzaville.

Le président Diouf a montré la même détermination en ce qui concerne le problème palestinien. Le 11 octobre 1985, il recevait à Dakar Yasser Arafat et condamnait vigoureusement le raid israélien sur le quartier général de l'OLP à Tunis. Le Sénégal est d'ailleurs le premier pays d'Afrique noire à avoir accordé un statut diplomatique à la représentation de l'OLP.

Sur le plan strictement sénégalais, le 22 août 1985, l'Alliance démocratique sénégalaise (regroupement de cinq des quinze partis d'opposition) a tenté d'organiser à Dakar une manifestation contre l'apartheid. Quinze personnes, dont Abdoulaye Wade (président du Parti démocratique sénégalais (PDS), Abdoulaye Bathily (président de la Ligue démocratique), Boubacar Sall (député d'opposition), ont été inculpées et placées sous mandat d'arrêt. Après une semaine, le tribunal de Dakar les a relâchées. Le 18 novembre 1985 s'est ouvert le procès des 105 indépendantistes casamançais arrêtés en décembre 1983. Le verdict a été prononcé en janvier 1986 : soixante et onze relaxés, une peine de travaux forcés à perpétuité, trente-trois peines allant de deux à quinze ans de prison. A l'occasion du vingt-sixième anniversaire de l'indépendance, Abdou Diouf a prononcé une grâce présidentielle concernant cent soixante-quinze détenus, dont huit indépendantistes casamançais.

Au plan économique, la campagne arachidière 1984-1985 a été mauvaise, avec une production d'environ 560 000 tonnes; mais les paysans n'ont vendu que 200 000 tonnes aux quatre huileries, seules autorisées à acheter directement; ils ont préféré écouler leur produit sur le marché noir, beaucoup plus rémunérateur. Le PDS en a profité pour critiquer une politique « qui accentue la dépendance du Sénégal vis-à-vis de l'extérieur et fait du paysan un indigent perpétuel ». Prenant acte de la médiocrité de la récolte et du mécontentement des paysans, le président Diouf a adopté un certain nombre de mesures pour réformer le secteur des oléagineux : suppression de la distribution par l'État des semences d'arachide aux paysans; réunion, sous une même direction, des deux grandes sociétés de la filière arachide, la SONACOS et la SEIB; levée de la retenue au producteur de 20 francs CFA par kilo; revalorisation du prix d'achat au producteur : ainsi l'arachide d'huilerie est passée de 80 à 90 francs CFA le kilo, tandis que l'arachide de bouche est passée de 90 à 155 francs CFA.

République de Sierra Léone
Nature du régime : présidentiel, parti unique.
Chef de l'État et du gouvernement : général Joseph Saidu Momoh.
Monnaie : leone.
Langues : anglais (off.), krio, mende, temne, etc.

En **Sierra Léone,** après la démission de Siaka Stevens, ancien président de la république au pouvoir pendant vingt ans, le All People's Congress (APC), parti unique, a choisi comme candidat à la succession le général Joseph Saidu Momoh. Les élections du 1er octobre 1985 ont donc été une formalité et le général Momoh a pris ses fonctions le 5 octobre. Mais, quatre mois à peine après son investiture, le général-président a échappé à une tentative de coup d'État : le 20 février 1986, les autorités françaises arraisonnaient dans le port de Brest un cargo panaméen, le *Silver Sea,* transportant environ soixante-dix mercenaires et un nombre non précisé de Sierra Léonais dont l'objectif était de débarquer à Freetown pour renverser le président Momoh.

La situation économique n'est pas brillante. L'inflation se situe à un rythme annuel de 40 %. Les recettes du diamant ont connu une chute de 80 % à cause du marché noir; les revenus miniers (bauxite, fer) et agricoles (café, cacao, huile de palme) ont diminué. Depuis décembre 1985, le manque de devises étrangères et la spéculation des négociants ont entraîné une pénurie de pétrole. L'Algérie s'est alors engagée à aider la Sierra Léone à sortir de l'impasse en lui fournissant 60 000 tonnes. Dans une telle conjoncture, Freetown a accepté en mars 1986 les conditions du FMI : le gouvernement s'est engagé à dévaluer le leone, à réduire les salaires et à supprimer les subventions en faveur du pétrole et du riz en échange de quoi il a obtenu un prêt de 50 millions de dollars.

Laurent Gbagbo

Golfe de Guinée

Bénin, Côte d'Ivoire, Ghana, Nigéria, Togo

Le **Nigéria** est traité dans la section « Les 34 grands États ».

République populaire du Bénin
Nature du régime : militaire, marxiste-léniniste, parti unique.
Chef de l'État et du gouvernement : Mathieu Kérékou.
Monnaie : franc CFA.
Langues : français (off.), fon (47 %), yoruba, mina, dendi, bariba, goun, adja, somba, pilapila.

Au **Bénin** (ex-Dahomey), le général Mathieu Kérékou a fêté, le 26

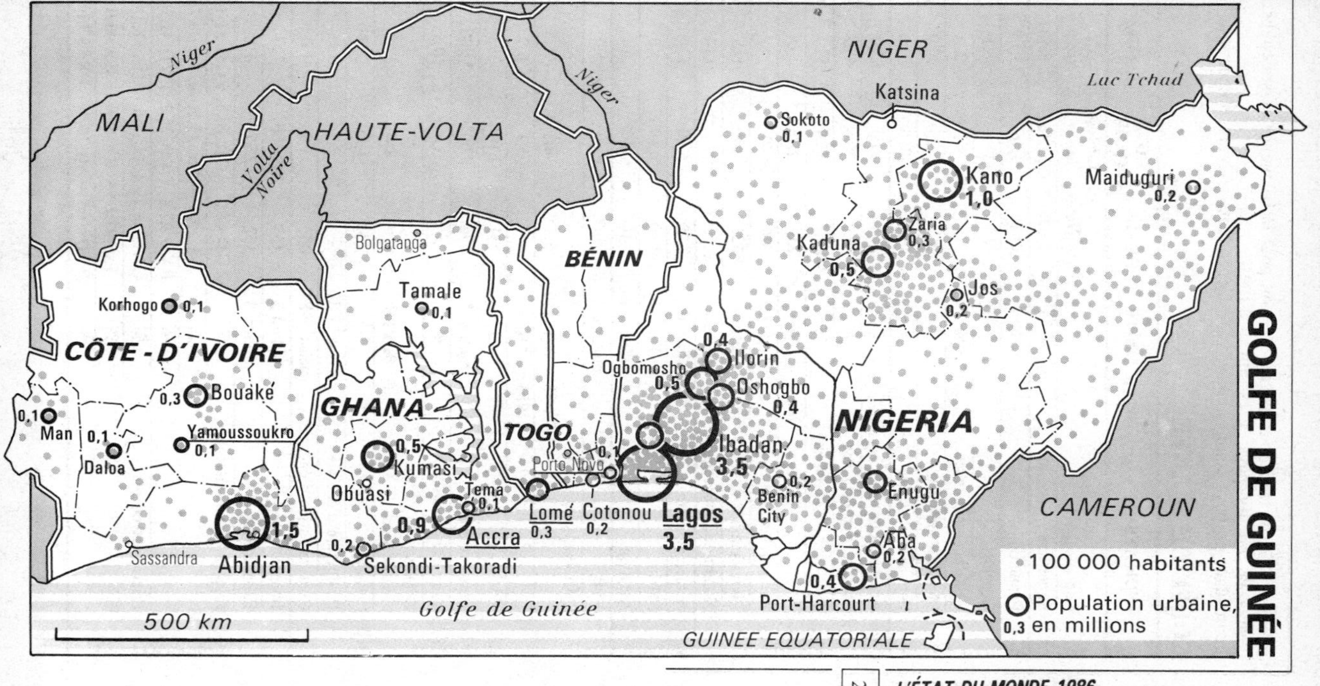
GOLFE DE GUINÉE
NIGER
MALI
HAUTE-VOLTA
Niger
Volta Noire
Lac Tchad
Katsina
Sokoto
0,1
Kano
1,0
Maiduguri
0,2
Zaria
0,3
Kaduna
0,5
Jos
0,2
Bolgatanga
BÉNIN
Tamale
0,1
Korhogo
0,1
CÔTE - D'IVOIRE
0,4
Ilorin
Ogbomosho
0,5
Oshogbo
0,4
Bouaké
0,3
GHANA
NIGERIA
0,1
Man
0,1
Daloa
Yamoussoukro
0,1
TOGO
0,5
Kumasi
Ibadan
3,5
Porto Novo
0,1
Obuasi
Tema
0,1
0,2
Benin City
Enugu
CAMEROUN
1,5
0,9
Accra
Lomé
0,3
Cotonou
0,2
Lagos
3,5
Aba
0,2
0,2
Sassandra
Abidjan
Sekondi-Takoradi
100 000 habitants
0,4
Port-Harcourt
Population urbaine,
0,3 en millions
Golfe de Guinée
500 km
GUINEE EQUATORIALE

octobre 1985, son treizième anniversaire à la tête du pays. C'est un record dans ce pays connu auparavant pour la fréquence de ses coups d'État.

Cependant, le bilan économique

GOLFE DE GUINÉE

	INDICATEUR	UNITÉ	BÉNIN	CÔTE D'IVOIRE	GHANA
	Capitale		Porto Novo	Yamoussoukro	Accra
	Superficie	km²	112 622	322 462	238 537
DÉMOGRAPHIE	Population (*)	million	3,93	9,46[a]	13,15[a]
	Densité	hab./km²	34,9	29,3[a]	55,1[a]
	Croissance annuelle[f]	%	3,1	4,3	3,9
	Mortalité infantile	‰	137,0	112,0	90,0
	Population urbaine	%	38,5	42,0	39,6
CULTURE	Analphabétisme	%	74,1	57,3	52,0[e]
	Scolarisation 6-11 ans	%	56,9	70,5	64,6
	12-17 ans	%	27,7	42,4	52,7
	3e degré	%	2,0[c]	2,7[d]	1,6[d]
	Postes tv[b]	‰ hab.	3,4	40	6
	Livres publiés	titre	13[e]	46[b]	145[c]
	Nombre de médecins	‰ hab.	0,06[e]	..	0,14[d]
ARMÉE	Armée de terre	millier d'h.	3,20	6,10	12,5
	Marine	millier d'h.	0,10	0,69	1,2
	Aviation	millier d'h.	0,16	0,93	1,4
ÉCONOMIE	PIB	milliard $	0,987	6,03[a]	5,0
	Croissance annuelle 1973-83	%	5,3	6,8	– 1,5
	1985	%	..	5,3	5,3
	Par habitant	$	251	610[a]	395
	Dette extérieure	million $	694	8 000	1 900
	Taux d'inflation	%	..	3,4	19,5
	Dépenses de l'État Éducation	% PIB	5,3[e]	8,4[e]	1,8[d]
	Défense		2,5[b]	1,2[a]	0,7[a]
	Production d'énergie[a]	million TEC	–	2,1	0,35
	Consommation d'énergie[a]	million TEC	0,17	1,9	1,0
COMMERCE	Importations	million $	490	1 600	727
	Exportations	million $	152	2 772	610
	Principaux fournisseurs	%	PCD 68,3	PCD 70,5	PCD 57,3
		%	Fra 19,0	Fra 33,1	CEE 30,2
		%	PVD 27,8	PVD 25,2	PVD 41,2
	Principaux clients	%	CEE 56,2	E-U 16,6	Jap 11,2
		%	Esp 27,1	CEE 52,4	CEE 43,0
		%	PVD 15,2	Afr 10,7	URSS 9,3

est loin d'être brillant. Le budget de l'État repose essentiellement sur des revenus douaniers et fiscaux qui ont fortement chuté depuis la fermeture de la frontière bénino-nigériane, le 31 décembre 1983. Depuis, le versement des salaires de la fonction publique est devenu un casse-tête mensuel. La crise est allée en s'aggravant, exigeant des mesures énergétiques que le gouvernement hésite à adopter. Refusant de suivre à la lettre les conseils du Fonds monétaire international (FMI), il n'a en fait pris aucune mesure. Les sociétés d'État, lourdement déficitaires, n'ont pas été restructurées. La Banque commerciale du Bénin, seule banque commerciale du pays, s'est trouvée déséquilibrée. Il a été question d'autoriser la Banque internationale de l'Afrique de l'Ouest (BIAO) à ouvrir des guichets mais le dossier est resté dans les tiroirs.

Début 1986, les négociations globales pour le rééchelonnement des dettes extérieures n'avaient toujours pas eu lieu. Un projet de prêt de l'Association internationale de développement (AID, Banque mondiale) – en vue d'une restructuration et d'un ajustement sectoriel –, à l'étude depuis 1983, n'avait pas encore fait l'objet d'une décision. L'agriculture est restée le seul secteur économique stable du pays, centré autour des produits traditionnels : coton, arachides, noix de palme, café, maïs, ignames.

La production pétrolière, mise en route en 1982, a contribué cependant à l'augmentation du PIB, évaluée à 15,6 % en 1982, à 4,6 % en 1983 et à 8,2 % en 1984. Le gisement pétrolifère de Sémé produit environ 400 000 tonnes par an. Les autorités de Cotonou, insatisfaites de l'accord d'exploitation passé avec une société norvégienne, la Saga Petroleum Benin, ont décidé de rompre et de prendre attache avec la

NIGÉRIA	TOGO
Lagos	Lomé
923 768	56 000
95,2	2,87[a]
103	51,3[a]
3,4	3,3
105,0	103,0
23,0	20,1
57,6	59,3
85,7	86,0
42,6	74,0
2,6[d]	1,7[c]
5	4,7
1 495[b]	..
0,1[e]	0,05[e]
80,0	4,00
5,0	0,10
9,0	0,26
61,6	0,712
1,5	2,2
2,4	7,0
647	240
20 700	776[a]
– 0,1	4,6
2,1[b]	5,9[b]
2,2[b]	2,6
105,9	0,01
21,2	0,20
8 292	264
11 990	200
CEE 48,5	PCD 76,7
R-U 17,9	Fra 31,1
Bré 12,4	PVD 19,1
E-U 20,1	CEE 56,0
CEE 49,3	You 8,6
Bré 9,0	Afr 5,1

Chiffres 1985, sauf notes : a. 1984; b. 1983; c. 1982; d. 1981; e. 1980; f. 1980-85.

(*) Dernier recensement utilisable : Côte d'Ivoire, 1975; Ghana, 1984; Togo, 1981; Bénin, 1979; Nigéria, 1963.

Panoco (Pan Ocean Oil Company), société américaine basée en Suisse et dirigée par un Italien, Vittorio Fabri, de réputation douteuse.

La situation économique préoccupante du pays a entraîné, en mai 1985, une forte agitation en milieu scolaire et estudiantin : grèves de plusieurs semaines, manifestations de rue. Le gouvernement a réagi brutalement par la fermeture des établissements scolaires, le renvoi du ministre de l'Éducation nationale, Michel Alladaye, et l'arrestation de nombreux cadres et étudiants, transférés dans une prison spécialement construite à Sègbana, dans le nord du pays. Amnesty International, dans un communiqué publié en décembre 1985, a exprimé son inquiétude au sujet de l'arrestation d'une centaine de personnes. Le nombre a augmenté depuis. Le gouvernement soupçonne les opposants d'appartenir au Parti communiste dahoméen, qu'il voudrait démanteler. Pour ce pays au mœurs affables, est-ce le début d'un engrenage fâcheux?

République de Côte d'Ivoire
Nature du régime : constitutionnel, parti unique.
Chef de l'État et du gouvernement : Félix Houphouët-Boigny.
Monnaie : franc CFA.
Langues : français (off.), baoule, dioula, ashanti.

La **Côte d'Ivoire** a été en Afrique le pays du « miracle économique » avant que la crise économique mondiale ne la frappe par surprise, au début des années quatre-vingt, après la chute brutale des cours du café et du cacao.

La houlette paternaliste du vieux président Félix Houphouët-Boigny qui, à quatre-vingt-un ans en 1986, gouverne son pays depuis 1960 a dû se faire plus dure et plus énergique. La politique « de rigueur » mise en œuvre en 1984 a été activement poursuivie. La corruption a enfin été dénoncée. Il faut dire que les dirigeants ont pris de très mauvaises habitudes et que les scandales à milliards sont devenus monnaie courante dans ce pays. C'est ainsi qu'Emmanuel Dioulo, député-maire d'Abidjan, a été compromis dans un scandale financier portant sur près de 30 milliards de francs CFA (600 millions de francs français) et a dû momentanément prendre la fuite. Un autre, Mohamed Diawara, ancien ministre des Finances, a été accusé d'avoir détourné plus de 6 milliards de francs CFA appartenant à la Communauté économique de l'Afrique de l'Ouest (CEAO). Au début 1986, il n'avait toujours pas rendu gorge.

Plus que jamais, la politique de réduction du train de vie de l'État est à l'ordre du jour. Les indemnités de logement ont été supprimées. Les salaires des 82 000 fonctionnaires et agents de l'État sont bloqués depuis 1984. En janvier 1985, ceux des 16 000 agents des sociétés d'État et d'établissement publics nationaux ont été – sauf cas particuliers – alignés sur la grille des salaires de la fonction publique. Cette dernière mesure a déclenché un vif mécontentement suivi d'une grève, en juin 1985, énergiquement réprimée : 342 employés ont été aussitôt licenciés ; le calme revenu, 276 d'entre eux ont été réintégrés.

Sur le plan industriel, le programme sucrier, véritable gouffre financier, a été revu. Deux complexes ont été fermés, ceux de Serebou et de Katiola. Un programme de réhabilitation a été mis au point pour les quatre autres (Zuémoula, Borotou, Ferkessedougou I et II).

Toutes ces mesures ont porté quelques fruits. Le taux de croissance du PNB, nul en 1984, est redevenu positif en 1985. En janvier 1986, l'année s'annonçait bonne. 1985 a enregistré une production record de cacao (500 000 tonnes), de café (270 000 tonnes) et de coton (212 000 tonnes), alors qu'en 1960, année de l'indépendance, la Côte d'Ivoire ne produisait que 80 000 tonnes de cacao, 60 000 tonnes de café et 6 000 tonnes de coton. Les prix d'achat du cacao et du café ont pu être augmentés et sont passés respectivement à 400 francs CFA et 200 francs CFA le kilo.

Par ailleurs, la réduction sensible du nombre d'assistants techniques a permis de dégager quelques ressources financières. Elles ont servi au recrutement de douze cents jeunes universitaires après septembre 1985. Coût : deux milliards de francs CFA.

Une politique active d'intervention a été poursuivie en matière de pêche. La Côte d'Ivoire est devenue en 1986 le premier producteur africain de thon et le deuxième exportateur mondial, après le Japon.

Quant au secteur industriel, il se remet plus lentement des mauvaises années. Selon le ministère ivoirien de l'Industrie, il y avait, en 1982, 727 entreprises réalisant 1 066 milliards de francs CFA de chiffres d'affaires, dont 37 % à l'exportation. Ces entreprises employaient 60 359 personnes, dont 75 % de nationaux. Depuis, de nombreuses faillites et cessations d'activité ont été enregistrées.

Sur le plan social, la présence massive des étrangers est toujours mal ressentie. Des Ghanéens illégalement entrés en Côte d'Ivoire sont régulièrement expulsés. Les 1er et 2 juin 1985, 500 d'entre eux ont été expulsés d'un coup. Lors d'un match de football entre le Ghana et la Côte d'Ivoire, à Kumasi, des bagarres ont éclaté, suivies, le 2 septembre 1985, de violents incidents à Abidjan. Des mesures ont dû être prises pour le rapatriement de 10 000 ressortissants ghanéens, sur les 300 000 qui vivaient en Côte d'Ivoire.

Le cardinal Yago a fêté à Abidjan ses vingt-cinq ans à la tête de l'Église catholique ivoirienne forte d'un million de fidèles, de ses diocèses dotés de onze évêques nationaux et de ses 500 prêtres dont 136 Ivoiriens.

Le VIIIe congrès du Parti démocratique de Côte d'Ivoire (PDCI, parti unique) s'est déroulé sans surprise du 9 au 12 octobre 1985. Houphouët-Boigny a été réélu président de la République mais le problème de sa succession n'a pas été clairement résolu.

République du Ghana
Nature du régime : « révolutionnaire ».
Chef de l'État et du gouvernement : Jerry Rawlings.
Monnaie : cedi.
Langues : anglais (off.), ewe, ga-adanghe, akan, dagbandi, mamprusi.

Le **Ghana** a poursuivi, sous la houlette du Fonds monétaire international (FMI) et de la Banque mondiale, sa politique de dévaluation et de redressement économique. Au début de l'année 1985, le dollar valait 50 cedis contre 2,75 en 1983. En janvier 1986, le cedi a été dévalué pour la cinquième fois en trois ans.

Lorsque le président Jerry Rawlings a pris le pouvoir, en 1981, l'économie ghanéenne était dans un état de délabrement avancé. Malgré ses proclamations révolutionnaires, ce dernier a dû se soumettre aux conseils brutaux du FMI et mettre en œuvre une thérapie draconienne. Les financements espérés sont arrivés et la situation économique s'est améliorée.

Selon les déclarations du ministre des Finances et de la Planification, Kwesi Botchwey, début 1986, le taux d'inflation est tombé de 123 % en 1983 à 19,5% en 1985, le taux de croissance du PNB a été de 7,6 % en 1984 et de 5,3 % en 1985, tandis que les exportations sont passées de 566 millions de dollars en 1984 à 610 millions de dollars en 1985, soit une hausse de 8 %.

Le gouvernement a pu prendre quelques mesures sociales : le 10 juillet 1985, il a supprimé le rationnement du carburant, en vigueur depuis 1980 ; en mai 1985, il a relevé le prix d'achat du cacao de 90 % et, en juin, celui du sac de maïs qui est passé de 1 000 à 1 800 cedis (80 % d'augmentation).

Une réunion du groupe consultatif de la Banque mondiale à Paris, le 20 novembre 1985, a confirmé la volonté des institutions financières internationales de poursuivre leur politique de soutien financier. Début 1986, les besoins du Ghana étaient évalués à plus de 900 millions de dollars. L'Association internationale de développement (AID, groupe de la Banque mondiale) a octroyé, en 1985, un prêt de 27 millions de dollars destiné à l'importation de matériel et de pièces de rechange pour les secteurs agricole et industriel. Un deuxième prêt de l'AID, d'un montant de 28 millions de dollars, a été attribué exclusivement aux usines électriques. Un troisième crédit de 22 millions de dollars a servi au financement partiel d'un programme routier portant sur six ans.

Les importations ont donc fortement augmenté, passant de 616 millions de dollars en 1984 à 727 millions de dollars en 1985. Les usines qui tournaient à 20 % de leur capacité ont amélioré leur niveau de production et le gouvernement a pu annoncer en 1985 une augmentation de 160 % de la production de machettes, de 131 % de la production de savon, de 60 % de la production de cigarettes et de 161 % de la production textile. Dans ce dernier secteur, une nouvelle société a été créée, le 9 mai 1985, la Ghana Cotton Company dont les parts sont détenues à 30 % par l'État et à 70 % par le secteur privé. Elle reproupe toutes les unités textiles du pays.

Le secteur minier a également connu une amélioration. La production de bauxite a été portée à 100 000 tonnes (augmentation de 122 %) et celle de manganèse à 295 000 tonnes (augmentation de 19 %).

La politique officielle d'attraction des capitaux étrangers a été confirmée par le nouveau code des investissements, rendu public en février 1985, et calqué sur celui du Nigéria. Mais, pour des raisons politiques, les relations entre le Ghana et les États-Unis passent par des hauts et des bas. Ces derniers ont décidé, en décembre 1985, de retirer une aide supplémentaire de 15 millions de dollars, en signe de protestation contre l'expulsion de quatre employés de l'ambassade américaine à Accra.

République du Togo
Nature du régime : constitutionnel, parti unique (Rassemblement du peuple togolais).
Chef de l'État et du gouvernement : Gnassingbé Eyadema.
Monnaie : franc CFA.
Langues : français (off.), ewe, mina, kabié.

Le **Togo** s'était fortement endetté à la suite du boom des phosphates dans les années soixante-quinze. Il a dû, depuis 1979, mener de multiples négociations pour le rééchelonnement de ses dettes. Il a sollicité en 1985 son septième rééchelonnement auprès des Clubs de Paris et de Rome (regroupant les pays créanciers du tiers monde). Un accord de principe s'est dégagé pour un rééchelonnement étalé sur onze ans, dont cinq ans de délai de grâce. L'encours de la dette extérieure togolaise est estimé à environ 120 % du PIB. Le Fonds monétaire international (FMI) et la Banque mondiale sont intervenus activement en faveur de la privatisation et de la suppression des sociétés d'État : leurs conseils ont été entendus. Les tarifs de la Régie nationale des eaux, de la Compagnie d'énergie électrique et de l'Office des produits agricoles du Togo ont été relevés.

Un crédit *standby* du FMI, portant sur 254 millions de DTS (un droit de tirage spécial vaut environ un dollar), a été octroyé en mars 1985, à la suite de quoi une conférence des bailleurs de fonds s'est tenue à Lomé du 26 au 29 juin 1985.

En 1984 et 1985, on a enregistré une croissance du PIB, grâce notamment à la reprise des ventes de phosphates qui, tombés à 2 millions de tonnes en 1982, ont dépassé les 2,7 millions de tonnes.

Le Togo est resté un pays essentiellement agricole. En 1984, l'agriculture ne représentait que 26 % du PIB, mais elle occupait 67 % de la population active. La campagne en faveur de l'autosuffisance alimentaire s'est poursuivie, de même qu'une politique active de reboisement. Mais les résultats n'ont pas été convaincants : sur les cinq millions d'arbres plantés depuis 1977, à peine le tiers à survécu, en raison d'arrachages précoces et de leur utilisation comme bois de chauffe. On a estimé que chaque Togolais consommait en moyenne 1,5 stère de bois par an.

Le général Gnassingbé Eyadema s'est rendu en visite officielle en France du 10 au 13 juin 1985, et le Togo a reçu la visite du pape Jean-Paul II du 8 au 10 août 1985.

Depuis septembre 1985, une vague d'attentats à la bombe a secoué la ville de Lomé. Ces attentats n'ont pas été revendiqués. Ils ont fait des dégâts matériels mais peu de victimes, et ont en tout cas donné l'occasion au régime d'activer l'arrestation des opposants.

Enfin, le Togo, comme le Bénin, est devenu une plaque tournante du trafic international de la drogue et notamment du chanvre indien.

Bernard Diallo

Afrique de l'Est

Burundi, Kénya, Ouganda, Rwanda, Tanzanie

La **Tanzanie** est traitée dans la section « Les 34 grands États ».

République du Burundi
Nature du régime : présidentiel, parti unique (Union pour le progrès national, UPRONA).
Chef de l'État et du gouvernement : Jean-Baptiste Bagaza.
Monnaie : franc burundais.
Langues : kirundi, français, swahili.

Au **Burundi,** où 90 % de la population vit de l'agriculture, le gouvernement s'est fixé une priorité : le développement rural et l'autosuffisance alimentaire. L'année écoulée (de la récolte de café de juin 1985 à celle de juin 1986) a été beaucoup plus favorable que par le passé, mais les revenus et productions agricoles restent sensibles aux aléas climatiques et aux variations des cours du café arabica.

De plus, la croissance démographique tend à se renforcer – le taux projeté pour la période 1984-1989 est de 2,96 % par an – et donnera en l'an 2000 des densités avoisinant les 265 habitants au kilomètre carré. La politique intégrée de la population mise en œuvre dès 1985 – vaccinations infantiles et contrôle des naissances – n'aura des effets qu'à long terme.

Le gouvernement du lieutenant-colonel Jean-Baptiste Bagaza, compte tenu des contraintes démographiques, a pris des mesures préventives et sollicité une motivation accrue des fonctionnaires (double vacation dans l'enseignement), tout en maintenant des budgets d'austérité pour réduire le service de la dette.

Le programme d'équipement national dépend de l'aide internationale; les années 1985-1986 ont coïncidé avec la fin des grands travaux d'infrastructure (énergie, réseau routier et modernisation de l'industrie du café), les projets engagés concernent l'électrification, les transports régionaux, des opérations régionales de développement rural intégré, enfin des programmes à long terme (santé, reboisement).

De telles échéances engagent de plus en plus d'État et c'est ce qui explique son rôle croissant dans la

AFRIQUE DE L'EST

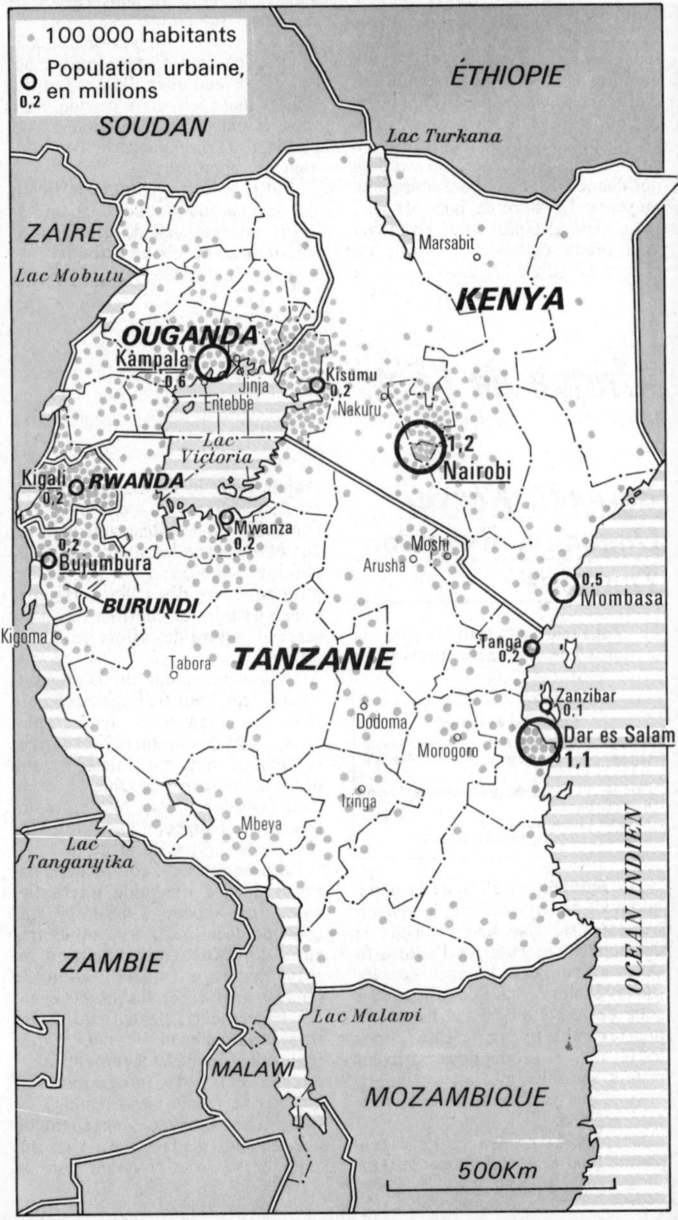

• 100 000 habitants
O 0,2 Population urbaine, en millions

SOUDAN
ÉTHIOPIE
Lac Turkana
ZAIRE
Lac Mobutu
Marsabit
KENYA
OUGANDA
Kampala 0,6
Jinja
Entebbe
Kisumu 0,2
Nakuru
1,2 Nairobi
Lac Victoria
Kigali 0,2
RWANDA
Mwanza 0,2
0,2 Bujumbura
BURUNDI
Moshi
Arusha
0,5 Mombasa
Kigoma
Tanga 0,2
Tabora
TANZANIE
Zanzibar 0,1
Dodoma
Dar es Salam 1,1
Morogoro
Iringa
Mbeya
Lac Tanganyika
OCEAN INDIEN
ZAMBIE
Lac Malawi
MALAWI
MOZAMBIQUE
500Km

vie du pays. Ainsi, depuis décembre 1984, Bujumbura a été le siège de plusieurs conférences internationales et régionales, qui avaient pour buts de renouveler l'aide internationale et d'ouvrir un axe économique avec l'Afrique orientale et australe. La question religieuse constitue un autre enjeu essentiel pour l'État : l'expulsion de missionnaires et les rivalités entre l'administration locale et le clergé dans certaines provinces (juin 1985) se sont apaisées à la suite d'un procès (décembre 1985) qui a ramené l'affaire à un conflit interne à la hiérarchie catholique. De telles frictions sont inévitables, dans la mesure où l'État laïc a pris de plus en plus en charge des actions d'encadrement (scolarisation et santé) qui, traditionnellement, étaient dévolues aux missions.

Christian Thibon

République du Kénya
Nature du régime : présidentiel, parti unique, élections semi-compétitives.
Chef de l'État et du gouvernement : Daniel Arap Moi.
Monnaie : schilling kényan.
Langues : swahili, anglais, kikuyu, luo.

Au **Kénya,** l'année 1985 a vu la fin de la sécheresse et la reprise de l'activité économique. La production de maïs, aliment de base de la population, est devenue excédentaire; celle du café et du thé a sensiblement augmenté. Les touristes sont venus plus nombreux. Si les effets de la sécheresse se sont encore fait sentir au début de 1985, le gouvernement a su y faire face – toutes proportions gardées – avec une certaine efficacité.

Le président Daniel Arap Moi, pour la première fois depuis huit ans, a organisé les élections du parti unique, l'Union nationale africaine du Kénya (KANU). Il n'y a pas eu de grands changements mais le président a pu renforcer son emprise sur l'appareil. Une fois de plus, le gouvernement a affronté avec maladresse une grève des étudiants de l'université de Nairobi qui a été fermée en février 1985. Mais cette fois, un étudiant a été tué. A la fin de l'année, Martin Shikuku, leader fort populaire en raison de son franc parler d'inspiration populiste, a perdu son poste de ministre-assistant à la suite d'une confrontation avec le puissant « chief secretary » de la KANU, Simon Niachae. Il a pu cependant conserver son poste de député, et donc sa tribune, les tentatives visant à l'éliminer du parti ayant échoué.

Au début de 1986, l'amélioration des perspectives économiques s'est confirmée avec le boom du café et la diminution du prix du pétrole. Mais des nuages sont apparus à l'horizon politique : l'autorité du gouvernement s'est heurtée à des velléités d'indépendance de la magistrature et surtout à l'armée, qui a imposé le limogeage du général J. W. Sawe au président alors que celui-ci voulait le placer à sa tête. L'université Kenyatta a été fermée à la suite d'incidents. Les activités d'un mouvement clandestin « Mwakenya » ont entraîné des arrestations. De sombres manœuvres agitent la population kikuyu : réunion d'anciens Mau Mau, attaques contre Mwai Kibaki, vice-président de la Répulique.

Jean-François Médard

République d'Ouganda
Nature du régime : révolutionnaire, tendance populiste.
Chef de l'État : Yoweri Museveni.
Chef du gouvernement : Simon Kisseka.
Monnaie : schilling ougandais.
Langues : kiganda, anglais, swahili (off.).

En **Ouganda,** le régime de Milton Oboté, tout en tolérant un parti d'opposition, le Parti démocratique de Paul Ssemogerere, s'est révélé encore plus sanglant que celui d'Amin Dada. Dès le début 1980, il s'est heurté à des mouvements de résistance : le Mouvement pour la liberté de l'Ouganda (UFM), l'Union fédérale démocratique

(FEDEMU), le Front uni de délivrance nationale (UNRF), issu de l'armée d'Amin, implanté dans le West Nile, et surtout, le Mouvement national de résistance (NRM) de Yoweri Museveni, installé dans le sud du pays et le triangle de Luwero au nord-ouest de Kampala. L'armée

AFRIQUE DE L'EST

	INDICATEUR	UNITÉ	BURUNDI	KÉNYA	OUGANDA
	Capitale		Bujumbura	Nairobi	Kampala
	Superficie	km^2	27 830	582 640	236 040
DÉMOGRAPHIE	Population (*)	million	4,65	20,33	14,96[a]
DÉMOGRAPHIE	Densité	hab./km^2	167,1	34,9	63,4[a]
DÉMOGRAPHIE	Croissance annuelle[h]	%	2,7	4,3	3,3
DÉMOGRAPHIE	Mortalité infantile	‰	127,0	72,0	85,0
DÉMOGRAPHIE	Population urbaine	%	2,5	16,7	14,4
CULTURE	Analphabétisme	%	66,2[c]	40,8	42,7
CULTURE	Scolarisation 6-11 ans	%	22,6	89,1	61,7
CULTURE	12-17 ans	%	17,6	60,3	25,1
CULTURE	3e degré	%	0,6[b]	0,9[b]	0,6[c]
CULTURE	Postes tv[b]	‰ hab.	..	4,0	6,0
CULTURE	Livres publiés	titre	..	235[b]	..
CULTURE	Nombre de médecins	‰ hab.	0,02[d]	0,13[d]	0,05[e]
ARMÉE	Armée de terre	millier d'h.	5,00	13,00	18,0
ARMÉE	Marine	millier d'h.	0,05	0,65	–
ARMÉE	Aviation	millier d'h.	0,15	g	0,1
ÉCONOMIE	PIB	million $	1 015	5 950[a]	3 290[a]
ÉCONOMIE	Croissance annuelle 1973-83	%	3,9	4,7	– 2,1
ÉCONOMIE	1985	%	7,1	4,1	..
ÉCONOMIE	Par habitant	$	218	300[a]	230[a]
ÉCONOMIE	Dette extérieure[a]	million $	346	3 811	1 031
ÉCONOMIE	Taux d'inflation	%	– 5,7	10,4	..
ÉCONOMIE	Dépenses de l'État Éducation	% PIB	3,0[e]	4,8[b]	1,8[b]
ÉCONOMIE	Défense	% PIB	3,5[a]	3,4[a]	3,9[e]
ÉCONOMIE	Production d'énergie[a]	million TEC	0,004	0,21	0,08
ÉCONOMIE	Consommation d'énergie[a]	million TEC	0,075	1,88	0,36
COMMERCE	Importations	million $	186	1 436	324
COMMERCE	Exportations	million $	110	958	395
COMMERCE	Principaux fournisseurs	%	CEE 48,3	CEE 35,1	PCD 47,9
COMMERCE		%	PVD 35,8	M-O 25,1	CEE 36,8
COMMERCE		%	E-U&J 12,3	Jap 6,8	Ken 39,1
COMMERCE	Principaux clients	%	Fin 28,3	CEE 40,5	E-U 27,3
COMMERCE		%	RFA 30,2	R-U 17,8	CEE 41,4
COMMERCE		%	PVD 21,9	PVD 36,3	Afr 7,0

de libération nationale de l'Ouganda (UNLA), de Milton Oboté, s'est livrée pendant des années à des exactions, pillant, violant, torturant, tuant des centaines de milliers de personnes. L'armée a vécu sur le pays sans parvenir à le maîtriser. L'activité économique était paralysée.

A la fin juillet 1985, à la suite de conflits au sein de l'UNLA entre les factions nordistes Langi (ethnie d'Oboté) et Acholi, Oboté a été renversé par cette dernière, conduite par le général Tito Okello qui est devenu président. Sauf le NRM, tous les mouvements de résistance se sont ralliés au nouveau pouvoir. Pendant cinq mois, le NRM, tout en consolidant son contrôle sur la partie sud-ouest du pays, a mené des négociations difficiles et souvent interrompues avec le nouveau régime. Ces négociations ont abouti à la fin décembre à un accord signé à Nairobi sous le patronage du président kényan Arap Moi. Mais cet accord est resté lettre morte, Okello se montrant incapable de discipliner ses troupes. Le 23 janvier 1986, l'Armée nationale de résistance (NRA, branche armée du NRM) s'emparait de Kampala; en deux mois, elle occupait la partie nord du pays. Le 28 janvier, Museveni prêtait serment. Il installait le Conseil national de résistance et le nouveau gouvernement en s'efforçant de regrouper les différentes factions ethniques, régionales, religieuses et partisanes. La popularité de Museveni est fondée sur le fait qu'il a réussi à instaurer la paix, l'ordre et le droit : une véritable révolution pour l'Ouganda.

Les perspectives économiques, à moyen terme, sont favorables car le potentiel économique du pays est important : pluviosité, fertilité et cadres compétents. A court terme, il faudra reconstruire un pays ruiné,

RWANDA	TANZANIE
Kigali	Dodoma
26 340	945 090
5,87[a]	21,73
222,9[a]	23,0
3,2	3,5
100,0	90,0
5,1	14,8
53,4	53,7[f]
70,8	80,1
29,8	53,3
0,3[c]	0,4[b]
..	0,4
..	246[c]
0,04[e]	0,06[e]
5,00	38,50
–	0,85
0,15	1,00
1 680	5 247
5,7	2,6
..	2,5
280	242
281	3 329
– 1,9	6,5
3,1[b]	5,8[b]
1,9[b]	4,5[b]
0,02	0,08
0,20	0,91
235	1 028
116	284
PCD 52,7	CEE 42,5
CEE 38,1	Jap 9,4
PVD 46,9	PVD 34,0
CEE 87,0	PCD 69,2
RFA 62,7	CEE 55,9
E-U 5,7	PVD 26,6

Chiffres 1985, sauf notes : a. 1984 ; b. 1983 ; c. 1982 ; d. 1980 ; e. 1981 ; f. 1978 ; g. Dissoute en 1982 ; h. 1980-85.

(*) Dernier recensement utilisable : Burundi, 1979 ; Kénya, 1979 ; Ouganda, 1969 ; Rwanda, 1978 ; Tanzanie, 1978.

tâche qui sera facilitée par le pragmatisme économique du président.

Cependant, le problème essentiel n'est pas économique, mais politique : comment établir une formule politique viable permettant aux parties déchirées de ce pays de vivre ensemble? Pendant une période transitoire de quelques années, les partis, qui ont une lourde responsabilité dans la situation de l'Ouganda, verront leurs activités réduites, leurs leaders étant cooptés au sein du nouveau pouvoir. Au niveau des villages, des comités populaires ont été mis sur pied, choisis par les habitants eux-mêmes. De cette base devrait émerger progressivement un pouvoir dont les contours restent encore flous. Mais pour la première fois, un espoir sérieux est apparu.

Jean-François Médard

République rwandaise
Nature du régime : présidentiel, parti unique (Mouvement national révolutionnaire pour le développement : MNRD).
Chef de l'État et du gouvernement : Juvénal Habyarimana.
Monnaie : franc rwandais.
Langues : kinyarwanda, français, swahili.

Au **Rwanda,** lors du cinquième congrès du Mouvement révolutionnaire national pour le développement (décembre 1985), l'austérité a été mise à l'ordre du jour (le déficit de la balance des paiements était de 1,46 milliard de francs en 1983 et de 3,4 milliards en 1985) ; le gouvernement du général major Juvénal Habyarimana s'est engagé dans la voie d'économies budgétaires concernant les infrastructures sociales, comme en témoigne la mise en place du *numerus clausus* à l'entrée de l'enseignement secondaire. Cette orientation s'imposait d'autant plus que le pays, un des plus densément peuplés d'Afrique (6 millions d'habitants, 235 habitants au kilomètre carré), doit prévenir tout risque de déficit alimentaire.

Malgré le rapatriement des réfugiés en Ouganda (novembre 1985), il n'en demeure pas moins que les aléas climatiques, les variations des cours mondiaux (café, thé et pyrèthre composent 90 % des exportations) fragilisent une économie dont la production agricole n'arrive pas à s'équilibrer avec la croissance démographique et présente des signes de dégradation des rendements, sous l'effet de la surexploitation des sols. Par ailleurs, la politique démographique qui vise à réduire la fécondité de 8,7 à 5 enfants par femme n'infléchira qu'à très long terme la croissance démographique (+ 2,7 % par an). Dans ces conditions, l'émigration d'une partie de la population vers la Tanzanie peut paraître réaliste.

Le pays, qui ne peut compter sur un développement important du marché régional et des investissements privés, reste donc dépendant de l'aide internationale. Le Rwanda, qui compte parmi les pays les moins avancés (PMA), est parvenu à se créer auprès des bailleurs de fonds une image de marque (le ratio du service de la dette aux exportations est à peine de 6,9 %), qui lui permet d'espérer le maintien du niveau de l'aide; encore faut-il que celle-ci se déplace des grands projets d'équipements vers des actions plus décentralisées de développement rural.

Dans de telles conditions, la politique de réconciliation nationale apparaît beaucoup plus difficile à mener ; malgré les décisions de mansuétude lors du procès des gardiens de la prison de Ruhengeri (juin 1985), les récriminations régionalistes et certaines tensions urbaines ont persisté.

Christian Thibon

Afrique centrale

Cameroun, Centrafrique, Congo, Gabon, Guinée équatoriale, Saint-Thomas et Prince, Zaïre

République du Cameroun
Nature du régime : présidentiel.
Chef de l'État et du gouvernement : Paul Biya.
Monnaie : franc CFA.
Langues : français, anglais (off.), beti, foufouldé, bamileke, duala, vasaa, etc.

La sage et prudente gestion de son économie pétrolière devrait permettre au **Cameroun** de traverser la récession qui affecte depuis 1985 les pays producteurs d'or noir et qui lui a causé, en 1985-1986, un manque à gagner de 250 milliards de francs CFA. Malgré la crise pétrolière, le gouvernement du président Paul Biya (au pouvoir depuis novembre 1982) a pu débloquer en février 1986 du compte hors budget – constitué en 1978 à partir des recettes pétrolières – 180 milliards de francs CFA pour financer certaines opérations concernant les infrastructures de communication, l'agriculture, les équipements scolaires et hospitaliers. Il est vrai que la production de pétrole, bien supérieure en 1985 aux prévisions (9,3 millions de tonnes au lieu de 7,6) a quelque peu élargi la marge financière du Cameroun, considéré comme l'un des pays d'Afrique les plus attirants pour les investisseurs étrangers depuis que le gouvernement a maîtrisé la crise politique de 1984.

La plupart des clignotants économiques et financiers sont passés au vert. Côté agriculture, la parenthèse de la sécheresse de 1983-1984 étant fermée, les productions ont remonté : 120 000 tonnes de cacao en 1985 (contre 110 000 en 1984), 120 000 tonnes de café (contre 65 000 en 1984), 100 000 tonnes de coton (contre 95 000 en 1984). Bien que ne représentant plus que 20 % du PIB, l'agriculture continue de dégager des excédents vivriers pour l'Afrique centrale.

La croissance annuelle du PIB, qui stagnait à 2 % dans les années soixante-dix, a brusquement sauté à 10 % au début des années quatre-vingt (l'effet-pétrole) pour se stabiliser, depuis 1982, aux alentours de 7 %. On a estimé que la balance des paiements avait un excédent compris entre 150 et 220 millions de dollars depuis 1984. L'inflation s'est stabilisée autour de 15 % par an, et l'endettement est resté raisonnable. Le service de la dette s'est subitement emballé en 1983 et représentait, en 1985, 14 % de la valeur des exportations : environ 500 millions de dollars pour un encours de 3,3 milliards de dollars (soit 37 % du PNB). Cette dette est désormais gérée par la Caisse autonome d'amortissement, nouvellement créée. Seul le chômage reste préoccupant. Le gouvernement s'y est attaqué en créant dans la fonction publique, pour les diplômés de l'enseignement supérieur, 1 700 postes en 1985 et 350 au début de 1986, et en prenant de nouvelles mesures incitatives à la création des petites et moyennes entreprises.

Sur le plan politique, l'année 1985-1986 a été essentiellement marquée par la naissance, en mars 1985, du Rassemblement démocratique du peuple camerounais (RDPC), nouveau parti unique remplaçant l'Union nationale camerounaise (UNC), et par les élec-

AFRIQUE CENTRALE

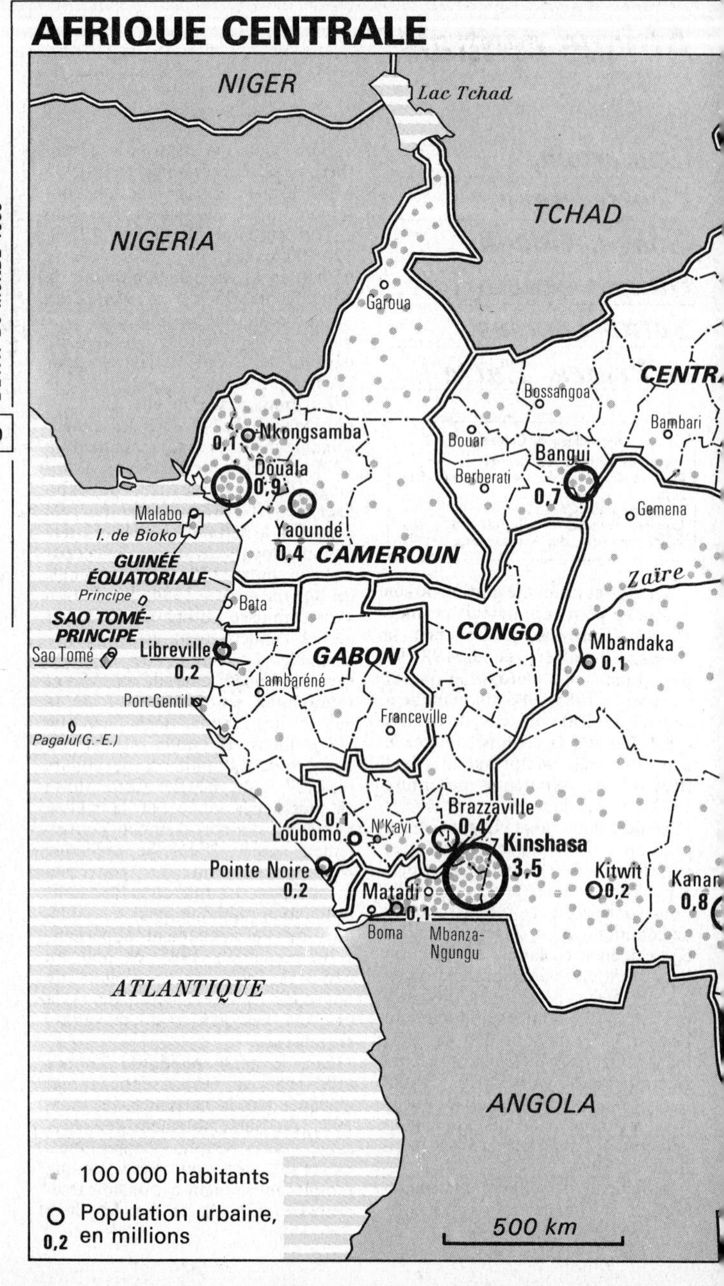

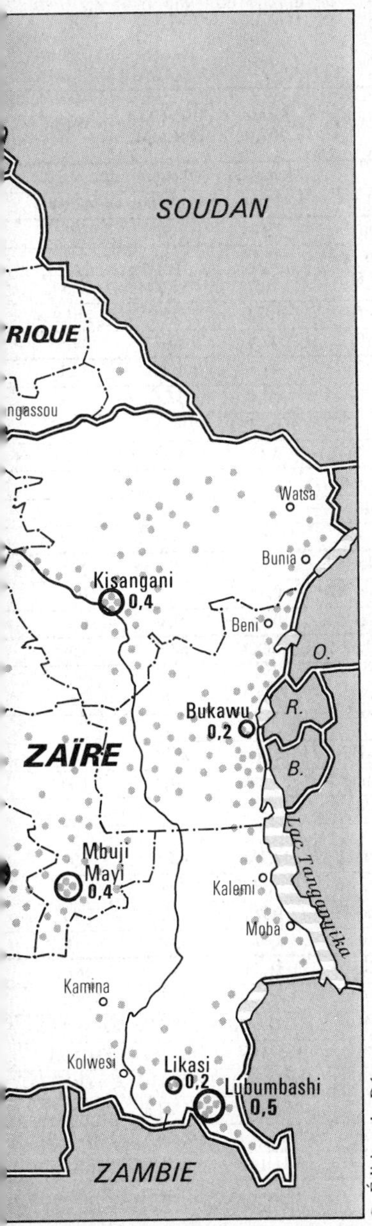

tions des responsables des organes de base du RDPC en février et mars 1986. Le remaniement ministériel d'août 1985 a permis au président Paul Biya de consolider son pouvoir avec une équipe plus proche de ses options libérales. Le rappel aux affaires (en particulier à la tête des sociétés d'État) d'hommes réputés représentant l'ancien régime a pu être interprété comme un geste de réconciliation et le signe d'une certaine volonté présidentielle de ne pas rompre l'unité de la classe dirigeante.

République centrafricaine
Nature du régime : présidentiel.
Chef de l'État et du gouvernement : André Kolingba.
Monnaie : franc CFA.
Langues : français (off.), bantou, peul.

En **Centrafrique,** l'événement politique le plus important de l'année 1985 a été la dissolution en septembre du Comité militaire de redressement national qui gouvernait le pays depuis l'accession au pouvoir en 1981 du général André Kolingba, et la constitution d'un nouveau gouvernement comprenant des civils (treize civils et dix militaires), les militaires conservant l'essentiel des postes clés. Par ce geste, le général Kolingba, devenu président de la République (tout en conservant les fonctions de chef de gouvernement et le portefeuille de ministre de la Défense), a marqué sa volonté d'engager le pays dans le processus de démocratisation annoncé au début de l'année. En novembre, quatre-vingt-neuf prisonniers politiques ont été libérés à l'occasion de la fête nationale.

Sur le plan économique et financier, en novembre 1985, les pays membres du Club de Paris (groupe des pays créanciers), sensibles aux efforts d'assainissement entrepris par le gouvernement, notamment l'adoption d'un plan de redressement économique et financier appuyé par un accord de confirmation du FMI, sont convenus de rééchelonner 10 millions de dollars de la dette extérieure publique ou garantie. L'encours de la dette publique extérieure s'élevait à 250 millions de dollars en 1985 (soit 33 % du PNB).

AFRIQUE CENTRALE

	INDICATEUR	UNITÉ	CAMEROUN	RÉP. CTRAFRICAINE	CONGO
	Capitale		Yaoundé	Bangui	Brazzaville
	Superficie	km²	475 440	622 980	342 000
DÉMOGRAPHIE	Population (*)	million	9,54[a]	2,52[a]	1,70[a]
	Densité	hab./km²	20,1[a]	4,0[a]	5,0[a]
	Croissance annuelle[f]	%	3,2	2,5	3,5
	Mortalité infantile	‰	107,0	132,0	114,0
	Population urbaine	%	42,4	45,7	39,5
CULTURE	Analphabétisme	%	43,8	59,8	37,1
	Scolarisation 6-11 ans	%	81,1	57,8	..
	12-17 ans	%	48,3	38,5	..
	3e degré	%	1,6[e]	1,2[b]	6,2[c]
	Postes tv[b]	‰ hab.	..	0,6	2,7
	Livres publiés	titre	22[d]	..	..
	Nombre de médecins	‰ hab.	0,07[d]	0,04[d]	0,18[d]
ARMÉE	Armée de terre	millier d'h.	6,60	2,0	8,0
	Marine	millier d'h.	0,35	–	0,2
	Aviation	millier d'h.	0,35	0,3	0,5
ÉCONOMIE	PIB	million $	8 000[a]	680[a]	2 060[a]
	Croissance annuelle 1973-83	%	6,8	0,6	7,6
	1985	%	..	..	..
	Par habitant	$	810[a]	270[a]	1 120[a]
	Dette extérieure	million $	2 729[a]	262[a]	1 603[a]
	Taux d'inflation	%	..	..	..
	Dépenses de l'État Education	% PIB	3,7[b]	4,0[b]	4,9[e]
	Défense	% PIB	1,5[a]	..	2,3[a]
	Production d'énergie[a]	million TEC	9,67	0,01	8,76
	Consommation d'énergie[a]	million TEC	4,40	0,10	0,16
COMMERCE	Importations	million $	1 513,5	120	581
	Exportations	million $	2 288,8	115	1 063
	Principaux fournisseurs	%	PCD 87,3	PCD 73,0	PCD 86,2
		%	Fra 44,4	Fra 49,8	Fra 50,1
		%	PVD 10,1	PVD 11,1	PVD 12,3
	Principaux clients	%	CEE 67,6	Bel 27,8	CEE 21,5
		%	Fra 33,1	Fra 16,8	E-U 55,2
		%	E-U 13,4	Ita 9,3	Esp 17,2

Les productions ont connu une évolution favorable en 1985 : 50 000 tonnes de coton (+ 36 %), 10 000 tonnes de café (+ 50 %), 350 000 carats de diamants (+ 10 %), 140 000 tonnes d'arachides (+ 24 %).

La balance commerciale a connu un déficit moindre qu'en 1984 (– 24 milliards de francs CFA contre – 26). L'inflation est restée modérée (8 %) et l'augmentation de 30 % des crédits à l'économie semblait indiquer une certaine reprise des affaires.

GABON	GUINÉE ÉQUATOR.	ST. THOMAS & PRINCE	ZAÏRE
Libreville	Malabo	St Thomas	Kinshasa
267 670	28 050	960	2 345 410
1,13[a]	0,38[a]	0,09[a]	29,06[a]
4,2[a]	13,5[a]	93,8[a]	12,4[a]
1,8	1,8	2,8	3,1
103,0	127,0	62[c]	98,0
40,9	59,7	33[d]	44,2
38,4	63,0[d]	42,6[e]	38,8
..	..	..	78,3
..	..	..	47,7
3,3[c]	3,8[e]	..	1,2[c]
18	5,3	..	0,4
..	..	..	231[d]
0,33[d]	..	0,44[e]	0,07[d]
1,7	2,00	..	22,0
0,2	0,15	..	1,5
0,5	0,05	..	2,5
2830	60[a]	30[a]	4220[a]
– 3,4	..	2,3	– 0,6
..	..	..	2,8
3 480[a]	158[a]	320[a]	140[a]
975[a]	129,2[a]	81,7[a]	5001[a]
8,5	..	..	39,2
3,0[d]	..	6,2[b]	1,0[c]
2,0[a]	10,0[e]	..	3,0[b]
12,44	–	–	2,85
1,26	0,04	0,02	2,02
912	23,6	16,9[b]	779
1 810	27,3	13,9[b]	945
Fra 49,0	Esp 30,2	CEE 32,0[b]	PCD 76,7
E-U 11,0	Fra 23,6	RDA 25,9[b]	Bel 22,0
Jap 5,4	PVD 11,8	Por 29,7[b]	Bre 12,6
EU 26,3	PCD 94,8	CEE 60,4[b]	PVD 6,6
Fra 31,8	Esp 31,5	RDA 31,7[b]	E-U 24,0
Esp 13,2	CEE 62,1	Por 8,3[b]	Bel 31,8

République populaire du Congo

Nature du régime : présidentiel, orientation socialiste.
Chef de l'État et du gouvernement : Denis Sassou Nguesso.
Monnaie : franc CFA.
Langues : français (off.), dialectes africains (bantou, bateké, etc.).

En juin 1985, le Comité central du Parti congolais du travail (parti unique dirigé par le président de la République, Denis Sassou Nguesso, au pouvoir depuis 1979) a dressé un bilan sévère de la situation économique du **Congo** et a pris acte que le Plan quinquennal (1982-1986) ne pouvait pas être exécuté. Le plan d'ajustement structurel adopté en juillet 1985 avec la caution de la Banque mondiale comprend notamment le blocage du budget du personnel, la réduction du budget du matériel et la limitation des investissements publics.

C'était le traitement nécessaire à une gestion qui a conduit le Congo à engager une politique d'endettement et de budget sans commune mesure avec les capacités réelles du pays. Malgré l'accroissement des revenus tirés du pétrole entre 1979 et 1983, la dette extérieure qui n'a

Chiffres 1985, sauf notes : a. 1984 ; b. 1983 ; c. 1982 ; d. 1980 ; e. 1981 ; f. 1980-85.

(*) Dernier recensement utilisable : Cameroun, 1976 ; Congo, 1974 ; Gabon, 1961 ; Guinée équatoriale, 1979 ; St Thomas et Prince, 1970 ; Zaïre, 1958 ; Rép. Centrafricaine, 1975.

cessé d'augmenter pour atteindre 2 milliards de dollars en 1985 (soit 70 % du PNB) a continué de peser sur la balance des paiements, laquelle reste lourdement déficitaire malgré un excédent commercial appréciable de 150 milliards de francs CFA. Le service de la dette a suivi la même évolution défavorable : 280 milliards de francs CFA en 1985, soit 85 % du budget global.

C'est précisément sur le pétrole que le Congo avait bâti sa croissance des années quatre-vingt. Or, en 1985, la production n'a atteint que 5,5 millions de tonnes (au lieu des 8 millions prévues), en raison de la baisse de productivité des premiers gisements mis en exploitation. La perte de revenus due à la baisse conjuguée du dollar et du prix du baril a encore compromis la réalisation du plan d'ajustement. L'équipe gouvernementale issue du remaniement ministériel de décembre 1985 n'a pas accepté les conditions imposées par le FMI en février 1986. Ne pouvant compter sur une production agricole dont les résultats sont restés très moyens (stagnation du café et du cacao, baisse du bois, doublement du sucre), le Congo s'est mis dans une impasse financière, d'autant que la France, principal créancier, a refusé de rééchelonner sa dette hors du cadre du Club de Paris.

République gabonaise

Nature du régime : présidentiel.
Chef de l'État et du gouvernement : Omar Bongo.
Monnaie : franc CFA.
Langues : français (off.), dialectes africains (bantou, batéké, etc.).

Pour la première fois depuis 1980, les recettes pétrolières du **Gabon** ont connu une baisse en 1985. Celle-ci est due à la chute du pétrole et à celle du dollar, mais aussi au ralentissement de la production (8 millions de tonnes en 1985 au lieu des 9 millions prévus). Malgré cette limitation des revenus du pétrole (85 % des exportations), le Gabon a continué en 1985 d'accélérer les grands travaux d'infrastructure, en partie financés par les emprunts. Le gouvernement tient en effet à mettre en place la politique économique de l'après-pétrole (il n'y en aura plus en l'an 2000) : le chemin de fer Transgabonais, qui devrait être achevé en 1988, devrait permettre une exploitation plus dynamique des mines d'uranium, de manganèse et de fer.

Le gouvernement a dû amputer de 100 milliards de francs CFA le budget de 1986, réduisant les dépenses de fonctionnement et surtout les investissements publics.

Grâce au pétrole, le Gabon a engagé avec succès une politique de désendettement depuis 1978. Il assure un service de la dette extérieure d'environ 150 milliards de francs CFA pour un encours de quelque 550 milliards (40 % du PIB). Cette politique lui a permis d'obtenir en mars 1985 un prêt à long terme de 60 millions auprès d'un consortium bancaire.

Tandis que la production de minerais (8 % des exportations) a été satisfaisante en 1985 (manganèse, 1,7 million de tonnes, et uranium, 710 tonnes), la production agricole est restée médiocre : 1 600 tonnes de cacao (contre 2 800 en 1981), 400 tonnes de café (contre 900 en 1982). Les ventes de bois (7 % des exportations) ont stagné. La balance commerciale dégage toujours un large excédent, cependant insuffisant pour combler le déficit de la balance des paiements (10 milliards de francs CFA). L'inflation s'est maintenue dans des limites raisonnables (15 %).

République de Guinée équatoriale

Nature du régime : présidentiel.
Chef de l'État et du gouvernement : Teodoro Obiang Nguema Mbasogo.
Monnaie : franc CFA.
Langues : espagnol (off.), bubi, fang, créole.

L'économie de la **Guinée équatoriale** repose sur trois produits – le café, le cacao et le bois – dont la production n'a cessé de baisser jusqu'en 1983. A partir de 1983, tout en maintenant ses liens privilégiés avec l'ancienne métropole (l'Espagne), la Guinée équatoriale a réorienté son économie vers ses voisins francophones et s'est intégrée à la zone franc en janvier 1985.

Ces dispositions, accompagnées d'un certain nombre de mesures économiques internes, ont permis à l'économie équato-guinéenne d'amorcer son redressement et de recevoir l'appui des bailleurs de fonds : le Club de Paris a permis le rééchelonnement sur dix ans de 246 millions de francs français d'échéances de sa dette garantie en 1985 et 1986. Le FMI a accordé un crédit de 9,2 millions de dollars. Le service de la dette, qui représentait 90 % des exportations en 1983, n'était plus que de 60 % en 1985. La production agricole d'exportation a repris; le taux de couverture des importations par les exportations a atteint 140 % en 1985.

Le président Teodoro Obiang Nguema Mbasogo a constitué un gouvernement de « redressement » en janvier 1986.

République démocratique de Saint-Thomas et Prince

Nature du régime : présidentiel.
Chef de l'État et du gouvernement : Manuel Pinto da Costa.
Monnaie : dobra.
Langues : portugais (off.), dialectes bantous.

Dès son indépendance en 1975, **Saint-Thomas et Prince** (São Tomé et Principe) a choisi une orientation prosoviétique, bien que son président, Manuel Pinto da Costa, n'ait jamais accepté que Moscou y installe de base militaire. La coopération avec les pays de l'Est n'ayant pas satisfait les dirigeants, ceux-ci se sont progressivement retournés vers les Occidentaux. En 1984, les troupes angolaises stationnant dans les deux îles ont été réduites de 2 500 à 400 hommes.

L'aide occidentale (notamment de la CEE) intervient dans le cadre du plan décennal adopté en 1981 et porte principalement sur les denrées alimentaires et les investissements agricoles, touristiques et d'infrastructure.

L'économie de ce petit pays, l'un des plus pauvres du monde, repose presque entièrement sur trois produits agricoles d'exportation : cacao, coprah et palme. La production de cacao, qui fournit à elle seule 85 % des recettes d'exportation, est pourtant en baisse constante depuis dix ans (3 500 tonnes en 1985). En 1985, la dette extérieure s'élevait à 600 millions de francs français, 30 % des recettes d'exportation étaient affectés au service de la dette. M. Pinto da Costa a été réélu président de la République le 1er octobre 1985. Le même mois, le pays a demandé à abandonner sa monnaie, le dobra, pour intégrer la zone franc.

République du Zaïre

Nature du régime : présidentiel.
Chef de l'État et du gouvernement : Mobutu Sese Seko.
Monnaie : zaïre.
Langues : français (off.), kiluba, kikongo, lingala, swahili, etc.

A partir de 1978, le **Zaïre,** qui avait emprunté tous azimuts, s'est trouvé dans une impasse financière, aggravée par la chute du prix du cuivre, la récession mondiale, la hausse du prix du pétrole et la stagnation des productions nationales. Depuis, il n'a cessé de demander le rééchelonnement de sa dette; en 1985, celle-ci s'élevait à 4,5 milliards de dollars (soit 90 % du PIB), faisant du Zaïre le sixième pays africain le plus endetté. Après que le gouvernement eut tenu les engagements du plan d'ajustement et de redressement mis en place en 1983, avec l'aide du FMI, celui-ci lui a accordé en avril 1985 un crédit *standby* de 162 millions de dollars. Ce nouvel accord a permis au Club de Paris de rééchelonner pour la sixième fois, en mai 1985, la dette du Zaïre (environ 400 millions de dollars). Le Club de Londres (groupe des banques commerciales créancières) a également reconduit l'accord de 1983 sur les remboursements mensuels. En 1985, le service de la dette s'élevait à 900 millions de dollars, soit 50 % des recettes d'exportation du pays.

Malgré une légère baisse globale de la production minière, la situation de ce secteur s'est redressée, soutenue principalement par le plan de modernisation de l'outil de production de la Gécamines (Générale des carrières et des mines) adopté en 1984. 500 000 tonnes de cuivre ont été extraites en 1985, presque autant qu'en 1984 et 1983. Les cours de cette matière première, essentielle pour le pays, se sont affermis en 1985. 10 000 tonnes de cobalt ont été produites en 1984 (le Zaïre en est le premier producteur mondial), contre 5 400 en 1983. Un accord a été signé en août 1985 entre le Zaïre et le groupe sud-africain De Beers pour le rachat de toute la production de diamants de la Miba au prix minimum garanti de 7,9 dollars le carat. Le diamant (18 millions de carats en 1985) est devenu la troisième source de devises du Zaïre, après le cuivre et le pétrole. Avec le zinc, l'étain et l'or principalement, les produits miniers représentent environ 80 % des recettes d'exportation du Zaïre.

Sur le plan énergétique, la production d'électricité s'est accrue de 6 % en 1984 et 1985, la production de pétrole, après avoir augmenté de 24 % en 1984 (1,6 milion de tonnes), n'a atteint que 1,3 million de tonnes en 1985. Il en faudrait 2 millions pour couvrir les besoins de la consommation locale.

Quant à l'agriculture, elle s'est redressée en raison principalement des programmes de rajeunissement des plantations des cultures pérennes (café, cacao, hévéa, coco, palme) lancés en 1980. En 1984, l'agriculture représentait 11 % des exportations en valeur (23 % en 1970). La production de café (premier produit agricole d'exportation) a atteint 80 000 tonnes en 1985. Si la production globale a augmenté d'environ 40 % en 1985, l'agriculture, qui occupe 60 % de la population active, souffre encore de la dégradation des infrastructures de communication pour acheminer les productions. L'objectif de l'autosuffisance alimentaire n'a pas encore été atteint. Le Zaïre continue d'importer du blé (150 000 tonnes en 1985), de la farine de froment, du poisson, de la viande, du sucre, du riz et du maïs pour compléter sa production locale.

Bien que les recettes globales d'exportation aient progressé de 14 % en 1985, la croissance n'a été que de 2 % (contre 2,8 % en 1984) alors que la population s'est accrue de 2,5 %. L'important excédent commercial (325 millions de dollars en 1984), dû principalement au freinage des importations imposé par le plan d'assainissement économique, a permis de réduire le déficit de la balance des paiements courants, mais en raison du poids de la dette extérieure, la balance générale des paiements est restée lourdement déficitaire (460 millions de dollars en 1984). Néanmoins, le zaïre-monnaie est resté solide en 1984 et 1985, après la forte dévaluation de 1983. L'inflation a été ramenée de 100 % en 1983, à 30 % en 1985, mais au prix d'une compression des salaires, des effectifs et des équipements dans les entreprises publiques, notamment dans les transports. Air Zaïre et la Compagnie maritime du Zaïre ont été privatisées à hauteur de 40 %.

Lors du remaniement ministériel du 18 avril 1985, le président Mobutu a reconduit dans ses fonctions le Premier commissaire d'État Kengo Wa Dondo. Mais les responsables des principaux départements à caractère économique ont été remplacés.

Pierre-Flambeau Ngayap

Djibouti, Éthiopie, Somalie

République de Djibouti
Nature du régime : présidentiel.
Chef de l'État : Hassan Gouled.
Chef du gouvernement : Barakat Gourad Hamadou.
Monnaie : franc djiboutien.
Langues : français et arabe (off.), langues couchitiques.

Djibouti, de par son équilibre politique interne et ses appuis financiers extérieurs, joue un rôle diplomatique important en Afrique du Nord-Est. Les années 1985 et surtout 1986, ont affirmé le rôle médiateur de cette petite république « jadis tant convoitée ». En effet, Djibouti a été choisie comme siège de la première conférence de l'Autorité intergouvernementale contre la sécheresse et pour le développement en Afrique de l'Est (IGADD), qui s'est déroulée du 15 au 17 janvier 1986. Cette conférence a réuni pour la première fois, autour du président djiboutin M. Hassan Gouled, les six chefs d'État des pays membres (Éthiopie, Somalie, Soudan, Ouganda, Kénya et Djibouti). Au-delà des discussions portant sur la sécheresse et le développement de l'Afrique de l'Est, cette organisation permet des contacts diplomatiques entre États aux intérêts très souvent divergents. De nombreux pays, dont la France, ont apporté leur soutien à cette initiative.

En 1985, Djibouti a joué un rôle important dans l'acheminement de l'aide alimentaire aux victimes de la sécheresse en Éthiopie, grâce notamment à son infrastructure portuaire et ferroviaire modernisée. En décembre, la force militaire française – 4 000 hommes – stationnée à Djibouti, avec le concours de la « bio-force » des instituts Mérieux et Pasteur, a participé à une vaste campagne de vaccination. Ainsi, la République de Djibouti est en passe de devenir le premier pays d'Afrique à avoir une couverture vaccinale complète.

Éthiopie
Nature du régime : démocratie populaire.
Chef de l'État et du gouvernement : lieutenant-colonel Mengistu Haïlé Mariam.
Monnaie : birr.
Langues : ahmarique (principale), orominya, tigrinya, etc.

En **Éthiopie,** malgré une aide internationale importante – aux motivations fort diverses –, le bilan de la famine 1982-1985 s'établit entre deux et trois cent mille morts. Une des conséquences majeures en a été le discrédit jeté sur la politique agraire, alors que le régime avait largement privilégié ce secteur en procédant à d'importantes réformes de structures. Environ sept millions de personnes ont connu la famine, essentiellement dans les provinces du Wollo, Tigré, Begemder et Semyen, c'est-à-dire dans les hautes terres du centre Nord et les basses terres orientales. Elle a correspondu, dans son ampleur et ses localisations, à la combinaison de déficits pluviométriques cumulés et de crises politiques régionales.

Dans les provinces du Wollo et du Tigré, la famine a été au cœur d'une âpre lutte entre forces politiques rivales dont l'enjeu principal était le contrôle des populations. Pour l'État, il s'agissait d'étendre sa mainmise sur les populations paysannes « rétives », mais rendues vulnérables par la crise climatique. A l'inverse, les fronts d'opposition armée ont cherché à soustraire leur base populaire aux tentatives de contrôle du pouvoir pour sauvegarder leur capacité d'encadrement, et à limiter les effets de la famine en organisant le transfert de populations vers le Soudan. Dans les régions contrôlées par

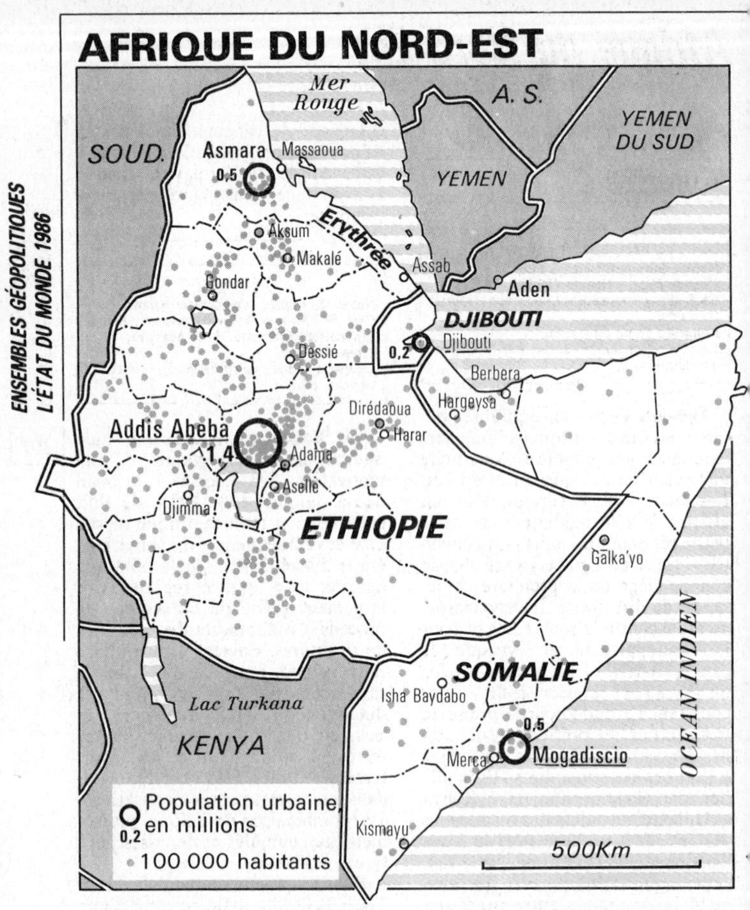

le Front populaire de libération du Tigré (FPLT), le gouvernement éthiopien a cherché à obtenir par l'arme alimentaire ce qu'il ne pouvait imposer par les moyens militaires : faire affluer les populations affectées dans les villes contrôlées par l'armée éthiopienne. Ces objectifs ont été en partie réalisés grâce, d'une part, au contrôle politique de l'organisation du ravitaillement exercé depuis mars 1985 par le Parti des travailleurs éthiopiens (PTE), engendrant une distribution sélective de l'aide alimentaire à trois millions de personnes, notamment dans les centres créés à cet effet – Makelé (Tigré), Korem, Maychew, Kobbo, etc. (Wollo) – et, d'autre part, à des déplacements de populations vers les terres plus riches du Sud et du Sud-Ouest. Il semblerait qu'une partie de l'aide alimentaire ait été affectée à la réinstallation de ces populations.

De nombreux incidents ont marqué ces déplacements, surtout lors de l'évacuation brutale des 57 000 personnes du camp d'Ibnet (Gondar), en avril 1985, pour des raisons de « surpeuplement et de menace d'épidémie ». Les protestations de Médecins sans frontières, lors des rafles et de l'embarquement forcé d'une partie de la population près du centre de Sekota (Wollo) en décembre, ont provoqué l'expulsion de cette organisation.

Au total, entre décembre 1984 et juillet 1985, 510 000 familles – pour la plupart issues du Wollo, Tigré et Begemder – ont été installées dans ces zones de peuplement à l'ouest d'Addis-Abeda, vers Nekempt, Jima, Bure et Bedele. L'objectif du gouvernement est d'installer 200 000 nouvelles familles et de mettre en culture 300 000 hectares de terre jusqu'à la fin de 1986.

Ainsi, la famine semble avoir eu comme effet d'accélérer le déplacement de l'activité politique et économique de l'Éthiopie du Centre Nord vers le Sud et le Sud-Ouest. Le Front populaire de libération de l'Érythrée (FPLE) et le FPLT ont été affaiblis par la sécheresse, et de grandes offensives militaires ont été lancées contre eux pour dégager les axes routiers Addis-Abeba-Asmara-Kasala au Soudan. Pour couper le FPLE de ses bases soudanaises, l'armée éthiopienne, en août 1985, à la suite de combats très meurtriers, a repris les villes de Barentu et de Tesseney, occupées par le Front. Après un repli stratégique de quelques mois, le FPLE a attaqué, en janvier 1986, la base aérienne d'Asmara, détruisant des dizaines d'avions militaires. De son côté, le FPLT, en mai 1985, a coupé la route Kobbo-Dese pendant trois semaines et contenu la huitième offensive de l'armée éthiopienne dans le Tigré.

Les guerres ont provoqué un certain malaise dans l'armée, auquel le chef de l'État, Mengistu Haïlé Mariam, a dû faire face : alors qu'il avait procédé, fin mars 1985, à quatre-vingt-dix arrestations parmi les gradés, le mois suivant, quarante-huit officiers supérieurs étaient promus en grade. L'appel à la mise sur pied d'une milice populaire régionale, lancé par Mengistu devant le Comité central du PTE, en mai, n'est sans doute pas étranger à cette volonté de mieux contrôler l'armée.

Malgré la reprise des contacts diplomatiques avec le Soudan lors du sommet de l'OUA à Addis-Abeba en juillet 1985, les différends avec ce pays ont persisté, notamment en ce qui concerne l'aide apportée de part et d'autre aux fronts de libération. La présence de quelque 800 000 réfugiés éthiopiens au Soudan n'a fait qu'aggraver cette situation, qui semblait devoir perdurer en 1986 en raison du déficit alimentaire prévu dans les provinces du Wollo et du Tigré.

Au plan économique, la situation est restée très difficile avec un revenu annuel par habitant de l'ordre de 115 dollars. En 1985, la dette civile s'élevait à 2 milliards de dollars et la dette militaire (contractée principalement auprès de l'URSS) se situait entre 2,5 et 4 milliards de dollars. En raison de la sécheresse et des fluctuations des cours des matières premières, les ventes de café – principale source de devises – ont diminué de 30 % par rapport à 1984.

En février 1985, le gouvernement a adopté des mesures d'austérité visant à redresser le déficit commercial : constitution d'un fonds de lutte contre la sécheresse alimenté par les contributions des salariés, contrôle des licences d'importation, rationnement de l'essence.

République démocratique de Somalie
Nature du régime : présidentiel autoritaire, parti unique.
Chef de l'État et du gouvernement : général Syad Barre (président).
Monnaie : shilling somalien.
Langue : somali.

En **Somalie,** l'année 1985 a été marquée par la reprise des contacts diplomatiques avec l'Éthiopie. Le sommet de l'Organisation de l'unité africaine (OUA), en juillet, à Addis-Abéba, en a été l'occasion. Depuis lors, le vice-ministre somalien des Finances, M. Egal, s'est

AFRIQUE DU NORD-EST

	INDICATEUR	UNITÉ	DJIBOUTI	ÉTHIOPIE	SOMALIE
	Capitale		Djibouti	Addis-Abéba	Mogadiscio
	Superficie	km²	23 400	1 221 000	637 660
DÉMOGRAPHIE	Population (*)	million	0,43	43,35	4,54[a]
	Densité	hab/km²	18,4	35,6	7,1[a]
	Croissance annuelle[g]	%	3,2	2,5	2,9
	Mortalité infantile	‰	..	132,0	132,0
	Population urbaine	%	..	17,6	34,1
CULTURE	Analphabétisme	%	..	44,8[b]	88,4
	Scolarisation 6-11 ans	%	..	34,2	30,5
	12-17 ans	%	..	31,6	36,2
	3e degré	%	..	0,5[b]	..
	Postes tv	‰ hab.	42[d]	1,2[c]	..
	Livres publiés	titre	..	457[b]	..
	Nombre de médecins	‰ hab.	..	0,014[d]	0,08[d]
ARMÉE	Armée de terre	millier d'h.	2,87	210,0	60,0
	Marine	millier d'h.	0,03	3,0	0,7
	Aviation	millier d'h.	0,10	4,0	2,0
ÉCONOMIE	PIB	million $	180[c]	4 782	1 360[a]
	Croissance annuelle				
	1973-83	%	3,3[f]	2,7	2,5
	1985	%	..	..	4,0
	Par habitant	$	475[c]	110	260[a]
	Dette extérieure	million $	86,6[a]	1 526[a]	1 503
	Taux d'inflation	%	..	19,0	30,4
	Dépenses de l'État				
	Éducation	% PIB	3,9[c]	4,1[c]	2,3[b]
	Défense	% PIB	0,8[c]	10,0	9,6[a]
	Production d'énergie[a]	millier TEC	–	0,07	–
	Consommation d'énergie[a]	millier TEC	0,09	0,72	0,53
COMMERCE	Importations	million $	319,6	937	378,7
	Exportations	million $	40,2	387	105,6
	Principaux fournisseurs	%	PCD 56,8	E-U 17,9	E-U 16,7
		%	Fra 21,1	CEE 38,9	Ita 25,8
		%	PVD 41,5	URS 15,7	PVD 35,3
	Principaux clients	%	CEE 3,7	E-U 11,7	CEE 23,9
		%	Som 33,8	CEE 41,7	MO 62,0
		%	YaY[h] 45,5	PVD 23,4	ArS 34,2

Chiffres 1985, sauf notes : a. 1984; b. 1983; c. 1982; d. 1980; e. 1981; f. 1970-80; g. 1980-85 h. Les deux Yemen.

(*) Dernier recensement utilisable : Djibouti, 1961; Éthiopie, 1984.

entretenu plusieurs fois à Addis-Abeba avec M. Yilma, directeur du département Afrique-Moyen-Orient au ministère des Affaires étrangères. Ces entrevues ont, entre autres, préparé le premier sommet de l'Autorité intergouvernementale contre la sécheresse et pour le développement en Afrique de l'Est (IGADD), qui s'est ouvert le 15 janvier 1986 à Djibouti. A cette occasion, le lieutenant-colonel Mengistu Haïlé Mariam, chef de l'État éthiopien, et le général Syad Barre, président somalien, se sont rencontrés pour la première fois depuis mars 1977. L'Égypte et surtout l'Italie, qui a signé avec la Somalie un important accord de coopération en septembre pour la mise en place de projets agricoles, ont facilité la reprise du dialogue.

Ce rapprochement correspond pour l'Éthiopie au souhait de mettre fin à la guerre larvée dans l'Ogaden; en Somalie, les graves conflits entre les clans qui affaiblissent le régime, notamment au sein de la hiérarchie militaire, ne sont pas étrangers à l'ouverture de ces négociations. Mais, Syad Barre a posé, comme condition préalable, l'évacuation des deux villages frontaliers, Balanballe et Galdogob, occupés depuis août 1982 par le Front démocratique de salut de la Somalie (FDSS), soutenu militairement par l'Éthiopie. Les dizaines de milliers de réfugiés politique éthiopiens qui affluent vers le camp de Tugwagala, près de Hargeisa dans le Nord-Ouest, depuis le début 1986, risqueraient de compromettre ce rapprocheemnt avec l'Éthiopie si la Somalie ne bénéficiait pas d'une aide internationale pour ses réfugiés qui représentent, selon elle, 36 % de sa population. A cette aide s'ajoutent une aide alimentaire et une assistance économique américaine de l'ordre de 100 millions de dollars par an.

Michel Foucher

Vallée du Nil

Égypte, Soudan

L'**Égypte** est traitée dans la section « Les 34 grands États ».

République du Soudan
Nature du régime : démocratie parlementaire.
Chef de l'État : Ahmed Ali el-Mirghani (président du Conseil suprême de cinq membres).
Chef du gouvernement : Sadek el-Mahdi.
Monnaie : livre soudanaise.
Langues : arabe (off.), anglais, dinka, nuer, shilluck, etc.

Au **Soudan**, les élections législatives d'avril 1986 ont mis fin à l'année de transition menée par le Comité militaire de transition (CMT) mis en place en avril 1985 après la chute du président Gaafar Nemeiry. La nouvelle assemblée a marqué le retour à un gouvernement civil avec une majorité de coalition puissante et modérée constituée de deux partis, l'Oumma (nationaliste) de Sadek el-Mahdi et le Parti unioniste démocratique (pro-égyptien), tous deux liés aux confréries musulmanes : la Mahdiya et la Khatmiya. Le pouvoir semblait se partager entre le Premier ministre Sadek el-Mahdi, un intellectuel musulman moderniste, et un Conseil présidentiel de cinq membres, dirigé par Ahmed Ali el-Mirghani, qui remplit les fonctions de chef de l'État. Le gouvernement s'est attaqué aux deux principaux problèmes que n'a pu résoudre le CMT : le redressement économique et le conflit du Sud, animiste et chrétien.

VALLÉE DU NIL

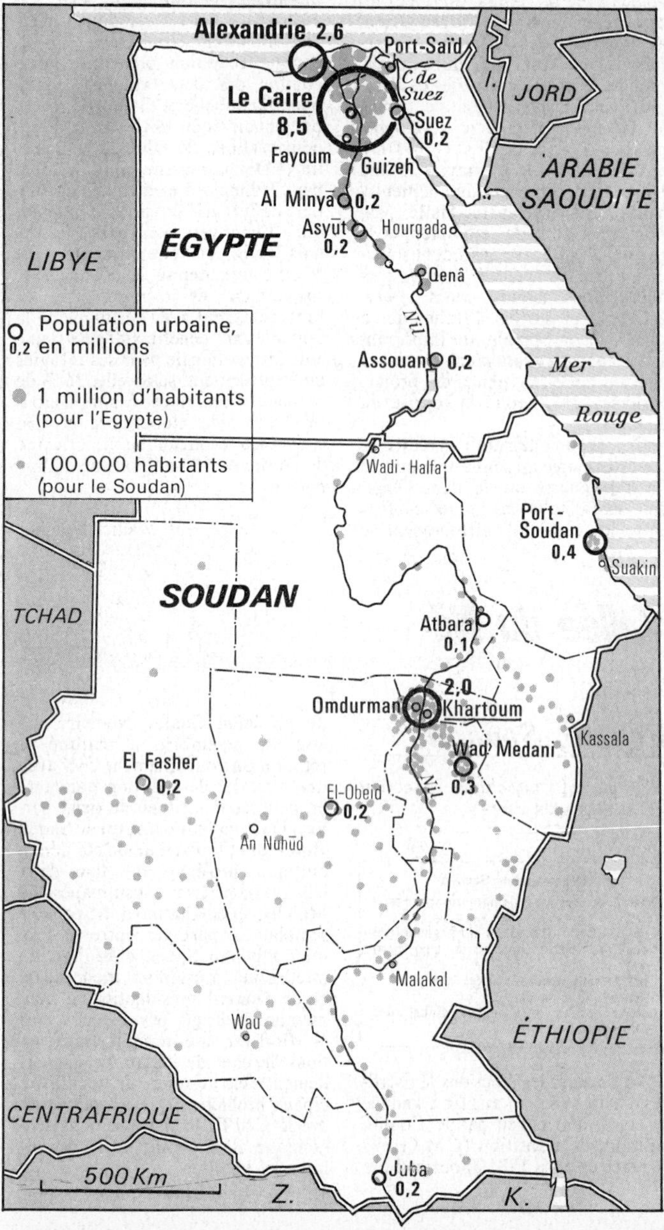

ALLÉE DU NIL

INDICATEUR	UNITÉ	ÉGYPTE	SOUDAN
Capitale		Le Caire	Khartoum
Superficie	km^2	1 001 449	2 505 810
Population (*)	million	45,8[a]	20,95[a]
Densité	hab./km^2	46[a]	8,4[a]
Croissance annuelle[f]	%	2,2	2,7
Mortalité infantile	‰	97,0	106,0
Population urbaine	%	46,5	29,4
Analphabétisme	%	55,5	74,1[e]
Scolarisation 6-11 ans	%	73,1	45,7
12-17 ans	%	52,6	30,3
3e degré	%	15,5[c]	2,0[d]
Postes tv[b]	‰ hab.	44	49
Livres publiés[c]	titre	1 680	138
Nombre de médecins[d]	‰ hab.	1,23	0,12
Armée de terre	millier d'h.	320,0	53,0
Marine	millier d'h.	20,0	0,6
Aviation	millier d'h.	25,0	3,0
PIB[a]	milliard $	33,34	7,36
Croissance annuelle 1973-83	%	9,1	5,8
1985	%	6,9	– 1,7[g]
Par habitant[a]	$	728	340
Dette extérieure	milliard $	32,5	7,20[a]
Taux d'inflation	%	11,5	25,1
Dépenses de l'État Éducation	% PIB	4,1[b]	4,6[e]
Défense[a]	% PIB	9,6	3,1
Production d'énergie[a]	million TEC	00,0	0,00
Consommation d'énergie[a]	million TEC	00,0	00,0
Importations	million $	9 961	771
Exportations	million $	3 714	374
Principaux fournisseurs	%	E-U 18,9	E-U 17,2
	%	CEE 40,7	CEE 36,9
	%	PVD 14,5	ArS 11,6
Principaux clients	%	CAEM 10,7	CEE 26,1
	%	CEE 58,5	PVD 51,4
	%	PVD 7,9	Egy 19,8

Chiffres 1985, sauf notes : a. 1984; b. 1983; c. 1982; d. 1981; e. 1980; f. 1980-85; g. Année finissant le 30-6-85.

(*) Dernier recensement utilisable : Égypte, 1976; Soudan, 1983.

Le CMT ayant refusé d'appliquer le nouveau plan d'austérité demandé par le FMI, celui-ci a déclaré en février 1986 qu'il n'accorderait pas son aide au Soudan. Avec une dette civile de 10 milliards de dollars, la menace d'une famine pesant toujours, malgré les bonnes récoltes de 1985, sur 3,5 millions de Soudanais et la présence de plus d'un million de réfugiés, le Soudan est resté largement tributaire de l'aide extérieure, évaluée à 1 milliard de dollars par an. La contradiction entre cette dépendance économique et une volonté manifeste de non-alignement explique le rééquilibrage des relations extérieures, les États-Unis restant le principal bailleur de fonds malgré son irritation croissante due au rapprochement soudano-libyen. Les liens avec l'ancienne alliée, l'Égypte, ont été maintenus malgré l'abrogation, en avril 1986, de la Charte d'intégration de 1982 (qui concernait notamment l'économie des deux pays). La coopération avec l'URSS, l'Europe de l'Est et la Chine a repris, tandis que les pays de la CEE fournissent une aide non négligeable. Quant à la reprise des relations avec l'Éthiopie, souhaitée par Khartoum, elle semblait liée au règlement de la guerre du Sud-Soudan.

Aux tentatives du CMT de négocier avec John Garang, chef de la guérilla du Sud et du Mouvement de libération du peuple soudanais (MLPS), celui-ci a posé comme préalables la démission des militaires et l'abolition de la Charia (loi islamique). L'intensification des opérations de guérilla au début de l'année 1986 a empêché la tenue des élections dans deux des trois régions du Sud. John Garang a refusé de reconnaître une majorité issue du vote nordiste. Or, le redressement économique ne peut s'envisager sans le Sud qui possède les principales richesses : le pétrole, le bétail et l'eau.

Le nouveau gouvernement s'est efforcé de liquider les traces du régime précédent, en poursuivant notamment les procès des proches collaborateurs de Nemeiry, En ce qui concerne la Charia, il a opté pour un *statu quo* avec des aménagements notables évitant les aspects cruels de son application. Les Frères musulmans, qui menaçaient de porter la « guerre sainte » en cas d'abrogation, en ont été satisfaits, mais cela a pesé lourdement sur les possibilités de mettre fin à la guerre du Sud.

Anne Kraft

L'Afrique sud-tropicale

Angola, Malawi, Mozambique, Zambie, Zimbabwé

République populaire d'Angola
Nature du régime : marxiste-léniniste, parti unique.
Chef de l'État et du gouvernement : José Eduardo Dos Santos.
Monnaie : kwanda.
Langues : portugais, langues bantoues.

La guerre faisant toujours rage en **Angola** en juin 1986, cette ancienne colonie portugaise n'a guère eu l'occasion de panser ses plaies depuis l'indépendance en 1975. Dès son installation au pouvoir, le MPLA (Mouvement populaire de libération de l'Angola), à direction marxiste, a dû faire face aux attaques de l'UNITA (Union nationale pour l'indépendance totale de l'Angola) dirigée par Jonas Savimbi et soutenue par l'Afrique du Sud et les États-Unis. Ce soutien s'est manifesté de plus en plus ouvertement au cours de l'année 1985 et au début 1986. Le président Reagan a reçu Jonas Savimbi en janvier 1986; il lui

AFRIQUE SUD-TROPICALE

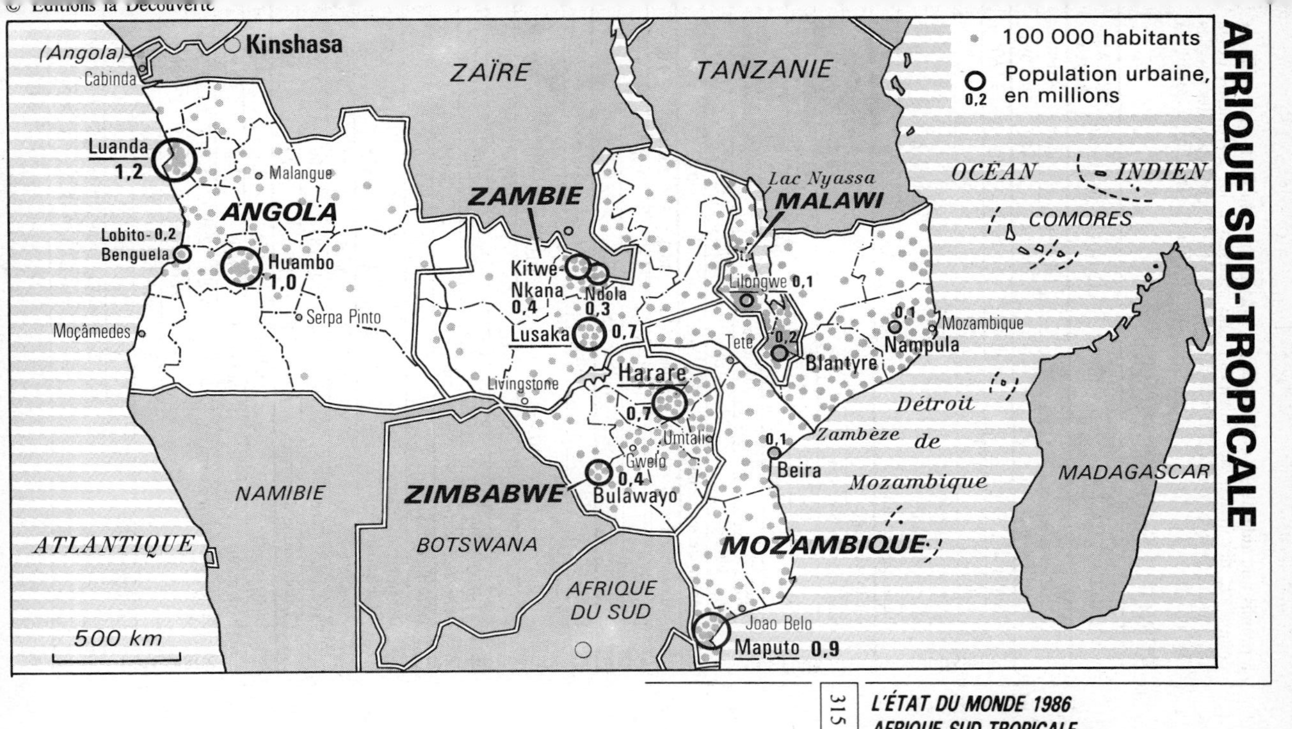

a promis une aide de 15 millions de dollars et, dès mars, des missiles antiaériens *Stinger* ont été livrés à l'UNITA.

L'Afrique du Sud, sous prétexte de poursuivre les guérilleros de la SWAPO (Organisation des peuples du Sud-Ouest africain), a pénétré à

AFRIQUE SUD-TROPICALE

	INDICATEUR	UNITÉ	ANGOLA	MALAWI	MOZAMBIQUE
	Capitale		Luanda	Lilongwe	Maputo
	Superficie	km²	1 246 700	118 480	783 080
DÉMOGRAPHIE	Population (*)	million	8,54[a]	7,06	13,60[a]
	Densité	hab./km²	6,9[a]	59,6	17,4[a]
	Croissance annuelle[i]	%	2,7	3,1	2,8
	Mortalité infantile	‰	137,0	152,0	101,0
	Population urbaine	%	24,5	12,0	19,4
CULTURE	Analphabétisme	%	59,0	58,8	62,0
	Scolarisation 6-11 ans	%	..	46,8	84,0
	12-17 ans	%	..	51,6	25,5
	3e degré	%	0,4[c]	0,4[c]	0,1[c]
	Postes tv[b]	‰ hab.	4	–	0,2
	Livres publiés	titre	57[d]	18[c]	88[b]
	Nombre de médecins	‰ hab.	..	0,02[d]	0,03[d]
ARMÉE	Armée de terre	millier d'h.	36,0	5,0	14,0
	Marine	millier d'h.	1,5	0,10	0,8
	Aviation	millier d'h.	2,0	0,15	1,0
ÉCONOMIE	PIB	million $	2543	1 053	1 990[a]
	Croissance annuelle 1973-83	%	-10,0[h]	4,1	6,0[f]
	1985	%	..	1,9	20,0
	Par habitant	$	290[g]	210[a]	147[a]
	Dette extérieure	million $	..	885[a]	2 388[a]
	Taux d'inflation	%	..	11,6	..
	Dépenses de l'État Éducation	% PIB	4,4[b]	2,5[b]	..
	Défense	% PIB	17,9	1,6[a]	11,2
	Production d'énergie[a]	million TEC	15,28	0,06	0,58
	Consommation d'énergie[a]	million TEC	1,02	0,29	1,28
COMMERCE	Importations	million $	1 265[a]	286	539,7[a]
	Exportations	million $	1 960[a]	244	95,7[a]
	Principaux fournisseurs	%	CEE 32,3[b]	CEE 26,0	PCD 52,5[a]
		%	Port 10,7[b]	R-U 11,5	PS 26,4[a]
		%	URS 24,9[b]	RSA 40,6	PVD 21,1[a]
	Principaux clients	%	E-U 46,3[b]	CEE 55,6	PCD 58,9[a]
		%	AL 24,8[b]	R-U 32,6	PS 15,4[a]
		%	CEE 11,0[b]	RSA 7,3	PVD 25,7[a]

Si vous désirez être tenu au courant de nos publications, veuillez compléter cette carte et nous la retourner.

Nom (en majuscules)____________________________

____

Prénom____

Adresse (en majuscules)__________________________

____

____

Profession______________________________________

Sujets qui vous intéressent :

Économie	☐	Autres	☐
Histoire	☐	(préciser)	
Géographie	☐	________________	
Géopolitique	☐	________________	
Sociologie	☐	________________	
Documents	☐	________________	
Tiers monde	☐	________________	

Quel ouvrage des Éditions La Découverte avez-vous acheté en dernier lieu ?

Nom et adresse de votre librairie :

Noms et adresses des personnes auxquelles vous nous suggérez d'envoyer notre catalogue. Autres suggestions :

plusieurs reprises sur le territoire angolais pour des opérations de grande envergure, chaque fois que l'UNITA subissait des offensives

ZAMBIE	ZIM-BABWÉ
Lusaka	Harare
752 610	390 580
6,45[a]	8,30
8,6[a]	21,3
3,5	4,0
92,0	61,0
49,5	24,6
24,3	26,0
74,0	75,9
59,5	26,3
1,6[c]	2,6[a]
12	12
454	533[b]
0,14[e]	0,4[e]
15,0	41,0
–	–
1,2	1,0
3 020[a]	6 040[a]
0,6	3,5
– 1,5	6,0
470[a]	740[a]
4 775[a]	2 124[a]
58,3	7,4
5,6[c]	6,6[d]
8,2[e]	5,9
1,66	2,73
2,17	3,82
537	625
738	798
CEE 37,3	PCD 56,1
Jap 11,3	CEE 36,9
ArS 20,4	Afr 14,8
PVD 32,3	PCD 64,1
CEE 31,0	CEE 43,5
Jap 27,7	Afr 33,1

des forces gouvernementales angolaises (FAPLA). Parallèlement à ces « opérations diversion », l'Afrique du Sud n'a pas hésité à organiser des attentats en Angola. En mai 1985, une patrouille des FAPLA a intercepté à Malongo, dans l'enclave du Cabinda, un commando sud-africain qui s'apprêtait à saboter les installations pétrolières appartenant à la société américaine Chevron. Deux soldats de Prétoria ont été tués, et un autre, M. Winand Petrus du Toit, a été fait prisonnier. En février 1986, le gouvernement sud-africain a proposé d'échanger ce dernier contre M. Nelson Mandela. Une proposition qui a été refusée aussi bien par le gouvernement angolais que par le chef spirituel de la lutte contre la ségrégation raciale en Afrique du Sud.

De mai 1985 à mai 1986, le langage des armes a donc pris le pas sur celui de la diplomatie, chaque partie durcissant sa position. En mai 1986, le président Dos Santos a rendu visite aux responsables soviétiques et un accord, dont les termes exacts ont été tenus secrets, a été signé le 7 mai pour une durée de deux ans.

Lors du deuxième congrès du MPLA en décembre 1985, M. Dos Santos a affirmé son pouvoir au sein du parti. La victoire des centristes pragmatiques s'est traduite par une mise à l'écart des dogmatiques du bureau politique et du gouvernement. C'est ainsi que Paolo Jorge, ancien ministre des Affaires étrangères, s'est retrouvé gouverneur de province, tout comme l'ancien Premier ministre, M. Lopo Do Nascimento... Une nouvelle génération de

Chiffres 1985, sauf notes : a. 1984; b. 1983; c. 1982; d. 1980; e. 1981; f. Produit social global, 1975-84; g. 666 $ au taux de change officiel; h. 1972-82; i. 1980-85.

(*) Dernier recensement utilisable : Angola, 1970; Malawi, 1977; Mozambique, 1980; Zambie, 1980; Zimbabwé, 1982.

dirigeants a été portée aux postes de responsabilité. Leur tâche est immense, car les conflits armés et les actes de terrorisme n'ont guère donné la possibilité à ce pays de reprendre son souffle après l'indépendance et le départ des colons. On évalue à environ un million le nombre de personnes déplacées, surtout dans le Sud et le Centre.

La vie agricole est désorganisée. Les paysans dont les récoltes ont été régulièrement saccagées ou brûlées ont abandonné leurs villages et leurs terres pour s'installer le long des routes principales et autour des centres urbains. La production de maïs commercialisé est passée de 300 000 tonnes en 1974, à 20 000 tonnes en 1985 et celle du café de 180 000 à 17 000 tonnes pendant la même période. Luanda doit importer de la viande alors que le pays possède un cheptel d'environ 35 millions de têtes et cela à cause du manque d'abattoirs et de moyens de transports frigorifiques. D'une façon générale, l'infrastructure économique a été laissée à l'abandon.

Le pétrole représente à lui seul 90 % des rentrées en devises. En 1985, la production a été de 11,2 millions de tonnes et a procuré deux milliards de dollars au pays, mais l'augmentation de la production n'a fait que compenser la chute du prix du pétrole. La dette extérieure, bien que raisonnable pour l'Afrique, s'élevait tout de même à 2,6 milliards de francs en 1985.

République du Malawi

Nature du régime : présidentiel, parti unique.
Chef de l'État et du gouvernement : Kamuzu Hastings Banda.
Monnaie : kwacha.
Langues : anglais, chichewa.

En 1985, le **Malawi** a assuré son autosuffisance alimentaire et est même parvenu à exporter des surplus. Mais, il fait partie des nations les plus pauvres, avec un PIB de 210 dollars par habitant, un taux de mortalité infantile proche de celui d'un État en guerre, et un niveau de scolarisation dramatiquement faible.

Non content de s'être promu en 1971 président à vie, Hastings Kamuzu Banda, octogénaire, a gardé entre ses mains quatre des principaux portefeuilles du pays : les Affaires étrangères, l'Agriculture, la Justice et les Travaux publics. Comme pratiquement chaque année, il a procédé en janvier 1985 et janvier 1986 à des remaniements ministériels. Il s'agissait plus d'un changement d'attributions au sein d'une même équipe que d'un renouvellement des hommes; Kamuzu Banda a rappelé ainsi qu'il était le seul maître : il ne supporte pas plus les dauphins que l'opposition.

Formé surtout de plateaux, le Malawi vit essentiellement de son agriculture : le thé, le tabac et le sucre constituent les trois quarts de ses exportations. Cette fragilité économique a été exacerbée par la détérioration internationale des termes de l'échange, la sécheresse, et les conflits dans les États voisins par où doivent transiter les marchandises. Le programme de développement économique mis en place en 1981 est entré dans sa troisième phase pour la période 1986-1989. Ses objectifs : développer l'industrie agro-alimentaire, diversifier les cultures d'exportation, améliorer les rendements des petits propriétaires qui détiennent 70 % des terres arables et étendre l'infrastructure routière et ferroviaire. Ce programme a été accompagné d'un plan d'austérité pour limiter les importations. Une attention particulière est apportée au reboisement et à l'utilisation maximale de bois comme combustible à la place du pétrole qui, avec les engrais, grève lourdement le budget du pays.

Le groupe consultatif en faveur du Malawi réuni en janvier 1986 à Paris a évalué à 200 millions de dollars par an jusqu'en 1989 la somme nécessaire pour soutenir les efforts de restructuration économique. Depuis juillet 1984, la Banque mondiale a ouvert une mission dans ce pays et des prêts importants ont été accordés, entre autres, par l'Association internationale de développement, l'Agence des États-Unis pour le développement international, la RFA, le Japon et la CEE, pour des travaux d'irrigation, pour des entreprises agro-alimentaires ou pour l'infrastructure. La voie mozambicaine – la plus courte – étant régulièrement coupée par les rebelles de la Résistance nationale du Mozambique (RNM), les efforts ont porté sur l'amélioration du réseau routier et ferroviaire desservant le port tanzanien de Dar-es-Salaam.

En mai 1985, le Malawi a rétabli des relations diplomatiques avec la Tanzanie.

République populaire du Mozambique
Nature du régime : marxiste-léniniste, parti unique.
Chef de l'État et du gouvernement : Samora Machel.
Monnaie : metical.
Langues : portugais, langues bantoues.

Déchiré par les rebelles de la Résistance nationale du Mozambique (RNM) qui sèment la terreur dans le pays jusqu'aux portes de Maputo, et épuisé par une série de calamités naturelles (sécheresse, cyclones, inondations), le **Mozambique** a été contraint en 1985 de vivre au jour le jour, alors que 42 % de son budget était consacré à l'effort de guerre.

L'agriculture, principale ressource du pays, (maïs, manioc, canne à sucre, thé, noix de cajou, agrumes), déjà affectée par une collectivisation trop radicale au début des années quatre-vingt, est profondément désorganisée. Non seulement la production ne parvient pas à répondre aux besoins, mais à peine 20 % de celle-ci a pu être commercialisée.

Les chemins de fer et les ports par où transitait notamment le commerce du Zimbabwé ont subi régulièrement des sabotages de la RNM et le pays ne peut plus compter sur les devises que lui procuraient autrefois les mineurs mozambicains travaillant en Afrique du Sud. Au nombre de 130 000 en 1973, ceux-ci n'étaient que 35 000 en 1985.

En fait, le Mozambique n'a pratiquement pas connu la paix depuis plus de vingt ans : à la guerre pour l'indépendance (1975) ont succédé les exactions de la RNM. Forte d'environ 20 000 hommes, cette organisation est soutenue par des Sud-Africains effrayés par les options marxistes-léninistes du FRELIMO (Front de libération du Mozambique, parti au pouvoir depuis l'indépendance), par des anciens colons portugais et par des États conservateurs du Golfe (Arabie saoudite, Oman) qui offrent une aide matérielle *via* les Comores et le Malawi.

Toutes ces difficultés avaient amené le président Samora Machel à signer en mars 1984, à Nkomati, un pacte de non-agression et de bon voisinage avec l'Afrique du Sud. En fait, l'accord a été un marché de dupes pour le Mozambique. Si celui-ci a respecté ses promesses en expulsant les militants du Congrès national africain (ANC), la RNM n'a pas cessé ses activités en prenant l'Afrique du Sud comme zone de repli. Les meurtres de missionnaires et de paysans, les enlèvements, les sabotages et les attentats se sont succédé tout au long de l'année.

Le président sud-africain, Pieter Botha, qui avait déclaré, en janvier 1985, qu'il n'accepterait jamais que son pays soit utilisé par les rebelles, a annoncé en mars que la police avait démantelé un « gang de criminels, banquiers, hommes d'affaires d'Amérique latine, d'Europe et d'Afrique voulant faire du Mozambique leur domaine réservé ». Mais, après la publication du journal d'un officier rebelle, M. Botha a dû reconnaître que l'Afrique du Sud avait violé le territoire mozambicain, que l'armée avait aidé à la construction d'une piste d'atterrissage pour la RNM et avait convoyé et approvisionné, à plusieurs reprises, les chefs de l'insurrection. Le quartier général de la RNM, Casa Banana, situé dans les montagnes de Goron Goza, pris par l'armée en août 1985, a été repris par les rebelles en février 1986.

Le Zimbabwé et la Tanzanie ont envoyé, dans le cadre de la coopération régionale, plusieurs milliers d'hommes pour aider Maputo à protéger les voies ferroviaires et son oléoduc.

Si les États-Unis ont consenti au Mozambique une aide économique de 18 millions de dollars en 1985, celle-ci a été liée à la réduction du nombre de conseillers militaires du bloc de l'Est présents sur le sol mozambicain. L'adhésion à la convention de Lomé qui lie Maputo à la CEE ne l'a pas empêché de passer un accord de coopération avec le CAEM en juin 1985.

République de Zambie
Nature du régime : présidentiel, parti unique.
Chef de l'État : Kenneth David Kaunda.
Chef du gouvernement : Kebby Musokotkane.
Monnaie : kwacha.
Langues : anglais, langues bantoues.

En **Zambie**, le cuivre représente toujours 90 % des recettes d'exportations, mais les bénéfices, coincés entre la chute des cours mondiaux et un coût d'exploitation élevé, se sont rétrécis comme une peau de chagrin. Le cobalt lui non plus ne répond pas aux espoirs mis en lui. Quant au secteur agricole, délaissé lors de la flambée du prix du métal rouge, il s'est retrouvé désorganisé et usé par des années de sécheresse. Il ne couvre guère que 10 % des besoins en blé et ne peut procurer qu'à peine le maïs nécessaire à la population.

La Zambie, qui fait déjà partie des pays les plus endettés (4,5 millions de dollars), s'est vu imposer des mesures draconiennes pour obtenir du FMI des nouveaux prêts. Ainsi, en septembre 1985, le prix de la farine de maïs (base de l'alimentation) a été augmenté de 30 %; celui de l'essence a été doublé en octobre. La monnaie, le kwacha, a subi une dévaluation de plus de 50 %, et le président Kenneth Kaunda a promis une série d'autres mesures dont une réorganisation du secteur public, avec une diminution des effectifs, et une politique d'incitation « au retour des chômeurs dans leur région natale ». Il a par ailleurs demandé à tous ceux qui possèdent des fonds à l'étranger de les rapatrier. En échange de ces efforts, le FMI a décidé, en février 1986, d'ouvrir un crédit de 345 millions de dollars pour le programme de redressement économique et, en mars 1986, les pays débiteurs réunis à Paris ont accepté de rééchelonner la dette zambienne.

1985 a aussi été une période socialement tendue : grève des mineurs en juin, grève des lycéens dans le Nord au cours de laquelle deux manifestants ont été tués, grève des chauffeurs de taxis et des bus en octobre. Kenneth Kaunda, s'il sait se montrer ferme à l'égard de ses opposants politiques, n'est pas parvenu à mettre fin au banditisme et à la corruption qui sévissent sur une grande échelle.

Depuis septembre 1985, Kenneth Kaunda assure la présidence des pays de la ligne de front, farouche adversaire de la politique d'apartheid en Afrique du Sud. Il a déployé d'intenses efforts diplomatiques pour faire reconnaître le droit des Noirs sud-africains à une citoyenneté à part entière. Son pays a accueilli des militants nationalistes de l'African national congress (ANC) sud-africain. Il est également devenu une terre d'asile pour tous ceux qui fuient la guerre civile en Angola, au Mozambique et en Ouganda...

République du Zimbabwé
Nature du régime : parlementaire.
Chef de l'État : révérend Canaan Banana.
Chef du gouvernement : Robert Mugabe.
Monnaie : dollar zimbabwéen.
Langues : anglais, shona, ndebele.

Plusieurs fois reculées, les élections législatives ont enfin pu avoir lieu en 1985 au **Zimbabwé**. Conformément à la constitution, Blancs et Noirs ont élu séparément leurs représentants. Seulement 34 000 blancs (sur les 100 000 que compte la communauté) s'étaient inscrits et ont choisi leurs 20 représentants en juin. En juillet, les 3 millions d'électeurs noirs (sur une population de 8 millions) ont voté pour leurs 80 députés. Chez ces derniers, la ZANU, parti du Premier ministre Robert Mugabe, a obtenu 64 sièges contre 58 sortants. La ZAPU de Joshua Nkomo, rivale de la ZANU depuis la guerre pour l'indépendance, n'a eu que 15 députés élus (20 sortants). La ZANU dissidente de Ndaba Ningi Sithole, qui vit en exil, a obtenu un siège, tandis que l'UANC (Conseil national africain unifié) de l'évêque Abel Muzorewa a disparu.

Du côté des Blancs, à la surprise de beaucoup, l'Alliance conservatrice de Ian Smith (CAZ), avec 15 députés, a regagné les sièges qu'elle avait perdus au cours du mandat précédent, tandis que le parti de Bill Irvine, l'IZG (Groupe indépendant du Zimbabwé), qui veut être un soutien critique du gouvernement, n'a pu obtenir que 4 sièges. Le dernier siège à pourvoir a été donné à un indépendant, Chris Andersen.

Parmi les membres du nouveau gouvernement, un seul n'appartient pas à la ZANU : Chris Andersen, qui a eu le portefeuille de ministre d'État chargé de la Fonction publique.

Les mois qui ont précédé les élections ont été particulièrement tendus. Les rebelles, aidés par la ZAPU, selon la ZANU, armés en réalité par l'Afrique du Sud, ont multiplié leurs exactions, meurtres et vols dans le Matabeleland, où l'armée a instauré le couvre-feu en mars. Deux membres de la ZANU et cinq de l'UANC ont été tués. Prenant les violences comme prétexte, le gouvernement a interdit à M. Nkomo d'intervenir dans la campagne. Après les élections, la situation n'a fait qu'empirer. Amnesty International a dénoncé les arrestations arbitraires et de très nombreux cas de torture. Devant les intimidations, des militants de la ZAPU et surtout de l'UANC ont rejoint les rangs de la ZANU. Abel Muzorewa a annoncé son retrait définitif de la politique.

Pour M. Nkomo, le choix était entre rechercher un terrain de « conciliation » avec la ZANU ou bien s'enterrer dans le rôle de contestataire d'un régime promis au parti unique. Des discussions en vue d'une fusion ont été ouvertes en octobre 1985. En mars 1986, il a déclaré que les deux partis formeraient un parti unique « fondé sur les principes socialistes », mais aucune précision n'a été donnée sur les modalités.

En décembre 1985, tous ceux qui possédaient la double nationalité ont dû définitivement choisir l'une d'entre elles : 20 000 personnes ont opté pour la nationalité zimbabwéenne. Cette mesure a été ressentie par les Blancs comme une mise en demeure de se prononcer définitivement ou non en faveur du pays. En 1986, 4 300 fermiers blancs vivent au Zimbabwé et contrôlent le secteur clé de l'agriculture qui procure des devises au pays (maïs, coton, tabac, etc.). Mais les paysans noirs (850 000) occupent une place grandissante et en 1985 ils ont produit 45 % du maïs, ce qui constitue un véritable succès pour le gouvernement. Cette même année, le Zimbabwé a pu dégager un excédent de 176 millions de dollars (145 en 1984) sur sa balance des paiements. Le taux d'inflation a été maintenu à 10 %, mais il risquait de remonter à cause d'une politique d'incitation à la hausse des salaires et d'une augmentation des prix. Enfin, faisant fi des recommandations du FMI, le Zimbabwé a augmenté ses dépenses de 19 % et son budget militaire de 16 % pour assurer les opérations de maintien de l'ordre en Matabeleland et aider le Mozambique à rétablir la paix.

M. Mugabe, qui pour la première fois depuis l'indépendance (1979) s'est rendu à Moscou en décembre 1985, a été nommé président de la Conférence des pays non alignés, qui s'est réunie à Hararé en septembre 1986.

Christiane Chombeau

Afrique australe

Afrique du Sud, Botswana, Lésotho, Namibie, Swaziland

L'**Afrique du Sud** est traitée dans la section « Les 34 grands États ».

République du Botswana
Nature du régime : présidentiel.
Chef de l'État : Dr. Quett Ketumile Joni Masire.
Chef du gouvernement : P.S Mmusi (vice-président).
Monnaie : pula.
Langues : anglais (off.), setswana.

Le **Botswana**, malgré ses difficultés économiques et la pression sud-africaine, a maintenu en 1985 et 1986 une ligne indépendante en Afrique australe.

Après le raid meurtrier mené le 13 juin 1985 par l'armée sud-africaine sur la capitale, Gaborone (qui est aussi le siège de la SADCC, la Conférence de coordination du développement de l'Afrique australe, symbole de l'indépendance économique vis-à-vis de Prétoria), le Conseil de sécurité de l'ONU a condamné les Sud-Africains à payer des réparations. Les dégâts divers entraînés par leurs incursions ont été évalués, pour les neuf pays de la SADCC, à 10 milliards de dollars depuis 1980. Le Botswana a continué cependant, tout en refusant à l'ANC (Congrès national africain) l'utilisation de son territoire, d'accueillir des réfugiés, mais jusqu'à quand ? (En août 1985, certains d'entre eux ont été priés de quitter le pays.)

Le Botswana, qui est l'une des rares démocraties africaines où coexistent plusieurs partis, connaît à la fois succès économiques et difficultés structurelles. Grâce aux revenus du diamant (avec la mine de Jwaneng, 70 % des recettes d'exportation), il peut s'enorgueillir d'un revenu de 1 000 dollars par habitant. Il a dissocié l'évolution de sa monnaie, le pula, de celle du rand sud-africain. Toutefois, le pays souffre d'un sous-emploi endémique et il a connu en 1985 une nouvelle année de sécheresse malgré un très appréciable programme de lutte contre ce fléau. Alors que le Botswana compte parmi les six pays africains qui nécessitent une aide d'urgence, Prétoria n'a pas cessé ses menaces d'intervention.

Royaume du Lésotho
Nature du régime : monarchie constitutionnelle.
Chef de l'État : roi Moeshoeshoe II.
Chef du gouvernement : Justin Lekhanya.
Monnaie : maloti.
Langues : sesotho, anglais.

La vie politique au **Lésotho** a connu en 1985-1986 deux événements qui illustrent bien la dépendance étroite de ce petit royaume enclavé dans l'Afrique du Sud. En effet, sur le plan économique, le pays dépend de son voisin pour plus des deux tiers de ses échanges. A l'instar des bantoustans, le Lésotho manque de terres cultivables et on évalue à 10 % la partie de sa population obligée d'émigrer annuellement. Selon le FAO, la récolte de céréales a toutefois retrouvé un niveau moyen après les dures années de sécheresse.

Le 20 décembre 1985, la capitale, Maseru, a essuyé un raid, par la suite revendiqué par la Lesotho Liberation Army, organisation dont les liens avec Prétoria sont avérés. Le raid a fait neuf morts parmi les réfugiés sud-africains, dont la plupart appartenaient au Congrès national africain (ANC).

C'est bien la question de l'attitude du Lésotho vis-à-vis de Prétoria qui sous-tendait le blocus économique

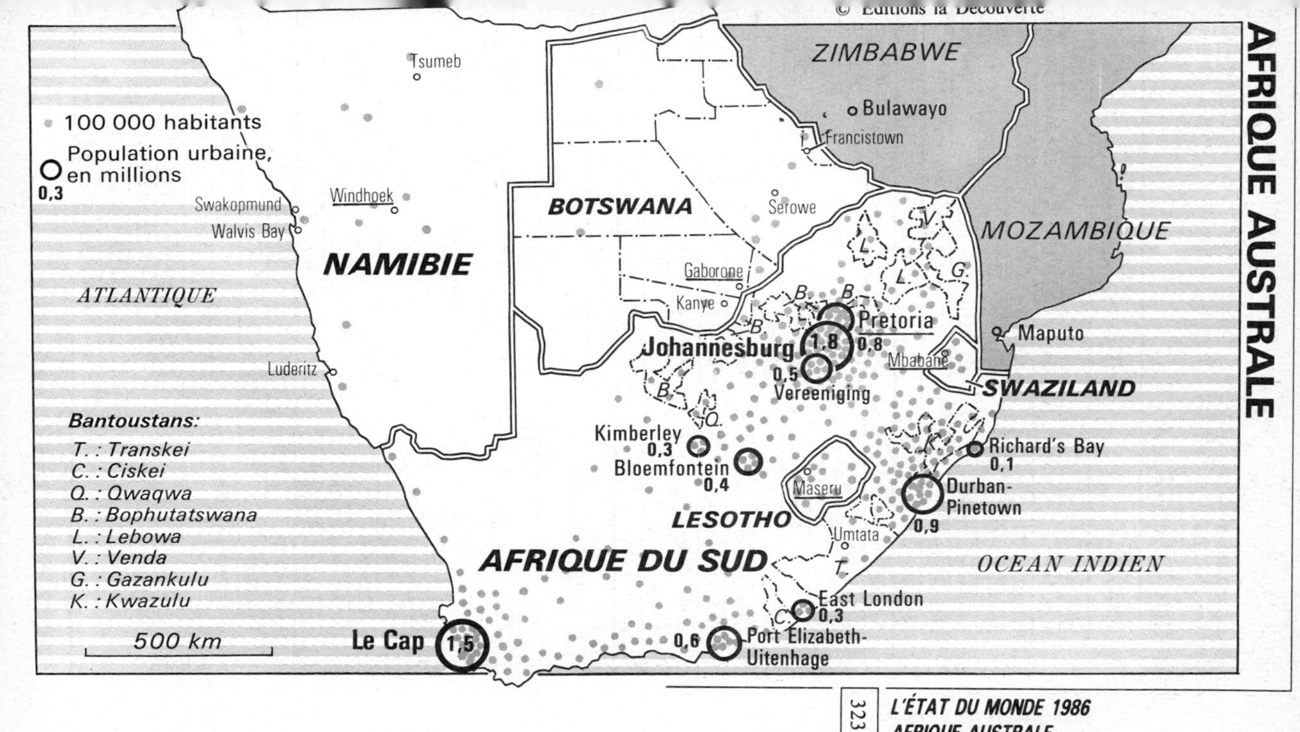
AFRIQUE AUSTRALE
ZIMBABWE
Bulawayo
Francistown
Tsumeb
100 000 habitants
Population urbaine, en millions
0,3
Windhoek
Swakopmund
Walvis Bay
BOTSWANA
Serowe
MOZAMBIQUE
NAMIBIE
Gaborone
Kanye
ATLANTIQUE
Pretoria
0,8
Johannesburg
1,8
Maputo
Mbabane
Luderitz
0,5
Vereeniging
SWAZILAND
Bantoustans:
T. : Transkei
C. : Ciskei
Q. : Qwaqwa
B. : Bophutatswana
L. : Lebowa
V. : Venda
G. : Gazankulu
K. : Kwazulu
Kimberley
0,3
Bloemfontein
0,4
Maseru
Richard's Bay
0,1
Durban-Pinetown
0,9
LESOTHO
Umtata
AFRIQUE DU SUD
OCEAN INDIEN
East London
0,3
500 km
Le Cap
1,5
0,6
Port Elizabeth-Uitenhage

organisé par l'Afrique du Sud en janvier 1986. Le chef de l'État, Lebua Jonathan, qui avait gardé ses distances par rapport à Prétoria, a fini par être victime des effets de ce blocus : il a été renversé à la mi-janvier 1986 par un coup d'État qui a porté au pouvoir le colonel Justin

AFRIQUE AUSTRALE

	INDICATEUR	UNITÉ	AFRIQUE DU SUD	BOTSWANA	LÉSOTHO
	Capitale		Prétoria	Gaborone	Maseru
	Superficie	km²	1 221 037	600 372	30 350
DÉMOGRAPHIE	Population (*)	million	32,4	1,08	1,47[a]
	Densité	hab./km²	26,5	1,8	48,4[a]
	Croissance annuelle[f]	%	2,5	3,3	2,5
	Mortalité infantile	‰	83,0	71,0	101,0
	Population urbaine	%	55,9	19,2	5,8
CULTURE	Analphabétisme	%	50,0[b]	29,2	26,4
	Scolarisation 6-11 ans	%	..	90,9	70,8
	12-17 ans	%	..	55,3	79,7
	3e degré	%	..	1,6[b]	2,2[b]
	Postes tv	‰ hab.	71[c]	–	–
	Livres publiés	titre	..	97[d]	..
	Nombre de médecins[d]	‰ hab.	..	0,05	0,05
ARMÉE	Armée de terre	millier d'h.	76,4	2,85	..
	Marine	millier d'h.	9,0	–	..
	Aviation	millier d'h.	13,0	0,15	..
ÉCONOMIE	PIB	million $	54 339	940[a]	790[a]
	Croissance annuelle 1973-83	%	2,8	10,5	6,4
	1985	%	– 0,7	..	..
	Par habitant	$	1 677	910[a]	530[a]
	Dette extérieure	million $	23,0	281[a]	138[a]
	Taux d'inflation	%	16,0	10,4	..
	Dépenses de l'État Éducation	% PIB	..	7,0[b]	3,9[b]
	Défense	% PIB	3,7[b]	3,6[c]	..
	Production d'énergie[a]	million TEC	107,1	[h]	[h]
	Consommation d'énergie[a]	million TEC	94,5	[h]	[h]
COMMERCE	Importations	million $	11 469	577	504[a]
	Exportations	million $	16 523	685	28[a]
	Principaux fournisseurs	%	Jap 17,0	RSA 82,2[b]	..
		%	Eur. 43,0	Zimb 7,3[b]	..
		%	E-U 23,7	Eur 4,7[b]	..
	Principaux clients	%	E-U & J[i] 29,6	RSA 8,2[b]	..
		%	Eur. 43,3	Eur. 75,2[b]	..
		%	Afr. 8,1	E-U 6,8[b]	..

Lekhanya à la tête d'un conseil militaire favorable à la coopération avec le régime de l'apartheid (la fraction favorable à l'ANC ayant été éliminée). Bien que le nouveau gouvernement n'ait pas signé de pacte avec Prétoria, un premier contingent de soixante réfugiés de l'ANC a été expulsé vers la Zambie en janvier 1986...

NAMIBIE	SWAZILAND
Windhoek	Mbabane
824 290	17 360
1,51[a]	0,65
1,8[a]	37,4
3,4	3,7
106,0	119,0
51,3	26,3
65[g]	32,1
..	87,0
..	74,5
..	3,4[c]
..	4,1[b]
..	..
..	0,13
–	5,0[e]
–	..
–	..
1 660[a]	590[a]
4,1	3,2
..	..
1 470	800[a]
..	195[a]
..	18,2
1,9[c]	5,2[e]
..	..
h	h
h	h
..	443[a]
..	290[a]
..	..
..	..
..	..
..	..
..	..
..	..

La **Namibie** n'est toujours pas indépendante en 1986 et la résolution 435 de l'ONU – qui prévoit l'organisation d'élections libres – est restée lettre morte. La partie diplomatique qui s'est jouée en 1984 et 1985, avec les négociations entre Prétoria et ses voisins et le retrait sud-africain du Sud angolais n'a, en définitive, débouché sur rien de concret. Pire, l'histoire semble être revenue en arrière : un gouvernement intérimaire a de nouveau été installé dans le pays, l'armée sud-africaine a repris son intervention en territoire angolais et la SWAPO (Organisation des peuples du Sud-Ouest africain), le principal mouvement de libération namibien, poursuit sa lutte.

Le 17 juin 1985, Prétoria a mis en place, à Windhoek, un « gouvernement » intérimaire et une assemblée territoriale. Seules y sont représentées les forces politiques qui siégeaient dans l'ancienne coalition de la DTA (Alliance de la Turnhalle), dirigée par Kirk Mudge et qui avait capoté brutalement en 1981, avec le rétablissement des pouvoirs complets de l'administrateur général sud-africain. De nouveau, la SWAPO a été exclue de ce gouvernement, nommé et contrôlé par l'Afrique du Sud et dirigé par M. David Bezuidenhout. On ne voit pas en quoi la répétition du même scénario pourrait changer une situation où tout concourt, comme avant, à l'inféodation

Chiffres 1985, sauf notes : a. 1984; b. 1983; c. 1982; d. 1980; e. 1981; f. 1980-85; g. 1978; h. Inclus dans les chiffres sud-africains; i. États-Unis et Japon.

(*) Dernier recensement utilisable : Afrique du Sud, 1980; Bostwana, 1981; Lésotho, 1976; Namibie, 1970; Swaziland, 1976.

totale de cette institution vis-à-vis de la puissance occupante. Dirk Mudge en est le ministre des Finances. Les secteurs déterminants, comme celui de la défense, relèvent toujours de la compétence de Prétoria, qui maintient dans le pays des forces militaires et policières (30 000 hommes). Des dispositions législatives répressives, comme celle de l'*Intimidation Act*, ont été étendues à la Namibie pour y jouer le même rôle qu'en Afrique du Sud. Le budget propre du territoire a vu sa part doublée pour les dépenses militaires et l'Afrique du Sud, directement ou indirectement, leur consacre désormais 500 millions de rands.

En décembre 1985, le gouvernement sud-africain a repris ses incursions en territoire angolais, selon ses conceptions d'un droit de suite contre les combattants de la SWAPO. De même, le président Pieter Botha a réaffirmé que l'indépendance namibienne était liée au départ des 30 000 soldats cubains stationnés en Angola, point de vue de nouveau dénoncé à Luanda. Les forces de la SWAPO, en dépit des exactions militaires sud-africaines et des méthodes de torture et d'arrestations internationalement dénoncées, n'en ont pas été réduites pour autant, malgré leurs pertes humaines.

Tout concourt donc à une situation bloquée, intriquée dans les influences des deux superpuissances, dont les peuples de Namibie sont l'otage. La SWAPO a dénoncé des projets de nouvelle partition du territoire, dans la bande de Caprivi.

Au plan économique, les ressources du pays proviennent principalement des richesses minières, dans un contexte de sous-emploi et d'inflation élevée (12 %), pour le profit des groupes internationaux qui défient les interdictions de l'ONU.

Comme le Lésotho, le **Swaziland** est dans une position intenable vis-à-vis de l'Afrique du Sud. Il dispose d'une frontière commune avec le Mozambique – ce qui lui pose d'ailleurs le problème des réfugiés de ce pays qui fuient les zones de combat –, mais il n'a aucun débouché sur la mer.

Royaume du Swaziland (Ngwane)
Nature du régime : monarchie constitutionnelle.
Chef de l'État : roi Mswati III.
Chef du gouvernement : prince Bhekimpi Dlamini.
Monnaie : lilangeni.
Langue : anglais.

A bien des égards, sa situation le rapproche de celle des bantoustans sud-africains. Il dépend, pour près de 90 % de ses ressources, de l'Union douanière sud-africaine (SACU) et sa principale denrée d'exportation, le sucre, est soumise aux aléas du marché mondial. Sa monnaie, l'emalangeni, est rattachée au rand. A la fin de 1985, les Swazi Railways ont annoncé l'ouverture d'une nouvelle voie ferrée, traversant le pays du Nord au Sud, qui devait faciliter les transports sud-africains de la province du Transvaal vers le Natal.

Sur le plan politique, le pays a vécu une crise larvée depuis la mort du roi Sobhuza II en août 1982, marquée par des conflits et complots internes à la famille royale, et des affaires de corruption. L'avènement de la reine Ntombi, éliminant la reine Delizwe, en avait été un des éléments en 1983. La lutte tourne aussi autour du rôle du Liqoqo, le conseil suprême d'État : deux de ses membres éminents, G. Mbisi et le prince Mfanasibili Dlamini, en ont été évincés en octobre 1985. Ce dernier a été arrêté en février 1986 et le Premier ministre a annoncé sa traduction en justice pour subversion. Ce n'est pas l'accession au trône, le 25 avril 1986, du prince héritier Makhosetivo, devenu Mswati III (le lion), qui devrait changer les choses, et en particulier la chasse aux réfugiés de l'ANC.

Jean-Claude Barbier

Océan Indien

Comores, Madagascar, Maurice, Réunion, Seychelles

République fédérale islamique des Comores
Nature du régime : présidentiel.
Chef de l'État et du gouvernement : Ahmed Abdallah.
Monnaie : franc comorien.
Langues : comorien (voisin du swahili), français.

Aux **Comores**, les vices d'une économie totalement extravertie ont été aggravés par la mévente du girofle et de la vanille. Le groupe dominant de *compradores* nationaux et de mercenaires se déchire dans une atmosphère de malaise croissant. Le secrétaire général du parti unique, l'Union comorienne pour le progrès (UCP), a évoqué publiquement, fin 1985, la « persistante dégradation de la situation économique », le « climat de divisions, de tiraillements, de vengeances, de provocations ». Le « trou » annuel du budget (1,5 à 2 milliards de francs comoriens sur 8 milliards) n'est comblé qu'en fonction de jeux stratégiques troubles. Première pour l'aide, la France n'est pourtant plus maîtresse du jeu, face à l'Afrique du Sud et aux États-Unis qui financent la garde présidentielle et ses mercenaires. L'aviation de Prétoria veille continûment sur le pays; une station d'écoute sud-africaine est établie près d'Itsandra; Moroni a servi de plaque tournante à un trafic d'armes pour le mouvement de Résistance nationale du Mozambique (RNM). Les États-Unis ont établi une ambassade en août 1985, apporté une aide militaire et favorisé le rapprochement avec Madagascar.

Sur ce fond de guerre secrète se joue une partie politique où seule la répression accrue est chose claire. Le complot de la garde présidentielle (8 mars 1985), peut-être monté de toutes pièces, a été l'occasion de nombreuses arrestations; le 8 novembre, dix-sept personnes ont été condamnées à la prison à perpétuité, dont le secrétaire général du Front démocratique, Moustafa Saïd Sheikh. Pour beaucoup, la succession d'Ahmed Abdallah est ouverte; d'où un ballet de personnalités entre Moroni et l'opposition en exil. Abdallah Mouzaoir avait pris en France le leadership de l'Union nationale pour la démocratie des Comores (URDC), mais a regagné Moroni en octobre, laissant la place à Mohamed Taki, en exil de fait et pourtant encore président de l'Assemblée! Liée au Front démocratique, l'Organisation comorienne demokrasi mpiya (OCDM) paraît moins mêlée à ces intrigues, mais certains la verraient entrer dans une union de l'opposition autour d'Ali Mroudjae, ancien Premier ministre, pour l'instant confiné dans un exil intérieur.

Faut-il alors s'étonner du séparatisme de Mayotte? Aux élections cantonales de mars 1985, le Front démocratique n'a recueilli que 5 % des voix, et cela n'était pas dû aux seules pressions de l'« élite » créole du Mouvement populaire mahorais (MPM), favorable à la départementalisation. Aux élections législatives de mars 1986, les partisans d'un rattachement à la République des Comores n'ont même pas présenté de candidat! Au printemps 1986, rien n'annonçait la fin de l'imbroglio juridique mahorais.

République démocratique de Madagascar
Nature du régime : présidentiel.
Chef de l'État : amiral Didier Ratsiraka.
Chef du gouvernement : Désiré Rakotoarijoana.
Monnaie : franc malgache non lié à la zone franc.
Langues : malgache, français.

A **Madagascar**, selon un document de la Banque mondiale, « les vigoureux efforts de redressement menés par le gouvernement se traduisent par des conséquences socialement intolérables ». On ne saurait mieux dire... Certains indicateurs macro-économiques qui s'étaient améliorés en 1984 (taux de croissance, inflation, exportations) se sont à nouveau détériorés. L'équilibre des finances publiques est resté précaire en 1985 : les remboursements au FMI ont été supérieurs aux droits de tirage. Surtout, la comptabilité ne rend pas compte de la misère et du désordre économique et social. La reprise des activités est faible. Les aides ont permis de remettre en route des usines mais la production industrielle est restée au-dessous de son niveau de 1970.

L'agriculture est stagnante : de légers progrès ont été enregistrés pour le coton et l'arachide, mais la production de riz est en légère baisse, et des plantations de café n'ont pas été renouvelées. Le bas niveau des prix d'achat au producteur suffirait à dissuader de produire. Le riz est acheté à un dixième de son prix au marché noir. La suppression du monopole d'achat de l'État n'a pas eu d'effet positif, car les acheteurs sont restés les mêmes et gagnent plus encore sur le riz importé. En 1984, sur un kilo de café, le producteur ne touchait que 3,8 francs, un quart du prix FOB.

L'insécurité chronique décourage peut-être plus encore : avoir des biens c'est s'exposer au vol, voire risquer sa vie. En ville, le salaire ouvrier moyen, que beaucoup n'ont pas, ne permet plus d'assurer le riz quotidien. A Tananarive, un quart de la population vit au-dessous du « seuil de pauvreté absolue », tandis que l'« élite » consomme à un niveau encore jamais atteint. L'étatisation de l'économie a enrichi des rentiers de la contrebande et du marché noir. Privatisation et appel au capital étranger sont à l'ordre du jour : de discrètes négociations ont été menées, notamment avec la Société commerciale de l'Ouest africain (SCOA) et les Sucreries de Bourbon (Réunion). Mais, très favorable aux étrangers, le nouveau code des investissements a suscité l'opposition conjuguée de « bourgeois nationaux » et de socialistes sincères. Marx est passé de mode ; le président a déclaré dans une assemblée œcuménique : « Dieu commande à l'Univers ; que son nom soit béni. »

Mais la libéralisation n'a pas touché la vie politique : alors que les partis sont sans prise sur le réel, la répression frappe mouvements d'autodéfense paysans ou groupes urbains de pratiquants d'arts martiaux. Au massacre des TTS – « Jeunesses conscientisées » – par les Kung-fu, en décembre 1984, a répondu, le 31 juillet 1985, la destruction, par des engins blindés, de la villa du leader Kung-fu (des dizaines de morts), suivie de nombreuses arrestations. Les Kung-fu tentaient d'empêcher le marché noir et avaient fourni un service d'ordre au Monima et au MFM (mouvement prolétarien), les plus critiqués des partis du « Front ».

Non-aligné, Madagascar l'est resté à sa manière : très bon élève du FMI, bien vu des États-Unis, fortement aidé par la France, le gouvernement, où les « idéologues » contrôlent l'information et la jeunesse, compte sur l'Est pour l'essentiel de son armement et sa police : une répartition des tâches déjà vue ailleurs...

Maurice

Nature du régime : parlementaire.
Chef de l'État : reine Elizabeth II, représentée par un gouverneur.
Chef du gouvernement : Anerood Jugnauth, Premier ministre.
Monnaie : roupie mauritienne.
Langues : anglais, créole, français, langues indiennes.

A l'**île Maurice**, le « père de l'indépendance », Sir Seewoosagur Ramgoolam, est mort au terme d'une année politiquement trouble. Affaiblie par la défection du Parti travailliste, l'hétéroclite coalition qui s'oppose au Mouvement militant

OCÉAN INDIEN

SOMALIE
Mogadiscio
OCEAN INDIEN
KENYA
Mombasa
Victoria
SEYCHELLES
60
Dar es Salam
TANZANIE
COMORES
430
Glorieuses (Fr.)
Moroni
Diego Suarez
Mayotte
(Fr.) 55
MOZ.
Majunga
Détroit de Mozambique
Juan de Nova
(Fr.)
MADAGASCAR
Tamatave
0,8
Tananarive
MAURICE
990
Port-Louis
Morondava
Antsirabe
Bassas da India
(Fr.)
St-Denis
Fianarantsoa
Réunion (Fr.)
530
Tulear
Fort-Dauphin

Pour Madagascar
100 000 habitants

Pour les autres îles, chiffres de population en milliers d'habitants

500 km

mauricien (MMM) a continué de se déchirer. Le plus grand diviseur est Gaétan Duval : le leader du Parti mauricien social-démocrate a mené

OCÉAN INDIEN

	INDICATEUR	UNITÉ	COMORES	MADAGASCAR	MAURICE
	Capitale		Moroni	Antananarivo	Port-Louis
	Superficie	km^2	2 170	587 040	2 045
DÉMOGRAPHIE	Population (*)	million	0,43[a]	9,73[a]	0,99
	Densité	hab./km^2	198,2[a]	16,6[a]	481,1
	Croissance annuelle[i]	%	3,5	3,0	1,7
	Mortalité infantile	‰	80,0	59,0	27
	Population urbaine	%	14,0	21,8	56,8
CULTURE	Analphabétisme	%	55,1[c]	32,5	17,2
	Scolarisation 6-11 ans	%	..	87,4	94,5
	12-17 ans	%	..	32,0	60,9
	3[e] degré	%	..	4,2[c]	0,6[b]
	Postes tv	‰ hab.	–	7,6[b]	86[b]
	Livres publiés	titre	..	418[b]	80[c]
	Nombre de médecins	‰ hab.	0,07[e]	0,10[g]	0,53[e]
ARMÉE	Armée de terre	millier d'h.	..	20,0	..
	Marine	millier d'h.	..	0,6	..
	Aviation	millier d'h.	..	0,5	..
ÉCONOMIE	PIB	million $	99[a]	2 329	1 039
	Croissance annuelle 1973-83	%	2,7[h]	0,0	3,5
	1985	%	..	– 1,5	5,5
	Par habitant	$	229	232	1 050
	Dette extérieure[a]	million $	106,8	1 867,4	560
	Taux d'inflation	%	..	14	4,6
	Dépenses de l'État Éducation	% PIB	5,4[c]	2,3[b]	4,0[b]
	Défense	% PIB	..	2,3	..
	Production d'énergie[a]	million TEC	–	0,03	0,008
	Consommation d'énergie[a]	million TEC	0,018	0,51	0,274
COMMERCE	Importations	million $	43[a]	386	521
	Exportations	million $	7[a]	303	454
	Principaux fournisseurs	%	CEE 60,9[e]	PCD 52,0	PCD 49,0
		%	Fra 56,2[e]	Fra 25,9	CEE 33,0
		%	E-U 1,1[e]	PVD 36,2	PVD 48,2
	Principaux clients	%	CEE 82,3[e]	PCD 71,8	R-U 41,2
		%	Fra 48,4[e]	Fra 25,1	Fra 19,7
		%	E-U 4,5[e]	E-U 15,7	E-U 13,9

sa propre politique étrangère et économique, insoucieux de l'opinion de ses collègues. Membre actif de la « South African Connection », il est lié à la branche africaine de la Ligue mondiale anticommuniste; il voudrait, avec la zone franche, faire de l'île un second Hong Kong. L'arrestation, début 1986, à Amsterdam, pour trafic de drogue, d'un député de la majorité n'est que l'élément le plus spectaculaire d'une crise rampante. Net gagnant des élections municipales de décembre 1985, avec 62 % des voix, le M M M était fondé à réclamer des élections anticipées. La tension est allée croissant et les libertés publiques, bien plus développées que sur le continent africain, ont parfois été battues en brèche.

L'industrie sucrière, vieillie, attend toujours une restructuration et sa suprématie est contestée. Les exportations de thé ont fortement baissé en 1985, alors que les deux secteurs dynamiques ont été le tourisme et surtout les industries de la zone franche. En 1984, cinquante nouvelles usines (8 500 emplois) y ont été créées, et ses exportations, en augmentation de 65 %, représentaient 42 % des exportations totales. Ce « coup de fouet » explique en partie un taux de croissance de 5,6 % (4 % en 1984) et un taux de chômage réduit à 17 %. Mais la balance des paiements s'est détériorée, et le service de la dette a triplé depuis 1982. Surtout, ce type de croissance n'est guère porteur d'avenir : la zone franche, sans industries de haute technologie, fournit un emploi surtout féminin; à l'inverse de Hong Kong, Maurice cherche sans succès à exporter de la main-d'œuvre.

RÉUNION	SEYCHELLES
Saint-Denis	Victoria
2 520	280
0,53[a]	0,06[a]
210,3[a]	214,3
1,6	1,2
18,0	66[c]
59,8	37[d]
..	..
..	..
..	..
..	..
165[c]	8[b]
..	33[e]
..	..
–	1,0
–	0,1
–	–
1 950[a]	160[b]
1,7	4,3
..	..
3 690[a]	2 430[b]
..	62,1
..	0,5
..	9,0[c]
..	5,8[b]
0,06	–
0,40	0,05
761,2	101
67,0	28,7
PCD 80,2	PCD 59,5
Fra 67,7	CEE 49,8
PVD 14,2	Bahr 9,2
PCD 75,0	PCD 55,8
Fra 62,6	Ital 26,9
PVD 22,3	Thai 5,6

La vocation régionale de l'île de la **Réunion**, département français d'outre-mer, s'est affirmée grâce à la

Chiffres 1985, sauf notes : a. 1984; b. 1983; c. 1982; d. 1977; e. 1980; f. 1977; g. 1981; h. 1973-82; i. 1980-85; j. 1980-83.

(*) Dernier recensement utilisable : Comores, 1980; Madagascar, 1975; Maldives, 1985; Maurice, 1972; Réunion, 1982; Seychelles, 1977.

participation de la France à la Commission de l'océan Indien, effective depuis la fin de 1985. Un signe : la polémique sur le rôle d'Air France, dont la ligne est plus un cordon ombilical qu'un instrument de rayonnement régional; on parle de créer une compagnie locale.

L'accord de coopération passé fin 1985 entre la France, les Comores, Maurice et Madagascar pour la pêche au thon pourrait contribuer à créer de nouvelles activités. L'inauguration du nouveau port de la Possession est un incontestable atout. Les regards des milieux d'affaires se tournent particulièrement vers Madagascar, où les missions de la Chambre de commerce se sont succédé. Les difficultés de l'économie malgache incitent certains à une sorte de recolonisation économique : les Sucreries de Bourbon, qui sont déjà présentes dans la distillerie de rhum et la culture du maïs (5 000 hectares), envisagent d'assurer la gestion de l'industrie sucrière malgache.

Aux **Seychelles**, l'année 1985 a été bonne, semble-t-il : calme politique interne; inflation nulle, balance des paiements excédentaire. L'industrie touristique a retrouvé son maximum de 1979. La pêche du thon par navires senneurs est en plein développement : elle est certes le fait de navires français et espagnols, mais elle assure de bonnes rentrées financières. Si le gouvernement d'opposition en exil constitué par David Joubert n'a pas de réalité, le Mouvement national seychellois, qu'ont rallié nombre d'anciens partisans de James Mansham (ancien chef de l'État renversé en 1977), a plus de poids. L'assassinat à Londres, en décembre 1985, de son leader, Gérard Hoarau, a donné une crédibilité accrue à sa dénonciation de l'implantation dans l'archipel de la Mafia, et notamment de Mario Ricci. Il est d'étranges touristes...

> **République des Seychelles**
> **Nature du régime :** présidentiel.
> **Chef de l'État et du gouvernement :** France-Albert René.
> **Monnaie :** roupie seychelloise.
> **Langues :** créole, anglais, français.

Jean-Pierre Raison

Amérique centrale

Bélize, Costa Rica, Guatémala, Honduras, Nicaragua, Panama, Salvador

> **Bélize**
> **Nature du régime :** démocratie parlementaire, membre du Commonwealth.
> **Chef de l'État :** reine Élisabeth II, représentée par un gouverneur : Dame Minita Gordon.
> **Premier ministre :** Manuel Esquivel.
> **Monnaie :** dollar bélizéen.
> **Langues :** anglais (off.), espagnol, langues indiennes (ketchi, maya-mopon), garifuna.

Au **Bélize,** le gouvernement conservateur de Manuel Esquivel a dû affronter en 1985 une situation économique difficile, notamment avec la chute du prix du sucre sur le marché international. Par ailleurs, il a confirmé sa politique d'ouverture aux investissements étrangers, comme l'a montré la vente très controversée dans le pays de 13 % du territoire à Coca-Cola Food Project et à deux autres partenaires. Le gouvernement a entrepris un développement indispensable de l'infrastructure routière. Mais pour de nombreux Bélizéens, la solution reste l'émigration (50 000 vivent aux États-Unis). Le plus lucratif pour le pays a été la production de marijua-

AMÉRIQUE CENTRALE

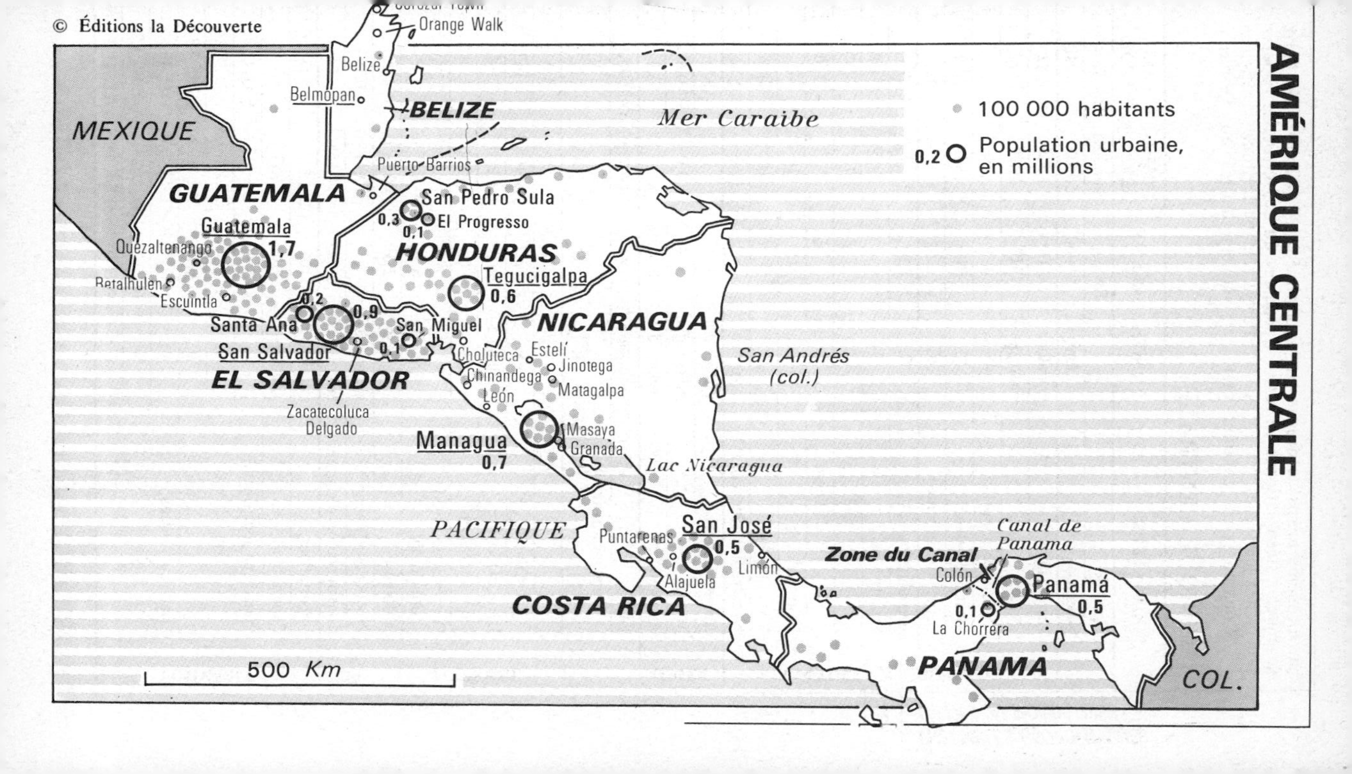

na. En même temps, la drogue est devenue un fléau national, en particulier chez les jeunes.

Un nouveau parti politique s'est constitué le 30 juin 1985, le Parti populaire du Bélize (Belize Popular Party), scission de droite (chrétienne et anticommuniste) du Peoples's

AMÉRIQUE CENTRALE

	INDICATEUR	UNITÉ	BÉLIZE	COSTA-RICA	SALVADOR
	Capitale		Belmopan	San José	San Salvador
	Superficie	km²	22 960	50 700	21 040
DÉMOGRAPHIE	Population (*)	million	0,16[a]	2,53[a]	4,82
	Densité	hab./km²	7,0[a]	49,9[a]	229,1
	Croissance annuelle[e]	%	1,9	2,6	2,9
	Mortalité infantile	‰	30[b]	18,0	60,0
	Population urbaine	%	. .	45,9	43,0
CULTURE	Analphabétisme	%	8,8[d]	6,4	27,9
	Scolarisation 6-11 ans	%	. .	94,2	73,7
	12-17 ans	%	. .	57,7	61,4
	3e degré	%	. .	26,3[b]	11,9[b]
	Postes tv[b]	‰ hab.	. .	76	63
	Livres publiés	titre	. .	71[d]	144[d]
	Nombre de médecins	‰ hab.	. .	0,83[c]	0,32[c]
ARMÉE	Armée de terre	millier d'h.	0,55	8,0 (total)	38,6
	Marine	millier d'h.	0,04		0,6
	Aviation	millier d'h.	0,02		2,3
ÉCONOMIE	PIB	million $	193	3 655,4	5 606,4
	Croissance annuelle 1973-83	%	5,6	2,4	– 0,2
	1985	%	. .	1,6	1,6
	Par habitant	$	1 226	1 408	1 163
	Dette extérieure	million $	86,3[a]	4 240	2 100
	Taux d'inflation	%	– 0,3	10,9	31,9
	Dépenses de l'État Éducation	% PIB	6,5[b]	6,0[b]	3,7[c]
	Défense	% PIB	2,0[a]	0,6[a]	4,2[a]
	Production d'énergie[a]	million TEC	–	0,37	0,19
	Consommation d'énergie[a]	million TEC	0,085	1,15	0,94
COMMERCE	Importations	million $	103	1 108	937
	Exportations	million $	90	957	641
	Principaux fournisseurs	%	E-U 48,2	E-U 37,1	E-U 42,8
		%	R-U 9,3	CEE 13,3	AL 38,2
		%	AL 22,4	AL 30,8	CEE 7,8
	Principaux clients	%	E-U 57,9	E-U 41,4	E-U 46,6
		%	R-U 22,6	AL 23,4	CEE 15,7
		%	AL 10,3	CEE 18,7	AL 21,2

United Party (PUP) de Georges Price qui avait été vingt-sept ans au pouvoir.

En ce qui concerne les rapports

GUATÉ-MALA	HONDU-RAS	NICA-RAGUA	PANAMA
Guatémala	Tegucigalpa	Managua	Panama
108 890	112 090	130 000	77 080
7,96	4,37	3,16[a]	2,18
73,1	39,0	24,3[a]	28,3
2,9	3,4	3,4	2,1
57,0	69,0	73,0	23,0
41,4	39,9	59,4	51,9
45,0	40,5	13,0[d]	11,8
52,3	69,8	63,0	98,3
38,3	46,6	57,0	77,9
6,7[c]	9,7[b]	12,8[b]	22,3[b]
25	13	65	122
574[c]	61[c]	..	171[c]
..	0,40[b]	0,67[b]	1,00[c]
30,0	14,6	60,0	11,5
1,0	0,5	0,8	0,3
0,7	1,5	2,0	0,2
9 110[a]	3 359,5	2 700[a]	4 210[a]
3,7	3,9	– 1,3	4,8
– 1,5	3,0	– 2,5	1,5
1 120[a]	769	870[a]	2 100[a]
2 450	2 440	4 370	5 140
31,5	3,6	334,4	0,4
1,8[b]	4,3[c]	4,0[c]	5,5[b]
1,9[a]	2,9[a]	9,8[b]	1,9[a]
0,42	0,11	0,06	0,18
1,58	0,95	0,88	1,58
1 175	585	813	1 061
1 208	406	298	335
E-U 35,3	E-U 43,2	E-U 7,3	E-U 17,3
CEE 10,8	CEE 12,8	CAEM 16,0	Jap 20,4
AL 41,5	AL 27,3	AL 38,4	AL 18,0
E-U 33,6	E-U 49,0	E-U 13,5	E-U 36,7
CEE 12,3	CEE 22,8	CEE 23,0	CEE 19,2
AL 31,6	AL 11,8	AL 10,4	AL 5,9

avec le Guatémala, les Bélizéens se sont montrés très optimistes depuis l'arrivée de Vinicio Cerezo à la présidence du pays voisin. Les militaires guatémaltèques, de leur côté, ne revendiquent plus l'annexion du Bélize, mais uniquement un débouché sur la haute mer, côté atlantique, ce qui est certes plus négociable.

République du Costa Rica

Nature du régime : démocratie parlementaire.
Chef de l'État et du gouvernement : Oscar Arias Sanchez.
Monnaie : colón.
Langues : espagnol, créole.

La position du **Costa Rica** a continué d'osciller en 1985 entre la complaisance à l'égard des activités des opposants au régime de Managua et les déclarations de neutralité dans les conflits centraméricains. Les limites de cette « neutralité » s'expliquent d'ailleurs par la forte injection de capitaux nord-américains qui ont permis une stabilisation de l'économie. La dette extérieure s'élevait en 1986 à 4 milliards de dollars. Par ailleurs, l'année 1986 a commencé pour le Costa Rica sous une conjoncture favorable : hausse du prix du café et baisse du prix du pétrole.

Les rapports avec le Nicaragua ont traversé plusieurs phases : gel des relations diplomatiques après la mort de deux gardes civils costariciens en mai 1985, puis rétablissement des relations le 10 février 1986, enfin, décision prise entre le président Luis Alberto Monge et le Nicaragua de créer une commission de surveillance de la frontière com-

Chiffres 1985, sauf notes : a. 1984; b. 1983; c. 1982; d. 1980; e. 1980-85.

(*) Dernier recensement utilisable : Bélize, 1980; Costa-Rica, 1973; Salvador, 1971; Guatémala, 1981; Honduras, 1974; Nicaragua, 1971; Panama, 1980.

mune, encouragée par le groupe de Contadora.

C'est le thème de la guerre et de la paix qui a dominé la campagne électorale et les élections à la fois présidentielles et législatives du 2 février 1986, dont le vainqueur, Oscar Arias Sánchez, du Parti de libération nationale (parti sortant, membre de l'Internationale socialiste), a obtenu 54 % des suffrages. Son principal adversaire, Rafael Calderón Fournier, du Parti de l'union sociale chrétienne (PUSC), soutenu par la Démocratie chrétienne internationale, a recueilli 44 % des voix. La victoire des « libérationnistes » exprime la volonté de paix de la population costaricienne : en effet, si ceux-ci sont résolument antisandinistes (quoique avant tout très xénophobes à l'égard des Nicaraguayens en général, même des *contras*), ils ne sont guère disposés à s'engager dans un conflit contre le Nicaragua. Arias a su capter cette volonté pacifique, alors que Calderón s'était lancé dans un discours belliqueux contre le pays voisin. Ces élections, auxquelles ont participé 82 % des électeurs, ont prouvé une fois de plus la position massivement modérée des *Ticos*. La gauche, divisée en deux coalitions, Peuple uni et Alliance populaire, n'a obtenu que 1,3 % des suffrages pour les présidentielles et 5,1 % pour les législatives.

Arias, officiellement président depuis le 8 mai 1986, apparaît comme un facteur de modération dans l'escalade régionale, et, malgré la difficulté de l'entreprise, plus critique à l'égard des États-Unis que son prédécesseur. Mais la situation interne du pays s'annonçait difficile pour lui, car il devait notamment trouver avec la Banque mondiale la formule adéquate qui puisse être acceptée par un pays déjà très éprouvé économiquement, afin d'obtenir les crédits souhaités.

Au **Guatémala**, après avoir affronté une mobilisation sociale importante pendant l'été 1985 qui s'est soldée par une douzaine de morts, les militaires, incapables d'affronter la crise économique, ont cédé le pouvoir aux civils. Le vainqueur élu au second tour des élections du 8 décembre 1985, Vinicio Cerezo Arévalo, a obtenu 67,24 % des suffrages, contre 32,76 % à son principal adversaire, Jorge Carpio, de l'Union du centre national (UCN). Premier président civil depuis vingt-trois ans, il a pris possession officiellement du pouvoir le 14 janvier 1986, dans un pays exsangue, profondément marqué par une répression militaire de plusieurs décennies.

République du Guatémala

Nature du régime : régime civil issu d'élections.

Chef de l'État et du gouvernement : Vinicio Cerezo Arévalo.

Monnaie : quetzal.

Langues : espagnol, 23 langues indiennes (quiché, cakchiquel, mam, etc.), garifuna.

Le pays est en proie à une grave crise économique mais aussi à une vague de criminalité sans précédent, que le nouveau gouvernement ne parvient pas à contrôler. L'action des groupes paramilitaires et les revendications du Groupe de soutien mutuel (GAM, qui regroupe de nombreux parents de disparus) constituent deux grands défis pour Vinicio Cerezo. Cependant, pour ce dernier, il n'est pas question de juger les militaires dont il a d'ailleurs besoin pour lutter contre les organisations de guérilla regroupées au sein de l'Union nationale révolutionnaire guatémaltèque (UNRG). Celles-ci n'ont pas baissé les armes, même si leurs troupes se sont réduites à la suite du retrait volontaire de nombreuses bases indiennes, et en raison de l'efficacité de la lutte contre-insurrectionnelle menée par les militaires. Par ailleurs, il leur est devenu de plus en plus difficile d'obtenir des soutiens de l'étranger pour lutter contre le gouvernement civil, très favorablement accueilli par la communauté internationale. Au printemps 1986, il semblait que Vinicio Cerezo pourrait accepter un éventuel dialogue, mais certainement pas avant la fin de l'année. Il préférerait, comme il l'a proposé, que la guérilla s'intègre à la lutte politique légale. En attendant, la poursuite de la lutte armée justifie le pouvoir des militaires dont personne n'ignore l'influence sur un gouvernement civil qu'ils ont aidé à mettre en place. Depuis l'investiture du nouveau président, ils se sont montrés cependant très discrets; ils ont respecté le jeu démocratique et ils ont poursuivi à leur guise la lutte dans les régions insoumises, ce qui a amené diverses organisations de défense des droits de l'homme à reconnaître que ceux-ci continuaient d'être violés au Guatémala depuis l'arrivée d'un président civil. Cerezo, de son côté, n'a rien fait qui pût froisser les militaires.

Mais c'est surtout au puissant Comité coordinateur des associations agricoles, commerciales, industrielles et financières (CACIF) que le président allait devoir tenir tête pour mettre en œuvre les mesures sociales, même les plus timides, susceptibles de donner à son gouvernement la crédibilité nécessaire auprès des secteurs populaires. Autre problème : le retour des très nombreux Guatémaltèques réfugiés au Mexique. Le président lui-même estimait que les conditions d'accueil et de sécurité n'étaient pas encore remplies et les réfugiés, dans leur majorité, préféraient observer l'évolution de la situation interne du pays avant de rentrer chez eux (des pourparlers ont été entamés sur ce sujet entre le Mexique et le Guatémala).

Sur le plan international, Vinicio Cerezo apparaît de plus en plus comme un leader au niveau centraméricain, où il préconise une « neutralité active » : neutralité dans le sens d'un refus de s'engager dans les conflits de la région et d'une volonté de conserver de bonnes relations avec ses voisins, en particulier avec le Nicaragua (donc continuation de la politique extérieure des militaires qui entretiennent des rapports de bon voisinage avec Managua), et « active » dans la mesure où il veut lancer des initiatives favorisant la compréhension entre les pays centraméricains, comme la proposition acceptée par toute la région de créer un Parlement centraméricain.

République du Honduras

Nature du régime : civil étroitement contrôlé par l'armée.
Chef de l'État et du gouvernement : José Simón Azcona Hoyo.
Monnaie : lempira.
Langues : espagnol (off.), langues indiennes (miskito, sumu, paya, lenca, etc.), garifuna.

Au **Honduras**, où les deux déterminants de la vie politique sont l'ambassade des États-Unis et l'armée, les élections du 24 novembre 1985 se sont déroulées sans fraude et calmement. Le Parti libéral a emporté la présidence avec 51,4 % des suffrages, contre le Parti national qui en a recueilli 45,4%, confirmant l'importance écrasante de ces deux partis traditionnels dans le panorama politique hondurien. Au nouveau président, José Azcona Hoyo, investi dans ses fonctions le 27 janvier 1986, il incombait d'unir les quatre tendances du Parti libéral. Il a hérité par ailleurs d'une dette extérieure de 2 500 millions de dollars, et d'un taux de chômage de plus de 40 %.

Mais surtout, il a pris la direction d'un pays dont la souveraineté nationale est de plus en plus hypothéquée. Avec trois armées sur son sol (hondurienne, nord-américaine et *contra* nicaraguayenne), le Honduras dispose d'une marge de manœuvre qui s'est réduite progressivement, même si les quelques signes de mauvaise humeur qu'il a manifestés n'ont pas encore remis en cause sa politique d'alliance avec les États-Unis. Cependant, l'armée hondurienne n'est pas à l'abri de tensions internes concernant les frontières avec le Nicaragua et le Salvador. Le 1er février 1986, la « démission » du commandant des forces armées, le général Walter López Reyes (avant tout nationaliste), remplacé par le général Humberto Regalado Hernández, est à inscrire dans ces remous internes de l'armée liés à des appréciations divergentes quant à la fonction du Honduras sur l'échiquier centraméricain.

Les rapports avec le Salvador sont restés froids : ce dernier considère les camps de réfugiés salvadoriens au Honduras comme des repaires de guérilleros, et le litige frontalier entre les deux pays n'ayant pu être résolu, il devait être porté devant la Cour internationale de justice de La Haye. De quoi raviver le nationalisme de part et d'autre, ce qui n'entre guère dans les objectifs de Washington.

Avec 12 000 *contras* nicaraguayens armés au Honduras, les conflits se sont succédé à la frontière nicaraguayenne, démesurément grossis par les États-Unis. José Azcona s'est pourtant déclaré en faveur de la paix dans la région. Un élément nouveau est apparu cependant : l'opinion publique s'est montrée choquée par la multiplication des cas de SIDA et de prostitution des enfants depuis l'arrivée des soldats nord-américains. On est loin d'un soutien populaire à un engagement accru du Honduras aux côtés des États-Unis contre le Nicaragua !

République du Nicaragua

Nature du régime : révolutionnaire en voie d'institutionnalisation.
Chef de l'État et du gouvernement : Daniel Ortega Saavedra.
Monnaie : córdoba.
Langues : espagnol (off.), créole, langues indiennes (miskito, sumu, rama), garifuna.

La situation économique du **Nicaragua** n'a cessé de se détériorer en 1985. La vie quotidienne de la population est devenue de plus en plus difficile (cartes de rationnement, manque de transports, etc.), engendrant mécontentement et lassitude. L'embargo commercial décrété par les États-Unis le 1er mai 1985, mais surtout la guerre qui s'est poursuivie sur les deux fronts, nord et sud, expliquent en grande partie cette pénurie. En même temps, la guerre a entraîné une migration massive de la campagne vers la ville. Ce pourrissement interne de la situation au Nicaragua est certainement plus efficace pour les États-Unis qu'une intervention directe, puisqu'il joue contre le projet sandiniste. Autre sujet de préoccupation : le refus de nombreux jeunes de faire le service militaire obligatoire, qui implique l'envoi sur le front.

Au milieu des agressions, le Nicaragua a institutionnalisé sa révolution : la nouvelle constitution devait être discutée tant par la population que par l'Assemblée nationale. Le problème de la côte Atlantique a fait l'objet d'un changement d'attitude radical de la part du gouvernement : les sandinistes considèrent désormais que l'autonomie de la côte Atlantique constitue l'une des conditions de l'unité nationale. Une Commission nationale d'autonomie a été créée et un projet d'autonomie a été rendu public en juillet 1985, qui doit être discuté par les communautés concernées et par l'Assemblée nationale. En même temps, les retours vers le Río Coco ont été amorcés (notamment des Miskitos qui avaient été transférés en 1982 à Tasba Pri; d'autres sont rentrés du Honduras à la faveur de l'amnistie de décembre 1983).

Les conversations n'ont pas repris entre le Front sandiniste de libération nationale et MISURASATA, organisation indienne basée au Costa Rica et dirigée par Brooklyn Rivera. Mais elles ont été entamées à Puerto Cabezas entre la Commission régionale d'autonomie et une fraction de MISURASATA (dissidence de l'organisation miskita dirigée par Steadman Fagoth; ce dernier apparaît de plus en plus hors circuit). Une nouvelle organisation indienne a été fondée en septembre 1985, KISAN, à l'instigation des États-Unis, et opère sur les fronts nord et sud. Elle regroupe des éléments sortis de MISURA et de MISURASATA. KISAN soutient l'Union nicaraguayenne d'opposition (UNO) mais ne s'identifie pas avec la Force démocratique nicaraguayenne (FDN) qui fait partie également de l'UNO.

Les rapports avec la hiérarchie catholique ne se sont pas améliorés bien que celle-ci, dirigée par

Mgr Obando y Bravo, ait condamné toute aide, d'où qu'elle vienne, conduisant à la destruction. L'Église a insisté sur la nécessité du dialogue entre les sandinistes et la *contra*, ce que les premiers ont continué de refuser.

L'année 1986 s'est ouverte sur de vifs débats relatifs à l'aide de 100 millions de dollars que le président Ronald Reagan souhaitait fournir à la *contra*. Cette dernière s'est pourtant révélée inefficace, en dépit des aides généreuses fournies précédemment, et affaiblie par des dissensions internes. L'escalade de la crise centraméricaine, dont le conflit entre le Nicaragua et les États-Unis constitue le jalon principal, a fait l'objet des préoccupations de nombreuses organisations internationales (l'Union interparlementaire, le Parlement latino-américain, l'Internationale socialiste, etc.). L'initiative du nouveau président du Guatémala, Vinicio Cerezo, de créer un Parlement centraméricain, à laquelle adhère le Nicaragua, sera-t-elle à même de développer une solidarité centraméricaine si nécessaire, par-delà les divergences idéologiques?

République du Panama
Nature du régime : civil, sous surveillance de la Garde nationale.
Chef de l'État et du gouvernement : Éric Arturo del Valle.
Monnaie : balboa.
Langues : espagnol (off.), langues indiennes (guaymi, kuna, etc.).

Après avoir gouverné le **Panama** un peu plus d'un an, le président Nicolas Ardito Barletta a démissionné le 29 août 1985 et a été remplacé en douceur par Eric Arturo del Valle. Le général Manuel Antonio Noriega, chef de la puissante Garde nationale dont il faut toujours tenir compte au Panama, avait durement critiqué la gestion d'Ardito Barletta. Arturo del Valle, lié à l'entreprise privée, a mis en œuvre une politique économique imposée par le FMI (la dette extérieure était de quatre milliards de dollars en 1985), ce qui a provoqué de violentes réactions populaires; cette politique prévoit notamment des modifications de la législation du travail, de l'industrie et de l'agriculture. La tourmente déclenchée par le plan d'austérité économique, avec toute une série de grèves, d'attentats et de troubles divers, risquait de se développer à l'intérieur du pays.

Le Panama, qui a vu défiler cinq présidents en cinq ans, et dont la situation sociale est devenue explosive (le chômage et le sous-emploi atteignaient 30 % fin 1985), a essayé toutefois de se maintenir en dehors des conflits centraméricains, en continuant de participer au groupe de médiation dit de Contadora à côté du Mexique, du Vénézuéla et de la Colombie. C'est aussi pour lui une nécessité pour assurer la sécurité du canal.

République du Salvador
Nature du régime : civil.
Chef de l'État et du gouvernement : José Napoleón Duarte.
Monnaie : colón.
Langues : espagnol (off.), nahuatl-pipil.

Au **Salvador**, la fin de l'année 1985 et les premiers mois de 1986 ont été marqués par la perte des bases sociales et de la crédibilité du président démocrate-chrétien José Napoleón Duarte. Cette dégradation est due en grande partie à l'instauration du « paquetazo » économique (dévaluation du colón de 100 %, augmentation du prix de l'essence de 51 %, de celui des transports de 20 %, etc.), attaqué tant par la guérilla que par l'extrême droite. Le « Pacte social » que Duarte avait établi avec diverses organisations politiques et syndicales a été rompu, et l'opposition de gauche a constitué l'Union nationale des travailleurs salvadoriens (UNTS) le 21 février 1986, regroupant une centaine d'organisations. L'extrême droite, elle, a dénoncé l'interventionnisme accru de l'État. Attaqué de tous les côtés, Duarte n'a pu contrôler ni ses bases sociales initiales, ni les militaires (en proie à leurs propres contradictions internes et dont certains secteurs souhaiteraient le départ du président), ni les escadrons de la mort qui ont continué d'œuvrer en toute impunité.

Par ailleurs, les actions de la guérilla du Front Farabundo Marti de libération nationale (FMLN) font partie de la vie quotidienne. Elle a étendu ses opérations à tout le pays et a donné du fil à retordre à une armée qui a considérablement développé sa force aérienne, avec l'aide généreuse des États-Unis. Selon l'armée, la guérilla ne se réduirait plus qu'à quelques « points de persistance ». Celle-ci, en tout cas, occupe habilement les zones frontalières en litige avec le Honduras (les *bolsones)*; ses actions d'éclat ont certes visé à frapper l'opinion internationale (comme la séquestration de la fille de Duarte, libérée en échange de prisonniers politiques), mais aussi à saboter l'économie du pays. L'armée a poursuivi les bombardements de la population civile, entraînant le déplacement de milliers de personnes. Ainsi, au cours de l'« opération Phoenix », en janvier et février 1986, la zone du volcan Guazapa, considérée comme un bastion de la guérilla, a été complètement évacuée. A côté de ces affrontements, l'exemple de Tenancingo, repeuplé petit à petit par ses habitants d'origine déplacés par les bombardements, pourrait constituer l'embryon d'une solution alternative : celle des Salvadoriens qui disent non à la guerre civile.

Enfin, depuis l'arrivée de trois nouveaux présidents (Guatémala, Costa Rica, Honduras) sur l'échiquier centraméricain, c'est celui du Salvador qui apparaît le plus inconditionnel des États-Unis dans la région. En ce qui concerne le dialogue avec la guérilla (suspendu depuis novembre 1984) mais souhaité par la majorité de la population, le président péruvien Alan García a donné son soutien en avril 1986 à des conversations entre les insurgés et des représentants du gouvernement salvadorien.

Marie-Chantal Barre

Mexique – Grandes Antilles

Bahamas, Cayman, Cuba, Haïti, Jamaïque, Porto Rico, République dominicaine

Le **Mexique** est traité dans la section « Les 34 grands États ».

Les **Bahamas** sont toujours en tête de course : elles affichent une relative bonne santé économique dans une région en crise, grâce à une croissance modérée, supérieure à 3 % en 1984 et 1985, et un revenu annuel par habitant (4 300 dollars) qui laisse leurs poursuivants loin derrière elles. Le tourisme, qui contribue à 40 % du PIB, se conjugue plus que jamais avec industrie : 2,3 millions de visiteurs en 1984, 2,6 millions en 1985 (dont 85 % d'origine américaine). Plus de dix visiteurs par habitant, heureusement pas concentrés : l'archipel de sept

Commonwealth des Bahamas
Nature du régime : parlementaire. État associé au Commonwealth.
Chef de l'État : reine Élisabeth II représentée par un gouverneur : Gerald Cash.
Chef du gouvernement : Lynden O. Pindling.
Monnaie : dollar bahaméen, aligné sur le dollar américain.
Langues : anglais, créole.

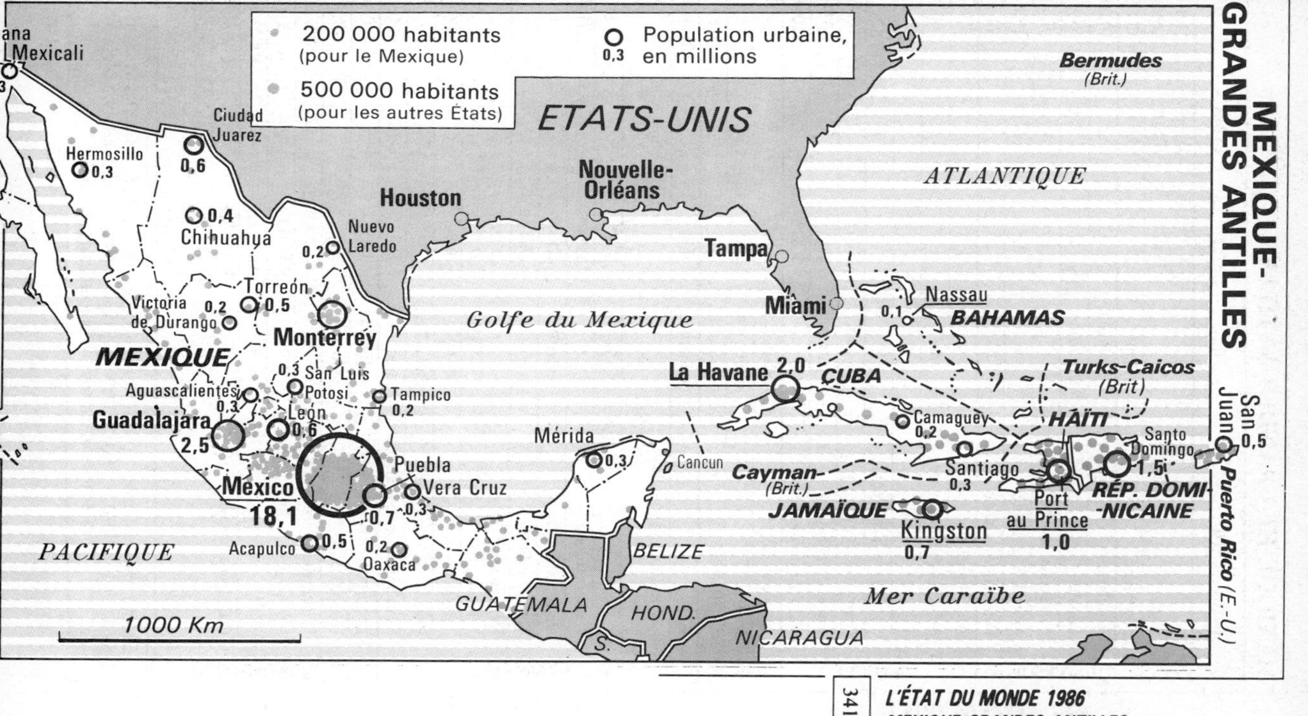
MEXIQUE-GRANDES ANTILLES
200 000 habitants (pour le Mexique)
500 000 habitants (pour les autres États)
0,3 Population urbaine, en millions
ETATS-UNIS
ATLANTIQUE
Bermudes (Brit.)
Golfe du Mexique
PACIFIQUE
Mer Caraïbe
MEXIQUE
Mexicali 0,3
Hermosillo 0,3
Ciudad Juarez 0,6
Chihuahua 0,4
Nuevo Laredo 0,2
Torreón 0,5
Victoria de Durango 0,2
Monterrey
San Luis Potosi 0,3
Aguascalientes 0,3
Tampico 0,2
Guadalajara 2,5
León 0,6
Mexico 18,1
Puebla 0,7
Vera Cruz 0,3
Acapulco 0,5
Oaxaca 0,2
Mérida 0,3
Cancun
Houston
Nouvelle-Orléans
Tampa
Miami
Nassau 0,1
BAHAMAS
La Havane 2,0
CUBA
Camaguey 0,2
Santiago 0,3
Turks-Caicos (Brit)
HAÏTI
Port au Prince 1,0
Santo Domingo 1,5
RÉP. DOMINICAINE
San Juan 0,5
Puerto Rico (E.-U.)
Cayman (Brit.)
JAMAÏQUE
Kingston 0,7
BELIZE
GUATEMALA
HOND.
S.
NICARAGUA
1000 Km

MEXIQUE ET GRANDES ANTILLES

	INDICATEUR	UNITÉ	BAHAMAS	CAYMAN	CUBA
	Capitale		Nassau	George-Town	La Havane
	Superficie	km²	13 930	259	110 861
DÉMOGRAPHIE	Population (*)	million	0,23	0,019[a]	10,09
	Densité	hab./km²	16,5	75,8[a]	91,0
	Croissance annuelle[f]	%	2,1	3,3	0,8
	Mortalité infantile	‰	32[d]	..	19,0
	Population urbaine	%	..	..	71,8
CULTURE	Analphabétisme	%	7,0[d]	..	1,9[e]
	Scolarisation 6-11 ans	%	..	..	100,0
	12-17 ans	%	..	..	82,3
	3e degré	%	..	..	19,1
	Postes tv	‰ hab.	160[b]	..	168[b]
	Livres publiés	titre	154[c]	..	1 917[b]
	Nombre de médecins	‰ hab.	0,82[d]	..	2,06[a]
ARMÉE	Armée de terre	millier d'h.	–	..	130,0
	Marine	millier d'h.	0,5	..	13,5
	Aviation	millier d'h.	–	..	18,0
ÉCONOMIE	PIB	milliard $	0,96[a]	..	27,383[jh]
	Croissance annuelle 1973-83	%	2,0	..	5,9[k]
	1985	%	..	..	4,8[h]
	Par habitant	$	4 260[a]	..	2 714[jh]
	Dette extérieure	milliard $	228,6[a]	..	i
	Taux d'inflation	%	4,8	..	–
	Dépenses de l'État Éducation	% PIB	9,8[d]	..	6,3[c]
	Défense	% PIB	0,7[a]	..	4,5[al]
	Production d'énergie[a]	million TEC	–	–	1,1
	Consommation d'énergie[a]	million TEC	0,77	0,053	14,6
COMMERCE	Importations	million $	3 052	..	7 851[a]
	Exportations	million $	2 951	..	6 809[a]
	Principaux fournisseurs	%	R-U 4,9	..	URS 66,
		%	E-U 43,4	..	APS 17,
		%	Ang 13,8	..	PCD 12,
	Principaux clients	%	E-U 57,9	..	URS 74,
		%	CEE 15,9	..	APS 16,
		%	Jap 5,4	..	PCD 6,

Chiffres 1985 sauf notes : a. 1984 ; b. 1983 ; c. 1982 ; d. 1980 ; e. 1981 ; f. 1980-85 ; g. 1970 ; h. Produit social global ; i. Dette envers l'URSS : 9 milliards de $; j. Pesos ; k. Produit matériel net, 1975-84 ; l. En pourcentage du PSG.

RÉPUB. DOMI.	HAÏTI	JAMAÏ-QUE	MEXIQUE	PORTO RICO
St-Domingue	Port-au-Prince	Kingston	Mexico	San Juan
48 730	27 750	10 990	1 967 183	8 900
6,42	5,18[a]	2,30[a]	78,5	3,40[a]
131,7	186,7	209,3[a]	39,9	382,0[a]
2,4	1,7	1,3	2,5	1,6
55,0	97,0	24,0	47,0	15,0
55,7	28,0	53,8	70,0	70,7
22,7	62,4	3,9[g]	9,7	12,2[d]
76,5	37,4	94,0	96,4	88,4
58,4	48,3	69,6	75,3	72,6
..	1,1[d]	6,2[d]	15,2[b]	45,4[d]
92[b]	3,6[b]	89[b]	290[b]	238[c]
2 219[d]	..	18[d]	2 818[c]	..
..	0,11[d]	0,35[d]	0,96[d]	1,18[e]
13,0	6,4	1,78	100,0	–
4,9	0,3	0,15	23,6	–
4,3	0,2	0,17	5,5	–
6,04[a]	2,0	2,48[a]	158,31	14,00[a]
3,5	3,0	– 2,3	5,0	1,2
– 1,0	1,5	– 3,7	3,5	..
990[a]	379	1 080[a]	2 067	4 200[a]
2,8	0,65	3,2	97,7	..
33,2	7,8	23,1	63,7	..
2,1[b]	1,1[b]	6,9[d]	2,7[b]	7,0[d]
1,4[a]	1,6[a]	1,2[a]	0,3[a]	–
0,06	0,03	0,02	264,3	0,02
2,99	0,34	2,72	132,1	9,27
1 276	685	1 124	12 855	9 329[e]
735	453	549	22 108	7 047[e]
E-U 44,2	E-U 63,5	E-U 42,3	E-U 68,5	E-U 62,2[e]
Eur 10,4	CEE 11,7	Jap. 7,1	CEE 10,0	Vén ..
AL 35,2	AL 9,7	AL 31,7	AL 3,2	A-N ..
E-U 83,2	E-U 81,5	E-U 33,7	E-U 62,6	E-U 85,5[e]
Eur 9,1	CEE 13,0	R-U 16,4	Jap 6,8	I-V ..
CAEM 0,9	AL 2,8	Can 16,7	CEE 9,2	R-D ..

(*) Dernier recensement utilisable : Bahamas, 1980; Cuba, 1981; République dominicaine, 1981; Haïti, 1982; Jamaïque, 1982; Mexique, 1980; Porto Rico, 1980.

cents îles s'étire sur mille kilomètres. Au paradis fiscal bahaméen, les banques continuent de prospérer près des lagons turquoise. Même la sécurité rapporte : l'État encaisse chaque année 14,3 millions de dollars pour la location aux États-Unis d'un centre d'essais sous-marins.

L'archipel des **Cayman,** composé de trois îles – Grand Cayman, Petit Cayman et Cayman Brac – vit à l'école bahaméenne. Finance internationale et farniente sont là aussi les maîtres mots. Mais à la différence de l'autre archipel, les Caymaniens sont restés sous la tutelle de la couronne britannique.

République de Cuba

Nature du régime : parti unique (Parti communiste cubain : PCC).
Chef de l'État : Fidel Castro (premier secrétaire du PCC).
Monnaie : peso.
Langue : espagnol.

A **Cuba,** le troisième congrès du Parti communiste cubain (4 au 7 février 1986) a procédé, selon les termes de Fidel Castro, à l'« indispensable rénovation » de la vie politique. Le premier secrétaire a plaidé pour un rapprochement de plus en plus « net et fraternel » avec les pays du bloc socialiste, et répété qu'une « indestructible amitié » liait son pays à l'URSS. Mais le vent du changement a soufflé sur le personnel politique. Le congrès a célébré à sa façon le trentième anniversaire du débarquement du *Granma* en poussant vers la retraite plusieurs grognards de la guérilla. Ainsi, Ramiro Valdès, déjà « libéré » de ses fonctions de ministre de l'Intérieur en décembre 1985, n'a pas retrouvé son poste au bureau politique. Pas plus que Guillermo Garcia, autre compagnon de lutte de la Sierra Maestra. Au total, la relève des générations a frappé tout l'appareil d'État : direction de l'agence Prensa latina, Académie des sciences, Comité central et jusqu'au bureau politique (sur quatorze titulaires et dix suppléants, neuf ont été écartés). Parmi les confirmés, le « petit frère », Raúl Castro, deuxième secrétaire, c'est-à-dire dauphin désigné. Chez les promus, la femme de Raúl, Vilma Espin, intronisée dans le cénacle dirigeant.

Plus significatifs apparaissent les changements opérés dans la sphère économique. Après le limogeage de Humberto Perez, président de la junte centrale de planification, le Congrès a entériné la création d'un nouvel organisme, né en dehors des normes constitutionnelles, le « groupe central ». Chargé de superviser tout le système économique, ce groupe d'une vingtaine de personnes est dirigé par Osmany Cienfuegos qui fait dorénavant figure de numéro trois du régime. Cette innovation laisse penser qu'en dépit des bons résultats affichés – le rapport de Fidel évoquait un rythme de croissance de 7,3 % du produit social global durant le quinquennat 1981-1985 –, les pesanteurs bureaucratiques grippent toujours sérieusement la machine : faible productivité dans la plupart des usines et cannaies, pénurie de logements, téléphone incertain, favoritisme dans l'éducation...

Les données de base de la situation économique n'ont pas été bouleversées. En 1985, Cuba a effectué 85 % de ses échanges avec le bloc socialiste, et Fidel a appelé à poursuivre l'intégration économique avec les pays du CAEM. La production sucrière reste le secteur clé. La construction de huit nouvelles sucreries a été programmée, même si à la suite de la sécheresse, puis du passage de l'ouragan *Kate* en novembre, la *zafra* 1985 a été décevante : environ 7 millions de tonnes contre 8 millions attendues. Pour honorer ses engagements envers l'Union soviétique, Cuba a même dû acheter 500 000 tonnes de sucre sur le marché international, en particulier au Brésil.

Dans le même temps, les banquiers occidentaux ont commencé de s'interroger sur la dette de La Havane à leur égard (3,4 milliards de dollars). Cuba, réputé bon payeur, a déjà obtenu trois « réaménagements » de sa dette, mais le quatrième examen de passage de l'enfant chéri du Club de Paris traîne en longueur. Bien que les bailleurs de fonds s'en défendent, la rhétorique castriste en faveur d'un moratoire pour les pays latino-américains surendettés n'est peut-être pas sans rapport avec ces lenteurs...

Cadeau de Noël pour les 80 000 chrétiens pratiquants de l'île, la parution en décembre 1985 d'un livre résumant les vingt-trois heures d'entretien entre le président cubain et un dominicain brésilien, Frei Betto : dans *Fidel et la religion,* Castro reconnaît en effet qu'« il existe une certaine forme de discrimination contre les chrétiens », avant de souhaiter « la coexistence et le respect mutuel entre le parti et les Églises ». Un geste qui peut aider à la réinsertion de Cuba dans la grande et pieuse famille latino-américaine. Un appel du pied aussi à Jean-Paul II, invité par le pape du socialisme tropical à une rencontre au sommet.

Autre ouverture à signaler : l'ensemble des résolutions adoptées par le troisième congrès a été soumis pour la première fois à la population pour discussion. En décembre 1986, le congrès reconvoqué devait entériner un programme amendé. Intéressant test de centralisme démocratique.

République d'Haïti

Nature du régime : dirigé par une junte civile et militaire (depuis le 7-2-86).
Chef de l'État et du gouvernement : général Henri Namphy, président du Conseil national de gouvernement.
Monnaie : gourde.
Langues : français, créole.

A Haïti, 1986 a été l'année de la délivrance : le 7 février, l'exil en France du « président à vie », Jean-Claude Duvalier, a mis un terme à vingt-neuf années de dictature. « Duvalier parti, Haïti sauvée » chantait la foule en liesse dans les rues de Port-au-Prince. Depuis 1957, les Haïtiens ont vécu successivement sous la férule de François Duvalier, despote sanguinaire, habile à détourner à son profit l'idéologie noiriste et le culte du vaudou, puis sous la tutelle de son fils Bébé Doc, héritier falot, hésitant entre les pressions contradictoires de son clan.

La détérioration de la situation alimentaire dans les campagnes où l'on ne survit que grâce au « manger sinistré » (les distributions d'aide alimentaire) a été à l'origine des émeutes de la faim survenues en mai 1984 dans les villes de Gonaïves et Cap Haïtien. Elles avaient déjà donné lieu à des manifestations politiques. « Fok kat la rebat » (il faut rebattre les cartes) entendait-on alors. La jeunesse a pris ensuite le relais. Conscients de leur puissance – 41 % des Haïtiens ont moins de quinze ans –, près de cinquante mille adolescents ont défilé le 2 février 1985 dans la capitale pour une marche de la paix. La démocratisation relative de la vie politique (autorisation des partis d'opposition, élections libres en particulier), annoncée le 22 avril 1985, était bientôt repoussée au mois de février 1987. L'agitation reprenait alors dans la ville de Gonaïves à partir du 27 novembre 1985, puis gagnait toutes les grandes villes du pays à la fin janvier. Cette contestation de la rue, ouvertement et puissamment soutenue par l'Église et son réseau de deux mille communautés de base, et les pressions des Etats-Unis et de la France, principaux bailleurs de fonds, ont contraint Bébé Doc à quitter son palais de stuc blanc.

Au lendemain de sa fuite, avec famille, voiture et dollars, la succession a été assurée par un Conseil national de gouvernement (CNG) dirigé par le général Henri Namphy. La population, ivre de joie, a procédé au « déchoukage » (littéralement déracinement en créole) des suppôts du tyran, en particulier des « tontons-macoutes », sinistre garde prétorienne de l'ancien régime. Quelques-uns de ces miliciens ont été lynchés dans les rues. Les journaux, la radio, la télévision ont tout de suite mis à profit la liberté d'expression retrouvée. Des comités de quartier ont surgi, nombre d'exilés politiques sont rentrés, les syndicats se sont manifestés au grand jour, les partis ont refleuri par dizaines, et près de deux cents candidats à la présidence, atteints par la fièvre démocratique, se sont déclarés. Ce bouillonnement a donné lieu à des provocations. Le 26 avril 1986, à la suite de débordements lors d'une manifestation devant la prison de Fort-Dimanche, lieu de torture des opposants d'hier, l'armée à tiré sur la foule. Bilan de la fusillade : six morts, et la fin de la lune de miel entre les Haïtiens et leurs militaires, salués aux cris de « Vive l'armée » après la fuite de Bébé Doc.

En proie aux atermoiements, le nouveau gouvernement a aussi perdu de son capital de confiance. Dépourvu de programme, le CNG a réagi aux exhortations populaires – en congédiant par exemple les ministres trop compromis avec le duvaliérisme – plus qu'il n'a vraiment agi. Au lieu de procéder aux réformes attendues (campagne d'alphabétisation pour près de 80 % de la population, redistribution de terres...), le CNG a temporisé, et promis l'élaboration d'une nouvelle constitution et l'organisation, en novembre 1987, de nouvelles élections générales. Des points à l'actif du gouvernement : l'obtention, le 15 avril 1986, du gel des avoirs en Suisse de Jean-Claude Duvalier, et l'arrestation de quelques tortionnaires de la dictature.

Pour la majorité des habitants, les lendemains de fête sont amers, en raison de la situation économique catastrophique. « La liberté ne nourrit pas », proclament les manifestants. Le nouveau régime a hérité d'un pays exsangue. Les paysans ont continué de fuir les « mornes » (collines) déboisés et érodés pour gagner les bidonvilles de la capitale. Dans la cuvette de Port-au-Prince s'est agglutiné un cinquième de la population du pays. Les trois-quarts de la population active sont au chômage et les bénéficiaires d'un emploi dans les usines d'assemblage (soumises aux aléas de la conjoncture américaine) reçoivent un salaire journalier inférieur à trois dollars.

Le pays le plus pauvre de l'Amérique latine a entamé un bien difficile apprentissage de la démocratie.

Jamaïque

Nature du régime : parlementaire. État associé au Commonwealth.
Chef de l'État : reine Élisabeth II, représentée par un gouverneur : Florizel Glasspole.
Chef du gouvernement : Edward Seaga.
Monnaie : dollar jamaïcain.
Langues : anglais, espagnol.

A la **Jamaïque,** on approche de la cote d'alerte. La récession s'est nettement accentuée (chute du PNB de 4 % en 1985), et la sortie de crise ne semble pas pour demain. La principale production, la bauxite, a baissé de moitié en quatre ans : six millions de tonnes en 1985. Dans le même temps, la chute des cours mondiaux a amputé des trois-quarts les revenus tirés des exportations du minerai (150 millions de dollars en 1985). Outre le fléchissement de la demande d'alumine sur le marché mondial, les coûts élevés d'exploitation des mines jamaïcaines sont mis en cause. La multinationale Reynolds, qui a fermé ses installations dans l'île en 1984, a ainsi effectué de lourds investissements en Australie.

La situation financière n'est guère plus brillante. Les bonnes dispositions du FMI envers le gouvernement libéral d'Edward Seaga se sont révélées insuffisantes. La Jamaïque a utilisé son plafond de ressources (450 % du quota correspondant à quelque 630 millions de dollars), mais la balance des paiements est restée déficitaire. L'effondrement de la monnaie reflète cette détérioration. A la suite de dévaluations successives, à la fin de 1985, il fallait 7 dollars jamaïcains pour obtenir un billet vert (contre 4 en 1984). Seule éclaircie dans ce sombre tableau : l'allégement de la facture pétrolière permettait d'envisager un rétablissement de la balance commerciale en 1986. Les mesures d'austérité, l'inflation (plus de 35 % en 1985), le développement du chômage (28 % de la population active) malgré une forte reprise de l'émigration, ont fait monter la pression. Le leader de l'opposition, l'ancien Premier ministre Michael Manley, tentant de capter le mécontentement populaire, a réclamé, sans succès, l'organisation de nouvelles élections.

Porto Rico, État libre associé aux États-Unis depuis 1952, a subi en 1985 les chocs en retour de l'essoufflement de l'économie américaine et de l'adoption de l'Initiative pour le Bassin caraïbe. En ouvrant de manière privilégiée le marché américain aux autres îles « amies » de la région, ce plan a été ressenti à San Juan comme un mauvais coup. Pour atténuer les pertes de marché, les transferts financiers en provenance du budget fédéral américain ont fait un nouveau bond : ils représentent désormais un tiers du PNB de l'île. De quoi calmer les pulsions indépendantistes et les revendications des chômeurs (22 % de la population active en 1985). De son côté, le secteur bancaire a défrayé la chronique : en septembre 1985, quatorze de ses éminents représentants ont été arrêtés pour avoir « blanchi » de fortes sommes d'argent provenant du trafic de drogue. Des pluies diluviennes, causant des inondations dans le sud de l'île, ont provoqué, en octobre 1985, la mort de plus de deux cents personnes.

République dominicaine
Nature du régime : présidentiel.
Chef de l'État et du gouvernement : Joaquin Balaguer.
Monnaie : peso.
Langue : espagnol.

La **République dominicaine** a vécu en 1985 dans l'attente de l'élection présidentielle du 16 mai 1986. De violentes rixes ont ponctué, comme d'habitude, la campagne électorale (une dizaine de morts). La formation au pouvoir depuis 1978, le Parti révolutionnaire dominicain (PRD), d'orientation social-démocrate, n'a pas échappé aux affrontements et aux divisions. La rivalité opposant le maire de Saint-Domingue, vice-président de l'Internationale socialiste, José Francisco Peña Gomez, au candidat officiellement investi, l'ex-président du Sénat, Jacobo Majluta, a sans nul doute favorisé le vieux leader (soixante-dix-huit ans) du Parti réformiste social-chrétien, Joaquim Balaguer. Il a été réélu – il a déjà été trois fois président entre 1966 et 1978 – à l'issue d'un scrutin mouvementé. Les résultats (41,56 % des voix à Joaquin Balaguer contre 39,46 % à Jacobo Majluta) ont été proclamés après une suspension du dépouillement. Le Parti de la libération dominicaine (PLD) de Juan Bosch, né en 1973 d'une scission (à gauche) du PRD, a réalisé un bon score : 18,37 %. Est-ce l'annonce de la fin du bipartisme de fait en vigueur depuis vingt ans?

La redistribution des cartes politiques s'est opérée sur fond de crise économique. Durant la dernière année de son mandat, placé sous le signe de l'austérité (version FMI), le président sortant, Jorge Blanco, s'est contenté de gérer les affaires courantes. Le déséquilibre des comptes extérieurs s'est accentué et la dette extérieure totale avoisinait 3 milliards de dollars à la fin de 1985. L'inflation a poursuivi sa montée (33 % en 1985) et le gouvernement a dû accepter, en juillet 1985, des réajustements salariaux par crainte d'une seconde grève générale, après celle du 11 février. En 1985, le peso a été dévalué (3 pesos pour un dollar au lieu de la parité), le chômage et le sous-emploi ont touché près de 50 % de la population active. Le secteur sucrier, qui assure la moitié des recettes d'exportation, doit relever un nouveau défi : la main-d'œuvre bon marché des 20 000 *braceros* haïtiens (coupeurs de canne) n'est pas venue au rendez-vous de la *zafra* 1986, pour cause de chute de dictature à Port-au-Prince. Afin de pallier ce déficit, une mobilisation forcée a été déclenchée : soldats dominicains contraints d'abandonner le fusil pour la machette, rafles parmi les 300 000 Haïtiens immigrés.

Alors que le bouillonnement démocratique du voisin haïtien faisait des émules, et que la récession économique prolongée alimentait les tensions sociales et politiques, la République dominicaine devait tenter de conjurer les risques de déstabilisation, sous l'œil sourcilleux de l'oncle Sam.

Yves Hardy

Petites Antilles

Les petites Antilles, départements français d'outre-mer mis à part, sont présentées dans l'ordre géographique, en suivant l'arc qu'elles forment, du nord au sud, dans la mer des Caraïbes.

La **Guadeloupe** avait vécu l'année 1984 sous le signe de la violence. Durant les journées des barricades (24-29 juillet 1985), Pointe-à-Pitre s'est embrasée à nouveau en signe de solidarité avec le militant indépendantiste Georges Faisans. Mais la fièvre est vite retombée. A la fin octobre, l'Alliance révolutionnaire caraïbe (ARC) proclamait une « trêve des actions militaires ». Et comme pour ne pas être en reste, sa rivale indépendantiste, l'Union pour la libération de la Guadeloupe (UPLG), opérait un revirement spectaculaire, en annonçant la tenue très consensuelle, à la mi-décembre, d'un forum sur le développement de l'archipel. Finie la stratégie de rupture, vive la politique de la main tendue! L'initiative qui a pris à contrepied la classe politique a obtenu un succès de curiosité chez les socioprofessionnels. Cette opération d'union sacrée contre le marasme économique a également permis de lancer publiquement le débat sur le contenu d'une éventuelle indépendance. Si cette orientation nouvelle était confirmée, elle amorcerait une probable redistribution des cartes politiques.

Au baromètre électoral, la gauche a enregistré une petite poussée lors du scrutin législatif et régional du 16 mars 1986 : elle a obtenu deux députés sur quatre, et la présidence du conseil régional est allée à un élu socialiste, Félix Proto. Chef de file de la droite, Lucette Michaux-Chevry a rassemblé plus de 35 % des suffrages sur la liste qu'elle conduisait et a fait son entrée dans le gouvernement de Jacques Chirac en inaugurant le secrétariat d'État à la francophonie.

L'artificielle économie de consommation, entretenue par un secteur tertiaire hypertrophié, n'a guère évolué. En 1985, 55 % de la masse des salaires distribués l'a été à des fonctionnaires. Sans cette injection financière métropolitaine, le moteur guadeloupéen connaîtrait bien des ratés. Grâce à des marchés protégés, les productions sucrière et bananière se maintiennent tant bien que mal. Le secteur du tourisme, qui assure un travail à environ sept mille personnes, moribond en 1984 et 1985, tente de promouvoir une nouvelle image de marque, celle d'une île apaisée, pour attirer les vacanciers. Il reste aussi à endiguer un chômage élevé (27 %), en dépit de l'émigration, qui touche surtout les jeunes (50 % de sans-emploi longue durée), exclus des mirages de la départementalisation.

En **Martinique**, les élections du 16 mars 1986 ont confirmé la bipolarisation de la vie politique : deux sièges de députés à la droite unie et deux sièges à l'Union de la gauche ressuscitée – cas de figure unique lors de ce scrutin – sous la houlette du leader du Parti progressiste martiniquais (PPM), Aimé Césaire, également réélu, à soixante-douze ans, président du conseil régional.

Pas d'innovation en matière économique. L'île vit plus que jamais à

PETITES ANTILLES

(Brit.)
Iles Vierges
(E.-U.)
Ste-Croix
OCÉAN
ATLANTIQUE
Anguilla
St-Martin
(Partie française)
(Partie Néerlandaise)
St-Barthélemy
(Fr.)
Barbuda
ANTIGUA-BARBUDA
80
St John's
Basseterre
St Kitts-Nevis
Montserrat (Brit.)
Plymouth
Guadeloupe
(Fr.)
330
Basseterre
Pointe-à-Pitre
Marie-Galante
DOMINIQUE
80
Roseau
Mer Caraïbe
Martinique
(Fr.)
302
Fort de France
Castries
130
STE-LUCIE
253
BARBADE
Bridgetown
ST-VINCENT
102
Kingstown
GRENADE
111
St George's
Tobago
TRINIDAD-TOBAGO
1170
Port of Spain
San Fernando
VENEZUELA
100 km

302 Chiffres de population en milliers

l'heure de la dépendance envers la métropole. Le taux de couverture des importations par les exportations n'a pas dépassé 22 % en 1985. Le léger redressement du secteur sucrier n'a pas compensé la crise de

PETITES ANTILLES

	INDICATEUR	UNITÉ	ANTIGUE ET BARBUDE	BARBADE	DOMINIQUE
	Capitale		St Jean	Bridgetown	Roseau
	Superficie	km^2	442	430	440
DÉMOGRAPHIE	Population (*)	millier	80[a]	250	80[a]
	Densité	hab./km^2	181[a]	581	182[a]
	Croissance annuelle[f]	%	1,0	0,5	0,5
	Mortalité infantile	‰	32[e]	20,0	58[c]
	Population urbaine	%	..	42,2	..
CULTURE	Analphabétisme	%	12	–	–
	Scolarisation 6-11 ans	%	..	100,0	..
	12-17 ans	%	..	84,9	..
	3[e] degré	%	..	17,3[b]	..
	Postes tv	‰ hab.	244[b]	218[b]	..
	Livres publiés	titre	80[e]	87[b]	..
	Nombre de médecins	‰ hab.	..	..	..
ARMÉE	Armée de terre	millier d'h.	..	0,17	0,1
	Marine	millier d'h.	..	..	..
	Aviation	millier d'h.	..	..	..
ÉCONOMIE	PIB	million $	150[a]	1 100[a]	80[a]
	Croissance annuelle 1973-83	%	3,6	2,4	1,0
	1985	%	..	0,3	..
	Par habitant	$	1 830[a]	4 340[a]	1 080[a]
	Dette extérieure	million $	87[c]	367,7[a]	..
	Taux d'inflation	%	..	2,4	3,6
	Dépenses de l'État Éducation	% PIB	4,0[e]	5,7[c]	..
	Défense	% PIB	..	..	..
	Production d'énergie[a]	million TEC	–	0,150	0,002
	Consommation d'énergie[a]	million TEC	0,069	0,322	0,020
COMMERCE	Importations	million $	136,6[c]	607	47[c]
	Exportations	million $	34,2[c]	352	24[c]
	Principaux fournisseurs	%	..	E-U 41,4	R-U ..
		%	..	AL 25,2	E-U ..
		%	..	CEE 15,7	Tri ..
	Principaux clients	%	..	E-U 52,8	R-U 44,2[c]
		%	..	AL 24,5	Car[j] 37,4[c]
		%	..	CEE 7,1	..

Chiffres 1985, sauf notes : a. 1984 ; b. 1983 ; c. 1982 ; d. 1981 ; e. 1980 ; f. 1980-85 ; g. 1978 ; h. 1973-82 ; i. 1978 ; j. Pays caraïbes.
(*) Dernier recensement utilisable : Barbade, 1980 ; Dominique, 1981 ; Grenade, 1970 ; Guadeloupe, 1982 ; Martinique, 1982 ; Sainte-Lucie, 1980 ; Saint-Vincent et Grenadines, 1970 ; Trinité et Tobago, 1980 ; Antigue et Barbude, 1970.

GRENADE	GUADE-LOUPE	MARTI-NIQUE	SAINTE-LUCIE	ST VINCENT ET GRENADINES	TRINITÉ ET TOBAGO
St. George	Basse-Terre	Fort de F.	Castries	Kingstown	Port d'Espagne
344	1 780	1 100	620	388	5 130
110[a]	330[a]	330[a]	130[a]	100[a]	1 170[a]
320[a]	185[a]	300[a]	210[a]	258[a]	228[a]
2,0	0,0	0,2	1,1	1,4	1,9
69[c]	20,0	18,0	24[d]	60[e]	24,0
..	45,7	71,1	..	..	22,6
–	..	..	..	–	3,9
..	..	..	..	..	81,2
..	..	..	..	..	58,4
..	..	..	..	..	5,1[c]
..	112[c]	127[c]	16[b]	..	261[b]
10[e]	..	..	16[c]	..	186[e]
..	1,13[d]	1,15[d]	0,3[i]	..	0,69[e]
6,0[a]	..	..	..	..	1,50
0,3[a]	..	..	..	..	0,58
0,2[a]	..	..	..	..	0,05
80[a]	1 370[c]	1 320[b]	150[a]	100[a]	8 350[a]
2,6	4,3[h]	2,7[h]	5,3	4,0	5,1
3,0	..	..	..	..	– 2,5
880[a]	4 330[c]	4 260[b]	1 130[a]	900[a]	7 140[a]
45,4[a]	..	..	..	22,8[a]	1 100[a]
3,1	..	..	1,6	11,6	6,7
5,3[b]	..	..	8,1[c]	..	5,4[b]
18,7[b]	..	..	..	..	0,9[a]
–	–	–	–	0,002	16,68
0,029	0,312	0,311	0,053	0,021	5,87
43,4	598,7	639,9	106,8[b]	30,7	1 588
18,7	87,5	166,6	49,7[b]	30,8	2 198
CEE 39,8	CEE 79,5	CEE 75,2	E-U ..	PCD 75,1	E-U 37,7
R-U 29,8	Fra 71,4	Fra 67,2	R-U ..	R-U 30,6	R-U 9,2
AL 40,4	Mart 10,7	AL 17,9	Tri ..	AL 20,2	AL 17,8
CEE 61,7	CEE 75,0	CEE 61,7	R-U ..	CEE 86,0[a]	E-U 62,6
R-U 42,4	Fra 74,0	Fra 55,4	Bar ..	R-U 85,9	CEE 13,3
AL 24,5	Mart 16,5	Guad 35,1	Tri ..	AL 13,6	AL 18,5

l'ananas. Sur le marché métropolitain, les ananas frais de Côte d'Ivoire concurrencent sévèrement l'industrie de la conserve martiniquaise. Le secteur tertiaire représente les trois quarts des emplois et les quatre cinquièmes du produit intérieur de l'île. Pour qualifier cette situation, le maire-poète de Fort-de-France ne mâche pas ses mots : en Martinique, comme ailleurs outre-mer, dit Aimé Césaire, le gouvernement en est réduit à « assurer la gestion d'une débâcle ». L'émergence d'une économie tropicale moderne fondée sur des productions locales compétitives en est restée au stade des louables intentions.

Seul fait nouveau : la loi de décentralisation, en permettant l'affirmation d'un pouvoir local et d'une spécificité antillaise, place la classe politique en face de ses responsabilités. Le défi à relever – sortir du mal-développement – est d'autant plus redoutable que les îles voisines, outre de plus faibles coûts salariaux, bénéficient d'un accès privilégié aux marchés européen (accord CEE/ACP) et américain (Initiative Reagan pour la Caraïbe).

Les **îles Vierges** américaines (125 000 habitants), situées à l'est de Porto Rico, dépendent du département de l'Intérieur des États-Unis. Elles sont administrées par un gouverneur élu, et une assemblée. Elles sont avant tout un pôle d'attraction touristique (1,5 million de visiteurs par an), de même que les îles Vierges britanniques, à l'est (13 000 habitants). Une raffinerie de pétrole est installée sur une des îles et la capitale, Charlotte Amanie, abrite une importante base sous-marine.

Saint-Christophe et Nièves

Nature du régime : parlementaire. État associé au Commonwealth.
Chef de l'État : reine Élisabeth II, représentée par un gouverneur : Clement A. Arrindell.
Chef du gouvernement : Dr. Kennedy Simmonds.
Monnaie : dollar des Caraïbes orientales.
Langues : anglais, créole.

L'économie de **Saint-Christophe et Nièves** (45 000 habitants), qui reposait traditionnellement sur la monoculture de la canne à sucre, a commencé à se diversifier. En 1985, le secteur sucrier ne contribuait plus qu'à 25 % du PNB. Le tourisme est en pleine expansion : plus de 40 000 visiteurs sont passés dans les deux îles en 1985. Mais la formule en vogue des forfaits intégralement payés à des agences étrangères (comme la « Jack Tar » basée au Texas) limite les retombées économiques pour le pays d'accueil. On assiste donc à une réorientation vers l'agriculture vivrière et la pêche, et au développement de petites usines d'assemblage ou de sous-traitance (composants électroniques à Basse-terre, la capitale). Des tensions restent perceptibles entre les 10 000 Nevissiens et les habitants de Saint-Christophe.

Antigue et Barbude

Nature du régime : parlementaire. État associé au Commonwealth.
Chef de l'État : reine Élisabeth II, représentée par un gouverneur : Wilfred E. Jacobs.
Chef du gouvernement : Vere C. Bird.
Monnaie : dollar des Caraïbes orientales.
Langues : anglais, créole.

A **Antigue et Barbude**, les dirigeants ont décidé de jouer pleinement la carte touristique. D'autre part, à défaut de ressentir les effets bénéfiques de l'Initiative en faveur du Bassin caraïbe (CBI) lancée par Ronald Reagan, le Premier ministre conservateur a donné en décembre 1985 le feu vert au Pentagone pour transformer la base aéronavale de Coolidge en centre régional d'entraînement militaire. Le département de la Défense des États-Unis a alors annoncé qu'il investirait 10 millions de dollars dans l'agrandissement d'un centre de télécommunications.

Commonwealth de la Dominique

Nature du régime : république parlementaire, associée au Commonwealth.
Chef de l'État : Clarence Seignoret.
Chef du gouvernement : Eugenia Charles.
Monnaie : dollar des Caraïbes orientales.
Langues : anglais, créole.

En **Dominique**, les élections générales du 1er juillet 1985 ont permis à Eugenia Charles, au pouvoir depuis 1980, d'inaugurer un nouveau mandat de cinq ans. Le Parti de la liberté, dirigé par « la dame de fer des Caraïbes », a en effet obtenu 17 des 21 sièges de députés contre 4 au Parti travailliste de Mike Douglas. Eugenia Charles a annoncé qu'elle avait l'intention de poursuivre sa politique pro-occidentale, alors que son rival préconisait le non-alignement. Elle compte sur les investissements étrangers pour diversifier une économie toujours dominée par la banane. L'ancien Premier ministre Patrick John, issu du Parti de la liberté, poursuivi, car accusé d'avoir voulu renverser Eugenia Charles, a été élu au Parlement.

Sainte-Lucie
Nature du régime : parlementaire. État associé au Commonwealth.
Chef de l'État : reine Élisabeth II, représentée par un gouverneur : Allen M. Lewis.
Chef du gouvernement : John Compton.
Monnaie : dollar des Caraïbes orientales.
Langues : anglais, créole.

En quête de viabilité économique comme ses voisines, **Sainte-Lucie** est restée tributaire de la banane (le tiers des revenus d'exportation) par suite des achats de la « Geest », la multinationale anglaise du secteur. Les flux d'aide étrangère représentaient en 1985 plus de 30 % du PNB. Le Premier ministre libéral, John Compton, table sur la diversification des activités (petites industries, tourisme) pour atténuer cette dépendance.

Au plan politique, les petits pas de Kadhafi dans la région ont retenu l'attention des diplomates en poste à Castries. Outre l'ouverture d'une ambassade libyenne au Surinam en 1985, Tripoli aurait accordé de nombreuses bourses à des ressortissants des Caraïbes orientales, en particulier à des membres du principal mouvement d'opposition saint-lucien, le Parti travailliste progressiste de George Odlum.

Commonwealth de Saint-Vincent et les Grenadines
Nature du régime : parlementaire. État associé au Commonwealth.
Chef de l'État : reine Élisabeth II, représentée par un gouverneur : Joseph L. Eustace.
Chef du gouvernement : James Mitchell.
Monnaie : dollar des Caraïbes orientales.
Langues : anglais, créole.

Saint-Vincent et les Grenadines : les trente-deux îles de cet archipel maintiennent leurs productions traditionnelles (bananes, patates douces, noix de coco, coprah). Mais, suite à la perte des marchés américain et anglais, elles n'occupent plus le rang de premier producteur mondial de marante (« arrow-root »), féculent utilisé dans le conditionnement du papier employé pour les ordinateurs.

Les autorités de Saint-Vincent se sont signalées en refusant de participer, à l'automne 1985, aux manœuvres américaines *« Exotic Palm »* dans les Caraïbes anglophones. « Ici, l'ennemi c'est la pauvreté. Et ce dont nous avons besoin, c'est d'aide pour la combattre », a déclaré à cette occasion le Premier ministre James Mitchell.

La Barbade
Nature du régime : parlementaire. État associé au Commonwealth.
Chef de l'État : reine Élisabeth II, représentée par un gouverneur : Hugh W. Springer.
Chef du gouvernement : Erroll Barrow.
Monnaie : dollar barbadien.
Langues : anglais, créole.

La **Barbade** a su mieux que les autres îles des Caraïbes amortir le choc de la crise. Certes, la production de sucre a continué de reculer (100 000 tonnes en 1985 contre 180 000 vingt ans plus tôt) et le secteur manufacturier marque le pas. Mais la production de pétrole et l'assemblage des composants électroniques (plus de 50 % des revenus d'exportation en 1985) sont en hausse. L'industrie touristique est en pleine expansion : 368 000 visiteurs en 1984, cent mille de plus en 1985.

La reprise économique amorcée en 1984 demeure fragile, car l'île est fortement dépendante de la conjoncture américaine. Les États-Unis absorbent près des deux tiers des exportations de la Barbade, et fournissent l'essentiel des visiteurs. Le revenu moyen par habitant (2 900 dollars) est supérieur à celui des autres petites Antilles, mais le taux de chômage (19 % en 1985) a gagné deux points en un an.

Après le succès du Parti travailliste démocratique aux élections législatives du 28 mai 1986, son leader Errol Barrow a été nommé Premier ministre. Il a entamé son mandat par une déclaration fracassante : après avoir qualifié son prédécesseur, Bernard Saint John, de « laquais de Washington », il a affirmé que les Américains étaient bienvenus dans les caraïbes s'ils venaient en touristes et non comme agents de la CIA ou du département d'État.

Grenade
Nature du régime : parlementaire. État associé au Commonwealth.
Chef de l'État : reine Élisabeth II, représentée par un gouverneur : Paul Scoon.
Chef du gouvernement : Herbert Blaize.
Monnaie : dollar des Caraïbes orientales.
Langues : anglais, créole.

Le président Ronald Reagan, avec une suite imposante, s'est rendu le 20 février 1986 à la **Grenade** pour célébrer la « victoire » remportée par les *marines* en octobre 1983. Depuis l'établissement de la *Pax americana*, l'aide américaine s'est élevée à 72 millions de dollars, soit 720 dollars par habitant, alors que le revenu annuel par tête est inférieur à 1 000 dollars. 20 millions de dollars ont été consacrés à l'achèvement de l'aéroport de Pointe-Salines, et la plupart des crédits restants ont été affectés à la réfection des infrastructures et à la relance d'un programme hôtelier. Les investisseurs privés n'ont pas suivi le mouvement, et l'aide, en définitive, n'a que peu servi à améliorer le sort de la population. Celle-ci critique d'ailleurs la gestion de cette manne par le gouvernement de Herbert Blaize et ne cache plus ses désillusions. Il faut dire que le taux de chômage a atteint 20 % et le sous-emploi 30 %. Que se passera-t-il une fois tari le flux des subsides américains ?

Dépourvue de ressources minérales, l'économie de « l'île aux épices » repose essentiellement sur l'agriculture et le tourisme. Le cacao reste la première culture d'exportation devant la noix de muscade (produite à perte depuis trois ans en raison de la faiblesse des cours) et les bananes. En 1985, l'agriculture a contribué à hauteur de 70 % du PNB. Mais, dans le même temps, les produits alimentaires de base (céréales, viande, produits laitiers) ont représenté 30 % des importations. Ici, comme dans la plupart des îles de l'arc caraïbe, on ne produit pas ce que l'on consomme, et on ne consomme pas ce que l'on produit.

Trinité et Tobago
Nature du régime : république parlementaire. État associé au Commonwealth.
Chef de l'État : Ellis Clarke.
Chef du gouvernement : George Chambers.
Monnaie : dollar de Trinité et Tobago.
Langues : anglais, espagnol, hundi, français.

A **Trinité et Tobago**, le temps des vaches grasses semble révolu. Pour la cinquième année consécutive, le PNB *Per Capita* a chuté en 1985. Les difficultés du secteur pétrolier expliquent largement ces contre-performances : la production *offshore* a reculé en 1985 à 9 millions de tonnes. Afin d'enrayer le déclin, le gouvernement a poursuivi son programme d'allégement des taxes sur l'extraction. La principale compagnie, Amoco, a salué cette ouverture en décidant, en mai 1985, d'investir 160 millions de dollars. Les deux raffineries (dont une que Port-of-Spain a dû racheter en 1985 à la Texaco), peu compétitives, ont perdu des marchés face à leurs concurrentes de la côte sud-est des États-Unis.

La baisse internationale des cours du brut impose d'ores et déjà un sévère ajustement au pays, qui tire près de 90 % de ses revenus d'exportation du pétrole et de ses dérivés.

Les mesures d'austérité ont ravivé une grogne syndicale que les partis d'opposition rassemblés dans l'Alliance nationale de reconstruction (NAR) essaient d'exploiter. Objectif : mettre un terme, lors des élections générales de novembre 1986, aux vingt-neuf années de règne du Mouvement national du peuple (PNM), parti du Premier ministre George Chambers. Ce dernier table sur les importantes réserves de gaz, le développement local des usines d'engrais et de plastiques pour faire retrouver à son pays la prospérité d'hier, et lui garder sa marge d'autonomie politique (le gouvernement trinidadien avait condamné l'intervention américaine à la Grenade). En attendant, quitte à mettre à mal la coopération régionale, notamment les échanges commerciaux (en recul de 25 % entre 1981 et 1984), George Chambers n'a levé que très partiellement les mesures protectionnistes prises en 1983. Et ce, malgré les pressions répétées de ses partenaires du CARICOM (marché commun des Caraïbes) – en particulier de la Barbade –, qui ont annoncé des représailles.

Les **Antilles néerlandaises** (290 000 habitants) regroupent les îles dites ABC – Aruba, Bonaire, Curuçāo – situées au large de la côte vénézuélienne, ainsi qu'au nord-ouest de la Guadeloupe, les îles de Saba, Saint-Eustache et la partie méridionale de Saint-Martin. Le gouverneur résidant à Curaçāo et représentant les Pays-Bas a fait hisser le 1er janvier 1986 le nouveau drapeau d'Aruba qui consacre le « statut spécial » octroyé aux 60 000 habitants de l'île. Première phase de l'indépendance qui ne sera définitive qu'en 1996.

L'économie des Antilles néerlandaises, très dépendante du raffinage du pétrole, est en proie à de fortes secousses. En 1984, la compagnie Exxon à Aruba avait mis la clé sous la porte. Confirmant le déclin de la zone caraïbe sur l'échiquier mondial du raffinage, la Royal Dutch Shell a pris à son tour, en septembre 1985, la décision d'abandonner ses installations de Curaçāo. Seule la prise de participation du Vénézuela – qui pense aux débouchés du pétrole de Macaraïbo – a permis d'éviter la fermeture de la raffinerie.

Yves Hardy

Vénézuela-Guyanes

Guyana, Guyane française, Surinam, Vénézuela

République coopérative de Guyana
Nature du régime : présidentiel.
Chef de l'État : Desmond Hoyte.
Chef du gouvernement : Hamilton Green.
Monnaie : dollar de Guyana.
Langue : anglais.

En **Guyana**, après vingt et un ans d'exercice du pouvoir – officialisé en 1980 –, l'ancien président Forbes Burnham est mort des suites d'une opération à la gorge, le 6 août 1985, et sa dépouille embaumée en Union soviétique est désormais exposée dans le Jardin botanique national de Georgetown.

Bien que le climat social soit tendu (rareté des aliments de base), on n'a assisté à aucun changement politique : président par intérim depuis la disparition du « Père de la Patrie », M. Desmond Hoyte et son parti, le Congrès national du peuple (PNC), affirment avoir obtenu 78,5 % des suffrages et 42 sièges sur les 53 que compte le Parlement, lors des élections générales du 9 décembre 1985. Les opérations de fraude qui ont accompagné cette victoire « écrasante » ont poussé l'opposition – avec, en tête, sa principale force, le Parti progressiste du peuple (PPP) de M. Cheddi Jagan – à s'unir pour former, en janvier 1986, la Coalition patriotique pour la démocratie (PCD).

C'est donc en position d'isolement relatif que le nouveau chef de l'État doit affronter les difficultés traversées par cette « République coopérative » où les deux plus grandes entreprises nationalisées (la Guyana Mining Enterprise et la Guyana Sugar Corporation) ont enregistré des pertes sensibles. La situation économique, marquée par le fardeau de la dette (plus d'un milliard de dollars pour 900 000 habitants), suscite la méfiance du Fonds monétaire international (FMI) qui a refusé d'octroyer les crédits réclamés, tandis que l'Association internationale de développement (AID-Banque mondiale) et la Caribbean Development Bank ont également suspendu leurs prêts.

La **Guyane** – département français d'outre-mer de 90 000 km² qui fournit une précieuse base de lancement pour les fusées *Ariane* de l'Agence européenne de l'espace (ESA) – est devenue le premier centre français d'émissions en ondes courtes situé hors de la métropole. Depuis le 22 février 1985, en effet, grâce à un émetteur des plus modernes installé à Montsinéry, l'ensemble des pays d'Amérique latine et des Caraïbes reçoit les programmes de *Radio France internationale (RFI)*.

Un autre événement a fait du bruit en 1985 : les graves incidents de Kourou, au cours desquels se sont affrontés, dans la nuit du 16 au 17 août, une partie de la population civile et soixante légionnaires déchaînés, lesquels auraient agi, en complicité avec des militants du Front national, en vue de « déstabiliser la Guyane », selon les élus du Parti socialiste guyanais (PSG). Ce dernier, qui s'est donné pour secrétaire général M. Gérard Holder, maire de Cayenne, a tenu son quatrième congrès les 9 et 10 novembre 1985, à l'issue duquel il s'est dit prêt à « gérer avec succès la décentralisation », sans pour autant « freiner la lutte vers l'autonomie, étape nécessaire et préparatoire à l'avènement d'un État guyanais indépendant ».

Le renouvellement au Conseil régional, en mars 1986, a montré que la division de la droite, majoritaire en voix, a profité à la liste du PSG conduite par le député sortant, M. Élie Castor, qui devra toutefois composer avec les quatre conseillers « divers gauches » pour disposer de la majorité absolue.

République du Surinam
Nature du régime : présidentiel.
Chef de l'État : Desi Bouterse.
Chef du gouvernement : Win Uden Hout.
Monnaie : florin de Surinam.
Langues : hollandais, anglais.

Loin de s'améliorer, les relations entre le **Surinam** et son ancienne métropole, la Hollande, qui a suspendu en 1982 son « aide pour le développement », se sont nettement aigries en 1985. Invoquant, au mois de juillet, le « dramatique » manque de devises, M. Norman Kleine, le ministre des Finances, a jugé « impossible à payer » le prêt de 28 millions de dollars octroyé en 1975 par la Banque générale de Hollande en vue de financer un projet de chemin de fer, d'ailleurs abandonné par la suite.

C'est précisément en vue d'économiser des devises que le gouvernement s'est livré à une coupe sévère dans les importations et a réduit le budget 1985 de 740 millions de guilders à 480 millions (1 dollar = 1,785 guilder), sans toutefois dévaluer la monnaie, comme le suggérait le FMI. Malgré certaines déclarations « musclées » du commandant Desi Bouterse, affirmant dans un discours au « Mouvement du 25 février » qu'il appuyait l'appel de M. Fidel Castro à une grève des débiteurs en Amérique latine, le chef de l'État a cherché à se gagner des sympathies à Washington, qui a

VÉNÉZUELA-GUYANES

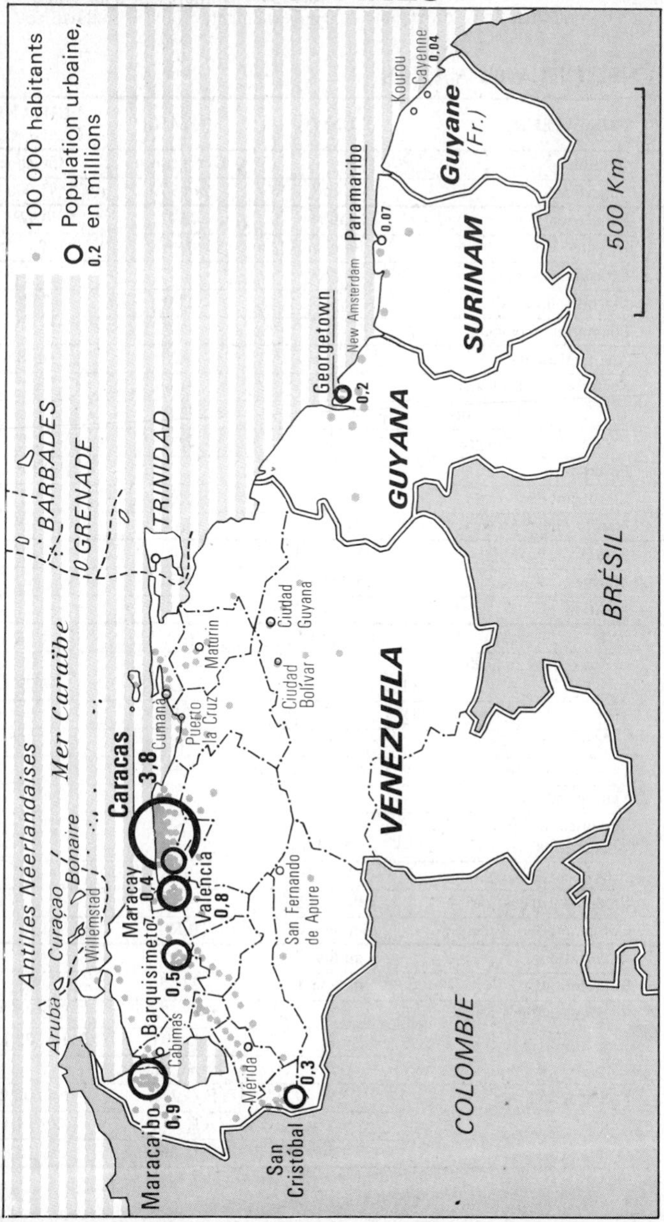

• 100 000 habitants
○ 0,2 Population urbaine, en millions

Antilles Néerlandaises
Aruba
Curaçao
Bonaire
Willemstad
Mer Caraïbe
BARBADES
GRENADE
TRINIDAD
Maracaibo 0,9
Cabimas
Barquisimeto 0,5
Maracay 0,4
Valencia 0,8
Caracas 3,8
Cumaná
Puerto la Cruz
Maturín
Ciudad Bolívar
Ciudad Guyana
San Fernando de Apure
Mérida
San Cristóbal 0,3
VENEZUELA
COLOMBIE
BRÉSIL
GUYANA
Georgetown 0,2
New Amsterdam
SURINAM
Paramaribo 0,07
Guyane (Fr.)
Kourou
Cayenne 0,04
500 Km

L'ÉTAT DU MONDE 1986
VENEZUELA-GUYANES

également suspendu son aide économique.

La « démocratisation » du régime militaire se poursuit, les partis ayant obtenu d'être représentés au sein du gouvernement. Mais le malaise so-

VÉNÉZUELA-GUYANES

	INDICATEUR	UNITÉ	GUYANA	GUYANE FRANÇAISE
	Capitale		Georgetown	Cayenne
	Superficie	km^2	214 970	91 000
DÉMOGRAPHIE	Population (*)	million	0,94[a]	0,07[a]
	Densité	hab./km^2	4,4[a]	0,8[a]
	Croissance annuelle[h]	%	1,3	. .
	Mortalité infantile	‰	29,0	35,9[f]
	Population urbaine	%	32,2	. .
CULTURE	Analphabétisme	%	4,1	6,1[c]
	Scolarisation 6-11 ans	%	91,8	. .
	12-17 ans	%	70,0	. .
	3[e] degré	%	2,0[b]	. .
	Postes tv	‰ hab.	. .	172[c]
	Livres publiés	titre	55[b]	. .
	Nombre de médecins	‰ hab.	0,1[d]	1,12[f]
ARMÉE	Armée de terre	millier d'h.	6,0	. .
	Marine	millier d'h.	0,3	. .
	Aviation	millier d'h.	0,3	. .
ÉCONOMIE	PIB	million $	462	210[b]
	Croissance annuelle 1973-83	%	– 1,0	0,7[g]
	1985	%	4,0	. .
	Par habitant	$	491	3 230[b]
	Dette extérieure	milliard $	1,30	. .
	Taux d'inflation	%	. .	. .
	Dépenses de l'État Éducation	% PIB	9,7[b]	. .
	Défense	% PIB	9,7	. .
	Production d'énergie[a]	million TEC	–	–
	Consommation d'énergie[a]	million TEC	0,58	0,15
COMMERCE	Importations	million $	272,5	705,1
	Exportations	million $	231,5	29,6
	Principaux fournisseurs	%	E-U 17,6	E-U 17,7
		%	AL 60,6	Fra 72,1
		%	CEE 16,0	AL 6,2
	Principaux clients	%	E-U 21,1	E-U 40,8
		%	AL 14,5	Jap 17,1
		%	R-U 26,7	Fra 13,8

cial demeure (disette d'aliments essentiels), et la vitale industrie de la bauxite (80 % des recettes d'exportation et 60 % des revenus fiscaux) souffre toujours d'une récession sur le marché international.

SURINAM	VÉNÉ-ZUELA
Paramaribo	Caracas
163 270	912 050
0,37[a]	17,32
2,3[a]	19,0
1,8	3,3
27,0	34,0
45,7	85,7
10,0	13,1
85,5	83,1
63,5	68,4
2,9[d]	21,7[b]
121[b]	125[b]
..	4 200[b]
0,54[e]	1,20[c]
1,80	34,0
0,16	10,0
0,06	5,0
1 350[a]	57 360[a]
3,8	2,4
..	– 0,4
3 520[a]	3 220[a]
0,021[c]	30,3
..	5,7
7,0[b]	6,5[c]
4,3[a]	2,0
0,15	168,7
0,62	55,2
305,6	7 318
294,3	14 197
E-U 30,8	E-U 49,5
CEE 24,1	CEE 22,9
AL 34,8	AL 9,8
E-U 19,9	E-U 41,1
CEE 45,1	AL 28,7
AL 10,5	CEE 15,9

République du Vénézuela
Nature du régime : démocratie parlementaire.
Chef de l'État et du gouvernement : Jaime Lusinchi.
Monnaie : bolivar.
Langue : espagnol.

Au **Vénézuela**, le souci majeur du gouvernement, et tout particulièrement du ministre des Finances, M. Manuel Azpurúa, a été de mener à bien les difficiles négociations sur le rééchelonnement de la dette extérieure (30 milliards de dollars), dont le service a absorbé, en 1985, 3,6 milliards de dollars. En mai 1985, un accord fut souscrit avec le comité assesseur des quatre cent cinquante banques créancières (coiffées par la Chase Manhattan Bank) en vue de refinancer 21,2 milliards de dollars de dettes publiques, sur un total de 27 milliards. Il établissait un délai de paiement de douze ans et demi, avec un intérêt supérieur de 1,1/8 % au taux du Libor (établi par la Bourse de Londres) ; le pays aurait à débourser environ 5 milliards de dollars par an – soit plus de 30 % du budget de l'État –, les sommes allant ensuite diminuant entre 1992 et 1997.

La satisfaction alors affichée par les autorités, qui se disaient prêtes à signer ce contrat, ne se trouva partagée ni par les dirigeants du principal parti d'opposition, le COPEI (démocratie chrétienne), ni par ceux de l'influente Confédération des travailleurs du Vénézuela (CTV) étroitement liée au parti au pouvoir, l'Action démocratique (AD, social-démocrate). Le secrétaire général de la CTV, M. Juan José Delpino, que

Chiffres 1985, sauf notes : a. 1984; b. 1983; c. 1982; d. 1979; e. 1975; f. 1981; g. 1973-82; h. 1980-85.
(*) Dernier recensement utilisable : Guyana, 1970; Guyane française, 1982; Surinam, 1980; Vénézuela, 1981.

les 1 500 délégués au IXᵉ congrès de cette organisation, réunis à la fin du mois de mai 1985, avaient confirmé dans son poste, critiqua vivement les termes de cette renégociation, rendue selon lui « inacceptable » du fait d'une réalité économique marquée par six années de récession et, surtout, par une baisse sensible des rentrées pétrolières.

Le président Jaime Lusinchi (1984-1989) parut tenir compte de ces remarques, puisqu'il suggéra, dans un discours devant l'ONU, fin septembre 1985, d'inclure dans le protocole d'accord une « clause de contingence » ayant trait à la capacité de remboursement du pays, en cas de catastrophe naturelle ou de chute grave des recettes d'exportation. Bien qu'elle ait soulevé d'énormes résistances, cette disposition figure dans l'accord signé en février 1986 à New York avec les banques créancières. Elle laisse la porte ouverte à des aménagements financiers d'autant plus précieux que le Vénézuela, comme le Mexique avec lequel il fait cause commune, a dû baisser brutalement le prix moyen du baril (tombé en février 1986 au-dessous de vingt dollars), en même temps qu'il réduisait en 1985 ses exportations dans le cadre du quota que lui avait fixé l'OPEP.

Défenseur des thèses en faveur d'une plus grande cohésion entre États membres, c'est le ministre vénézuélien de l'Énergie et des Mines, M. Arturo Hernández Grisanti, qui a été élu président de l'Organisation des pays exportateurs de pétrole, au cours d'une conférence (décembre 1985) à l'issue de laquelle les « treize » ont résolu de changer radicalement de stratégie, en s'attachant désormais à « défendre leur juste part du marché ». Ce dernier est âprement disputé et, selon M. Brígido Natera, président de la compagnie d'État Petróleos de Vénézuela (PETROVEN), 1986 devait être une année très dure, après que les exportations pétrolières eurent déjà baissé en 1985 (moyenne de 1,36 million de barils par jour), le revenu tombant à 10,4 milliards de dollars (contre 12,3 milliards en 1984).

L'équipe en place s'est donc attachée à mettre en valeur l'économie non pétrolière. L'agriculture a connu une expansion de 7 % en 1985, le secteur minier de 15 % et d'autres industries (textile, pétrochimie, chaussures, papier, pneu, matières plastiques, etc.) ont enregistré des indices de croissance. Mais la conjoncture pétrolière menace ces acquis et risque d'empêcher la légère reprise attendue en 1986, et que devait favoriser l'unification des taux de change décrétée par le gouvernement le 31 décembre 1985. Il existe désormais un cours unique de 7,50 bolivars pour 1 dollar ; et, parallèlement, un dollar « libre », qui oscille entre 14,50 et 15 bolivars. Pour les milieux de gauche, le patronat a déjà largement bénéficié du taux privilégié (4,30 bolivars pour 1 dollar) pour le remboursement des dettes privées, alors que, dans le même temps, les travailleurs ont vu leur pouvoir d'achat se dégrader brutalement, à cause notamment de la « libération » des prix des articles de consommation courante (lait, pain, etc.).

Ce n'est que le 2 janvier 1986 que le chef de l'État a enfin annoncé la revalorisation des salaires tant réclamée par les leaders syndicaux. M. Jaime Lusinchi, en effet, tout en se présentant au IXᵉ congrès de la CTV comme un « lutteur social », et qui jouit d'une bonne cote de popularité, tant au sein de l'opinion que de son propre parti, l'AD (terrain d'une rivalité croissante entre son secrétaire général, M. Manuel Peñalver, syndicaliste, et l'ancien président Carlos Andrés Perez) avait jusqu'alors rejeté ces revendications et invoqué, comme la Fedecámaras (le syndicat patronal), le risque de voir l'inflation augmenter, ainsi que le chômage, qui ont déjà atteint des proportions inquiétantes.

En fait, au début de 1986, le gouvernement paraissait avant tout désireux de rendre au pays son ancienne image de marque : climat politique serein, garanties accordées aux capitaux étrangers (la loi 24 du Pacte andin a été assouplie en ce sens), bonnes conditions pour le retour – non constaté encore – des quelque 35 milliards de dollars qui se sont « évadés » vers d'autres cieux depuis 1976.

Une même prudence a caractérisé la politique extérieure. Certes le Vénézuela, qui a intégré en janvier 1986 le Conseil de sécurité de l'ONU comme membre non permanent, reste un partisan du nouvel ordre économique mondial – tant défendu par l'économiste Manuel Pérez Guerrero (décédé le 17 octobre 1985) – et des relations Sud-Sud. Cela dit, Caracas n'a pas renoué ses liens diplomatiques avec La Havane – rompus en 1980 – et a témoigné une grande froideur à l'égard du régime sandiniste de Managua. Il ne partage pas pour autant les vues du président Ronald Reagan à l'égard de la région : avant de l'accepter en janvier 1986, le gouvernement vénézuélien a tenté pendant des mois de repousser la nomination de M. Otto Juan Reich comme ambassadeur des États-Unis, connu pour être un « dur » en matière de politique centraméricaine. Et la reprise des efforts de paix du groupe de Contadora (Mexique, Panama, Colombie et Vénézuela), saluée par le président Jaime Lusinchi avant que soit lancé, le 12 janvier 1986, le « message de Caraballeda » pour la paix, la sécurité et la démocratie en Amérique centrale, montre que d'importantes divergences subsistent entre Caracas et Washington.

Françoise Barthélémy

Amérique andine

Bolivie, Colombie, Équateur, Pérou

Le **Pérou** est traité dans la section « Les 34 grands États ».

République de Bolivie
Nature du régime : présidentiel.
Chef de l'État et du gouvernement : Victor Paz Estenssoro.
Monnaie : peso.
Langues : espagnol, quechua, aymara.

Le premier tour des élections générales qui a eu lieu en **Bolivie** le 14 juillet 1985 a traduit une modification radicale des rapports de forces politiques dans ce pays. Les partis constituant l'Union démocratique populaire (UDP), dirigée par le président sortant, Hernan Siles Zuazo, qui avaient obtenu 34 % des voix en 1980, se sont présentés cette fois en ordre dispersé et n'ont réuni que 12,79 % des suffrages. C'est l'ex-dictateur, le général Hugo Banzer, qui est arrivé en tête avec 28,56 % des voix (contre 14 % en 1980), précédant de peu le vieux leader du Mouvement nationaliste révolutionnaire (MNR), Victor Paz Estenssoro avec 26,49 % des voix (contre 17 % en 1980). Ainsi, en regard des divisions de la gauche et de sa gestion économique désastreuse, la période de la dictature était apparue à un secteur de la population comme une ère de stabilité et de prospérité.

Cependant le 5 août, à l'issue du second tour devant le congrès, le général Banzer n'obtenait que 51 voix sur 157 – celles des élus de son parti, l'Action démocratique nationaliste (ADN) – et Victor Paz Estenssoro était élu avec 94 voix. Mais ce dernier n'a pas tardé à signer avec son rival un « pacte pour la démocratie » et à mettre en œuvre une politique ultra-libérale, la Nouvelle politique économique (NEP) : blocage des salaires et liberté des prix, liberté de licenciement, démantèlement des grandes entreprises nationalisées, libéralisation totale des importations et des exportations, etc.

La désagrégation profonde des forces de gauche sur le plan politique et syndical depuis 1982 ne leur ont pas permis de s'opposer à la mise en œuvre de cette politique. Six mois plus tard, en mars 1986, les mesures prises n'avaient pourtant pas réussi à juguler l'hyperinflation, qui atteignait à la fin de 1985, un record mondial de 15 000 %. Il est vrai que la crise mondiale touchant la production d'étain, principal produit d'exportation de la Bolivie, a réduit d'un tiers les entrées de devises. D'autre part, les États-Unis considérant que le nouveau gouvernement n'a rien fait pour réduire la production de cocaïne (qui représente le double du montant des exportations légales, soit environ 1,4 milliard de dollars) ont suspendu en mars 1986 leur aide économique et leur assistance militaire.

Dans cette situation difficile, tout se passe comme si Victor Paz Estenssoro avait choisi pour successeur le général Banzer : il a attribué cinq portefeuilles à ses partisans, au cours d'un remaniement ministériel en janvier 1986, et nommé, à la tête des principales unités de l'armée, des militaires proches de l'ancien dictateur.

République de Colombie

Nature du régime : présidentiel.
Chef de l'État et du gouvernement : Virgilio Barco.
Monnaie : peso.
Langue : espagnol.

En **Colombie,** l'année 1985 a été fertile en événements dramatiques qui ont mis fin à l'immense espoir qu'avait suscité dans la population les efforts du président Betancur en vue de pacifier le pays. Cependant, sur le plan économique, en dépit de la catastrophe d'Armero (13 novembre 1985) qui a fait 23 000 victimes et a provoqué la dévastation d'une des plus riches régions agricoles du pays, l'année n'a pas été mauvaise, et le premier trimestre de 1986 était extrêmement prometteur. Cette situation est essentiellement due à la hausse du prix du café provoquée par la sécheresse qui a détruit 43 % de la récolte brésilienne. Cependant, l'inflation a été difficilement maintenue au-dessous de la barre de 25 % par an, et le chômage a dépassé 15 % dans les grandes villes. Le sous-emploi touche plus de 50 % de la population active.

Dans le domaine de la politique intérieure, les forces conservatrices ont réussi à saboter le plan de paix du président : l'armée, en ne respectant pas la trêve conclue avec les guérillas ou en assassinant les combattants amnistiés; les parlementaires, en bloquant toutes les réformes promises aux révolutionnaires pour qu'ils déposent les armes; l'ambassadeur des États-Unis, M. Lewis Tomb, en mettant en avant l'argument d'une collaboration entre la guérilla et les trafiquants de drogue. Seules les Forces armées révolutionnaires de Colombie (FARC), proches du Parti communiste, ont, envers et contre tout, décidé de jouer le jeu de la légalité et formé le Parti d'union patriotique pour participer aux élections.

A partir de juin 1985, les autres organisations de guérilla ont repris, l'une après l'autre, la lutte armée. Entre le 6 et le 9 novembre 1985, le M-19 (Mouvement du 19 avril) occupait le Palais de Justice de Bogota. La réaction de l'armée échappa totalement au président : elle se livra à un véritable massacre qui se solda par plus d'une centaine de morts, parmi lesquels des magistrats progressistes. Les principales organisations révolutionnaires ont alors constitué une Coordination nationale de la guérilla qui a eu de violents affrontements avec les militaires, dans la région du Cauca en particulier.

Aux élections législatives du 9 mars 1986 – qui ont vu comme à l'accoutumée un taux d'abstention de plus de 70 % – les Colombiens, vraisemblablement déçus par

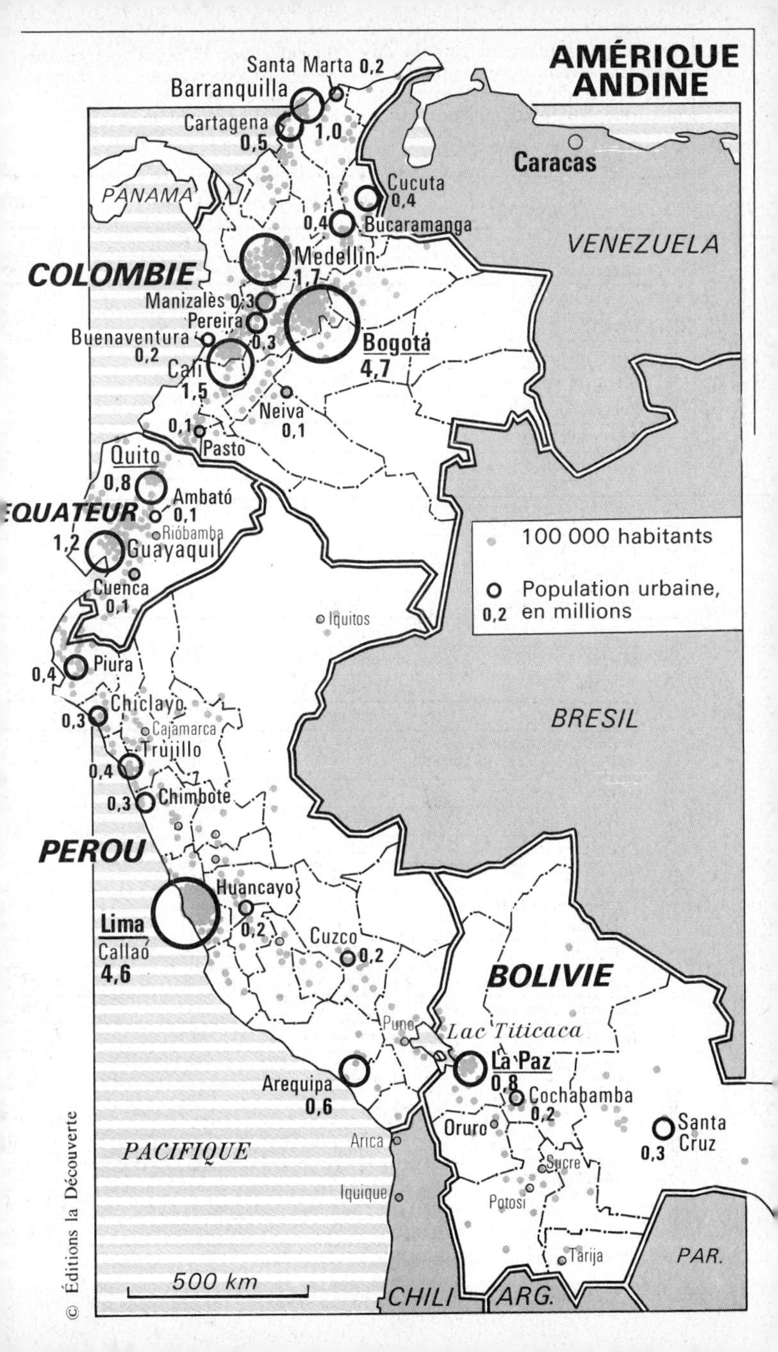
AMÉRIQUE ANDINE
Santa Marta 0,2
Barranquilla
1,0
Cartagena
0,5
Caracas
PANAMA
Cucuta
0,4
0,4
Bucaramanga
VENEZUELA
COLOMBIE
Medellin
1,7
Manizalès 0,3
Pereira
Buenaventura
0,2
0,3
Bogotá
4,7
Cali
1,5
Neiva
0,1
0,1
Pasto
Quito
0,8
Ambató
0,1
EQUATEUR
Riobamba
1,2
Guayaquil
Cuenca
0,1
100 000 habitants
Population urbaine, en millions
0,2
Iquitos
Piura
0,4
Chiclayo
0,3
Cajamarca
BRESIL
Trujillo
0,4
Chimbote
0,3
PEROU
Huancayo
0,2
Lima
Callao
4,6
Cuzco
0,2
BOLIVIE
Puno
Lac Titicaca
La Paz
0,8
Arequipa
0,6
Cochabamba
0,2
Oruro
Santa Cruz
0,3
PACIFIQUE
Arica
Sucre
Iquique
Potosi
Tarija
PAR.
500 km
CHILI
ARG.

l'échec de la tentative de paix du président Betancur, se sont raccrochés à la tradition : les libéraux ont confirmé leur prédominance traditionnelle avec 48 % des voix, contre 37 % aux conservateurs. Le rénovateur Luis Carlos Galán, dissident du Parti libéral, n'a obtenu que 7 % des

AMÉRIQUE ANDINE

	INDICATEUR	UNITÉ	BOLIVIE	COLOMBI
	Capitale		La Paz	Bogota
	Superficie	km^2	1 098 581	1 138 914
DÉMOGRAPHIE	Population (*)	million	6,43	28,6
	Densité	$hab./km^2$	5,9	25,1
	Croissance annuelle[g]	%	2,7	1,9
	Mortalité infantile	‰	110,0	49,0
	Population urbaine	%	43,7	67,4
CULTURE	Analphabétisme	%	25,8	11,9
	Scolarisation 6-11 ans	%	91,8	90,2
	12-17 ans	%	41,2	75,3
	3e degré	%	16,4[c]	13,2[b]
	Postes tv[b]	‰ hab.	64	98
	Livres publiés	titre	301[c]	7 671[b]
	Nombre de médecins	‰ hab.	0,51[e]	0,58[d]
ARMÉE	Armée de terre	millier d'h.	20,0	96,0
	Marine	millier d'h.	3,6	9,0
	Aviation	millier d'h.	4,0	4,2
ÉCONOMIE	PIB	milliard $	2,56[a]	38,41[a]
	Croissance annuelle 1973-83	%	0,3	4,1
	1985	%	– 2,5	2,0
	Par habitant	$	410[a]	1 370[a]
	Dette extérieure	milliard $	3,2	13,4
	Taux d'inflation	%	8 166	22,4
	Dépenses de l'État Éducation	% PIB	3,0[c]	3,0[b]
	Défense	% PIB	2,6[a]	1,1
	Production d'énergie[a]	millier TEC	4,83	27,57
	Consommation d'énergie[a]	millier TEC	2,09	24,10
COMMERCE	Importations	million $	690	4 103
	Exportations	million $	662	3 436
	Principaux fournisseurs	%	Bre 31,6	E-U 39,3
		%	Arg 12,7	CEE 16,5
		%	E-U 22,0	AL 18,0
	Principaux clients	%	E-U 15,5	E-U 39,7
		%	CEE 13,7	CEE 31,0
		%	Arg 57,9	AL 8,1

voix. L'Union patriotique, avec 2 % des voix, n'a guère fait mieux que le Parti communiste. C'est encore le candidat du Parti libéral, Virgilio

ÉQUATEUR	PÉROU
Quito	Lima
283 561	1 285 216
9,38	19,7
33,1	15,3
2,8	2,3
68,0	88,0
47,7	67,4
17,6	15,2
89,5	89,7
65,2	75,7
35,3[d]	21,5[c]
62	49
64[c]	704[b]
0,62[f]	0,81[c]
35,0	85,0
4,5	27,0
3,0	16,0
10,34[a]	19,0
5,0	1,3
2,5	1,9
1 220[a]	964
7,3	13,8
24,4	158,3
5,6[e]	3,3[b]
1,8[a]	7,8[a]
19,46	15,92
6,15	12,28
1 606	1 624
2 684	2 966
E-U 33,1	E-U 24,6
AL 16,8	AL 20,3
CEE 20,7	CEE 17,0
E-U 54,2	E-U 35,7
AL 10,0	AL 10,6
CEE 4,5	CEE 21,8

Barco, qui a remporté les élections présidentielles le 25 mai 1986, contre Alvaro Gomez du Parti conservateur. M. Barco doit prendre ses fonctions le 7 août.

L'armée, dont les effectifs sont passés en quatre ans de 67 000 à 110 000 hommes, permettra-t-elle que les velléités de renouer le dialogue avec la guérilla manifestées par Virgilio Barco trouvent des prolongements au cours de la prochaine législature ?

République de l'Équateur
Nature du régime : présidentiel.
Chef de l'État et du gouvernement : León Febres Cordero.
Monnaie : sucre.
Langues : espagnol, quechua.

Mettant à profit l'élection, en mai 1984, d'un président ultraconservateur, M. León Febres Cordero, les États-Unis ont décidé de faire de l'**Équateur** la vitrine de leur politique en Amérique latine. Le nouveau gouvernement a décidé des mesures d'austérité, la libération des prix, la levée de mesures protectionnistes concernant l'industrie locale, et fait appel aux investissements de multinationales pour développer la production pétrolière. En août 1985, une partie de la dette extérieure (7 milliards de dollars) a été renégociée et l'inflation ramenée à 24 %.

Mais la chute brutale des cours du pétrole sur le marché mondial risque de provoquer « un véritable séisme économique en Équateur ». En effet, le pétrole représente 16 % du PIB, les deux tiers des exportations, et il finance 58 % des dépenses publiques. Le prix de 15 dollars le baril entraîne un manque à gagner annuel

Chiffres 1985, sauf notes : a. 1984 ; b. 1983 ; c. 1982 ; d. 1981 ; e. 1980 ; f. 1977 ; g. 1980-85.
Moyenne 1980-83 ; i. Capitale constitutionnelle : Sucre.
(*) Dernier recensement utilisable : Bolivie, 1976 ; Colombie, 1973 ; Équateur, 1982 ; Pérou, 1981.

de 680 millions de dollars. Pour faire face à la nouvelle situation, le gouvernement a dévalué le sucre (monnaie nationale) de 14 % en janvier 1986, taxé les importations et annoncé un effort sans précédent pour augmenter les exportations traditionnelles : bananes, cacao, café et produits de la pêche.

Cette aggravation de la situation économique ne pouvait que relancer l'agitation sociale. En ce sens la mutinerie avortée, en mars 1986, du général Frank Vargas traduisant un malaise à l'intérieur des secteurs nationalistes de l'armée, était le signe annonciateur de difficultés à venir pour le président Febres Cordero. En perdant le contrôle du Parlement aux élections législatives du 1er juin 1986, il a subi une lourde défaite.

Alain Labrousse

Cône Sud

Argentine, Chili Paraguay, Uruguay

L'**Argentine** est traitée dans la section « Les 34 grands États ».

République du Chili
Nature du régime : dictature militaire.
Chef de l'État et du gouvernement : général Augusto Pinochet.
Monnaie : peso.
Langue : espagnol.

Au **Chili**, un fait politique important a marqué l'année 1985 : sous le patronage de l'Église catholique, en la personne de l'archevêque de Santiago, Mgr Juan Francisco Fresno, un « Accord national pour la transition vers une pleine démocratie » a été signé le 26 août par les onze partis de l'Alliance démocratique (AD). Ceux-ci vont de la droite la plus classique (le Parti national et le Mouvement d'union nationale, qui ont longtemps soutenu la dictature du général Augusto Pinochet) à la gauche modérée (certains groupes du Parti socialiste), en passant par cette force décisive qu'est la Démocratie chrétienne, bien implantée dans les professions libérales et dans les fédérations syndicales « stratégiques », celles des travailleurs du cuivre, de l'électricité, du pétrole et des banques.

Certes, l' « Accord national » ne signifie pas l'unité de l'opposition, puisque les diverses composantes du Mouvement démocratique populaire (MDP, qui comprend le Parti communiste, le Mouvement de la gauche révolutionnaire et le courant marxiste du PS) n'avaient pas été invitées à la table des négociations. Il y a en effet divergence sur les méthodes à employer pour combattre la dictature. Tandis que l'AD préconise une approche pacifique, négociée avec les forces armées et le général Pinochet, le MDP estime qu'il faut contraindre ce dernier à se démettre, et cela en combinant toutes les formes de lutte. C'est ainsi que le PC approuve les actions armées menées par le Front patriotique Manuel Rodríguez, jugeant que la violence permanente exercée par l'État dictatorial contre les droits collectifs et individuels des Chiliens leur donne un droit de légitime défense.

Le débat, qui reste ouvert, n'a pas empêché cependant que l'éventail tout entier des forces d'opposition se rassemble lors d'un gigantesque meeting – le premier autorisé depuis novembre 1983 – célébré dans le parc O'Higgins, au cœur de la capitale, le 21 novembre 1985. Là, M. Gabriel Valdès, leader de la DC et chef de l'AD, évoquant les récentes évolutions au Brésil, en Argentine et en Uruguay, a réclamé la tenue d'élections libres destinées à restaurer la démocratie, autrement

CÔNE SUD
Arica 0,1
Iquique 0,2
BOLIVIE
PARAGUAY
Concepción
Pedro Juan Caballero
Antofagasta 0,2
Salta 0,2
Asunción 0,6
Caaguazu
Villarica
San Miguel de Tucumán 0,5
CHILI
0,2
0,1
Santiago del Estero
Corrientes 0,1
BRÉSIL
Coquimbo
Córdoba 1,0
Santa Fe 0,4
Artigas
San Juan 0,3
0,3
Salto
Viña del Mar
Melo
Valparaiso 1,2
Mendoza 0,6
Rosario 1,0
Paysandú
URUGUAY
Santiago 4,4
Buenos Aires 2,9
La Plata 0,5
Montevideo 1,3
0,1 Talcahuano
0,2 Concepción
ARGENTINE
Temuco 0,2
Bahia Blanca 0,2
Mar del Plata 0,5
Valdivia 0,2
Puerto Montt.
San Carlos de Bariloche
ATLANTIQUE
Comodoro-Rivadaria
100 000 habitants
Population urbaine, en millions
0,2
Falkland (Brit.)
2 000 hab.
Port Stanley
Détroit de Magellan
500Km
Punta Arenas
Ushuaia
Détroit de Beagle
Cap Horn

dit la convocation d'un Parlement ayant pour mission de réformer la Constitution de 1980 et d'élire un nouveau président. Fait notable : deux membres de la junte au pouvoir, le général Fernando Mattei, commandant en chef de l'armée de l'air, le chef des carabiniers, le géné-

CÔNE SUD

	INDICATEUR	UNITÉ	ARGENTINE	CHILI
	Capitale		Buenos Aires	Santiago
	Superficie	km²	2 766 889	756 945
DÉMOGRAPHIE	Population (*)	million	30,56	12,07
	Densité	hab./km²	11,0	15,9
	Croissance annuelle[g]	%	1,6	1,8
	Mortalité infantile	‰	32,0	36,0
	Population urbaine	%	84,6	83,4
CULTURE	Analphabétisme	%	4,5	5,6[b]
	Scolarisation 6-11 ans	%	100,0	99,3
	12-17 ans	%	74,0	91,3
	3e degré	%	25,2[b]	10,7[b]
	Postes tv[b]	‰ hab.	199	116
	Livres publiés	titre	4 216[b]	1 326[b]
	Nombre de médecins	‰ hab.	2,6[d]	0,88[f]
ARMÉE	Armée de terre	millier d'h.	55,0	57,0
	Marine	millier d'h.	36,0	29,0
	Aviation	millier d'h.	17,0	15,0
ÉCONOMIE	PIB	milliard $	67,15[a]	16,1
	Croissance annuelle 1973-83	%	– 0,2	2,2
	1985	%	– 4,0	2,4
	Par habitant	$	2 232[a]	1 334
	Dette extérieure	milliard $	50,0	19,6
	Taux d'inflation	%	385,4	26,4
	Dépenses de l'État Éducation	% PIB	2,5[c]	5,8[c]
	Défense	% PIB	3,6[a]	8,5[a]
	Production d'énergie[a]	million TEC	57,1	6,98
	Consommation d'énergie[a]	million TEC	51,7	10,93
COMMERCE	Importations	million $	3 845	2 743
	Exportations	million $	8 522	3 797
	Principaux fournisseurs	%	E-U 17,5	E-U 21,2
		%	CEE 31,0	CEE 16,0
		%	AL 32,4	AL 26,4
	Principaux clients	%	CEE 27,1	E-U 22,9
		%	CAEM 20,6	CEE 31,4
		%	AL 16,7	AL 14,8

ral Rodolfo Stange, ainsi que des commandants de la force aérienne et de la marine, se sont déclarés d'accord avec cet objectif.

PARAGUAY	URUGUAY
Assomption	Montévidéo
406 752	176 215
3,28[a]	2,99[a]
8,1[a]	17,0[a]
2,6	0,7
42,0	34,0
41,5	85,0
11,8	5,1[d]
79,4	82,2
51,2	68,2
7,2[e]	20,8[b]
23	124
1 454[c]	899[c]
0,62[c]	1,9[f]
11,20	22,3
2,20	6,6
0,97	3,0
4,12	5,05
8,5	2,5
4,0	0,7
1 250	1 679
1,9	4,9
23,1	83,0
1,3[d]	2,2[d]
1,4[a]	4,2[c]
0,11	0,43
0,83	1,89
442	604
304	855
Bré 36,1	CEE 20,7
Arg 16,9	AL 33,1
E-U 7,9	E-U 9,2
PCD 53,8	E-U 41,6
E-U 1,2	CEE 15,0
AL 27,4	AL 17,0

C'est également ce qu'a laissé entendre Washington, par la voix notamment de son ambassadeur à Santiago, M. Harry Barnes, en poste depuis le 18 novembre 1985, pour qui le Chili « doit rejoindre les nations démocratiques de l'hémisphère ». Cette prise de position n'a pas empêché les États-Unis de voter au sein des organisations financières internationales en faveur de l'octroi de prêts substantiels (quelque 900 millions de dollars pour 1985) au régime Pinochet qui, il est vrai, ouvre toujours largement les portes – surtout du secteur minier – aux investissements nord-américains et a cédé l'île de Pâques au président Ronald Reagan, en vue d'en faire un champ d'atterrissage pour les navires spatiaux de la « guerre de l'Espace ».

On est donc loin d'une franche rupture, même si un isolement croissant, à l'intérieur et à l'extérieur du pays, affecte la dictature hautement personnalisée du général Augusto Pinochet. Ce dernier, qui entend rester au pouvoir au-delà de 1989 – date de la fin de son mandat – afin « d'occuper un poste d'avant-garde dans la bataille contre le marxisme », a tout de même été contraint, pour la première fois, de mener à son terme une enquête ouverte à la suite du meurtre, le 29 mars 1985, de trois militants communistes, M. José Manuel Parada, sociologue travaillant au Vicariat de la solidarité, M. Manuel Guerrero Caballos, président régional de l'Association des enseignants chiliens (AGECH), et M. Santiago Nattino Allende, dessinateur. Après qu'un juge, M. José Canovas, eut désigné comme coupables quatorze carabiniers, membres du service secret DICOMCAR, dissous par la suite, le général en

Chiffres 1985, sauf notes : a. 1984; b. 1983; c. 1982; d. 1980; e. 1979; f. 1981; g. 1980-85.

(*) Dernier recensement utilisable : Argentine, 1980; Chili, 1982; Paraguay, 1982; Uruguay, 1975.

chef des carabiniers, M. César Mendoza, un vieux et fidèle ami du chef de l'État, a dû renoncer à ses fonctions le 2 août 1985, ainsi que sept généraux et dix-sept colonels.

Cette crise a contribué à affaiblir un régime dont les graves tensions sont causées, selon les évêques catholiques, par « le manque de liberté politique et l'augmentation de la misère » (document de la Conférence épiscopale du 13 novembre 1985). De nombreuses *protestas*, où des habitants des *poblaciones* misérables ont été tués par la police, ont en effet secoué à maintes reprises la capitale – frappée également par un grave séisme, le 3 mars 1985 – et d'autres villes de province. La *protesta* du 16 octobre 1985, organisée par le Commandement national des travailleurs (CNT) et l'Alliance démocratique en vue de manifester contre l'arrestation, lors d'une manifestation antérieure (4 septembre), de plusieurs dirigeants syndicaux, parmi lesquels M. Rodolfo Seguel, président du CNT, s'est soldée par de très violents affrontements.

En fait, la levée de l'état de siège en juin 1985 – il avait été décrété en novembre 1984 – n'a nullement signifié une amélioration dans la situation des droits de l'homme, même si elle a eu certains effets positifs tels que la reparution de publications interdites, par exemple la courageuse revue hebdomadaire *Análisis*. L'article 24 de la Constitution, qui donne au chef de l'État des facultés discrétionnaires, a été appliqué dans toute sa rigueur par le docile et falot ministre de l'Intérieur, M. Ricardo García Rodríguez.

Quant à la politique d'ajustement menée par le ministre des Finances, M. Hernán Büchi, soucieux avant tout de maintenir sous un contrôle strict les dépenses dans le secteur public, elle a signifié des conditions de vie de plus en plus difficiles pour une majorité de la population. En témoigne la grève « dure » menée par les dockers, en novembre-décembre 1985. A la vérité, la gestion de M. Büchi, qui demande toujour plus d'argent frais pour équilibrer ses comptes et n'a pas voulu renouveler la garantie de l'État sur les dettes externes de la banque privée, n'est guère appréciée de la banque internationale. Celle-ci cependant, sous la pression du FMI, s'est montrée bienveillante à l'heure de renégocier les échéances de la dette extérieure (environ 20 milliards de dollars). L'horizon économique est sombre, entre autres choses parce que le cours des principaux produits d'exportation – tout particulièrement le cuivre – a fortement chuté.

Le marasme dans lequel est prostré le pays reste le principal élément déstabilisateur d'une dictature dont le seul but apparent semble être de s'éterniser au pouvoir. Le général Augusto Pinochet, qui a fêté ses soixante-dix ans le 25 novembre 1985, a pris soin d'envoyer à la presse des photos où, s'adonnant à des exercices de gymnastique, il apparaît en excellente santé.

République du Paraguay

Nature du régime : présidentiel.
Chef de l'État et du gouvernement : général Alfredo Stroessner.
Monnaie : guaraní.
Langues : espagnol, guarani.

A peine les élections municipales d'octobre 1985 s'étaient-elles achevées au **Paraguay**, dans un climat de fraude et de répression, que le Parti colorado (89 % des voix), au pouvoir, sollicitait officiellement la réélection du général Alfredo Stroessner pour la prochaine période présidentielle (1988-1992). Cette démarche n'a fait que masquer, momentanément, les aigres conflits qui opposent, au sein des *colorados*, les « militants » menés par M. Mario Abdo Benitez et les « traditionalistes », ces deux courants cherchant à imposer leur propre candidat à la succession de Stroessner.

Ce dernier a fêté, en mai 1985, les trente et un ans de ce que la propagande appelle un « gouvernement en paix » mais qui constitue en réalité une dictature cruelle, de plus en plus anachronique alors que les voisins – Argentine, Brésil, Uruguay – ont renoué avec les institutions démocratiques. On voit mal toutefois comment l'Accord national – front d'opposition constitué par le Parti libéral radical authentique, le Parti révolutionnaire fébrériste, la Démocratie chrétienne et le Mouvement populaire Colorado (MOPOCO) – parviendra à élargir son audience, encore faible dans le pays, même si le Paraguay est frappé par une dure crise économique et sociale : chute des réserves internationales, baisse des prix des principaux produits d'exportation (soja et coton), tassement des investissements publics, mauvaises perspectives pour la relance du barrage de Yacireta construit conjointement avec l'Argentine, forte inflation (40 %).

C'est dans ce contexte que les conflits agraires (la population, de 3,5 millions d'habitants, est essentiellement rurale), aggravés par la sécheresse, ont pris un tour aigu : 5 000 petits agriculteurs se sont rassemblés le 14 juillet 1985 à Caaguazú, en vue d'appuyer l'« Assemblée permanente des paysans sans terre », créée en 1984. On assiste par ailleurs à un essor du Mouvement intersyndical des travailleurs (MIT, fondé le 1er mai 1985, 3 500 membres), qui s'oppose à la bureaucratie corrompue coiffant la Confédération des travailleurs paraguayens (CTP, 20 000 membres). L'Église catholique, notamment par la voix de Mgr Melanio Medina, multiplie ses critiques envers le régime, et la presse, pourtant muselée, a dénoncé plusieurs scandales, dont celui soulevé, en décembre 1985, par une gigantesque fuite de devises (1 milliard de dollars) qu'organisaient des fonctionnaires de la Banque centrale.

L'odeur de décomposition qui accompagne la fin du règne du dictateur mécontente certains milieux d'affaires, pas toujours d'accord avec l'énormité de la contrebande, et surtout inquiète Washington, qui souhaiterait un changement, fût-il de façade. Mais, à Asunción, un slogan circule : « Le sang de Stroessner doit continuer. » Est-ce à travers son fils, le colonel Gustavo Stroessner? Il y a en tout cas un rêve que le général-président n'a pu réaliser en juillet 1985 : le voyage en Allemagne fédérale, patrie de ses pères.

République orientale de l'Uruguay

Nature du régime : démocratie parlementaire.
Chef de l'État et du gouvernement : Julio María Sanguinetti.
Monnaie : peso.
Langue : espagnol.

En **Uruguay**, d'intenses conflits sociaux ont agité l'année 1985, après que le président Julio María Sanguinetti, entré en fonctions le 1er mars, eut rétabli les libertés anéanties par près de douze années de dictature militaire. Celle-ci avait provoqué une diminution de 50 % des salaires réels ainsi qu'un fort accroissement du chômage. La misère et même la faim ont fait leur apparition dans ce pays jadis opulent. Aussi d'innombrables grèves ont-elles agité les secteurs les plus divers : fonction publique, transports, industries textile, vestimentaire, chimique, métallurgique, alimentaire, etc.

Accusée par certains dirigeants du Parti colorado (centriste), au pouvoir, « d'ébranler » la fragile démocratie, la confédération ouvrière PIT-CNT, conduite par M. José d'Elía, n'a pas cédé dans ses revendications, montrant à plusieurs reprises sa puissance, notamment lors d'une marche dans la capitale, le 8 novembre 1985. Si les milliers de manifestants n'ont pas obtenu la démission du ministre de l'Intérieur, M. Carlos Manini Ríos, durement critiqué au Parlement par l'opposition – à savoir le Parti blanco de M. Wilson Ferreira Aldunate et le Front élargi, coalition de gauche présidée par le général Líber Seregni –, ils ont tout de même contraint les autorités à renouer le « dialogue national » autour des thèmes les plus conflictuels : l'amélioration des conditions de vie des travailleurs; la répartition du budget de l'État pour 1986; le sort des fonctionnaires destitués sous la dictature; les termes du remboursement de la dette, estimée à quelque 5 milliards de dollars, montant considérable compte tenu du nombre d'habitants (2,9 millions, dont 1,3 à Montévidéo).

La gauche semble toutefois bien isolée lorsqu'elle exige le jugement des militaires et des policiers impliqués dans des cas de disparitions, meurtres, viols et tortures, et la commission d'enquête sur l'assassinat à Buenos Aires, en mai 1976, des parlementaires uruguayens Zelmar Michelini et Héctor Gutiérrez Ruiz a seulement mis en évidence l'existence de « complicités » entre les forces répressives de la région. Le président Sanguinetti estime que les anciens guérilleros (parmi lesquels Raúl Sendic, chef des Tupamaros) ayant été amnistiés – ils sont revenus à la vie légale lors de la Convention du 22 décembre 1985 – et plus un seul prisonnier politique ne demeurant dans les prisons, il convient de « tirer un trait sur le passé » et d'unir les efforts autour d'une reprise économique étroitement liée, selon lui, à l'essor des exportations.

Signé le 1er septembre 1985, l'« Accord de Colonia » vise à revitaliser les échanges avec l'Argentine, recherchés aussi avec le Brésil. L'heure est au rapprochement sans exclusive avec les autres pays latino-américains, comme en témoigne le rétablissement des liens diplomatiques avec le Vénézuela (mars 1985) et surtout avec Cuba (octobre 1985). L'Uruguay, en ayant officiellement apporté son soutien aux efforts du groupe de Contadora pour rétablir la paix en Amérique centrale, montre ainsi qu'il entend mener une politique extérieure souveraine.

Françoise Barthélémy

Croissant fertile

Irak, Jordanie, Liban, Syrie

République irakienne
Nature du régime : militaire.
Chef de l'État et du gouvernement : Saddam Hussein.
Monnaie : dinar.
Langue : arabe.

L'**Irak**, pris au piège de la guerre qu'il a déclenchée en septembre 1980, paie très cher un conflit dont les bilans politique, économique et démographique sont souvent difficiles à évaluer avec précision, tant sont contradictoires les informations diffusées sur un ton triomphateur par les deux belligérants.

Sans entrer dans les péripéties de la guerre, il convient de souligner l'importance de la prise du port pétrolier irakien de Fao, le 10 février 1986. Cette offensive iranienne dans le sud-est de l'Irak, déclenchée à l'occasion du septième anniversaire de la « révolution islamique », a menacé directement la seconde ville irakienne, Bassorah. Deux mois plus tard, les Iraniens tenaient toujours Fao, malgré l'ampleur des moyens mis en œuvre par le président Saddam Hussein pour en chasser les Iraniens. Pour la première fois dans la guerre du Golfe, l'Irak a été « fermement condamné », le 21 mars 1986, par le Conseil de sécurité des Nations Unies pour avoir eu recours à des armes chimiques.

Sans doute, le port de Fao n'a-t-il

CROISSANT FERTILE

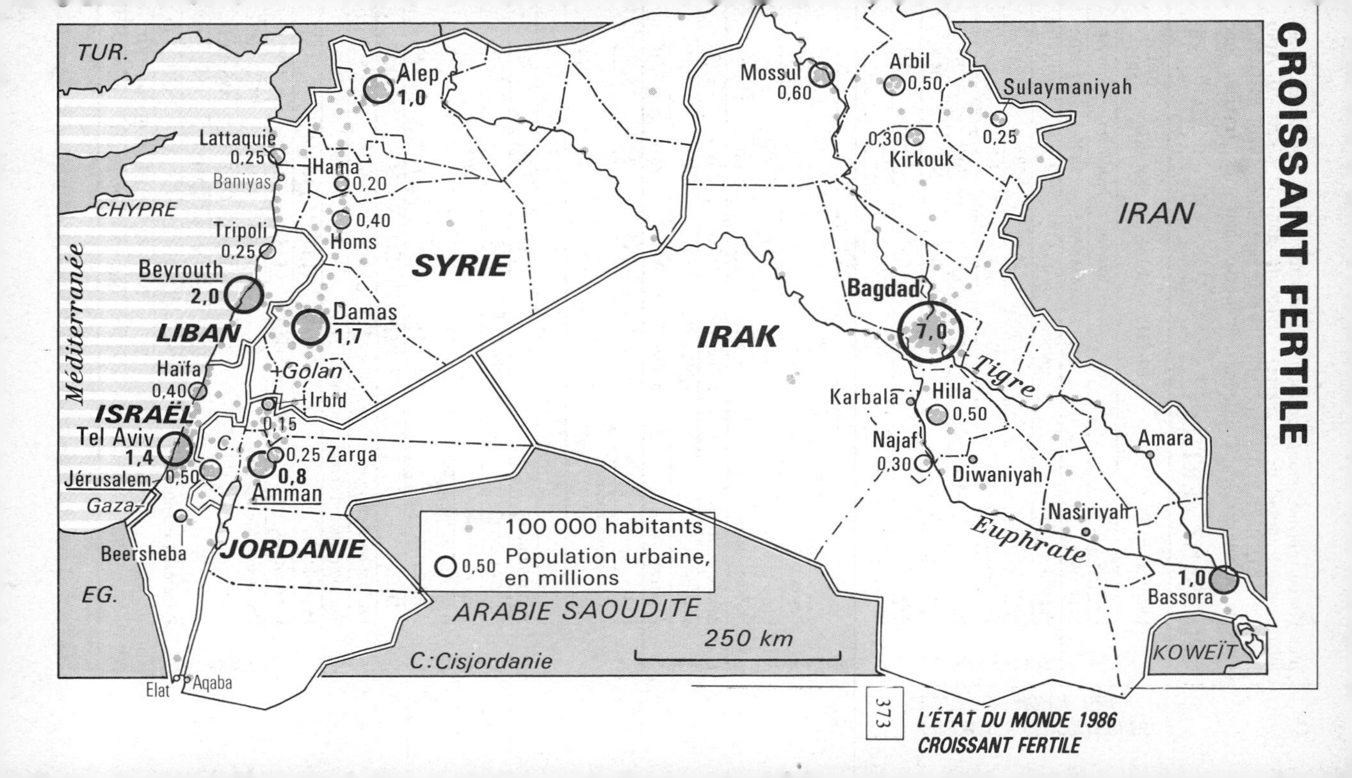

plus l'importance économique qu'il avait avant le début de la guerre, lorsqu'il assurait 75 % des exportations de pétrole irakien. D'ailleurs, toute navigation commerciale est interdite dans le Chatt El Arab depuis septembre 1980. Mais Fao conserve pour les Irakiens une

CROISSANT FERTILE

	INDICATEUR	UNITÉ	IRAK	ISRAËL	JORDANIE
	Capitale		Bagdad	Jérusalem	Amman
	Superficie	km²	434 924	20 770	97 740
DÉMOGRAPHIE	Population (*)	million	15,9	4,2	3,38 [a]
	Densité	hab./km²	36,6	193	34,6 [a]
	Croissance annuelle [e]	%	3,5	2,1	3,7
	Mortalité infantile	‰	61,0	13,0	53,0
	Population urbaine	%	70,6	90,7	64,4
CULTURE	Analphabétisme	%	10,7	4,9	25,0
	Scolarisation 6-11 ans	%	99,0	..	..
	12-17 ans	%	86,9	..	..
	3e degré	%	10[b]	33,8[b]	33,3[c]
	Postes tv[b]	‰ hab.	55	256	68
	Livre publiés	titre	82[b]	1 892[c]	..
	Nombre de médecins[f]	‰ hab.	0,56	2,5	..
ARMÉE	Armée de terre	millier d'h.	475,0	104,0	62,75
	Marine	millier d'h.	5,0	10,0	0,35
	Aviation	millier d'h.	40,0	28,0	7,20
ÉCONOMIE	PIB	milliard $	42,1[c]	22,2	4,34 [a]
	Croissance annuelle 1973-83	%	[h]	3,1	10,9
	1985	%	..	3,4	..
	Par habitant	$	2 983[c]	5 286	1 710
	Dette extérieure	milliard $	50,0	23,9	3,20[a]
	Taux d'inflation	%	..	185,2	1,8
	Dépenses de l'État Éducation	% PIB	3,6[c]	8,4[d]	5,8[b]
	Défense	% PIB	33,7[b]	24,8 [a]	13,4 [a]
	Production d'énergie[a]	million TEC	85,8	0,07	–
	Consommation d'énergie[a]	million TEC	8,1	9,82	3,37
COMMERCE	Importations	million $	11 178	10 154	2 733
	Exportations	million $	13 185	6 256	789
	Principaux fournisseurs	%	Jap 14,4	E-U 17,7	PCD 46,8
		%	CEE 36,2	CEE 38,1	ArS 12,3
		%	CAEM 6,8	PVD 4,8	Chi 23,2
	Principaux clients	%	CEE 47,5	E-U 33,7	PCD 17,6
		%	PVD 42,5	CEE 31,0	Irk 18,0
		%	Bré 17,7	PVD 12,0	Ide 13,6

valeur politique et symbolique qui explique l'acharnement des combats pour essayer de le reprendre.

Les recettes pétrolières constituant l'essentiel des ressources de Bagdad, alors que la guerre coûte très cher (les dépenses militaires sont évaluées à un milliard de dollars par mois), il était indispensable d'augmenter la capacité des oléoducs permettant l'exportation du pétrole irakien : de 1984 à fin 1986, la capacité de l'oléoduc Kirkouk-Dortyol (Turquie) est passée de 700 000 à 1,5 million de barils par jour, celle de l'oléoduc aboutissant au port saoudien de Yambu, sur la mer Rouge, de un demi-million à un million de barils par jour. Les efforts pour améliorer le réseau d'oléoducs ont permis un redressement des recettes pétrolières, malgré la baisse du prix mondial du pétrole. Les revenus pétroliers ont atteint 13 milliards de dollars en 1985, alors qu'ils étaient inférieurs à 10 milliards de dollars en 1983.

En même temps, la politique d'austérité adoptée par le gouvernement depuis 1983 a permis de réduire de moitié les importations, si bien que, pour la première fois depuis 1980, la balance commerciale a été excédentaire en 1985, tandis que la balance des paiements restait largement déficitaire. Toutefois, l'effondrement du cours mondial du pétrole au début de 1986 compromettait sérieusement les tentatives d'assainissement de l'économie, au moment où l'effort de guerre exigeait de nouvelles dépenses. La dette extérieure de l'Irak est restée préoccupante (50 milliards de dollars au début de 1986), même si les principaux créanciers, en particulier la France, ont accepté le rééchelonnement de certaines échéances.

LIBAN	**SYRIE**
Beyrouth	Damas
10 400	185 180
2,64[a]	10,27
253,8[a]	55,5
0,5	4,0
39,0	48,0
80,4	49,5
23,0	40,0
87,7	94,6
57,7	57,0
28,9[c]	15,9[c]
296	44
..	119[b]
..	0,4
16,0	270,0
0,3	2,5
1,1	70,0
..	18,4
..	8,0
..	– 1,0
g	1 792
0,44[a]	3,0
..	22,2
..	5,9[b]
..	17,3[a]
0,07	14,26
2,26	9,19
2 073	3 885
581	1 800
E-U 7,1	CEE 31,5
CEE 48,4	CAEM 9,8
PVD 26,5	Iran 31,8
PCD 17,8	Ita 22,6
M-O 51,7	CAEM 33,4
ArS 19,9	PVD 10,7

Chiffres 1985, sauf notes : a. 1984; b. 1983; c. 1982; d. 1980; e. 1980-85; f. 1981; g. Revenu *per capita :* 700 à 1 000 dollars en 1985, moins que la moitié du niveau de 1982 (2 011 $); h. – 55 % entre 1979 et 1982.

(*) Dernier recensement utilisable : Irak, 1977; Israël, 1983; Jordanie, 1979; Liban, 1970; Syrie, 1981.

Royaume hachémite de Jordanie
Nature du régime : monarchie parlementaire.
Chef de l'État : roi Hussein.
Chef du gouvernement : Zaïd Rifaï.
Monnaie : dinar.
Langues : arabe, anglais.

La **Jordanie** s'est rapprochée de la Syrie. Déjà, en avril 1985, le roi Hussein avait choisi un nouveau Premier ministre, Zaïd Rifaï, qui entretient de bonnes relations personnelles avec les dirigeants syriens. L'aboutissement du processus ainsi amorcé a été de cordiaux et fructueux entretiens à Damas entre le président Hafez el-Assad et le roi Hussein de Jordanie, fin décembre 1985, alors que les deux chefs d'État ne s'étaient pas rencontrés depuis six ans. Ce rapprochement jordano-syrien a été possible dans la mesure où le roi Hussein a fait d'importantes concessions à la Syrie, confirmées en février 1986 par la rupture de l'accord jordano-palestinien, conclu un an plus tôt à Amman.

L'échec de l'initiative jordano-palestinienne, qui visait à associer l'OLP à une conférence de paix internationale sur le Proche-Orient, est due à la fois aux réticences américaines et aux hésitations de Yasser Arafat, qui, selon le roi Hussein, « n'a pas montré la sincérité et la clarté requises ». D'autre part, l'assassinat, le 2 mars 1986, de Zafer al-Masri, maire de Naplouse, nommé par l'administration israélienne, mais proche également du roi Hussein et de l'OLP, a rendu plus difficiles les rapports entre Amman et les notables cisjordaniens, et plus délicates d'éventuelles négociations entre la Jordanie et Israël au sujet des territoires occupés.

L'économie jordanienne a connu en 1985 et 1986 de sérieuses difficultés, comme en témoigne l'accroissement spectaculaire du chômage, accentué par le retour d'un grand nombre de Jordaniens expatriés dans les « pétromonarchies » du Golfe. Les difficultés économiques des pays arabes du Golfe se sont traduites également par une diminution spectaculaire de l'aide financière apportée par l'Arabie saoudite à la Jordanie. Enfin, après avoir d'abord un peu profité du conflit irako-iranien, qui avait fait, par exemple, du port d'Aqaba le principal débouché maritime de l'Irak, Amman s'inquiète du prolongement de cette guerre sanglante et ruineuse pour l'Irak, principal allié et partenaire commercial de la Jordanie. C'est pourquoi en août 1985, le conseil des ministres jordaniens a adopté un plan de relance et de protection de l'économie nationale : hausse des taxes douanières et interdictions frappant l'importation de certains produits, extension des soutiens de l'État à l'industrie, exemptions fiscales en faveur des industries exportatrices. Le principal objectif du plan quinquennal (1986-1990) est de créer des emplois.

République libanaise
Nature du régime : en théorie, démocratie parlementaire ; *de facto*, dictature des milices en raison de la guerre civile.
Chef de l'État : Amine Gemayel.
Chef du gouvernement : Rachid Karamé.
Monnaie : livre libanaise.
Langues : arabe, français, anglais.

Depuis le printemps 1985 l'opinion française a étroitement associé le problème du **Liban** à la douloureuse question des otages français détenus dans ce pays, placée régulièrement au cœur de l'actualité, avec parfois une intensité dramatique. Ainsi, en mars 1986, l'annonce par le Jihad islamique de l'exécution du chercheur Michel Seurat a été suivie par l'enlèvement de quatre journalistes de la deuxième chaîne française de télévision. L'enlèvement de nombreux ressortissants étrangers, occidentaux pour la plupart, préoccupe à juste titre l'opinion internationale. Mais, pour les Libanais, la pratique des enlèvements, après onze ans de guerre, est devenue une banalité qu'ils affrontent dans leur vie quotidienne, au même titre que les bombardements aveugles ou les voitures piégées. Des milliers de Libanais ont été enlevés :

si la plupart ont été rendus, plus de deux mille sont portés disparus.

En 1985 et durant les premiers mois de 1986, les conditions de sécurité au Liban ont continué de se dégrader, principalement à l'intérieur de l'agglomération de Beyrouth, dans la montagne chrétienne, mais aussi à Tripoli et dans le Sud-Liban. Seule la plaine de la Bekaa, où règne l'ordre syrien, a été relativement épargnée. Sans qu'il soit possible de dresser une comptabilité précise de tous ces affrontements, signalons seulement les plus importants et les plus significatifs.

Dans le Sud-Liban, le retrait des troupes israéliennes fin 1984 s'est accompagné de violents affrontements confessionnels qui ont abouti, au printemps 1985, à des massacres et à l'exode des populations chrétiennes de la région de Saïda. A Tripoli, dans le Liban-Nord, les affrontements traditionnels entre le Mouvement de l'unité islamique et les miliciens pro-syriens ont atteint, en septembre 1985, une ampleur jamais égalée (plus de deux cents morts, importantes destructions), car l'assaut contre les forces islamistes était appuyé par l'artillerie syrienne.

A Beyrouth-Ouest, l'anarchie grandissante s'est traduite par la multiplication des affrontements entre milices musulmanes, autrefois alliées, le moindre incident dégénérant en batailles rangées : combats d'avril 1985 où les miliciens sunnites mourabitoun ont été écrasés par les chiites d'Amal soutenus par les Druzes du Parti socialiste progressiste (PSP), ou ceux de novembre 1985 entre les chiites d'Amal et les druzes du PSP. Mais les affrontements les plus meurtriers sont ceux qui ont opposé les miliciens chiites d'Amal aux Palestiniens : la « bataille des camps », du 19 mai au 19 juin 1985, aurait provoqué la mort de plus de cinq cents personnes de chaque côté, ainsi que l'exode d'une partie de la population des camps de Sabra, Chatila et Borj-al-Brajneh. Ces affrontements entre Amal et les Palestiniens ont repris de temps à autre (début avril 1986). Par ailleurs, des combats entre chiites ont opposé les membres fanatisés du Hezbollah (ou « Parti de Dieu ») aux miliciens d'Amal.

A Beyrouth-Est, en secteur chrétien, l'anarchie est moins grande mais l'insécurité est régulièrement entretenue par les explosions de plus en plus fréquentes de voitures piégées, ou par les bombardements de quartiers résidentiels par les milices pro-syriennes. En janvier 1986, de violents combats entre miliciens chrétiens ont fait plus de trois cents victimes et ont traumatisé un peu plus la communauté chrétienne, très inquiète de son avenir. Outre des rivalités personnelles entre responsables des milices chrétiennes, la véritable cause de ces affrontements dans le camp chrétien réside dans l'accord de Damas, signé le 28 décembre 1985 entre les trois principales milices libanaises : chiites (Amal), druzes (PSP) et chrétiennes (Forces libanaises).

L'accord de Damas, laborieusement négocié, devait mettre fin à la guerre, mais plaçait en fait le Liban sous la tutelle de la Syrie. Le président libanais, Amine Gemayel, l'a refusé, appuyé par une partie des milices chrétiennes, qui ont écrasé les partisans de l'accord, obligeant l'ancien chef des Forces libanaises chrétiennes (Élie Hobeika, signataire de l'accord) à fuir la zone phalangiste. Mais une partie des chrétiens, y compris parmi les maronites, reste favorable à l'accord de Damas et joue la « carte syrienne » (comme l'ancien président de la République, Soleiman Frangié).

Ainsi, plus que jamais les divisions entre Libanais, compliquées par les interférences étrangères (syriennes, israéliennes ou palestiniennes), n'ont cessé de s'amplifier, même entre membres d'une même communauté : combats entre maronites à Beyrouth-Est, entre chiites à Beyrouth-Ouest, où l'influence d'Amal est de plus en plus contestée par le Hezbollah, dont les partisans retiennent de nombreux otages, libanais ou étrangers.

Dans ce contexte d'anarchie et d'insécurité, l'économie libanaise est en chute libre, comme en témoigne la débâcle monétaire : la livre libanaise, qui avait résisté à près de dix années de guerre, s'est effondrée, sa valeur étant passée de 1,50 franc français en 1984 à 0,30 franc début 1986. Tous les secteurs de la vie économique sont désormais atteints. Les activités tertiaires sont paralysées, et les productions agricoles et industrielles très réduites par suite des destructions et de l'insécurité qui gêne les communications. A l'image des divisions entre Libanais, l'espace libanais est plus éclaté que jamais, tandis que la désagrégation de l'État se poursuit inexorablement (le gouvernement, paralysé, n'arrive plus à se réunir, et l'armée est éclatée en multiples brigades confessionnelles).

Signalons enfin le départ (début avril 1986) des observateurs français, théoriquement chargés depuis 1984 de contrôler le cessez-le feu le long de la ligne de démarcation qui coupe en deux l'agglomération de Beyrouth, mais qui, en fait, n'ont jamais eu le pouvoir d'arrêter les affrontements et ont, en revanche, servi de cibles (sept morts parmi les militaires français). Leur départ a augmenté le risque d'une reprise généralisée des combats, rendant plus aisé le jeu de la Syrie au Liban. Toutefois, l'influence syrienne au Liban, combattue de multiples façons par Israël, est violemment rejetée dans le camp chrétien par les phalangistes, associés aux milices des Forces libanaises de Samir Geagea, et est également contestée par les intégristes chiites, alors que Damas soutient les chiites d'Amal. Incontestablement, au printemps 1986, la Syrie semblait s'enliser au Liban.

République arabe syrienne

Nature du régime : militaire.
Chef de l'État : Hafez el-Assad.
Chef du gouvernement : Abdel Raouf el-Kassem.
Monnaie : livre syrienne.
Langue : arabe.

La **Syrie**, malgré ses difficultés économiques et la prolongation du conflit libanais que Damas ne contrôle pas toujours, demeure la puissance régionale avec laquelle il faut compter. Aucune paix dans la région n'est désormais concevable sans elle : les Américains, qui avaient cherché à écarter les Syriens de la scène libanaise, l'ont appris à leurs dépens.

Pourtant, au printemps 1986, les positions syriennes au Liban apparaissaient moins solides qu'un an auparavant, surtout après l'élimination d'Élie Hobeika, chef des milices chrétiennes, qui avait signé, le 28 décembre 1985, l'accord de Damas avec les chefs des deux autres milices libanaises importantes, Nabih Berri (chiite) pour Amal, et Walid Joumblatt (druze) pour le Parti socialiste progressiste. Cet accord tripartite était destiné à mettre fin à la guerre au Liban, et définissait en même temps un programme de réformes institutionnelles visant à la suppression progressive du régime confessionnel, tout en instituant un système de « relations privilégiées » entre le Liban et la Syrie, en particulier dans le domaine de la politique extérieure, des affaires militaires et de la sécurité. L'application de l'accord de Damas aurait sans doute permis d'imposer une « paix syrienne » sur l'ensemble du territoire libanais, comme celle qui règne dans la Bekaa, mais surtout, elle aurait institutionnalisé le protectorat syrien sur le Liban.

L'hostilité du président libanais et des milieux phalangistes et, à un degré moindre, l'opposition des intégristes chiites, ignorés par Damas, ont contribué à la non-application de l'accord du 28 décembre 1985. Cet échec syrien au Liban n'est sans doute que momentané : onze années de guerre libanaise ont appris à l'opinion internationale que le président syrien, Hafez el-Assad, sait attendre pour imposer ses vues. Ainsi s'explique le récent rapprochement jordano-syrien (fin décembre 1985), alors que le roi de Jordanie et le président syrien ne s'étaient pas rencontrés depuis six ans.

Un des atouts du président Hafez el-Assad est la puissance de feu considérable de l'armée syrienne, entièrement rééquipée par l'Union soviétique, après la débâcle des forces syriennes, en juin 1982, au moment de l'invasion israélienne du Liban. Le déploiement de missiles syriens près de la frontière libanaise, en particulier les missiles *SAM-2* (portée de cinquante kilomètres), inquiète l'état-major israélien, qui sait qu'une guerre avec la Syrie entraînerait de lourdes pertes humaines. A titre d'avertissement, le 19 novembre 1985, la chasse israélienne en mission au Liban a abattu deux *Mig-23* au-dessus du territoire syrien.

Les informations concernant la situation politique intérieure syrienne sont peu nombreuses et parfois contradictoires. Il semble que la « guerre de succession » qui couvait à l'intérieur de la communauté alaouite pour le contrôle de l'appareil étatique ait été désarmorcée, d'autant plus que les inquiétudes concernant l'état de santé du président Hafez el-Assad ne sont plus de mise. De même, l'opposition des Frères musulmans apparaissait en perte de vitesse, au début 1986. Mais l'annonce, en mars 1986, d'attentats à la voiture piégée qui auraient fait un grand nombre de victimes en Syrie a relancé l'hypothèse d'une opposition intégriste sunnite prête à tout.

Les difficultés économiques et financières de la Syrie se sont aggravées en 1985 et 1986, d'autant plus que l'aide des pétromonarchies du Golfe a diminué régulièrement en raison de la baisse des recettes pétrolières de ces États. De plus, la chute mondiale des cours du pétrole s'est répercutée directement sur la balance commerciale syrienne, les hydrocarbures représentant un peu plus de la moitié de la valeur des exportations, bien que la Syrie soit un modeste producteur (9 millions de tonnes) aux réserves en voie d'épuisement. La découverte d'un gisement de pétrole dans la région de Deir-ez-Zor et surtout la présence d'importants gisements de phosphates près de Palmyre représentent de nouveaux atouts industriels. Par ailleurs, les possibilités agricoles sont importantes, après les aménagements hydrauliques réalisés sur l'Euphrate (barrage de Tabqa) et sur l'Oronte. Mais l'effort de guerre coûte de plus en plus cher et impose une politique d'austérité, sauf pour les défenses militaires qui restent considérables, par suite du voisinage immédiat d'Israël et surtout des ambitions régionales syriennes.

André Bourgey

Péninsule arabique

Arabie saoudite, Bahreïn, Émirats arabes unis, Koweït, Oman, Qatar Yémen du Nord, Yémen du Sud

Royaume d'Arabie saoudite
Nature du régime : monarchie absolue, islamique.
Chef de l'État : roi Fahd ben Abd el-Aziz.
Chef du gouvernement : émir Abdallah (prince héritier).
Monnaie : riyal.
Langue : arabe.

L'Arabie saoudite, comme d'ailleurs les autres monarchies pétrolières du Golfe, a connu en 1985 et au début de 1986 une aggravation de sa situation économique et financière. Ainsi, les recettes d'exportation sont tombées de 30 % et les importations (en dollars) ont été réduites pour la troisième année consécutive.

Certes, les recettes pétrolières sont restées substantielles pour un pays relativement peu peuplé (les estimations démographiques, souvent incertaines et contradictoires, se situent entre sept et dix millions d'habitants). En 1985, les revenus pétroliers ont atteint 30 milliards de dollars, ce qui est considérable en valeur absolue, et place l'Arabie saoudite au quatrième rang dans le monde pour le revenu moyen annuel par habitant. Mais, en fait, on a enregistré une chute spectaculaire de la rente pétrolière, dont la valeur a diminué de moitié en quelques mois. Incontestablement, la prospérité de l'Arabie saoudite, comme celle des émirats voisins, n'est plus ce qu'elle était au début des années quatre-vingt.

Pour diverses raisons (récession économique mondiale, politiques d'économie d'énergie pratiquées dans les pays industriels, mais surtout concurrence d'autres gisements pétroliers, comme ceux de la mer du Nord, ou d'autres sources d'énergie), la production pétrolière s'est effondrée, atteignant, durant l'été 1985, à peine 2 millions de barils par jour, soit environ 20 % de ses potentialités. Cet effondrement s'est réalisé parallèlement à la chute du dollar, diminuant d'autant les recettes et aggravant la crise financière du royaume.

Aussi, sous l'impulsion de cheikh Ahmed Zaki Yamani, ministre saoudien du Pétrole depuis 1962, l'Arabie saoudite a dû changer radicalement de politique pétrolière à la fin de 1985. Jusqu'alors, pour soutenir le marché mondial du pétrole, elle avait réduit sa production bien en deçà de son quota fixé lors des réunions de l'OPEP, et n'avait cessé d'encourager les autres monarchies du Golfe à faire de même. Or, brusquement, en décembre 1985, à la réunion des dirigeants de l'OPEP à Genève, Cheikh Yamani a défini une nouvelle stratégie qui prenait le contre-pied de celle qu'il défendait depuis de nombreuses années : les membres de l'OPEP ont décidé de déclencher une « guerre des prix » en supprimant tous les quotas qui restreignaient leur production.

Cette politique, voulue par l'Arabie saoudite pour obliger la Grande-Bretagne à réduire ses ventes sur le continent européen, afin que les pays de l'OPEP retrouvent leurs parts de marché, a entraîné une chute brutale du prix du baril de pétrole brut, qui est tombé de près de 30 dollars en novembre 1985, à 10 dollars début avril 1986.

Pour l'Arabie saoudite, qui dispose de plus du tiers des réserves mondiales de pétrole et qui bénéficie, de surcroît, de conditions d'extraction très favorables, cette guerre des prix, accompagnée d'une reprise massive de la production, devrait permettre de retrouver une place prépondérante sur le marché mondial, et d'être mieux armée pour affronter la crise économique et financière qui secoue le royaume.

Ainsi on estimait, par exemple, que le secteur privé, à la fin 1985, était endetté pour 58 milliards de dollars. Au niveau de l'État, la situation est également préoccupante, comme l'a montré l'évolution des derniers budgets. Alors que les deux budgets 1983-1984 et 1984-1985 accusaient de lourds déficits, le gouvernement saoudien a décidé d'équilibrer le budget 1985-1986, en réduisant les dépenses de 23 % par rapport au budget précédent. Malgré ces compressions budgétaires, qui n'ont guère touché les dépenses militaires mais ont surtout concerné le secteur économique, le gouvernement a été obligé en 1985 d'ajourner certains paiements, d'autant plus qu'il n'était plus possible, comme les années précédentes, de tirer indéfiniment sur les réserves placées à l'étranger.

L'abandon ou l'ajournement par le gouvernement de nombreux projets industriels ou de grands travaux d'infrastructure a entraîné le retour d'une grande partie de la main-d'œuvre étrangère. Certains ont estimé à 1 million le nombre de ces retours en 1985, soit près de 40 %

PÉNINSULE ARABIQUE

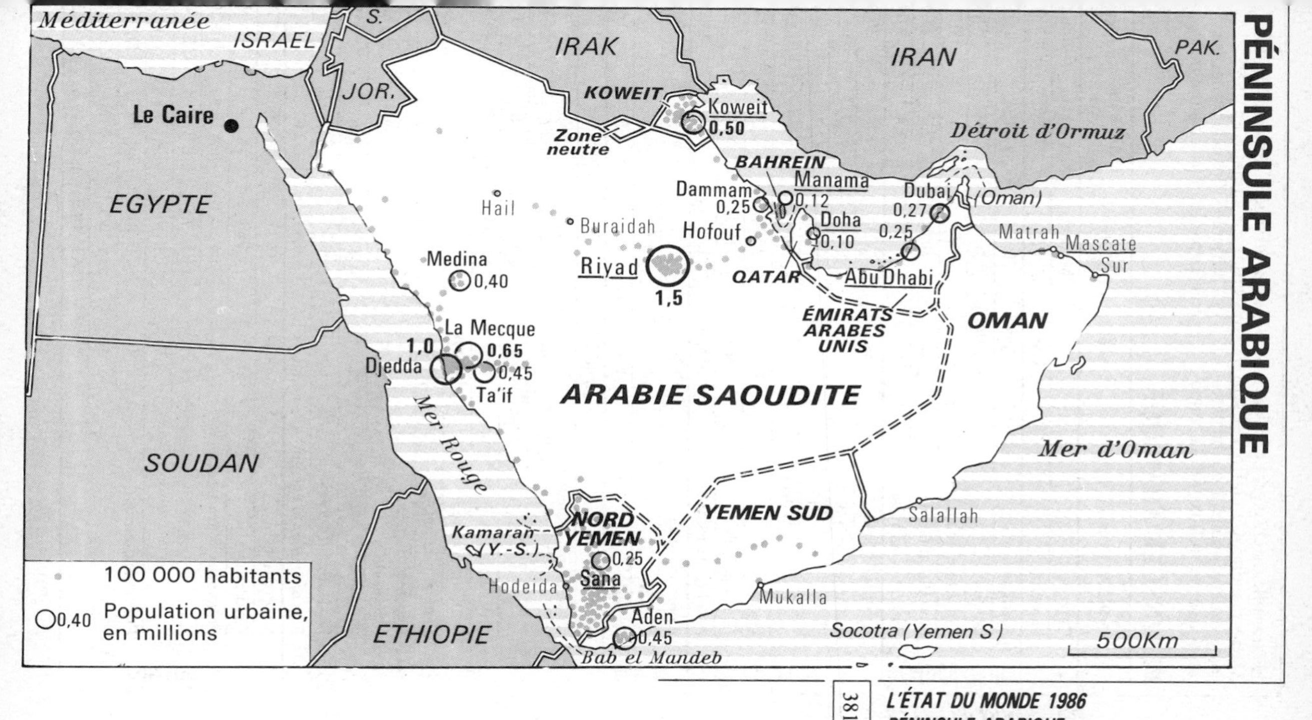

des travailleurs étrangers établis en Arabie saoudite. Ce chiffre est sans doute excessif, mais il est incontestable que le reflux de la main-d'œuvre étrangère, amorcé depuis trois ans, s'est amplifié en 1985.

Les difficultés financières ont été aggravées par les répercussions de la

PÉNINSULE ARABIQUE

	INDICATEUR	UNITÉ	BAHREÏN	ÉMIRATS ARAB. UNIS	KOWE
	Capitale		Manama	Abu Dhabi	Kowei
	Superficie	km²	622	83 600	17 81
DÉMOGRAPHIE	Population (*)	million	0,42	1,27[a]	1,71
	Densité	hab./km²	675	15,2[a]	96,0
	Croissance annuelle[h]	%	4,0	6,0	5,2
	Mortalité infantile	‰	30,0	38,0	25,0
	Population urbaine	%	81,7	77,8	93,7
CULTURE	Analphabétisme	%	27,3	. .	30,0
	Scolarisation 6-11 ans	%	82,1	97,9	87,6
	12-17 ans	%	82,1	82,7	89,4
	3e degré	%	5,9[e]	5,6[b]	14,5[b]
	Postes tv[b]	‰ hab.	305	91	258
	Livres publiés	titre	78[c]	84[b]	25[d]
	Nombre de médecins	‰ hab.	1,0[d]	1,97[e]	1,47[e]
ARMÉE	Armée de terre	millier d'h.	2,3	40,0	10,0
	Marine	millier d'h.	0,3	1,5	1,1
	Aviation	millier d'h.	0,2	1,5	2,0
ÉCONOMIE	PIB	milliard $	5,15	28,48[a]	22,7[a]
	Croissance annuelle 1973-83	%	6,4[f]	11,6	8,4
	1985	%	2,0	– 5,0	– 10,
	Par habitant	$	12 262	22 300[a]	14 00
	Dette extérieure	milliard $	–	–	–
	Taux d'inflation	%	. .	. .	0,9
	Dépenses de l'État Éducation	% PIB	2,9[b]	1,9[b]	3,7[b]
	Défense	% PIB	8,1[b]	6,8[a]	6,5[b]
	Production d'énergie[a]	million TEC	8,3	93,9	96,7
	Consommation d'énergie[a]	million TEC	5,5	9,6	11,5
COMMERCE	Importations	million $	3 037	7 700	6 27
	Exportations	million $	2 863	14 254	10 13
	Principaux fournisseurs	%	ArS 50,3	Jap 18,9	Jap 26
		%	PCD 37,6	CEE 38,8	CEE 4
		%	CEE 19,9	E-U 9,6	E-U 9
	Principaux clients	%	PCD 21,2	Jap 49,4	Jap 11
		%	Jap 10,5	CEE 6,1	CEE 3
		%	EAU 18,9	PVD 19,6	PVD 3

Chiffres 1985, sauf notes : a. 1984; b. 1983; c. 1982; d. 1980; e. 1981; f. 1977-83; g. 1975-83; h. 1980-85.
(*) Dernier recensement utilisable : Arabie saoudite, 1974; Yémen du Nord, 1981; Yémen du Sud, 1973. Émirats arabes unis, 1980; Bahreïn, 1981; Koweït, 1980.

QATAR	ARABIE SAOUDITE	OMAN	YÉMEN DU NORD	YÉMEN DU SUD
Doha	Riyadh	Mascate	Sanaa	Aden
11 000	2 149 690	212 457	195 000	332 968
0,29	11,09[a]	1,19	6,66[a]	2,29
26,4	5,2[a]	5,6	34,2[a]	6,9
4,9	4,0	3,8	2,6	2,6
38,0	86,0	108,0	138,0	124,0
88,0	73,0	8,8	20,0	39,9
48,9[e]	75,4[d]	..	86,3	58,6
94,4	64,5	69,4	42,8	74,6
79,5	44,2	31,0	14,8	45,6
18,7[b]	9,4[c]	–	1,2[d]	2,4[e]
463	254	40	2,7	18
337[d]	218[d]	..	..	..
0,75[e]	0,35[b]	0,67[e]	0,16[e]	0,13[e]
5,0	35,0	16,5	35,0	24,0
0,7	3,5	2,0	0,6	1,0
0,3	14,0	3,0	1,0	2,5
6,02[a]	116,38[a]	10,06	3,94[a]	1,13[a]
– 3,1	9,2	9,4	7,4	7,4[g]
– 5,0	..	..	1,0	..
20 600[a]	10 833[a]	8 456	510[a]	560[a]
–	–	1,5[a]	1,96[a]	1,34[a]
..	– 3,7	..	..	..
5,0[b]	4,7[b]	2,0[d]	6,6[d]	7,4[c]
2,8[a]	20,9	22,2[a]	14,7[a]	17,3[c]
34,3	352,3	45,0	–	–
6,4	30,4	15,93	1,26	1,77
1 100	23 500	3 022	1 598	762
3 543	33 900	4 405	106	316
PCD 74,3	E-U 20,7	Jap 20,2	Jap 8,7	PCD 46,1
CEE 45,5	Jap 18,1	CEE 43,2	CEE 40,0	PVD 53,0
Jap 15,8	CEE 36,1	EAU 16,1	ArS 8,8	M-O 23,8
Jap 60,2	Jap 31,5	Asi 89,3	PCD 72,3	CEE 53,9
CEE 15,2	PVD 35,5	Jap 64,3	PVD 25,6	PVD 33,5
PVD 16,9	CEE 18,5	CEE 3,1	Y-S 14,3	Y-N 10,7

guerre irako-iranienne, contraignant les pétromonarchies du Golfe à apporter à Bagdad une aide financière massive – estimée à 50 milliards de dollars depuis septembre 1980 – et qui a été fournie essentiellement par les Saoudiens. Pour alléger ce fardeau financier et arrêter un conflit aux prolongements imprévisibles (en particulier, risque de subversion interne face à la contagion iranienne auprès des populations chiites du royaume, bombardements de pétroliers dans le Golfe, menaçant l'écoulement du brut saoudien et koweïtien), les pétromonarchies du Golfe ont amorcé une timide tentative de rapprochement avec l'Iran, après le sixième sommet du Conseil de coopération du Golfe réuni à Mascate (Oman) en novembre 1985. Aussi, pour la première fois depuis l'installation de la révolution islamique en Iran en 1979, le roi Fahd a reçu Ryad, le chef de la diplomatie iranienne, en décembre 1985.

Émirat du Bahreïn

Nature du régime : monarchie absolue (parlement dissous).
Chef de l'État : cheikh Issa Ben.
Chef du gouvernement : cheikh Khalifa Ben Salmane al-Khalifa.
Monnaie : dinar.
Langue : arabe.

Le **Bahreïn,** petit archipel disposant de ressources pétrolières très modestes mais de réserves en gaz naturel intéressantes, est déjà entré dans « l'ère de l'après-pétrole », en diversifiant au maximum son économie. Si l'agriculture a beaucoup reculé depuis quinze ans, les réalisations industrielles sont spectaculaires dans le secteur de l'aluminium, des chantiers navals et, depuis peu, de la sidérurgie. Mais surtout, Manama, la capitale, est devenue la grande place financière du Golfe et du monde arabe grâce aux banques *offshore :* même si à la fin 1985, le total des actifs des 74 OBU (Offshore Banking Units) ne s'élevait qu'à 55 milliards de dollars contre 63 milliards de dollars fin 1983, le Bahreïn, de tous les émirats, était celui qui était le moins touché par la crise. L'achèvement du pont-digue qui devait relier l'île de Bahreïn à l'Arabie saoudite fin 1985 a été reporté d'un an.

État des émirats arabes unis

Nature du régime : monarchie absolue, islamique.
Chef de l'État : cheikh Zayed, émir d'Abu Dhabi.
Chef du gouvernement : cheikh Rachid, émir de Dubaï.
Monnaie : dirham.
Langue : arabe.

Fédération de sept émirats d'inégale richesse, les **Émirats arabes unis** (EAU) ont connu en quinze ans un accroissement démographique vertigineux, particulièrement Abu Dhabi. Plus encore que d'autres monarchies pétrolières, les EAU ont été touchés par la crise et ses manifestations habituelles : chute des recettes pétrolières, déficit budgétaire malgré la réduction des dépenses, banqueroute de certaines banques (à Dubaï en particulier), arrêt de certains projets industriels et retour d'une partie de la main-d'œuvre étrangère.

Émirat du Koweït

Nature du régime : monarchie parlementaire, islamique.
Chef de l'État : cheikh Jaber al-Ahmed al-Sabah.
Chef du gouvernement : cheikh Saad al-Abdallah al-Salem al-Sabah.
Monnaie : dinar.
Langue : arabe.

Le **Koweït,** beaucoup plus encore que l'Arabie saoudite ou les auttres pétromonarchies du Golfe, est directement concerné par les prolongements de la guerre irako-iranienne. Après l'occupation par les Iraniens, début février 1986, du port irakien de Fao, les combats se situent désormais à une soixantaine de kilomètres du centre de la capitale. En percevant directement la canonnade voisine, l'émirat a pris encore davantage conscience de sa grande vulnérabilité. En même temps, les deux îles koweïtiennes de Worbah et Boubyane, qui commandent dans le nord du Golfe l'accès au port d'Oum Qasr, base de la flotte irakienne, risquent de susciter la convoitise des deux belligérants.

Le conflit irako-iranien a provoqué une inquiétude grandissante à Koweït, d'autant plus qu'il a contribué, avec la chute des recettes pétrolières, aux difficultés économiques de l'émirat (paralysie du commerce maritime dans le nord du Golfe, coût énorme de l'aide financière apportée à Bagdad, sous forme de transfert de devises ou de dons de pétrole). Cette crise économique a entraîné la fermeture de nombreux chantiers et le reflux d'un grand nombre de travailleurs étrangers. Toutefois, plus que tout autre émirat, le Koweït dispose d'une rente financière constituée à partir de réserves investies sur les grandes places financières internationales. Cette « réserve générale » sert en particulier à financer le déficit budgétaire.

La fragilité du Koweït réside aussi dans la composition de sa population : prépondérance des étrangers (60 % de la population totale), minorité chiite importante (25 %) dans la population nationale. La tentative d'assassinat de l'émir, en mai 1985, puis, en juillet 1985, deux attentats meurtriers contre des cafés populaires du centre de la capitale, ont provoqué l'expulsion de plusieurs milliers d'étrangers, chiites pour la plupart, dans la crainte d'une subversion interne téléguidée par l'Iran. Malgré ces difficultés, le Koweït, seule monarchie parlementaire de la région (les dernières élections au suffrage universel direct ont eu lieu en février 1985), reste un des pays les plus riches du monde, qui a fêté en 1986 ses vingt-cinq ans d'indépendance.

Sultanat d'Oman

Nature du régime : monarchie absolue, islamique.
Chef de l'État et du gouvernement : sultan Qabous ben Saïd.
Monnaie : riyal.
Langue : arabe.

Oman. En accueillant à Mascate le sixième sommet du Conseil de coopération du Golfe (CCG), début novembre 1985, avec un faste exceptionnel, le sultan Qabous a montré l'ampleur des transformations réalisées en quinze ans. Il est vrai que le sultanat, qui n'est pas membre de l'OPEP, n'a pas encore subi les contrecoups de la crise pétrolière dans le Golfe. L'indépendance de la politique étrangère d'Oman s'est affirmée avec l'établissement de relations diplomatiques avec l'URSS, fin septembre 1985, malgré l'avis défavorable de l'Arabie saoudite. Jusqu'alors seul le Koweït, parmi les pays du Golfe, entretenait des relations diplomatiques avec les pays de l'Est. Mais les États-Unis conservent d'importantes bases militaires dans le sultanat, dont l'importance stratégique à l'entrée du Golfe est évidente.

Émirat du Qatar

Nature du régime : monarchie absolue, islamique.
Chef de l'État : cheikh Khalifa ben Hamad al-Thani.
Chef du gouvernement : cheikh Hamad ben Khalifa.
Monnaie : riyal.
Langue : arabe.

Le **Qatar,** péninsule désertique longue de cent soixante kilomètres et large de quatre-vingts, dispose du revenu annuel moyen par habitant le plus élevé du monde, malgré une diminution de moitié des recettes pétrolières par rapport au début des années quatre-vingt. Plus que tout autre émirat, le Qatar a organisé son développement autour d'un ambitieux programme d'industrialisation avec un appel massif à la main-d'œuvre étrangère, qui constitue encore, en 1986, 70 % de la population totale. En effet, par suite des effets de la crise, environ un quart de la population étrangère a quitté le pays en 1985. La présence, au nord de la péninsule, du plus grand gisement de gaz naturel de la planète (gisement de North Field) a permis la mise en route de nouveaux projets industriels pour la fin du siècle. Le 26 avril 1986, le débarquement de troupes qatariotes sur l'îlot de Facht al-Dibel où travaillaient des techniciens néerlandais pour le compte de la défense du Bahreïn, a fait resurgir un conflit vieux de deux siècles entre les deux émirats qui revendiquent la souveraineté sur cette zone.

République arabe du Yémen
Nature du régime : république militaire.
Chef de l'État : Ali Abdallah Saleh.
Chef du gouvernement : Abdel el-Aziz Abdel el-Ghani.
Monnaie : riyal.
Langue : arabe.

La République arabe du Yémen (**Yémen du Nord**) a subi les contrecoups de la crise pétrolière de multiples façons. Déjà, la baisse des recettes pétrolières saoudiennes avait réduit de moitié l'aide de Ryadh au gouvernement de Sanaa, ainsi que les transferts de fonds des travailleurs émigrés yéménites, qui étaient près d'un million en Arabie saoudite en 1980, et qui désormais reviennent en masse au pays. Mais, surtout, l'effondrement du prix du pétrole, décidé par l'Arabie saoudite en décembre 1985, ne rend plus rentable le pétrole nord-yéménite découvert récemment près de Marib, à quatre cents kilomètres de la mer, alors que les exportations doivent franchir une haute barrière montagneuse.

Le président Ali Abdallah Saleh, depuis huit ans au pouvoir, a pratiqué une habile politique de réconciliation nationale, réussissant à maintenir un fragile équilibre entre les tribus – pouvoir traditionnel – et l'armée, principal appui du régime. Des élections ont même pu avoir lieu en juillet 1985 pour la désignation des représentants aux « conseils locaux pour le développement coopératif ».

République démocratique et populaire du Yémen
Nature du régime : démocratie populaire.
Chef de l'État : Haïdar Abou Bakr el-Attas.
Chef du gouvernement : Yassine Saïd Noomane.
Monnaie : dinar.
Langue : arabe.

Pays le plus pauvre de la péninsule arabique, remarquablement situé au contact de la mer Rouge et de l'océan Indien, ce qui explique la présence britannique à Aden de 1839 à 1967, la République démocratique et populaire du Yémen (**Yémen du Sud**) est, depuis son indépendance (novembre 1967), étroitement liée à Moscou. Pourtant, les quelques centaines de conseillers soviétiques basés dans le pays ont été incapables de prévoir, puis d'arrêter, la très meurtrière guerre civile déclenchée le 13 janvier 1986. Pendant une dizaine de jours, des combats d'une extrême violence ont fait douze mille morts et d'innombrables destructions, rendant nécessaire l'évacuation en catastrophe par la mer des ressortissants étrangers. Ces affrontements sanglants, qui ont surpris tous les observateurs, sont le résultat d'une lutte sans merci entre factions rivales à l'intérieur du parti unique, le Parti socialiste yéménite, mêlant les ambitions personnelles et les solidarités tribales dans une sanglante confrontation idéolologique. Le 24 janvier, le président Ali Nasser Mohammed a été évincé par les rebelles. Il a été remplacé officiellement le 8 février par l'ancien Premier ministre, M. Haïdar Abou Bakr el-Attas.

André Bourgey

Afghanistan, Iran, Pakistan

L'Iran et le Pakistan sont traités dans la section « Les 34 grands États ».

République démocratique d'Afghanistan
Nature du régime : régime mis en place et maintenu par l'URSS.
Chef de l'État : Babrak Karmal (le 4 mai 1986, il a été remplacé par Mohammed Nadjibullah à la tête du PDPA).
Premier ministre : Soltan Ali Kechtmand.
Monnaie : Afghani.
Langues : pashtu, dari, etc.

1985 aura-t-il marqué le début des manœuvres en vue d'un règlement de la crise de l'**Afghanistan**? L'intensification de l'affrontement entre les troupes soviétiques et la résistance islamique et le piétinement des négociations internationales conduites par le Secrétariat général de l'ONU ne sont pas les signes manifestes d'une issue prochaine. Toutefois, si la voie vers une solution politique paraissait toujours aussi incertaine au printemps 1986, les enjeux de cette solution se mettaient progressivement en place.

A cet égard, deux événements sont particulièrement révélateurs, qui sont tous deux intervenus – est-ce un hasard? – peu de temps après l'avènement de Mikhaïl Gorbatchev. En avril 1985, le régime de Kaboul convoquait une grande assemblée traditionnelle (Loya Djergah). En mai, les deux principaux courants de la résistance musulmane (traditionaliste et islamiste) se joignaient en une même alliance. Ces deux démarches, apparemment dressées l'une contre l'autre, révèlent et reconnaissent en fait les deux forces d'intégration sociale et nationale : la solidarité tribale et ethnique, et le sentiment communautaire islamique.

En dépit d'une représentativité et d'une sincérité contestables, la tenue et l'attitude de la Loya Djergah constituent un succès pour Babrak Karmal. Son régime apparaît certes comme un fantoche, une créature de l'URSS. Il n'en est pas moins vrai que sa politique économique et sociale a profité à des fractions non négligeables de la population. En dépit des conséquences de la guerre, qui frappe durement les habitants de certaines zones, frontalières et suburbaines notamment, et qui a exclu plus de 20 % de la population réfugiée au Pakistan ou en Iran, l'économie afghane s'est maintenue. Après une chute en 1980-1981, le PNB s'est redressé légèrement au-dessus de son niveau de 1979, pour atteindre environ trois milliards de dollars en 1985. Les exportations ont progressé : 660 millions de dollars, soit 50 % de plus qu'en 1979. Certes, dans ces exportations, acheminées principalement vers l'URSS, la part du gaz est essentielle, et elles ne couvrent que partiellement les importations. L'aide de l'URSS et de ses alliés finance 95 % des investissements et l'accord soviéto-afghan, signé le 28 février 1985, met à la disposition de Kaboul, pendant cinq ans, un crédit de 250 millions de dollars destinés à l'équipement routier, énergétique, agricole et industriel du pays. Moins spectaculaires, la réforme agraire et l'alphabétisation ont progressé, modestement, mais avec constance. La production industrielle est à la hausse et les livraisons de coton, de betterave à sucre et de blé se sont développées.

Rien d'étonnant alors que l'emprise politique du régime se soit quelque peu étendue. Des élections municipales, les premières depuis 1978, ont été organisées dans certaines grandes villes, et les effectifs officiels du Parti démocratique populaire d'Afghanistan (PDPA) et du Front national patriotique

MOYEN-ORIENT

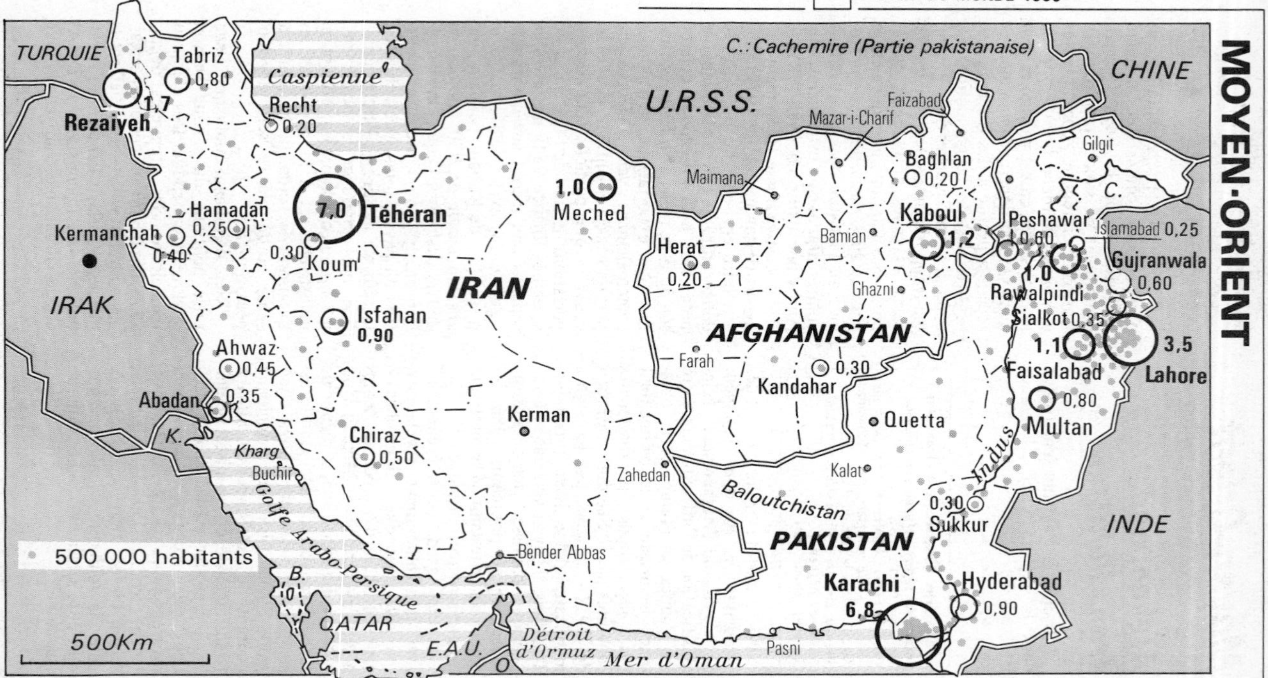

C. : Cachemire (Partie pakistanaise)

TURQUIE
Tabriz 0,80
Rezaïyeh 1,7
Caspienne
Recht 0,20
U.R.S.S.
CHINE
Faizabad
Mazar-i-Charif
Gilgit
Baghlan 0,20
Maimana
C.
Hamadan 0,25
Kermanchah 0,40
7,0 Téhéran
0,30 Koum
1,0 Meched
Kaboul 1,2
Peshawar 0,60
Islamabad 0,25
Bamian
Herat 0,20
Gujranwala 0,60
1,0 Rawalpindi
Ghazni
IRAK
IRAN
Sialkot 0,35
Isfahan 0,90
AFGHANISTAN
1,1 Faisalabad
3,5 Lahore
Ahwaz 0,45
Farah
Kandahar 0,30
Abadan 0,35
Kerman
Multan 0,80
Quetta
K.
Chiraz 0,50
Kharg
Buchir
Zahedan
Kalat
Indus
Golfe Arabo-Persique
Baloutchistan
0,30 Sukkur
INDE
PAKISTAN
500 000 habitants
Bender Abbas
B.
Karachi 6,8
Hyderabad 0,90
QATAR
500Km
E.A.U.
Détroit d'Ormuz
O
Mer d'Oman
Pasni

Chiffres 1985, sauf notes : a. 1984 ; b. 1983 ; c. 1980 ; d. 2 % par an entre 1978 et 1985 ; e. 1973-82 ; f. 1981 ; g. 1982 ; h. 1980-85 ; i. 1979 ; j. Envers l'URSS, juin 1984. (*) Dernier recensement utilisable : Iran, 1976 ; Pakistan, 1981 ; Afghanistan, 1979.

MOYEN-ORIENT

	INDICATEUR	UNITÉ	AFGHANISTAN	IRAN	PAKISTAN
	Capitale		Kaboul	Téhéran	Islamabad
	Superficie	km²	647 497	1 648 000	803 943
DÉMOGRAPHIE	Population (*)	million	18,1	44,8	96,2
	Densité	hab./km²	28,0	27,2	119,6
	Croissance annuelle[h]	%	2,5	3,1	2,6
	Mortalité infantile	‰	190,0	88,0	108,0
	Population urbaine	%	18,5	55	29,8
CULTURE	Analphabétisme	%	76,3	49,2	70,4
	Scolarisation 6-11 ans	%	30,9	86,3	54,5
	12-17 ans	%	23,1	64,8	16,0
	3e degré	%	1,5[g]	3,9[b]	2,0[i]
	Postes tv[b]	‰ hab.	3,0	55	12
	Livres publiés	titre	415	4 835[b]	1 600[g]
	Nombre de médecins[f]	‰ hab.	0,07	0,37	0,30
ARMÉE	Armée de terre	millier d'h.	40,0	250,0	450,0
	Marine	millier d'h.	–	20,0	15,2
	Aviation	millier d'h.	7,0	35,0	17,6
ÉCONOMIE	PIB	milliard $	3,03	..	31,55
	Croissance annuelle 1973-83	%	2,4	1,8 [e]	6,2
	1985	%	[d]	..	8,4
	Par habitant	$	168	..	328
	Dette extérieure	milliard $	3,5[j]	0,5	11,7[a]
	Taux d'inflation	%	20,0	4,4	5,4
	Dépenses de l'État Éducation	% PIB	2,0[c]	3,8[b]	2,0[b]
	Défense	% PIB	6,9[a]	13,5	5,8
	Production d'énergie[a]	million TEC	3,89	172,5	14,4
	Consommation d'énergie[a]	million TEC	0,99	58,2	21,3
COMMERCE	Importations	million $	1014	10 917	5 890
	Exportations	million $	604	13 185	2 739
	Principaux fournisseurs	%	URS 48,8	CEE 40,1	Jap 12,6
		%	Jap 10,7	PVD 25,4	PVD 44,0
		%	Sin 5,6	Jap 13,4	CEE 19,1
	Principaux clients	%	URS 65,0	CEE 34,0	Jap 11,3
		%	CEE 16,4	PVD 37,6	CEE 20,9
		%	PVD 3,6	Jap 16,5	PVD 44,9

ont enregistré un accroissement : 130 000 et 700 000 respectivement en 1985. Le régime a aussi tiré parti de la lassitude engendrée par la guerre et des erreurs de ses adversaires. C'est ainsi que l'élimination, en pays hazara, des organisations traditionalistes conduites par les notables tribaux et religieux, au profit du Nasr pro-iranien, a facilité le dialogue du gouvernement avec la communauté hazara de Kaboul et l'entrée au gouvernement de l'un de ses représentants. Le remaniement gouvernemental du 28 décembre 1985, s'il n'a pas diminué la mainmise du PDPA et, par-delà, des Soviétiques sur la direction du pays, témoigne cependant d'une certaine acceptation de cette direction par une partie de la population. Quant au remplacement, le 4 mai 1986, de Karmal au poste de secrétaire général du PDPA par le docteur Mohammed Nadjibullah, ancien chef de la police politique, il a porté au pouvoir un homme qui a montré une certaine habileté dans la manipulation des ambitions personnelles et des rivalités tribales et dont l'URSS espérait qu'il saurait étendre l'emprise du régime sur le pays. Pour limitée que fût cette dernière, la résistance ne pouvait pas l'ignorer.

Trois semaines après l'ouverture de la Loya Djergah, le 16 mai 1985, les principaux partis de la résistance sunnite ont annoncé la constitution d'une alliance capable de parler d'une seule voix sur la scène internationale et d'intensifier la coordination de la lutte armée contre l'occupant. Instituée sous la pression du Pakistan, l'Alliance a pu représenter la résistance dans les couloirs des Nations Unies lors de la session de novembre 1985 et, en janvier suivant, à la Conférence islamique de Fez. Elle devrait conforter l'audience politique de la résistance, toujours très grande parmi la population, et enrayer la tendance au découragement et à la résignation qui a commencé à s'y faire jour. Sur le plan militaire, elle devrait faciliter le passage du harcèlement local à la guerre mobile. A deux conditions toutefois : que l'union ne soit pas une simple façade, que la dépendance économique et politique vis-à-vis de l'extérieur n'enlève pas à la résistance son autonomie et sa raison d'être. Son combat pour l'union et pour l'indépendance, la résistance ne l'a pas encore gagné. Il passe sans doute par un acte national par lequel les instances de la solidarité tribale et les organisations de la communauté musulmane, avec ce que les unes et les autres ont d'inertie conservatrice et d'aspirations modernisatrices, mettront fin à leur lutte pour l'hégémonie sur la société afghane et jetteront les bases politiques de l'Afghanistan d'après-guerre.

Pierre Metge

La périphérie de l'Inde

Bangladesh, Bhoutan, Maldives, Népal, Sri Lanka (carte p. 112)

Bangladesh
Nature du régime : dictature militaire.
Chef de l'État : Hussein Mohammad Ershad.
Chef du gouvernement : Abdur Rhaman Khan.
Monnaie : taka.
Langues : bengali, urdu, anglais.

Le **Bangladesh** n'est pas une dictature militaire comme les autres : chaque année, le chef de l'État, le général Hussein Mohammad Ershad, promet des élections générales libres et démocratiques et chaque année l'opposition annonce qu'elle boycottera ce scrutin tant que la loi martiale ne sera pas levée. Alors, fort de ce refus, le général Ershad, arrivé au pouvoir le 24 mars 1982 à la suite d'un coup d'État, remet ces élections à l'année suivante.

En 1986, enfin, une partie de l'opposition a pu se mettre d'accord avec le chef de l'État sur les conditions du scrutin. Les premières élections législatives au Bangladesh depuis 1979 ont eu lieu le 7 mai. Fin mars, pour préparer ce scrutin et éviter le boycott de l'opposition, le général Ershad a démantelé l'appareil militaire chargé de gouverner les régions régies par la loi martiale, dissous les tribunaux d'exception et obligé tous ses ministres candidats aux élections à démissionner.

C'est au début de l'année, comme le veut la tradition du Bangladesh – où la succession de coups d'État n'a pas diminué l'extrême politisation –, que l'opposition a accentué sa pression sur le général Ershad. Après dix mois d'interdiction, les manifestations ont été de nouveau autorisées dans le pays à dater du 1er janvier 1986 et aussitôt se sont succédé grèves et réunions politiques. Les étudiants, comme cela a été le cas pendant toute la période d'application de la loi martiale, ont été les fers de lance de l'agitation politique, souvent au prix du sang. Le 5 janvier, une grève a pratiquement paralysé la capitale, regroupant fonctionnaires, médecins, commerçants et étudiants. Plus menaçant pour le général Ershad, les syndicats et l'opposition ont renforcé leurs liens. En 1985, devant pareille conjonction, le général avait interdit toute activité politique mais en 1986, le couvercle risquant de sauter, il a dû composer.

Sur la défensive, le général n'est pas pour autant sans atouts. Il a fondé son propre parti, le Front national, formé de cinq mouvements, et qui a pris le nom de Parti Jatiya le 1er janvier. But déclaré de la manœuvre : civiliser son gouvernement « kaki » pour préparer les échéances électorales. Autre atout du général : une indéniable popularité, soigneusement entretenue par des tournées incessantes dans les campagnes du Bangladesh. Il a aussi réussi à montrer que le gouvernement et l'armée étaient présents et relativement efficaces lors du cyclone qui a ravagé les côtes bengalaises en mai 1985 et qui a fait environ 10 000 morts, surtout parmi les paysans pauvres qui, chaque année, tentent de gagner un lopin de terre sur la mer.

Enfin, le général Ershad espérait bien profiter de l'extrême division de l'opposition, représentée par deux coalitions : l'une formée de sept partis de droite, le Parti national du Bangladesh (BNP), l'autre rassemblant quinze mouvements de gauche et du centre, la Ligue Awami. Le BNP était mené par Khaleda Zia, veuve d'un ancien président du Bangladesh, Ziaur Rahman, assassiné en 1980, et la Ligue dirigée par Hasina Wajed, fille de Mujibur Rahman, le fondateur du pays également assassiné en 1975. La rivalité entre la « veuve » et l'« orpheline », comme on dit à Dacca, devait peser lourd lors du scrutin, le BNP reprochant à l'Awami de s'être compromis avec le pouvoir. Au soir des élections qui se sont déroulées dans la violence et la fraude massive, le général Ershad s'est déclaré satisfait : il pouvait compter sur la majorité des trois cent trente sièges mis en jeu.

Au plan économique, le cyclone a encore affaibli le Bangladesh qui ne survit que grâce aux aides internationales : celles-ci assurent 40 % du budget et 70 % des dépenses d'investissement. En janvier 1986, le gouvernement a présenté un Plan quinquennal qui se fixe trois objectifs : réduire la croissance démographique annuelle de 2,4 % à 1,8 %, accroître la production de céréales de 15 millions de tonnes à 20,7 millions et amener le taux de croissance du PNB à 5,4 %, contre 3,8 % en 1985. Mais aucune réforme de structure n'est envisagée alors que le but du Plan est d'éliminer la pauvreté : en 1986, 70 % des

100 millions de Bengalais survivent sans terre ou sur moins d'un demi-hectare.

Plus encore qu'au Népal, la monarchie paraît vivre au **Bhoutan** hors du temps et du siècle. Totalement enclavé au cœur du sous-

INDE ET PÉRIPHÉRIE DE L'INDE

	INDICATEUR	UNITÉ	BANGLADESH	BHOUTAN	INDE
	Capitale		Dakha	Thimbou	New Delhi
	Superficie	km²	143 998	47 000	3 287 590
DÉMOGRAPHIE	Population (*)	million	98,7	1,39[a]	750,9
	Densité	hab./km²	685	29,6[a]	228
	Croissance annuelle[f]	%	2,6	2,2	2,2
	Mortalité infantile	‰	122,0	132,0	106,0
	Population urbaine	%	11,9	4,5	25,5
CULTURE	Analphabétisme	%	66,9	90,0[e]	56,5
	Scolarisation 6-11 ans	%	55,5	13,1	64,4
	12-17 ans	%	20,4	7,1	27,3
	3[e] degré	%	4,5[b]	0,3[c]	..
	Postes tv[b]	‰ hab.	0,9	..	2,9
	Livres publiés	titre	542[c]	..	10 649[d]
	Nombre de médecins	‰ hab.	0,1[c]	..	0,4[e]
ARMÉE	Armée de terre	millier d'h.	81,8	4,0[e]	1 100,0
	Marine	millier d'h.	6,5	–	47,0
	Aviation	millier d'h.	3,0	–	113,0
ÉCONOMIE	PIB	milliard $	15,3	0,13[e]	179,3
	Croissance annuelle				
	1973-83	%	5,5	2,0[g]	4,2
	1985	%	3,8	6,7	3,6
	Par habitant	$	155	96[e]	239
	Dette extérieure	milliard $	5,64[a]	0,01[b]	30,7[a]
	Taux d'inflation	%	12,9	..	7,1
	Dépenses de l'État				
	Éducation	% PIB	1,9[b]	..	3,2[d]
	Défense	% PIB	1,8	..	3,9
	Production d'énergie[a]	million TEC	3,32	0,001	174,8
	Consommation d'énergie[a]	million TEC	5,25	0,016	176,9
COMMERCE	Importations	million $	2 773	..	14 294
	Exportations	million $	999	..	8 392
	Principaux fournisseurs	%	PCD 43,1	..	CAEM 9,4
		%	CAEM 3,6	..	CEE 26,4
		%	PVD 39,5	Ide[h]	PVD 36,6
	Principaux clients	%	PCD 47,8	..	CAEM 18,7
		%	CAEM 7,1	..	CEE 18,8
		%	PVD 44,1	Ide[h]	PVD 23,0

continent indien, le Bhoutan, formellement indépendant mais *de facto* une colonie de New Delhi, n'accueille que quelques centaines

NÉPAL	SRI LANKA	MALDIVES
Katmandou	Colombo	Male
140 797	65 610	298
16,6	15,8	0,17[a]
118,1	241,4	570,5[a]
2,5	2,0	3,2
132,0	30,0	47[c]
5,8	21,1	21,0[c]
74,4	12,9	17,6[f]
56,1	99,9	..
35,8	66,2	..
4,8[b]	3,9[b]	..
–	3,2	7[e]
43[c]	1 951[b]	..
0,4[c]	0,13[e]	0,05[g]
	30,0	..
25,0	4,0	..
	3,7	..
2,35	5 560[a]	25,3[a]
3,1	5,2	7,7[j]
2,8	5,0	11,0
142	360[a]	149[a]
0,45[a]	3,09	83,5
13,8	1,5	..
2,6[d]	3,0[b]	0,6[e]
1,4[a]	1,7[a]	..
0,039	0,26	–
0,268	1,93	0,012
458	1 838	70,5
160	1 317	23,8
Jap 23,7	Jap 15,4	PCD 27,7
CEE 14,0	CEE 15,3	Jap 19,0
Ide 30,2	PVD 49,7	Sin 44,0
Ide 28,9	E-U 22,3	PVD 77,3
CEE 24,5	CEE 18,8	Thai 53,4
E-U 35,1	PVD 37,7	CEE 4,2

Royaume du Bhoutan
Nature du régime : monarchie.
Chef de l'État : roi Jigme Singye Wangchuck.
Monnaie : ngultrum.
Langue : dzong-ka (dialecte tibétain).

d'étrangers par an. Seule activité internationale en août 1985 : la réunion à Thimbou, sous l'égide de l'Inde, de délégations du gouvernement srilankais et de la guérilla tamoule. Ces pourparlers ont échoué mais, durant quelques semaines, Thimbou, totalement fermée aux journalistes, a vécu à l'heure des troubles de l'Asie du Sud.

La vie politique intérieure est inexistante et, pour le reste, le pays vit les dernières années du Plan quinquennal qui va de 1984 à 1987. A mi-chemin, le roi Jigme Singye Wangchuck, couronné en 1972, a exprimé le désir que le plan ne soit plus réservé aux villes et bourgs du Bhoutan mais s'applique aussi aux campagnes. Un vœu pieux mais très respectable, dans un pays où 75 % des 12 000 fonctionnaires habitent dans la capitale, alors que 90 % de la population vit dans des zones rurales. Le Plan a aussi pour ambition de développer l'enseignement – le taux d'analphabétisme est estimé à 12 % des adultes –, et la santé : l'espérance de vie ne dépasse pas quarante-cinq ans.

République des Maldives
Nature du régime : parlementaire, sans parti.
Chef de l'État et du gouvernement : Maumoon Abdul Gayoom.
Monnaie : rufiyaa.
Langues : divehi, anglais.

Situé dans l'océan Indien, à environ 650 kilomètres du sud de l'Inde,

Chiffres 1985, sauf notes : a. 1984 ; b. 1983 ; c. 1980 ; d. 1982 ; e. 1981 ; f. 1980-85 ; g. 1970-80 ; h. Presque le seul partenaire.

(*) Dernier recensement utilisable : Bangladesh, 1981 ; Bhoutan, 1969 ; Inde, 1981 ; Népal, 1981 ; Sri Lanka, 1981.

l'archipel des **Maldives** est formé de près de deux mille petites îles coraliennes. Les Maldives sont devenues indépendantes du Royaume-Uni en 1965 et ont aboli le sultanat en 1968. La majorité de la population est originaire de l'Inde. L'islam est religion d'État. Principales ressources : le tourisme, les produits de la pêche, le coprah et les fibres de coco.

Royaume du Népal
Nature du régime : monarchie.
Chef de l'État : roi Birendra.
Chef du gouvernement : Marich Man Singh.
Monnaie : roupie.
Langue : népali.

Le petit royaume du **Népal,** où l'histoire semble évoluer si lentement qu'elle en paraît immobile, a été secoué en 1985 par une vague d'attentats sans précédent : en juin 1985, l'explosion de plusieurs bombes déposées à proximité du Palais royal, dans le hall d'un grand hôtel de Katmandou et dans l'aéroport a fait huit morts, dont un député, et vingt-sept blessés. Ces attentats ont été revendiqués par deux organisations : la « Milice unie de libération » et le « Front uni », appelé aussi les « Tigres du Terai ». Le premier groupe est totalement inconnu tandis que le second, installé en Inde, est dirigé par Ram Raja Prasad Singh, avocat, ancien parlementaire, poursuivi pour haute trahison.

De l'aveu même du Palais royal, ces actions terroristes visaient la monarchie du Népal et la personne même du roi, Birendra. Le jeune monarque, à la tête du seul royaume hindou au monde depuis 1973, a réagi très brutalement et fait arrêter un millier de personnes, dont les Indiens toujours suspectés d'être derrière tous les troubles au Népal. Tirant parti de cette opposition violente, le roi Birendra a remis aux calendes grecques les très timides promesses d'ouverture démocratiques. Ainsi, il a maintenu l'interdiction (en vigueur depuis 1961) faite aux partis politiques de se présenter aux élections au Panchayat (12 mai 1986). Les partis ont donc décidé de boycotter cette « farce électorale » mais leur mouvement n'a eu qu'une efficacité limitée, face à un roi très populaire parmi ses dix-sept millions de sujets qui le considèrent comme une incarnation du dieu hindou Vishnou. Le 13 juin, le Panchayat a élu le Premier ministre, M. Marich Man Singh.

Sur le plan économique, le Népal, totalement enclavé et à la merci de son puissant voisin indien, est resté l'un des quatre ou cinq pays les moins développés du monde avec un revenu par tête de 160 dollars et un taux d'analphabétisme dépassant les 80 %. L'aide internationale représente 70 % du budget consacré aux dépenses de développement, mais le pays, au début de 1986, était au bord de la cessation de paiement. Le tourisme, malgré l'ouverture aux étrangers de la route ralliant Katmandou à Lhassa (la capitale du Tibet), était en forte baisse et la roupie népalaise a été dévaluée de 15 % à la fin de l'année 1985.

République démocratique socialiste du Sri Lanka
Nature du régime : présidentiel.
Chef de l'État : Julius Jayewardene.
Premier ministre : Rhanasinghe Premadasa.
Monnaie : roupie.
Langues : cinghalais, tamoul, anglais.

En 1985 comme en 1986, la guerre civile a dominé toute l'actualité au **Sri Lanka**. Sa vie politique, son économie, sa diplomatie sont entièrement conditionnées par ce conflit qui oppose la majorité cinghalaise de l'île à la minorité tamoule.

En 1985, pourtant, est apparu un très timide espoir de règlement de cette crise. Pour la première fois l'Inde, sous la conduite du nouveau Premier ministre Rajiv Gandhi, a mis tout son poids pour amener à la table des négociations le gouvernement srilankais et les rebelles tamouls. L'Inde, véritable puissance tutélaire sous-régionale, abrite, dans l'État méridional du Tamil Nadu peuplé de cinquante millions de Tamouls, les représentations politiques ainsi que des camps d'entraînement de tous les groupes rebelles. Mais, alors qu'Indira Gandhi se servait de ces groupes pour entretenir la tension chez son petit voisin, Rajiv Gandhi a au contraire fait pression pour qu'ils concluent un accord de cessez-le-feu en juin 1985, menaçant même les récalcitrants d'être expulsés de leur sanctuaire indien. Cette trêve a été suivie de deux « rounds » de négociations en août 1985, à Thimbou, la capitale du Bhoutan, entre le gouvernement sri-lankais et une délégation représentant la grande majorité des groupes rebelles. Ces pourparlers, les premiers depuis le déclenchement de la guerre civile, ont échoué, malgré les efforts de l'Inde, et la trêve n'a duré que quelques mois.

Les négociations ont buté sur deux points : l'exigence des Tamouls à avoir leur propre police, et leur volonté de contrôler les installations de Cinghalais dans les régions où ils sont majoritaires. En fait, plus profondément, les deux parties paraissaient persuadées que leur guerre ne pouvait avoir qu'une solution militaire. Les combattants sur le terrain, qui ne veulent entendre parler que de la création d'un État tamoul, l'Eelam, ont tout fait pour que capotent les négociations, tout comme une partie du gouvernement de Julius Jayewardene, très influencée par des bouddhistes fondamentalistes adeptes de la ligne dure, rappelant notamment qu'en mai 1985, cent quarante-cinq civils cinghalais avaient été massacrés par les Tamouls.

Le président Jayerwardene a louvoyé entre la guerre à outrance et la tentation d'un règlement négocié, mais au début de 1986, il semblait avoir opté pour la force, même s'il continuait à parler de trêve. Ainsi, pour la première fois, en mars 1986, il a autorisé les bombardements aériens de zones de guérilla, tout en accédant à une très ancienne revendication tamoule, en offrant la nationalité srilankaise à près de 100 000 *Tamouls des plantations* amenés en Inde par le colonisateur anglais au XIXe siècle.

Ces hésitations s'expliquent, entre autres, par une aggravation de la situation économique qui a réduit la marge de manœuvre du gouvernement. Depuis l'arrivée au pouvoir en 1977 du président Jayerwardene, adepte d'un libéralisme économique à tout crin, les taux de croissance avaient augmenté très fortement entre 1978 et 1981, grâce notamment à un afflux d'investissements étrangers. En 1986, l'économie était à bout de souffle. Le budget de la défense a décuplé en quatre ans et pèse si lourdement dans les dépenses publiques qu'il obère tous les projets de développement. Les touristes se sont faits de plus en plus rares, supprimant une très importante source de devises pour ce qui fut un paradis de vacanciers, et les investisseurs et bailleurs d'aide étrangers se sont mis à renâcler. Les systèmes d'éducation et de santé du pays, jadis d'une exceptionnelle qualité, sont devenus exsangues en raison de la politique d'austérité menée depuis 1984. Seul le niveau élevé des prix du thé, principale exportation du pays, a sauvé celle-ci d'une ruine plus complète, mais la guerre civile a brisé le rêve de Jayerwardene – qui avait commencé de se réaliser au début des années quatre-vingt – de faire de son pays un nouveau Taïwan ou une nouvelle Corée du Sud.

L'opposition menée par l'ancienne présidente, Sirimavo Bandanaraike, dont les droits civiques ont été rétablis en janvier 1986, a cherché à tirer profit de cette situation économique, ainsi que de la continuation de la guerre civile, même si elle n'a pas proposé en ce domaine de solutions bien différentes de celles préconisées par son adversaire. Mais malgré la guerre, malgré la crise économique, le président Jayewardene, brillamment réélu en 1982, paraissait être solidement installé au pouvoir, faisant autour de lui l'union de tous les Cinghalais contre les guérilleros tamouls.

François Sergent

Birmanie, Cambodge, Laos, Thaïlande, Vietnam

La **Birmanie** et la **Thaïlande,** sont traitées dans la section « Les 34 grands États ».

République populaire du Kampuchea
Nature du régime : démocratie populaire.
Chef de l'État : Heng Samrin.
Chef du gouvernement : Hun Sen.
Monnaie : riel.
Langues : khmer, vietnamien, français, anglais.

Ciment, badigeons, défilés, discours exaltés : 1985 a été, dans les trois pays de l'ancienne Indochine française, l'année des anniversaires officiels. Au Vietnam, le quarantième anniversaire de la fondation de l'armée du peuple (décembre 1984) et de la révolution (2 septembre 1985) et le dixième de la prise de Saigon (qui vit affluer des hordes de journalistes anglo-saxons) le 30 avril. Au Laos, le trentième anniversaire de la fondation du Parti populaire révolutionnaire lao (PPRL) et le dixième de l'établissement de la République. Au **Cambodge,** si le régime provietnamien de Phnom-Penh ne pouvait décemment célébrer le dixième anniversaire de la « libération » du pays par... les Khmers rouges, les mêmes fastes formels ont accompagné la tenue du cinquième congrès du Parti populaire révolutionnaire du Kampuchéa (PPRK) à la mi-octobre, point culminant d'une série de plénums qui ont largement renouvelé et rajeuni l'équipe dirigeante aux niveaux national et provincial.

Cette relève a profité aux « ex-Khmers rouges » (par rapport aux « ex-Khmers Vietminh », formés dans le giron vietnamien) et à des individus sans passé politique connu. A la mort de Chan Sy en décembre 1984, le jeune ministre des Affaires étrangères, Hun Sen, a hérité en sus du poste de Premier ministre. Si lui et Heng Samrin, le chef de l'État et du parti, ont occupé l'avant-scène et se sont montrés volontiers à l'étranger (Union soviétique, Europe, Inde), les vrais détenteurs du pouvoir semblent être Say Pouthong, qui dirige la commission d'organisation du PPRK, et Bou Thang, le ministre de la Défense. Au cours de l'année, de gros efforts ont été faits pour renforcer les effectifs du parti (7 000 membres début 1986) et consolider l'armée locale, dont le contingent (30 000 à 45 000 hommes selon les estimations les plus crédibles...) souffre, comme le dit pudiquement un général vietnamien, « du manque de cadres et d'expérience », malgré l'importante aide matérielle soviétique et l'assistance et l'encadrement vietnamiens.

La sécurité s'est sensiblement détériorée au début de 1986. Cependant, depuis que l'armée vietnamienne (120 000 hommes début 1986, selon des services de renseignement occidentaux) a balayé, au cours de la saison sèche 1984-1985, la quasi-totalité des bases de la résistance sur la frontière thaïlandaise, et que cette résistance se perd en querelles intestines, Phnom-Penh – et Hanoi – semblent considérer la subversion intérieure (des raids terroristes des Khmers rouges autour du Tonle Sap et de la capitale) comme tolérable indéfiniment, tout en invoquant désormais une « normalisation » (retrait vietnamien, élections, parti unique, ralliements individuels) à l'échéance de 1990... Intransigeance *a minima :* l'élimination politique et militaire de « la clique de Pol Pot » – ce dernier ayant fait annoncer le 2 septembre sa « mise à la retraite », un geste qui ne

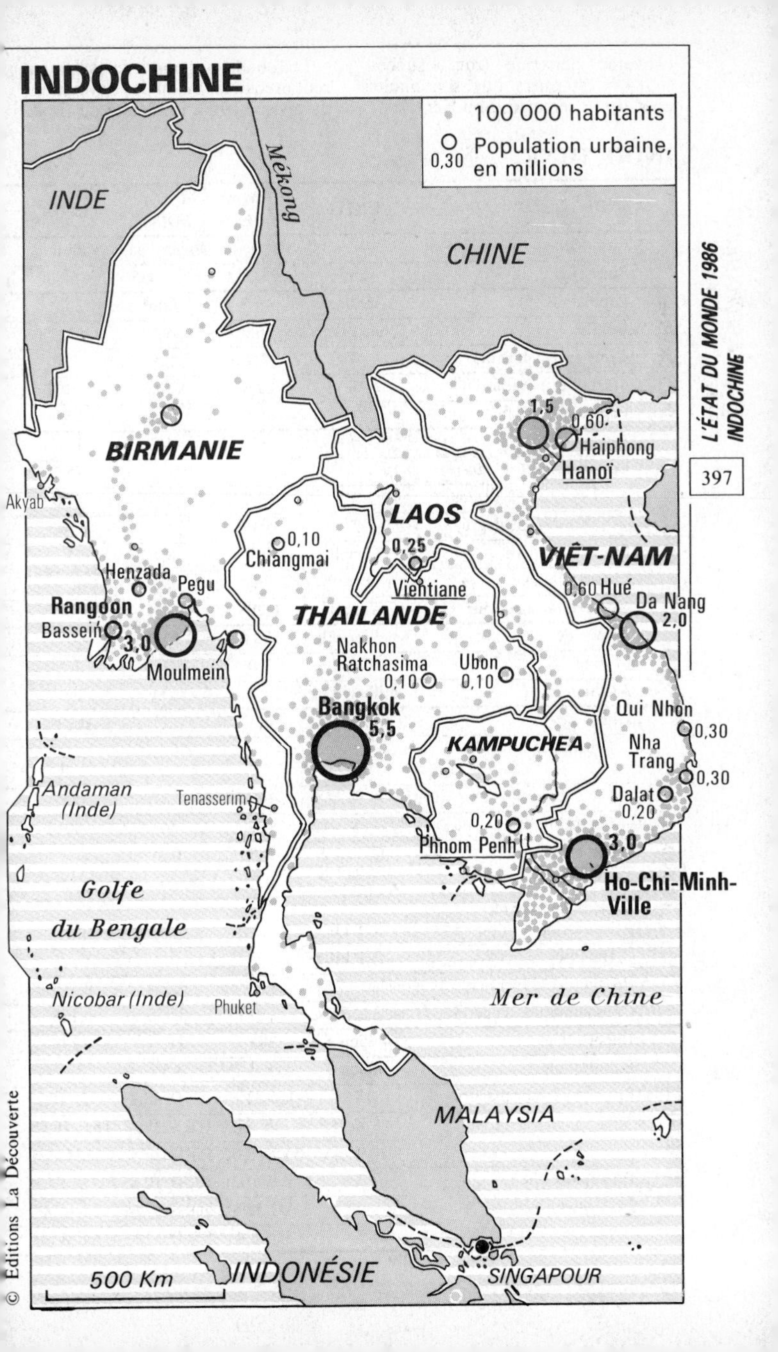
INDOCHINE
100 000 habitants
Population urbaine, en millions
0,30
INDE
Mékong
CHINE
BIRMANIE
Akyab
LAOS
VIÊT-NAM
THAILANDE
KAMPUCHEA
1,5
0,60
Haiphong
Hanoï
0,10
Chiangmai
0,25
Vientiane
Henzada
Pegu
Rangoon
Bassein
3,0
Moulmein
0,60 Hué
Da Nang
2,0
Nakhon Ratchasima
0,10
Ubon
0,10
Bangkok
5,5
Qui Nhon
0,30
Nha Trang
0,30
Dalat
0,20
Andaman (Inde)
Tenasserim
0,20
Phnom Penh
3,0
Ho-Chi-Minh-Ville
Golfe du Bengale
Nicobar (Inde)
Phuket
Mer de Chine
MALAYSIA
500 Km
INDONÉSIE
SINGAPOUR

convainc personne (son « successeur » n'est autre que son ancien chef de la sécurité, Son Sen).

Les conditions matérielles demeurent précaires. Selon des estimations de février 1986, la récolte de riz de

INDOCHINE

	INDICATEUR	UNITÉ	BIRMANIE	CAMBODGE	LAOS
	Capitale		Rangoon	Pnom-Penh	Vientiane
	Superficie	km^2	676 552	181 035	236 800
DÉMOGRAPHIE	Population (*)	million	38,5	7,06[a]	3,60
	Densité	hab./km^2	56,9	39,0[a]	17,0[a]
	Croissance annuelle[f]	%	2,5	2,6	2,1
	Mortalité infantile	‰	82,0	130,0	110,0
	Population urbaine	%	30,0	15,6	15,9
CULTURE	Analphabétisme	%	82	41,9[d]	16,1
	Scolarisation 6-11 ans	%	71,4	..	75,3
	12-17 ans	%	19,0	..	41,0
	3e degré	%	5,1[e]	..	1,4[c]
	Postes tv[b]	‰ hab.	0,1	8,7	–
	Livres publiés	titre	..	..	..
	Nombre de médecins	‰ hab.	0,20[e]	..	..
ARMÉE	Armée de terre	millier d'h.	170,0	35,0	50,0
	Marine	millier d'h.	7,0	..	1,7
	Aviation	millier d'h.	9,0	..	2,0
ÉCONOMIE	PIB	milliard $	6,3	..	0,32[e]
	Croissance annuelle 1973-83	%	5,9	..	3,2[hi]
	1985	%	6,6	..	8,0[ah]
	Par habitant	$	164	50[c]	80[e]
	Dette extérieure	milliard $	2,3[a]	0,3[a]	..
	Taux d'inflation	%	4,2	..	..
	Dépenses de l'État Éducation	% PIB	..	..	0,5[d]
	Défense	% PIB	3,9	..	..
	Production d'énergie[a]	million TEC	3,64	0,004	0,117
	Consommation d'énergie[a]	million TEC	3,01	0,019	0,108
COMMERCE	Importations	million $	283	273[cj]	125[c]
	Exportations	million $	304	8,5[cj]	52[c]
	Principaux fournisseurs	%	Jap 31,6	PCD 46,2[c]	PCD 10,3[a]
		%	CEE 24,7	URS 37,0[c]	Thai 18,4[a]
		%	PVD 28,2	PVD 16,8[c]	CAEM 53,6[a]
	Principaux clients	%	CEE 10,0	PCD 10,6[c]	PCD 14,2[a]
		%	Asi 52,3	URS 57,6[c]	Chi 16,8[a]
		%	Jap 6,4	PVD 31,8[c]	CAEM 61[a]

1985-1986 devait être moins mauvaise que celle de l'année précédente mais toujours très insuffisante. La

THAÏLANDE	VIETNAM
Bangkok	Hanoi
514 000	329 556
51,3	58,6
100	177,8
1,9	2,6
42,0	76,0
15,6	20,3
9,0	13[d]
85,6	96,9
40,6	66,7
22,2[b]	2,5[d]
17	..
6 819[c]	1 495[b]
0,15[d]	0,25[b]
160,0	1 000,0
32,2	12,0
43,1	15,0
38,6	..
6,3	5,6[hi]
4,0	2,5[h]
752	..
14,5	g
3,3	..
3,9[c]	..
3,7	..
6,12	6,22
20,92	7,16
9 231	2 195[a]
7 121	782[a]
Jap 26,5	URSS 38,8[a]
E-U 11,4	HK 10,2[a]
MO 8,0	Jap 5,9[a]
Jap 13,4	URSS 56,0[a]
E-U 19,7	Jap 6,0[a]
CEE 18,6	HK 3,7[a]

progression de la malaria, alarmante en 1985, s'est ralentie au cours du premier trimestre 1986. Malgré l'aide soviétique (deux centrales électriques et deux hôpitaux inaugurés en 1985) et l'intensification des échanges commerciaux (modestes) avec le Vietnam, l'infrastructure reste en piteux état. En 1985, l'aide internationale « promise » a fortement diminué : 4,3 millions de dollars (presque 50 % de moins qu'en 1984), comparés aux 15,3 millions de dollars pour les quelques 230 000 réfugiés en Thaïlande.

République démocratique populaire du Laos

Nature du régime : démocratie populaire.
Chef de l'État : prince Souphanouvong.
Chef du gouvernement : Kaysone Phomvihane.
Monnaie : kip.
Langues : lao, vietnamien, dialectes (taï, phoutheung, hmong), français, anglais, russe.

Grâce avant tout à deux années consécutives de bonnes conditions climatiques, le **Laos** est le seul des trois pays d'Indochine qui ait atteint l'autosuffisance rizicole, sinon alimentaire. Néanmoins, la malnutrition prévaut dans les campagnes et est responsable d'une forte mortalité infantile (184 pour 1 000).

En mars 1985 a eu lieu le premier recensement de l'histoire du pays : 3,6 millions d'habitants. En 1984-1985, Vientiane a relancé le mouvement de coopérativisation paysanne, mais sous des formes plus souples que par le passé : environ la

Chiffres 1985, sauf notes : a. 1984; b. 1982; c. 1983; d. 1980; e. 1981; f. 1980-85; g. 3 millards de roubles (80 % envers l'URSS), et 1,7 milliard de dollars à l'égard des pays occidentaux; h. Produit matériel net; i. 1980-84; j. Commerce Vietnam-Laos-Cambodge non compris.

(*) Dernier recensement utilisable : Birmanie, 1983; Cambodge, 1962; Thaïlande, 1980; Vietnam, 1979.

moitié des paysans ont été « collectivisés » au moins sur le papier. Le gouvernement a entrepris d'enregistrer les commerces privés, augmenté certaines taxes (poussant ainsi certains bijoutiers-changeurs chinois, vietnamiens et indiens à fermer boutique), introduit une grille des salaires pour encourager la productivité de ses fonctionnaires. La plupart des salaires ont été relevés mais demeurent irréalistes. Un double système de coupons a été instauré. Le prix domestique de l'électricité a été multiplié par quatre. La troisième phase du barrage de la Nam Ngun, achevée en mars 1985 grâce à un prêt de l'Association internationale de développement (AID, Banque mondiale), a porté la capacité de production électrique à 150 000 kWh. Les quatre cinquièmes en sont exportés vers la Thaïlande et fournissent au Laos neuf dixièmes de ses ressources en devises. L'affaire des trois villages frontaliers (occupés jusqu'en octobre par l'armée thaïlandaise) a continué d'envenimer les relations entre les deux voisins riverains du Mékong, mais la tendance, début 1986, était à un accommodement et à une libéralisation des échanges frontaliers.

République démocratique du Vietnam
Nature du régime : démocratie populaire.
Chef de l'État : Truong Chinh.
Chef du gouvernement : Pham Van Dong.
Monnaie : dong.
Langues : vietnamien, russe, français, anglais, allemand.

Depuis 1984, le **Vietnam** – dont la population de près de 60 millions d'habitants, augmente d'un million chaque année – est presque (ce « presque » vaut son pesant de privations) parvenu à l'autosuffisance en riz et en sucre, performance que les dirigeants estiment pouvoir « consolider » en 1987... si les typhons et les rats le permettent. La population urbaine est passée de la misère à la pauvreté : les paysans – 80 % de la population – semblent manger à leur faim, même s'ils ne sont pas toujours bien vêtus. Cette amélioration tient aux mesures d'intéressement à la production liées à l'appartenance à des coopératives : dans le Sud, la collectivisation « douce » a marqué des progrès sensibles, à en croire les statistiques officielles.

A la mi-1985, les réformes ont gagné de proche en proche les autres secteurs économiques, de façon à la fois expérimentale, partielle, mais souvent irréversible. Le VIIIe plénum du Comité central du Parti qui s'est tenu à la mi-juin a annoncé la fin du dirigisme bureaucratique, l'abolition des subsides alimentaires, l'indexation des salaires sur le coût de la vie, l'autonomie partielle d'entreprises et de certaines provinces tournées vers l'exportation. A la mi-septembre, la monnaie a été changée et dévaluée de plus de 90 %, un dollar valant dès lors 10 dongs. Peu après, une nouvelle grille des salaires (variant de 1 à 2,5) a été introduite, en même temps que des méthodes « socialistes » relevant du capitalisme le plus traditionnel : gestion par profits et pertes, recours aux licenciements, sous-traitance à domicile, fin des subventions à l'éducation et aux soins de santé...

Les résultats ont été très mitigés. La substitution des salaires aux coupons a eu à Hanoi des effets psychologiques nettement positifs – jusqu'à ce que l'inflation galopante (le dollar, monté jusqu'à 210 dongs au marché parallèle début 1986, était à la baisse : 180-185 dongs dans les premiers jours d'avril) engloutisse, et au-delà, les augmentations salariales. Une nouvelle dévaluation paraissait inévitable. Le changement de monnaie a été un fiasco total, sanctionné par la « démission », début février 1986, de son artisan présumé, Tran Phuong, le Vice-Premier ministre pour les Affaires économiques. Les innovations n'en ont pas moins continué : début mars 1986, Ho Chi Minh-Ville autorisait la création de petites entreprises privées pour les produits d'artisanat destinés à l'exportation.

Obtenir des devises est devenu un

besoin vital pour redynamiser l'appareil productif qui, de l'aveu des dirigeants, « fonctionne à moins de 50 % de sa capacité ». L'Union soviétique, qui contribue puissamment à de grands travaux d'infrastructure – centrales électriques et forages pétroliers en mer –, a doublé son aide économique pour le troisième Plan (1986-1990). En contrepartie, une part accrue de la production domestique, déjà insuffisante, est détournée vers le bloc soviétique.

Tout en réaffirmant cette option, Hanoi s'est tourné en 1985 vers l'Ouest et les pays du tiers monde, renégociant ses dettes bilatérales avec certains pays (faute de pouvoir débloquer l'embargo du FMI) et faisant flèche de tout bois pour améliorer ses relations avec les États-Unis et leurs alliés (progrès spectaculaires de la négociation sur les soldats américains portés disparus dans la guerre du Vietnam, réception de maintes délégations officielles et privées, mise au point d'un code d'investissement libéral, propositions d'investissements en tous genres, etc.). Les progrès enregistrés ont été lents mais non négligeables.

Sur le plan intérieur, l'année 1985 a été marquée par deux nouveaux procès d'« éléments subversifs » et l'entrée en vigueur d'un code pénal le 1er janvier 1986. Enfin, le congrès du Parti, repoussé à l'automne 1986, devait faire le bilan des réformes engagées et les avaliser, et procéder à une large relève de la direction du Parti après la mort, en juillet 1986, de son secrétaire général, Le Duan.

Marcel Barang

Asie du Sud-Est insulaire

Brunéi, Hong-Kong, Indonésie, Macao, Malaisie, Philippines, Singapour, Taïwan

L'**Indonésie** et les **Philippines** sont traitées dans la section « Les 34 grands États ».

Sultanat du Brunéi
Nature du régime : sultanat.
Chef de l'État et du gouvernement : sultan Sir Hassanal Bolkiah.
Monnaie : dollar de Brunéi.
Langue : malais.

Au cours de sa seconde année d'indépendance, **Brunéi** n'a pas connu de réforme politique : maintien du sultanat (avec l'islam comme religion officielle) et de l'administration antérieure. Un parti a été constitué en mai 1985, le Parti démocratique national de Brunéi, dirigé par des hommes d'affaires malais dont certains sont liés à la famille royale. Il a pour projet d'établir une démocratie parlementaire au sein d'une monarchie constitutionnelle.

La principale difficulté sociale et politique est celle de l'accès des Chinois à la citoyenneté : pour l'obtenir, il faut satisfaire des conditions de résidence et passer un examen sur la langue et la culture malaises.

En économie, les projets de diversification évoluent lentement. Le pétrole et le gaz naturel sont pratiquement la seule production industrielle et représentent 99 % des exportations. En utilisant ses autres ressources naturelles, Brunéi veut développer une industrie d'optique et de microprocesseurs. Des contraintes de main-d'œuvre pèsent lourdement sur l'économie, le gouvernement voulant forcer les Malais à occuper les postes tenus auparavant par des travailleurs immigrés ou n'ayant pas la citoyenneté.

Les relations extérieures ont été centrées sur l'Asie du Sud-Est et les pays islamiques. Brunéi est devenu membre du Conseil de la langue indonésienne-malaise, organisme chargé de standardiser la langue en Malaisie et en Indonésie.

En 1985, deux événements politiques ont marqué la vie de **Hong-Kong** : les premiers contacts pour l'élaboration d'une loi fondamentale qui devrait devenir la « Constitution » de la future région administrative spéciale (en 1997, Hong Kong cessera d'être une colonie britannique pour être rattachée à la Chine), et les premières élections, bien qu'indirectes, au Conseil législatif. La Chine a montré une attitude conservatrice sur la démocratisation du territoire et se préoccupe des hésitations des hommes d'affaires. Les partis politiques sont inexistants, mais on a vu se manifester des associations politiques assez fermées disposant d'un rôle influent, comme la Progressive Hong Kong Society.

L'économie n'a progressé que de 0,8 % en 1985, après une croissance moyenne annuelle de 5,7 % de 1981 à 1985. Ce recul est dû à la chute des exportations domestiques, notamment vers les États-Unis, mais les ré-exportations – surtout vers la Chine – ont permis d'éviter un fort déséquilibre commercial. Le faible taux d'inflation (3,2 %) et la hausse des salaires n'ont pas relancé la demande de consommation. Cette situation est d'autant plus grave que les investissements publics ont décliné en raison de la volonté d'éliminer le déficit budgétaire, sans modifier la fiscalité.

La faillite de la troisième banque locale, Overseas Trust Bank, a révélé les défaillances du mode de surveillance bancaire. La Chine a joué un rôle stabilisateur en accordant du crédit aux banques touchées par cette faillite et en permettant à la Bank of China de contribuer à la stabilité du dollar de Hong-Kong.

L'année 1985 a montré qu'une certaine incertitude commence à planer sur l'avenir de **Macao**, ce territoire situé sur le littoral méridional du continent chinois, à soixante kilomètres de Hong-Kong. La Chine désirerait que Macao suive la voie de sa voisine dès 1997, mais les autorités locales sont réticentes, arguant de certaines spécificités. Pour ces dernières, il existe un problème de langue car il faut du temps pour faire du chinois une langue officielle. Par ailleurs, les membres de l'administration ne sont pas chinois, ceux-ci s'étant plutôt insérés dans des activités économiques et une partie de l'enseignement. Les personnes issues de mariages mixtes (principalement avec les Portugais) font aussi problème : bien payées, elles ont un haut statut social, qui leur confère un rôle influent, et elles méprisent quelque peu les Chinois. Mais la Chine n'admet pas la double nationalité.

La croissance du produit intérieur brut s'est ralentie : environ 8 % en 1985 contre des taux antérieurs de 9 à 10 %. En dépit d'une main-d'œuvre bon marché (un ouvrier gagne 2,5 fois moins qu'à Hong-Kong), l'économie reste peu diversifiée dans les industries légères; or, cette diversification est impérative si Macao veut réduire les effets du protectionnisme occidental. Une grande partie des recettes publiques provient encore de taxes sur les jeux d'argent.

Deux graves crises politiques ont marqué la **Malaisie** en 1985 : l'une, nationale, au sein du principal parti politique chinois, Malaysian Chinese Association (MCA), membre de la coalition gouvernementale du

ASIE DU SUD-EST INSULAIRE

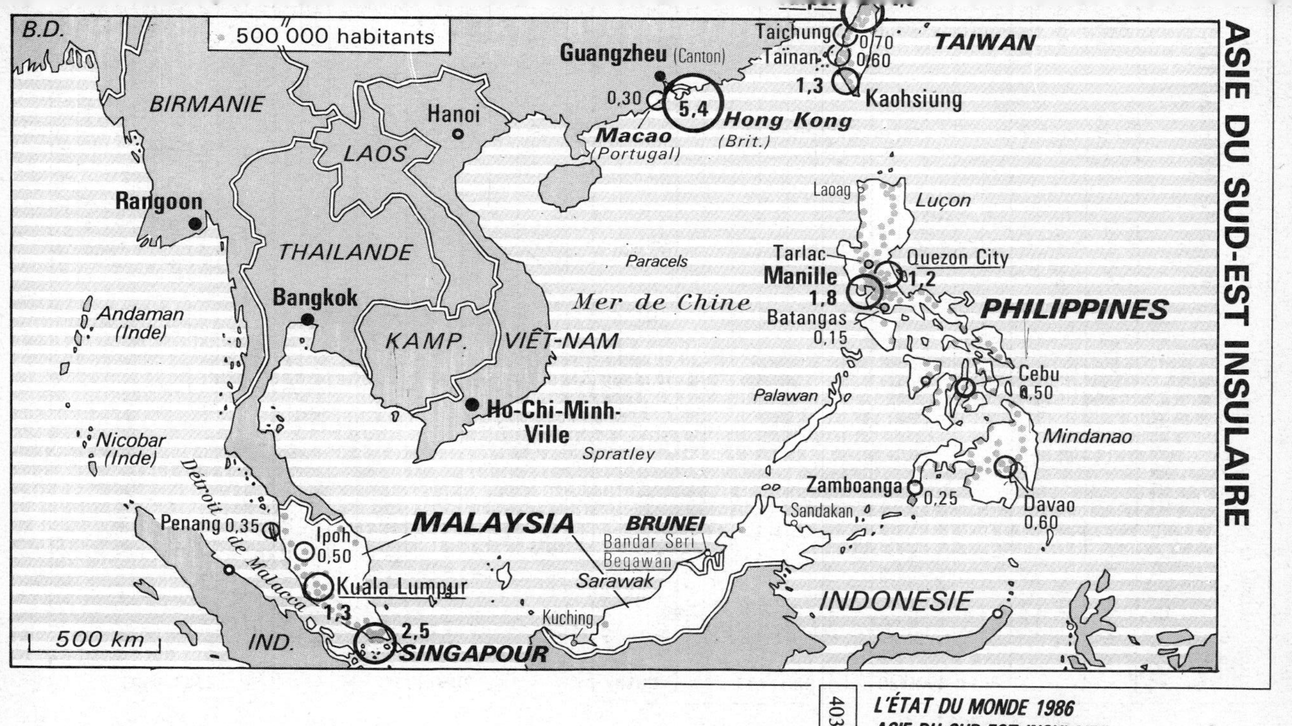

Front national (FN); l'autre, régionale, dans le riche État pétrolier de Sabah.

Les luttes entre factions ont toujours animé la vie de la MCA; au terme de maintes tractations, Tan

ASIE DU SUD-EST INSULAIRE

	INDICATEUR	UNITÉ	BRUNÉI	HONG-KONG	INDONÉSIE
	Capitale		Bandar S.B.	H.-Kong	Jakarta
	Superficie	km²	5 770	1 045	2 027 08
DÉMOGRAPHIE	Population (*)	million	0,22	5,36	163,4
	Densité	hab./km²	38,1	5 129	80,6
	Croissance annuelle[f]	%	3,9	1,9	2,1
	Mortalité infantile	‰	17[b]	11,0	76,0
	Population urbaine	%	..	90,8	25,3
CULTURE	Analphabétisme	%	22,2[e]	10,0[c]	25,9
	Scolarisation 6-11 ans	%	..	100,0	82,5
	12-17 ans	%	..	78,1	47,2
	3e degré	%	..	11,9[d]	4,2[d]
	Postes tv	‰ hab.	145[d]	229[d]	22[b]
	Livres publiés	titre	..	..	5 731[b]
	Nombre de médecins	‰ hab.	0,40[b]	0,86[e]	0,08[c]
ARMÉE	Armée de terre	millier d'h.	3,40	..	216,0
	Marine	millier d'h.	0,45	..	36,9
	Aviation	millier d'h.	0,20	..	25,1
ÉCONOMIE	PIB	milliard $	7,53	34,0	85,4[a]
	Croissance annuelle 1973-83	%	3,5	9,3	6,8
	1985	%	– 0,3	0,8	3,0
	Par habitant	$	33 931	6 343	540
	Dette extérieure	milliard $	..	1,0	27,0
	Taux d'inflation	%	..	3,0	4,4
	Dépenses de l'État Éducation	% PIB	1,7[e]	3,3[d]	1,9[c]
	Défense	% PIB	7,1[a]	–	3,0
	Production d'énergie[a]	million TEC	23,9	–	133,1
	Consommation d'énergie[a]	million TEC	3,0	9,7	42,6
COMMERCE	Importations	million $	749	29 705	10 220
	Exportations	million $	2 584	30 184	18 456
	Principaux fournisseurs	%	Sin 42,7	Jap 23,1	Jap 28,
		%	Jap 13,3	PVD 41,6	E-U 14,
		%	R-U 13,9	Chi 25,5	CEE 21
	Principaux clients	%	Asi 95,0	E-U 30,8	Jap 49,
		%	Jap 67,1	CEE 12,0	E-U 22,
		%	E-U –	PVD 42,4	Sin 6,0

Chiffres 1984 sauf notes : a. 1984 ; b. 1983 ; c. 1980 ; d. Moyenne 1982 ; e. 1981 ; f. 1980-85 ; g. 1973-82 ; h. Dette publique seulement.

(*) Dernier recensement utilisable : Brunéi, 1981 ; Hong-Kong, 1981 ; Malaisie, 1980 ; Philippines, 1980 ; Singapour, 1980 ; Macao, 1981.

MALAISIE	PHILIPPINES	SINGAPOUR	TAÏWAN	MACAO
Kuala Lumpur	Quezon City	Singapour	Taipei	Macao
329 750	300 000	618	35 980	16
15,19	54,4	2,56	19,26	0,34
46,1	181	4 142	535,2	21 250
2,3	2,3	1,1	1,6	1,8
26,0	42,0	10,0	25[c]	38[d]
31,5	39,6	74,2	48[c]	..
26,6	14,3	13,9	10,3[c]	..
93,6	82,4	97,9	..	..
66,1	65,5	68,9	..	..
4,5[d]	26,5[e]	11,8[b]	17,9[c]	..
96[b]	26[b]	188[b]	..	..
2 801[c]	839[d]	1 927[b]	..	..
0,31[c]	0,15[e]	0,91[e]	1,15[a]	..
90,0	70,0	45,0	290,0	..
9,0	28,0	4,5	38,0	..
11,0	16,8	6,0	39,0	..
31,4	34,6	18,39[a]	60,5	0,78[a]
7,2	5,3	8,0	7,5	11,3[g]
2,8	– 4,0	– 1,8	4,7	..
2 067	636	7 260	3 142	2 560[a]
16,7	25,6	1,9[h]	10,1[b]	..
1,0	5,7	0,7	– 0,2	..
7,5[d]	2,0[d]	4,4[d]	2,0[e]	..
5,2	1,2	5,8[a]	6,3	..
38,5	3,2	–	7,1[c]	–
13,3	16,7	16,9	50,7[c]	0,3
12 302	5 459	26 285	20 100	791
15 442	4 607	22 812	30 700	988
Jap 23,0	Jap 14,0	E-U 14,9	Jap 27,6	H-K 57,2
E-U 15,3	E-U 25,1	Jap 17,1	ArS 6,8	Chi 34,4
Sin 15,8	M-O 12,3	PVD 47,3	E-U 23,6	PCD 4,9
E-U 12,8	E-U 36,1	E-U 21,2	H-K 8,3	E-U 34,1
Jap 24,6	Jap 19,1	Jap 9,4	Jap 11,3	CEE 29,5
Sin 19,4	CEE 13,7	PVD 49,8	E-U 48,1	H-K 22,0

Koon Swan en est devenu le président. Mais, une semaine après, Tan était au centre du désastre financier de la Pan-Electric Industries (à cause de ses engagements dans deux autres compagnies liées); pour éviter toute panique, les bourses de Kuala Lumpur et de Singapour ont été fermées trois jours. En janvier 1986, Tan a dû se défendre juridiquement à Singapour, ce qui a provoqué de graves tensions entre Singapour et la Malaisie (les plus sérieuses depuis 1969). Toutefois, le Front national, qui avait déjà subi, en 1983, un scandale de corruption avec la Bumiputra Malaysia Finance et une crise constitutionnelle, a vu son crédit s'affaiblir.

Malaisie
Nature du régime : monarchie constitutionnelle.
Chef de l'État : roi Tuanku Mahmood Iskandar al-Haj.
Chef du gouvernement : Datuk Sari Mahathir Mohamad.
Monnaie : ringgit.
Langues : malais, chinois.

En avril 1985, les élections de Sabah ont consacré la victoire du nouveau Parti Bersatu Sabah (soutenu par les Kadazans et les chrétiens) sur le puissant Berjaya, soutenu par l'United Malay National Organization (Umno), membre du FN; l'opposition musulmane a aussi obtenu de bons résultats. Cette victoire a terni l'image de marque du Premier ministre Datuk Sari Mahathir Mohamad et a créé des tensions au sein de la fédération. Le regain du Parti islam d'opposition a aussi été une cause de souci pour le gouvernement; après avoir conquis les milieux ruraux, ce parti veut s'implanter dans les enclaves musulmanes des banlieues urbaines. La lutte du gouvernement contre le fondamentalisme musulman a abouti à la répression : en novembre 1985, dix-huit personnes ont été tuées dans une lutte entre policiers et extrémistes islamiques. De nombreux partis se sont créés en vue d'élections anticipées, et notamment le Parti Nationalis Malaysia, multiracial, qui espère obtenir le soutien des ouvriers et intellectuels urbains. Tout au long de l'année 1985, les tensions sont allées croissant entre Mahathir et le Vice-Premier ministre Musa (avec, entre autres, la question de la succession du Premier ministre) pour aboutir en mars 1986 à la démission de Musa du cabinet et de la vice-présidence de l'Umno.

La croissance économique a chuté à moins de 3 % en 1985 (contre 8 % par an en moyenne dans les années soixante-dix). La baisse des prix des matières premières a directement touché l'économie : le caoutchouc a rapporté 32,4 % de moins qu'en 1984, l'étain 18 % de moins, le prix de l'huile de palme a baissé de deux tiers en un an. Décidée en 1982, la politique de Mahathir d'encouragement à l'industrie lourde et d'imitation du développement japonais a aussi eu des effets néfastes : la production manufacturière représentait, en 1986, 20 % du PIB et un tiers des exportations; mais ce résultat a exigé de fortes dépenses d'investissements de « substitution d'importations » dans des industries comme l'acier, le ciment et l'automobile, et ces projets ont été réalisés au moment où les marchés internationaux s'essoufflaient. Au début de 1986, le gouvernement a décidé de moins privilégier le développement par substitution d'importations pour encourager les industries d'exportations fondées sur la transformation des matières premières locales; cependant, Mahathir a maintenu sa décision de produire de l'acier.

La politique étrangère est restée très active avec des contacts en Asie du Sud-Est, au Japon, en Chine, et aussi en Afrique et en Europe.

Singapour
Nature du régime : « démocratie » parlementaire contrôlée par un parti dominant.
Chef de l'État : Wee Kim Wee (président).
Chef du gouvernement : Lee Kuan Yew.
Monnaie : dollar de Singapour.
Langues : malais, chinois, anglais, tamoul.

1985 a été une mauvaise année pour **Singapour**, qui a vu le renforcement de l'autoritarisme en politique et une baisse de la production économique. Le Premier ministre Lee Kuan Yew a gagné les élections de 1984 et renouvelé son mandat jusqu'en 1989; mais, pour la première fois, son parti, le People's Action Party, s'est trouvé en recul, obtenant 77 sièges au Parlement sur 79 (aux yeux des autorités, cela ne constitue pas un succès); sa part dans le total des votes a baissé de 75,5 % en 1980 à 62,9 % en 1984. Lee a remis en cause le système d'une voix par électeur en raison des risques d'instabilité politique. Les leaders de l'opposition ont dû se défendre devant les tribunaux pour des propos tenus lors de réunions électorales! Cependant le gouvernement a consenti deux maigres concessions : l'ajournement de la politique visant à encourager les mères éduquées et riches à avoir plus d'enfants et l'assouplissement de la politique de répartition des élèves, dès le primaire, selon l'intelligence et la compétence.

Le PIB a baissé de 1,8 % en 1985, après une croissance moyenne annuelle de 8 % entre 1981 et 1984. La construction a chuté de 13,1 % et le secteur manufacturier de 7,5 %; seuls les services financiers ont crû de 3,4 %. Les causes en sont le déclin des industries liées au pétrole, la perte de compétitivité du pays et la chute de la demande domestique. Des coûts trop élevés (les coûts salariaux ont augmenté de 10,1 % par an de 1978 à 1984) et une faible croissance de la productivité (4,6 % par an de 1978 à 1984) constituent les éléments clés de cette détérioration.

Singapour a le taux d'épargne le plus élevé du monde (42 %) grâce à un système de retraite obligatoire (Central Provident Fund). L'État utilise une grande partie de ses fonds dans son secteur (notamment la construction), laissant aux multinationales une part prépondérante dans le secteur manufacturier; dans ces conditions, le secteur privé local est étouffé. Aussi, certaines réformes envisagées vont dans le sens d'une politique plus libérale et de la privatisation de certaines compagnies étatiques rentables.

En octobre 1985, devant le Congrès américain, Lee a défendu le libre-échange et a demandé aux pays occidentaux de faire pression sur le Japon pour qu'il libéralise ses importations. Lee a aussi visité la Chine et amorcé une coopération économique plus étroite. Enfin, Singapour a poursuivi sa politique régionale : demande du retrait des troupes vietnamiennes du Cambodge, aide militaire aux factions non communistes de la coalition du « Kampuchea démocratique », bonnes relations avec la Thaïlande.

République de Chine
Nature du régime : dictature présidentielle sous couvert de démocratie parlementaire.
Chef de l'État : Chiang Ching-Kuo (président).
Chef du gouvernement : Yu Kuo-hwa.
Monnaie : nouveau dollar de Taiwan.
Langue : chinois.

En 1985, **Taïwan** a été traversée par des scandales politiques et financiers et a connu un retournement brutal de conjoncture économique, après les très bons résultats de 1984. Les États-Unis n'ont pas apprécié le meurtre – dans lequel des agents liés à Taïwan ont été impliqués – en Californie, en octobre 1984, de l'écrivain Henry Liu, critique du Guomindang, et ont tout fait pour retrouver les coupables. Mais le plus grave scandale a été d'ordre interne : en février 1985, le groupe Cathay, contrôlé par la famille Tsai (deuxième empire d'affaires de l'île), s'est trouvé en difficultés financières, et l'enquête a révélé qu'une des deux banques contrôlées par cette famille, la Tenth Credit Cooperative, avait pratiqué des prêts massifs illégaux. De fait, les réglementations bancaires avaient été violées des années durant en raison d'influences politiques, le plus grave étant que la corruption touchait les plus hauts niveaux du gouvernement (deux ministres, le secrétaire général du Guomindang et même le Premier ministre).

La répression intérieure s'est

poursuivie; une censure sévère a touché les revues non autorisées, dites *dangwai* (« hors du parti ») et les confiscations de nombreux numéros ont causé des problèmes financiers à plusieurs. En septembre 1985, l'éditrice d'un journal en langue chinoise publié à Los Angeles a été arrêtée pour raison de sédition; les Américains ont fait pression sur les autorités de Taïwan pour sa libération. Autre scandale, le mépris de la sécurité des travailleurs : dans les mines de charbon, quatre catastrophes en deux ans ont fait 277 morts! Le gouvernement a trop attendu pour décider la fermeture des plus dangereuses.

En 1985, la croissance économique réelle a été inférieure à 5 %; ce résultat est dû à la baisse du commerce dans son ensemble, avec le déclin de la demande des États-Unis et le protectionnisme croissant. Mais les investissements domestiques ont également marqué un recul : en proportion du PNB, ils ont décliné de près de 30 % au début des années quatre-vingt, à 23 % en 1984 et moins de 20 % en 1985. L'archaïsme des structures financières a été mis en évidence par le scandale Cathay : en effet, la pratique de la famille Tsai d'utiliser des institutions financières placées sous son contrôle pour renflouer des entreprises affiliées peu solides et non rentables est chose courante. Pour stimuler l'économie, le gouvernement a relancé les investissements publics avec quatorze grands projets d'infrastructure. Le seul résultat économique positif a été la remarquable stabilité des prix dans l'île.

Sur le plan extérieur, Taïwan se trouve de plus en plus isolée, et, dans la région même, plusieurs pays ont noué des relations plus étroites avec la Chine. Les relations avec les États-Unis ont été tendues en 1985 à propos des droits de l'homme et du fait de frictions commerciales. La Corée du Sud s'est rapprochée de la Chine populaire et, pour la première fois, elle a renvoyé des Chinois qui avaient quitté leur pays pour se rendre à Taïwan. Il faut toutefois noter que le commerce indirect, *via* Hong-Kong, entre la Chine et Taïwan a atteint un niveau record en 1985, sans parler de la contrebande directe. Cependant, en juillet, plusieurs hommes d'affaires ont été arrêtés pour avoir eu des contacts avec le continent.

Patrick Tissier

Asie du Nord-Est

Corée du Nord, Corée du Sud, Japon, Mongolie

La **Corée du Sud** et le **Japon** sont traités dans la section « Les 34 grands États ».

République populaire démocratique de Corée

Nature du régime : démocratie populaire, parti unique.
Chef de l'État : Kim Il Sung, président.
Premier ministre : Kang Song San.
Monnaie : won.
Langue : coréen.

Stabilité politique et stagnation économique ont caractérisé la situation de la **Corée du Nord** en 1985. Ce fut aussi une année de transition entre deux plans : le second Plan septennal (1978-1984) n'a été réalisé, semble-t-il, qu'à 45 % environ, quoi qu'en aient dit les éditoriaux triomphalistes de la presse locale. Le fils du président, Kim Jong Il, a encore consolidé sa présence politique : après avoir été désigné par le

ASIE DU NORD-EST

terme « excellence » dans la presse en mars 1985, il a organisé en avril son premier banquet en l'honneur d'une délégation étrangère.

Les événements les plus impor-tants de l'année ont concerné les relations avec la Corée du Sud dont l'évolution se fait selon deux grands

ASIE DU NORD-EST

	INDICATEUR	UNITÉ	CORÉE DU NORD	CORÉE DU SU
	Capitale		Pyongyang	Séoul
	Superficie	km^2	120 538	99 484
DÉMOGRAPHIE	Population (*)	million	20,4	41,2
	Densité	hab./km^2	169	414
	Croissance annuelle[d]	%	2,3	1,6
	Mortalité infantile	‰	28,0	25,0
	Population urbaine	%	63,8	65,3
CULTURE	Analphabétisme[f]	%	..	8,3
	Scolarisation 6-11 ans	%	..	100,0
	12-17 ans	%	..	88,8
	3e degré	%	..	26,6[a]
	Postes tv	‰ hab.	..	175[b]
	Livres publiés	titre	..	35 512[b]
	Nombre de médecins	‰ hab.	..	0,7[e]
ARMÉE	Armée de terre	millier d'h.	750,0	520,0
	Marine	millier d'h.	35,0	45,0
	Aviation	millier d'h.	53,0	33,0
ÉCONOMIE	PIB	milliard $	[g]	84,86[a]
	Croissance annuelle 1973-83	%	6,5[h]	7,0
	1985	%	..	5,0
	Par habitant	$	..	2 092[a]
	Dette extérieure	milliard $	2,4[b]	46,7
	Taux d'inflation	%	..	3,2
	Dépenses de l'État Éducation	% PIB	..	5,1[b]
	Défense	% PIB	10,2[a]	5,7[a]
	Production d'énergie[a]	million TEC	47,9	15,3
	Consommation d'énergie[a]	million TEC	52,7	61,4
COMMERCE	Importations	million $	1 175[a]	30 975
	Exportations	million $	1 072[a]	30 281
	Principaux fournisseurs	%	URS 37,7[a]	Jap 24,
		%	Jap 22,8[a]	E-U 20,
		%	Chi 20,5[a]	PVD 32
	Principaux clients	%	URS 43,5[a]	E-U 35,
		%	Jap 12,9[a]	Jap 15,
		%	Chi 26,8[a]	PVD 25

axes : la poursuite des discussions entre les deux Croix-Rouges reprises – après quelques années d'interruption – en 1984 par le Nord, et les discussions économiques entre les deux pays relancées après que la Corée du Nord eut accordé de l'aide lors des inondations du Sud en 1984. En avril 1985, Pyongyang a proposé la tenue d'une conférence de parlementaires des deux pays pour discuter d'une future constitution pour une Corée unifiée. A la réunion de mai des Croix-Rouges, le Nord a émis l'idée d'échanger des troupes artistiques et des visites pour les membres des familles divisées depuis la guerre des années cinquante. En août, en raison d'une maladresse de Pyongyang, les négociations ont tourné court. Cependant, à la fin de septembre 1985, les échanges ont commencé. Sur le plan économique, Séoul a accepté le principe d'un comité pour examiner des projets de collaboration économique.

Dès juillet, la préparation du nouveau Plan a commencé. La stratégie est restée identique : chercher à exporter des matières premières pour financer le développement des industries manufacturières, notamment les industries légères qui font lourdement défaut dans le tissu industriel. 1985 a vu le lancement d'une campagne d'émulation – dite de « vitesse » – pour que les travailleurs s'inspirent du comportement des mineurs stakhanovistes de Komdok. La politique d'ouverture aux investissements étrangers, amorcée en 1984, n'a pas encore produit beaucoup d'effets.

Les relations extérieures sont restées excellentes avec l'Union soviétique et la Chine, et, de ce point de vue, la Corée du Nord poursuit une habile politique d'équilibre. L'arri-

JAPON	MONGOLIE
Tokyo	Oulan-Bator
372 313	1 565 000
120,8	1,87
324	1,2
0,6	2,7
7,0	43,0
76,5	55,9
–	..
..	65,1
..	85,2
37,6	25,5[c]
556	41,8[a]
43 339	7 456[a]
1,3[b]	2,34[a]
155,0	33,0
44,0	–
44,0	3,5
1 307,6	..
4,2	6,2[ij]
4,6	6,0[i]
10 825	..
–	..
1,8	..
5,7[e]	..
1,0	..
43,4	1,92
454,1	3,01
130 488	803[a]
177 164	558[a]
E-U 19,9	CAEM 97,4[a]
CEE 6,9	PCD 1,0[a]
PVD 52,4	Chi 1,6[a]
E-U 37,2	CAEM 94,0[a]
CEE 11,4	PCD 4,4[a]
PVD 32,4	Chi 1,6[a]

Chiffres 1985, sauf notes : a. 1984; b. 1983; c. 1981; d. 1980-85; e. 1982; f. 1980; g. Les estimations du PNB varient entre 18 milliards de dollars (CIA) et 30 milliards (universitaires sud-coréens); h. Estimation CIA pour 1970-80; i. Produit matériel net; j. 1970-84. (*) Dernier recensement utilisable : Corée du Nord, 1944; Corée du Sud, 1980; Japon, 1980; Mongolie, 1979.

vée au pouvoir de Mikhaïl Gorbatchev a suscité des contacts de haut niveau entre les deux pays. Les Soviétiques ont commencé à livrer des *Mig 23* supersoniques aux Coréens en échange de l'autorisation pour leurs navires d'utiliser le port de Wousan et, pour leurs avions, de survoler la Corée du Nord pour se rendre au Vietnam. La Chine occupe une place économique importante dans la stratégie nord-coréenne : en janvier 1985, un accord essentiel a été signé portant sur des échanges de produits; en mai, le secrétaire général du parti communiste chinois, Hu Yaobang, a rencontré les plus hautes autorités coréennes. Préoccupé par le très net ralentissement de son développement, Pyongyang a montré un intérêt particulier pour la nouvelle politique économique chinoise.

République populaire de Mongolie
Nature du régime : démocratie populaire, parti unique.
Chef de l'État et du gouvernement : Jambyn Batmönh.
Premier ministre : Dumaagiyn Sodnom.
Monnaie : tugrik.
Langue : mongol.

Le nouveau responsable politique de **Mongolie,** Jambyn Batmönh (président du Conseil des ministres et secrétaire général du Parti communiste), a mené en 1985 une série d'entretiens importants; il a rencontré en particulier des membres du Comité central du Parti en février pour dénoncer les maux de la centralisation excessive et des officiers de l'armée en mai au sujet du renforcement de la capacité de défense du pays. Une seule campagne politique significative a eu lieu contre le bouddhisme et le lamaïsme et en faveur de l'athéisme.

De fréquents contacts avec Mikhaïl Gorbatchev ont suivi la mort de Constantin Tchernenko et ont confirmé les bonnes relations entre les deux pays, dans le cadre de la politique de coopération à long terme avec l'Union soviétique. La Mongolie reste déficitaire dans ses échanges avec l'URSS : la valeur de ses exportations – composées dans une large mesure de produits miniers – représente environ un quart de ses importations.

Les problèmes internes les plus graves concernent l'agriculture et l'élevage. Les récoltes ne sont pas stables en raison de négligences techniques et d'une mauvaise organisation. Les provinces ont vu leurs cheptels se réduire fortement. Aussi, le gouvernement a relâché quelque peu les règlements sur la propriété individuelle du bétail et autorisé l'augmentation du stock personnel des travailleurs des fermes d'État.

Patrick Tissier

Océanie

Australie, Nouvelle-Zélande, États et territoires du Pacifique

Ni « nouveau centre du monde », ni « ventre mou » de la planète, le Pacifique (et notamment son pan Sud) est une région dont la conscience commune et l'identité collective s'expriment à travers des institutions très actives : l'Université du Sud-Pacifique (à Fidji), le Conseil des Églises du Pacifique (Pacific Council of Churches), SPARTECA (système d'accords préférentiels de type « Lomé »), SPEC (Bureau d'études économiques), et surtout le Forum du Sud-Pacifique, lequel réunit les gouver-

ILES DU PACIFIQUE

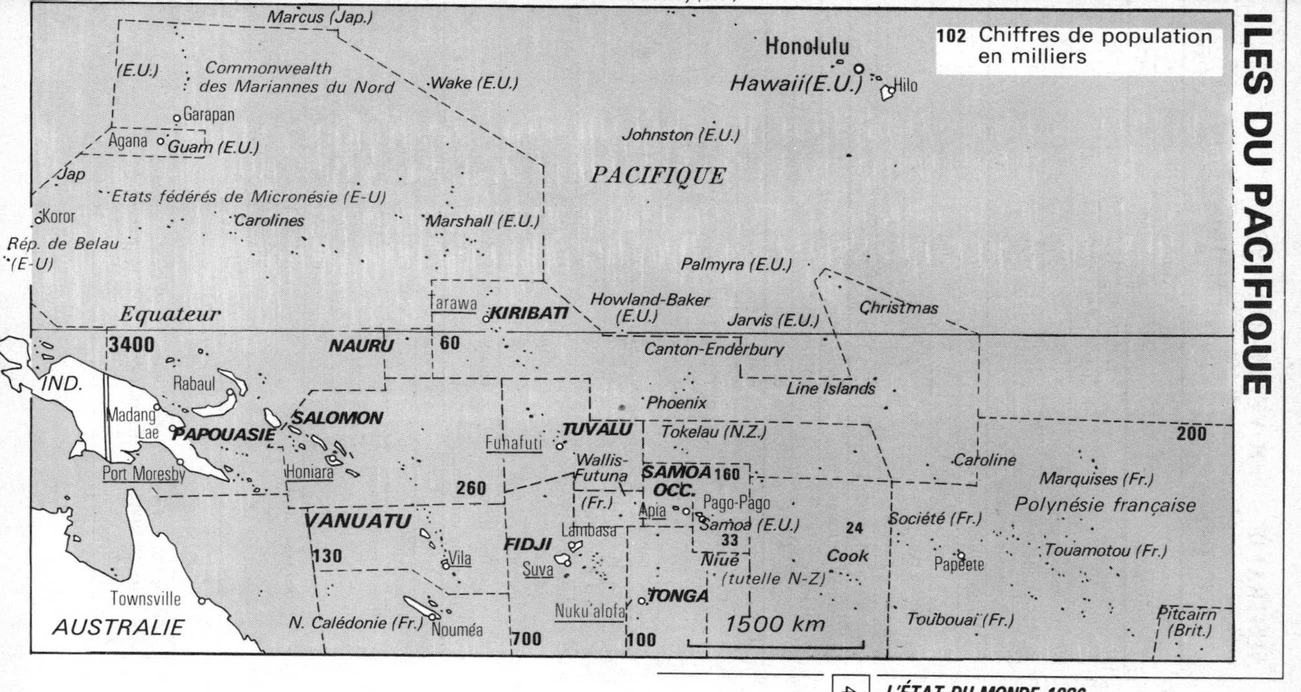

AUSTRALIE – NOUVELLE-ZÉLANDE

	INDICATEUR	UNITÉ	AUSTRALIE	NOUVELLE-ZÉLANDE	NOUVELLE-CALÉDONIE
	Capitale		Canberra	Wellington	Nouméa
	Superficie	km^2	7 682 300	268 676	19 058
DÉMOGRAPHIE	Population	million	15,7	3,2	0,149
	Densité	hab./km^2	2,0	12,0	7,8
	Croissance annuelle[d]	%	1,2	0,6	1,4
	Mortalité infantile	‰	9,0	11,0	42[b]
	Population urbaine	%	86,8	83,7	..
CULTURE	Scolarisation 2[e] degré	%	92[b h]	87[c b]	..
	3[e] degré	%	26,3	27,7	..
	Postes tv	‰ hab.	423[b]	288[b]	192[e]
	Livres publiés	titre	2 358	2 944[b]	..
	Nombre de médecins[g]	‰ hab.	1,8	1,57	..
ARMÉE	Armée de terre	millier d'h.	32,0	5,4	..
	Marine	millier d'h.	16,0	2,7	..
	Aviation	millier d'h.	22,7	4,3	..
ÉCONOMIE	PIB	milliard $	153,8	22,9	0,92[a]
	Croissance annuelle 1973-83	%	2,3	0,6	0,1
	1985	%	4,7	0,0	..
	Par habitant	$	9 796	7 156	6 240[a]
	Taux de chômage[f] *	%	7,7	4,4	..
	Taux d'inflation	%	8,2	15,3	..
	Dépenses de l'État Éducation	% PIB	5,9[g]	5,2[b]	..
	Défense	% PIB	2,9	1,9	..
	Production d'énergie [a]	million TEC	145,9	9,80	0,049
	Consommation d'énergie [a]	million TEC	95,1	12,62	0,572
COMMERCE	Importations	million $	25 889	5 992	302,5
	Exportations	million $	22 759	5 721	276,8
	Principaux fournisseurs	%	PVD 18,0	Aus 17,3	Fra 40,4
		%	Jap 23,1	E-U 15,1	Aus 9,5
		%	CEE 22,0	Jap 20,3	Sin 20,2
	Principaux clients	%	PVD 32,5	E-U 14,4	Fra 53,9
		%	CEE 12,6	Jap 14,5	Asi 31,2
		%	Jap 27,5	Aus 16,0	Jap 25,7

Chiffres 1985, sauf notes : a. 1984 ; b. 1983 ; c. 11-17 ans ; d. 1980-85 ; e. 1982 ; f. Fin d'année ; g. 1980 ; h. 12-16 ans.

(*) Dernier recensement utilisable : Australie, 1981 ; Nouvelle-Zélande, 1981 ; Nouvelle-Calédonie, 1983.

nements indépendants de la zone, à l'exclusion des puissances présentes dans la région comme la France et les États-Unis.

En août 1985, à sa session de Rarotonga (îles Cook), le Forum a adopté un traité de dénucléarisation du Sud-Pacifique, sans doute incomplet puisqu'il vise les essais français de Polynésie et non les bases américaines de Micronésie, mais qui traduit pourtant la sensibilité antinucléaire vigoureuse des Églises, des syndicats et de la presse dans toute la région. Plus généralement, le traité de Rarotonga prolonge le mouvement des « zones dénucléarisées », en plein essor dans le monde, même si une certaine logique française « étatiste » feint d'en ignorer l'importance: municipalités non nucléaires (Belgique, Japon, Espagne, Nouvelle-Zélande, etc.), constitutions antinucléaires (Palau, Vanuatu), traités régionaux de dénucléarisation (Amérique latine, Antarctique).

Sauf à son extrémité nord, le vaste espace pacifique n'est guère affecté par la rivalité des deux supergrands. La pénétration soviétique y est presque nulle (droits de pêche à Kiribati), malgré l'obsession récurrente d'une « Cuba du Pacifique ». Mais les États-Unis y sont hégémoniques, militairement et économiquement. Les compagnies californiennes de thoniers pillent ces parages poissonneux et, sous leur pression, les États-Unis n'ont pas ratifié la Convention fixant à deux cents miles les « ZEE » (zones économiques exclusives) de chaque État. Paradoxalement, ce périmètre imposé aux Nations Unies par le tiers monde joue aussi dans le Pacifique en faveur de la France coloniale, restée maîtresse d'immenses archipels; c'est une véritable prime à l'arriération historique. Autant que les essais de Mururoa, ce fait explique le discrédit, voire l'opprobre, qui là-bas frappe la politique française. La crise des DOM-TOM, et notamment la Conférence des dernières colonies françaises (Guadeloupe, avril 1985) dont en France on évite plutôt de parler, sont bien connues dans le Pacifique.

Les États et territoires du Pacifique (les mini-États y sont plus nombreux que dans la Caraïbe, au Moyen-Orient, ou dans l'océan Indien) se distribuent en quatre groupes: les ex-dominions de peuplement blanc conservent à l'intérieur de la région une position dominante; et les réalités ethno-culturelles distinguent nettement les populations des îlots et atolls micronésiens, celles de « l'arc mélanésien » (Papouasie-Nouvelle-Guinée, Salomon, Vanuatu, Nouvelle-Guinée), et celles des archipels volcaniques ou coralliens de l'immense Polynésie.

L'**Australie** est traitée dans la section « Les 34 grands États ».

Nouvelle-Zélande

Nature du régime : parlementaire.
Chef de l'État : reine Élisabeth II, représentée par un gouverneur : sir David Stuart Beattie.
Chef du gouvernement : David Lange.
Monnaie : dollar néo-zélandais.
Langues : anglais, maori.

En juillet 1985, les services secrets français coulaient, dans le port d'Auckland, le *Rainbow Warrior*, navire du mouvement Greenpeace qui préparait une campagne contre les prochains essais nucléaires français à Mururoa. Cette agression a brusquement mis la **Nouvelle-Zélande** au premier plan de l'actualité mondiale et ouvert une grave crise politique entre les deux pays. Pour la Nouvelle-Zélande, cette opération de guerre menée sur le territoire d'un petit pays ami contre le bateau d'une organisation écologiste internationalement respectée était inacceptable. On trouvait parfaitement normal, en revanche, que la justice néo-zélandaise condamne deux des coupables, de façon régulière et conformément au droit international tel que la France l'applique elle aussi aux actes de terrorisme commis sur son propre territoire. Le rapport Tricot, tentant en août de blanchir provisoirement la France, a été largement commenté dans tout le pays, avec un mélange d'ironie et d'accablement.

A travers l'affaire du *Rainbow Warrior*, c'est toute la politique nucléaire française qui a été stigmatisée dans la presse et les déclarations officielles, comme étant chau-

ILES DU PACIFIQUE

	INDICATEUR	UNITÉ	FIDJI	KIRIBATI	NAURU
	Capitale		Suva	Tarawa	Nauru
	Superficie	km²	18 274	728	21
DÉMOGRAPHIE	Population (*)	milliers	700	60	8,4[a]
DÉMOGRAPHIE	Densité	hab./km²	38,3	82,4	398,5[a]
DÉMOGRAPHIE	Croissance annuelle[g]	%	2,1	1,3	4,6
DÉMOGRAPHIE	Mortalité infantile	‰	24,0	48,9[d]	19
DÉMOGRAPHIE	Population urbaine	%	41,2	..	..
CULTURE	Analphabétisme	%	14,5	..	..
CULTURE	Scolarisation 6-11 ans	%	100,0	..	..
CULTURE	12-17 ans	%	82,2	..	..
CULTURE	3e degré[b]	%	3,2[e]	..	..
CULTURE	Postes tv	‰ hab.	597[b]	..	..
CULTURE	Livres publiés[d]	titre	110	..	..
CULTURE	Nombre de médecins	‰ hab.	0,46[d]	0,27[f]	..
ARMÉE	Armée de terre	millier d'h.	2,50	..	..
ARMÉE	Marine	millier d'h.	0,17	..	..
ARMÉE	Aviation	millier d'h.	..	..	..
ÉCONOMIE	PIB	million $	1 250[a]	30	..
ÉCONOMIE	Croissance annuelle 1973-83	%	3,0	−11,2	..
ÉCONOMIE	1985	%	..	..	..
ÉCONOMIE	Par habitant	$	1 840[a]	460	..
ÉCONOMIE	Dette extérieure	millions $	424[a]	..	..
ÉCONOMIE	Taux d'inflation	%	2,9	..	..
ÉCONOMIE	Dépenses de l'État Education	% PIB	5,1[d]	13,5[e]	..
ÉCONOMIE	Défense	% PIB	1,2[a]	..	..
ÉCONOMIE	Production d'énergie[a]	million TEC	0,035	–	–
ÉCONOMIE	Consommation d'énergie[a]	million TEC	0,285	0,013	0,05
COMMERCE	Importations	million $	439	19,2[d]	..
COMMERCE	Exportations	million $	229	2,8[d]	..
COMMERCE	Principaux fournisseurs	%	Asi 29,1	Aus 57,4[d]	..
COMMERCE		%	Jap 15,1	Jap 12,9[d]	..
COMMERCE		%	A & N-Z 50,8	E-U 7,3[d]	..
COMMERCE	Principaux clients	%	R-U 29,8	R-U 89,2[d]	..
COMMERCE		%	A. & N-Z 18,2	Jap 0,9[d]	..
COMMERCE		%	Asi 31,1	Aus 0,8[d]	..

Chiffres 1985, sauf notes : a. 1984 ; b. 1983 ; c. Année finissant le 30 juin 1985 ; d. 1980 ; e. 1982 ; f. 1981 ; g. 1980-85 ; h. 1979 ; i. 1976 ; j. 1973-82 ; k. 1970-80.

(*) Dernier recensement utilisable : Fidji, 1976 ; Kiribati, 1978 ; Nauru, 1977 ; Papouasie, 1980 ; Samoa, 1976 ; Salomon, 1976 ; Tonga, 1976 ; Tuvalu, 1979 ; Vanuatu, 1979.

PAPOUASIE-Nle-GUINÉE	SAMOA	ILES SALOMON	TONGA	TUVALU	VANUATU
Port-Moresby	Apia	Honiara	Nuku'Alofa	Funafuti	Port-Vila
461 691	2 842	28 446	699	158	14 763
3 430[a]	160[a]	260[a]	100[a]	8[a]	130[a]
7,43[a]	56,3[a]	9,1[a]	143,1[a]	53,0[a]	8,8[a]
2,1	2,4	3,2	2,2	4,6	2,8
87,0	65[e]	86	21[i]	..	..
14,3	22[h]	9,2[i]	..	..	18[b]
54,5	–	..	0,4[i]	..	..
61,0	..	..	..	..	..
23,5	..	..	..	..	..
1,8[e]	..	..	..	..	..
–	25[b]	48[d]	–	..	..
–	–	..	320	..	..
0,06[d]	0,40[f]	0,16[i]	0,38[f]	..	0,18[f]
2,85	..	..	..	..	..
0,30	..	..	..	..	..
0,09	..	..	..	..	..
2 480[a]	102[b]	160[b]	77,6[b]	5[b]	40[b]
1,3	..	5,5[j]	5,5[j]	..	0,7[k]
..	..	..	1,5	..	..
760[a]	626[b]	640[b]	813[b]	680[b]	350[b]
1 976[a]	71[a]	33[a]	..	..	88[a]
3,7	6,1	9,7	..	..	0,4
4,7[d]	..	..	9,8[b]	..	..
1,3[a]	..	..	..	..	..
0,050	0,002	–	–	..	–
1,025	0,056	0,064	0,022	..	0,026
814	51,3	83,1	39,8	2,67[b]	70,4
922	16,9	70,1	6,1	0,07[b]	30,2
Aus 46,6	N-Z 32,1	Aus 33,7	N-Z 40,6	Fij 51,8[e]	PCD 85,8
Jap 16,5	Aus 19,8	Jap 20,4	Aus 13,6	Aus 39,7[e]	Aus 25,5
Sin 12,1	Fij 15,8	Sin 12,7	Fij 22,6	N-Z 5,3[e]	CEE 35,5
PVD 10,3	PCD 93,7	Jap 48,8	Aus 31,9	Fij ..	PCD 60,1
Jap 25,0	N-Z 18,1	R-U 14,4	N-Z 53,7	Aus ..	RFA 39,0
RFA 29,4	E-U 61,5	PVD 14,6	PVD 9,5	N-Z ..	Jap 11,3

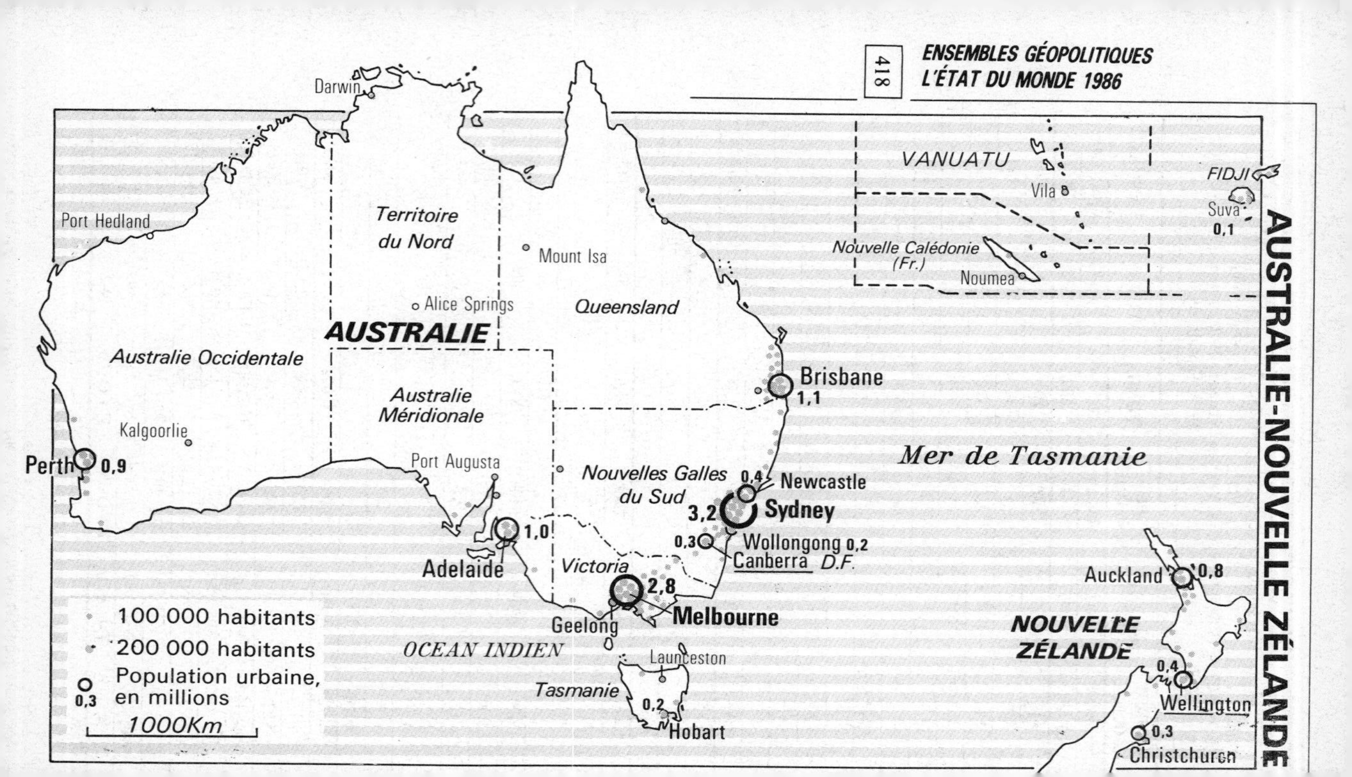
AUSTRALIE-NOUVELLE ZÉLANDE
Darwin
Port Hedland
Territoire
du Nord
Mount Isa
Alice Springs
Queensland
AUSTRALIE
Australie Occidentale
Australie
Méridionale
Kalgoorlie
Perth 0,9
Port Augusta
Nouvelles Galles
du Sud
Brisbane
1,1
0,4 Newcastle
3,2 Sydney
0,3 Wollongong 0,2
Canberra D.F.
1,0
Adelaide
Victoria
2,8
Melbourne
Geelong
OCEAN INDIEN
Launceston
Tasmanie
0,2
Hobart
Mer de Tasmanie
VANUATU
Vila
Nouvelle Calédonie
(Fr.)
Noumea
FIDJI
Suva
0,1
Auckland 0,8
NOUVELLE
ZÉLANDE
0,4
Wellington
0,3
Christchurch
100 000 habitants
200 000 habitants
Population urbaine,
en millions
0,3
1000Km

vine, arrogante, totalement méprisante envers les pays du Pacifique. Les comités antinucléaires sont très nombreux et actifs dans tout le pays. La Nouvelle-Zélande soutient activement le traité de Rarotonga. La décision du Premier ministre, David Lange, d'interdire à l'automne 1985 l'entrée des sous-marins nucléaires américains dans les ports du pays a été largement appuyée par l'opinion, même si elle signifiait une mise en veilleuse du pacte ANZUS (regroupant l'Australie, la Nouvelle-Zélande et les États-Unis). Le voyage du président Mitterrand à Mururoa, à l'occasion de nouveaux essais nucléaires a été perçu comme une « provocation ».

La crise a consolidé la position politique de David Lange et des travaillistes, revenus au pouvoir depuis 1983. Par contre, à travers d'éventuelles représailles économiques françaises, elle a mis en évidence la fragilité de la position économique du pays, lourdement dépendante du marché mondial pour ses exportations de viande de mouton et de produits laitiers.

« New-Zealand-Aotearoa », cette formulation inconnue il y a quelques années est devenue courante dans les milieux politiquement actifs. *Aotearoa* (l'île aux longs nuages) est le nom maori du pays. Les Maoris (15 % de la population avec les immigrés polynésiens de Samoa, Cook, Niue) ne se satisfont plus de revendications culturelles (école, télévision) et de mesures d'assistance sociale. Ils exigent une véritable reconnaissance politique. Ils demandent par exemple qu'en matière politique le *maoritanga* (règles coutumières de relations sociales) soit mis sur un pied d'égalité avec le « système de Westminster ».

Pitcairn (67 habitants) est la seule colonie proprement dite conservée par le Royaume-Uni, « East of Suez ». Et ce pour des motifs quasi culturels : cette minuscule communauté descend directement des révoltés du *Bounty*...

Les États mélanésiens indépendants

Papouasie-Nouvelle-Guinée
Nature du régime : parlementaire.
Chef de l'État : reine Élisabeth II, représentée par un gouverneur : sir Kingsford Dibela.
Chef du gouvernement : Paias Wingti.
Monnaie : kina.
Langues : pidgin mélanésien, anglais, 700 langues locales.

La **Papouasie-Nouvelle-Guinée**, massive, plus peuplée à elle seule que le reste des États autochtones du Pacifique, reste étroitement liée à l'ancienne métropole australienne : budget, aide technique, contrôle des productions exportées (or, bois, cuivre, café, coprah, cacao). En 1985, le leader historique Michaël Somaré a été évincé par Paias Wingti, de la jeune génération politicienne. Les relations avec l'Indonésie qui occupe l'**Irian Jaya** (partie ouest de l'île) se sont détendues.

Iles Salomon
Nature du régime : parlementaire.
Chef de l'État : reine Élisabeth II, représentée par un gouverneur : sir Baddeley Devesi.
Chef du gouvernement : Peter Kenilorea.
Monnaie : dollar des Salomon.
Langues : pidgin mélanésien, anglais.

Les **îles Salomon**, ex-colonie britannique, restent dépendantes des subsides extérieurs. La vie politique y est dominée par les rivalités personnelles. Les syndicats d'employés ont fait leur apparition. Les droits de pêche au thon ont été partiellement concédés au Japon.

République du Vanuatu
Nature du régime : parlementaire.
Chef de l'État : Ati George Sokomanu.
Chef du gouvernement : pasteur Walter Lini.
Monnaie : vatu.
Langues : bislamar, anglais, français.

Le **Vanuatu**, ex-condominium franco-britannique, est le seul pays du Pacifique où l'indépendance

(1980) a été gagnée par la lutte menée par le Vanuatu Pati qui est bien enraciné à la base. Non-aligné au plan international, il soutient activement les Kanaks. L'économie rurale d'autoconsommation prédomine, et Vila, port franc, est un « paradis fiscal ».

Fidji
Nature du régime : parlementaire.
Chef de l'État : reine Elisabeth II, représentée par un gouverneur : Ratu Sir Penaia Ganilau.
Chef du gouvernement : Ratu Sir Kamisese Mara.
Monnaie : dollar fidjien.
Langues : fidjien, anglais.

A **Fidji**, le Premier ministre Ratu Mara, longtemps leader du mouvement radical et antinucléaire dans le Pacifique Sud, s'est rapproché des États-Unis et de la France en 1985. Le nouveau Parti travailliste, soutenu par les syndicats, veut briser le jeu de bascule entre politiciens modérés fidjiens et indiens (les Anglais avaient amené massivement des ouvriers indiens sur les plantations de sucre) ; il a gagné en 1985 la mairie de Suva, la capitale.

Les États polynésiens indépendants

Aux **îles Cook**, le régime d'indépendance-association avec la Nouvelle-Zélande attire un fort courant d'émigration. De sévères mesures de contrôle ont été adoptées sur les importations de voitures, les transactions foncières, l'entrée des étrangers.

Kiribati
Nature du régime : parlementaire.
Chef de l'État et du gouvernement : Iremia Tabai.
Monnaie : dollar australien.
Langue : anglais.

A **Kiribati** (ex-îles Gilbert), les ressources sont très réduites malgré le tourisme actif. En 1985, les droits de pêche (thon) dans la zone des deux cents miles ont été concédés à l'Union soviétique, créant une grosse émotion dans la région.

République de Nauru
Nature du régime : parlementaire.
Chef de l'État et du gouvernement : Hammer De Roburt.
Monnaie : dollar australien.
Langue : anglais.

A **Nauru**, bloc de phosphate exploité depuis 1970 par une compagnie d'État, le niveau de vie est élevé. Les bénéfices sont réinvestis dans la région (aviation, navigation, immobilier).

Niue bénéficie d'un régime d'indépendance-association avec la Nouvelle-Zélande, vers laquelle la majorité de la population de l'île a émigré.

Samoa occidental
Nature du régime : parlementaire.
Chef de l'État : Mallietoa Tanumafili II.
Chef du gouvernement : Va'ai Kolone.
Monnaie : tala.
Langues : samoan, anglais.

Le **Samoa occidental** a gardé des liens étroits (y compris par l'émigration) avec la Nouvelle-Zélande, ex-« mandataire » depuis l'éviction de l'Allemagne en 1919. La vie politique est dominée par la noblesse traditionnelle. Mais en 1985, le Parlement a porté au pouvoir Va'ai Koloné, leader de l'opposition libérale.

Tonga
Nature du régime : monarchie.
Chef de l'État : roi Taufa'ahau Tupou IV.
Chef du gouvernement : prince Fatafehi Tu'ipelehake.
Monnaie : Pa'anga.
Langues : tongien, anglais.

Tonga, dernière monarchie polynésienne, est pauvre et conservatrice. Elle donne libre accès aux thoniers californiens et aux sous-marins nucléaires français.

Tuvalu
Nature du régime : parlementaire.
Chef de l'État : reine Elisabeth II, représentée par un gouverneur : sir Fiatau Penitalateo.
Chef du gouvernement : Dr. Tomasi Puapua.
Monnaie : dollar australien.
Langues : tuvalien, anglais.

Tuvalu (ex-îles Ellice), ces petits atolls polynésiens très pauvres, ont été séparés du Kiribati micronésien en 1978, après référendum. L'aide financière provient de l'Australie et de la Nouvelle-Zélande. Les ressources de pêche sont pillées par les thoniers californiens.

Les possessions françaises

En **Nouvelle-Calédonie**, l'année 1985 s'est ouverte dans la crise, avec la « neutralisation » délibérée du leader kanak Eloi Machoro par les tireurs d'élite de la gendarmerie. De concert avec le Front de libération nationale kanak et socialiste (FLNKS), le délégué général Edgard Pisani réussit pourtant à mettre en place un plan de division du territoire en quatre régions dotées de larges pouvoirs. Le gouvernement territorial de Nouméa, contrôlé par la droite caldoche du Rassemblement pour la Calédonie dans la République (RPCR) depuis les élections de novembre 1984 (boycottées par le FLNKS), disparaissait. Aux élections du 29 septembre 1985, le FLNKS s'est assuré la maîtrise des régions du Centre, du Nord et des îles, grâce à 80 % des voix kanaks.

Un référendum sur l'autodétermination, selon le « plan Fabius », était prévu pour 1987. Pourtant, Paris maintenait parallèlement son pouvoir en annonçant l'extension et la modernisation de la base militaire de Nouméa.

La droite caldoche s'est durcie et renforcée en 1985 : une aile extrémiste veut ouvertement reprendre les méthodes de l'OAS algérienne, un courant actif propose le ratachement du « caillou » aux États-Unis, le centre libéral (blanc et kanak) a été laminé aux élections de septembre. De son côté, le FLNKS a affirmé son assise : comités de lutte dans les communes, programmes de développement économique dans les régions, conventions nationales régulières. Autour de Jean-Marie Tjibaou, dont l'audience personnelle est considérable, il refuse à la fois la lutte armée et les solutions purement électorales. Il définit une ligne politique originale, autour de la « mobilisation verte » et de « l'autosuffisance ». Avec les coopératives, les écoles populaires kanaks (EPK), les organes d'information comme *Radio-Tjiido* et l'hebdomadaire *Bwenando*, le FLNKS affirme une volonté politique de masse et amorce déjà à la base la mise en place de nouveaux rapports sociaux. Il a aussi élargi son audience internationale, grâce notamment au soutien du gouvernement du Vanuatu et à celui des syndicats australiens. La Kanaky prend corps.

Wallis et Futuna, territoire d'outre-mer où survivent des petites monarchies polynésiennes traditionnelles et qui est dominé par la mission mariste, est une réserve de main-d'œuvre docile et bon marché, au service de l'ordre colonial en Calédonie. Cette situation caractérise surtout Wallis, alors que Futuna reste plus à l'écart.

En **Polynésie française**, le « colonialisme nucléaire » règne en maître. Le Centre d'expérimentation du Pacifique (CEP) occupe directement ou indirectement des dizaines de milliers de personnes ; il assure un flux régulier de gros moyens financiers qui gonflent artificiellement le PIB, et draine vers Tahiti la population des « îles » (les archipels extérieurs). Avec le modèle dominant de croissance et de consommation « à l'occidentale », se sont installés la spéculation immobilière, la voiture, l'immigration blanche de masse (35 000 personnes), le tourisme de prestige, et aussi la drogue et le chômage. Le gouvernement territorial, doté d'une certaine autonomie, est contrôlé par le « demi » Gaston Flosse, politiquement proche de Jacques Chirac et rallié au néo-libéralisme reaganien.

Deux pôles de résistance se manifestent : d'une part les églises chrétiennes, notamment évangéliques, influentes dans la jeunesse, très attentives à la défense de la langue maohi; et d'autre part les mouvements indépendantistes (*Ia Mana Te Nunaa*, socialisant; Front de Libération de la Polynésie – FLP d'Oscar Temaru; *Pomaré Pati* de l'ancienne famille royale; groupe radical de Charlie Ching), qui revendiquent à la fois l'arrêt des essais nucléaires à Mururoa, le contrôle des transactions foncières, la limitation de l'immigration et l'indépendance politique.

Zone d'influence américaine

Guam, ex-colonie espagnole, est administrée depuis 1898 par les autorités civiles américaines. Les Chamorros autochtones résistent à l'assimilation culturelle. L'île vit du tourisme, des bases militaires et de communications stratégiques.

Micronésie américaine. Mises en « tutelle stratégique » en 1945, ces ex-colonies japonaises, jusqu'en mai 1986, étaient administrées par les États-Unis sous le contrôle du Conseil des titalles des Nations Unies. Par trois voix contre une (celle de l'URSS), celui-ci a décidé que les quatre groupes d'îles devaient accéder « le 30 septembre 1986 au plus tard » à la semi-indépendance. Elles ont opté pour la libre association avec les États-Unis.

– Les **États fédérés de Micronésie** regroupent les îles de Yap, Truk, Ponapé, Kosrae.

– Les **îles Marshall** : elles disposent de l'autonomie interne, mais les atolls de Bikini, Eniwetok, Kwajalein, Rongelap ont été dévastés par des essais nucléaires « sauvages ». Elles sont utilisées comme bases de missiles.

– Les **Mariannes du Nord** vivent du tourisme de masse américain. Elles sont sous le régime de « Commonwealth », sur le modèle de Porto-Rico.

– La **République de Palau** a adopté en 1979 une Constitution explicitement non-nucléaire, confirmée par trois référendums successifs. Washington a exercé de très fortes pressions pour faire adopter un « Compact » donnant de larges facilités à l'armée américaine.

Les **Samoa américaines** sont une colonie directement administrée par Washington, qui finance un développement « à l'occidentale ». Les thoniers californiens, japonais, coréens, peuvent y pêcher librement.

Jean Chesneaux

Europe germanique

Autriche, Liechtenstein, RDA, RFA, Suisse

La **RFA** est traitée dans la section « Les 34 grands États ».

République d'Autriche
Nature du régime : démocratie parlementaire.
Chef de l'État : Kurt Waldheim.
Chef du gouvernement : Frantz Vranitzky.
Monnaie : schilling.
Langues : allemand, slovène.

En 1985, l'**Autriche** a continué de se colleter avec les difficultés de l'après Kreisky, dans une ambiance de scandales et de fin de règne.

Déjà placé sur la sellette par l'affaire du barrage de Hainburg et celle du criminel de guerre Walter Reder (hiver 1984-1985), le chancelier Fred Sinowatz (social-démocrate, SPÖ) a dû faire face à une levée de boucliers allant des écologistes à l'opposition conservatrice lorsqu'il a annoncé sa décision (avril 1985) d'acquérir pour l'armée autrichienne des avions intercepteurs *Draken*. Puis en juin a éclaté le scandale des vins autrichiens : des milliers d'hectolitres de vin du Burgenland, exportés principalement en Allemagne, étaient « enrichis » au glycol. Après avoir tenté d'étouffer l'affaire, le gouvernement a dû se résoudre à convoquer le Parlement en plein mois d'août pour adopter une loi instaurant un contrôle rigoureux sur la production viticole.

En décembre 1985, nouveau scandale, celui de la VOEST, la plus grande entreprise nationalisée du pays (sidérurgie) : on apprenait que les responsables d'une de ses filiales avaient perdu cinq milliards de schillings en spéculant sur le cours du pétrole. On découvrait bientôt que ces spéculations, fréquentes dans le secteur nationalisé, étaient souvent accompagnées de corruption. L'opposition conservatrice (ÖVP) est partie en guerre contre le secteur nationalisé et l'administration social-démocrate. Début 1986, quelques autres scandales liés à des ventes d'armes illégales (à l'Iran *via* la Libye) sont venus apporter de l'eau à son moulin.

Davantage ébranlée par cette suite ininterrompue de scandales que par les effets directs de la crise économique (3,5 % de chômeurs seulement), l'administration social-démocrate a été débordée par les vieux démons du nationalisme blessé et de l'antisémitisme qui ont refait surface dans le pays, à l'occasion d'une longue campagne présidentielle (janvier à juin 1986). Le candidat SPÖ, Kurt Steyrer, est resté à l'écart de la polémique qui s'est concentrée sur le candidat des populistes, Kurt Waldheim, ancien secrétaire général de l'ONU. En dépit de – ou plutôt à cause de – révélations de l'hebdomadaire *Profil* et du Congrès juif mondial, reprises par la presse internationale, concernant le rôle de Waldheim dans la *Wehrmacht* pendant la guerre des Balkans – rôle que l'accusé avait soigneusement « oublié », puis minimisé –, l'ancien diplomate a recueilli 53,9 % des voix au second tour, le 8 juin, un chiffre nettement supérieur aux scores habituels de l'ÖVP. Tirant les conséquences de la défaite du Parti socialiste, intervenue après seize ans de pouvoir ininterrompu, Sinowatz a démissionné. Le nouveau gouvernement formé par le ministre des Finances, Franz Vranitzky est considéré comme un cabinet de transition, en attendant les élections législatives du printemps 1987.

Principauté du Liechtenstein

Nature du régime : monarchie constitutionnelle.
Chef de l'État : prince Hans Adam.
Chef du gouvernement : Hans Brunhart.
Monnaie : franc suisse.
Langue : allemand.

Le 2 février 1986 aura été, au **Liechtenstein**, une journée historique : les femmes y ont voté pour la première fois.

Mais cette remarquable innovation n'a rien changé au paysage politique de cette principauté de 27 000 habitants, sise entre la Suisse et l'Autriche : les « noirs » (conservateurs) ont gardé la majorité au Parlement tandis que les « rouges » (progressistes modérés) se sont distingués en y faisant entrer une femme. Au niveau gouvernemental, « noirs » et « rouges » ont continué, comme par le passé, à cohabiter harmonieusement sous la houlette du prince Hans-Adam et à l'entière satisfaction des détenteurs de capitaux hébergés dans ce petit paradis fiscal.

L'année 1985 s'est achevée sans qu'Erich Honecker, le chef d'État de la **République démocratique allemande** (RDA), ait pu effectuer en

Allemagne fédérale la visite tant attendue. Mais on aurait tort d'y voir l'indice d'un raidissement des relations interallemandes. En février 1986, Horst Sindermann, président de la Chambre du peuple et numéro trois du régime est-allemand, s'est déclaré « convaincu », à l'issue d'un

EUROPE GERMANIQUE

	INDICATEUR	UNITÉ	AUTRICHE	LIECHTENSTEIN	RDA
	Capitale		Vienne	Vaduz	Berlin
	Superficie	km²	83 850	157	108 178
DÉMOGRAPHIE	Population (*)	million	7,55	0,026	16,6
	Densité	hab./km²	90,0	165,6	153
	Croissance annuelle [i]	%	0,0	0,6	0,0
	Mortalité infantile	‰	11,0	10,8[h]	11,0
	Population urbaine	%	56,1	..	78,2
CULTURE	Scolarisation 2e degré	%	74[bd]	..	88[bg]
	3e degré	%	24,7[b]	..	29,8[e]
	Postes tv	‰ hab.	311[b]	288[e]	360,8[a]
	Livres publiés	titre	6 736[e]	..	7 933[a]
	Nombre de médecins	‰ hab.	2,27[f]	..	2,90[a]
ARMÉE	Armée de terre	millier d'h.	50,0	..	120,0
	Marine	millier d'h.	–	..	15,0
	Aviation	millier d'h.	4,7	..	39,0
ÉCONOMIE	PIB	milliard $	65,1	..	82,1[ak]
	Croissance annuelle 1973-83	%	2,6	..	2,5[k]
	1985	%	2,9	..	4,8[k]
	Par habitant	$	8 623	16 440[a]	4946[ak]
	Taux d'inflation	%	2,8	..	..
	Taux de chômage[j]	%	3,5	..	..
	Dépenses de l'État Éducation	% PIB	6,0[b]	..	4,8[e]
	Défense	% PIB	1,3	..	7,3[a]
	Recherche et développement	% PIB	1,3[e]	..	2,5[e]
	Production d'énergie[a]	million TEC	8,35	..	96,8
	Consommation d'énergie[a]	million TEC	30,01	..	126,6
COMMERCE	Importations	million $	20,986	..	23 546
	Exportations	million $	17 239	440[e]	25 544
	Principaux fournisseurs	%	RFA 41,0	..	CAEM 62,5[a]
		%	CAEM 10,7	..	PCD 29,0[a]
		%	PVD 11,9	..	PVD 5,1[a]
	Principaux clients	%	RFA 30,1	Sui 24,0[e]	CAEM 63,5[a]
		%	CAEM 11,1	CEE 39,0[e]	PCD 30,1[a]
		%	PVD 15,3	AELE 31,9[e]	PVD 5,5

voyage en RFA, que Honecker y serait reçu en 1986. Un important accord culturel liant les deux pays a d'ailleurs été élaboré dans cette perspective. On a en outre constaté en 1985 un léger accroissement du volume des échanges économiques et de la circulation des personnes entre les deux pays.

RFA	SUISSE
Bonn	Berne
249 147	41 288
61,0	6,4[a]
244,9	155,0[a]
0,0	0,2
11,0	7,0
86,1	60,4
..	..
29,6[e]	23[b]
360[b]	378[b]
58 489[b]	11 405[e]
2,3[h]	2,45[h]
335,6	580,0[c]
36,2	–
106,0	45,0
623,2	91,5
2,1	0,8
2,3	3,2
10 217	14 297
1,8	3,2
8,4	0,9
4,6[e]	5,0[e]
2,7	2,3
2,6[b]	2,3[b]
152,3	5,8
340,6	23,7
158 490	30 702
183 913	27 450
CEE 48,6	PCD 87,1
CAEM 5,2	RFA 30,6
PVD 19,1	PVD 10,1
CEE 47,4	CEE 48,3
CAEM 4,1	E-U 10,4
PVD 17,3	PVD 21,6

République démocratique allemande
Nature du régime : démocratie populaire.
Chef de l'État : Erich Honecker.
Chef du gouvernement : Willi Stoph.
Monnaie : mark.
Langue : allemand.

Remarquable, cette quasi-insensibilité du baromètre des relations interallemandes aux aléas de la conjoncture « locale » comme internationale! Faut-il rappeler qu'en mars 1985, un officier américain est tombé en territoire est-allemand sous les balles d'un soldat soviétique? Et encore qu'au mois d'août 1985, la secrétaire du ministre de l'Économie de Bonn, une secrétaire à la Chancellerie et surtout Hans-Joachim Tiedge, responsable de la section « RDA » du contre-espionnage ouest-allemand, sont passés à l'Est, provoquant le limogeage du chef des services secrets de RFA? « Pas de quoi en faire un fromage! », devait déclarer à la foire de Leipzig Franz-Josef Strauss, donnant le ton des réactions à Bonn. Et Honecker d'abonder dans son sens : « Le ciel peut parfois apparaître nuageux, mais je dois dire que la direction de l'État est-allemand envisage l'avenir avec le plus grand optimisme. »

Optimisme renforcé par les succès remportés par la politique de désenclavement de la RDA vis-à-vis de l'Europe capitaliste : visite de Honecker à Rome (où il a été reçu par le Pape) en avril 1985, visite de Laurent Fabius à Berlin-Est (juin

Chiffres 1985, sauf notes : a. 1984; b. 1983; c. Sur mobilisation; d. 10-17 ans; e. 1982; f. 1981; g. 16-17 ans; h. 1980; i. 1980-85.; j. Fin d'année; k. Produit-matériel net; l. 1979.

(*) Dernier recensement utilisable : Autriche, 1981; Liechtenstein, 1981; RDA, 1981; RFA, 1970; Suisse, 1980.

1985) à l'occasion de laquelle a été décidé un doublement des échanges entre les deux pays. Après l'éviction de Konrad Naumann (novembre 1985), ex-« patron » du SED (Parti socialiste unitaire), et la mort du général Heinz Hoffmann, ministre de la Défense, Honecker a les mains plus libres pour poursuivre cette politique d'ouverture mesurée.

Autre sujet de satisfaction pour le régime, les bonnes performances économiques enregistrées en 1985, dernière année du Plan quinquennal. Avec le plus haut niveau de vie des pays de l'Est et un honorable taux de croissance économique de 4,8 % (supérieur aux prévisions du Plan, 4,4 %), la RDA est restée le cheval de flèche des pays du CAEM. En 1985, chaque citoyen de RDA a mangé en moyenne 96 kilos de viande, 15,9 kilos de beurre. 45 % des foyers est-allemands ont une voiture, 99 % un réfrigérateur, 93 % la télévision. Outre le développement général de la production de matières premières et de biens industriels (le Plan a été nettement dépassé pour l'extraction du lignite et dans les chantiers navals), les autorités soulignent l'amélioration de la productivité par la rationalisation du travail, l'effort produit dans les secteurs de pointe (bureautique, robots industriels) et surtout la croissance importante enregistrée dans le secteur des biens d'équipement privés (magnétophones, téléviseurs couleur...), du bâtiment (121 000 nouveaux logements contre 118 000 prévus par le Plan) et de la consommation alimentaire (fruits : + 42 %, légumes : + 34 %). Le volume des échanges extérieurs s'est accru de 3,5 % en 1985 et la balance du commerce extérieur a été excédentaire. Pour l'année 1986, le taux de croissance a été fixé à 4,4 %.

L'Église évangélique a continué d'être le pôle de regroupement des mouvements de contestation – mouvements qui, des thèmes pacifistes, ont évolué vers une problématique plus générale de la défense des droits de l'homme et de la mobilisation autour des questions écologiques. En témoigne notamment l'appel (rendu public en mars 1986) signé entre autres par le pasteur Rainer Eppelmann, animateur du mouvement pacifiste indépendant, revendiquant le droit pour tous à voyager à l'étranger, la pluralité des candidatures aux élections, l'abolition de l'arsenal législatif sanctionnant les délits d'opinion, le droit de réunion et de manifestation, et un véritable statut pour les objecteurs de conscience...

Confédération helvétique

Nature du régime : démocratie parlementaire ; éléments de démocratie directe.
Chef de l'État : Alfons Egli (depuis le 1.1.86, pour un an).
Monnaie : franc suisse.
Langues : allemand, français, italien, romanche.

La **Suisse**. Les banquiers suisses affichaient, à l'heure des bilans de l'année 1985, une satisfaction sans partage : « Jamais encore dans toute l'histoire du système bancaire (suisse), autant de bénéfices ont été enregistrés sur presque tous les fronts », constatait la *Neue Zürcher Zeitung*. En effet : la Banque populaire suisse faisait état, pour 1985, de bénéfices nets de 34, 8 % et la Banque Leu, la moins bien dotée, de « seulement » 17 %.

Quand la banque va, tout va et les secteurs clés de l'économie ont enregistré des performances qui indiquent une nette progression par rapport à 1984 : au cours des neuf premiers mois de 1985, le volume des exportations a progressé de 15 % dans le secteur de l'horlogerie. L'industrie pharmaceutique a marqué une hausse de 10,4 % au cours de la même période (2,7 % en 1984). Sur l'ensemble de l'année 1985, la vente des ordinateurs a augmenté de 10 %. Le tourisme s'est également redressé : au cours de la saison d'hiver 1984-1985, le nombre des nuitées s'est accru de 2,1 %. Globalement, les investissements d'équipement ont progressé de 4 % en 1985 et les exportations de 10,6 % au cours des dix premiers mois de la même année.

EUROPE GERMANIQUE

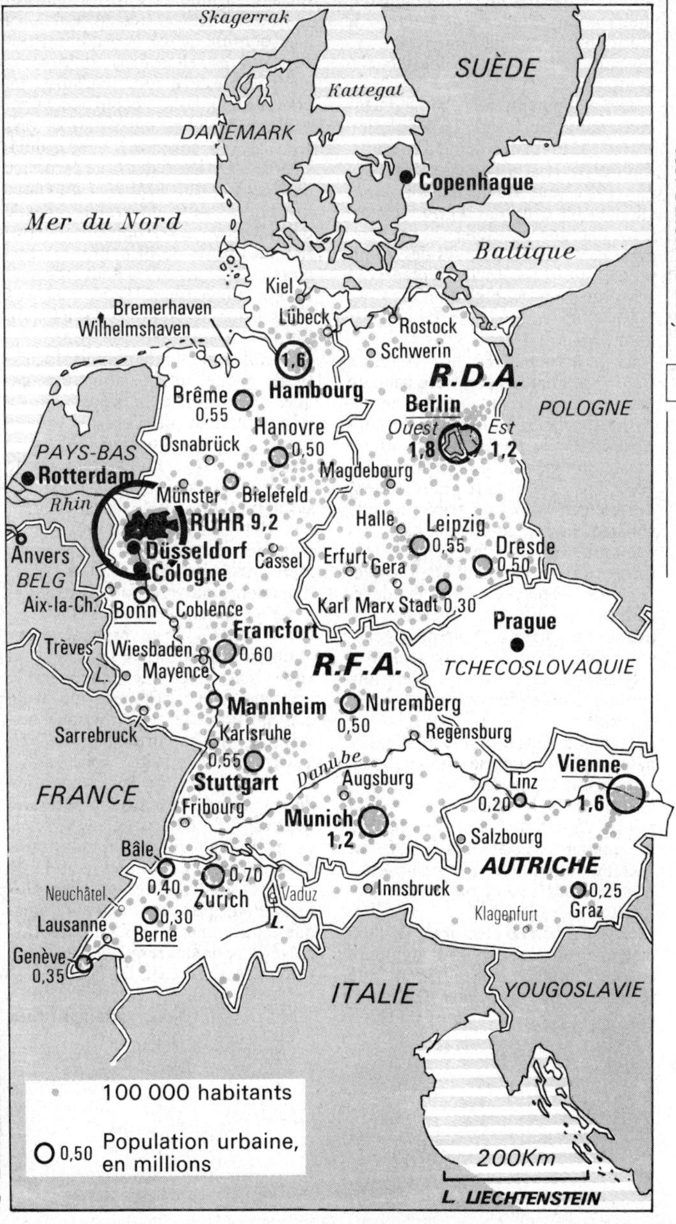

Skagerrak
SUÈDE
Kattegat
DANEMARK
Copenhague
Mer du Nord
Baltique
Kiel
Lübeck
Rostock
Bremerhaven
Wilhelmshaven
Schwerin
1,6
Hambourg
R.D.A.
Brême
0,55
Berlin
POLOGNE
Hanovre
Ouest
Est
1,8
1,2
PAYS-BAS
Osnabrück
0,50
Rotterdam
Magdebourg
Münster
Bielefeld
Rhin
RUHR 9,2
Halle
Leipzig
Düsseldorf
0,55
Dresde
Anvers
Cassel
Erfurt
Gera
0,50
BELG
Cologne
Aix-la-Ch.
Bonn
Coblence
Karl Marx Stadt 0,30
Prague
Francfort
Trèves
Wiesbaden
0,60
R.F.A.
TCHECOSLOVAQUIE
L.
Mayence
Mannheim
Nuremberg
0,50
Sarrebruck
Karlsruhe
Regensburg
0,55
Danube
Vienne
Stuttgart
Augsburg
Linz
FRANCE
Fribourg
0,20
1,6
Munich
1,2
Salzbourg
Bâle
AUTRICHE
0,40
0,70
Neuchâtel
Zurich
Vaduz
Innsbruck
0,25
L.
Graz
Lausanne
0,30
Berne
Klagenfurt
Genève
0,35
ITALIE
YOUGOSLAVIE

100 000 habitants

0,50 Population urbaine, en millions

200Km

L. LIECHTENSTEIN

Tous les secteurs n'ont pas eu des bilans aussi satisfaisants : l'industrie du bâtiment stagne, la production de l'aluminium connaît une crise entraînant restructurations et licenciements.

Officiellement, le chômage affecte moins de 1 % de la population active. Mais l'on ne peut faire abstraction du fait qu'au cours de l'année 1985, une bonne partie de ce chômage a continué d'être « exportée » par une politique de licenciement et de renvoi au pays des immigrés employés dans les secteurs en crise ou en restructuration.

En 1985, le taux d'inflation s'est maintenu à 3,4 %.

Le 14 octobre 1985, la *Tribune de Genève* publiait en première page un dessin représentant une ville entourée de barbelés et hérissée de pancartes : « Ville piégée! », « Étranger passe ton chemin! », « Propriété privée », etc. C'était là le plus éloquent des commentaires du triomphe que venaient de remporter aux élections communales les « Vigilants » (extrême droite xénophobe) : conquérant 19 sièges sur 100, ils devenaient, après les libéraux, le deuxième parti au Parlement genevois, devançant le Parti socialiste (18 sièges) et reléguant bien loin communistes et écologistes (8 sièges chacun).

Dix jours plus tard, l'Action nationale, version vaudoise des Vigilants, remportait un succès comparable à Lausanne, Nyon et d'autres communes du canton de Vaud. Tandis que la gauche traditionnelle reculait spectaculairement, elle emportait 16 sièges sur 100 et battait les écologistes (12 sièges).

Si cette percée électorale de l'extrême droite xénophobe demeure encore limitée aux cantons de Genève et de Vaud, elle n'en constitue pas pour autant un « accident » imprévisible. Le nationalisme et le racisme primaires qui s'y donnent libre cours sont entrés en résonance avec nombre de mesures administratives qui ont, elles aussi, amplement contribué à développer en Suisse un climat xénophobe : expulsion *manu militari* de 59 réfugiés zaïrois vers Kinshasa (3 novembre 1985), décision de l'Office fédéral de la police de réduire de 80 % les réponses favorables aux demandes d'asile politique, décision de l'administration du canton de Fribourg de « fermer les frontières » à tout nouveau réfugié (novembre 1985), menaces d'expulsion des réfugiés tamouls du Sri Lanka, etc.

Parallèlement à la montée de l'extrême droite, les questions écologiques ont continué de préoccuper de larges secteurs de l'opinion suisse. Outre la pollution d'un tiers des forêts, les dangers d'exploitation de centrales nucléaires déjà anciennes suscitent l'inquiétude non seulement des 10 % de l'électorat qui votent pour les mouvements écologistes, mais aussi des partis et secteurs d'opinion plus traditionalistes.

Le 16 mars 1986, 70 % des électeurs appelés à se prononcer sur l'adhésion de la Suisse à l'ONU ont voté « non », bien que Genève soit le principal siège européen de cette organisation. Le gouvernement helvétique et les principaux partis avaient fait campagne pour l'adhésion. Mais la crainte de la population de voir remise en cause la séculaire neutralité de leur pays, les réflexes de repli sur soi qui se sont manifestés lors des élections dans les cantons de Vaud et de Genève, ont été plus forts. Pour quelques années ou quelques décennies, la Confédération helvétique demeurera, avec les deux Corées, à l'écart de l'ONU.

Alain Brossat

Belgique, Pays-Bas, Luxembourg

Royaume de Belgique
Nature du régime : monarchie constitutionnelle.
Chef de l'État : roi Baudouin I.
Chef du gouvernement : Wilfried Martens.
Monnaie : franc belge.
Langues : français, néerlandais (flamand).

En **Belgique**, l'année 1985 a été marquée par la reconduction au pouvoir du gouvernement Wilfried Martens. Le succès, aux élections d'octobre, de la coalition des sociaux-chrétiens et des libéraux n'allait pas de soi : la politique d'austérité menée depuis 1981 avait mécontenté une part importante de la population, et une sanction électorale était redoutée par le gouvernement. Mais si les libéraux flamands, qui avaient adopté des positions « thatchériennes », ont perdu du terrain, et si l'opposition socialiste a enregistré de nets progrès en Flandre, les sociaux-chrétiens ont bénéficié du recul inattendu des partis « communautaires ».

Tout se passe comme si un retour de balancier avait temporairement fait passer au second plan les querelles linguistiques devant un péril économique et social menaçant à la fois Flamands et Wallons. La prise en charge des thèmes linguistiques par les partis traditionnels, dont les branches flamande et wallonne sont devenues quasi indépendantes, explique pour partie cette évolution; sans doute aussi les progrès du fédéralisme ont-ils limité les points de friction entre les deux communautés, chacune administrant une part croissante de ses propres affaires. Il ne faut cependant pas négliger les conflits latents, comme le problème des charbonnages du Limbourg flamand, touchés à leur tour par la crise (et dont les Wallons ne veulent pas financer le soutien sans compensations), ou les dossiers « chauds » de l'enseignement, des nominations dans la fonction publique ou du statut de Bruxelles. Celui-ci est très révélateur du nouvel état d'esprit : alors que l'on devait donner un statut définitif à l'agglomération-capitale, le programme du sixième gouvernement Martens, présenté le 28 novembre 1985, passe sous silence une question qui aurait risqué d'empêcher sa constitution...

D'autres débats ont donc tenu le devant de la scène en 1985 et au début de 1986. Les questions économiques et financières ont évidemment joué un grand rôle : accès de faiblesse du franc belge, maintien d'un taux de chômage élevé (malgré une légère diminution, au moins apparente, au deuxième semestre 1985), réduction du pouvoir d'achat, gonflement de la dette de l'État (qui a dépassé le montant du PNB!); même si les autres indicateurs (notamment le taux d'inflation et la balance des paiements) dénotent une évolution favorable, le gouvernement s'est déclaré décidé à poursuivre une politique de réduction des dépenses publiques et de soutien à l'investissement, provoquant une agitation sociale inquiétante, comme en a témoigné la grève de la fonction publique, qui a paralysé le pays le 6 mai 1986.

Mais ce sont des événements d'apparence plus anecdotique qui ont eu le plus large retentissement dans l'opinion; chacun se souvient du drame du Heysel, le 29 mai 1985, lors de la finale de la coupe d'Europe du football : l'incapacité des autorités à empêcher les exactions de « supporters » anglais avait suscité de sérieuses dissensions à l'intérieur du gouvernement et fait avancer la date des élections. D'autres flambées de violence ont aussi jeté l'alarme dans la population, qu'elles

BENELUX

	INDICATEUR	UNITÉ	BELGIQUE	LUXEMBOURG	PAYS-BAS
	Capitale		Bruxelles	Luxembourg	La Haye
	Superficie	km²	30 514	2 586	40 844
DÉMOGRAPHIE	Population (*)	million	9,85	0,36[a]	14,48
	Densité	hab./km²	322,8	139,2[a]	354,5
	Croissance annuelle[h]	%	0,1	0,0	0,5
	Mortalité infantile	‰	10,0	10,0	7,0
	Population urbaine	%	89,2	81,8	92,5
CULTURE	Scolarisation 2e degré[b]	%	108[d]	67[g]	101[d]
	3e degré	%	28,2[b]	3,6[b]	31[c]
	Postes tv[b]	‰ hab.	303	255	450
	Livres publiés	titre	8 065[b]	359[b]	13 324[c]
	Nombre de médecins[e]	‰ hab.	2,5	1,39	1,84
ARMÉE	Armée de terre	millier d'h.	67,2	0,72	67,0
	Marine	millier d'h.	4,6	–	16,7
	Aviation	millier d'h.	19,8	–	16,8
ÉCONOMIE	PNB	milliard $	77,5	3,5	124,3
	Croissance annuelle 1973-83	%	1,6	3,5	1,4
	1985	%	0,9	2,5	2,0
	Par habitant	$	7 868	9 722	8 584
	Taux d'inflation	%	4,0	4,1	1,7
	Taux de chômage[i]	%	12,6	1,6	12,6
	Dépenses de l'État Éducation	% PIB	6,2[b]	6,4[b]	7,7[c]
	Défense	% PIB	2,3	0,7	3,3
	Recherche et développement	% PIB	1,4[f]	. .	2,0[a]
	Production d'énergie[a]	million TEC	9,27	0,011	97,6
	Consommation d'énergie[a]	million TEC	48,78	4,06	84,6
COMMERCE	Importations	million $	56 147	2 729[a]	65 197
	Exportations	million $	53 669	2 482[a]	68 257
	Principaux fournisseurs	%	CEE 68,3	Bel 37,1[a]	CEE 58,3
		%	E-U 5,6	RFA 30,8[a]	E-U 8,3
		%	PVD 12,0	Fra 13,1[a]	PVD 18,7
	Principaux clients	%	CEE 69,1	RFA 27,2[a]	CEE 74,0
		%	E-U 6,3	Bel 15,5[a]	RFA 30,0
		%	PVD 12,5	Fra 15,1[a]	PVD 10,0

Chiffres 1985, sauf notes : a. 1984; b. 1983; c. 1982; d. 12-17 ans; e. 1981; f. 1980; g. 12-18 ans; h. 1980-85; i. Fin d'année.

(*) Dernier recensement utilisable : Belgique, 1981; Luxembourg, 1981; Pays-Bas, 1980.

relèvent du droit commun (attaques meurtrières des « tueurs fous du Brabant wallon » contre des supermarchés) ou du terrorisme politique. Le thème de la « sécurité » a ainsi fait une irruption remarquée dans la vie politique nationale.

C'est donc l'image d'une Belgique inquiète qui se profile en 1986, malgré la légère amélioration constatée dans le domaine de l'économie. La restructuration de l'industrie s'est poursuivie, la productivité et les exportations ayant progressé dans la plupart des branches; mais les charbonnages et la sidérurgie sont restés des points faibles, et l'insuffisance traditionnelle de la production de biens d'équipement n'a pu être compensée. Les disparités régionales ne se superposent plus nécessairement au clivage Flandre-Wallonie, alors que Bruxelles, que l'on croyait menacée par le fédéralisme, s'affirme de plus en plus comme centre tertiaire supérieur et comme métropole internationale.

Grand-Duché de Luxembourg

Nature du régime : monarchie constitutionnelle.
Chef de l'État : prince Jean.
Chef du gouvernement : Jacques Santer.
Monnaie : franc luxembourgeois, franc belge.
Langues : français, allemand, dialecte luxembourgeois.

Le **Luxembourg** n'a guère défrayé la chronique en 1985 : il connaît depuis 1984 la stabilité politique (avec le gouvernement de coalition de Jacques Santer), ses indicateurs économiques et financiers sont tous satisfaisants (notamment un taux de chômage de 1,6 % seulement) et même sa sidérurgie fait des bénéfices! Certes, la production d'acier a diminué, mais dans le cadre d'une restructuration « douce » qui a été marquée en 1985 par un accord de répartition de la production avec le groupe français Sacilor. La relève des vieilles industries continue d'être assurée, tant le Luxembourg reste attrayant pour les capitaux internationaux : ainsi, en novembre 1985, la firme américaine Du Pont de Nemours a annoncé qu'elle y implanterait sa première usine européenne de non-tissés. Seule ombre au tableau : l'échec de la Compagnie luxembourgeoise de télévision, qui s'est vu refuser la mise en place de la cinquième chaîne française.

Royaume des Pays-Bas

Nature du régime : monarchie constitutionnelle.
Chef de l'État : reine Beatrix I.
Chef du gouvernement : Ruud Lubbers.
Monnaie : florin (gulden).
Langue : néerlandais.

Aux **Pays-Bas**, la controverse sur l'installation des missiles de croisière de l'OTAN a temporairement éclipsé les débats économiques et sociaux. Cela fait six ans que la décision était différée, alors que la RFA, le Royaume-Uni, l'Italie et, plus récemment (mars 1985), la Belgique, s'étaient rendus aux arguments américains. Il faut dire que le mouvement pacifiste avait pris ici une ampleur considérable, avec l'appui du Conseil œcuménique pour la paix, très influent à l'intérieur même du parti chrétien-démocrate du Premier ministre Ruud Lubbers. Poussé par ses alliés libéraux, ignorant manifestations et pétitions, celui-ci a franchi le pas le 1er novembre 1985, sans attendre les nouvelles élections législatives; le 28 février 1986, le Parlement l'a approuvé par 79 voix contre 70, malgré six défections parmi les députés chrétiens-démocrates.

Sur le front économique et social, l'accalmie n'aura été que temporaire; la gauche et les syndicats n'avaient pas pu s'opposer à une politique d'austérité particulièrement dure pour les salariés du secteur public et les titulaires d'allocations, obtenant tout au plus la réduction à trente-huit heures de la semaine de travail avec compensation partielle de salaire. En 1985, les très bons résultats des entreprises néerlandaises leur ont facilité une politique salariale plus généreuse que par le passé; mais les fonctionnaires restent soumis au strict enca-

BENELUX

Mer du Nord
Groningue 0,20
Le Helder
PAYS-BAS
Amsterdam 0,95
Haarlem 0,22
Enschede
0,25
Hilversum
La Haye
0,65
0,50 Utrecht
Arnhem
0,29
Europoort
1,0 Rotterdam
Dordrecht
0,20
Nimègue
0,22
R.F.A.
Tilburg
Breda
0,22
Eindhoven
0,38
Düsseldorf
Ostende
Anvers
0,60
Bruges
Gand
0,23
Maastricht
Cologne
Bruxelles 1,0
Louvain
Rhin
Lille
BELGIQUE
Liège
0,40
0,20
Mons
Charleroi
Namur
Dinant
Bastogne
LUXEMBOURG
FRANCE
0,28
Luxembourg
Esch-sur-A.
100 000 habitants
0,20 Population urbaine, en millions
100 Km

drement des dépenses publiques. La baisse des revenus tirés de la vente du gaz naturel (conséquence de la chute simultanée des cours du dollar et du pétrole) ne devait évidemment rien arranger...

Autre point noir, le chômage, toujours élevé malgré une légère diminution en 1985. Pourtant, les entreprises sont florissantes, le dynamisme des Néerlandais à l'exportation se confirme, les technologies de pointe connaissent un très bon développement; mais les flux d'entrée sur le marché du travail (jeunes, femmes) restent soutenus, alors que la propension à investir sur place est faible, surtout dans les industries de main-d'œuvre. La réduction de la durée du travail ne semble pas avoir donné les résultats escomptés; c'est pourtant dans ce sens que s'orientaient les négociations sociales au début de 1986.

Ces difficultés d'« intendance » n'ont pas empêché les grands desseins : candidature d'Amsterdam pour les Jeux olympiques de 1992, politique européenne active à l'occasion de l'accession des Pays-Bas à la présidence du Conseil européen (1er janvier-30 juin 1986). Dans le premier cas, il s'agissait d'améliorer une image de marque quelque peu ternie par les mouvements contestataires; dans le second, d'œuvrer à la formation d'un « grand marché intérieur » européen et de libérer la CEE des boulets que sont la règle de l'unanimité... et les subventions à l'agriculture. Tâche difficile au moment où la Communauté s'élargissait et où le Danemark hésitait à pousser plus avant son intégration!

Les élections législatives du 21 mai 1986 ont été un succès pour la coalition gouvernementale, assurée d'une majorité de 81 sièges sur 150. Le Parti socialiste (PVDA), malgré un gain de 5 sièges, a dû céder sa place de premier parti à la formation du Premier ministre (CDA, 54 sièges). Quant aux petits partis (communiste, extrême droite), ils ont perdu leur place au parlement.

Jean-Claude Boyer

Europe du Nord

Danemark, Finlande, Groenland, Islande, Norvège, Suède

La **Norvège** est traitée dans la section « Les 34 grands États ».

Royaume du Danemark
Nature du régime : monarchie constitutionnelle.
Chef de l'État : reine Marguerite II.
Chef du gouvernement : Paul Schlüter.
Monnaie : couronne danoise.
Langue : danois.

Au **Danemark**, un débat passionné a agité l'opinion en 1985 et au début de 1986 : fallait-il pousser plus loin l'intégration à la CEE et notamment accepter de se plier à la règle de la majorité? Tiraillé entre ses deux appartenances, à la Scandinavie et à l'Europe occidentale, le Danemark n'avait rallié la Communauté en 1972 qu'avec réticence et les élections européennes n'y avaient jamais beaucoup mobilisé l'électorat. Le Premier ministre, Poul Schlüter, devait donc s'attendre à des difficultés, d'autant que l'opposition de gauche recevait en la circonstance l'appoint des radicaux; et de fait, le 21 janvier 1986, le Parlement rejetait les projets de réforme par 80 voix contre 75. Le recours au référendum devenait nécessaire;

après une campagne quelque peu dramatisée (comme si l'appartenance à la CEE était elle-même en jeu...), le « oui » l'emportait le 27 février 1986, par 56 % des suffrages, majorité moindre que prévu si l'on tient compte des profondes divisions de la social-démocratie sur le sujet.

EUROPE DU NORD

	INDICATEUR	UNITÉ	DANEMARK	FINLANDE	GROENLAND
	Capitale		Copenhague	Helsinki	Godthab
	Superficie	km²	43 070	337 010	2 186 000
DÉMOGRAPHIE	Population (*)	million	5,11	4,90	0,05
	Densité	hab./km²	118,6	14,5	0,02
	Croissance annuelle [j]	%	0,0	0,3	0,1
	Mortalité infantile	‰	7,0	7,0	39[c]
	Population urbaine	%	85,9	66,9	73,3[k]
CULTURE	Scolarisation 2e degré	%	105[ce]	103[bg]	..
	3e degré	%	29[c]	31,1[b]	..
	Postes tv	‰ hab.	369[b]	432[b]	79[c]
	Livres publiés[b]	titre	9 460	8 594	..
	Nombre de médecins	‰ hab.	2,0[d]	1,97[d]	..
ARMÉE	Armée de terre	millier d'h.	17,0	30,9	..
	Marine	millier d'h.	5,7	2,7	..
	Aviation	millier d'h.	6,9	2,9	..
ÉCONOMIE	PIB	milliard $	57,8	54,1	0,38
	Croissance annuelle 1973-83	%	1,5	2,6	1,7[i]
	1985	%	2,7	3,75	..
	Par habitant	$	11 318	11 041	7 190[a]
	Taux d'inflation	%	3,6	4,9	..
	Chômage[l]	%	8,1	6,1	..
	Dépenses de l'État Éducation	% PIB	6,9[f]	5,9[c]	..
	Défense	% PIB	1,9	1,4	..
	Recherche et développement	% PIB	0,6[c]	1,4[b]	..
	Production d'énergie[a]	million TEC	3,69	5,31	–
	Consommation d'énergie[a]	million TEC	23,24	24,31	0,266
COMMERCE	Importations	million $	18 246	13 241	297,3
	Exportations	million $	17 081	13 631	222,5
	Principaux fournisseurs	%	CEE 47,8	CEE 37,0	Dnk 79,8
		%	Suè 13,0	URS 21,0	Nor 11,8
		%	PVD 12,0	Suè 11,8	EU 2,3
	Principaux clients	%	CEE 43,4	CEE 35,8	Dnk 56,6
		%	Suè 12,1	URS 21,6	Fra 9,4
		%	PVD 13,9	Suè 13,2	RFA 7,1

Le gouvernement pouvait se consacrer à nouveau aux affaires intérieures. Après les grèves de mars-avril 1985, la situation économique

ISLANDE	NORVÈGE	SUÈDE
Reykjavik	Oslo	Stockholm
103 000	324 220	449 960
0,24	4,15	8,35
2,3	12,8	18,6
1,1	0,3	0,1
6,0	7,0	6,0
89,6	80,3	85,5
89[bh]	96[cg]	85[bg]
22,6[b]	28,2[c]	38,7[b]
293[b]	319[b]	390[b]
. .	5 540	8 036
2,14[f]	2,03[d]	2,2[d]
. .	20,0	47,0
. .	7,6	9,7
. .	9,4	9,0
2,6	56,2	99,0
2,1	3,4	1,0
2,5	4,2	2,3
10 833	13 542	11 856
35,9	5,6	5,6
0,9	2,3	2,8
. .	7,0[b]	8,5[b]
. .	3,0	2,9
0,8[d]	1,4[c]	2,4[c]
0,473	104,2	14,68
1,220	27,2	38,96
905	15 556	28 474
815	19 853	30 401
CEE 40,5	Suè 17,9	CEE 68,3
S & N[n] 15,6	CEE 47,3	PVD 8,9
URS 8,0	E-U 7,3	N & F[m] 12,6
E-U 27,0	Suè 8,8	CEE 47,2
CEE 39,3	CEE 69,0	PVD 13,1
URS 6,7	PVD 11,1	N & F[m] 16,2

et sociale s'était nettement améliorée, un certain consensus s'étant formé pour donner la priorité au rétablissement des grands équilibres financiers (ainsi sur la réforme fiscale qui devait entrer en vigueur en 1987). Les résultats ont été favorables : la croissance la plus forte de la CEE, une inflation réduite à moins de 4 %, la stabilité monétaire assurée, un chômage en rapide régression, une bonne reprise des investissements dans le secteur privé; la dette publique et le déficit de la balance des paiements sont restés toutefois élevés, tandis que le pouvoir d'achat moyen s'est encore un peu dégradé en 1985. Mais l'exploitation du gaz de la mer du Nord ouvre de nouvelles perspectives, les exportations vers la RFA et la Suède ayant déjà commencé.

République de Finlande
Nature du régime : parlementaire.
Chef de l'État : Mauno Koivisto.
Chef du gouvernement : Kalevi Sorsa.
Monnaie : mark finlandais.
Langues : finnois, suédois.

La **Finlande** est sans doute le pays européen qui a connu le moins de problèmes économiques et sociaux en 1985 : stabilité politique avec le gouvernement de coalition du social-démocrate Kalevi Sorsa, paix sociale dans le cadre d'accords tripartites gouvernement - syndicats - patronat (interrompue, il est vrai, les 13 et 14 mars 1986 par une grève massive lors des négociations pour le renou-

Chiffres 1985, sauf notes : a. 1984; b. 1983; c. 1982; d. 1981; e. 12-17 ans; f. 1980; g. 13-18 ans; h. 13-19 ans; i. 1979-83; j. 1980-85; k. 1970; l. Fin d'année; m. Norvège et Finlande; n. Suède et Norvège.

(*) Dernier recensement utilisable : Danemark, 1981; Finlande, 1980; Groenland, 1976; Islande, 1970; Norvège, 1980; Suède, 1980.

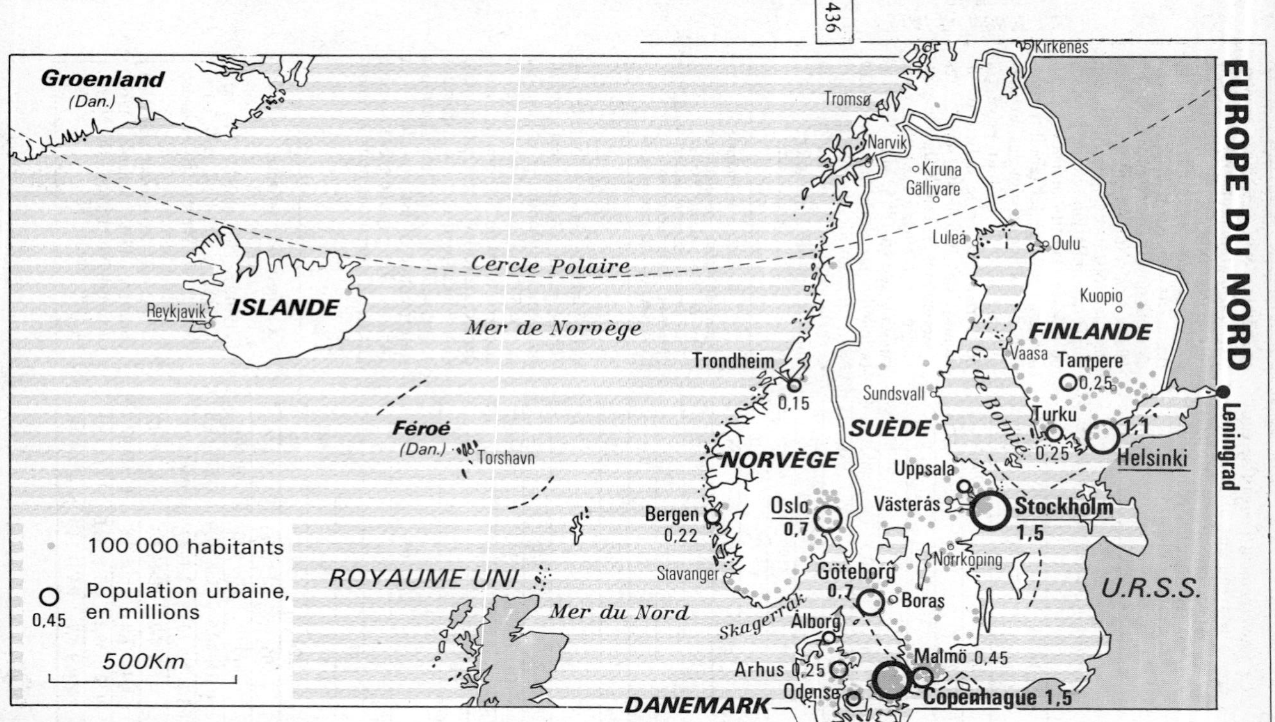
EUROPE DU NORD
Groenland
(Dan.)
Cercle Polaire
Reykjavik
ISLANDE
Mer de Norvège
Féroé
(Dan.)
Torshavn
ROYAUME UNI
Mer du Nord
Tromsø
Narvik
Kiruna
Gällivare
Kirkenes
Luleå
Oulu
Kuopio
FINLANDE
Vaasa
Tampere
0,25
G. de Botnie
Sundsvall
SUÈDE
Trondheim
0,15
Turku
0,25
1,1
Helsinki
Leningrad
NORVÈGE
Uppsala
Västerås
Stockholm
1,5
Bergen
0,22
Oslo
0,7
Norrköping
Stavanger
Göteborg
0,7
Boras
U.R.S.S.
Skagerrak
Ålborg
Malmö 0,45
Arhus 0,25
Odense
Copenhague 1,5
DANEMARK
100 000 habitants
0,45
Population urbaine, en millions
500Km

vellement des conventions collectives), croissance soutenue du PNB, augmentation de près de 4 % du revenu des ménages, forte reprise de l'investissement industriel, maintien d'un excédent de la balance commerciale. Cependant, le taux d'inflation ne baisse pas assez rapidement, ce qui risque de menacer la compétitivité des produits finlandais sur les marchés occidentaux.

Tout en cherchant à rééquilibrer ses échanges avec l'URSS, la Finlande ne veut pas dépendre trop étroitement de son puissant voisin qui est déjà son premier partenaire commercial. Les relations sont bonnes entre les deux États, comme l'atteste la visite officielle à Moscou du président Mauno Koivisto en septembre 1985; elles sont en revanche exécrables entre les deux partis communistes, le PC finlandais ayant procédé à l'exclusion des minoritaires « orthodoxes », en dépit des pressions insistantes de son homologue soviétique.

Prudente en politique extérieure, la Finlande tire finalement bénéfice de sa position entre les deux blocs. Ces débouchés diversifiés lui ont permis de se constituer un appareil industriel moderne, appuyé non seulement sur le bois et ses dérivés mais aussi sur des activités comme les chantiers navals, que l'on n'a pas l'habitude (la Suède en est un exemple) de trouver si prospères en Europe.

Groenland

Nature du régime : territoire autonome rattaché à la couronne danoise.
Chef du gouvernement : Jonathan Motzfeldt.
Monnaie : couronne danoise.
Langues : danois, esquimau, anglais.

Le **Groenland** n'a pas tiré de sa sortie de la CEE – devenue effective le 1er février 1985 – le profit escompté. Les ressources traditionnelles, issues de la chasse et de la pêche, continuent de décliner, tandis que se développe une économie quelque peu artificielle fondée sur l'assistance, le tourisme et les revenus procurés par les bases américaines. La question est de savoir laquelle des deux dépendances l'emportera : celle de l'Europe, appuyée sur la minorité danoise toujours très influente, ou celle des États-Unis?

L'**Islande** reste un cas à part en Europe : le chômage y est inconnu alors que l'inflation y atteint des taux « latino-américains » (35 % en 1985)! Une évolution vers l'orthodoxie financière avait bien été imposée en 1983 par le gouvernement conservateur; cependant, les résultats obtenus en 1984, au prix de troubles sociaux et d'une forte baisse du pouvoir d'achat, n'ont pas été confirmés en 1985. L'endettement extérieur du pays a pris une ampleur alarmante (le seul versement des intérêts absorbant 20 % des recettes d'exportation), tandis que l'économie apparaît beaucoup trop dépendante du seul secteur de la pêche (70 % à 75 % du total des exportations); certes, on a enregistré des prises record en 1985, mais les débouchés sont fragiles et la diversification des activités ne progresse pas, comme l'attestent les difficultés de plusieurs sociétés de transport et la faiblesse des investissements dans l'industrie. Malgré des taux d'intérêt exorbitants, la construction de logements se poursuit à un rythme élevé, surtout dans l'agglomération de Reykjavik, qui groupe plus de la moitié de la population de l'île.

République d'Islande

Nature du régime : république parlementaire.
Chef de l'État : Mme Vigdís Finnbogadóttir.
Chef du gouvernement : Steingrimur Hermansson.
Monnaie : couronne islandaise.
Langue : islandais.

Royaume de Suède

Nature du régime : monarchie constitutionnelle.
Chef de l'État : roi Charles XVI Gustave.
Chef du gouvernement : Ingvar Carlsson.
Monnaie : couronne suédoise.
Langue : suédois.

La **Suède** a été frappée de stupeur par l'assassinat de son Premier ministre, Olof Palme, le 28 février 1986. Même si sa politique économique et sociale était contestée – il avait en Suède des adversaires acharnés –, il symbolisait le rayonnement du pays à l'étranger (notamment dans le tiers monde) et faisait partie des rares leaders charismatiques que l'Europe ait produits dans la seconde moitié du XXe siècle. L'irruption du terrorisme politique, quelle que soit son origine, dans une Scandinavie qui avait été jusqu'ici largement épargnée, a d'autant plus choqué l'opinion nationale et internationale qu'elle atteignait d'emblée un symbole.

1985 a surtout été une année électorale : le scrutin de septembre a confirmé l'équipe social-démocrate en place, mais avec une majorité réduite, l'appui du Parti communiste (5,4 % des voix) lui étant désormais nécessaire. Cependant, le Parti conservateur, qui avait mené une campagne très antisocialiste, a régressé sensiblement, tandis que la plus pragmatique des formations « bourgeoises », le Parti libéral, a effectué une percée inattendue. Beaucoup de Suédois, si irrités soient-ils par la lourdeur de l'imposition et l'omniprésence de l'État-providence, n'ont pas voulu pour autant abandonner les acquis sociaux et adhérer à un « libéralisme » sans bornes.

Visiblement, les sociaux-démocrates ont été sensibles à ce courant d'opinion. Déjà leur retour au pouvoir en 1982 avait été marqué par une plus grande attention portée aux équilibres économiques et financiers « classiques ». Cette tendance s'est accentuée en 1985-1986 : le gouvernement cherche désormais à restaurer la compétitivité des entreprises privées, à alléger des taux d'imposition parfois dissuasifs, à limiter le déficit budgétaire et le soutien au secteur public, voire à freiner la consommation intérieure.

Cette conversion à la « rigueur », qui n'est pas sans rappeler celle des socialistes français à partir de 1983 (le virage a quand même été ici moins brutal), a beaucoup troublé une partie de la clientèle traditionnelle de la gauche : malgré leurs liens très étroits avec le parti social-démocrate, les syndicats ont multiplié les mises en garde publiques, demandant un allégement de la politique d'austérité et une reprise de la progression du pouvoir d'achat dans le secteur public. Le nouveau Premier ministre Ingvar Carlsson (élu le 12 mars 1986) doit donc naviguer au plus juste, pour disputer les couches moyennes aux centristes et aux libéraux, tout en ne mécontentant pas trop sa base électorale, ouvriers et fonctionnaires notamment.

La situation économique n'est pas pour autant alarmante, même si la prospérité attachée au « modèle suédois » est longue à revenir. L'année 1985 a été moins bonne que la précédente, avec une croissance ralentie de la production industrielle (3 % contre 7 % en 1984) et des exportations (2 % contre 7 % en 1984), un déficit accru de la balance des paiements (environ 1,3 % du PNB) et un taux d'inflation plus élevé que prévu (7,4 % en décembre). Seuls points positifs, mais ils ne sont pas négligeables : la réduction du déficit budgétaire (6,1 % du PNB contre 9,6 % en 1984) et la forte reprise des investissements (de l'ordre de 22 %), qui permet d'augurer une stabilisation du taux de chômage au-dessous de 3 %.

Cela n'empêche pas la persistance de forts contrastes d'une branche à l'autre et d'une région à l'autre. Ainsi les chantiers navals, portés à bout de bras par le gouvernement depuis plusieurs années, ont-ils été abandonnés à leur sort : le dernier grand établissement en activité, Kockums, fermera ses portes en 1988 ; cela n'améliorera pas la situation de l'emploi en Scanie, où les sociaux-démocrates avaient déjà perdu la municipalité de Malmö en 1985. En revanche, la construction automobile (Saab et Volvo) se porte bien, et la Suède occupe une place enviable au niveau européen dans plusieurs secteurs de pointe, comme l'industrie pharmaceutique et biotechnique; celle-ci est en cours de restructuration sous le contrôle du groupe Volvo, dont les activités se sont considérablement diversifiées.

Jean-Claude Boyer

Les îles britanniques

Royaume-Uni, Irlande

Le **Royaume-Uni** est traité dans la section « Les 34 grands États ».

République d'Irlande

Nature du régime : parlementaire.
Chef de l'État : Patrick J. Hillery.
Chef du gouvernement : Garret Fitzgerald.
Monnaie : livre irlandaise.
Langues : irlandais, anglais.

En **Irlande**, il aura fallu un an de discrètes négociations entre les gouvernements britannique et irlandais pour que soit signé, le 15 novembre 1985, par Margaret Thatcher et Garret Fitzgerald, chef du gouvernement centre droit de Dublin, « l'accord anglo-irlandais 1985 ». Il établit une conférence intergouvernementale avec un secrétariat permanent siégeant à Belfast. Cette instance, au rôle consultatif, englobe les domaines de la politique, de la « lutte contre le terrorisme », de la justice et de la sécurité de part et d'autre de la frontière. Aucun changement ne peut intervenir dans le statut de l'Irlande du Nord sans le consentement de la majorité (protestante) de la population. Autant dire qu'il ne s'agit nullement de remettre en cause la domination britannique sur le nord de l'île.

Les protestants, qui forment la base du Parti unioniste opposé à l'égalité des droits civiques avec la minorité catholique et à l'unification avec le Sud, sont farouchement hostiles à cet accord. Pour eux, les six comtés du Nord font partie du Royaume-Uni. Or, la partition de la première – et dernière – colonie britannique remonte à 1921. Elle sanctionna, à l'époque, la fin de la guerre de libération nationale menée par l'Armée républicaine irlandaise (IRA) après l'insurrection de Pâques 1916. Les vingt-six comtés du Sud avaient pu se constituer en « État libre » et étaient devenus une République autonome en 1949. Mais leur séparation du Nord restait purement artificielle, commandée par la nature du rapport de forces militaire, à ce moment, entre les nationalistes irlandais et les troupes de Sa Majesté britannique.

Cette situation a toujours été refusée par le mouvement républicain qui s'appuie au Nord sur la minorité catholique et revendique l'indépendance de toute l'île. Or, après avoir été gouvernés par les unionistes, les six comtés du Nord sont, depuis 1972, directement administrés par un secrétaire d'État du gouvernement de Londres. Les ailes politique (Sinn Fein) et militaire (IRA) du mouvement républicain ont évolué vers un programme combattant à la fois l'emprise économique et politique de la Grande-Bretagne sur toute l'Irlande et l'occupation militaire des six comtés du Nord. Ils combinent des luttes armées avec des luttes de masse – en particulier syndicales – et une présence sur le terrain électoral. Depuis 1983, l'influence des républicains s'est accrue dans le Nord du pays. Ils disposent d'un député aux Communes (où il ne siège pas) et de plusieurs dizaines de conseillers municipaux et régionaux. Avec 13 % des suffrages, ils menacent l'hégémonie sur la communauté catholique du Parti social démocrate et travailliste (SDLP), nationaliste modéré, qui regroupe 18 % des voix.

Cette remontée des républicains a sans doute été une des principales inquiétudes de Margaret Thatcher, talonnée sur sa droite par l'aile ultra des protestants. Animé par le pas-

ILES BRITANNIQUES

Chiffres 1985, sauf notes : a. 11-17 ans; b. 1983; c. 1982; d. 1981; e. 12-16 ans; f. 1980-85; g. 1980; h. Fin d'année.
(*) Dernier recensement utilisable: Irlande, 1981; Royaume-Uni, 1981.

	INDICATEUR	UNITÉ	IRLANDE	ROYAUME-UNI
DÉMOGRAPHIE	Capitale		Dublin	Londres
	Superficie	km²	70 280	244 046
	Population (*)	million	3,57	56,6
	Densité	hab./km²	50,8	232
	Croissance annuelle[f]	%	1,1	0,0
	Mortalité infantile	‰	12,0	11,0
	Population urbaine	%	57,0	91,7
CULTURE	Nombre de médecins	‰ hab.	1,29[d]	1,7[g]
	Scolarisation 2e degré[c]	%	93[e]	85[a]
	3e degré	%	21,8[d]	20,1[c]
	Postes tv[b]	‰ hab.	239	479
	Livres publiés[b]	titre	672	50 981
ARMÉE	Armée de terre	millier d'h.	11,9	163,0
	Marine	millier d'h.	0,9	70,6
	Aviation	millier d'h.	0,9	93,5
ÉCONOMIE	PIB	milliard $	18,2	438,4
	Croissance annuelle 1973-83	%	2,2	1,0
	1985	%	0,25	3,4
	Par habitant	$	5 098	7 746
	Taux d'inflation	%	4,9	5,7
	Taux de chômage[h]	%	17,6	13,3
	Dépenses de l'État Éducation[c]	% PIB	7,3	5,5
	Défense	% PIB	1,6	5,3
	Recherche et développement	% PIB	0,9[c]	2,3[b]
	Production d'énergie[a]	million TEC	4,85	283,3
	Consommation d'énergie[a]	million TEC	11,54	264,7
COMMERCE	Importations	million $	10 017	109 957
	Exportations	million $	10 357	101 248
	Principaux fournisseurs	%	CEE 64,6	CEE 46,2
		%	R-U 42,6	E-U 11,7
		%	E-U 16,9	PVD 15,7
	Principaux clients	%	CEE 67,2	CEE 46,1
		%	R-U 32,7	E-U 14,9
		%	PVD 9,8	PVD 20,9

teur-député Ian Paisley, ce courant a maintenu une tension anticatholique très forte, dénonçant la « trahison » du Premier ministre britannique au cours des négociations avec Dublin. Aussi, le principal objectif de l'accord de novembre 1985 n'était pas de résoudre la question irlandaise sur le fond, pas même de réduire l'emprise britannique. Il s'agissait surtout d'isoler le mouvement républicain, de diviser les unionistes protestants et de normaliser la situation au Nord en s'appuyant sur les modérés protestants et catholiques. Le bilan, quelques mois plus tard, révélait certains succès malgré la persistance de fortes tensions sociales et la fragilité de l'équilibre concocté par les deux gouvernements.

Au Sud d'abord, le Premier ministre Garret Fitzgerald a dû faire face à une opposition de gauche (le Fianna Fail) criant à la trahison, l'accusant de s'être vendu à la Grande-Bretagne. Mais il pouvait compter sur une population que les sondages montraient largement favorable à l'accord. Pourtant, la position du gouvernement est restée fragile, même si l'opposition a modéré rapidement ses critiques sur ce point. La politique d'austérité de Garret Fitzgerald a été un facteur de mécontentement autrement plus puissant (le taux de chômage a atteint 17,5 % en 1985, le plus élevé de la CEE) et, au début de 1986, son parti ne comptait plus que 23 % de personnes favorables dans les sondages, contre 60 % à ses adversaires. De quoi l'inquiéter, un an avant les élections législatives.

Au Nord, les unionistes et les républicains se sont mobilisés, chacun pour des raisons diamétralement opposées, contre l'accord. Le 23 novembre 1985, devant une foule de cent mille personnes criant « Ulster is British », les quinze députés du Parti unioniste ont démissionné de la chambre des Communes, provoquant des élections partielles pour le 23 janvier 1986. Du côté catholique, seul le Sinn Fein a dénoncé l'accord. Gerry Adams, son président, accusait Dublin d'avoir reconnu formellement la partition de l'île. Pour le leader républicain, la seule voie pour une entente entre unionistes et nationalistes restait la levée du veto unioniste sur la réunification du pays dans le cadre d'une Irlande « sans Britanniques ». Au contraire, le SDLP, directement impliqué dans les discussions préparatoires entre Londres et Dublin, a fait campagne pour l'accord, avec de puissants moyens financiers.

A Londres enfin, Margaret Thatcher, violemment attaquée par la droite unioniste, a bénéficié du soutien inattendu du leader du Parti travailliste lors du débat à la chambre des Communes. Et l'accord a été ratifié à une large majorité. Ce vote renvoyait d'ailleurs à une profonde lassitude de l'opinion vis-à-vis de la question irlandaise. La cause nationaliste y est minoritaire tandis que les protestants d'Ulster sont surtout perçus comme des Irlandais avant d'être des citoyens britanniques à part entière.

Dans un premier temps, le bilan de ce jeu politique complexe a été plutôt positif pour le gouvernement britannique. Les élections du 23 janvier 1986 ont marqué un léger recul du Parti unioniste et de Sinn Fein au profit des modérés du SDLP; le gouvernement de Dublin a fini par signer la Convention européenne sur le terrorisme, des vagues d'arrestations se sont multipliées dans les rangs du Sinn Fein. Restait qu'en mars 1986, la tension fomentée par les unionistes continuait et se retournait tant contre la police royale de l'Ulster (composée de protestants irlandais) accusée de traîtrise (300 maisons de policiers attaquées de mars à mai 1986), que contre les catholiques. Ces derniers faisaient les frais de la colère loyaliste : des centaines d'appartements, de boutiques, pubs, écoles ou églises catholiques situées hors des ghettos ont été attaquées ou brûlées. Ainsi, à la mi-1986, la violence reprenait le dessus.

Jean-Yves Potel

ILES BRITANNIQUES

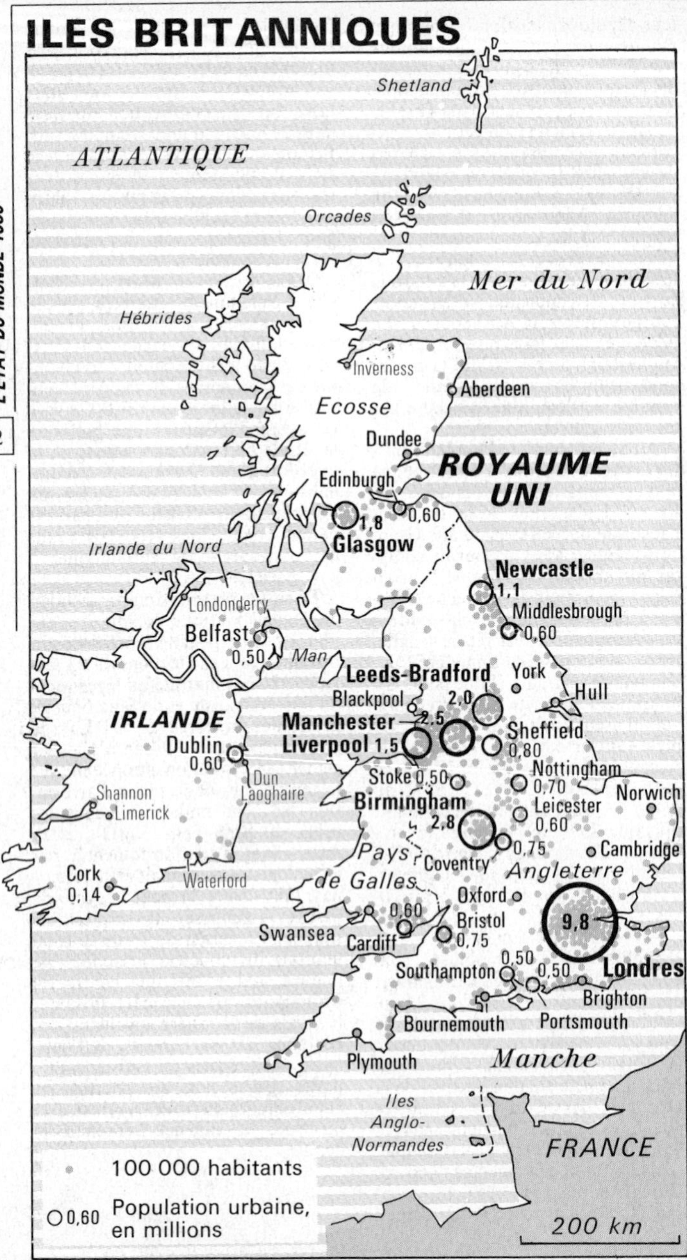

Europe latine

Andorre, Espagne, France, Italie, Monaco, Portugal, Saint-Marin, Vatican

L'**Espagne**, la **France** et l'**Italie** sont traitées dans la section « Les 34 grands États ».

Principauté d'Andorre
Nature du régime : fondé sur des institutions féodales, « parrainé » par deux coprinces : François Mitterrand, Joan Marti Alanis (évêque d'Urgel).
Président du Conseil général : Francesco Cerqueda Pascuet (syndic).
Chef du gouvernement : Joseph Pintat Argerich.
Monnaie : franc français, peseta espagnole.
Langues : catalan, français, espagnol.

La principauté d'**Andorre** est « parrainée » par deux « coprinces » : le président de la République française et Joan Marti Alanis, évêque d'Urgel, aux sympathies catalanes. En décembre 1985, les élections, au suffrage universel, ont renouvelé pour quatre ans l'ensemble du Conseil général. C'est avec une forte participation électorale (85 %) que les vingt-huit sièges des sept paroisses ont été attribués : neuf au centre-droit et dix-neuf à la droite. Le Conseil général a, à son tour, élu le syndic – ou président – Francesco Cerqueda Pascuet et le chef du gouvernement Joseph Pintat Argerich. Ce nouveau gouvernement devra résoudre le principal problème qui se pose à la principauté : celui de l'entrée de l'Espagne dans la CEE. Il devra vraisemblablement adopter un accord du type de celui passé entre la CEE et Saint-Marin; il dispose pour cela d'un moratoire d'un an à compter de janvier 1986. Qui va donc, des deux coprinces, négocier avec la CEE? Les Andorrans ne veulent pas de François Mitterrand, et la France ne souhaite pas que ce soit les Andorrans, car l'évêque d'Urgel plaît à ses sujets mais inquiète le gouvernement espagnol à cause de ses opinions pro-catalanes. L'évêque peut l'emporter si le Vatican le soutient; mais Dieu seul le sait...

Ce petit pays catholique – le catholicisme est religion d'État – de langue catalane a une législation sur bien des points féodale (pas d'état civil, pas de mariage civil, droits de succession en faveur d'un seul enfant...), ce qui ne facilitera pas les négociations. En attendant, touristes et frontaliers remplissent le coffre de leur voiture de produits détaxés...

Principauté de Monaco
Nature du régime : constitutionnel.
Chef de l'État : prince Rainier III.
Ministre d'État : Jean Ausseuil.
Monnaie : franc français.
Langues : français, monégasque.

Territoire exigu (195 hectares) inséré dans le département français des Alpes-Maritimes, la principauté de **Monaco** a continué de s'étendre en transformant la mer en terre habitable. Si Monaco est mondialement célèbre par les histoires de cœur des deux filles du prince Rainier III, Caroline et Stéphanie, par son rallye automobile, son équipe de football, ou par son casino (3,5 % des recettes de l'État), la principauté s'est orientée vers la création de commerces et d'industries « propres » : environ trois mille entreprises emploient quelque 21 000 salariés. 15 000 frontaliers (Français et Italiens) y viennent chaque jour travailler. Le budget de Monaco pour 1986 est de 1,9 milliard de francs. Cette monarchie héréditaire et constitutionnelle (qui a près de huit cents ans d'autonomie) fonctionne avec un Conseil communal renouvelé tous les quatre ans et un

Conseil national dont les membres sont élus pour cinq ans. Seuls les 4 800 Monégasques votent; les 23 000 autres habitants (Français, Italiens et

EUROPE LATINE

	INDICATEUR	UNITÉ	ANDORRE	FRANCE	ESPAGNE
DÉMOGRAPHIE	Capitale		Andorra-la-V.	Paris	Madrid
	Superficie	km²	453	547 026	504 782
	Population (*)	million	0,04	55,2	38,6
	Densité	hab./km²	88,3	100	76,5
	Croissance annuelle[g]	%	..	0,4	0,6
	Mortalité infantile	‰	..	9,0	11,0
	Population urbaine	%	..	77,2	77,4
CULTURE	Analphabétisme	%	..	..	5,6
	Scolarisation 2e degré	%	..	89[ch]	90[dh]
	3e degré	%	..	28,4[c]	23,8[d]
	Postes tv	‰ hab.	125[d]	375[c]	258[c]
	Livres publiés	titre		37 576[c]	32 138[d]
	Nombre de médecins	‰ hab.	..	2,0[b]	2,6[d]
ARMÉE	Armée de terre	millier d'h.	–	300,0	230
	Marine	millier d'h.	–	67,7	57
	Aviation	millier d'h.	–	96,6	33
ÉCONOMIE	PIB	milliard $	..	503,1	167,5
	Croissance annuelle 1973-83	%	..	2,4	1,7
	1985	%	..	1,0	2,1
	Par habitant	$	..	9 114	4 339
	Taux de chômage[k]	%	..	9,8	22,0
	Taux d'inflation	%	..	4,8	8,1
	Dépenses de l'État Éducation	% PIB	..	5,1[b]	2,6[b]
	Défense	% PIB	..	3,3	2,4[a]
	Recherche et développement	% PIB	..	2,3	0,4[d]
	Production d'énergie[a]	million TEC	..	62,4	26,7
	Consommation d'énergie[a]	million TEC	..	213,7	84,4
COMMERCE	Importations	million $	..	107 768	29 963
	Exportations	million $	..	101 674	24 247
	Principaux fournisseurs	%	Fra ..	CEE 51,3	CEE 36,1
		%	Esp ..	PVD 20,6	M-O 13,6
		%	–	E-U 7,6	E-U 10,9
	Principaux clients	%	Fra ..	CEE 49,6	CEE 49,1
		%	Esp ..	PVD 22,6	PVD 27,7
		%		Afr 10,9	E-U 10,0

Britanniques), n'ayant pas la nationalité requise, ne peuvent participer aux décisions. Les hauts fonctionnaires sont « prêtés » par l'administration française, comme le ministre d'État, Jean Ausseuil.

Thierry Paquot

ITALIE	MONACO	PORTUGAL	SAINT-MARIN
Rome	Monaco	Lisbonne	San Marino
301 225	1,81	92 080	61
57,1	0,03	10,23	0,02[a]
190	15 000	111,1	328[a]
0,1	0,8	0,5	0,9
13,0	..	21,0	..
71,7	100	31,2	..
3,0	–	16,0	..
75[ci]	..	43[de]	..
25,8[c]	..	11,4[f]	..
409[d]	637[c]	151[c]	295[c]
13 718[c]	105[d]	8 647[c]	15[b]
2,9[d]	2,23[f]	1,42[j]	..
270,0	–	45,7	–
44,5	–	13,9	–
70,6	–	13,4	–
354,0	..	20,4	..
2,1	..	2,6	..
2,3	..	3,0	..
6 200	..	1 994	..
10,9	..	8,3	..
8,8	..	16,8	..
5,0[b]	..	4,4[b]	..
2,4	..	3,3	..
1,2[a]	..	0,35[d]	..
28,0	..	1,15	..
176,2	..	13,08	..
91 123	..	7 652	..
79 024	..	5 685	..
CEE 44,9	..	CEE 38,4	..
PVD 29,4	..	E-U 9,7	..
E-U 6,0	..	M-O 11,8	..
CEE 46,0	..	PCD 84,6	..
PVD 21,1	..	CEE 58,4	..
E-U 12,3	..	PVD 12,1	..

République du Portugal
Nature du régime : semi-présidentiel.
Chef de l'État : Mario Soares.
Chef du gouvernement : Anibal Cavaco Silva.
Monnaie : escudo.
Langue : portugais.

« Il n'y a pas d'autre solution. » C'est ainsi que les Portugais commentaient, le 12 juin 1985, la signature du traité d'adhésion du **Portugal** à la CEE. Libéré de la dictature depuis onze ans, ce petit pays de 10,2 millions d'habitants, qui cumule deux records européens – celui du plus faible PIB par habitant (2 000 dollars) et celui de la dette extérieure par habitant la plus élevée (1 500 dollars) – ne se fait guère d'illusions : le choix européen est le seul moteur possible de la modernisation, même s'il doit provoquer de grandes secousses.

L'austérité appliquée depuis 1983 a néanmoins porté ses fruits en 1985 : l'inflation est tombée de 30 à 17 % et le gouvernement a levé l'hypothèque sur ses réserves d'or. Mais le coût social de ce redressement continue d'être lourd. Comme en 1984, de nombreux ouvriers du secteur public ont travaillé sans toucher leur salaire.

En 1985, l'instabilité politique a encore été la règle. Trois élections – législatives, municipales et présidentielle – ont donné des résultats contradictoires, d'où se dégage quand même un dénominateur commun : la

Chiffres 1985, sauf notes : a. 1984 ; b. 1980 ; c. 1983 ; d. 1982 ; e. 12-17 ans ; f. 1981 ; g. 1980-85 ; h. 11-17 ans ; i. 11-18 ans ; j. 1978 ; k. Fin d'année.

(*) Dernier recensement utilisable : Andorre, 1954 ; France, 1982 ; Espagne, 1981 ; Italie, 1981 ; Monaco, 1982 ; Portugal, 1981 ; Saint-Marin, 1982.

EUROPE LATINE

100 000 habitants
Population urbaine, en millions
0,5

ATLANTIQUE
Méditerranée
250Km

FRANCE
Paris 8,9
Lille 1
Dunkerque
Valenciennes
Le Havre
Rouen
Caen
Brest
Rennes
Nantes
Tours
Orléans
Metz
Nancy
Strasbourg
Mulhouse
Dijon
Clermont-Ferrand
Limoges
Lyon 1,3
St-Etienne
Grenoble
Bordeaux 0,6
Toulouse 0,5
Montpellier
Marseille 1,2
Toulon
Nice
Cannes
MONACO
Ajaccio
Corse

B.
L.
R.F.A.
TCHÉCOSLOVAQUIE
HONGRIE
AUTRICHE
L.
SUISSE
YOUGOSLAVIE

ITALIE
Milan 7,0
Turin 1,1
Gênes 0,8
Bolzano
Verone
Venise
Trieste
Padoue
Bologne 0,5
Florence 0,5
ST-MARIN
Rome 2,8
Naples 1,4
Bari
Tarente
Sassari
Sardaigne
Cagliari
Palerme 0,7
Messine
Reggio di C.
Catane
Sicile

ESPAGNE
Madrid 5,0
Tolède
La Corogne
Gijon
Oviedo
Bilbao
Santander
Valladolid
Saragosse 0,6
ANDORRE
Barcelone 1,7
Valence 0,8
Palma
Baléares
Alicante
Murcie
Carthagène
Almeria
Grenade
Cordoue
Seville 0,7
Malaga 0,5
Cadix

PORTUGAL
Porto
Coimbra
Lisbonne 1,0
Evora
Beja
Faro

bipolarisation s'est confirmée au profit de la gauche (52 % contre 48 %).

En juin, en effet, la coalition centriste au pouvoir formée par le Parti socialiste (PS) de Mario Soares et le Parti social-démocrate (PSD) capotait. Cette rupture consacrait l'échec de la dernière formule d'alliance possible entre quatre grands partis (PS, PSD, Centre démocratique et social – CDS – et PC) dont l'un, le PC, prosoviétique, demeure toujours en marge et dont aucun n'obtient jamais la majorité absolue.

Encore une fois, c'est une crise au sein du PSD qui a provoqué la rupture. Ce parti aux bases conservatrices n'a trouvé un semblant d'équilibre qu'au printemps 1985, avec l'arrivée à sa tête d'un homme à poigne, Anibal Cavaco Silva. Ce redressement a été payant : aux législatives du 6 octobre, le PSD, avec 29 % des voix, est devenu le premier parti national et Anibal Cavaco Silva, Premier ministre. Le PS a payé seul les frais d'une politique économique impopulaire : il est passé de 36 % à 20 % de l'électorat, au profit d'un nouveau venu, le PRD (Parti rénovateur démocratique) né autour de la personne du président de la République en fin de mandat, le général Ramalho Eanes. Avec 18 % des voix, ce parti, populiste, sans programme, a fait figure un moment de force montante. Les municipales l'ont remis à sa juste place : 5 % des voix.

Mais l'événement majeur a été l'élection de Mario Soares à la présidence de la République, le 16 février 1986 (il est le premier président civil depuis l'instauration de la démocratie). Face au candidat unique de la droite, Diego Freitas do Amaral, Soares a réussi à rassembler les voix de toute la gauche, y compris celles du PC qui a fait voter pour lui, du bout des lèvres, au deuxième tour. Les 52 % des Portugais qui ont voté pour lui continuent de le voir, onze ans après la Révolution des œillets, comme un symbole de la démocratie, face à la droite, globalement assimilée à la nostalgie de l'ancien régime.

Anne-Marie Romero

Enclavé au nord-est de l'Italie, l'État de **Saint-Marin** est la plus ancienne république libre du monde (XVe siècle). Ses ressources sont limitées : le tourisme, la philatélie, l'agriculture (céréales, vin, olives) et l'artisanat assurent un minimum vital. Quelques entreprises industrielles (ciment, cuir, caoutchouc, textiles) se sont établies. Mais ce sont les transferts effectués par les Saint-Marinais travaillant à l'étranger qui donnent à cet État les moyens de fonctionner : plus de 21 000 citoyens de Saint-Marin vivent aux États-Unis, en Italie ou en France. Un Conseil général de soixante membres élus au suffrage universel (les femmes ont le droit de voter depuis 1964) contrôle l'action des deux capitaines-régents (élus pour six mois). La République de Saint-Marin a un observateur à l'ONU et plusieurs représentations diplomatiques.

République de Saint-Marin

Nature du régime : parlementaire.
Chef de l'État : deux capitaines-régents élus tous les six mois. Ils président le conseil d'État (10 membres) qui assure le gouvernement.
Monnaie : lire italienne.
Langue : italien.

La Cité du **Vatican** (environ 1 000 habitants), au cœur de Rome, abrite le Saint-Siège. Elle a obtenu une personnalité propre par les accords de Latran (1929). Depuis 1984, le cardinal Casaroli assure la fonction de chef du gouvernement civil et le cardinal Gantin (Bénin) est à la tête de la congrégation des évêques. La gestion de la Cité du Vatican n'est plus directement liée à celle du Saint-Siège.

La Cité du Vatican a sa propre poste émettant des timbres, un quotidien (l'*Osservatore Romano*), un institut de télévision ouvert en 1985, une station de radio (*Cité Vatican*) et une gare internationale pour accueillir les pèlerins. Elle emploie 3 500 fonctionnaires civils.

Le principal événement de l'année 1985 a été la tenue, du 23 novembre au 7 décembre, d'un synode extraordinaire marquant le vingtième anniversaire de la fin du concile Vatican II. Les divers épiscopats ont été invités à évaluer l'état de la religion catholique et de l'Église. Ils ont mesuré les effets de Vatican II dans la vie quotidienne des différents diocèses. Certains évêques ou certaines communautés ont profité de l'occasion pour réaffirmer leur soutien aux options de Vatican II, options jugées par d'autres comme trop « engagées » politiquement, en particulier l'encyclique *Gaudium et Spes* fondant l'impératif de justice sociale.

Le synode a réuni 164 membres de plein droit (104 présidents de conférences épiscopales, 13 patriarches des Églises orientales liées à Rome; 29 chefs de décastères, des supérieurs généraux et 20 cardinaux, évêques et prêtres nommés personnellement par Jean-Paul II). Les trois présidents délégués choisis par le pape – il s'agit des cardinaux Krol (États-Unis), Malula (Zaïre) et Willebrand (Pays-Bas) – ne se sont pas opposés à Vatican II, et, contrairement aux dires de certains, ce synode n'a pas été celui d'un « recentrage ».

En août 1985, Jean-Paul II a effectué son troisième voyage en Afrique, qui a été marqué par sa rencontre avec Hassan II à Casablanca. En février 1986, il s'est rendu en Inde. Les voyages papaux ont contraint le Vatican à se préoccuper davantage des Églises du tiers monde. Le 29 mars 1986, Leonardo Boff – théologien brésilien de la libération – a été autorisé à reprendre ses activités : faut-il y voir le signe d'une plus grande tolérance ? Il est certain que les catholiques sont démographiquement plus nombreux dans les pays du tiers monde et que ce constat obligera le Vatican à reformuler sa politique et à réorganiser son administration.

Thierry Paquot

Méditerranée orientale

Chypre, Grèce, Malte, Turquie

La **Turquie** est traitée dans la section « Les 34 grands États ».

République de Chypre
Nature du régime : démocratie parlementaire.
Chef de l'État et du gouvernement : Spyros Kyprianou.
Monnaie : livre chypriote.
Langues : grec, turc, anglais.

Chypre, terre de tension : vingt-six ans après l'indépendance de sa colonie, la Grande-Bretagne y maintient deux bases aéronavales souveraines ; depuis 1964 les troupes des Nations Unies sont stationnées entre populations grecque (82 %) et turque; après un putsch pro-grec, l'armée turque a débarqué en 1974 et a établi son contrôle sur 37 % de l'île, entraînant migrations, ségrégation ethnique (Grecs au sud, Turcs au nord) et partition de fait.

Au nord de l'île, les efforts de développement séparé (tourisme, commerce, agro-alimentaire) ont été grevés par une inflation énorme. En 1983, la « République turque du nord de Chypre » a été proclamée, et les élections de 1985 ont achevé son établissement (référendum constitutionnel en mai, élections présidentielle et législative en juin); Rauf Denktash et le Parti de l'union nationale (36,75 %) sont restés les maîtres en dépit de la poussée d'une gauche (37 %) moins alignée sur la Turquie.

Malgré la croissance ralentie en 1985, la tendance est meilleure au Sud : augmentation de la production (18 % du PNB), des exportations industrielles (75 % du total contre 13 % en 1960), du tourisme (14 % du PNB) et du nombre des compagnies de services étrangères opérant hors de l'île (3 600). Face à l'incertitude des marchés arabes et à la montée de la dette extérieure, les espoirs sont allés vers le projet d'union douanière avec la CEE qui ne reconnaît pas le régime du Nord.

Le débat politique est dominé par la question de savoir si la Turquie peut garantir un aménagement de la division de l'île. Isolé au début de 1985 par l'échec des conversations à ce sujet aux Nations Unies, mais soutenu par la Grèce, Spyros Kyprianou, le président de la République, a surpris aux élections législatives de décembre 1985 ses adversaires communistes (27,4 %) et conservateurs (33,6 %) : son parti (Parti démocratique) a gagné huit points par rapport à 1981 et son allié socialiste (11 %) près de trois points. Les conversations sur le sort de l'île ont été relancées en avril 1986.

République de Grèce
Nature du régime : démocratie parlementaire.
Chef de l'État : Christos Sartzetakis.
Chef du gouvernement : Andreas Papandréou.
Monnaie : drachme.
Langue : grec.

Ses visiteurs, en été surtout, ne le voient guère : la **Grèce** vit une période difficile. C'est un fait que ne saurait dissimuler le succès électoral du Mouvement panhellénique socialiste (PASOK) du Premier ministre Andréas Papandréou, qui a vaincu la droite (Nouvelle démocratie) aux législatives anticipées de juin 1985 (161 sièges sur 300, avec une participation réduite de 2,3 % par rapport aux européennes de 1984).

Les Grecs ont ainsi conjuré le spectre de leur guerre civile (1945-1949) dont l'événement a été réintégré à l'histoire nationale : onze ans après la restauration de la démocratie, ils ont voulu éviter le retour des conservateurs, naguère liés à la dictature militaire (1967-1974), et parfois tentés encore par la répression politique. Si les électeurs ont choisi de rejeter ainsi le passé, le PASOK, formation populiste dirigée autoritairement, en conflit avec les syndicats, est-il mieux placé que les petits partis social-démocrate et eurocommuniste pour garantir l'avenir des forces démocratiques, rompre avec le clientélisme et guider l'apprentissage du débat dans des institutions parlementaires juxtaposant président élu au suffrage universel et Premier ministre appuyé sur la majorité des députés ?

La politique étrangère reflète l'ambiguïté de la position géographique. Liée à l'économie de l'Europe occidentale, la Grèce a cherché dans la CEE un relais de trésorerie pour soutenir ses productions, sans se plier à la concertation communautaire (dévaluation inopinée de 15 % en octobre 1985, hésitation devant la règle de la majorité voulue par les ministres des Dix). Attachée à l'Europe orientale (tradition religieuse et imprégnation marxiste de beaucoup d'intellectuels), elle a usé de ses relations avec le bloc communiste pour étayer, dans l'OTAN, des revendications qui semblent souvent inspirées par le souci d'une opinion en majorité nationaliste ; mais, pour utiliser l'eau du Nestos, elle n'a pas obtenu l'accord de la Bulgarie qui a fait échouer le projet gréco-soviétique d'usine d'alumine en Macédoine.

Sensibilisée aux crises du Moyen-Orient tant du fait des positions de ses marchands et ingénieurs que de sa dépendance énergétique et des investissements arabes (Liban, Libye), la Grèce a connu des difficultés en raison de l'utilisation du carrefour d'Athènes par des groupes terroristes ; en représailles, les visiteurs américains sont venus en moins grand nombre, ce qui a diminué, depuis 1985, le rendement d'équipe-

MÉDITERRANÉE ORIENTALE

	INDICATEUR	UNITÉ	CHYPRE	GRÈCE	TURQUIE	MALTE
	Capitale		Nicosie	Athènes	Ankara	La Valette
	Superficie	km²	9 251	131 944	780 576	316
DÉMOGRAPHIE	Population (*)	million	0,67	10,0	49,3	0,38
	Densité	hab./km²	72,4	75,4	63,1	1 202,5
	Croissance annuelle[i]	%	0,8	0,4	2,1	0,7
	Mortalité infantile	‰	15,0	18,0	90,0	13,0
	Population urbaine	%	49,5	65,9	48,1	85,4
CULTURE	Analphabétisme	%	11[h]	7,7	25,8[a]	15,9
	Scolarisation 2e degré	%	. .	82[fj]	38[bg]	74[fk]
	3e degré	%	. .	16,7[d]	7,3[b]	3,0[f]
	Postes tv[b]	‰ hab.	139	173	118	265
	Livres publiés	titre	1 137[d]	4 048[d]	6 869[b]	278[b]
	Nombre de médecins[e]	‰ hab.	0,94	2,55	0,6	. .
ARMÉE	Armée de terre	millier d'h.	10[c]	158,0	520	0,78
	Marine	millier d'h.	10[c]	19,5	55	0,78
	Aviation	millier d'h.	10[c]	24,0	55	0,78
ÉCONOMIE	PIB	milliard $	2,39[a]	33,1	53,0	1,21[a]
	Croissance annuelle 1973-83	%	2,3	2,9	3,5	9,7
	1985	%	3,5	1,75	5,1	. .
	Par habitant	$	3 590[a]	3 310	1075	3 370[a]
	Dette extérieure	milliard $	1,03[a]	12,4[a]	25,0	0,189[a]
	Taux d'inflation	%	1,9	25,0	44,5	0,5
	Dépenses de l'État Education	% PIB	3,9[b]	2,2[d]	3,4[b]	3,3[b]
	Défense	% PIB	2,8[b]	6,2	3,1	1,5[a]
	Production d'énergie[a]	million TEC	–	8,6	17,6	–
	Consommation d'énergie[a]	million TEC	1,25	22,2	42,2	0,578
COMMERCE	Importations	million $	1 251,8	10 134	11 035	759
	Exportations	million $	479,1	4 539	7 958	400
	Principaux fournisseurs	%	CEE 57,0	CEE 46,8	CEE 28,8	Ita 23,1
		%	Jap 8,9	M-O 21,5	E-U 10,5	R-U 18,6
		%	PVD 16,1	CAEM 7,4	M-O 35,2	RFA 17,9
	Principaux clients	%	M-O 47,9	CEE 53,1	CEE 40,1	CEE 66,6
		%	CEE 27,6	PVD 24,2	M-O 37,1	RFA 30,6
		%	R-U 16,1	CAEM 7,1	E-U 5,7	PVD 11,9

Chiffres 1985, sauf notes : a. 1984; b. 1983; c. Garde nationale ; d. 1980; e. 1981; f. 1982; g. 11-16 ans ; h. 1976; i. 1980-85; j. 12-17 ans; k. 11-17 ans;

(*) Dernier recensement utilisable : Chypre, 1976; Grèce, 1981; Turquie, 1980; Malte, 1967.

ments touristiques de plus en plus concentrés en quelques points du pays. Mais, la Grèce demeurant confrontée à des litiges frontaliers avec la Turquie et au problème de Chypre, la nécessité de l'appui américain a conduit ses dirigeants à modérer le projet de révision des accords passés avec l'OTAN.

La conjoncture économique est peu favorable : productions industrielle et agricole stagnantes, investissements privés en régression, déficit budgétaire de l'ordre de 11 % du PIB, enchérissement des prix voisin de 18 % et déséquilibre accru du commerce extérieur. A la fin de 1985, des mesures ont été prises pour bloquer prix et salaires, pour réduire la consommation privée (baisse de 5 % du revenu par habitant en 1986), ralentir les activités publiques et pour inverser les tendances de la balance commerciale; celles-ci ont été marquées en 1985 par le recul des exportations, le progrès des importations – les premières couvrant juste les autres –, le déclin de l'excédent de la balance des services, alors que le service de la dette étrangère requiert le tiers des recettes en devises.

Les difficultés politiques et économiques et l'agitation sociale qu'elles suscitent s'inscrivent dans un pays affecté par de lourds déséquilibres. Alors que la densité démographique de la Grèce est plus faible que dans le reste des pays de la CEE, l'exode rural et la concentration urbaine sont tels que deux tiers des habitants vivent dans l'agglomération d'Athènes (3 millions d'habitants) et les grandes villes où la construction de logements a rapidement modifié densités et paysages sans qu'aient suivi les équipements socioculturels. Les distorsions du développement régional sont d'autant plus sensibles que le territoire est, d'une part, fragmenté en îles, massifs et bassins pas toujours bien reliés entre eux malgré le grand progrès des dessertes routières et aériennes, et que, d'autre part, les deux tiers du pays sont montagneux avec un taux d'occupation souvent inférieur à vingt habitants par kilomètre carré, ce qui augmente le coût des infrastructures. Les efforts de développement ont été entravés par la fragmentation des entreprises : on compte 950 000 exploitations agricoles d'une surface moyenne de 3,5 hectares; cependant la coopération, le remembrement, l'irrigation et les équipements mécaniques y ont fait des progrès, augmentant productivité et revenus. Il existe aussi une poussière de firmes industrielles et commerciales, plutôt concentrées dans l'espace, mais disposant de peu de capitaux propres, à l'exception de rares grandes entreprises étatiques (électricité) et de quelques implants d'origine étrangère (aluminium).

République de Malte
Nature du régime : démocratie parlementaire.
Chef de l'État : Agatha Barbara.
Chef du gouvernement : Carmelo Misfud Bonnici.
Monnaie : livre maltaise.
Langues : maltais, anglais, italien.

Le 23 novembre 1985, la destruction sur l'aéroport de **Malte,** par des troupes égyptiennes, d'un avion de transport civil égyptien détourné par des Palestiniens vers la Libye n'a guère ébranlé le gouvernement Misfud Bonnici (travailliste), au pouvoir depuis moins d'un an, mais il a illustré le rôle de carrefour traditionnellement joué par l'île. La position de Malte entre l'Europe (puissance de l'Église) et le monde arabe (langue métisse arabo-sicilienne) continue de susciter des convoitises qui expliquent l'aide venue successivement, en quinze ans, d'Union soviétique, de Chine et d'Arabie saoudite pour aider à reconvertir les activités d'arsenal de la fin de l'époque anglaise. Les coûts de l'énergie, des salaires, des matières premières ont freiné le développement industriel (40 % des exportations); les activités de service (550 000 touristes par an) ont crû rapidement, annexant l'archipel à la zone de loisirs de l'Europe occidentale. Il reste 380 000 habitants dans l'île dont 300 000 dans l'agglomération de la capitale, La

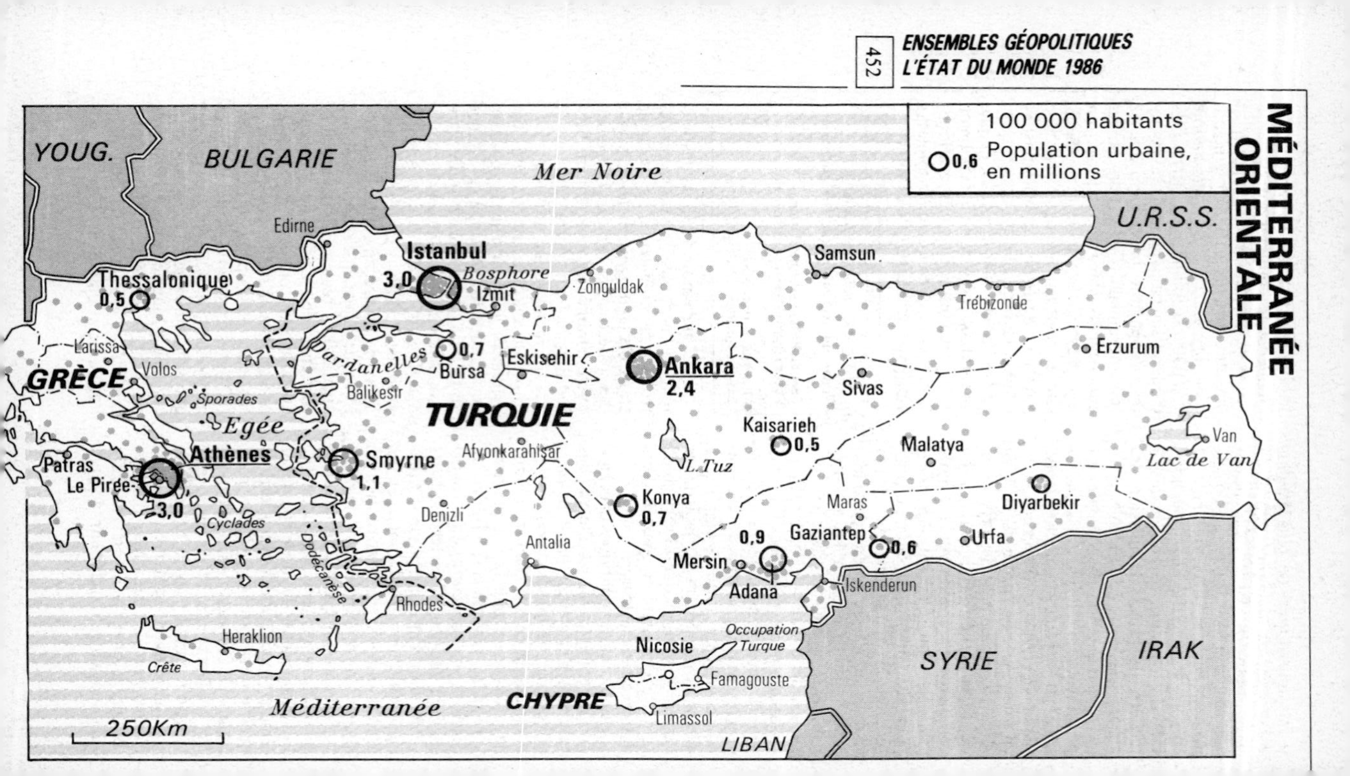
MÉDITERRANÉE ORIENTALE
100 000 habitants
0,6 Population urbaine, en millions
YOUG.
BULGARIE
Mer Noire
U.R.S.S.
Edirne
Istanbul
3,0
Bosphore
Izmit
Zonguldak
Samsun
Trébizonde
Thessalonique
0,5
Larissa
GRÈCE
Volos
Sporades
Dardanelles
0,7
Bursa
Eskisehir
Ankara
2,4
Sivas
Erzurum
Balikesir
TURQUIE
Egée
Athènes
Patras
Le Pirée
3,0
Smyrne
1,1
Afyonkarahisar
Kaisarieh
0,5
Malatya
Van
Lac de Van
L. Tuz
Konya
0,7
Denizli
Cyclades
Dodécanèse
Antalia
Maras
Diyarbekir
Gaziantep
0,6
Urfa
0,9
Mersin
Adana
Iskenderun
Rhodes
Heraklion
Crête
Nicosie
Occupation Turque
Famagouste
Limassol
CHYPRE
Méditerranée
SYRIE
IRAK
LIBAN
250Km

Valette : l'émigration a gonflé la diaspora (Commonwealth, États-Unis) ; les retours, peu nombreux, n'ont marqué que les paysages ruraux de Gozo.

Pierre-Yves Péchoux

Balkans

Albanie, Bulgarie, Roumanie, Yougoslavie

République populaire socialiste d'Albanie
Nature du régime : communiste, parti unique.
Chef de l'État : Ramiz Alia.
Chef du gouvernement : Adil Carcani.
Monnaie : lek.
Langue : albanais.

L'**Albanie** compte préserver coûte que coûte son indépendance devenue plus fragile avec la disparition d'Enver Hodja en avril 1985. M. Ramiz Alia, « disciple et continuateur fidèle du camarade Enver », qui cumule les fonctions de premier secrétaire du Comité central et du praesidium de l'Assemblée populaire, multiplie des tournées en province pour renforcer son pouvoir. Il bénéficie de l'appui précieux de la veuve de l'ancien numéro un : Mme Nehmixe Hodja, membre du Comité central, semble en effet exercer dans les coulisses une influence croissante, dans l'attente de son entrée prochaine au bureau politique. L'autre personnalité en vue est M. Foto Cami, secrétaire du Comité central, considéré comme le plus proche collaborateur de M. Ramiz Alia.

L'année 1985 a confirmé l'importance accordée par le régime aux problèmes économiques, aggravés en 1985-1986 par les conditions météorologiques particulièrement défavorables et des lacunes dans le fonctionnement du système de planification. M. Alia et l'équipe de technocrates qui l'entoure sont conscients des besoins urgents de l'Albanie en technologies modernes, ce qui suppose le développement des rapports (essentiellement d'ordre économique) avec un nombre croissant de pays étrangers, de préférence occidentaux.

Le processus engagé avant même la mort d'Enver Hodja s'est donc poursuivi. Malgré la polémique autour de la situation des Yougoslaves d'origine albanaise majoritaires dans la région du Kosovo, les relations commerciales entre Belgrade et Tirana se sont encore élargies. L'Italie, la Grèce, la Turquie, l'Autriche, la République fédérale d'Allemagne et, dans une moindre mesure, la France (pour la première fois depuis 1946, un membre du gouvernement, le secrétaire d'État Jean-Michel Baylet, s'est rendu à Tirana en septembre 1985) sont les principaux partenaires de l'Albanie. De plus en plus « courtisés » par les médias soviétiques et est-européens, les Albanais ont continué de repousser ces appels répétés en faveur d'une normalisation.

Au printemps 1986, si rien ne permettait d'affirmer que les dirigeants du régime, profondément marqués par « l'époque Hodja », envisageaient pour l'immédiat une réorientation spectaculaire de leur politique étrangère ou intérieure, il semblait probable que le Congrès du Parti communiste, attendu pour avant la fin de l'année, marquerait le début effectif de l'« après-hodjisme ».

République populaire de Bulgarie
Nature du régime : communiste (le Parti communiste domine la vie politique du pays malgré l'existence de l'Union agrarienne).
Chef de l'État : Todor Jivkov.
Chef du gouvernement : Gueorgui Atanasov (président du Conseil).
Monnaie : lev.
Langue : bulgare.

BALKANS

	INDICATEUR	UNITÉ	ALBANIE	BULGARI
	Capitale		Tirana	Sofia
	Superficie	km²	28 748	110 912
DÉMOGRAPHIE	Population (*)	million	2,96	9,0
	Densité	hab./km²	103	81
	Croissance annuelle[o]	%	2,2	0,25
	Mortalité infantile	‰	37,0	18,0
	Population urbaine	%	39,3	68,6
CULTURE	Scolarisation 2e degré[b]	%	67[d]	85[e]
	3e degré[b]	%	6,6	15,8
	Postes tv	‰ hab.	69[b]	189,2[a]
	Livres publiés	titre	997[b]	5 367[a]
	Nombre de médecins	‰ hab.	1,39[g]	3,38[a]
ARMÉE	Armée de terre	millier d'h.	30,0	105,0
	Marine	millier d'h.	3,2	8,5
	Aviation	millier d'h.	7,2	35,0
ÉCONOMIE	PIB	milliard[i]	1,93[mjp]	24,9[akl]
	Croissance annuelle[g] 1973-83	%	4,0[n]	5,9[l]
	1985	%	..	1,8[l]
	Par habitant		740[mjp]	2 774[kl]
	Dette extérieure	milliard $	–	1,0[a]
	Taux d'inflation	%	..	..
	Dépenses de l'État Éducation	% PMN	..	6,6[b]
	Défense	% PMN	..	3,9[a]
	Recherche et développement	% PMN	..	2,9[b]
	Production d'énergie[a]	million TEC	7,20	19,0
	Consommation d'énergie[a]	million TEC	3,83	50,7
COMMERCE	Importations	million $	312[g]	13 215
	Exportations	million $	305[g]	12 882
	Principaux fournisseurs	%	You 19,2[g]	CAEM 78
		%	Rou 13,8[g]	PCD 13,8
		%	Tch 9,6[g]	PVD 6,3
	Principaux clients	%	You 19,7[g]	CAEM 74
		%	Rou 12,1[g]	PCD 9,1
		%	Tch 11,1[g]	PVD 15,4

Chiffres 1985, sauf notes : a. 1984 ; b. 1983 ; c. 4,5 milliards de dollars selon les banques occidentales ; d. 14-17 ans ; e. 15-17 ans ; f. 11-18 ans ; g. 1982 ; h. Lei ; i. Dans la monnaie du pays ; j. 1981 ; k. Lev ; l. Produit matériel net ; m. D'après la CIA ; n. 1975-85 ; o. 1980-85 ; p. Dollars.

ROUMANIE	YOUGOS-LAVIE
Bucarest	Belgrade
237 500	255 804
23,0	23,1
96,8	90,4
0,7	0,7
22,0	25,0
54,8	46,3
72[d]	82[f]
11,8	20,2
173,9[a]	203[b]
5 632[a]	10 931[b]
2,04[a]	1,49[j]
150,0	191
7,5	13
32,0	37
709[ahl]	48,69[ap]
6,7[l]	4,4
5,9[l]	1,7
31 042[hl]	2 120[ap]
4,0[c]	19,6
..	86,8
2,3[b]	4,3[g]
1,6[b]	3,7[b]
..	0,8[g]
94,3	34,8
104,4	57,2
7 556[a]	12 207
10 719[a]	10 700
CAEM 39,8[a]	CAEM 31,8
URS 19,8[a]	PCD 44,8
PCD 18,9[a]	PVD 23,0
CAEM 30,1[a]	CAEM 49,7
URS 15,5[a]	PCD 32,7
PCD 35,2[a]	PVD 17,2

(*) Dernier recensement utilisable : Albanie, 1979 ; Bulgarie, 1975 ; Roumanie, 1977 ; Yougoslavie, 1981.

En **Bulgarie**, un plénum du Comité central réuni en janvier 1986, trois mois avant le XIIIe Congrès du Parti communiste, a décidé des remaniements importants au sein de l'appareil du PC et de l'État. Lors du Congrès, Gueorgui Atanasov a remplacé Gricha Filipov à la présidence du conseil. Des remaniements, marqués par une nouvelle promotion de M. Chadomir Aleksandrov, l'une des étoiles montantes du régime, ont été suivis d'une restructuration du gouvernement. On remarque la création de trois conseils respectivement chargés de l'économie, de problèmes sociaux et de problèmes scientifiques, culturels et techniques.

Les principaux dirigeants ont qualifié l'année 1985 de « particulièrement difficile », essentiellement en raison de mauvaises conditions météorologiques. Le ralentissement de la production a été sensible dans plusieurs domaines, mais l'agriculture n'a pas réussi à réaliser les objectifs fixés ; et les problèmes du secteur énergétique sont restés préoccupants avec, pour conséquence, le maintien des mesures de rationnement de la consommation d'électricité pour l'industrie et les particuliers. 1986 s'annonçait également comme une année difficile avec des prévisions économiques réservées.

Quant à la politique étrangère, malgré les relations apparemment excellentes entre Moscou et Sofia, Mikhaïl Gorbatchev ne semble pas éprouver la plus grande sympathie pour le « vieux » Todor Jivkov (soixante-seize ans) qui occupe ses fonctions depuis 1954, et l'on prévoit, malgré sa réélection en avril 1986, son effacement progressif de l'avant-scène.

Au cours de l'année 1985, la polémique avec la Yougoslavie voisine au sujet du problème macédonien ne s'est pas apaisée, mais les relations gouvernementales se sont maintenues et M. Grisha Filipov s'est rendu à Belgrade en novembre 1985.

Beaucoup plus sérieuse semble

être la tension qui a éclaté en 1984 entre Ankara et Sofia autour du problème controversé de la forte minorité turque installée en Bulgarie et qui ferait l'objet d'une assimilation forcée. Les autorités bulgares le contestent, allant jusqu'à mettre en doute l'existence d'une telle minorité...

Il faut noter enfin l'intérêt manifesté par le gouvernement de Sofia pour la coopération balkanique : la Bulgarie compte jouer un rôle accru sur le plan régional, mais pas nécessairement avec l'appui total de l'Union soviétique.

République socialiste de Roumanie

Nature du régime : communiste, parti unique.
Chef de l'État : Nicolae Ceausescu.
Chef du gouvernement : Constantin Dascalescu.
Monnaie : lei.
Langues : roumain, hongrois (Transylvanie).

En **Roumanie**, Nicolae Ceausescu contrôle, avec les dix-sept membres de sa famille, pratiquement tous les postes clés. Selon le rapport d'Amnesty International de novembre 1985, les arrestations et condamnations pour motifs politiques et religieux se sont encore multipliées. Le président-secrétaire général continue à avoir recours à des remaniements fréquents au sein de l'appareil du Parti et de l'État pour écarter le danger de la formation de petites féodalités qui menaceraient sa position.

En novembre 1985, la décision de M. Ceausescu de se séparer de M. Stefan Andréi, chef de la diplomatie roumaine depuis 1978, a donné lieu à toute une série de spéculations sur les raisons de ce remaniement qui n'est pas nécessairement le signe d'une disgrâce : M. Andréi, l'un des rares hommes politiques roumains d'une certaine envergure, est susceptible de jouer dans l'avenir un rôle important, à plus forte raison si les rumeurs concernant l'état de santé du président Ceausescu (qui souffrirait d'un cancer de la prostate) se confirmaient.

Quoi qu'il en soit, au printemps de 1986, Ceausescu régnait en maître sur un pays où sévissaient, avec le culte de sa personnalité, le népotisme, la corruption et la répression, alors que le niveau de vie de la population était resté le plus bas de tous les pays de l'Est. Les objectifs ambitieux du plan économique n'ont pas été atteints depuis plusieurs années ; et la militarisation du secteur énergétique (désormais directement administré par l'armée) n'a réglé aucun problème.

Ceausescu a fait du remboursement de la dette extérieure roumaine – avant la fin de l'année 1987 – une priorité absolue. Il a obligé les citoyens, déjà éprouvés par des problèmes de ravitaillement catastrophiques, à se serrer encore davantage la ceinture, sans craindre la situation sociale, devenue explosive.

La politique étrangère d'autonomie s'est trouvée de plus en plus limitée en raison de la dépendance accrue de la Roumanie à l'égard des livraisons soviétiques de matières premières, indispensables au fonctionnement d'une économie trébuchante, malgré l'exaltation périodique des réalisations remarquables de la « glorieuse époque Ceausescu »...

D'une manière générale, les relations de la Roumanie avec le monde extérieur (y compris les « pays frères » socialistes) se sont caractérisées par un malaise croissant dû à l'attitude énigmatique de Nicolae Ceausescu. Au début de 1986, d'aucuns, en Occident, se disaient persuadés que les ambiguïtés de la diplomatie roumaine ne servaient, en définitive, que les intérêts du Kremlin. Mais on pouvait aussi concevoir que Mikhaïl Gorbatchev ne serait pas particulièrement malheureux d'apprendre le départ d'un homme discrédité et dont l'image de marque – à l'intérieur comme à l'extérieur de son pays – n'a cessé de se dégrader.

En **Yougoslavie** au début de 1986, l'année semblait devoir être décisive pour l'avenir du régime. Après une

République socialiste fédérative de Yougoslavie

Nature du régime : communiste de type particulier (parti unique, système d'autogestion).
Chef de l'État : Sinan Hasani.
Chef du gouvernement : Branco Mikulic (depuis mai 1986).
Monnaie : dinar.
Langues : serbo-croate, slovène, macédonien.

longue période pendant laquelle les crises politiques, économiques et sociales se sont succédé, les principaux responsables de la Fédération ont pris conscience de la gravité de la situation.

Vers la fin de sa vie, convaincu qu'un pouvoir personnel autre que le sien ne pourrait que déséquilibrer le fragile édifice de la Fédération, Joseph Broz-Tito avait voulu empêcher coûte que coûte l'apparition d'un autre « homme fort ». Mais six ans après sa mort (mai 1980), il semblait que les dirigeants des six Républiques et des deux régions autonomes étaient d'accord pour prendre des mesures radicales en vue d'assurer la stabilité intérieure du pays, menacée par des convulsions de toutes sortes.

La crise yougoslave se traduit par un taux d'inflation dépassant 80 % en 1985, une baisse de 18 % des salaires réels en trois ans, le chômage touchant 1,2 million de travailleurs, la multiplication des grèves et une dette extérieure d'environ 20 milliards de dollars. La recrudescence des divers nationalismes (l'ébullition permanente dans la région de Kosovo est particulièrement dangereuse) n'a pas perdu de son acuité et les débats interminables sur l'avenir du système autogestionnaire se sont multipliés. Ces derniers opposent partisans et adversaires du pluralisme, étroitement lié au problème des pouvoirs respectifs de la Fédération, des Républiques et des régions autonomes. L'armée, dont on a de nouveau entendu parler, pourrait se révéler comme le principal rempart de l'unité nationale menacée par des tendances centrifuges que certains milieux étrangers ont encouragées, spéculant sur une désintégration de la Yougoslavie.

Certes, depuis le milieu de 1985 on s'est efforcé, tant bien que mal, d'introduire quelques réformes. C'est ainsi qu'en août 1985, une nouvelle loi sur la planification, applicable en principe sur l'ensemble du territoire de la Fédération, a été adoptée, mais sans beaucoup d'effets. En février 1986, la procédure prévue par des dispositions constitutionnelles complexes a abouti à la désignation de Branko Mikulic (représentant la Bosnie-Herzégovine à la direction collégiale de l'État) au poste de Premier ministre, qu'il a pris à la mi-mai. M. Mikulic, forte personnalité, jadis lié à Tito, n'a pas dissimulé en acceptant sa désignation qu'il voulait renforcer l'autorité du gouvernement fédéral; il s'est entouré de technocrates décidés à remettre en ordre le système yougoslave par la stricte application des lois économiques. Selon lui, un tel gouvernement n'est nullement synonyme de centralisme et d'unitarisme, considérés depuis toujours comme les deux fléaux de la société autogestionnaire.

Pour réussir, le nouveau Premier ministre comptait sur l'appui de la majorité des délégués au Congrès de la Ligue des communistes qui, à la fin du mois de juin 1986, devait ratifier un vaste programme de rénovation politique, économique et sociale.

Thomas Schreiber

BALKANS

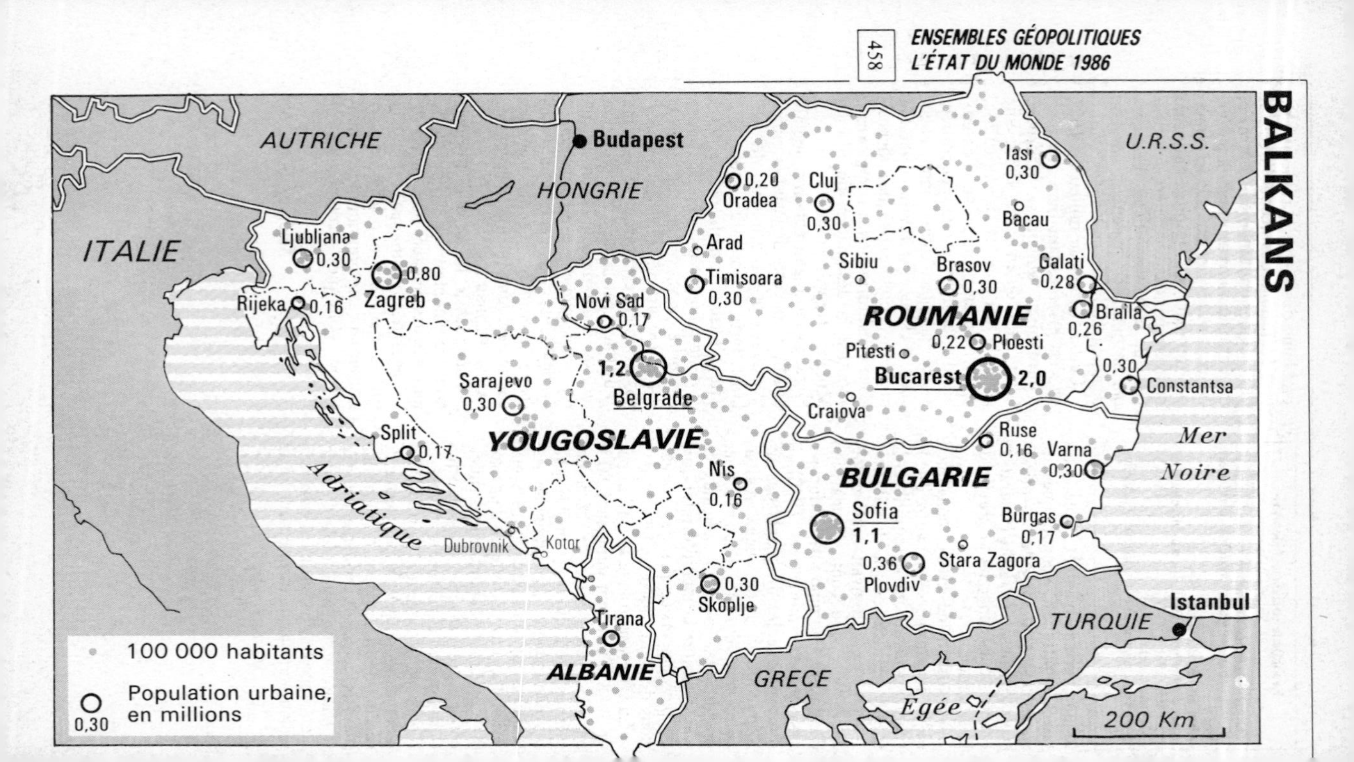
AUTRICHE
Budapest
HONGRIE
U.R.S.S.
ITALIE
Ljubljana 0,30
Zagreb 0,80
Rijeka 0,16
Oradea 0,20
Cluj 0,30
Arad
Timisoara 0,30
Sibiu
Iasi 0,30
Bacau
Brasov 0,30
Galati 0,28
Braila 0,26
ROUMANIE
Pitesti
Ploesti 0,22
Bucarest 2,0
Constantsa 0,30
Craiova
Novi Sad 0,17
Belgrade 1,2
Sarajevo 0,30
YOUGOSLAVIE
Split 0,17
Adriatique
Dubrovnik
Kotor
Nis 0,16
Skoplje 0,30
Tirana
ALBANIE
Ruse 0,16
Varna 0,30
Mer Noire
BULGARIE
Sofia 1,1
Burgas 0,17
Stara Zagora
Plovdiv 0,36
Istanbul
TURQUIE
GRECE
Egée
200 Km
100 000 habitants
Population urbaine, en millions
0,30

Europe centrale

Hongrie, Pologne, Tchécoslovaquie

La **Pologne** est traitée dans la section « Les 34 grands États »

République populaire hongroise
Nature du régime : communiste, parti unique.
Chef de l'État : Pal Losonczi.
Chef du gouvernement : Gyorgy Lazar.
Monnaie : forint.
Langue : hongrois.

En **Hongrie**, où le régime communiste réputé le plus « libéral » bénéficie d'un large consensus, les premières élections organisées (en juin 1985) avec candidatures multiples ont permis l'entrée à l'Assemblée nationale de vingt-cinq députés non prévus initialement, bien que tous aient accepté le programme du Front populaire patriotique patronné par le Parti communiste. Cependant, les quelques dissidents qui avaient tenté de présenter leur candidature ne sont pas parvenus à la faire admettre; l'opposition, numériquement faible et essentiellement composée d'intellectuels contestataires, est restée sous surveillance, d'ailleurs plutôt discrète.

Au sein de l'appareil du PC, certains éléments qualifiés de « conservateurs » ont exigé une politique plus « orthodoxe » et formulé quelques réserves, en particulier à l'encontre de la politique culturelle officielle qui accepte la coexistence de différents courants idéologiques, scientifiques et artistiques.

Les problèmes économiques et sociaux sont restés au centre des préoccupations des dirigeants, ces derniers reconnaissant le bien-fondé des inquiétudes qui se sont exprimées dans l'opinion publique. Plusieurs des objectifs du Plan n'ont pas été atteints en 1985. Le sort matériel d'une partie non négligeable de la population (dont les retraités qui représentent 23 % des habitants!) s'est détérioré alors que les inégalités entre riches et pauvres ont augmenté, notamment à cause du développement du secteur privé. D'où la persistance d'une certaine tension sociale.

Les objectifs principaux du nouveau Plan quinquennal (1986-1990) sont la baisse de l'inflation (elle était de 7 % en 1985), la modernisation accélérée de la structure économique et le perfectionnement du système de gestion, ainsi que le développement des relations avec les pays occidentaux. Il n'est pas question pour autant de perdre de vue les obligations qui découlent de l'appartenance de la Hongrie au Conseil d'assistance économique mutuelle (CAEM), et par conséquent, sa dépendance (et tout d'abord pour des matières premières) vis-à-vis des livraisons soviétiques.

A cet égard, les dirigeants hongrois semblent se féliciter de la présence au Kremlin de M. Mikhaïl Gorbatchev, présenté comme un « homme pragmatique à l'esprit ouvert et relativement compréhensif » quant aux réformes. A condition que ces réformes – et pas seulement dans le domaine économique – respectent certaines limites car, s'agissant d'un pays membre du pacte de Varsovie, il ne convient pas de confondre « autonomie » et « indépendance »...

Thomas Schreiber

République socialiste de Tchécoslovaquie
Nature du régime : communiste, parti unique.
Chef de l'État : Gustav Husak.
Chef du gouvernement : Lubomir Strougal.
Monnaie : couronne tchécoslovaque.
Langues : tchèque, slovaque.

La République socialiste de **Tchécoslovaquie** est une fédération de deux nations, la tchèque et la slovaque. Le secrétaire général du Parti

EUROPE CENTRALE

Section	INDICATEUR	UNITÉ	HONGRIE	POLOGNE	TCHÉCOSLOVAQUIE
	Capitale		Budapest	Varsovie	Prague
	Superficie	km²	93 030	312 677	127 880
DÉMOGRAPHIE	Population (*)	million	10,6	37,3	15,5
	Densité	hab./km²	114	119	121
	Croissance annuelle[f]	%	– 0,01	1,0	0,4
	Mortalité infantile	‰	18,0	18,0	14,0
	Population urbaine	%	57,0	59,2	66,3
CULTURE	Nombre de médecins[a]	‰ hab.	3,12	2,38	3,53
	Scolarisation 2e degré [b]	%	74[d]	75[e]	45[e]
	3e degré[b]	%	14,7	15,7	16,4
	Postes tv[a]	‰ hab.	271,3	236,5	281,1
	Livres publiés[a]	titre	10 421	9 195	7 128
ARMÉE	Armée de terre	millier d'h.	84,0	210,0	145,0
	Marine	millier d'h.	–	19,0	–
	Aviation	millier d'h.	22,0	90,0	58,0
ÉCONOMIE	PMN[h]	milliard	840[k]	7 182[al]	478[ag]
	Croissance annuelle 1973-83	%	5,3[j]	1,2	3,3
	1985	%	– 1,0	3,0	3,3
	Par habitant		79 245[k]	193 600[al]	30 839[ag]
	Dette extérieure[c]	milliard $	6,0	29,3	2,0
	Taux d'inflation	%	7,9	13,0	. .
	Dépenses de l'État Éducation[b]	% PMN	5,8	4,3	5,1
	Défense	% PMN	4,3[a]	3,0[a]	5,1[b]
	Recherche et développement	% PMN	2,6[b]	1,0[i]	3,9[b]
	Production d'énergie[a]	million TEC	22,7	173,4	67,4
	Consommation d'énergie[a]	million TEC	40,9	167,3	96,6
COMMERCE	Importations	million $	8 224	10 803	16 962
	Exportations	million $	8 538	11 493	17 194
	Principaux fournisseurs	%	URS 30,0	URS 45,4[b]	PS 80,7
		%	PCD 36,9	PCD 18,9[a]	URS 48,1
		%	PVD 15,0	PVD 4,9[a]	PCD 15,1
	Principaux clients	%	URS 33,5	URS 39,5[b]	PS 76,9
		%	PCD 27,4	PCD 23,5[a]	URS 44,3
		%	PVD 21,0	PVD 8,4[a]	PCD 15,5

Chiffres 1985, sauf notes : a. 1984 ; b. 1983 ; c. Dette nette envers l'Occident ; d. 14-17 ans ; e. 15-18 ans ; f. 1980-85 ; g. Couronnes ; h. Produit matériel net ; i. 1982 ; j. 3,7 % d'après les sources hongroises ; k. Forint ; l. Zloty.

(*) Dernier recensement utilisable : Hongrie, 1980 ; Pologne, 1978 ; Tchécoslovaquie, 1980.

communiste tchèque (PCT), le Slovaque Gustav Husak, a été réélu président de la République en mai 1985. Tout le pouvoir est concentré entre les mains du PCT et l'opposition est interdite. On a vu pourtant se poursuivre en 1985 le processus engagé dans les années précédentes : quelques groupements, par exemple le mouvement pour les droits de l'homme, la Charte 77, ou bien le VONS (Comité de défense des personnes injustement persécutées) ont conquis le statut d'opposition tolérée.

La politique étrangère tchécoslovaque s'est fixé pour but essentiel d'améliorer ses relations avec ses voisins non communistes. Elle y est parvenue avec l'Autriche (les relations avaient été perturbées précédemment par des incidents de frontières), ce qu'a confirmé la rencontre des présidents des deux pays à Bratislava en janvier 1986; de même avec la RFA. Les relations avec les autres pays de l'Europe occidentale se sont, elles aussi, améliorées.

Après l'accession au pouvoir de Mikhaïl Gorbatchev en URSS, les cercles officiels de Tchécoslovaquie ont manifesté une certaine réserve (censure de certains passages de ses discours). Ils craignaient que Gorbatchev n'entreprenne de réformer l'économie peu efficace du pays et de dynamiser sa politique intérieure conservatrice dont la majorité des citoyens avait été exclue après l'intervention militaire de 1968. Mais manifestement, dans l'URSS de Gorbatchev, la crainte prédomine que des réformes ne suscitent une évolution sociale incontrôlée : lors de leurs entretiens à Moscou en mai 1985, puis à Prague, en novembre, M. Gorbatchev et G. Husak se sont mis d'accord sur la poursuite de la ligne suivie jusqu'alors. Pourtant, il est apparu que des groupes importants de citoyens – et pas seulement l'opposition relativement peu nombreuse autour de la Charte 77 – ne se contentaient plus de se taire. Des manifestations, réunissant des centaines de milliers de personnes sur les lieux traditionnels de pèlerinages catholiques (en particulier à Velehrad à l'occasion de la fête des saints Cyrille et Méthode, et à Levoca) ne prouvent pas simplement la renaissance du catholicisme, mais aussi un engagement critique, surtout de la part des jeunes, à l'encontre de la politique gouvernementale. En décembre 1985, 1 000 à 2 000 jeunes ont manifesté à Prague, pour commémorer la mort de John Lennon; ils ont scandé, au cours d'une marche à travers la vieille ville, des slogans exigeant le démantèlement de tous les missiles en Europe – y compris en Tchécoslovaquie – et signé une pétition en ce sens. Pour la première fois depuis longtemps, la police n'est pas intervenue contre cette marche spontanée. Après des années de silence, Alexandre Dubcek, premier secrétaire du PCT en 1968, a pris la défense du mouvement de 1968.

En 1985, après la stagnation du début des années quatre-vingt, l'économie a connu une certaine reprise. Le produit national brut a augmenté d'environ 3 %. Les effets positifs de cette croissance ont toutefois été en partie dévalorisés par l'introduction sur le marché international, dans des conditions peu rentables, de produits de faible qualité et de niveau technique insuffisant, en vue d'équilibrer l'endettement auprès des créanciers de l'Ouest, et surtout auprès de l'URSS. Les énormes problèmes écologiques n'ont pas été résolus; ils se sont même intensifiés avec la construction de centrales nucléaires et du barrage de Gabcikovo-Nagymaros sur le Danube.

Le premier lauréat tchécoslovaque du prix Nobel de littérature, Jaroslav Seifert, que les instances officielles ne portaient pas dans leur cœur, est mort début janvier 1986. Son enterrement a été l'occasion d'une manifestation à Prague, exprimant non seulement l'estime de la nation pour le poète, mais l'admiration portée au citoyen courageux qui avait, entre autres, signé la Charte 77.

Rudolf Slánský Jr.

EUROPE CENTRALE

Les peuples sans État

La période contemporaine se caractérise par le modèle de l'État-nation. Les idées qui fondent cette conception sont issues du siècle des Lumières et ont été propagées par la Révolution française. L'idéologie majeure du XIXe siècle européen était le nationalisme : on a assisté non seulement à la constitution de l'unité allemande et italienne mais aussi, en Amérique latine, à la formation de nouveaux États après la disparition des empires espagnol et portugais.

Au XXe siècle, les empires austro-hongrois et ottoman ont fait place à une série d'États fondés, en Europe, sur le principe des nationalités, et au Proche-Orient, sur le partage entre zones d'influence britannique et française. Au lendemain de la Seconde Guerre mondiale, la Charte des Nations Unies mentionnait le droit des peuples à disposer d'eux-mêmes. Depuis, les divers mouvements d'émancipation des peuples en Asie et en Afrique ont débouché sur l'indépendance soit pacifiquement, soit par la lutte armée.

Deux remarques s'imposent : d'une part, le droit des peuples à disposer d'eux-mêmes a été, depuis la fin de la Seconde Guerre mondiale, *le droit des peuples colonisés à se libérer de la tutelle de l'Occident*. La seule exception étant, jusqu'en 1986, la formation du Bangladesh, mais essentiellement grâce à l'intervention de l'armée indienne. D'autre part, la pratique internationale des dernières décennies a consacré non pas le droit des peuples à se doter d'un État mais bien le droit des peuples *déjà constituées en États à disposer d'eux-mêmes*.

Les peuples sans État peuvent être divisés en deux catégories : les peuples – en général minoritaires – à

l'intérieur d'un État mais fixés sur leur territoire propre, et les peuples extra-territoriaux – ou diasporas – tels les Juifs ou les Arméniens.

De nombreuses minorités ont lutté ou luttent encore – avec des chances très réduites de succès pour l'écrasante majorité d'entre elles – pour imposer une sécession. C'est le cas, par exemple, des mouvements combattants de l'Érythrée. En Europe occidentale, c'est le projet d'une partie du mouvement basque espagnol. Au Proche-Orient, l'exemple classique est celui des Kurdes (en Turquie, en Iran et en Irak, principalement) qui réclament l'autonomie. Les réactions des États est, en Asie et en Afrique, de n'accorder en général aucun droit politique au groupe minoritaire en tant que tel par crainte d'une éventuelle sécession. Entre les droits de l'homme qui garantissent les droits des individus, et les États qui définissent souverainement tout ce qui concerne leurs affaires intérieures, les minorités n'ont guère de droits effectifs reconnus – et moins encore défendus – par la juridiction internationale.

Le statut des peuples sans État – tous ne sont pas désireux d'en constituer un – dépend du bon vouloir des États existants et n'est, en général, satisfaisant que dans le cadre de la démocratie. Sinon, ce statut est caractérisé, le plus souvent, par des formes de discrimination ou d'oppression et ne peut être modifié que par un éventuel renversement du rapport de forces.

Gérard Chaliand

On a choisi de présenter ci-après la situation actuelle (et un bref historique) de cinq de ces « peuples sans État » : Arméniens, Inuit, Karen, Kurdes, Palestiniens.

Plus de la moitié des six à sept millions d'**Arméniens** vivent hors des frontières du seul État national dont ils disposent, la République soviétique socialiste d'Arménie, une des quinze républiques de l'URSS (29 800 km², capitale Erevan). Cet État à la souveraineté fictive ne recouvre que le quart des terres attribuées par le traité de Sèvres (10 août 1920) à la république indépendante qui a existé de 1918 à 1920.

De cette vulnérable frange de contact entre empires et civilisations opposés, l'émigration a commencé dès le XIe siècle, sous le choc des invasions turco-mongoles. Elle s'est accentuée après la chute du dernier État souverain (royaume de Cilicie) en 1375 et l'écartèlement du pays entre les empires rivaux, ottoman, iranien et russe. D'où une nébuleuse de colonies arméniennes de l'Europe aux Indes. Mais la dispersion qui prévaut aujourd'hui est issue du génocide du 24 avril 1915 (environ 1,5 million de victimes sur 2 millions d'Arméniens), perpétrée par le gouvernement « Jeune Turc », souvent avec la participation des Kurdes qui revendiquaient le même territoire. Les rescapés se sont réfugiés en Transcaucasie, en Syrie, au Liban, en Grèce. Ils y sont restés ou ont essaimé vers l'ouest, au fil des crises économiques et politiques (dans les années quatre-vingt, la guerre du Liban et la révolution iranienne).

En Turquie, il ne reste plus que 70 000 Arméniens. Faute de liberté associative, la diaspora soviétique (1,5 million répartie en Géorgie, Azerbaïdjan, Russie, Asie centrale) n'a pas de structure communautaire. Le reste (1,8 à 2 millions) est dispersé sur les cinq continents, avec de fortes concentrations du Moyen-Orient (environ 500 000, dont 150 000 au Liban, 120 000 en Syrie, 125 000 en Iran), en France (environ 350 000), aux États-Unis (600 000) et en Amérique du Sud (150 000).

Ancrée dans un christianisme ancien (IVe siècle) autour d'une Église autocéphale, dans une culture écrite avec son alphabet propre (Ve siècle), dans la conscience d'une histoire plurimillénaire, l'identité nationale a survécu, malgré l'éclatement de la société traditionnelle et de remarquables capacités d'intécueil. Partout, les Arméniens ont créé écoles et églises, associations (environ cent en France) et journaux (quelque deux cents titres dont une vingtaine en France). Leur projet politique minimal commun est la reconnaissance officielle du génocide avec les réparations que cela implique. Le clivage se situe entre le soutien inconditionnel à l'Arménie soviétique, sous la protection du « bouclier russe » (communistes, bourgeoisie libérale, Armée secrète arménienne de libération de l'Arménie, ASALA), et les partisans d'une « Arménie libre, indépendante et réunifiée » (Fédération révolutionnaire arménienne-Dachnaktsoutioun, socialiste).

Au terme d'une décennie d'actions terroristes, l'année 1985 qui a marqué le soixante-dixième anniversaire du génocide a vu la percée de la question arménienne sur la scène internationale, malgré les pressions de la Turquie. Celle-ci s'y oppose au nom de la déstabilisation de l'État turc, allié de l'OTAN, au bénéfice de l'URSS. Après le verdict moral du Tribunal permanent pour les peuples (avril 1984), la Sous-commission des droits de l'homme de l'ONU a adopté, le 29 août 1985, le rapport de Benjamin Whitaker sur le génocide, dont la définition inclut les événements de 1915 (paragraphe 24).

Le Parlement européen et le Congrès américain ont débattu de propositions allant dans le même sens. Bien que la *Pravda* du 24 avril 1985 ait consacré une demi-page aux massacres, l'URSS n'a pas voté en faveur du « rapport Whitaker » en se justifiant par d'autres considérations.

C'est peut-être au vu de ces résultats que l'action armée a marqué un temps d'arrêt, à l'exception de la prise d'otages au consulat turc d'Ottawa (12 mars 1985). En revanche, le terrorisme interne s'est développé dans la confusion libanaise : de mars 1985 à janvier 1986, une dizaine de dirigeants du Parti dachnak – le plus puissant des trois partis politiques arméniens – ont été assassinés ou enlevés. En URSS, au début de 1985, la mort en camp d'Edouard Haroutiounian, l'un des fondateurs du groupe arménien de surveillance pour l'application des accords d'Helsinki a symbolisé la répression persistante contre la dissidence nationaliste. En Iran, le harcèlement contre les écoles s'est poursuivi, tandis qu'en France, la langue arménienne a acquis droit de cité dans l'enseignement secondaire. Pour la première fois, un chef d'État (François Mitterrand) a reçu des représentants d'organisations dachnak (mars 1986). A noter encore dans ce pays la création en 1985 d'un deuxième quotidien (*Gamk* – volonté –, bilingue, dachnak). Cependant, le naufrage financier, à la suite d'une escroquerie immobilière, de la Congrégation mekhitariste de Venise (catholique de rite arménien dont les activités éducatives et culturelles ont commencé au XVIIe siècle) a montré la fragilité d'institutions communautaires sans soutien étatique.

Claire Mouradian

On a de plus en plus tendance à désigner ceux qui étaient autrefois connus sous le nom d'Esquimaux par l'appellation qu'ils se sont toujours donnée : **Inuit** (ou Yuit, dans certaines régions d'Alaska), « les êtres humains ».

En 1980, on comptait de par le monde 105 000 Inuit : 43 000 au Groenland, 25 500 au Canada (dont 4 900 au Québec), 35 000 en Alaska et 1 500 en Union soviétique. Près de 83 000 d'entre eux parlent toujours leur langue d'origine et presque tous s'identifient encore comme appartenant à un groupe bien spécifique, différent de tous les autres peuples de la terre.

Depuis les quelque sept mille ans qu'ils occupent, en tout ou en partie, les régions arctiques d'Amérique du Nord, ces anciens immigrants asiatiques se sont admirablement bien adaptés à un milieu particulièrement ingrat, aux ressources animales (phoque, baleine, morse, caribou) relativement abondantes, mais au climat incroyablement rude et à la végétation très pauvre (absence presque totale d'arbres). Leur légendaire faculté d'adaptation, leur génie technologique et la souplesse de leur système social, qui se reflétaient autrefois dans des inventions telles que la maison de neige, le traîneau à chiens et le kayak, se traduisent maintenant par une organisation socio-politique moderne, leur permettant de faire valoir leurs droits sur la scène mondiale.

Les anciens particularismes tribaux et régionaux ont en effet été remplacés par un puissant sentiment d'unité, qui n'entre pas en conflit avec des appartenances nationales spécifiques : groenlandaise (le Groenland, ou Kalaallit Nunaat, est un territoire autonome rattaché au Danemark), canadienne, américaine d'Alaska ou soviétique. Malgré l'absence d'un État qui leur soit propre, les Inuit constituent une véritable nation circumpolaire, avec laquelle il faut compter.

En Alaska, l'année 1985 a vu le dépôt du rapport du juge Thomas Berger *(Village Journey)* qui, près de quinze ans après la signature du traité reconnaissant les droits territoriaux et économiques des autochtones alaskiens, fait le point sur les conséquences de cette entente en milieu inuit.

Au Canada, l'Inuit Committee on National Issues (ICNI) a continué à participer aux discussions fédérales provinciales sur les éventuels amendements à apporter à la Constitution canadienne. Du 8 au 12 novembre 1985, la Commission scolaire Kativik, qui administre les écoles inuit du Québec arctique, a organisé à Kuujjuaq un colloque sur l'éducation au Nord. Pour la première fois dans l'histoire des organisations inuit, deux délégués soviétiques participaient aux débats.

Au Groenland enfin, un important colloque sur l'alcoolisme et ses conséquences s'est tenu dans la capitale, Nuuk, du 14 au 20 mars 1985.

L'Inuit Circumpolar Conference (ICC), organisme représentant les Inuit sur le plan international, a travaillé activement à la préparation du quatrième congrès pan-Inuit (Kotzebue, Alaska, juillet 1986). Dans cette optique, un pré-congrès d'orientation (Arctic Policy Conference) s'est tenu à l'université McGill de Montréal, du 19 au 21 septembre 1985. Plusieurs personnalités politiques y participaient, parmi lesquelles on peut citer : Hans-Pavia Rosing, président d'ICC, Jonathan Motzfeldt, Premier ministre du Groenland, Tom Hoeyem, ministre danois des Affaires groenlandaises, David Crombie, ministre canadien des Affaires indiennes et du Nord, Rhoda Inukshuk, présidente d'Inuit Tapirisat of Canada, et George Amaohgak, maire de la municipalité régionale du Versant nord (North Slope Borough), en Alaska. Entre autres problèmes, les conférenciers ont souligné la nette dégradation de la situation économique des Inuit, suite à l'interdiction, par la CEE, de l'importation des peaux de phoque. Diverses solutions sont envisagées pour essayer de contrer les effets de cette politique.

Louis-Jacques Dorais

Le nom de **Karen** provient du mot birman *Kayin* signifiant « sauvage ». Les Karen ont des origines obscures, mais l'hypothèse la plus plausible est qu'ils furent un peuple autochtone et les premiers habitants des monts Dawna, où ils vivent encore, avant d'immigrer au cours des âges dans le delta de l'Irrawady, jusqu'à Tennasserim, au sud, et dans les États Shan, au nord de la Birmanie. N'ayant pas d'écriture, leur histoire est impossible à connaître. La population karen est estimée de manière très variable, entre trois et cinq millions, dont une centaine de milliers vit en Thaïlande.

Durant la colonisation anglaise au XIXe siècle, les missionnaires anglais et américains convertirent 20 % d'entre eux au christianisme, qui formèrent l'élite du pays. En même temps, les Anglais les constituèrent en régiments utilisés pour écraser les soulèvements birmans, ce qui accentua encore l'opposition entre ces deux peuples.

En 1947, ils formèrent l'union nationale des Karen (UNK), dotée de ses propres forces armées, l'Or anisation nationale de défense des Karen (ONDK), en vue de constituer l'État du Kowthoolei indépendant, mais l'Angleterre s'y opposa. Les tensions étaient déjà très vives quand, le soir de Noël 1948, dans le district de Mergui, des policiers birmans entrèrent dans les églises de huit villages et y massacrèrent quatre-vingts Karen en prière. La rébellion éclata immédiatement. Elle fut finalement matée en 1964.

En 1965, le général Bo Mya, né en 1928, baptiste pratiquant, est devenu le nouveau président de l'UNK et le commandant en chef de l'ONDK dont il a changé le nom en Armée nationale de libération des Karen (ANLK). En 1985, l'ANLK se composait de 4 000 hommes bien armés se répartissant en cinq brigades (1re, 2e, 3e, 6e et 7e), de l'unité spéciale 101, et du 10e bataillon indépendant. 1985 a été une année très dure pour les Karen car la date limite pour en finir avec l'offensive, lancée en juin 1983 par le général Ne Win, chef de l'État birman, avait été fixée à mai-juin. L'armée birmane, qui a perdu de 1 500 à 2 000 soldats, a échoué dans son plan d'anéantissement de l'ANLK, mais elle a réussi à détruire ses bases et à incendier des villages avec des bombes au phosphore. En outre, plus de 20 000 Karen ont dû fuir en Thaïlande. Celui-ci a bloqué les mouvements d'encerclement tentés par les Birmans, sauvant le quartier général de l'ANLK de Maw Po Kay, situé en face de la ville thaïlandaise de Tak. Ce soutien n'est pas désintéressé car Bangkok considère les Karen comme un tampon contre l'expansion du Parti communiste de Birmanie (PCB), auquel l'ANLK s'est toujours opposée.

Cependant, le général Bo Mya a opté pour la négociation et, au cours d'une réunion à Maw Po Kay, en octobre 1985, le Front national démocratique, regroupant toutes les minorités en révolte, a abandonné, sous l'impulsion de l'UNK, le principe de la sécession au profit du fédéralisme. Mais Rangoun a rejeté ces propositions et persiste dans sa politique d'assimilation.

Au début de 1986, tout en continuant à harceler l'ANLK, Rangoun visait le blocus économique afin de priver les Karen des ressources procurées par la contrebande de tissus, de médicaments et de postes de radio allant en Birmanie, et des ventes de teck, d'étain et de tungstène à la Thaïlande. En 1983, ces opérations lui ont fourni jusqu'à cinq millions de dollars pour acheter des armes et entretenir ses partisans.

Martial Dassé

L'un des peuples les plus anciens de l'Asie occidentale, **les Kurdes,** constitue par son importance numérique, estimée en 1985 à 22 millions, la plus importante nation sans État du monde. Environ 17 millions d'entre eux vivent au Kurdistan, pays d'une superficie de 470 000 km² écartelé entre la Turquie, l'Iran, l'Irak et la Syrie. Les autres résident notamment dans les diverses régions de ces quatre États, en URSS (320 000), en Europe occidentale (600 000) et au Liban (100 000). Parlant une langue indo-européenne écrite depuis le VIIe siècle et adhérant, pour l'essentiel, à l'islam (75 % de sunnites, 20 % de chiites, 3 % de yézidis et 2 % de chrétiens), les Kurdes se considèrent comme les descendants des Mèdes de l'Antiquité.

Ils fondèrent au Xe siècle trois principautés indépendantes, dominèrent, avec la dynastie ayyubide de Saladin, le monde musulman du XIIe siècle et menèrent ensuite une existence autonome jusqu'en 1846. Les guerres pour l'indépendance du Kurdistan qui émaillent tout le XIXe siècle échouèrent, mais le traité de Sèvres, signé en août 1920 entre les Alliés et l'Empire Ottoman, reconnaissait au peuple kurde le droit de créer son propre État. Resté lettre morte, ce traité fut remplacé en juin

1923 par celui de Lausanne qui consacra le partage du pays kurde. En dépit de nombreuses révoltes menées depuis en Turquie (1925-1938), en Iran (1920-1930, 1946) et en Irak (1930-1933, 1943-1945) et du lourd tribut payé (au total plus de 1,5 million de victimes kurdes), le Kurdistan, en 1986, reste divisé et dominé.

En Irak, où les 3,5 millions de Kurdes représentent 28 % de la population, l'année 1985 a été marquée par une large extension des zones contrôlées par la guérilla (déclenchée en 1961) et la rupture des pourparlers de paix entre Bagdad et l'Union patriotique du Kurdistan, l'une des trois principales organisations autonomistes kurdes, avec le Parti démocratique du Kurdistan et le Parti socialiste unifié du Kurdistan. Riposte gouvernementale : le durcissement de la répression contre les civils kurdes.

En Iran, où vivent 6 millions de Kurdes, deux organisations autonomistes, le Parti démocratique du Kurdistan d'Iran et le Komala, en guerre contre le régime de Khomeyni depuis août 1979, ont lancé en 1985 une série d'actions de harcèlement contre les troupes gouvernementales qui tiennent les villes et les principales routes du Kurdistan. La population civile a été durement touchée par les bombardements de l'aviation irakienne, tandis que les localités kurdes d'Irak subissaient les pilonnages de l'artillerie iranienne.

En Turquie, l'existence même des 10 millions de Kurdes est reniée, leur culture bannie. Les tribunaux militaires créés lors du coup d'État de septembre 1980 ont poursuivi en 1985 les procès de masse intentés contre les militants kurdes dont plus de 15 000 sont derrière les barreaux. Tout le pays kurde est soumis à l'état de siège.

La Syrie a continué de refuser à son million de Kurdes le moindre droit spécifique.

Enfin, grâce aux Kurdes de la diaspora, la cause kurde a fait en 1985 une certaine percée dans l'opinion occidentale par le biais de débats sur la question kurde qui ont eu lieu devant les Parlements allemand, australien, suédois et au parlement européen.

Kendal Nezan

Les Palestiniens. Au début du XXe siècle, la Palestine est passée de la domination turque à l'administration britannique sous laquelle s'est développé le mouvement sioniste qui a organisé le retour en Terre promise de la diaspora juive dans le but de créer un État. Accrue par les effets de l'Holocauste et des persécutions antisémites d'Europe, la colonisation juive a pris, dans l'immédiat après-guerre, des proportions considérables. Lorsqu'en 1948 l'État d'Israël a été instauré, il est entré en conflit avec les États arabes voisins, puis de nouveau en 1956, en 1967 – il a alors occupé la totalité du territoire de la Palestine – et enfin en 1973.

Le peuple de Palestine s'est ainsi vu privé de la souveraineté, et dans les territoires occupés en 1967 (Cisjordanie, Gaza), de ses droits civiques. Les conflits armés et les conditions qui lui ont été faites par l'administration israélienne ont conduit une grande partie des Palestiniens à se réfugier, par vagues successives, au pourtour d'Israël et audelà.

En 1986, le peuple palestinien (4 millions environ) est donc dispersé. Il est constitué de quatre sous-ensembles : une minorité (500 000) vit encore sur le territoire d'Israël où elle jouit d'une citoyenneté limitée ; une autre (plus d'un million) vit dans les territoires occupés en 1967, sans citoyenneté israélienne, sous administration militaire, en butte à la colonisation organisée de ces territoires par des immigrants juifs ; la majorité (un million et demi) se trouve dans les pays arabes environnants, la plupart dans des camps de réfugiés où les conditions d'existence sont précaires (Jordanie, Liban, Syrie). Enfin, la diaspora palestinienne (un million), constituée de l'élite économique, s'est établie dans les pays du Golfe et en Occident.

La cause palestinienne a longtemps été prise en charge par les pays arabes. L'émanation politique propre du peuple palestinien, l'Organisation de libération de la Palestine (OLP), n'a été créée qu'en 1964 à l'instigation de la Ligue arabe, groupant des mouvements divers dont les plus importants sont le Front populaire de libération de la Palestine (FPLP), créé en 1967 par Georges Habache, le Front démocratique de libération de la Palestine (FDLP), créé en 1969 par Nayef Hawatmeh (qui s'est séparé du FPLP), et surtout, le plus ancien, le Fath, créé en 1956-1958 par Yasser Arafat, devenu président de l'OLP en 1969. En exil, l'OLP n'a jamais créé de gouvernement; elle fonctionne à travers des organes comme le Comité exécutif, le Conseil central et le Conseil national palestinien (CNP) qui définit, après la Charte de 1964 et son amendement de 1968, les grandes orientations politiques.

La revendication de l'OLP portait, au départ, sur la récupération du sol de toute la Palestine, mais dès 1974, elle s'est limitée à l'instauration d'une entité indépendante sur « toute partie du territoire libérée », en attendant d'atteindre l'objectif final. Celui-ci a disparu du programme du CNP de 1977 et depuis, le concept de mini-État dans les territoires occupés en 1967 a prévalu.

« Seul représentant légitime du peuple palestinien », l'OLP a obtenu une large audience internationale qui a culminé en novembre 1974 avec l'accueil de son chef par l'Assemblée générale de l'ONU. Mais l'évolution vers la modération prônée par Yasser Arafat et certains de ses proches, notamment Issam

Sartawi (assassiné au Portugal en avril 1983), passant par la condamnation du terrorisme international qui avait fait connaître le mouvement, a été contestée sur le plan politique, puis sur le plan militaire (dissidence des colonels d'Abou Moussa au printemps 1982) provoquant un nouvel exode palestinien – notamment des organes de l'OLP de Beyrouth à Tunis –, enfin par des groupes terroristes dont le plus célèbre est celui d'Abou Nidal, responsable d'attentats sanglants. L'année 1985 a été marquée notamment par trois attentats (Larnaca, 25 septembre; détournement de l'*Achille Lauro*, 7 octobre; attentats de Rome et de Vienne, 27 décembre), ayant pour but d'empêcher l'élaboration d'une solution politique et discréditant la cause palestinienne aux yeux de l'opinion publique occidentale.

Il est pourtant évident qu'une solution militaire est exclue depuis que l'Égypte a pactisé avec Israël (accords de Camp David, 1977), les États arabes ayant d'ailleurs toujours fait primer leurs intérêts propres sur le soutien à la cause palestinienne, et les Palestiniens n'étant pas en mesure d'affronter Israël, quoiqu'ils aient durablement résisté au Liban en 1982. Après les nombreux plans de paix formulés (projet de Royaume arabe uni du roi Hussein en 1972, plan Fahd en août 1981, plan Reagan en septembre 1982) qui n'ont pas abouti, la solution politique envisagée au début de 1986 serait une négociation israélo-jordano-palestinienne, selon les termes de l'accord d'Amman du 11 février 1985. Mais, la question était loin d'être réglée : Shimon Perès, chef du gouvernement israélien qui refuse de dialoguer avec l'OLP, n'a pas dans son pays la majorité nécessaire pour imposer la paix; les États-Unis posent comme condition à des négociations l'adhésion de l'OLP à la résolution 242 des Nations Unies (reconnaissance de l'État d'Israël); quant à l'OLP, elle demeure sur ses positions.

Vingt-deux ans après la création de cette organisation, les Palestiniens sont donc toujours un peuple sans État. Un certain nombre de pesanteurs historiques, géographiques et démographiques, internes à la Palestine, une très grande dépendance palestinienne vis-à-vis des pays arabes, une image défavorable dans l'opinion internationale, ainsi que des stratégies parfois inadéquates et des pressions extrémistes expliquent largement les blocages.

Nadia Ollivier

L'ÉVÉNEMENT

QU'EST-CE QU'ILS VONT ENCORE TROUVER COMME PRETEXTE, AUJOURD'HUI ?
MEXICO
TOC TOC TOC
DETTES
FMi
PLANTU

LE MONDE EN GUERRE

Qui a la bombe?

Depuis 1945, le monde vit dans la crainte de la « prolifération » des armes nucléaires et de leur utilisation dans un conflit local. Au milieu des années quatre-vingt, si les pronostics les plus alarmistes n'ont pas été justifiés, la situation n'en reste pas moins préoccupante.

En temps de paix, la possession de l'arme nucléaire est une affirmation politique de puissance. Celle-ci ne suppose pas seulement d'avoir la bombe mais aussi des capacités opérationnelles à son service, et les moyens d'une « gesticulation politique » en cas de besoin.

En fonction de ces critères, il faut donc distinguer nettement trois types de pays parmi les membres ou aspirants au « club atomique » : les superpuissances (États-Unis et URSS), les puissances moyennes (France, Grande-Bretagne, Chine) et les « potentiels » qui peuvent (ou espèrent) disposer de la bombe à des fins régionales.

La capacité nucléaire se mesure moins en mégatonnes (puissance explosive) qu'en nombre de têtes, donc d'impacts possibles, et en qualité de vecteurs (capacités opérationnelles). Il faut donc tenir compte de la variété de la panoplie disponible : armes « stratégiques » (longue portée atteignant l'ennemi désigné), armes « intermédiaires » et « tactiques » (moyenne et courte portée). *Grosso modo,* les États-Unis disposeraient de 26 000 têtes, toutes catégories confondues, les Soviétiques de 23 000 (10 000 de plus si l'on tient compte des ogives déclassées), soit quelque 15 000 mégatonnes, une puissance de plus d'un million de fois supérieure à celle de la bombe d'Hiroshima !

Les puissances moyennes paraissent modestes en comparaison (la France a tout de même une puissance égale à 10 000 fois celle d'Hiroshima, par exemple), mais leur arsenal n'est pas totalement comparable. La Grande-Bretagne et la France font partie de l'Alliance atlantique, mais les systèmes britanniques stratégiques (fusées sous-marines *Polaris* et futurs *Tridents*) et tactiques (bombardiers) sont technologiquement et politiquement liés aux systèmes américains, tandis que les Français disposent d'une panoplie plus complète et autonome, allant des centres d'essais (Polynésie) aux armes sous-marines stratégiques anciennes (missiles *M 20*) ou nouvelles (*M 4*), aux missiles tactiques (*Plutons* et futurs *Hadès*), aux bombardiers ou encore à la bombe à neutrons. La France, qui ne détient que 1 % des têtes du parc mondial, « consomme » 9 % des essais nucléaires.

En comparaison, l'arsenal chinois, indépendant de toute alliance, est plus limité (douze têtes stratégiques sous-marines en juillet 1985, contre cent soixante-seize françaises et soixante-quatre anglaises).

Les autres pays maîtrisant la technologie atomique ont parfois renoncé d'eux-mêmes au nucléaire militaire en adhérant au Traité de non-prolifération de 1965 et au contrôle de l'Agence internationale de l'énergie atomique qui en découle ; c'est le cas du Canada, de la Suède, de l'Italie, du Japon, de la République fédérale d'Allemagne, de la Suisse, de la Belgique et des Pays-Bas.

D'autres pays, généralement non signataires du traité, ont cherché à

Les essais nucléaires dans le monde

	E.-U.	URSS	R.-U.	France	Chine	Inde	Afr. du Sud
Du 16.7.1945 au 5.8.1963 [a]	331	164	23	8	0	0	0
Du 6.8.1963 au 31.12.1984	416	391	15	78 + (41) [b]	7 + (22) [b]	(1) [b]	(1) [b]
Total au 31.12.1984	747	558	38	127	29	1	1
en pourcentage	49,9	37,0	2,5	8,5	1,9	0,1	0,1

a. 6 août 1963 : Traité d'interdiction partielle des essais nucléaires, interdisant les essais atmosphériques ; b. Entre parenthèses : nombre d'essais atmosphériques après le traité (France jusqu'en 1974, Chine jusqu'en 1980).

profiter de la technologie nucléaire civile et de la coopération française (Israël dès les années cinquante, Égypte, Irak...), ouest-allemande, canadienne ou belge, pour progresser vers la maîtrise de la bombe.

L'Inde a expérimenté la sienne officiellement le 18 mai 1974, l'Afrique du Sud, secrètement, dans l'île du Prince-Édouard, au sud de l'océan Indien, le 22 septembre 1979. On sait que les Israéliens, grâce à leur centre de Dimona, disposent (sans essais) de dizaines de charges depuis les années soixante. Aucun de ces pays n'a de panoplie vraiment opérationnelle, mais ils disposent déjà des moyens d'une dissuasion ou d'un chantage régional. D'autres États aspirent à cette situation : le Pakistan (avec le soutien de la Libye et surtout de l'Arabie saoudite), Taïwan (avec l'assistance de l'Afrique du Sud et d'Israël), la Corée du Sud, l'Irak (la destruction par les Israéliens de la centrale d'Osirak a entravé cet effort) et sans doute, malgré leur manque de moyens, l'Argentine, le Brésil et l'Iran. L'Égypte, très avancée, garde l'option ouverte. L'Espagne et l'Algérie n'ont pas cherché à concrétiser leur capacité d'expérimentation et elles n'ont pas signé le Traité de non-prolifération afin de garder les mains libres.

Bernard Dréano

BIBLIOGRAPHIE

Ouvrage

Turner J., *Arms in the 80's*, SIPRI, Londres, 1985.

Article

Pharabod J.P., « La prolifération des armes nucléaires », in *L'État des sciences*, La Découverte, Paris, 1983.

Dossier

Memento défense désarmement 1986, GRIP, Bruxelles, 1986.

Les zones dénucléarisées

Un certain nombre de régions du globe sont considérées « dénucléarisées » ou se sont elles-mêmes décrétées comme telles.

Il s'agit d'abord de l'Antarctique pour lequel le traité de 1959, garanti par les grandes puissances, interdit toute activité militaire et présence nucléaire. Douze pays ont signé le traité en 1959 (Afrique du Sud, Argentine, Australie, Belgique, Chili, États-Unis, France, Grande-Bretagne, Japon, Norvège, Nouvelle-Zélande, URSS). Quatre autres s'y sont ajoutés : la Pologne en 1977, l'Allemagne fédérale en 1981, le Brésil et l'Inde en 1983. Lors de la treizième réunion des pays membres (Bruxelles, 7-18 octobre 1985) la Chine et l'Uruguay ont été cooptés comme parties consultatives au traité.

L'espace (y compris « la lune et autres objets célestes ») est théoriquement exempt, en vertu du traité de 1967, d'armes nucléaires ou d'armes de destruction massive, d'où la polémique sur l' Initiative de défense stratégique américaine.

Le traité d'interdiction des armes nucléaires en Amérique latine (traité de Tlatelolco, 1967) est une initiative régionale par laquelle la plupart des États latino-américains ont renoncé à la possession ou au stationnement d'armes nucléaires sur leur sol. Deux protocoles y sont annexés, l'un demandant aux puissances étrangères présentes dans la région (États-Unis, Grande-Bretagne, France, Pays-Bas) de le respecter (la France a signé ce protocole en 1979 mais ne l'a pas ratifié), l'autre demandant aux cinq membres permanents (et nucléaires) du Conseil de sécurité de l'ONU (États-Unis, URSS, Grande-Bretagne, France, Chine) de le garantir (la France a reconnu ce protocole en 1973).

Le traité de Rarotonga, élaboré sur le même modèle et prévoyant la dénucléarisation du Pacifique Sud, a été signé par les treize États du Forum du Pacifique en 1985 : Australie, Cook, Fidji, Kiribati, Nauru, Niué, Papouasie-Nouvelle-Guinée, Nouvelle-Zélande, Salomon, Samoa occidentales, Tonga, Tuvalu, Vanuatu. Il pose problème pour les essais atomiques français en Polynésie.

Il existe d'autres propositions diplomatiques de dénucléarisation, notamment un projet grec concernant les Balkans, le « corridor Palme », proposé par le leader suédois le long de la frontière inter-allemande, la proposition de dénucléarisation de la Scandinavie, etc.

D'autres initiatives ont surgi de la volonté d'un puissant mouvement de base de faire des gestes symboliques de détente, en proclamant des villes ou des régions « dénucléarisées », de Newcastle à Salonique, du Pays de Galles à l'Ombrie. Les villes et zones ainsi « dénucléarisées » ont tenu des congrès à Manchester d'où ce mouvement est parti initialement (1984), et à Cordoue (1985). Aucune municipalité d'Europe de l'Est ou de France ne participe à ce mouvement ; par contre un certain nombre de groupes ou individus s'en réclament, notamment en République démocratique allemande et en Union soviétique.

B. D.

Les réfugiés en Amérique centrale

Depuis le début des années quatre-vingt, l'escalade de la crise centraméricaine a engendré des mouvements de populations sans précédent, tant à l'intérieur des pays concernés (déplacés internes, surtout au Salvador, au Guatémala et au Nicaragua) qu'à l'extérieur (réfugiés; cf. tableau). Ces déplacements revêtent des caractéristiques spécifiques par rapport aux mouvements de réfugiés que les pays d'Amérique latine ont connus antérieurement : ils sont massifs, essentiellement ruraux, et comportent une dimension ethnique notable pour ce qui est des déplacés nicaraguayens (Indiens Miskito, Sumu) et guatémaltèques (Quiché, Kanjoval, Mam, etc.). Par ailleurs, le terme de « réfugié » a acquis un sens élargi dans le contexte centraméricain, où il peut se référer aussi bien aux populations déplacées du fait d'une violence généralisée dans le pays d'origine qu'aux fugitifs individuels.

Ces flots de populations ne sont pas sans répercussions sur les rapports entre États d'origine et États d'accueil (Guatémala / Mexique, Salvador / Honduras, Nicaragua / Honduras, Nicaragua/Costa Rica). Ainsi, le problème des réfugiés peut agir entre deux États comme un élément de pression et de négociation, ou de conflit. Pour la société civile, en particulier pour les organismes de solidarité, les réfugiés constituent avant tout un problème humanitaire; mais pour les États, leur présence relève de la sécurité nationale. C'est fondamentalement au nom de cette dernière que le gouvernement mexicain, par exemple, a décidé de transférer les réfugiés guatémaltèques loin de la frontière commune avec le Guatémala, située en marge du Chiapas, un État mexicain socialement explosif, porte ouverte sur une Amérique centrale qui s'est installée dans la guerre.

Une partie des réfugiés est accueillie dans des camps financés par le Haut commissariat des Nations unies pour les réfugiés (HCR), aidé par des agences gouvernementales ou privées. Les autres réfugiés, les plus nombreux, s'amalgament tant bien que mal dans la population du pays qui les accueille. Le Mexique, le Honduras et le Costa Rica ont créé ce type de camps sur leur territoire. En revanche, ils sont inexistants au Bélize et au Nicaragua. Ce dernier a mis en œuvre toute une série de projets coopératifs au bénéfice des Salvadoriens, auxquels participent également des Nicaraguayens. Au Bélize, les Salvadoriens ont été pris en charge dans un projet ambitieux de construction d'un nouveau village complètement intégré à la région : Valley of Peace. Les camps de réfugiés guatémaltèques du Mexique se sont nettement améliorés et ont largement dépassé le stade de l'urgence, tant par la volonté politique du gouvernement mexicain (notamment à la suite de dénonciations au niveau international) que par le dynamisme des réfugiés qui reproduisent dans les camps les méthodes de travail communautaire auxquelles ils sont habitués. Ainsi, les réfugiés guatémaltèques au Mexique se sont montrés très solidaires lors des séismes de septembre 1985 qui secouèrent le pays, en particulier la capitale, en effectuant dans les camps une collecte avec leurs humbles revenus et en offrant au gouvernement mexicain de participer à la reconstruction.

En ce qui concerne la société civile des pays d'accueil, elle a réagi différemment selon les cas face à l'arrivée massive de réfugiés. Ainsi, de nombreuses organisations politiques, syndicales et humanitaires

ESTIMATIONS DU NOMBRE DE RÉFUGIÉS DANS LES DIFFÉRENTS PAYS D'AMÉRIQUE CENTRALE ET AU MEXIQUE (AU 31 DÉCEMBRE 1985)

PAYS D'ACCUEIL	SALVADORIENS	GUATÉMALTÈQUES	NICARAGUAYENS	AUTRES	TOTAL
Bélize	3 000	6 000			9 000
Costa Rica	6 100	200	15 200	2 500	24 000
Guatémala	10 000		2 000		12 000
Honduras	22 000	1 000	24 500 [a]		47 500
Mexique	120 000	45 000		10 000	175 000
Nicaragua	17 500	500		500	18 500
Panama	800		100	200	1 100
Salvador			200		200

a. Dont 18 000 Miskitos et Sumus.

Source : Haut commissariat des Nations Unies pour les réfugiés. Ces chiffres constituent un minimum, car il est difficile d'évaluer le nombre de réfugiés hors des camps (illégaux, « touristes », « immigrants économiques », « étudiants », etc.).

mexicaines ont fait preuve de solidarité. En revanche, les Costariciens ont manifesté hostilité et xénophobie à l'égard des Nicaraguayens, opposants ou non au régime de Managua.

Autre aspect du problème des réfugiés : leur retour au pays ou à la région d'origine. Des mouvements se sont ébauchés timidement vers le Nicaragua et vers le Guatémala. Au Nicaragua, les Miskitos déplacés en 1982 à l'intérieur du pays sont dans leur grande majorité revenus sur les rives du Rio Coco, leur lieu d'origine. Le Mexique a entamé des pourparlers avec le nouveau gouvernement guatémaltèque. Celui-ci est conscient de l'importance du rapatriement de ses compatriotes, mais aussi de son incapacité à contrôler les groupes para-militaires à l'intérieur du Guatémala. Les réfugiés, pour leur part, préfèrent dans leur majorité observer la situation avant de se décider à rentrer : pour eux, le problème n'est pas avec le gouvernement démocrate-chrétien de Vinicio Cerezo, mais avec les militaires.

Qu'adviendrait-il si les États-Unis intervenaient directement au Nicaragua? Des milliers de nouveaux réfugiés déferleraient dans les pays voisins, notamment au Honduras et dans des pays traditionnellement

BIBLIOGRAPHIE

Ouvrage

AMERICAS WATCH COMMITTEE, *The Continuing Terror,* Seventh Supplement to the Report on Human Rights in El Salvador, New York, September 1985.

Articles

« Amérique centrale : l'incertitude », *Réfugiés,* n° 20, août 1985.

BARRE M.-C., « Les nouveaux mouvements de la population centraméricaine », *Amérique latine,* n° 20, octobre-décembre 1984.

stables comme le Costa Rica et le Mexique. Ils s'expatrieraient également... aux États-Unis. Ces derniers, qui expulsent environ 1 500 Centraméricains par mois, subiraient alors avec plus d'acuité les conséquences de leur politique régionale. Quoi qu'il en soit, une nouvelle dynamique est apparue en Amérique centrale, liée à l'arrivée de trois nouveaux présidents (Guatémala, Costa Rica, Honduras) qui ne passent pas pour être des inconditionnels des États-Unis dans la région. On assiste à l'amorce d'un nouveau centraméricanisme, encore diffus certes, mais qui pourrait se concrétiser avec la création du Parlement centraméricain proposée par le président Vinicio Cerezo. Une telle instance pourrait ouvrir la voie à une meilleure compréhension entre les pays centraméricains, ce qui n'irait pas dans le sens de la division idéologique et militaire souhaitée par Washington. Certains observateurs voient cette proposition comme une manière pour les Centraméricains de prendre en main leurs propres affaires face à l'enlisement des démarches du groupe de Contadora (en dépit de l'énorme soutien international qu'il a obtenu).

Le problème des réfugiés relève des relations internationales, puisqu'il implique un mouvement migratoire d'un pays à un autre. Dans le cas de l'Amérique centrale, ils sont liés à la guerre et à la paix, et plus particulièrement à l'évolution de la politique nord-américaine dans la région, notamment en ce qui concerne les Nicaraguayens et les Salvadoriens.

Marie-Chantal Barre

Iran-Irak : pas de solution politique en vue

Dans la nuit du 9 au 10 février 1986, l'Iran a lancé la première grande offensive contre les positions irakiennes depuis la bataille des marais d'Howeizieh, un an auparavant. Les lignes adverses ont été traversées dans l'extrême sud du front et, après avoir franchi le Chatt el-Arab et pris le port de Fao, les Iraniens ont progressé vers la frontière koweïtienne, menaçant de couper l'Irak de tout accès direct ou indirect au Golfe. Quinze jours plus tard, nouvelle attaque iranienne d'envergure dans le secteur nord, en direction de la ville irakienne de Soleymanieh. La résistance rencontrée a été plus rude et l'avancée moins spectaculaire : quelques positions favorables et une centaine de kilomètres carrés. Les deux opérations ont été menées selon les méthodes classiques de la guerre terrestre, l'armée iranienne semblant avoir abandonné la tactique des vagues humaines avec laquelle elle avait cru pouvoir submerger les défenses irakiennes de juillet 1982 à mars 1984.

L'Irak s'est employé, bien entendu, à colmater les brèches et à grignoter lentement le terrain perdu. Mais quel que puisse être le bilan définitif de ce nouvel épisode de l'affrontement – né de l'agression irakienne de septembre 1980 contre une République islamique alors en pleine désorganisation post-révolutionnaire et qui a fait plus d'un demi million de morts en six ans –, il met clairement en évidence les positions respectives des deux belligérants au printemps 1986. D'un côté, un État et des institutions stabilisés depuis longtemps, une armée organisée, un armement puissant et aisément renouvelé, des alliés riches et nombreux, tel apparaît l'Irak. De l'autre, un régime dont certains continuent d'attendre l'effondrement imminent, une pluralité de corps militaires à la coordination difficile, un armement déficient et des réapprovisionnements incertains, un quasi-isolement et l'absence de tout crédit international : c'est l'Iran. Et pourtant, voici que l'Irak s'est révélé incapable de faire autre chose qu'attendre, sans pouvoir prendre la moindre initiative militaire, espérant avec une patience contrainte que l'Iran abandonne de gré ou de force ses objectifs. Il ne fait aucun doute qu'à armes égales, l'Iran aurait depuis longtemps « châtié Saddam Hussein ».

Tout au long de la guerre, l'aspect politique n'a cessé de primer. C'est bien pour renverser Khomeyni et anéantir la menace islamique que Saddam Hussein a lancé son attaque initiale ; c'est bien, sept ans plus tard, pour chasser le régime baathiste que la République islamique poursuit sa pression militaire sur l'Irak. Dans cet affrontement politique, l'Iran a pris un net avantage. La « guerre des villes » que l'Irak a déclenchée à deux reprises en 1985 (4 mars-11 avril, 25 mai-14 juin) est à cet égard révélatrice. Les Irakiens en attendaient un mouvement de protestation de la population iranienne contre la poursuite de la guerre, et donc contre son gouvernement. La réponse leur a été donnée dans les grandes manifestations organisées à Téhéran et dans d'autres villes en soutien au régime et à sa politique. Dans le même temps, l'Irak devait affronter la réprobation de la communauté internationale pour ses attaques contre des objectifs civils et son recours aux gaz de combat. Téhéran se trouvait conforté dans sa légitimation principale, interne, tandis que Bagdad voyait la sienne, externe, menacée.

Les réactions internationales continuent en effet, plus que jamais, à être inspirées par des considérations politiques, plutôt que stratégiques ou économiques. Nulle condamnation, nul appel au cessez-le-feu lorsque les troupes irakiennes ont pénétré en Iran. En revanche, réaction presque instantanée de crainte et de réprobation lorsque les soldats iraniens ont enfoncé les lignes adverses. Certes, la République islamique est désormais admise dans la société des États, mais ses initiatives sont toujours considérées comme redoutables. Cette attitude internationale conforte les dirigeants iraniens dans leur mépris apparent de l'opinion internationale et réduit, s'il en était besoin, le champ de manœuvre de ceux qui, en Iran, préféreraient voir le conflit prendre fin.

Les effets de la crise pétrolière

Reste un facteur externe qui pourrait bien contraindre à de déchirantes révisions : l'effondrement du prix du pétrole et la chute vertigineuse des revenus pétroliers. Entre janvier 1985 et avril 1986, la valeur réelle du baril de pétrole a été divisée par trois pour les achats en dollars, et par quatre pour les achats en autres

BIBLIOGRAPHIE

Ouvrages

BALTA P., *Iran-Irak, histoire d'une guerre*, Anthropos, Paris, 1986.

RAOUF W., *Iran-Irak. Des vérités inavouées*, L'Harmattan, Paris, 1985.

Article

RIBAU P., « Le conflit Irak-Iran », *Recherches internationales*, n° 19, 1er trimestre 1986.

devises. Déjà fortement endetté, l'Irak va donc hypothéquer encore un peu plus son économie et, par conséquent, son indépendance politique vis-à-vis de ses voisins arabes et de ses fournisseurs. La situation est, à court terme plus grave pour l'Iran qui, faute de crédits, va devoir réduire drastiquement ses importations, financées à 90 % par la vente d'hydrocarbures.

Cette nouvelle crise pétrolière, que l'Iran attribue à un complot de l'Occident, voit ses conséquences aggravées pour les deux belligérants par la guerre qu'ils se livrent dans le Golfe même. L'Irak, qui n'exporte plus directement de pétrole par cette voie depuis le début du conflit, tente d'arrêter les livraisons iraniennes en bombardant le terminal de Kharg, les tankers qui effectuent la navette entre Kharg et les réservoirs flottants de Sirri plus au sud, et même certains champs pétroliers. L'Iran riposte en contrôlant le trafic naval à partir d'Ormouz et en faisant peser sur lui des menaces constantes. Dirigées contre les alliés locaux de l'Irak, ces mesures les amènent à faire pression sur Bagdad pour qu'il limite ses opérations dans le Golfe.

La perte de revenus a ainsi été plus forte pour l'Iran. Tandis que les deux pays exportaient, entre 1982 et 1985, pour environ 12 à 14 milliards de dollars de pétrole par an, au printemps 1986, l'Irak ne pouvait plus espérer que 4 à 5 milliards et l'Iran, dont les livraisons sont passées de 1,2 à moins de 0,8 million de barils par jour, seulement 2 à 3 milliards de dollars. Quelle que soit la durée de la crise, l'Iran comme l'Irak devront faire avec des revenus diminués. Cela suffira-t-il pour conduire les deux adversaires à composer? Probablement pas dans un avenir proche. Cela pourrait néanmoins les contraindre, en dépit des travaux entrepris par chacun pour accroître ses capacités de livraison, à maintenir le conflit au niveau relativement bas qui est le sien depuis le printemps 1984.

Pierre Metge

Afghanistan. Sept ans de guerre

En entrant dans sa septième année, la guerre que les Soviétiques ont engagée en 1979 peut d'ores et déjà être considérée comme l'une des grandes guerres coloniales ou néocoloniales, aux côtés de celles de l'Algérie et du Vietnam, notamment. A la différence de la France et des États-Unis toutefois, l'URSS a réussi à préserver le caractère relativement limité de son intervention. Après s'être dans un premier temps contentée de maintenir en place le régime de Kaboul, l'Armée rouge s'est de plus en plus directement enfoncée dans une guerre d'usure contre la résistance armée.

Des quelque 120 000 soldats soviétiques opérant en Afghanistan avec l'armement conventionnel le mieux adapté et le plus moderne, seule une minorité constituée en troupes d'élites (20-25 %) fait réellement la guerre. Le reste assure la sécurité des infrastructures économiques et administratives relevant de l'autorité du gouvernement de Kaboul, ainsi que la protection des convois civils et militaires d'approvisionnement, sans échapper pourtant au contact avec la résistance qui le harcelle sur les routes et dans ses postes et garnisons. Cantonné dans de mauvaises conditions, soumis à une discipline d'un autre âge, le soldat d'occupation n'a pas bon moral et se bat mal. Il ne fait que de brefs séjours en Afghanistan.

Il en va différemment des troupes de l'infanterie mécanisée, des unités héliportées et de l'aviation, lancées dans de vastes affrontements où peut opérer l'équivalent de deux divisions, ou engagées dans des actions plus ponctuelles. 1985 a vu se dérouler trois grandes opérations : durant trois semaines en mai-juin, dans la province du Konar, un mois en juillet dans la vallée du Pandjchir, et encore un mois, de mi-août à mi-septembre, dans le Paktia. Konar, Paktia et Pandjchir sont trois régions importantes à des titres divers. Les deux premières sont frontalières du Pakistan et sont traversées par les principales voies d'approvisionnement et de relève de la résistance; à partir de la troisième, la résistance menace directement la route de Kaboul vers l'URSS et donc l'existence même de la capitale. Les combats ont été très durs, particulièrement dans le Konar et le Paktia. C'est également dans les provinces frontalières et dans celles qui entourent Kaboul que tout au long de l'année s'est déroulé l'essentiel des actions ponctuelles, terrestres et/ou aériennes. Certaines régions, celles du Nord notamment, paraissent moins affectées par la guerre, sans pour autant y échapper. La généralisation des combats a même touché, pour la première fois depuis 1979, la région centrale du Hazaradjat (novembre 1985).

A la montée en puissance du contingent soviétique, la résistance répond par un armement plus performant, une professionnalisation accrue et une amorce de coordination entre les groupes. Il lui reste certes sur ce dernier point beaucoup à faire. Toutefois, l'habileté tactique et le degré de concertation qu'elle a révélés en certaines opérations, dans le Paktia et le Pandjchir notamment, laissent penser qu'elle a acquis les moyens militaires de passer au stade de la guerre mobile de partisans, à condition qu'elle puisse tirer parti d'une unité politique encore hésitante. La chute de la place forte de Jawar (Paktia), fin avril 1986, a été une dure défaite à cet égard.

L'accroissement des capacités des forces en présence et le durcissement des combats ne paraissent pas en mesure de faire pencher significativement la balance d'un côté ou de l'autre. On n'a donc jamais autant parlé de négociations et de solution politique qu'en 1985, chacun semblant désormais convaincu qu'il n'y aura pas d'issue militaire au conflit. Les discussions se situent sur deux plans. Entre Afghans de Kaboul et Pakistanais, d'une part, se déroulent depuis 1982, sous l'égide des Nations unies, des négociations indirectes périodiques : les Pakistanais – qui ont sur leur sol trois des quatre millions de réfugiés afghans – tentent de réduire la tension qui pèse de plus en plus lourdement sur eux, alors que le régime de Kaboul cherche à arracher une légitimation internationale. Ce n'est pas là que se résoudra le problème, les principaux acteurs (URSS, résistance afghane) étant absents. Les quatre sessions tenues du printemps 1985 au printemps 1986 ont cependant permis de mettre au point quelques-uns des instruments diplomatiques d'un règlement. D'autre part, Soviétiques et Américains abordent plus ou moins ouvertement le sujet dans leurs conversations : la rencontre Reagan-Gorbatchev en novembre

BIBLIOGRAPHIE

Articles

ROY O., « La stratégie soviétique en Afghanistan », *Politique étrangère*, n° 4, 1985.

« Six ans de guerre », *Défis afghans*, n° 5, janvier 1986.

« Une solution politique pour l'Afghanistan ? », *Les Nouvelles d'Afghanistan*, n° 26, décembre 1985.

1985 à Genève a fait naître des espoirs excessifs en Occident, où l'on a hâtivement déduit du désir d'en sortir exprimé par les Soviétiques l'imminence de leur retrait d'Afghanistan.

La résistance n'est toujours pas entrée en lice. Certes les Américains disposent sur elle de réels moyens de pression militaire et les Pakistanais d'un certain contrôle politique. Mais, de toute façon, une fois la solution conçue, ce sera bien aux Afghans de la mettre en œuvre. Et on les voit mal le faire, s'il s'agit d'une solution entièrement élaborée en dehors d'eux. A la mi-1986, il n'était pas douteux que les Soviétiques n'étaient pas encore prêts à traiter avec la résistance. La fragile unité et l'insuffisante crédibilité de cette dernière ne lui permettaient d'ailleurs pas d'imposer sa présence autour du tapis vert. La septième année de guerre n'aura donc sans doute pas encore été celle du retrait des soldats soviétiques et de l'effacement des modjahedin afghans.

Pierre Metge

Angola. La carotte et le bâton

Depuis 1984, on assiste en Afrique australe, et notamment en Angola, à une application parfaite de la politique bien connue de la carotte et du bâton. Après avoir utilisé en 1984 le langage de la diplomatie, l'Afrique du Sud, mais aussi les États-Unis, ont choisi en 1985 de faire parler les armes et d'obliger ainsi le MPLA (Mouvement populaire de libération de l'Angola), d'obédience marxiste, à se soumettre ou à se démettre.

Depuis son indépendance en 1975, l'Angola n'a jamais connu la paix. Dès son arrivée au pouvoir, le MPLA a subi les attaques des deux autres mouvements nés lors de la guerre contre la colonisation portugaise : le FNLA (Front national de libération de l'Angola) et l'UNITA (Union nationale pour l'indépendance totale de l'Angola) dirigée par M. Jonas Savimbi. Alors que le FNLA a disparu du terrain militaire, le mouvement de M. Savimbi contrôlait en 1986 au moins le tiers du pays, à l'est et au centre.

Incapable d'étouffer dans l'œuf cette opposition armée, en proie par ailleurs à des incursions répétées et de plus en plus importantes de l'armée sud-africaine prétendument à la poursuite des militants indépendantistes de la SWAPO (Organisation des peuples du Sud-Ouest africain), Luanda a dû appeler ses alliés de l'Est à son secours. En 1986, on estimait à environ 30 000 le nombre de soldats cubains et à près de 1 200 celui des conseillers soviétiques et est-allemands sur le sol angolais.

L'UNITA de son côté, a bénéficié d'une aide sud-africaine et américaine, d'abord discrète, mais qui s'est montrée de plus en plus évidente après l'échec de la tentative de dialogue inaugurée par l'Afrique du Sud en 1984 et le ballet diplomatique déployé par les Américains à la même époque. Leur plan, proposé lors de la rencontre de Lusaka (Zambie) en février 1984, s'inspirait fortement de l'accord signé à Nkomati entre l'Afrique du Sud et le Mozambique. Il prévoyait un retrait des troupes sud-africaines si le gouvernement de Luanda s'engageait à ne plus soutenir la SWAPO. Ce volet pouvait paraître acceptable pour le gouvernement angolais, en proie à de très fortes difficultés économiques dans un pays désorganisé. En revanche, Luanda s'est toujours refusé à lier le départ des soldats cubains au retrait sud-africain. Pour le président Dos Santos, les Cubains ne partiront que si Prétoria s'engage à respecter la résolution 435 des Nations Unies qui prévoit l'indépendance de la Namibie, et si l'UNITA cesse ses combats.

Devant l'échec de leur plan, Sud-Africains et Américains se sont engagés plus avant dans la guerre et, à partir de la mi-1985, le conflit a connu une escalade : dans la course aux armements, dans l'intensification des combats vers une guerre de plus en plus conventionnelle avec blindés et avions, et dans l'engagement des grandes puissances.

Si au début mai 1985, l'armée sud-africaine a finalement retiré ses troupes du territoire angolais, cela ne l'a pas empêchée d'organiser des attentats. Ainsi, à la même époque, un commando de Prétoria a été intercepté par les forces gouvernementales alors qu'il s'apprêtait à saboter des installations prétrolières au Cabinda. Les opérations-poursuites contre la SWAPO se sont elles aussi multipliées, coïncidant de plus en plus ouvertement avec des offensives de l'armée du gouvernement angolais contre l'UNITA. En mai 1986, Luanda ayant déclenché une grande opération contre le mouvement de M. Savimbi, l'Afrique du Sud a de nouveau mobilisé ses forces d'intervention pour des attaques en Angola : le 5 juin 1986, un bâtiment sud-africain équipé de missiles *Scorpion* a ouvert le feu sur trois réservoirs de carburant situés dans le port de Namibe, tandis que des hommes-grenouilles ont coulé un navire cubain et endommagé deux navires soviétiques.

Quant à l'engagement américain aux côtés de l'UNITA il s'est concrétisé par une aide de 15 millions de dollars accordée en janvier 1986 à Jonas Savimbi, et par la livraison en mars de missiles sol-air *Stinger* et d'armes antichars. Par ailleurs, l'administration Reagan mène une guerre économique et fait pression sur la compagnie pétrolière américaine Chevron pour qu'elle cesse ses activités en Angola. En mai 1986, le secrétaire d'État américain à la Défense, Caspar Weinberger, a demandé à ses services d'étudier les possibilités légales de mettre un terme aux contrats de livraison de pétrole qui le lient à la compagnie.

Face à cette offensive de grande envergure, le président Dos Santos a signé en mai 1986 un nouvel accord de coopération avec Moscou.

Christiane Chombeau

Les guérillas en Asie du Sud-Est

L'année 1985 a vu se confirmer en Indochine le déclin ou la stagnation des partis communistes prochinois ainsi que des guérillas anti-vietnamiennes. Par contre, aux Philippines, la Nouvelle armée du peuple (NAP), branche armée du Parti communiste des Philippines – marxiste léniniste (PCP-LM), d'abord prochinoise mais devenue indépendante en 1985 – a poursuivi sa lutte qui a progressé d'une manière spectaculaire, selon une formule originale élaborée par ses propres stratèges et qui inclut l'utilisation de la guérilla urbaine. Un autre événement d'importance pour la région a été le réveil du Parti communiste du Siam (PCS) prosoviéto-vietnamien.

En 1986, le Parti communiste de Thaïlande (PCT) est retombé à son niveau de 1965, alors qu'il se lançait dans la guérilla avec quelque 600 hommes seulement. Ses forces, qui atteignaient 8 000 guérilleros en 1975, n'ont vraiment représenté une menace militaire sérieuse que pendant la courte période de la dictature fascisante du Premier ministre Thanin Kraïvichien (octobre 1976 – octobre 1977) quand, du fait de la fuite d'étudiants et de syndicalistes dans les maquis, ses membres sont passés à 14 000. Mais en 1979, une amnistie a été proclamée et, découragée par le conflit sino-vietnamien, la guérilla s'est rendue en masse. En 1985 et au début de 1986, les attaques du PCT avaient pratiquement cessé.

Le Parti communiste de Birmanie-Drapeau blanc (PCB-DB) est organisé militairement en deux zones, le commandement du Nord-Est et celui du Nord-Ouest, avec le quartier général de Pangshang d'où Bo (capitaine) Taik Aung dirige ses 12 000 hommes. Après avoir conduit de dures attaques contre les forces birmanes de 1980 à 1984, il les a graduellement espacées et les a pratiquement interrompues en 1985, parallèlement à l'amélioration des relations sino-birmanes. En effet, en 1980, le gouvernement chinois a coupé son aide financière au PCB, puis réduit son aide militaire en 1984. Le PCB-DB se contente donc d'exploiter l'opium dans la zone qu'il contrôle, qui va de l'État Kachin à la frontière thaïlandaise et s'étend sur une largeur de dix à vingt kilomètres. Le 23 février 1986, le PCB-DB a lancé un appel pour « mettre fin à la guerre civile et rétablir l'unité nationale », tout en demandant la « fin de la dictature du parti unique », le parti du programme socialiste de Birmanie dirigé par le général Ne Win, ce qui, évidemment, a été refusé.

En Malaisie, les guérillas s'appuient sur une solide idéologie. Elles ont refusé toutes les amnisties offertes par la Thaïlande et la Malaisie. Mais depuis 1983, elles sont divisées en deux groupes, tous deux prochinois : le Parti communiste de Malaisie dit orthodoxe (PCM-O), dirigé depuis 1947 par Chin Peng qui vit en Chine depuis 1961, et le Parti communiste de Malaisie dit nouveau (PCM-N) sous l'autorité de Ah Ling, ancien vice-commandant du régiment 12. Les 1 000 hommes du PCM-N mènent leurs actions dans les trois provinces de Yala, Narathiwat et Songkla, dans le sud de la Thaïlande, qu'ils partagent avec les régiments 8, 10 et 12 du PCM-O. Celui-ci dispose en outre du régiment 5 dans la province de Pérak en Malaisie, et d'unités d'assaut de plusieurs dizaines d'hommes dans l'ensemble des provinces malaises, soit en tout 1 500 hommes. La Thaïlande et la Malaisie mènent régulièrement des opérations conjointes, comme celle de février 1986, mais sans parvenir à les annihiler.

Le Parti communiste du Siam (PCS), ou Parti nouveau, est constitué de membres qui ont fait scission avec le Parti communiste de Thaïlande (PCT) et ont refusé de quitter le Laos en 1979, installant à Vientiane leur quartier général, le centre 36/75. Au cours de l'année 1985 et au début de 1986, ses guérilleros, estimés à deux ou trois centaines, ont attaqué les forces thaïlandaises dans le Nord et le Nord-Est. Le PCS se serait aussi lié, au début de 1985, avec des dissidents du PCB-DB dirigés par le général Kyaw Zaw qui a déserté l'armée birmane en 1976 et qui refuse l'arrêt des opérations préconisé par la Chine. Pour tenter de mettre fin à cette saignée, le PCB-DB a élu, lors de son troisième congrès qui s'est tenu du 9 septembre au 2 octobre 1985, le général Kyaw Zaw comme membre du Comité central, et la Chine a permis la réouverture, le 31 janvier 1986, de la radio la *Voix du peuple de Birmanie*, située à Pangshang, qui avait été fermée le 17 avril 1985 pour faciliter le rapprochement avec Rangoun. En avril 1986, ces changements ne paraissaient pas avoir produit les résultats espérés.

Philippines : incertitudes

Aux Philippines, les guérilleros de la Nouvelle armée du peuple (NAP), fondée en 1969, n'étaient que 5 000 au début de 1983. Mais, après l'assassinat du sénateur Benigno Aquino (29 août 1983), leur nombre est passé à 15 000 en 1985 et à 18 500 en 1986, selon les estimations des États-Unis, la NAP avançant par contre le chiffre de 20 000. La NAP est organisée en soixante fronts de guérilla et cinq zones de guerre : Nord, Centre et Sud de

Luzon, îles Visayas et île de Mindanaõ, région où elle est la plus active, avec 4 000 guérilleros. La NAP a aussi organisé une guérilla dans les villes avec la formation d'une « Armée urbaine de partisans », dont le chef, Alexander Birondo, a été arrêté à Manille au début de juin 1985. En 1985, il y a eu, selon le gouvernement philippin, treize à quatorze accrochages par jour avec les forces de l'ordre, faisant en moyenne quinze morts, dont quatre militaires ou policiers, quatre civils et sept sympathisants ou guérilleros. Mais les Américains ont estimé les pertes gouvernementales au cours de l'année 1985 à 5 000 morts et blessés et ont fait savoir qu'ils envisageraient d'envoyer des forces spéciales (Bérets verts) pour aider l'armée à contenir ce danger grandissant, ce que refuse cependant le nouveau gouvernement de Mme Aquino. Par contre, le 5 mars 1986, elle a fait libérer tous les dirigeants du PCP emprisonnés (dont son premier président José Maria Sison, le fondateur de la NAP, le Commander Dante ainsi qu'Alexander Birondo), mais sans obtenir la paix espérée. Car si le Front national démocratique (groupe apparenté au PCP) a accepté de négocier, ce n'est qu'à la condition que les bases américaines soient fermées, et seulement quarante guérilleros et cent sympathisants ont fait leur soumission, dans l'île de Cebu, le 10 avril. Par contre, les militaires ne croient pas à la volonté de la NAP de négocier et déclarent que depuis la chute de Marcos, le 25 février, elle a intensifié ses attaques, faisant 496 morts chez les civils et les forces de l'ordre. Les militaires, sans cependant vouloir trop étaler au grand jour leur opposition au gouvernement Aquino, ont repris, fin mars, leurs actions sur le terrain. Le 5 juin, Mme Aquino a annoncé que le PCB avait accepté d'entamer des négociations en vue d'un cessez-le-feu.

A partir de 1979, les Khmers rouges ont fait passer des armes aux montagnards des hauts plateaux du Sud-Vietnam qui se sont organisés en deux mouvements : le Front unifié de libération des races opprimées (FULRO), né en 1964, et le nouveau Front de libération des hauts plateaux (FLHP). En 1980 s'est constitué un mouvement purement vietnamien, le Front des forces patriotiques pour la libération du Vietnam (FFPLV). En décembre 1984, ses principaux leaders ont été arrêtés et jugés à Hô Chi Minh-Ville. Puis le quartier général du Front national de libération du peuple khmer (FNLPK) de l'ancien Premier ministre Son Sann, à Ampil, est tombé le premier le 7 janvier 1985, celui des Khmers rouges de Phnom Malaï le 17 février, et enfin celui de l'Armée nationale sihanoukiste (ANS) à Tatum le 11 mars. Ne bénéficiant plus d'aucun soutien, le FULRO et le FLHP ont renoncé à la lutte à la fin de 1985. Le 4 janvier 1986, l'ANS et le FNLPK ont constitué un comman-

BIBLIOGRAPHIE

Ouvrage

BOUCAUD A. et L., *Birmanie, sur la piste des seigneurs de la guerre*, L'Harmattan, Paris, 1985.

Articles

DASSE M. et P., « Guérillas en Asie du Sud-Est », *Études polémologiques*, nº 36, 4e trimestre 1985.

DASSE M. et P., « La chute des camps de la résistance sur la frontière khméro-thaïlandaise », *Projet*, nº 197, janvier-février 1986.

dement militaire unifié (CMU), sous la tutelle du général Sak Sutsakharn, qui a formé en même temps le Comité central provisoire de salut, rompant avec Son Sann dont il était le chef militaire. Le chef de l'ANS, le général Tiep Ben, a été remplacé en février 1986 par le fils de Norodom Sihanouk, le prince Ranaridh. Début1986, les nationalistes cambodgiens, en proie à des luttes intestines, étaient incapables de livrer des combats d'envergure, alors que les Khmers rouges semblaient limiter leurs actions principalement aux monts Cardamones au sud-ouest, avec des effectifs réduits à moins de 20 000 hommes.

Les guérillas laotiennes proprement dites sont constituées par divers groupes indépendants, de cinquante à deux cents hommes, agissant au Nord, dans la province de Sayabouri, et au Sud à Khammouane, Thaket, Savannakhet et Champassak. Les reliquats de l'armée méo financée par la CIA (services de renseignements américains) et dirigée par le général Vang Pao pendant la guerre du Vietnam se sont étiolés, et en 1986 il ne restait que mille à deux mille hommes qui entretenaient encore l'insécurité dans les provinces de Luang-Prabang, Vientiane et Xieng Khouang.

Chine, URSS, États-Unis : viligance

Le déclin des guérillas prochinoises est donc dû, non à l'habilité des dirigeants des pays concernés, mais bien plutôt à une réduction ou a l'arrêt total de l'aide de la Chine qui a fait passer ses intérêts nationaux immédiats avant la propagation de l'idéologie communiste. Cependant, la Malaisie et l'Indonésie n'en sont pas convaincues : elles pensent que la Chine fait patte de velours afin de développer son économie et ses forces armées jusqu'au moment où elle reprendra son visage de puissance communiste expansionniste.

L'URSS, pour sa part, en aidant directement ou indirectement, par l'intermédiaire du Vietnam, le Parti communiste du Siam et en manifestant un intérêt nouveau pour la Nouvelle armée du peuple avec laquelle, selon l'administration de Ronald Reagan, elle aurait, en 1985, tenté d'établir des liens, a montré qu'elle était partie prenante à cette forme de pénétration; mais elle l'a fait avec prudence car, comme la Chine, elle est plus soucieuse de consolider ses relations avec les pays de la région que de renverser leur régime. Quant à la Thaïlande, elle s'est mise dans une position difficile en soutenant les guérillas anti-vietnamiennes : s'il n'est pas prouvé que le Vietnam ne ferait pas de toute façon des pressions militaires, la présence de bases sur sa frontière fournit une justification à ses incursions. Aux Philippines, les États-Unis pensent que le Parti communiste marxiste-léniniste pourrait prendre le pouvoir selon un processus par lequel les forces armées s'effondreraient face à la NAP dans l'indifférence d'une population trop meurtrie; pour éviter un nouveau Nicaragua, le président Reagan serait prêt à utiliser la force.

Paradoxalement donc, malgré l'affaiblissement des guérillas prochinoises tant redoutées au début des années quatre-vingt, la résurgence de la lutte armée aux Philippines, l'affirmation d'un Vietnam plus fort et la nouvelle présence de l'URSS, l'Asie du Sud-Est non communiste apparaissait au printemps 1986 plus instable que jamais.

Martial Dassé

La guerre civile au Sri Lanka

Le Sri Lanka s'enfonce dans la guerre civile. En 1985, cette guerre a fait encore des dizaines de morts, provoqué de nouveaux exodes de réfugiés et affaibli une économie déjà en chute libre. Le conflit qui oppose la majorité cinghalaise de l'île à la minorité tamoule est aussi vieux que le pays. Les historiens font remonter ses origines à plus de 2 500 années mais en 1982, il est entré dans une phase aiguë : au mois de juillet, de véritables pogroms antitamouls ont fait plusieurs centaines de morts, notamment dans la capitale, Colombo. Depuis, la peur n'est pas retombée et le pays vit à l'heure de la guerre civile sur une grande partie de son territoire.

Cette guerre est née de l'opposition entre la majorité cinghalaise, qui forme un peu plus de 73 % de la population srilankaise (15 millions d'habitants), et la minorité tamoule. Cette minorité est elle-même divisée entre les Tamouls de souche (2 millions, soit 13 % de la population), venus dans l'île dans la nuit des temps, tout comme les Cinghalais, et ceux que l'on appelle les Tamouls des plantations (800 000, soit 6 % de la population) amenés d'Inde par les Anglais au XIXe siècle pour travailler dans les plantations de thé. Les Tamouls venus d'Inde, très pauvres et considérés comme des citoyens de seconde zone, n'ont pas la nationalité srilankaise et, malgré les efforts des Tamouls de souche, ils sont restés en dehors des revendications autonomistes. Le reste de la population du Sri Lanka est formé de musulmans, les Maures, peu concernés par le conflit.

Les Tamouls vivent majoritairement dans le nord et l'est de l'île autour des villes de Jaffna, Trincomalee et Batticaloa mais, avant la montée des tensions, beaucoup d'entre eux s'étaient établis dans le reste du pays, notamment à Colombo, où ils forment plus de 10 % de la population et ont une part prépondérante dans le commerce.

Physiquement, rien ne distingue les deux communautés. En revanche, la religion, la langue les opposent : les Tamouls pratiquent l'hindouisme et parlent tamoul, les Cinghalais sont bouddhistes et parlent le cinghalais, devenu la langue officielle du Sri Lanka.

Depuis l'indépendance de l'île en 1948, les droits des Tamouls ont été bafoués et leur spécificité culturelle niée par les Cinghalais. La majorité monopolise les postes politiques et, en imposant sa langue, interdit de fait l'accès des Tamouls à la fonction publique et à l'armée. C'est sur ce terrain éminemment favorable qu'est née la révolte tamoule, qui s'est radicalisée au fil des années. Des discriminations nombreuses limitent l'accès à l'université des Tamouls qui, du temps de la colonisation anglaise, étaient surreprésentés dans l'enseignement et parmi les

BIBLIOGRAPHIE

Ouvrages

JULIA J.-M., *Le génocide des Tamouls*, Theroomyanasamonthar, Lyon, 1985.

LAMBALLE A., *Le problème tamoul à Sri Lanka*, Presses universitaires d'Aix-Marseille, L'Harmattan, 1985.

Dossier

FORGET A., « La question tamoule à Sri Lanka, des frères ou des ennemis? », *Comité de coordination Tamoul-France*, Paris, 1984.

cadres administratifs. Vivant sur les mauvaises terres du Nord, ils s'étaient plutôt tournés vers l'enseignement et les mesures discriminatoires prises par les Cinghalais ne sont pas dépourvues d'esprit de revanche.

Au fil des années, les demandes culturelles et linguistiques des Tamouls se sont transformées en revendications autonomistes puis nationalistes. Progressivement, l'opposition parlementaire et légaliste du « Tamil United Liberation Front » (Front de libération tamoul) a été débordée par des groupes prônant la lutte armée et exigeant la création d'un État tamoul indépendant dans le nord et l'est de l'île, l'Eelam.

Pas moins d'une quarantaine de groupes armés affirment se battre sur le terrain. En fait, cinq seulement sont réellement présents. Il s'agit des « Liberation Tigers of Tamil Eelam » (les Tigres), le groupe le plus important et le plus discipliné, du « Tamil Eelam Liberation Organisation », de l'« Eelam People's Revolutionary Liberation Front », de l'« Eelam Revolutionary Organisation of Students » et du « People's Liberation Organisation of Tamil Nadu ». Ces mouvements se réclament tous du marxisme et, bien qu'ayant le même projet, la création de l'Eelam, ils sont très divisés et font parfois le coup de feu les uns contre les autres. Leur armement reste limité à des armes légères et leur tactique de guérilla est rudimentaire. Leur seul véritable soutien extérieur vient, avec la discrète bénédiction de New Delhi – au moins du temps d'Indira Gandhi –, de l'État indien du Tamil Nadu peuplé de 50 millions de Tamouls. C'est là que tous ces groupes ont leurs directions politiques et des camps d'entraînement. Certains guérilleros ont aussi fait des séjours au Liban auprès de l'Organisation de libération de la Palestine (OLP) ou de groupes palestiniens dissidents, mais en 1986, l'internationalisation du conflit tamoul n'est pas encore à l'ordre du jour.

En face, le pouvoir aligne une armée mal entraînée, sans discipline et cinghalaise à 90 %. Faute d'avoir les moyens d'attaquer de front les rebelles, elle s'en prend aux civils tamouls, refuge et vivier des guérilleros, et ses exactions ont plus fait pour le recrutement des combattants que tous les discours. Mais dans cette guerre brutale, ni les guérilleros ni l'armée ne font de détail et les massacres succèdent aux représailles dans une spirale sans fin. Quelques zones ont été « libérées » par les rebelles dans l'extrême nord de l'île mais, en général, les groupes tamouls sont surtout spécialisés dans des opérations ponctuelles contre l'armée et contre des civils cinghalais installés dans ce qu'ils considèrent comme territoire tamoul.

Depuis 1984, le pouvoir a essayé d'améliorer l'efficacité de son armée et a modernisé son équipement. En trois ans, le budget militaire a décuplé et, avec un arrêt presque complet de l'activité économique, notamment touristique, le pays est devenu exsangue. Le président Julius Jayewardene a aussi fait appel à des conseillers anti-guérilla israéliens et à une firme britannique spécialisée dans la formation de commandos, mais début 1986, rien n'indiquait que ce conflit puisse avoir une solution militaire. Malgré la trêve difficilement conclue en juin 1985 entre les rebelles et le gouvernement, les combats avaient repris dès les premiers jours de l'année, ne reculant plus devant les grands moyens : le 27 février 1986, l'armée de l'air bombardait des « caches » de séparatistes tamouls, près de Jaffna ; le 4 mai, les Tigres revendiquaient un attentat à la bombe sur un appareil d'Air Lanka, à l'aéroport de Colombo, faisant vingt-deux morts et vingt-trois blessés.

François Sergent

Timor oriental.
Une guérilla oubliée mais vivace

Plus de dix ans après l'invasion de l'ancienne colonie portugaise de Timor oriental (7 décembre 1975) par les troupes indonésiennes, la guérilla des indépendantistes du FRETILIN (Front révolutionnaire pour l'indépendance de Timor oriental) se poursuit, malgré la présence d'environ 15 000 soldats. Cette « guérilla oubliée » mobilise encore d'importants moyens militaires (hélicoptères, véhicules blindés...) et continue de gêner l'action diplomatique de Jakarta, notamment au sein du mouvement des non-alignés. En 1986, l'annexion de Timor oriental n'a toujours pas été reconnue par les Nations Unies et ce territoire reste juridiquement sous administration portugaise.

Pour le gouvernement militaire du général Suharto, Timor oriental constitue la vingt-septième province de la République d'Indonésie; il a donné l'ordre à ses troupes de « ne pas faire de quartier » aux « bandits marxistes », selon les paroles mêmes du commandant en chef de l'armée, le général Benny Murdani.

Sur le terrain, à la suite d'un cessez-le-feu de cinq mois et de négociations infructueuses, plus d'un millier de guérilleros du FRETILIN retranchés avec leurs familles dans les montagnes de l'est de l'île ont continué de dresser des embuscades avec le soutien plus ou moins actif d'une grande partie de la population qui compte 500 000 personnes. Afin d'isoler les indépendantistes, la population civile, qui a été regroupée en « villages stratégiques », ne peut se déplacer qu'avec une autorisation. Les affrontements font 200 à 300 morts par an, mais il est très difficile d'obtenir des informations précises de Timor oriental, cette « province » restant interdite aux journalistes et observateurs étrangers depuis 1975. Cependant, les autorités militaires organisent des visites guidées dans les régions pacifiées pour certains journalistes et diplomates étrangers. La presse indonésienne, étroitement contrôlée par l'armée, ne peut rendre compte que des communiqués officiels.

L'ancienne colonie portugaise, délaissée par Lisbonne, avait été envahie par les troupes indonésiennes en décembre 1975 à l'issue de cinq mois de guerre civile dont les indépendantistes du FRETILIN (regroupant nationalistes progressistes et communistes) étaient sortis victorieux des partisans du rattachement à l'Indonésie, principalement l'Union démocratique de Timor (UDT) et l'Association populaire démocratique de Timor (APODETI). L'indécision du gouvernement portugais né de la Révolution des œillets, ainsi que l'inquiétude des puissances régionales et des États-Unis après la chute de Saigon avaient encouragé le régime militaire de Jakarta – fondamentalement anticommuniste – à intervenir à Timor oriental, dont on disait déjà à l'époque qu'il recelait des richesses pétrolières.

En dix ans, la guerre civile, la famine, l'invasion et les diverses

BIBLIOGRAPHIE

Article

SMILES E., « East Timor : Extermination of a People in a Diplomatic Deadlock », *Ampo*, n° 1, 1985.

Dossier

AMNESTY INTERNATIONAL, « Le programme de terreur des troupes indonésiennes », *EFAI*, Paris, juin 1985.

opérations de l'armée indonésienne ont coûté la vie à plus de 120 000 Timorais. En 1986, environ un millier de supposés indépendantistes et leurs familles restaient enfermés dans l'île-prison d'Atauro (située à quelques kilomètres au large de Dili, la capitale provinciale). Selon l'Église catholique locale et Amnesty International, il existerait d'autres centres de regroupement des prisonniers.

En outre, à Timor oriental, comme d'ailleurs à Java et à Sumatra, des « escadrons de la mort » enlèvent et exécutent depuis plusieurs années de nombreux opposants ou délinquants présumés. L'Église catholique de Timor (qui rassemble 70 % de la population) a dénoncé les violations aux droits de l'homme et apparaît comme le principal frein à l'islamisation et à la javanisation entreprises par les autorités de Jakarta, parallèlement au lancement d'un plan de développement concernant l'agriculture, l'enseignement (en indonésien) et les voies de communication, destiné à faciliter l'assimilation de la population.

Sur le plan diplomatique, la question de Timor oriental constitue toujours un véritable casse-tête pour le ministre indonésien des Affaires étrangères, Mochtar Kusumaatmadja. Aux Nations Unies, l'Indonésie, qui a encore été condamnée en 1982 par l'Assemblée générale pour l'annexion de l'ancienne colonie portugaise, doit déployer chaque année d'intenses efforts diplomatiques afin d'éviter que la question de Timor ne soit évoquée. De nombreux pays, dont ceux de la CEE, ont choisi de s'abstenir lors de ces votes, principalement pour ne pas gêner leurs relations économiques avec l'Indonésie.

Le secrétaire général des Nations Unies, Javier Perez de Cuellar, a été chargé de faire un rapport pour la fin de l'année 1986. Des contacts informels se déroulent entre Lisbonne et Jakarta – qui n'entretiennent plus de relations diplomatiques depuis décembre 1975 – pour le rapatriement d'anciens fonctionnaires portugais et de Timorais qui ont des parents en Australie ou au Portugal. Le Comité international de la Croix-Rouge (CICR) a organisé discrètement les départs des Timorais à destination de ces deux pays.

L'autodétermination de Timor est activement soutenue aux Nations Unies par les anciennes colonies portugaises et d'autres pays comme le Vietnam ou Vanuatu. Si le Zimbabwé a été préféré à l'Indonésie pour accueillir le sommet des non-alignés en 1986, c'est en grande partie à cause de la question de Timor oriental, longuement évoquée lors de la réunion préparatoire à Luanda en septembre 1985.

D'autre part, malgré l'insistance du gouvernement indonésien, le pape Jean-Paul II ne s'est pas rendu à Jakarta à l'occasion de son voyage dans la région en 1984, en raison de la situation à Timor oriental. Et en mai 1986, le président des États-Unis, Ronald Reagan, a évoqué, à la demande d'une centaine de parlementaires américains, la question de Timor avec le général Suharto, lors de son séjour à Bali avant le sommet de Tokyo.

Enfin, le gouvernement australien, en dépit des protestations portugaises, a entamé des négociations avec Jakarta en vue de l'exploitation de gisements de pétrole et de gaz dans la mer de Timor. Il a reconnu la souveraineté indonésienne sur Timor oriental après un débat serré avec la gauche de son parti qui l'accusait de renier ses engagements.

Gilles Bertin

ORGANISATIONS INTERNATIONALES

Bilan de l'ONU à son quarantième anniversaire

Célébré en 1985, le quarantième anniversaire des Nations Unies a été, comme il convenait, l'occasion d'un bilan. Malgré les réserves et les critiques à l'égard d'une organisation qui traverse une crise politique et de structures, ce bilan mérite d'être nuancé. Le jugement des Français semble être plutôt favorable puisque, selon un sondage international réalisé en 1985, 47 % d'entre eux estimaient que l'ONU faisait du « bon travail » (et 25 % du mauvais). Et cette opinion était encore plus favorable aux États-Unis (51 %).

C'est pourtant l'année de l'anniversaire de la Charte des Nations Unies, signée le 25 juin 1945, à San Francisco, que la droite du Parti républicain a choisie pour demander que la contribution américaine à l'organisation internationale soit ramenée de 25 à 5 % en 1987... si les États-Unis ne parvenaient pas à disposer, du moins sur les questions budgétaires, d'un pouvoir de vote proportionnel à leur participation financière. Par cette menace, véritable remise en cause du principe d'universalité des Nations Unies, les ultras conservateurs et isolationnistes reaganiens ont voulu signifier qu'ils ne voulaient plus que leur pays subventionne, en quelque sorte, une institution dont la politique était à leur avis fort peu conforme aux intérêts américains. Certains orateurs ne s'en servent-ils pas comme tribune pour dénoncer « l'impérialisme américain » ? N'y voit-on pas des « majorités automatiques », soutenues parfois par les pays de l'Est, plus ou moins hostiles aux États-Unis ?

Il n'est cependant nullement question que ceux-ci se retirent d'une institution qui, à une autre époque, s'inspira largement des idéaux américains. L'administration Reagan y regardera à deux fois, même après avoir décidé le départ des États-Unis de l'UNESCO, devenu effectif en janvier 1985. Mais l'ensemble du système des Nations Unies a, de ce fait, reçu un nouveau et sérieux coup de semonce. Et il doit observer une rigueur budgétaire encore plus grande.

Paix et désarmement

Il est vrai que la crise, « l'inefficacité » des Nations Unies, sont plutôt mises en avant par ceux qui estiment que l'organisation ne peut jouer, en matière de « paix, sécurité et désarmement », le rôle dévolu par ses inspirateurs dans un monde où le *statu quo* repose sur l'équilibre des forces entre les deux supergrands. Les arguments ne manquent pas pour dénoncer « l'impuissance », « les pesanteurs bureaucratiques », « l'inutilité » de l'ONU, en premier lieu de son Assemblée générale – forum universel de cent cinquante-neuf membres (en 1985) – où chaque année des discours répétitifs servent d'exutoire à de nombreux États. L'Assemblée générale reflète pourtant la diversité et les tensions multiples d'un monde multipolaire, et les clivages s'y font, tout compte fait, plus autour d'intérêts divers (régionaux, politiques, idéologiques, économiques), qu'au nom des antagonismes Est-Ouest ou Nord-Sud. Certes, ses prises de position sont des résolutions qui n'ont valeur que de recommandation dont l'application n'a pas un caractère obligatoire. Mais ses votes sur des questions comme celles du Cambodge, de l'Afghanistan, du Proche-Orient, de l'Afrique du Sud ou de Chypre, constituent autant d'avertissements et de pressions morales et politiques sur les États méprisant le droit et les principes au nom desquels ont été fondées les Nations Unies.

Le Conseil de sécurité – composé de quinze membres, dont cinq permanents : États-Unis, URSS, Royaume-Uni, France, Chine – fonctionne, lui, en principe, comme une soupape de sûreté décidant, en cas de conflit local, « des mesures pour maintenir ou restaurer la paix et la sécurité ». Mais ses travaux, parfois tendus, s'achèvent fréquemment sans décision, le veto de l'un des cinq membres permanents pouvant les paralyser. Il est toutefois parvenu à arracher des cessez-le-feu dans le cas de guerres-éclair entre Israël et les pays arabes (1967, 1973), l'Inde et le Pakistan (1965, 1971), l'Inde et la Chine (1962), mais il n'a pu empêcher la prolongation de nombreux conflits dans le tiers monde.

Aussi bien est-il peu surprenant que les missions de bons offices menées par l'ONU dans le conflit Irak-Iran ou l'Afghanistan n'aient pu aboutir à des résultats. En revanche, ses efforts de médiation ont permis la réouverture en 1984, et la poursuite en 1985, du dialogue entre représentants des communautés chypriotes turque et grecque. A Chypre, comme au Golan et au Liban, l'ONU entretient des forces chargées du « maintien de la paix », si l'on peut dire, mais, pour plusieurs autres zones de tension, les dossiers restent ouverts.

On ne saurait juger l'œuvre des Nations Unies sans souligner que l'organisation a été au cœur du processus de décolonisation qui s'est traduit par l'indépendance – et l'entrée à l'ONU – d'une cinquantaine d'États. Cette mutation n'est pas achevée puisque quelque vingt à trente territoires, petits pour la plupart, ne sont pas encore souverains. Mais l'ONU a poursuivi, au sujet de la Namibie par exemple, une guerre d'usure, diplomatique et politique, que l'Afrique du Sud ne pourra pas toujours ignorer. Et le Conseil de sécurité a déclaré nulle, en 1985, la décision de Prétoria d'établir un « gouvernement intérimaire » sur ce territoire.

Ses résultats dans le domaine de la paix et du désarmement sont à l'image de la situation militaire mondiale, décevants ou encourageants, selon le point de vue où l'on se place. Il est évident que le travail de l'organisation internationale en ce domaine n'a pas empêché les dépenses d'armements de croître de façon impressionnante, et les conflits de se développer, généralement dans les pays du tiers monde. Si l'ONU a tout de même obtenu la limitation des essais pour la fabrication d'armes nucléaires (mais pas des expériences souterraines) et d'autres résultats limitant certains types d'armes, elles n'a enregistré aucune avancée, au début des années quatre-vingt, en matière de non-prolifération des armes nucléaires ou de réduction des armements stratégiques. Conséquence de « l'équilibre de la terreur », la rencontre au sommet Reagan-Gorbatchev en novembre 1985 a abouti, sur les forces nucléaires intermédiaires (euromissiles), à des résultats plus rapides.

Cependant, l'ONU sert de cadre, non seulement à certaines négociations sur le désarmement – ce qui correspond à sa vocation – comme celles qui se sont déroulées à Genève en 1985 et 1986 en vue de « promouvoir, sous un contrôle efficace, un désarmement général et complet » (!), mais aussi à diverses initiatives (discours, contacts diplomatiques...); par ses études, elle fait progresser la connaissance des effets

LE SYSTÈME DES

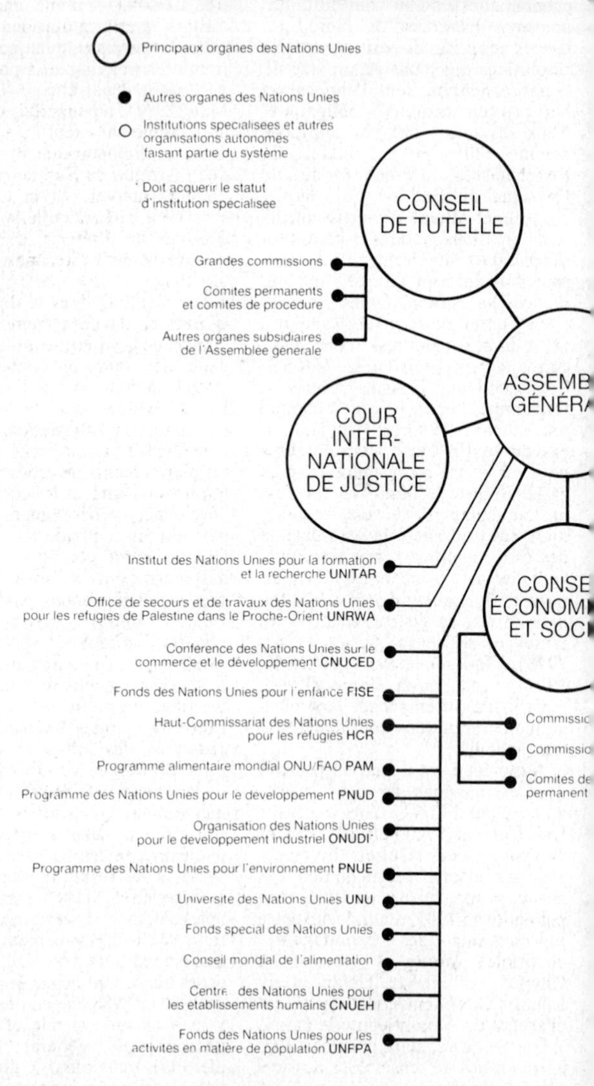

Source : ONU

NATIONS UNIES

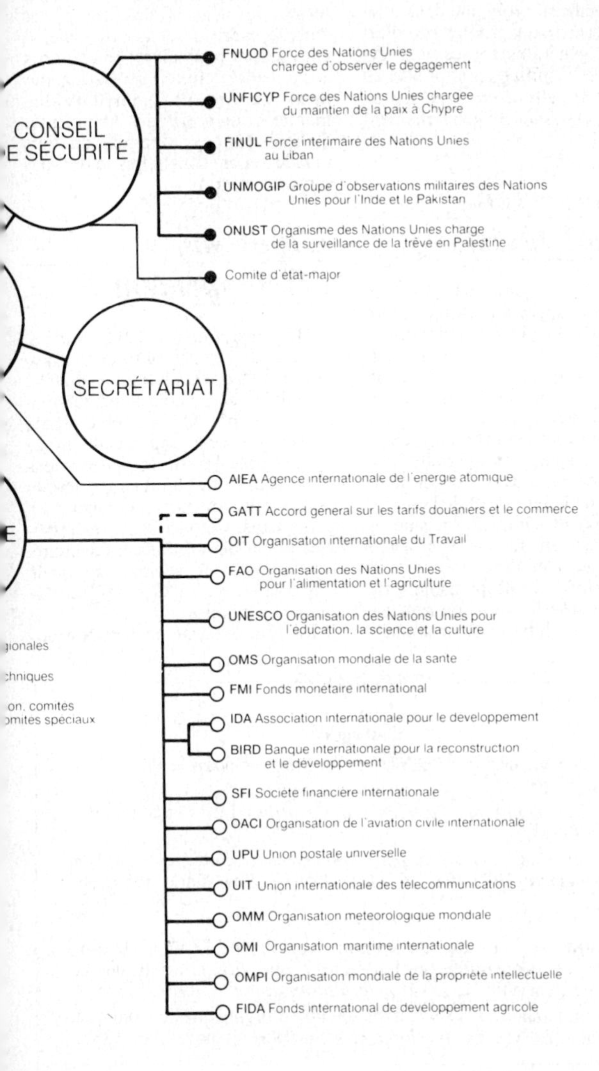

économiques et sociaux désastreux de la course aux armements. Ces efforts devaient aboutir à la réunion, à Paris, d'une conférence pour examiner dans quelle mesure une partie des ressources consacrées à la défense pourrait être allouée au développement, problème devant lequel les principaux producteurs d'armes sont généralement les premiers à se dérober. Initialement prévue en juillet 1986, elle a été reportée en 1987 à la demande du gouvernement français.

Un important arsenal législatif

L'ONU ne bouleverse pas, ce faisant, les rapports de forces mondiaux, mais elle alimente, comme on dit, la prise de conscience universelle. Il en est de même de son action dans le domaine de la législation internationale : environ trois cent cinquante traités, conventions, chartes ont été signés en quarante ans. Certains de ces textes – concernant les droits de la femme et de l'enfant, se prononçant contre le racisme, la torture, ou en faveur des droits économiques des États, etc. – inspirent parfois le scepticisme. Du moins existe-t-il ainsi un arsenal législatif très laborieusement négocié, prenant en compte tous les intérêts concernés, en faveur d'un monde meilleur, quand bien même il n'empêche pas les violations. La Convention sur le droit de la mer représente le texte le plus important dans ce domaine; mis au point au terme de négociations complexes dans le cadre des Nations Unies – elles se sont poursuivies pendant dix ans –, elle définit l'utilisation des mers, « patrimoine commun de l'humanité », au profit des hommes et d'abord des pays riverains du tiers monde. (Les États-Unis n'ont pas signé ce texte.)

L'aide au développement

Où ailleurs qu'à l'ONU peuvent avoir lieu, sur une base démocratique, de telles négociations à l'échelle mondiale? S'il convient de relativiser le rôle de l'ONU, force est de constater qu'elle représente un irremplaçable forum de négociations et un organe de référence, sinon de sauvegarde, en particulier pour les petits pays. Ceux-ci sont très sensibles à son action dans les secteurs économiques et sociaux auxquels sont consacrés 70 à 80 % des ressources de l'Organisation.

En fait, le système des Nations

BIBLIOGRAPHIE

Ouvrages

BERTRAND M., *Refaire l'ONU, un programme pour la paix*, Zoe, Genève, 1986.

COT J.-P., PELLET A., *La Charte des Nations Unies*, Economica, Paris, 1985.

Une génération. Portrait du programme des Nations Unies pour le développement 1950-1985, PNUD, ONU, New York, 1985.

Articles

BERTRAND M., « Le quarantième anniversaire de l'ONU. Nationalisme et coopération mulilatérales : une organisation de la troisième génération », *Le Monde diplomatique*, octobre 1985.

« Quarante années. L'ONU dans son rôle d'organisme économique et social », *Forum du développement*, octobre et novembre 1985.

Unies comprend une trentaine d'institutions spécialisées, ayant chacune leur domaine d'activité propre (alimentation, femme et enfant, population, développement, santé, industrialisation, emploi, réfugiés...). Ce réseau, qui continue de s'étendre, distribue nettement moins d'assistance multilatérale au développement que la Banque mondiale et le Fonds monétaire international, institutions plus autonomes, où comme au GATT (Accord général sur les tarifs douaniers et le commerce) les grandes puissances tiennent le haut du pavé, et pèsent, de ce fait, fortement sur l'orientation des politiques économiques.

Toutes les agences spécialisées constituent, en revanche, de précieux instruments d'assistance technique et financière pour les pays en développement les plus pauvres. La CNUCED (Conférence des Nations Unies sur le commerce et le développement) a, de plus, contribué à mobiliser l'aide publique en faveur des pays les moins avancés (PMA); elle s'est montrée, d'une façon générale, à l'écoute des préoccupations des pays en développement. Mais son action, pour placer le commerce véritablement au service du développement du tiers monde, s'est heurtée au manque de bonne volonté, sinon à la fin de non-recevoir, des pays industrialisés, et du plus puissant d'entre eux, les États-Unis.

Le même manque de volonté politique a été la cause de l'échec de l'initiative sans doute la plus importante de l'ONU en matière de coopération internationale pour le développement (outre l'ambitieuse « Stratégie de développement pour la décennie » qui s'est révélée être finalement un document avant tout verbal, sinon verbeux, et en aucun cas opérationnel) : le projet de lancement de négociations globales universelles sur tous les chapitres de cette coopération. Cet échec est considéré comme le plus sérieux qu'ait connu dans ce domaine les Nations Unies. Le projet était à coup sûr trop vaste; il s'est enlisé dans les discussions préparatoires aux négociations globales, parce que les États-Unis (tout comme la Grande-Bretagne et la République fédérale d'Allemagne) étaient opposés au lancement de ces négociations, mais aussi du fait de la perte d'influence progressive des pays en développement (crise de l'Organisation des pays exportateurs de pétrole, de la dette, intérêts divergents). L'esprit de changement prôné par les « 77 » – le groupe des pays en développement de l'ONU – s'est heurté aux dures réalités des rapports Nord-Sud et des termes de l'échange. Le recul ainsi marqué par le concept de « Nouvel ordre économique international » est aussi celui d'une démarche volontariste, profondément réformatrice, qui n'est plus guère de saison dès lors que le reaganisme entretient l'idéologie de l'économie de marché. Dans ces conditions, il n'en est que plus délicat, à l'ONU, de venir à bout de la rédaction d'un code « de bonne conduite » des multinationales, pourtant aux trois quarts rédigé.

L'ONU n'en a pas moins effectué un énorme travail d'investigation. Plusieurs conférences thématiques (sur les PMA, la population, l'environnement, la femme, etc.) auront même renforcé l'intérêt international pour ces questions.

Les revers qu'elle a connus ont souligné l'un des traits majeurs de l'action de l'ONU : sa tendance à toucher à tout, pour satisfaire les innombrables préoccupations de tous ses membres alors que son pouvoir est relativement modeste et que ses ressources sont fort limitées (800 millions de dollars, pour le siège, à New York). Les conflits politiques et idéologiques entre les pays membres, la nécessité de rechercher constamment des consensus minimaux, ont freiné ou même paralysé ses capacités d'intervention. Le secrétaire général, Javier Perez de Cuellar, a reconnu d'ailleurs, à l'occasion du quarantième anniversaire, que l'institution devait devenir plus efficace.

Des idées de réformes ont été

avancées : limiter le nombre de conférences internationales; celui des dossiers à traiter aux affaires urgentes; permettre au Conseil de sécurité de jouer un rôle dans la prévention des conflits; coordonner les activités des agences spécialisées; « restructurer » l'ensemble du système; créer une « ONU économique ». Mais c'est dans le domaine de la paix, si l'on s'en tient à l'esprit de la Charte de San Francisco, et des moyens à mettre en œuvre pour désamorcer les conflits potentiels ou ouverts, que le plus d'efforts restent à faire, comme l'a admis le secrétaire général lui-même.

Gérard Viratelle

Nairobi. Fin de la décennie des femmes

Nairobi, juillet 1985 : on prend les mêmes et on recommence? A lire les comptes rendus de la presse occidentale sur la troisième (et peut-être dernière) conférence mondiale des Nations Unies sur les femmes, le constat de dix années d'effort international en leur faveur était affligeant. De Mexico (1975) à Nairobi, en passant par Copenhague (1980), la raison diplomatique l'aurait toujours emporté haut la main sur les intérêts spécifiques des femmes.

Les points de blocage du dialogue Nord-Sud : la question palestinienne, l'apartheid sud-africain, le Nouvel ordre économique international, la dette, ont effectivement, comme d'habitude, dominé les débats de Nairobi. En définitive, on n'a abordé le problème de la situation des femmes que de façon marginale : en fin de scéances, dans les couloirs, en sous-commissions... Faut-il en conclure pour autant à l'échec de cette conférence et donc à l'impossibilité d'utiliser une plate-forme internationale comme outil de promotion pour les femmes? Ce serait sans doute aller un peu vite en besogne.

Voilà longtemps déjà que tous les forums internationaux organisés par l'ONU s'enlisent dans les mêmes problèmes politiques, quel que soit le thème du débat. On voit mal pourquoi les gouvernements auraient renoncé à leur stratégie habituelle, uniquement pour le plaisir de « faire une fleur » aux femmes. Cet échec-là n'incombe donc pas à l'impossible définition, à l'échelle internationale, de politiques en faveur des femmes. Il n'est qu'une nouvelle manifestation de la crise d'identité de l'ONU et du degré d'enlisement du dialogue international.

A y regarder de plus près, la rencontre de Nairobi a été plutôt moins catastrophique que les précédentes. A Mexico, comme à Copenhague, les déléguées avaient dû renvoyer à plus tard le règlement de points litigieux. Cette fois-ci, les participantes ont réussi à adopter, *in extremis*, à trois heures du matin, le texte sur les « Stratégies pour l'an 2000 » qui constituait l'enjeu principal de la conférence de Nairobi. Ce genre de document international, indicatif et volontariste, n'a de valeur que celle que les gouvernements veulent bien lui accorder. Une mince victoire donc, mais tout de même un signe positif.

En fait, il eût été absurde d'attendre des miracles de la lourde machine onusienne. Au bout de dix ans, on peut néanmoins conclure qu'au regard de la conjoncture internationale très défavorable et des moyens de pression de l'ONU (quasi nuls), elle a plutôt été efficace. 90 % des États membres étaient dotés, en 1985, de structures officielles chargées de promouvoir les droits des femmes. La moitié ont été créées au cours de la décennie. En 1983, quatre-vingt-dix pays avaient adopté dans leur législation le principe « à travail égal, salaire égal » (plus des trois quarts, après 1975). En 1985, quarante-cinq pays, dont trente dans le tiers monde, offraient des conseils juridiques gratuits aux femmes pour les aider à connaître et défendre leurs droits, et soixante-cinq avaient ratifié la Convention pour l'élimination de toutes les formes de discrimination contre les femmes.

Il faut pourtant se garder d'en tirer des conclusions trop optimistes. En 1980, le rapport préparatoire à la conférence de Copenhague lançait ces quelques statistiques, en guise de slogan : « La moitié de la population du monde accomplit les deux tiers du travail, perçoit un dixième des revenus et possède un centième des biens. » Une dénonciation un peu sommaire, mais qui reste d'actualité. A bien des points de vue, la situation des femmes ne s'est guère améliorée. Elle a même parfois régressé, dans plusieurs pays islamiques notamment. D'une façon plus générale, la situation économique des femmes s'est plutôt dégradée, bien que les inégalités de salaires entre hommes et femmes tendent à diminuer (en 1975, une ouvrière de l'industrie gagnait, en moyenne – tous pays compris –, 70 % du salaire

Existe-t-il encore des féministes?

En marge de la conférence officielle de Nairobi s'est tenu un vaste Forum regroupant les représentantes des associations de femmes venues du monde entier. Elles étaient plus de 13 000, en majorité africaines, à s'être déplacées dans la capitale kényane. Pas si mort que cela le féminisme... en tout cas, profondément transformé.

Les précédentes conférences « parallèles » (Mexico en 1975 et Copenhague en 1980) avaient été dominées par l'impossible dialogue entre les femmes du Nord et du Sud. Les premières prêchant un féminisme radical et donnant priorité absolue à la « guerre des sexes » sur tout autre engagement. Les secondes rejetant violemment ces conceptions « bourgeoises » pour prôner la lutte pour le socialisme, contre l'impérialisme, le racisme, le sionisme... comme facteur essentiel de la libération des femmes.

En 1985, les espoirs déçus des unes et des autres ont étrangement rapproché les points de vue et surtout tempéré le ton des débats. Malgré les insultes échangées de-ci, de-là (notamment entre Iraniennes et Irakiennes), le Forum de Nairobi fut un vrai lieu de dialogue. Américaines et Européennes, confrontées à la perte de vitesse du féminisme en Occident, n'étaient pas venues, comme précédemment, pour répandre la bonne parole, mais avec le souci de rechercher de nouvelles formes de solidarité avec les femmes de l'Est et du Sud, pour redonner vie à leur mouvement vacillant. De leur côté, les femmes du tiers monde avaient un peu déchanté sur les vertus féministes des mouvements politiques de gauche. Du coup, beaucoup de problèmes concrets ont pu être débattus avec plus de pragmatisme et moins de charge politique ou émotionnelle. Ainsi, la question des mutilations sexuelles, qui avait fait l'objet des plus violents échanges à Copenhague en 1980, a-t-elle pu être discutée dans le calme, chacune rendant compte de l'efficacité des différentes mesures déjà prises ou souhaitables. Le Forum de Nairobi n'a pas donné naissance à un nouveau féminisme flambant neuf, mais il a vu l'émergence de nouvelles attitudes plus constructives, à la fois sur le dialogue international entre les femmes et sur le type de relations à établir avec les hommes.

E.P.

masculin, pour un travail identique. Elle en touchait 73 % en 1982).

Au terme de la décennie des femmes, on peut dire à coup sûr que leur plus grande défaite réside dans leur impossibilité d'accéder à une participation accrue au pouvoir politique. A l'inverse, ce sont dans les domaines de la santé et de l'éducation que les progrès les plus rapides ont été accomplis. Les femmes ont incontestablement bénéficié des nouvelles orientations des politiques sanitaires dans le tiers monde en faveur de la prévention et des soins de santé dits « primaires », même si les femmes enceintes et les mères de famille nombreuse restent toujours une population très vulnérable à la maladie. Dans le domaine de l'éducation, les écarts entre sexes se sont réduits. Dans le tiers monde, les filles ne représentaient en 1975 que 37 % des effectifs de l'enseignement secondaire. En 1985, elles occupaient 41 % des places. Dans les pays développés, elles ont commencé à investir les filières techniques traditionnellement masculines, et l'image exclusive de la femme comme mère et épouse appartient au passé.

Succédant à une période de rapides progrès et de remises en cause, la décennie 1975-1985 n'aura donc pas été une époque de grands bouleversements ou de consécration pour les femmes. Mais elle n'aura pas non plus été celle du grand recul promis par certains Cassandre. Ainsi, malgré la récession économique, et à la différence des crises précédentes, marquées par le reflux de l'emploi féminin, la participation des femmes à la population active est restée stable (aux alentours de 35 % en 1985 tous pays compris). Ces dix années auront simplement été celles de la consolidation et de la préservation de certains acquis.

Élisabeth Paquot

CONTROVERSES

SIDA : mythes et réalités

Le SIDA (syndrome d'immunodéficience acquise) est en passe de devenir la grande peur de notre fin de millénaire. C'est sans doute, comme le soulignait le Premier ministre, Laurent Fabius, parce qu'il touche au plus intime de l'homme : le sexe et la mort. Or, notre civilisation est toujours hantée par ce mythe : la maladie serait la punition des dieux. Et le professeur Jacques Ruffié d'ajouter : « Le péché essentiel, celui qui déclenche le plus la malédiction divine, est lié à la sexualité. » Dès lors, une maladie, grave certes, mais banale comme le cancer, réveille tous les fantasmes. Le Néo-Zélandais Norman Jones, défenseur de la *moral majority*, n'hésite pas à déclarer : « Les hétérosexuels innocents ne méritent pas cette sorte de chose qui est une menace que font peser les homosexuels. Ceci est une guerre; il n'y aura pas de quartier. » Et voilà lancée la croisade contre les homosexuels. Il aura suffi que les hasards de l'histoire introduisent le SIDA, venu d'Afrique, aux États-Unis, *via* les Antilles, par des prostitués drogués, pour que les vieilles peurs millénaristes se réveillent.

Paradoxalement, c'est de l'Église, qui a une responsabilité historique écrasante dans cette forme de pensée, que viennent les apaisements : l'archevêque de Lyon, Mgr Decourtray, déclarait à l'*Événement*, à Noël

1985 : « Le SIDA n'est pas une punition de Dieu. Il faut faire attention aux images d'un Dieu vengeur ; ce sont des images perverses. On déraisonne sur le SIDA ; on mélange le sexe, le sacré, la loi. Il y a une disproportion fantastique entre les craintes et les faits. Qu'on écoute les médecins : ils affirment que le SIDA est moins dangereux que le tabac. » Cette sage prise de position ne suffira sans doute pas à calmer les esprits. Chacun y va de son explication : la *Pravda* du 1er janvier 1986 « révélait » que le SIDA était une conséquence des « expériences inhumaines faites par les services de renseignements américains sur la population carcérale » !

Si, aux États-Unis comme en Europe, on glose beaucoup sur tout nouveau cas de SIDA, en Afrique on s'est longtemps tu. Jusqu'en 1985, les pays les plus concernés (Zaïre, Kenya, Ouganda, Rwanda) ont minimisé l'importance du problème chez eux, par peur du racisme. Ils n'ont pas oublié qu'en 1982, lorsque avait été évoquée l'origine haïtienne du SIDA aux États-Unis, la première réaction avait été de licencier les serveurs haïtiens new-yorkais. Attitude à rapprocher de celle des parents d'élèves de New York, manifestant en septembre 1985 pour l'expulsion des écoliers porteurs du virus du SIDA.

Crainte absurde, fondée sur la croyance que le SIDA se transmet par simple fréquentation de lieux publics. Mais puisque le fantasme existe, certains ont su l'exploiter : on a ainsi vu des publicités pour des « verres anti-SIDA », ou pour des assurances contre le SIDA. Pour conjurer la peur, encore, la compagnie Transaustralian Airways refuse les passagers atteints de SIDA. Mais comment les reconnaît-elle ? Certaines entreprises envisagent des visites d'embauche pour éliminer les porteurs de virus. En Allemagne fédérale, on a proposé de les tatouer au-dessus du sexe : réminiscence des pratiques nazies.

Plus positives pour déjouer l'irrationnel, ces initiatives prises par des artistes : le metteur en scène berlinois Rosa Von Prauheim sortait, début 1986, le premier film comique sur le SIDA ; à New York, plusieurs pièces de théâtre abordant ce thème se disputent l'affiche. Des galas de soutien à la recherche contre le SIDA ont été organisés aux États-Unis, en Grande-Bretagne et en France.

Cela suffira-t-il à dissiper les passions que suscite le problème du SIDA ? Rien n'est moins sûr, car les scientifiques eux-mêmes ne donnent pas l'exemple : les Français et les Américains se battent sur l'antériorité de la découverte du virus (LAV pour l'Institut Pasteur, HTLV III pour celui de Bethesda). L'Institut Pasteur a même déposé une plainte contre un brevet américain de dépistage du SIDA : ce brevet aurait été obtenu grâce aux recherches françaises. Derrière la recherche, il y a aussi des marchés particulièrement importants sur le plan financier.

Mais on ne sortira véritablement de la zone des tempêtes, en matière de SIDA, que lorsqu'une réponse aura été apportée à quelques questions. Ainsi, on connaît le nombre

BIBLIOGRAPHIE

Ouvrages

CASSUTO J.P., PESCE A., QUARANTA J.F., *Réponses sur le SIDA en question(s)*, Ellipses, Paris, 1986.

GRIGORIEFF G., *Non au SIDA !*, Marabout, Paris, 1986.

MONTAGNIER L. (sous la dir. de), *Des spécialistes répondent à vos questions sur le SIDA*, Fondation internationale pour l'information scientifique, Paris, 1985.

des cas de SIDA aux États-Unis : 15 000 à la fin de 1985. On sait qu'en Europe, ils ont triplé en un an (2 006 début 1986, dont 174 femmes). On sait aussi que les pays européens les plus touchés sont la Belgique, la Suisse et le Danemark (11 cas par million d'habitants contre 8,5 en France). Mais cela concerne ceux qui ont développé la maladie. Quel est le nombre de porteurs du virus dans la population? Nul ne le sait. En France, on connaît seulement la proportion de porteurs chez les donneurs de sang (environ 1 pour mille, avec, 2,3 pour mille en Ile-de-France et 1,5 pour mille en Provence-Côte d'Azur). Cette population de donneurs est-elle représentative de l'ensemble de la population française? Ces porteurs sont-ils des porteurs sains? Les chiffres les plus fantaisistes circulent dans les milieux scientifiques sur la proportion de porteurs susceptibles de développer la maladie : de 10 à 50 %. L'incertitude est d'autant plus grande que la latence clinique avant l'apparition de la maladie chez un sujet contaminé varie de six mois à cinq ans.

Difficile aussi de comprendre quelles sont les populations exposées et pourquoi : ainsi, à Trinidad, le SIDA touche les populations originaires d'Afrique mais pas celles d'origine indienne : hasard ou phénomène génétique? En Europe, les homosexuels masculins représentent environ 70 % des cas, ce qui a amené la majorité des Français (57 %) à demander le contrôle systématique des homosexuels; par contre, en Italie, le SIDA atteint plus les toxicomanes que les homosexuels, et en Belgique, le taux de population africaine touchée par le virus est plus élevé que dans les autres pays européens. Pour ce qui est des homosexuels porteurs du virus, il faut d'ailleurs préciser qu'il s'agit principalement d'hommes à partenaires multiples et pratiquant le coït anal. D'où l'idée de la recherche d'une sexualité à moindres risques, le *safer sex* : contre la *moral majority* qui veut purement et simplement supprimer le droit à la sexualité, certains ont réinventé des pratiques sexuelles qui évitent la contamination (usage de préservatifs).

La question la plus importante pour la fin des années quatre-vingt concerne les moyens de soigner le SIDA : en France, fin 1985, le ministre des Affaires sociales, Georgina Dufoix, avait annoncé un peu vite des résultats obtenus avec la cyclosporine A, résultats qui n'ont pu être confirmés par la suite. Seules les expérimentations au HPA 23 (antivirus tungstoabtiniomate) ont fait l'objet de publications : c'est le traitement que Rock Hudson était venu chercher en France en 1985, mais pour lui, c'était déjà trop tard. La recherche continue sur les médicaments antiviraux et immuno-stimulants, en même temps que commencent les travaux sur un vaccin. La grande peur que soulève le SIDA dans nos sociétés ne se dissipera que lorsque ces recherches auront débouché sur des thérapeutiques efficaces. Il faut espérer qu'elles verront le jour avant l'an 2000.

Gérard Bach-Ignasse

La poussée xénophobe en Suisse

Un pays qui pourrait prêter au rêve : une Suisse tranquille qui protège son patrimoine cultivable, un consensus national qui permet d'éviter les heurts, une Suisse dite « neutre », riche à coup sûr, et pas particulièrement au-dessus de tout soupçon.

Tout n'est pas simple cependant : la production agricole, industrielle et les services ne peuvent être menés à bien sans les étrangers. Alors, en ce pays fragilisé par sa diversité même et où l'identité s'agrippe à la vie cantonale en même temps qu'au consensus national, les conflits, pour n'être pas visiblement violents, n'en sont pas moins profonds parce que structurels. De ce fait, la relation des citoyens suisses aux étrangers est une constante mise à l'épreuve de leurs convictions civiques ou religieuses.

La contradiction qui sous-tend tout débat en ce domaine tient dans le fait que les étrangers sont inévitables mais en même temps redoutés. Les « Vigilants », version genevoise de l'extrême droite française représentée par Jean-Marie Le Pen, systématisent et entretiennent ces peurs avec des arguments tels que : « On assiste à un gigantesque mouvement en direction de l'Europe occidentale »; « Elle vient du sud l'invasion tranquille »; « Nous sommes menacés de perdre rapidement notre identité nationale et culturelle »; « Des Suisses s'insurgent contre le métissage. » Sous-jacente à toutes ces réactions : la notion de l' *Ueberfremdung*, la « surpopulation étrangère ».

Dès 1917, alors qu'une forte minorité allemande résidait en Suisse et que les États capitalistes frissonnaient au vent de la révolution, l'idée d'un contrôle de la main-d'œuvre étrangère a émergé et abouti, en 1931, à une loi se référant aux « intérêts moraux et économiques », et au « degré de surpopulation étrangère ». La première notion est ainsi précisée dans le message relatif à la loi : « La loi consiste à faire de la législation un moyen de régulariser le marché du travail... »

Ainsi, le sentiment aussi bien que l'économie distinguent clairement deux entités : les Suisses et les étrangers; les premiers sont menacés, les seconds, menaçants. On glisse vite de l'ethnocentrisme à la xénophobie et au racisme. Les variations imposées par l'administration dans l'admission des étrangers sont justifiées : restrictions durant la seconde guerre, puis appel massif, puis renvois massifs (200 000 personnes entre 1970 et 1980).

La bonne conscience des uns, la mauvaise conscience des autres restent hantées par cette lancinante question non encore résolue. En effet, les votes populaires sur les « Initiatives » nationalistes et anti-étrangères n'ont jamais ratifié ces dernières. L'Initiative Schwarzenbach, en 1970, fut rejetée par 54 % des votants. En 1974, l'Initiative de l'Action nationale fut également massivement repoussée, de même que deux autres encore, en 1977.

En 1985, c'est à propos des réfugiés qu'ont resurgi les démons xénophobes qui font écho à ceux que Le Pen entretient en France. L'accumulation de dossiers en retard et l'augmentation du nombre des requérants ont été le point de départ d'une nouvelle offensive tendant à fermer les frontières aux nouvelles catégories de réfugiés, ceux venant du tiers monde, accusés d'être de « faux

BIBLIOGRAPHIE

Ouvrages

CALOZ TSCHOPP M.-C., *Le tamis helvétique*, Éditions d'En-bas, Lausanne, 1982.

EBEL, FIALA, *Sous le consensus, la xénophobie*, Institut des sciences politiques, Lausanne, 1983.

Article

« En Suisse, l'équilibre au coup par coup », *Hommes et migrations*, novembre 1985.

réfugiés », c'est-à-dire des exilés économiques.

Le clivage politique cependant n'est pas net, et la xénophobie polémique, publique, voire le racisme, ne recouvrent pas exactement la xénophobie latente que l'on rencontre dans tous les milieux, y compris parfois, hélas, au sein des syndicats. Ces derniers n'ont-ils pas hésité à soutenir franchement l'Initiative « Être solidaire »?

« Être solidaire » est une des expressions de l'autre Suisse, celle qui refuse les injustices profondes engendrées par la structure économique et le mode d'utilisation de la main-d'œuvre étrangère. L'Initiative de 1981 a mis l'accent sur une nécessaire attitude humaine à l'égard des étrangers : stabilité, liberté, égalité, solidarité. Les Églises l'ont appuyée, de même que les syndicats chrétiens.

1985 : le contexte européen en crise a renforcé l'opinion selon laquelle seule une politique de contrôle sévère de la présence étrangère peut prévenir des manifestations plus violentes de rejet. Le fameux « la barque est pleine », qui s'opposait à l'entrée des juifs durant la dernière guerre mondiale, a refleuri sans complexes. Mais cette fois, un front d'organisation s'est dressé contre les violences déjà commises à l'encontre des requérants d'asile : Ligue des droits de l'homme, Églises, SOS-Asile, manifestations publiques, actes de résistance, organisation de « sanctuaires ».

Si la montée du racisme, au milieu des années quatre-vingt, semble être peu violente, ce n'est qu'une apparence : les structures de l'économie, les rouages administratifs et policiers se sont chargés d'exercer restrictions, refoulements, tracasseries de toutes sortes. En février 1986, le Conseil d'État d'Appenzell a indiqué que les autorités souhaitaient, autant que possible, ne pas accueillir des requérants d'asile de couleur. Les racistes se contenteront-ils de la violence des institutions ou passeront-ils un jour à l'action comme en d'autres pays? Ceux qui se font les avocats de la justice oseront-ils faire émerger dans la conscience publique les raisons fondamentales et structurelles de la xénophobie et du racisme?

André Jacques

Les enlèvements d'enfants franco-maghrébins

L'enlèvement ou la rétention abusive d'un enfant par l'un de ses parents (dans la quasi-totalité des cas, ce sont des mères qui en sont les victimes) est une violence insupportable qui ne saurait se prévaloir d'une logique de l'affection. Que penser en effet d'un amour fondé sur un traumatisme et une mutilation? Selon le ministère de la Justice français, six cents enfants sont enlevés de France chaque année, mais le chiffre réel est bien supérieur et le contentieux touche plusieurs milliers d'enfants.

Le Maghreb représente la moitié des cas recensés et l'Algérie – qui s'est jusqu'alors refusée à la signature d'une convention avec la France – compte 80 % de ces dossiers. C'est dans ce contexte que des femmes agissant seules, puis regroupées dans des associations (Association nationale de défense des enfants enlevés, Ligue du droit des femmes, Collectif de solidarité aux mères d'enfants enlevés) ont publiquement posé le problème :

Novembre 1983 : Lors de la visite en France du président algérien Chadli, une manifestation d'une trentaine de mères portant la photo de leur(s) enfant(s) enlevé(s) est réprimée par la police devant l'ambassade d'Algérie.

Juillet 1984 : L'opération « Un bateau pour Alger » devait réunir une vingtaine de mères de différentes nationalités, accompagnées de membres d'associations et de journalistes, afin de poser publiquement le problème. Le but était à la fois d'obtenir des autorités algériennes que les mères puissent voir leurs enfants, et d'obliger les deux États concernés de reconnaître la nécessité d'apporter une solution juridique et politique au problème. Compte tenu des pressions exercées sur des associations affaiblies par l'absence de démocratie en leur sein, le hiatus entre les deux niveaux, « humain » et politique, était tranché dans le sens demandé par les deux États : deux heures avant le départ du bateau, les organisatrices annonçaient, « voulant croire à la bonne volonté des États », et sans consulter les mères, l'annulation du bateau. Mais les pseudo-promesses gouvernementales n'étaient suivies d'aucune concrétisation notable.

Mars 1985 : Intervention à la session de la Commission des droits de l'homme de l'Organisation des Nations Unies (ONU) à Genève.

Juin à novembre 1985 : Cinq mères occupent l'ambassade de France à Alger qu'elles quittent sans leurs enfants, mais avec des promesses vagues. Néanmoins, deux médiateurs (un français et un algérien) sont nommés tandis qu'une cinquantaine d'enfants « naturels » – statut non reconnu par le code de la famille algérien – sont renvoyés à leur mère en France, le plus souvent sans ménagement.

Décembre 1985 : Faute de résultats concrets au terme des négociations bilatérales franco-algériennes, Georgina Dufoix, ministre des Affaires sociales, ramène en France les enfants de quatre de ces cinq mères avec la garantie du gouvernement français de leur retour en Algérie après les fêtes de Noël.

Au-delà de la dimension humanitaire de ce geste, les violations du droit français sur lesquelles s'est bâtie cette opération laissent mal augurer des bases sur lesquelles devraient s'engager les négociations et de n'être qu'une action sans lendemain.

Seule une réelle volonté politique – qui ne sacrifierait pas les femmes maghrébines vivant en France confrontées à la même situation – peut empêcher le très efficace enlisement juridictionnel observé au début de 1986. Cette volonté devrait se fonder sur des principes clairs :

– le droit de tout enfant à maintenir des contacts réguliers, et donc des relations affectives, avec chacun de ses deux parents, quel que soit le pays de résidence et la nationalité des parents et des enfants;

– le droit de chaque parent de maintenir des relations suivies avec son enfant; le droit de visite doit donc être reconnu comme la contrepartie nécessaire du droit de garde.

Sur ces fondements peu contestables devraient pouvoir être concrètement affirmées les règles suivantes :

– Reconnaissance par les autorités judiciaires et politiques que l'enlèvement d'un enfant, comme les entraves apportées à l'exercice du droit de visite et du droit de garde, sont des infractions pénales, qu'il s'agisse d'enfants « naturels » ou d'enfants « légitimes ».

– Reconnaissance juridique (exequatur) accélérée, par l'État de l'autre conjoint, de la décision de justice prise par l'autorité judiciaire compétente. Cette autorité doit être clairement définie, à l'instar des conventions franco-tunisiennes et franco-égyptiennes, comme étant celle de la résidence de l'enfant au moment du conflit (y compris pour les résident(e)s étranger(ère)s en France). Il devrait donc être interdit à « l'auteur de la voie de fait de se prévaloir dans l'état de refuge de la situation nouvelle dont il est à l'origine pour demander un changement de garde » (Convention de La Haye, octobre 1980).

Concrètement donc, aucun jugement d'un tribunal du pays où l'enfant a été déplacé ne peut être considéré comme valable si le tribunal du pays de résidence de l'enfant a été saisi.

– Retour exigé, dans un délai le plus bref possible – car le temps est le meilleur atout du parent rapteur –, à la situation *ex ante*, en cas d'enlèvement. Le principe selon lequel l'enfant doit être remis – avant toute procédure de recours – au parent titulaire du droit de garde ne doit pas être sujet à négociation. En cas d'enlèvements survenus depuis de longues années, des périodes régulières de visites transfrontières doivent être programmées afin de reconstituer les liens affectifs entre l'enfant et le parent dont il a été séparé.

– Affirmation de la responsabilité des États en cas d'enlèvements d'enfants, qu'il s'agisse de l'État-refuge – dès lors le complice d'un acte illicite – ou de l'État où l'enfant a été enlevé qui ne mettrait pas tout en œuvre pour prévenir ou faire cesser la situation de déplacement forcé d'un enfant résidant sur son territoire. Citons, par exemple, parmi les mesures possibles, le contrôle effectif de sorties du territoire national, la défense de ses ressortissant(e)s qui, tout en ayant un enfant avec un étranger, n'en ont pas pour autant répudié leur nationalité, l'information des consulats des mesures judiciaires prises, la mise en garde par le ministère des Affaires étrangères des ambassades étrangères, etc.

– Suppression, dans les pays où il existe (en Afrique du Nord notamment), du préalable de l'autorisation paternelle de sortie du territoire. Cette autorisation administrative – de fondement patriarcal – rend en effet caduque toute application d'une décision de justice et devrait être remplacée par le principe d'un droit de visite transfrontières garanti par les gouvernements concernés.

Mais, pour que ces principes puissent être appliqués, encore faudrait-il pouvoir dépasser les logiques internes des États, comme les fondements patriarcaux de leur mode de fonctionnement. A cet égard, l'islam officiel apparaît comme un « empêchement » difficilement contournable.

Quand donc reconnaîtra-t-on que l'enfant n'est pas un bien que l'on peut s'approprier et que le droit des personnes vaut bien des barils de pétrole?

Marie-Victoire Louis

Les mouvements forcés de populations

La politique qui consiste à déplacer massivement des populations exposées à la désertification des terres vers des régions plus clémentes trouve un nombre grandissant d'adeptes. Les spécialistes du développement et les gouvernements l'envisagent comme un moyen de lutter efficacement contre la surexploitation des richesses naturelles des régions à risque.

Seuls deux pays ont pratiqué les déplacements de population sur une grande échelle : l'Indonésie et l'Éthiopie. Or les actions des gouvernements en question ne sont pas motivées uniquement par des considérations écologiques ou humanitaires : elles répondent aussi à des intérêts politiques.

En Indonésie, un important programme pour le déplacement massif de population a été mis en œuvre dans l'île surpeuplée de Java, où l'érosion des sols et la dégradation des terres arables menacent l'existence de quelque 12 millions de personnes. Entre 1979 et 1984, environ 300 000 familles ont été déplacées et le programme prévoit que 750 000 autres suivront entre 1985 et 1989. Le coût pour l'État en est de 8 000 dollars par famille. Près de 3,6 millions de personnes seraient touchées par cette mesure et devront s'établir dans des îles moins peuplées, notamment dans la zone du Kalimantan oriental à Bornéo, à Sumatra et Sulawesi.

Ce programme a fait l'objet de nombreuses critiques. Si, effectivement, le milieu naturel à Java souffre de surexploitation, 70 % des personnes qui ont dû partir ont été recrutées parmi les « sans terre » et les citadins démunis qui n'ont pas de responsabilité directe dans l'érosion des sols. Par contre, la majorité des populations déplacées se sont installées dans des régions couvertes de forêts tropicales qui ont été défrichées au bulldozer. Dès le début, ces terres se sont révélées peu productives et leur rendement a baissé tous les ans, forçant les agriculteurs à pratiquer la culture itinérante dans la forêt, ce qui a encore accentué la déforestation.

Le gouvernement indonésien a également été accusé d'utiliser les populations déplacées pour mieux contrôler les îles excentrées de l'archipel et pour exploiter leurs ressources naturelles : l'or, le pétrole, le charbon et le bois. Par ailleurs, les observateurs politiques en Indonésie ont fait remarquer que les politiciens javanais, craignant une poussée nationaliste du peuple Kutai de Bornéo, auraient ainsi tenté de les neutraliser par un transfert de population. La Banque mondiale a aussi été mise en cause qui, jusqu'en 1985, a alloué 266 millions de dollars à ce programme.

En Éthiopie, le programme a pour but de déplacer les populations des régions arides, érodées et déserti-

BIBLIOGRAPHIE

Ouvrage

TIMBERLAKE L., *L'Afrique en crise : la banqueroute de l'environnement*, Earthscan/L'Harmattan, Paris, 1985.

Article

REPETTO R., « Soil Loss and Population Pressure on Java », *Ambio*, vol. XV, n° 1, Royal Swedish Academy of Sciences, Stockholm, 1986.

fiées des hauts plateaux de Tigré, Wollo et Érythrée vers les vallées moins peuplées et plus fertiles du sud-ouest du pays. Au début de 1986, on estimait que plus de 600 000 personnes avaient été transférées. En octobre 1985, le gouvernement éthiopien, d'inspiration marxiste, a demandé 376 millions de dollars d'aide internationale au titre du développement, dont 60 % étaient destinés au programme de reclassement des populations et moins de 20 % à la réhabilitation des terres des hauts plateaux, mais il semblait peu probable qu'il reçoive la totalité de cette somme.

En 1984, un porte-parole des Nations Unies a fait savoir que, pour assurer la réussite de ce programme, il fallait investir quelque 5 000 dollars par personne déplacée. Il n'existe en effet aucune infrastructure pour accueillir les populations déplacées. Il faut donc construire des routes, des ponts, des canalisations, des dispensaires, des écoles, etc. Or, 70 % à 75 % de la population éthiopienne vivent sur les hauts plateaux et la croissance démographique de ce pays de 40 millions d'habitants atteint 2,4 % par an. Donc si le gouvernement dépense 5 000 dollars par personne déplacée, il faudrait 3,4 milliards de dollars par an rien que pour empêcher la densité de population des hauts plateaux d'augmenter. Le gouvernement n'ayant pas investi de telles sommes dans son programme, les populations ont donc été déplacées dans le dénuement, pratiquement sans équipement, dans des régions infestées entre autres par le paludisme contre lequel ces peuples n'ont aucune défense immunitaire.

Médecins sans frontières, association française de secours d'urgence, estime que les opérations de déplacement de population ont tué plus de gens que la famine. Selon l'association, le nombre des victimes du programme s'élevait début 1986 à plus de 100 000 morts.

Le gouvernement éthiopien a prétendu que les personnes déplacées étaient des volontaires. Toutefois, les observateurs occidentaux et le personnel des organisations de secours ont soutenu que les gens ont été forcés à partir, que les familles ont été séparées et les enfants abandonnés. Officiellement, on sait que le gouvernement a interrompu le programme en février 1986 de manière à le « rendre plus efficace », mais il tient à respecter son objectif de 1,5 million de personnes déplacées pour la fin de 1986.

Comme dans le cas de l'Indonésie, le gouvernement éthiopien est soupçonné de vouloir déplacer les gens pour des raisons politiques plutôt qu'humanitaires : il tenterait d'éloigner des hauts plateaux des populations qui pourraient devenir des alliés des mouvements rebelles de l'Érythrée et du Tigré.

Les grandes migrations ne sont en général pas dues à des programmes bien précis, mais plutôt aux conditions de vie qui font que les masses se déplacent des régions pauvres vers les régions riches. Mais que les experts se rassurent : les populations du tiers monde sont tout à fait aptes à se déplacer quand la nécessité s'en fait sentir, et elles le font habituellement avant que les gouvernements n'aient pris des mesures pour organiser l'exode.

Lloyd Timberlake

L'hiver nucléaire

Outre les explosions, les incendies et les radiations, on réalise, depuis la fin des années soixante-dix, que la guerre nucléaire est capable d'affecter le climat de la terre en provoquant une chute de température d'une ampleur que notre planète n'a pas connue depuis la dernière glaciation.

La stratégie nucléaire ayant évolué de la dissuasion au développement de la capacité à combattre et à survivre à une guerre atomique, les scientifiques se sont intéressés à l'état du monde après un « échange nucléaire ». Pour prévoir l'étendue des destructions et les effets des déchets radioactifs et autres, ils ont travaillé par modélisation, scénarios et simulations. Ces travaux, très méticuleux et qui ont été très largement débattus dans la communauté scientifique, ont abouti à des conclusions avalisées tant par les Soviétiques que par les Américains.

La vie n'est possible que grâce au soleil, unique source d'énergie de la biosphère. Un système absorbant placé sur le parcours de la lumière solaire l'empêcherait d'atteindre la surface de la terre. D'où une importante baisse de température sur cette surface. Les recherches effectuées à partir de 1983 comme celles du SCOPE (Comité scientifique des problèmes d'environnement) montrent que la guerre nucléaire injecterait dans l'atmosphère une telle quantité de poussières et de suie que les rayons solaires n'atteindraient plus notre planète. Brian Toon, de la NASA (agence spatiale des États-Unis), parle d'« hiver nucléaire » et Paul Crutzen, de l'Institut de chimie Max Planck de Mayence, de « crépuscule à midi ». L'observation des effets thermiques des tempêtes de poussières sur Mars, l'étude des éruptions volcaniques comme celle d'El Chichón au Mexique, en 1982, ou enfin celle des feux de forêts confortent cette vision.

Après les scénarios présentés dans la revue de l'Académie des sciences suédoise, *Ambio,* c'est le modèle TTAPS (initiales des cinq physiciens américains qui l'ont mis au point) qui a étudié le premier (1983) l'hiver nucléaire et ses conséquences biologiques. Certains spécialistes comme le physicien américain Edward Teller, champion de la « guerre des étoiles », se sont opposés à cette notion considérée, à ses débuts, trop spéculative.

Une baisse de température de 20 à 30°

Depuis, un grand nombre de recherches ont examiné ce problème, comme par exemple les deux études commanditées, l'une par l'Académie nationale des sciences des États-Unis (NAS), l'autre par la Royal Society of Canada (RSC) : si elles relèvent plusieurs domaines où les incertitudes demeurent grandes, elles n'en concluent pas moins au risque indéniable d'un hiver nucléaire. Les travaux de Vladimir Alexandrov du Centre de calcul de l'Académie des sciences de l'URSS ou de Gueorgui Golitsyne et Alexandre Guinzbourg de l'Institut de physique de l'atmosphère de la même institution aboutissent aux mêmes conclusions. L'étude du SCOPE, à laquelle ont collaboré plusieurs centaines de scientifiques de trente pays, confirme qu'un échange de 5 000 mégatonnes (Mt), soit moins de la moitié de l'arsenal nucléaire mondial, provoquerait une réduction drastique du flux de lumière solaire dans l'hémisphère Nord, théâtre supposé des hostilités. Une baisse de température de 20 à 30° C – si la guerre avait lieu en été – serait observée au sol quelques jours après le début de la guerre. Le régime des pluies changerait pour des mois ou plus.

Cette étude montre aussi qu'un échange de quelques mégatonnes seulement, mais visant une centaine de villes importantes, introduirait dans l'atmosphère une centaine de millions de tonnes de suie dont la moitié serait du carbone pur, meilleur absorbant connu de la lumière. L'incendie des stocks de pétrole, de charbon, des raffineries, voire de l'asphalte des villes (les rues des villes allemandes par exemple sont recouvertes de 2 milliards de tonnes de bitume), contribuerait de façon décisive à la formation des fumées dont l'importance est capitale pour les effets atmosphériques à long terme. La température dégagée par ces incendies serait telle que l'on observerait des vents d'une vitesse comparable à celle des ouragans. La destruction des installations militaires et industrielles en zone urbaine ferait entrer dans l'atmosphère, outre les fumées, d'énormes quantités de poussières.

De plus, dans le cas d'un échange de 5 000 mégatonnes, Crutzen estime à un million de km² – soit la surface de la Scandinavie – l'étendue des incendies de forêts, qui dégageraient 100 millions de tonnes de particules dans l'air. Cette contamination brutale et intense de l'atmosphère changerait le climat dans l'hémisphère Nord du fait de la grave perturbation des propriétés optiques et chimiques de l'air. La froide nuit nucléaire descendrait sur terre.

L'hémisphère sud n'échapperait pas à ces effets. Traversant l'équateur, un voile de fumée le recouvrirait quelques semaines après le début de la guerre. Chauffée par le soleil, la fumée se dilaterait et atteindrait la stratosphère (zone parfaitement non perturbée de l'atmosphère qui débute à une altitude de 13 km) où elle séjournerait pour une année ou plus, en l'absence de circulation atmosphérique et de pluies. L'hémisphère Sud verrait alors baisser la température au sol. Les océans, du fait de leur énorme masse d'eau, ont une très grande inertie thermique : leur température baisserait peu. L'énorme différence de température entre continents gelés et océans à peine refroidis produirait le long des côtes des pluies radioactives et acides d'une violence inouïe, ainsi qu'un brouillard très dense. La mousson d'été sur l'Asie et l'Afrique serait fortement réduite.

L'hiver nucléaire aurait des effets terribles sur l'agriculture et les êtres vivants : une baisse de température 3 à 5° C seulement, au moment de la croissance du blé, détruirait toutes les récoltes en Amérique du Nord et en Union soviétique. Le riz, de son côté, ne pouvant résister à une température inférieure à 15° C, ce sont les nations non belligérantes, comme l'Inde, qui risqueraient de souffrir de la folie nucléaire, tout autant que les pays du pacte de Varsovie ou de l'OTAN. Sans parler des pays qui dépendent des autres pour leur alimentation ou leurs besoins énergétiques.

Un environnement toxique

Par ailleurs, de grandes quantités de produits toxiques chimiques seraient déversées dans l'atmosphère du fait de la combustion des éléments fossiles inflammables et des plastiques, avec les pires conséquences pour l'environnement. L'explosion nucléaire forme des oxydes

BIBLIOGRAPHIE

Ouvrages

EHRLICH P.R., SAGAN C., KENNEDY D., ORR ROBERTS W., *Le froid et les ténèbres. Le monde après une guerre atomique,* Belfond, Paris, 1984.

GLAWARS, *London under Attack,* Blackwell, Londres, 1986.

Nuclear War. The Aftermath, A Special Ambio Publication, Royal Swedish Academy of Sciences, Pergamon Press, New York, 1984.

Articles

ALEKSANDROV V.V., « A Soviet View of Nuclear Winter », *Chemtech,* novembre 1985.

CHOWN M., « Nuclear War : the Spectators will Starve », *New Scientist,* 2 janvier 1986.

d'azote et les projette dans la stratosphère où ils réduisent la couche d'ozone protégeant la terre des rayons ultraviolets dangereux du soleil (UV-B). Ces rayons, même à faible dose, détruiraient les défenses immunitaires de l'*homo sapiens* et des autres mammifères, au moment précis où ceux-ci seraient exposés aux multiples agressions que supposerait l'environnement après une guerre nucléaire. L'étude du SCOPE a révélé une source de retombées radioactives qui n'avait pas encore été mise en évidence et qui contribuerait à rendre plus hostile encore le monde émergeant de l'holocauste : il s'agit des usines de retraitement des déchets nucléaires qui, contrairement aux réacteurs nucléaires, ne résisteraient pas aux explosions de 100 kilotonnes : leurs produits iraient renforcer la radioactivité ambiante qui, dans l'hémisphère Nord serait déjà mortelle, quarante-huit heures après le début de la guerre.

L'étude conclut que même si, en 1985, les phénomènes météorologiques ne sont pas pleinement compris, on peut affirmer que le risque d'une catastrophe climatique, à la suite d'une guerre nucléaire, est établi de manière irréfutable. Le Conseil de la Société météorologique américaine est si conscient de ce risque qu'il a pris sur lui de lancer, en septembre 1983, un appel solennel à toutes les nations, appel auquel a fait écho le météorologue Yuri Izraël de l'Académie des sciences de l'URSS. Et Paul Crutzen de renchérir que les grands systèmes agricoles de notre planète sont si sensibles aux conditions climatiques « que les questions non encore tranchées par les sciences physiques ne sauraient être de grande importance ». Une faible chute de température entraînerait la fin de l'agriculture et, par voie de conséquence, celle de la race humaine.

Mohamed Larbi Bouguerra

Mexico. Urbanisation sauvage, séisme et reconstruction

En septembre 1985, la terre a tremblé deux fois au Mexique avec une puissance destructrice inégalée au cours de ce siècle. Le premier séisme, surnommé « El Grande » par les habitants de la capitale, survint le 19 septembre à 7 h 18 ; d'une densité de 8,1 sur l'échelle de Richter, il dura trois minutes. Trente-six heures plus tard, une seconde secousse d'une intensité de 7,3 ajoutait aux destructions du jour précédent. L'épicentre se trouvait sur la côte du Pacifique, à quelque 480 kilomètres au sud-ouest des États de Guerrero et de Michoacan. Le déplacement brusque de la plaque océanique des Cocos sous la plaque continentale américaine qui la chevauche était à l'origine du désastre.

Dans la capitale, Mexico, les effets du séisme ont été dévastateurs : 5 000 à 6 000 morts, selon les chiffres officiels (10 000 à 20 000 selon les observateurs) ; 40 000 blessés auxquels s'ajoutaient les 150 000 sans-abri et sans-emploi. L'infrastructure de la ville a été gravement atteinte : 30 000 logements ont été détruits ou ont dû être démolis. Sans compter les pertes dans le secteur hospitalier (30 % de la capacité totale), les écoles endommagées (28 % du total), la destruction partielle des réseaux d'aqueduc et de drainage de certains secteurs de la ville, du système de télécommunications (40 %), des bâtiments de l'administration publique et de la disparition de 800 à 1 000 petites entreprises. Selon la commission économique pour l'Amérique latine (CEPAL), les pertes matérielles se sont élevées à plus de quatre milliards de dollars.

Certains effondrements spectaculaires ont accaparé l'attention des médias : les hôtels du centre ville, les installations de la Televisa (consortium privé de télévision), les grands ensembles de logements publics de Tlatelolco et de Benito Juarez. Mais dans la capitale, le séisme a d'abord frappé les plus démunis, détruisant leurs logements, leurs écoles, leurs hôpitaux et leurs quartiers : Morelos, Guerrero, Tepito où 20 % des habitations se sont effondrées et 75 % ont été endommagées. A San Antonio Abad, 600 couturières ont péri enterrées sous les décombres de leurs manufactures effondrées. Le tremblement de terre a ainsi mis brusquement en évidence l'exploitation et les conditions de vie des populations les plus pauvres.

Éveil de la société civile

La réaction des « capitalinos » a été immédiate; on a assisté à une vaste mobilisation : 50 000 personnes provenant de secteurs très variés de la population ont manifesté leur solidarité. La priorité : sauver des vies; des milliers de gens ont fouillé les décombres sans relâche pendant plusieurs semaines. Des groupes de volontaires ont surgi là où n'existait aucune organisation. Les milliers de personnes vivant sous la tente ou dans des abris de fortune en attente d'un logement, avec le sentiment d'avoir été oubliées par les pouvoirs publics, se sont constituées en une fédération représentant quelque 120 000 individus : la Coordinadora unica de damnificados (CUD). Leurs revendications? L'expropriation du sol, des crédits pour reconstruire leurs habitations sur place, l'identification des responsables, l'indemnisation des familles et la suspension du paiement de la dette extérieure.

Cet éveil de la société civile a fait ressortir la lenteur de la réaction gouvernementale qui, aux yeux des sinistrés, était chaotique et désorganisée : absence de prise en charge, inertie, manque de coordination, tergiversations; de plus, l'aide nationale et internationale n'était pas acheminée vers ceux qui en avaient besoin, les plus démunis. On a reproché à l'armée, qui surveillait les zones affectées, de n'avoir rien fait pour aider et d'avoir consacré plus de temps au piquet qu'à l'action.

Quatre facteurs expliquent la gravité des dommages : la puissance du tremblement de terre et sa durée, les caractéristiques du sous-sol, la densité de la population et la qualité des constructions. Située sur un haut plateau, à plus de 2 000 mètres d'altitude, Mexico a été construite sur le lac de Texcoco, maintenant asséché. Le centre de la ville, le plus durement touché, repose sur le lit boueux et instable du lac et s'enfonce très lentement.

Le séisme a frappé au cœur d'une des régions les plus populeuses du globe : à Mexico, lieu de concentration de tous les pouvoirs, on comptait,

BIBLIOGRAPHIE

Ouvrage

TAPIA V. (dirigé par), *Mexico, Autrement*, hors série, n° 18, Paris, 1986.

Articles

PAQUOT T., « La ville dévore le monde », *Croissance des jeunes nations*, n° 271, avril 1985.

RUDEL C., « Mexico : les dessous d'un tremblement de terre », *Croissance des jeunes nations*, n° 279, janvier 1986.

en 1985, 17 millions d'habitants, soit le quart des Mexicains. Chaque année, un million de personnes vient s'ajouter à cette mégalopole. En effet, depuis 1945, le Mexique a suivi une politique d'expansion économique misant sur les investissements dans l'industrie, le commerce et la construction urbaine. Les paysans pauvres et sans terre ont émigré massivement vers la ville et rien n'a été fait pour endiguer ce flot. Ces « paracaidistos » (parachutistes) ont envahi les terres du gouvernement et les terres privées, s'installant de façon rudimentaire, sans services ni équipements de base, aux marges de la cité. Submergée de gens et de problèmes, Mexico s'est ainsi entourée d'une ceinture de zones instables constituées par plus de 600 « colonies » prolétariennes dont 23 % des habitants sont incapables de subvenir à leurs besoins de base. Elle a dû tripler sa surface tous les vingt ans afin d'absorber cette marée.

Quant à la législation antisismique, bien qu'elle soit comparable à celle de la Californie, elle est loin d'avoir été appliquée avec la même rigueur. Le fait que les édifices gouvernementaux modernes aient été durement touchés, alors que ceux de la période coloniale sont restés intacts, a soulevé des questions concernant les contrats, les entrepreneurs et les normes de contrôle. « La corruption a tué autant que le séisme », dit-on à Mexico.

C'est un pays en état de crise et soumis depuis trois ans à un régime d'austérité que le désastre a frappé. Au début d'octobre 1985, le programme national de reconstruction était lancé. Les tâches prioritaires : reconstruire et décentraliser; mais il fallait d'abord démolir les immeubles en mauvais état, rétablir les services publics indispensables : eau, électricité et communications. Il fallait aussi changer les façons de faire et de vivre. De nouvelles normes de construction ont été établies, tenant compte des caractéristiques du sous-sol et des taux d'occupation des bâtiments. Par des incitations fiscales, on a encouragé à construire ailleurs.

La preuve ayant été faite que trop de risques étaient concentrés dans la capitale, il est devenu en effet impérieux de bloquer la croissance de Mexico, de décentraliser les bureaux, mais aussi l'autorité politique et administrative et l'économie. De larges secteurs de la population ont exigé une action immédiate du gouvernement. Quelques agences ont été décentralisées, les employés et leurs familles déménagés aux frais de l'État vers Puebla, Guadalajara, Vera Cruz et d'autres villes moyennes. Mais c'était le petit nombre. L'industrie allait-elle suivre? Il semblait que non, convaincue qu'elle était que sa place était près du pouvoir. Il restait aussi à convaincre les squatters que leur avenir n'était plus dans la grande ville.

Ce n'est pas la première crise que le Parti révolutionnaire institutionnel (PRI) doit affronter depuis les cinquante-sept ans de son existence. Mais cette fois, la stabilité politique semblait menacée. A la dette et au séisme s'est ajoutée la perte de confiance de la population dans les institutions politiques. Cependant, pour la première fois, les Mexicains ont pris conscience de leur capacité à s'organiser sans l'État, et senti naître une solidarité spontanée. Sur cette transformation de la conscience politique, le gouvernement mexicain pourra peut-être bâtir.

Michelle Paré

MÉDIAS ET CULTURES

Le piratage de l'édition

Fin juin 1985, à Paris, sous la tour Eiffel, le président de Vuitton créait l'événement en faisant détruire plusieurs centaines de sacs et de bagages contrefaits. En avril 1985, c'était le président de Cartier qui faisait écraser par un rouleau compresseur huit mille fausses montres portant la griffe du célèbre joaillier de la rue de la Paix.

On n'a pas encore assisté à des opérations aussi spectaculaires pour détruire des livres piratés. Et pourtant... Même si le « manque à gagner » des éditeurs ne représente qu'une faible part du chiffre d'affaires global de la piraterie dans le monde – selon la Chambre de commerce internationale, il s'élèverait à 1 000 milliards de dollars par an, soit 5,6 % du commerce mondial –, il n'en reste pas moins un véritable fléau que les accords internationaux, les lois nationales et les textes répressifs ont bien du mal à enrayer.

Aux États-Unis, les pertes globales dans l'édition s'élevaient, pour 1985, à 1 329 millions de dollars, dont 427 pour les livres, 643 pour les disques, 131 pour les films et 128 pour les logiciels. Ces chiffres sont issus d'une enquête réalisée par une association d'industriels américains dans les dix pays considérés comme les leaders de la piraterie, à savoir, dans l'ordre : Taïwan, Singapour, la Corée du Sud, les Philippines, la Malaisie, le Nigéria, l'Égypte, le Brésil, la Thaïlande, l'Indonésie. Les livres les plus piratés sont bien sûr ceux qui, dans leur édition « officielle », coûtent le plus cher à l'achat : les dictionnaires, les livres scolaires, techniques et universitaires dont les tirages sont peu élevés. On n'a pas encore vu de livres de poche piratés...

Les pays en voie de développement n'ont pourtant pas l'apanage de la piraterie. C'est une pratique qui se répand aussi dans les pays occidentaux les plus favorisés. La « cible » est alors les ouvrages qui apparaissent sur les listes de meilleures ventes. Ainsi, en Allemagne fédérale, il était possible de se procurer en 1985 une édition à dix marks du roman de Patrick Süskind, *Das Parfum*, vendu quarante marks dans son édition normale. Un roman parmi beaucoup d'autres dans une liste de livres piratés qui ne fait que grossir : entre 1965 et 1985, le syndicat des éditeurs et des libraires allemands a compté quelque trois mille titres réimprimés dans l'illégalité

Pourtant, ce que les éditeurs craignent le plus, c'est moins les éditions pirates que les photocopies d'ouvrages ou d'extraits d'ouvrages que des sociétés diffusent sans avoir demandé d'autorisation de reproduction. En 1985, les Français ont réalisé 57 milliards de photocopies, dont 20 % concernent des œuvres protégées par la loi de 1957 sur la propriété littéraire. Le préjudice, pour l'édition seulement, serait de 2 milliards de francs par an, estime le responsable de la Fédération nationale de la presse spécialisée (FNPS) chargé du dossier « photocopie ». Les livres les plus photocopiés sont là encore ceux qui coûtent le plus cher, et sont les plus utilisés par les étudiants et les universitaires. Cercle vicieux : plus l'on photocopie, moins le tirage est important, plus le livre est cher, et plus on le photocopie.

Pendant longtemps, les éditeurs français ont plus ou moins laissé faire. Mais l'ampleur du phénomène les a conduits à réagir. En 1984, un *copy-service* – on en compte environ trois cents en France à proximité des facultés – a été condamné à verser

4 000 francs de dommages et intérêts à chaque éditeur lésé. S'inspirant d'un système qui existe en Europe du Nord et aux États-Unis depuis 1976, la FNPS et le Syndicat national de l'édition ont créé en 1983 un Centre français du copyright (CFC) qui négocie avec les principaux utilisateurs de photocopies le versement d'une redevance annuelle. Un accord a ainsi été conclu avec le Centre national de la recherche scientifique (CNRS) dont le centre de documentation produit plus de 3 millions de photocopies par an. Et en février 1985, le CFC a signé un accord avec son homologue américain pour récupérer les droits de chaque photocopie d'ouvrage français réalisée outre-Atlantique.

Mais la partie est loin d'être gagnée. L'Union internationale des éditeurs en est bien consciente qui, l'année de la célébration du centenaire de la Convention de Berne – signée par soixante-dix pays seulement, elle réglemente, depuis 1886, la protection des œuvres artistiques et littéraires – a lancé une grande campagne de sensibilisation du public sur le thème : « Encouragez la création, respectez le droit d'auteur. »

Marianne Grangié

La « rambomanie »

Malheur aux peuples qui n'ont pas de héros! Pays sans légendes, l'Amérique a besoin de s'inventer régulièrement des personnages hors du commun, quasiment surnaturels, qu'une histoire trop récente n'est pas en mesure de lui offrir. Ces mythes unificateurs lui sont fournis par cette gigantesque usine à fantasmes qui s'appelle Hollywood.

Il y eut Tarzan. Il y a aujourd'hui Rambo. Mais c'est, au fond, toujours la même histoire : l'individu contre la nature, le justicier contre les méchants. Le culte du muscle et la volonté de vaincre dans un monde obscurément menacé par des forces sournoises et hostiles.

Il était inévitable qu'à un Ronald Reagan, en politique, corresponde, dans le domaine de l'imaginaire, des héros du genre de Rambo ou de Rocky. Reagan, c'est le sursaut d'une Amérique humiliée par une série de défaites (Vietnam, Cambodge) et de revers (Afrique), le terrorisme (Iran) et qui dénonce dans son adversaire soviétique « l'empire du mal ». Pour affronter autant d'inquiétants dangers, il faut des combattants prêts à tout, déterminés à se servir de leurs poings ou de leur mitraillette pour abattre l'adversaire. On a calculé que dans *Rambo II : First Blood*, Sylvester Stallone, l'acteur qui incarne ce personnage sans peur et sans reproche, tuait quarante-quatre fois en quatre-vingt-treize minutes, soit à peu près une fois toutes les deux minutes.

Elles sont loin les *sixties* (les années soixante), où, à travers l'Amérique, une jeunesse idéaliste chantait son désir de « faire l'amour, pas la guerre ». Le rêve de fraternité s'est évanoui. Le temps des guerriers est revenu. Car Rambo a des émules : en 1985, une dizaine de films, au moins, porteurs des mêmes thèmes, ont été produits aux États-Unis. Outre Stallone, les « locomotives » les plus puissantes de cette vague de fond qui submerge non seulement les États-Unis, mais l'ensemble du monde occidental, ont pour nom Chuck Norris *(Portés disparus I et II, Invasion USA, Delta Force)* et, en plus costaud, Arnold Schwarzenegger *(Conan le Barbare, Terminator, Kalidor, Commando)*. Une manne pour l'industrie cinématographique américaine.

Le fond idéologique de tous ces films est, à peu de choses près, identique. L'Amérique vertueuse, mère de la liberté et phare de la civilisation moderne, est menacée de l'extérieur par toutes sortes de barbares : Asiates communistes, Arabes islamistes, sans oublier l'ennemi de toujours, le « rouge » par excellence, le Russe botté et armé, incarnation du mal absolu. Mais elle est aussi minée de l'intérieur par une bureaucratie technocratique pour qui la guerre est plutôt affaire d'ordinateurs que de sang et de larmes. Lorsque Rambo rentre de sa mission au cœur de la jungle indochinoise, son premier acte est de mitrailler rageusement, pour la détruire, la salle des machines informatiques.

En ce sens, la révolte de Rambo est une sorte d'exaltation de l'homme naturel, loup solitaire au milieu d'autres loups. Mais, s'il a les idées courtes, cet individu simple, voire simpliste, n'en est pas moins capable de courage, car il aime son pays qu'il veut sauver de la décadence et de la trahison. La presse américaine a comparé Rambo à une sorte de « bon sauvage » qui a le sens de la tribu, donc de l'ordre et de la discipline. A sa manière, ce héros primitif ressuscite les valeurs de l'Ouest exaltées par les westerns : goût de l'aventure, soif d'une justice élémentaire, parfois expéditive, culte de l'action individuelle. La démonstration atteint, toutefois, la caricature, tellement le combat, ici, est titanesque. Mitraillette au poing et torse nu, Rambo affronte seul des bataillons entiers. Et non seulement il en sort vivant, mais vainqueur.

Nouveaux anges exterminateurs, Rambo et ses pairs, bien sûr, sont farouchement anticommunistes. Reagan, pendant son premier mandat, n'a-t-il pas rallumé la guerre froide avec Moscou ? Mais ce sont aussi des anti-intellectuels. Ils sacrifient tout à l'action, rien au verbe. Pour Sylvester Stallone, le scénario idéal serait celui qui ne contiendrait « qu'un seul mot ». C'est la revanche de la « majorité silencieuse » sur les têtes d'œuf de Harvard, dont les beaux discours n'ont pas évité au drapeau étoilé la souillure de la défaite au Vietnam.

Le paradoxe est que les aventures de Rambo ont d'abord connu le succès auprès d'une génération qui n'avait pas vécu la guerre du Vietnam : les adolescents de quinze à dix-huit ans. Un intérêt dû, sans doute, à l'aspect bandes dessinées de ces films. Mais, depuis, le public a changé : les plus de vingt-cinq ans sont devenus majoritaires.

Manuel Lucbert

Tête de Turc : *un livre-événement*

Deux millions d'exemplaires vendus en quatre mois – un record mondial, affirme *Der Spiegel*. Des comptes rendus chaleureux dans *Newsweek*, *The Times*, *Le Monde*, mais aussi dans la presse est-allemande et la *Literatournaïa Gazeta*... Non, ce ne sont pas les Mémoires d'une diva ou d'un grand maître des échecs qui font ainsi l'unanimité, mais le dernier livre-reportage de Günter Wallraff publié en octobre 1985, *Ganz unten* (Tout en bas – *Tête de Turc* dans l'édition française).

« Journaliste indésirable », Wallraff s'active depuis le milieu des années soixante à dévoiler la face cachée de l'ordre et la prospérité ouest-allemands. Pour traquer le scandale, l'injustice, le mensonge, il se masque : « On doit se travestir pour démasquer la société, on doit tromper son monde et se déguiser pour découvrir la vérité », écrit-il en préambule à *Tête de Turc*. Se déguiser, par exemple, en journaliste sans scrupule pour dénoncer les pratiques nauséabondes de la *Bild Zeitung*, fleuron boulevardier de la presse

Springer; se déguiser en marchand de canons au Portugal pour faire la démonstration que le général Spinola prépare un putsch contre la Révolution des œillets...

Ou encore se métamorphoser en Turc – tignasse noire, yeux foncés, sabir d'immigré – et basculer « dans la marge », y vivre l'existence du « dernier des derniers », sans qualification ni droits. « Ali » – Wallraff, donc – fait tout : manœuvre dans le bâtiment, homme à tout faire chez McDonald, cobaye pour les trusts pharmaceutiques, forçat chez Thyssen, chauffeur et factotum d'un marchand de travail au noir, etc. C'est le récit de cette descente aux enfers, « tout en bas », qui constitue la matière de ce best-seller.

Deux millions d'exemplaires vendus en quatre mois, ce n'est plus un succès de librairie, c'est un phénomène de société, le symptôme d'un ébranlement, d'un vertige qui ne se compare guère qu'à l'impact de la tragique épopée de la bande à Baader. Il ne s'agit pas tant des centaines d'articles – dans leur immense majorité favorables – publiés dans les journaux de RFA, des lectures, des meetings, des débats organisés *chaque jour* depuis la parution du livre, en présence de Wallraff; du film réalisé clandestinement au cours de ces deux années de « travail de Turc » et que des millions d'Allemands ont vu à la télévision ou dans les salles de cinéma...

Au-delà de l'explosion médiatique, il s'agit surtout des *effets pratiques* de ce reportage : à peine le livre était-il en librairie que juges et fonctionnaires partaient en guerre contre des dizaines de marchands de travail intérimaire qui louent au prix fort de la main-d'œuvre immigrée, en toute illégalité; plusieurs de ces marchands d'esclaves ont été interpellés; accusé par Wallraff de profiter amplement de ces trafics et de faire travailler ces personnels dans des conditions inhumaines, le vénérable trust Thyssen a dû accepter qu'une commission indépendante vienne enquêter sur les conditions de travail dans ses usines; dans la Rhur, la hiérarchie syndicale du Deutscher Gewerkschaftsbund (DGB) a dû, bon gré mal gré, emboîter le pas à Wallraff pour dénoncer les conditions de travail et de salaires faites aux immigrés « hors statut » qui constituent, en ces temps de crise, une aubaine pour les grands *konzerns;* McDonald a assigné Wallraff en justice, mais n'a obtenu que quelques modifications de détail dans le chapitre incriminé...

Une partie de la presse conservatrice a contesté une nouvelle fois les méthodes de travail non orthodoxes de Wallraff, ses « préjugés », et mis en relief quelques erreurs de détail dans le livre. Mais beaucoup plus surprenants et remarquables sont les coups de chapeau donnés à son travail tant du côté des leaders sociaux-démocrates que de certains dirigeants du FDP (libéraux) et de la CDU (conservateurs). Le sentiment dominant exprimé par la classe politique est qu'avec toutes ses « outrances » et ses partis pris, Wallraff a néanmoins fait œuvre de salubrité publique. Un projet de loi a d'ailleurs été déposé au Bundestag, visant à réglementer plus sévèrement le travail intérimaire.

Une part importante des recettes du livre est consacrée à la mise sur pied d'un fonds de solidarité avec les immigrés. Un projet d'habitat communautaire rassemblant Allemands et immigrés, subventionné par ces bénéfices, est également en cours de réalisation à Duisburg, dans la Ruhr. Pour Wallraff, le livre n'est qu'un début, un moyen, un outil. Après, le succès aidant, vient le temps de l'action.

Alain Brossat

MOUVEMENTS SOCIAUX

Royaume-Uni. Des émeutes « tombées du ciel »

Du 9 septembre au 6 octobre 1985, une nouvelle série d'émeutes a éclaté dans les communautés immigrées de Handsworth, à Birmingham, de Toxeth, à Liverpool, de Peckham, Brixton et Tottenham près de Londres. Dans tous les cas, quelques centaines de manifestants où les Blancs et les Asiatiques se mêlaient aux Antillais, le plus souvent jeunes et armés de briques, de pierres ou de cocktails Molotov, se sont affrontés pendant une nuit ou une journée aux forces de l'ordre dont les effectifs grossissaient au fil des événements. A Handsworth, les troubles ont duré quarante-huit heures. On a compté chaque fois plusieurs dizaines de blessés de part et d'autre, de nombreux magasins dévastés ou brûlés, des immeubles incendiés, quelques appartements pillés, des voitures renversées.

On n'avait pas vu de tels incidents depuis l'été 1981, lorsque de nombreux « quartiers à problèmes » s'étaient embrasés en un week-end dans les principales villes d'Angleterre. En 1985, les émeutes se sont produites dans le contexte d'une tension croissante entre les populations « colorées » et la police et, à trois reprises, les pratiques policières courantes d'agression et d'intimidation à l'encontre des femmes noires ont servi de détonateur au conflit. Deux d'entre elles sont mortes.

Lorsque la première émeute a éclaté à Handsworth, les forces de l'ordre et la presse ont exprimé leur « surprise », insistant sur la « bonne atmosphère multiraciale » dans un quartier qui n'avait pas donné de signes particuliers d'agitation. Pourtant, les « signes » du malaise étaient abondants. A Handsworth comme ailleurs, ces quartiers sont composés d'une population vivant dans des conditions très difficiles. Bien que la presse parle d'immigrés, il s'agit majoritairement de citoyens britanniques, d'origine antillaise ou asiatique, nés dans le pays. Autour de Birmingham, à Handsworth, Soho et Lozells, on compte 58 % de Noirs (il y en aura 11 % dans le comté des West Midlands et 4 % au Royaume-Uni) et, parmi eux, 50 % ont moins de vingt-cinq ans. Cette population est particulièrement frappée par le chômage qui peut atteindre chez les jeunes des proportions supérieures à 90 %. Un chômage de longue durée, pratiquement sans aucune perspective d'avenir. En effet, étant passés par des institutions scolaires où leur échec présumé déterminait en partie leur échec à venir, les Noirs sont confrontés à des filières de formation sans débouchés réels et auxquelles ils n'accèdent pas toujours. Enfin, quand ils ne tombent pas sous le coup de la discrimination raciale d'un employeur privé ou public, ils trouvent généralement au mieux des emplois précaires, à mi-temps, sous-qualifiés et sous-payés. C'est pourquoi ils se vivent comme des « exclus » du monde du travail et plus encore de la société. Beaucoup se sentent en régime d'apartheid et comparent volontiers leur condition à celle des Africains du Sud. Parqués dans des cités surpeuplées, dans des logements pauvres et insalubres, reçus comme des fléaux par les services sociaux officiels, ils ont créé leurs propres organisations d'entraide, mais ne parviennent pas à les faire fonctionner correctement, faute de moyens ou de subventions adéquates. Quant aux divers plans de développement officiels, ils ont été imposés et gérés par des personnes extérieures à ces communautés dont ils n'ont pas réussi à améliorer le sort.

Une affaire de police

Le gouvernement s'est appliqué à identifier les émeutes à des actes de « pure criminalité » pour lesquels Mme Thatcher n'a admis « d'explication ou de justification d'aucune sorte ». Prenant ses distances par rapport à l'événement, le Premier ministre a appelé en toute logique les Britanniques à « soutenir la police » et confié l'essentiel des commentaires et des interventions publiques au ministre de l'Intérieur, M. Douglas Hurd. Et contrairement à 1981, la « dame de fer » a même refusé l'ouverture d'une enquête parlementaire pour déterminer les causes des incidents. Aux yeux de l'équipe au pouvoir, on ne devait pas chercher de causes économiques ou sociales aux émeutes, car elles sont l'expression politique de traits de caractère « mauvais », inscrits dans la nature humaine et toujours susceptibles de faire surface. Il convenait donc de les réprimer en tant que tels et de se contenter d'une enquête policière. Comme l'affirmait très sérieusement M. Hurd, « il ne s'agit pas d'une étude de cas pour les sociologues mais pour la police ».

De son côté, l'opposition parlementaire, gênée comme d'habitude en pareille circonstance, s'est perdue dans des discours fort ambigus et peu convaincants, dénonçant la violence des émeutiers mais atténuant ses critiques en invoquant le chômage. Or, comme le remarquait habilement Mme Thatcher, ce dernier argument ne pouvait rendre compte à lui seul des émeutes. Ainsi, les travaillistes pas plus que les conservateurs n'ont apporté d'éléments de compréhension au problème, tandis que la presse s'en donnait à cœur joie dans des articles à sensation très payants. Et souvent provocateurs. Elle a parlé d'« instincts tribaux », de « cris de guerre Zoulous », et un journal a même commenté une photo en ces termes : « Une brute noire apparente à grands pas une rue de Birmingham, la haine dans les yeux, un cocktail Molotov dans la main. »

Etouffés par l'idéologie sécuritaire et les propos racistes, les travailleurs sociaux et les porte-parole des communautés ont été réduits au silence, sous peine de se voir accusés de défendre les émeutiers. Le calme est revenu très vite, mais c'était un calme précaire. Ne serait-ce qu'en considérant les catégories « sociologiques » établies par des forces de police revanchardes pour surveiller et punir les émeutiers – « le noyau dur des scélérats », « ceux qui prennent plaisir à faire des dégâts », les « drogués » –, on a tout lieu de craindre que les ghettos « à problèmes » ne s'embrasent à nouveau. Les responsables politiques de droite ou de gauche n'ont pas modifié leur attitude, se contentant des mêmes palliatifs – un peu plus d'argent, un peu plus de police. Mme Thatcher n'a pas perdu grand-chose. Les émeutes auront plutôt renforcé la conviction, majoritaire chez les Britanniques, que les conservateurs savent mieux que les travaillistes défendre l'ordre et la sécurité. Et comme, selon l'expression du chef de la police des West Midlands, « elles sont tombées d'un ciel bleu et limpide », leur répression est devenue un peu plus banalisée.

Noëlle Burgi

Le déclin du mouvement communiste européen

Depuis le début des années quatre-vingt, le mouvement communiste en Europe non communiste traverse une grave crise qui pose avec acuité la question du déclin général et durable du phénomène communiste dans cette aire géopolitique.

Le premier indice de cette crise

réside dans les évolutions électorales. Après avoir connu une embellie dans les années 1975-1978, tous les partis communistes qui jouaient un rôle de premier plan dans leur pays ont enregistré des reculs électoraux (Chypre, Espagne, Finlande, France, Islande, Italie, Portugal). Même un parti aussi implanté que le PC italien n'y a pas échappé : il a perdu 2,5 points et d'importantes municipalités aux élections régionales de mai 1985. Ces reculs ont parfois tourné au désastre comme en Espagne (de 10,8 % des voix exprimées aux législatives de juin 1977 à 3,8 % à celles de 1982) ou en France (de 21,3 % au premier tour des législatives de 1973 à 9,8 % à celles de mars 1986).

Ce recul a touché également les PC déjà marginalisés qui, sur le plan électoral, n'atteignaient pas ou dépassaient à peine 1 % des voix et dont on pensait qu'ils ne pouvaient chuter plus bas; or, ils ont vu leur (faible) audience décroître encore, parfois de moitié (Norvège, Belgique), posant la question de l'existence même d'un PC dans ces pays. Les élections européennes ont aussi enregistré ce recul des positions communistes : le nombre des députés communistes européens est tombé de 48 en 1979 à 42 en 1984 (27 Italiens, 10 Français, 4 Grecs et 1 Danois). Seuls les PC grec et suédois semblent maintenir leurs positions.

Ce recul électoral généralisé s'est accompagné d'une forte chute du nombre des adhérents, le plus souvent masquée par le gonflement des chiffres officiels, et d'un net affaiblissement des capacités de recrutement, en particulier chez les jeunes.

Certes, la conjoncture économique explique en partie ce recul communiste. Il est vrai que la crise a fortement réduit la mobilisation et la combativité des salariés qui, en l'occurrence, semblent avoir opté pour des solutions « réalistes » plutôt que pour une « issue révolutionnaire » à la crise. Cela a permis à la vieille social-démocratie de marginaliser définitivement le communisme (en Norvège, RFA, Grande-Bretagne, Belgique, Suède) et aux nouveaux partis socialistes de s'imposer rapidement (en France, en Espagne, au Portugal, en Grèce et même en Italie), mettant en difficulté les partis communistes. Néanmoins, il ne s'agit, là encore, que des signes d'une crise plus profonde qui touche le communisme européen dans ses deux grandes dimensions : ses rapports à la société et son appartenance au mouvement communiste international.

Désagrégation des bases sociales

Les relations des PC avec leurs sociétés respectives, qui semblaient bien établies, ont été fortement déstabilisées depuis la fin des années soixante-dix. Si le communisme avait réussi, entre les deux guerres et surtout en 1945-1946, à s'implanter de manière importante et durable dans une dizaine de pays européens, ce n'est pas tant en raison de l'adhésion de millions de citoyens à la doctrine communiste, que parce qu'il répondait aux besoins et aspirations de certaines catégories ethniques ou sociales. Dès 1935-1936, les communistes français avaient été les premiers à rassembler des masses ouvrières jeunes, souvent urbanisées de fraîche date, rendues inquiètes par la crise économique et la montée du fascisme et qui étaient en quête d'une identité. En Grèce, en Espagne, au Portugal, les communistes ont symbolisé la lutte contre des régimes dictatoriaux et l'aspiration de masses rurales à une réforme agraire. A Chypre, ils ont cristallisé les aspirations de la communauté grecque. En Italie, ils ont regroupé les antifascistes, les laïcs et les partisans d'une identité italienne plus forte. La lutte dans les combats de la Résistance a souvent cimenté dans le sang des martyrs ces relations entre communisme et groupes sociaux.

Or, les bases de ces fidélités communistes sont en voie de désagrégation. La disparition de Franco, de Salazar, des colonels grecs, l'entrée de plusieurs pays dans le cercle démocratique (entérinée par l'élargissement de la CEE), la crise économique et son mouvement accéléré de modernisation, tout cela a provoqué des bouleversements rapides que les PC n'ont pas su voir ou auxquels ils n'ont pas pu s'adapter. Les cas les plus flagrants sont la France où le PCF croit s'appuyer sur une classe ouvrière qui, en réalité, s'est très profondément transformée, et l'Espagne où le PCE a voulu orienter son action dans la continuité d'une guerre civile et d'une lutte antifasciste dont les Espagnols ne veulent plus entendre parler.

La modernisation et l'intégration des économies ont fait largement reculer, en dépit de la crise, les sentiments d'appartenance de classe; il est d'ailleurs symptomatique qu'à l'exception de la Finlande, toutes les forces du communisme européen soient désormais regroupées selon un arc nord-méditerranéen qui court du Portugal à Chypre en passant par l'Espagne, la France, l'Italie, Saint-Marin et la Grèce; le phénomène communiste n'a réussi à perdurer que dans ces sociétés qui, jusqu'à une date récente, étaient restées traditionnelles, largement marquées par leur caractère rural, et n'avaient pas encore évolué sous les chocs de la modernité industrielle et culturelle.

Crise du modèle soviétique

Ces facteurs externes d'affaiblissement se sont doublés d'un processus de désagrégation interne du mouvement communiste. Déjà amorcée en 1956 avec le rapport secret de Khrouchtchev au XXe congrès du PC soviétique, la mise en cause du modèle de communisme proposé par l'URSS s'est accélérée en 1968 avec l'invasion de la Tchécoslovaquie et a été parachevée en 1980-1981 avec les affaires d'Afghanistan et de Pologne.

Cette crise du modèle a entraîné une dégradation considérable de l'image de l'URSS dans l'opinion publique de la plupart des pays européens; sous les effets conjugués de la parution en Europe de l'Ouest de l'*Archipel du Goulag* de Soljénitsyne (1973) et de l'invasion de l'Afghanistan par les troupes soviétiques (1980), l'URSS n'apparaît plus comme une puissance de paix en marche vers la justice sociale, mais est assimilée à la plus agressive et la plus rétrograde des deux superpuissances; cette évolution de l'opinion européenne, particulièrement nette chez les intellectuels, a posé aux PC européens le problème du maintien de leur solidarité affichée et fondamentale avec l'URSS. Cette dégradation de l'image du communisme soviétique s'accompagne d'un évident désin-

BIBLIOGRAPHIE

Article

MARCOU L., « Les relations entre les partis communistes de l'Europe de l'Ouest et l'URSS », *Les Temps modernes*, n° 478, mai 1986.

Dossiers

« Évolution du communisme en Europe – à l'exception des pays du camp socialiste », *Communisme*, n°s 11-12, automne 1986.
« Le système communiste mondial », *Pouvoirs*, n° 21, 1982.

ÉVOLUTION DES EFFECTIFS ET DES SCORES ÉLECTORAUX DES PC EUROPÉENS 1945-1986 *

	1945-47	1948-54	1970-74	1975-79	1980-84	1986-86
Autriche	 5,4 – 0	28 000 5,4 – 5	25 000 1,4 – 0	25 000 1,2 – 0	25 000 0,9 – 0	
Belgique	100 000 12,7 – 23	40 000 7,5 – 12	12 500 3,2 – 5	 3,2 – 4	10 000 2,1 – 2	 1,2 – 0
Chypre	4 000	2 500	13 000 30,8 – 9	11 000 30,9 – 9	13 000 32,8 – 12	 27,4 – 15
Danemark	75 000 12,5 – 18	21 000 4,6 – 7	5 000 4,2 – 7	 3,7 – 7	7 700 1,1 – 0	
Espagne				200 000 10,8 – 23	140 000 3,8 – 4	80 000
Finlande	150 000 23,5 – 49	50 000 21,6 – 43	46 000 16,6 – 36	 19 – 40	50 000 14 – 27	
France	1 034 000 28,6 – 174	506 000 25,6 – 103	450 000 21,3 – 73	700 000 20,6 – 86	700 000 16,2 – 44	610 000 9,8 – 35
Grande-Bretagne	47 000 0,4 – 2	40 000 0,1 – 0	30 000	 0,5 – 0	20 500 0,03 – 0	
Grèce	72 000	 10,5 – 0	 3,6 – 8	27 500 9,3 – 12	42 000 10,9 – 13	
Hollande	53 000 10,5 – 10	33 000 7,7 – 0	 4,5 – 7	 1,7 – 2	13 000 1,8 – 3	
Islande	 19,5 – 10	1 500 19,5 – 9	1 500 18,3 – 11	2 200 19,7 – 11	3 000 17,3 – 10	
Italie	2 200 000 19 – 104	2 100 000 22,7 – 143	1 600 000 27,2 – 179	1 800 000 34,4 – 228	1 700 000 29,9 – 198	1 500 000
Luxembourg	 13,5 – 0	3 000 10 – 4	 10,4 – 5	 4,8 – 2	600	
Norvège	45 000 11,9 – 11	13 000 5,8 – 1	5 000	2 500 0,4 – 0	2 500 0,3 – 0	1 500 0,2 – 0
Portugal			3 000		164 000 18 – 44	 15,5 – 36
Saint-Marin			900 23,7 – 15	 21,1 – 16	300 24,3 – 15	
Suède	48 000 11,2 – 15	53 000 6,3 – 8	 5,3 – 19	 4,8 – 17	17 000 5,6 – 20	17 500 5,4 – 19
Suisse	13 500 5,1 – 7	8 000 2,7 – 5	 2,5 – 4	 1,5 – 3	5 000 0,9 – 1	

* Pour chaque pays, la première ligne recense les effectifs d'après les chiffres officiels fournis par les PC ; la deuxième ligne recense d'abord le pourcentage des voix exprimées, puis le nombre de députés élus aux élections législatives dans chacun des pays considérés. Les chiffres retenus sont les plus élevés dans la période considérée. Les PC d'Irlande et de Malte ne se présentant même pas aux élections, ils n'ont pas été inclus dans le tableau.

térêt pour l'idéologie marxiste-léniniste et tarit l'une des sources de l'adhésion partisane.

La crise du modèle soviétique débouche plus largement sur une remise en cause générale du mythe communiste et provoque des ruptures, à des degrés divers, entre les PC européens et Moscou qui demeure, en principe, le centre du système communiste mondial; dès 1981-1982, le PC italien a clairement pris acte que « la phase du développement du socialisme qui a commencé avec la Révolution d'octobre a épuisé sa force motrice »; il a condamné le marxisme-léninisme comme une « doctrine ossifiée » et dénoncé le « camp socialiste comme un camp idéologico-militaire gouverné par une logique de pouvoir ».

Désormais, dans presque chaque PC se dessine un clivage entre un courant orthodoxe qui reste parfaitement fidèle à Moscou et un courant eurocommuniste (ou « rénovateur ») qui aspire à une meilleure adaptation aux réalités contemporaines et à une révision de la doctrine. Ces clivages ont abouti, dans certains cas, à des scissions, signes majeurs de désagrégation interne. Le PC grec avait déjà connu la sienne en 1968 et le PC suédois en 1977. Le PC espagnol a explosé en 1985 en trois partis distincts. Quant à la majorité du PC finlandais, elle a exclu, le 13 octobre 1985, sa minorité orthodoxe. Il est à remarquer que dans les deux derniers cas, Moscou n'a pas hésité à intervenir en fonction de ses intérêts bien compris, soit pour provoquer la scission (Espagne), soit pour essayer de l'éviter (Finlande).

Alors, quel avenir pour le communisme européen? Le projet communiste ne rencontre presque plus d'écho dans aucun secteur des sociétés occidentales. Les PC européens sont confrontés à une crise générale de leur identité; mais ont-ils encore les capacités de sortir de cette crise? Ne sont-ils pas condamnés à l'explosion par scission, ou au repli sur la secte? Bref, la crise du communisme européen n'est-elle pas en train de déboucher sur son déclin définitif, voire sa disparition à l'horizon de l'an 2000?

Stéphane Courtois

Les luttes autour de la réforme agraire au Brésil

A défaut d'une réforme agraire ample et radicale, le Brésil risque de se transformer en l'espace de dix ans en un immense champ de bataille. C'est l'avertissement qu'a lancé en mai 1985 Nelson Ribeiro, placé à la tête du ministère de la Réforme et du Développement agraire (MIRAD) par le gouvernement de la nouvelle République, et qui entendait bien enrayer la montée des conflits fonciers : 109 en 1971, 891 en 1981, 950 en 1984. Au début de 1985, le nouveau régime a hérité en effet d'une structure foncière extrêmement concentrée : 1 % des propriétaires détenaient 45 % de la surface totale; 10,6 millions de paysans était dépourvus de terre alors que 409 millions d'hectares restaient en friche. Le MIRAD entendait lancer un ample programme de « désappropriations » visant à promouvoir une meilleure justice sociale, augmenter la productivité et supprimer graduellement la trop grande et la trop petite propriété.

Cette propositoin allait soulever un violent débat dans l'ensemble des secteurs ruraux. Pour les « sans-terre » l'espoir semblait permis. Dans le Rio Grande do Sul, l'immense majorité d'entre eux avaient été délogés de leur trop petite terre où ils produisaient pourtant 90 % de l'alimentation de l'État; cette opération avait été rendue possible par l'appui formidable que les gouvernements militaires avaient accordé aux cultures d'exportation. Réaffirmer la fonction sociale de la propriété foncière signifiait pour eux la fin de latifundiaires comme la famille Annoni qui considéraient leur terre comme un placement, alors que la majorité des Brésiliens ne mangeaient pas à leur faim. Le MIRAD proposait en effet de réorienter l'agriculture au profit de la production alimentaire pour le marché intérieur, et de créer des emplois nouveaux.

A travers la Confédération nationale de l'agriculture, les grands propriétaires estimaient que la réforme agraire se devait d'épargner les propriétés productives responsables du développement agricole du pays et pourvoyeuses de devises. Pour eux, le domaine public, « le plus grand *latifundio* du pays », disposait d'une surface suffisante pour reloger tout le monde, en Amazonie par exemple. Le MIRAD était d'un avis contraire : la réforme agraire devait être implantée dans les régions déjà occupées. L'infrastructure existante en diminuerait les coûts et l'on éviterait de déraciner des communautés entières. Mais les différentes administrations locales ne partageaient pas toutes ces opinions avancées. C'est pourquoi les occupations de terre multipliées par les mouvements de « sans-terre » ont rencontré de leur part un mélange de répression et de soutien matériel. Fin 1985, on comptait 45 cas d'occupation regroupant 11 709 familles.

Les latifundiaires aussi se sont organisés et ont usé de leur puissante influence sur la classe politique. Peu à peu, le Congrès et les gouverneurs d'État ont adhéré à l'idée de préserver les *latifundios* productifs. Les pressions sur le MIRAD se sont accentuées. Des associations clandestines se sont constituées pour louer des hommes de main et acheter armes et consciences afin de lutter contre la réforme agraire. En Amazonie, « frontière agricole », la proposition de Brasilia a jeté de l'huile sur un feu traditionnellement vif. Comme l'explique José Carlos Castro, membre de l'Ordre des avocats brésiliens, en l'absence de cadastre et de titre de propriété reconnu, « la preuve de la possession de la terre est garantie par la seule force. C'est dans le Code civil, article 524 »! Accueillant les veuves de cinq paysans abattus par un propriétaire qui n'acceptait pas d'avoir été dépossédé des trois cents hectares dont il s'était emparé par la fraude, la nouvelle juge de Marabà, au sud du Parà, ne put que se lamenter avec elles en leur annonçant qu'un *pistoleiro* fameux qu'elle avait fait arrêter s'était enfui avec la complicité de la police.

Les conflits fonciers, sous une apparente anarchie, cachaient une véritable stratégie : en abattant le 18 décembre 1985 João Canuto, le président du premier syndicat établi au sud du Parà, c'est huit ans d'organisation qui étaient anéantis. Plutôt que de tuer les paysans, il semblait plus efficace de chercher à les empêcher de vivre, comme à Vitoria do Méarim (Maranhão) où, le 16 janvier 1986, un groupe de *pistoleiros* appuyés par la police locale détruisirent systématiquement les maisons, volèrent les outils, semèrent de l'herbe pour rendre la terre improductive, et commercialisèrent, pour leur propre compte, la récolte des paysans qui avaient fui dans la forêt. Maria Juventina da Silva (soixante-deux ans), dont le champ avait été rasé au bulldozer près d'Itapiréma (Pernambouc), résumait ainsi cette logique : « Ils ont tué notre récolte. Nous sommes morts. »

Le 10 octobre 1985, le premier Plan national de réforme agraire était décrété par le président Sarney. Il éviterait « absolument » de toucher aux *latifundios* productifs; aucune désappropriation ne serait faite sans l'accord du propriétaire, chaque mètre carré de terre serait désapproprié par décret présidentiel : la fonction sociale de la terre et l'intérêt public s'effaçaient une fois de plus devant la puissance des grands propriétaires. Considérant qu'elles ne pouvaient plus attendre,

2 500 familles s'installaient dix-neuf jours plus tard sur la *fazenda* Annoni. A la fin de l'année 1985, le gouvernement recensait 1 874 conflits, et plus de 200 morts. Devant la dégradation de la situation, le ministre chargé de la réforme agraire donnait sa démission le 28 mai 1986.

Olivier Colombani

Les mouvements pacifistes belges et néerlandais

En 1979, l'OTAN avait prévu l'implantation de missiles de croisière dans cinq pays d'Europe occidentale : République fédérale d'Allemagne, Grande-Bretagne, Italie, Belgique et Pays-Bas. Contre toute attente, c'est dans ces deux derniers États, traditionnellement considérés comme de « bons atlantistes », que la mise en œuvre de cette décision a été la plus délicate. La protestation contre les « euromissiles » américains y a été aussi vive qu'ailleurs, mais, dans ces deux pays, elle est parvenue à ébranler et, temporairement, à paralyser les gouvernements.

En Belgique, le gouvernement de coalition chrétien-libéral autour du pivot social-chrétien flamand (CVP) de Wilfried Martens, sous la pression du mouvement de paix, a tergiversé pendant des mois, même après l'installation de missiles dans d'autres pays (fin 1983).

La protestation contre l'implantation de fusées à Florennes, en Wallonie, s'est en effet développée dès 1979 surtout en Flandres, après la formation du VAKA (Comité d'action flamand contre les armes nucléaires). Il a tout de suite bénéficié du soutien de secteurs chrétiens (Pax Christi), écologistes (le parti AGALEV) ou du dynamique Parti socialiste flamand (SP). Le mouvement wallon, de son côté, s'est coordonné autour du Comité national d'action pour la paix et le développement (CNAPD), mais avec un impact plus limité du fait d'un soutien moins actif des socialistes francophones. En octobre 1981, les deux organisations rassemblaient 200 000 personnes à Bruxelles, et bien plus encore deux ans plus tard. D'après les sondages, 60 à 70 % des Belges s'opposaient à l'implantation des missiles.

La contestation a même touché le CVP, le parti du Premier ministre. Pourtant, celui-ci est parvenu à le reprendre en main (congrès de la fin 1984) et, le 15 mars 1985, il annonçait le déploiement des missiles. Deux jours plus tard, 100 000 personnes manifestaient leur opposition dans les rues. Mais les élections du 13 octobre 1985, malgré une poussée des socialistes flamands, a confirmé la coalition au pouvoir. Le mouvement n'a pas disparu pour autant puisque le 20 novembre, plusieurs centaines de milliers de personnes ont manifesté sur le thème « désarmer pour développer ».

Il est vrai que, comme leurs homologues néerlandais et d'autres mouvements européens, le CNAPD, et plus encore le VAKA, ont dépassé la seule question des missiles pour prôner de nouvelles approches en matière de politique étrangère, une nouvelle culture politique dont les effets seront sans doute sensibles à terme.

La « Hollandite »

Cette dimension spécifique des nouveaux mouvements de paix non-alignés, au-delà du « pacifisme » traditionnel, est bien illustrée par le mouvement néerlandais. Celui-ci est, si l'on considère son impact national, le plus puissant d'Europe occidentale, à tel point que l'on a décrit la « vague pacifiste » européenne des années 1980-1984 comme la « maladie de Hollande » ou la « Hollandite ». Il a débuté plusieurs années avant que ne soit envisagée l'implantation de missiles américains sur la base de Woednsdrecht, avec, dès 1977, le mouvement « Stop à la bombe à neutron » animé par le Parti communiste, et surtout la campagne du Conseil inter-églises pour la paix (IKV) sur le thème : « Débarrassons le monde des armes nucléaires en commençant par la Hollande. »

IKV est devenu l'une des « consciences » du nouveau mouvement de paix européen pour lequel le désarmement nucléaire est un moyen de créer une dynamique de « confiance et d'interdépendance » des nations et de « détente par en bas » des peuples. L'organisation a contribué à la coordination des mouvements occidentaux (création du Centre international de communication et de coordination pour la paix, IPCC) et aux débats des « Conventions européennes pour le désarmement nucléaire » (European Nuclear Disarmament, END) dont la quatrième rencontre s'est tenue en 1985 à Amsterdam. L'IKV a aussi développé sa coopération avec les mouvements indépendants d'Europe de l'Est, pacifistes de Hongrie et de République démocratique allemande, Charte 77 tchécoslovaque, mouvements polonais (le secrétaire de l'IKV, Mient Jan Faber, a rencontré Lech Walesa en 1985), en collaboration avec l'organisation catholique Pax Christi également active en Amérique latine (Nicaragua) et au Proche-Orient (Organisation pour la libération de la Palestine – OLP –, pacifistes israéliens...).

Cette activité internationale reflète la force interne d'un mouvement très varié avec, outre l'IKV, les forces de gauche et écologistes dont le Parti socialiste (PVDA) et certains secteurs démocrates-chrétiens, de nombreuses organisations féministes, tiers mondistes, radicales, de « désobéissance civile » (BONK), etc., coordonnées au sein du « Comité anti-cruises » (KKN). En novembre 1981 et octobre 1983, celui-ci a rassemblé des foules jamais vues dans l'histoire du pays.

Le gouvernement chrétien-libéral a hésité, liant sa décision à la quantité de *SS 20* soviétiques déployés après le 1er juillet 1984. Finalement, malgré une gigantesque pétition des opposants (4 millions de signatures), le Premier ministre Ruud Lubbers a donné son accord, le 1er novembre 1985, à l'installation de quarante-huit missiles de croisière sur le territoire néerlandais.

Après la victoire de la coalition gouvernementale aux élections législatives du 21 mai 1986, d'autant plus surprenante que la catastrophe de Tchernobyl avait réveillé les passions antinucléaires, l'affaire n'était pas close pour autant, le mouvement d'opposition restant extrêmement vigoureux et la base de Woendsrecht n'étant pas opérationnelle.

Bernard Dréano

Le renouveau de l'antiracisme en Europe

Les difficultés économiques en Europe ont fourni dans les années quatre-vingt un terrain de choix à la recrudescence de mouvements xénophobes. La crise qui sévit depuis 1973 dans les pays industrialisés est en partie à l'origine du développement de comportements intolérants des autochtones à l'égard des étrangers.

Accueillis à bras ouverts dans les années soixante, au bon temps de la croissance, les immigrés sont désormais interdits d'entrée dans la plupart des pays de la Communauté européenne, dont les frontières ont été verrouillées. Ceux qui y vivent, plus de 13 millions, subissent, selon la conjoncture sociale de chaque nation, une part de rejet ou de marginalisation.

Fait rare, la commission d'enquête du Parlement européen a contresigné en octobre 1985 un rapport « sur la montée du fascisme et du racisme en Europe ». Le document met en lumière l'existence avérée d'individus et de groupes se réclamant des idéologies et des régimes anéantis à la fin de la Seconde Guerre mondiale, et qu'on avait cru définitivement enterrés dans l'histoire. Ces courants, certes, sont marginaux, d'autant que leurs attitudes sont des plus radicales. Plus alarmantes aux yeux de la commission, sont la montée du racisme et les tensions vives et répétitives entre les différentes communautés qui, au premier chef, visent et touchent les immigrés.

La xénophobie n'est pas un phénomène nouveau en Europe. Elle a accompagné toutes les migrations des XIXe et XXe siècles. Elle est toujours à son comble en temps de crise économique. Les solidarités sociales rompues, les classes défavorisées acceptent mal l'installation d'immigrés perçus alors comme des rivaux.

Depuis 1980, le retour en force des idéologies antidémocratiques et les succès électoraux des partis d'extrême droite ont semé l'inquiétude dans diverses institutions européennes et organisations humanitaires. En France, le dérapage raciste s'est produit lors de la campagne des élections municipales de 1983. L'immigration, thème favori des discours politiques, a été liée au chômage, à l'insécurité et à la dénatalité. L'intolérance a quitté les marges dans lesquelles elle avait été confinée depuis la dernière guerre. Ce retour déplorable, favorisé par les surenchères électoralistes et le manque de vigilance des partis traditionnels, a réhabilité des thèmes dangereux.

L'antiracisme affiché

En réaction, des jeunes se sont regroupés en France, à la fin de l'année 1984, autour d'un slogan : « Touche pas à mon pote. » Ce fut la naissance de SOS Racisme, la première mobilisation de masse de l'après-guerre, fondée sur des principes d'ordre exclusivement éthique. Harlem Désir, son fondateur et président, a voulu faire de ce mouvement un front de lutte contre le racisme et un lieu d'expression ouvert à toutes les communautés. Les jeunes ont interpellé la classe politique. Ils ont exprimé par un simple badge, une main ouverte, le refus clair de négocier de quelque façon que ce soit toute forme de racisme et la volonté de s'afficher ouvertement antiracistes.

Ce renouveau spontané de l'antiracisme a réveillé l'ardeur des autres mouvements aînés, et a suscité l'intérêt des médias. « Pour les antiracistes, il semblait naturel d'être antiracistes. Ils n'éprouvaient pas le besoin de le dire ou de le montrer », affirme une initiatrice du mouvement. « Les nouveaux antiracistes ont décidé de se battre autrement, c'est-à-dire de s'afficher comme tels. Le premier appel de notre mouvement était de dire : antiracistes, affichez-vous ! »

SOS Racisme a lié sa lutte à la bataille pour l'égalité des droits et l'intégration des communautés étrangères. Trois cents comités animent à travers la France débats, manifestations, conférences et fêtes. Le 15 juin 1985, plus de 300 000 personnes, surtout des jeunes, ont répondu à l'appel de SOS Racisme et ont participé, place de la Concorde, à une gigantesque fête antiraciste. Un an et demi après la « marche des Beurs » de 1983, des messages ont été diffusés au cours de cette

« messe musicale » qui ont réveillé de nouveau la France antiraciste. Face au racisme banalisé et ses violences aux conséquences dramatiques, l'antiracisme est revenu à l'ordre du jour. La France n'est pas le seul pays où la présence d'une population d'origine étrangère soulève des problèmes. La situation de chaque pays dépend de critères aussi divers que l'importance numérique, la nature ou l'origine de son immigration, sa législation en la matière, le rôle des étrangers dans son économie, leur place dans la société ou leur participation sociale ou politique. Dans l'ensemble, l'étranger en situation d'infra-droit a vu sa précarité s'accentuer.

En Belgique, l'heure est à une politique restrictive en ce domaine. En mai 1985, est paru au journal officiel *(Moniteur belge)* un arrêté autorisant des communes de la région bruxelloise à refuser aux étrangers non européens de s'installer. C'est la reconnaissance de la notion de « seuil de tolérance ».

En Suisse, les immigrés et les réfugiés politiques ont déchaîné la rage des xénophobes. Les « Vigilants », parti d'extrême droite, ont obtenu 20 % des voix en octobre 1985, lors des élections au Parlement du canton de Genève. Cette résurgence de l'égoïsme et cette poussée du sentiment nationaliste au pays de Calvin ont entraîné, là aussi, la mobilisation des antiracistes qui se sont montrés pour affirmer leur solidarité avec les étrangers et défendre la réputation de leur pays, terre d'accueil.

Outre-Manche également, nombreux sont les groupements d'entraide et les associations combattant la discrimination raciale. Depuis le début des années quatre-vingt, la Grande-Bretagne a été secouée périodiquement par de violentes émeutes raciales. Celles de septembre 1985 à Birmingham et Brixton ont montré le grand malaise des ghettos d'immigrés et des quartiers pauvres, dont la violence a été ressentie du haut en bas de l'échelle sociale. Une enquête publiée à Londres en mai 1984 par le « Social and Community Planning Research » révélait que 90 % des Britanniques considéraient leur société comme raciste. Deux sur cinq estimaient que les préjugés à l'encontre des Noirs et des Asiatiques étaient appelés à se développer dans les prochaines années, et 35 % des personnes interrogées reconnaissaient avoir des tendances racistes.

Une note d'espoir est venue des Pays-Bas où, pour la première fois, le 19 mars 1986, 35 000 étrangers résidents ont participé au renouvellement des conseils de communes. Après les Irlandais, les Suédois, les Danois et les Norvégiens, les Néerlandais ont accordé le droit de vote aux immigrés.

L'étude des législations européennes en matière de discrimination raciale montre que celle de la France est l'une des plus avancées, des plus

BIBLIOGRAPHIE

Ouvrages

DÉSIR H., *Touche pas à mon pote*, Grasset, Paris, 1985.

GALISSOT R., *Misère de l'antiracisme*, Arcantère, Paris, 1985.

Mouvement contre le racisme et pour l'amitié entre les peuples, *Chronique du flagrant racisme*, La Découverte, Paris, 1985.

Dossiers

« L'Europe et ses immigrés », *Actuel développement*, nº 70, janvier-février 1986.

« Immigrés, bonjour l'avenir », *Croissance des jeunes nations*, février 1986.

complètes et des plus protectrices. Peu de pays accordent à des associations ou à des groupements de lutte contre le racisme le droit d'agir en justice. Si l'atteinte à l'honneur ou à la considération d'un groupe de personnes en raison de leur race est reconnue comme une infraction dans la plupart des pays européens, seules la France, l'Allemagne et la Norvège répriment l'injure raciale envers une seule personne. Quant à l'injure raciale non publique, elle n'est réprimée qu'en France, en Allemagne et en Suède.

En 1985, quarante jeunes sont partis de Paris pour une campagne européenne pour l'égalité des droits des immigrés. Ces « voyageurs de l'égalité » ont fait signer une charte partout où ils sont passés, et leur badge a été traduit dans toutes les langues. « Nous voulions sortir du ghetto hexagonal », a expliqué Olivier Léonard, un de ces voyageurs, « et nous rendre compte de la cohabitation entre les communautés et le métissage culturel en Europe. Nous avons rapporté des mauvaises nouvelles du racisme chez les autres et des bonnes nouvelles de l'égalité aussi. » En novembre, c'était l'appel commun à la fraternité, lancé en France par des associations humanitaires et des permanents de toutes les religions. Les signataires estimaient « que certaines manifestations d'intolérance dans la société française sont suffisamment graves pour que, par-delà leurs différences d'approche, ils unissent pour la première fois leurs voix et leurs efforts ». Ils dénonçaient le réflexe de peur et d'intolérance à l'égard des populations étrangères et déclaraient « urgent de vivre ensemble dans la tolérance des différences et l'enrichissement mutuel pour une société meilleure de laquelle les immigrés ne sauraient être exclus ».

Ainsi, la résurgence du racisme en France et dans les autres pays d'Europe a provoqué le réveil de la vigilance. Ce renouveau de l'antiracisme concerne avant tout les jeunes, plus motivés et plus actifs, et a permis de faire se rassembler des mouvements désireux d'agir ensemble dans un objectif commun.

Ezzedine Mestiri

QUESTIONS ÉCONOMIQUES

Le marché pétrolier en déroute

Le marché pétrolier a connu une véritable rupture en décembre 1985. La chute du prix du pétrole s'est engagée : baissant jusqu'à quatorze dollars environ le baril en mars 1986, il a pratiquement rejoint son niveau d'avant le deuxième choc pétrolier de 1979-1980.

Cette baisse, jointe à celle du dollar, a sensiblement amélioré les perspectives économiques des nombreux pays dont les importations pétrolières représentent une part importante du revenu national : le Japon, l'Allemagne fédérale, la France et l'Italie, mais aussi l'Espagne, les nouveaux pays industrialisés d'Asie et certains pays africains. En revanche, les perspectives des pays exportateurs de pétrole se sont assombries. Parmi eux se trouvent des pays lourdement endettés, le Mexique, le Nigéria, le Vénézuéla, déjà engagés dans un difficile ajustement aux conditions financières restrictives qui leur sont imposées.

Partout on tente de prévoir les conséquences de la baisse du prix de pétrole et on cherche à définir par quelles politiques y répondre. Mais, le plus difficile, début 1986, restait encore de prévoir à quel niveau ce prix allait s'établir au cours des deux ou trois ans à venir. Le ministre saoudien du Pétrole, Ahmed Zaki Yamani, déclarait en décembre 1985 : « Nous allons vers quelque chose d'inconnu, n'importe quoi peut arriver. » Si les producteurs ne mettent aucun frein à la concurrence, le prix du pétrole peut descendre jusqu'à dix dollars. Combien de temps pourra-t-il rester à ce niveau, remontera-t-il brusquement ou progressivement ? Tout dépend de la politique des producteurs, de celle des États consommateurs, de la réaction de la demande à la baisse des prix. Autant d'inconnues qui pesaient sur l'avenir du marché pétrolier au printemps 1986. Pourtant, la baisse du pétrole n'a pas surpris. Depuis la fin de 1981, on savait l'effondrement possible. Le prix du pétrole n'a résisté aux pressions à la baisse exercée par la surcapacité mondiale que par la volonté des pays de l'OPEP (Organisation des pays exportateurs de pétrole) de le maintenir. Cette volonté n'était pas inébranlable. Elle l'était de moins en moins à mesure que la part de marché de l'OPEP diminuait.

Le déclin de la production de l'OPEP s'est précipité à partir de 1980. En 1985, l'OPEP n'a produit que seize millions de barils par jour de pétrole brut, pas plus que l'ensemble des pays de l'OCDE, presque deux fois moins qu'en 1979. Ce déclin est le résultat des évolutions contradictoires de l'offre et de la demande qui ont suivi les deux chocs pétroliers (1973-1974 et 1979-1980). Les prix atteints alors ont permis aux compagnies pétrolières d'exploiter des gisements comme ceux de la mer du Nord, à des coûts beaucoup plus élevés que ceux du Moyen-Orient. Quant aux « nouveaux » États pétroliers, Mexique, Égypte, etc., ils ont vu leurs possibilités d'investissement et leurs perspectives de production élargies par les tensions du marché des années soixante-dix. A l'échelle mondiale, les capacités de production ont donc augmenté.

Mais la demande a aussi réagi à la hausse des prix. A partir de 1979, la réduction de la consommation pétrolière s'est révélée très importante. Le problème de la surcapacité mondiale a fait son apparition. Mais il s'est concentré chez les treize pays producteurs de l'OPEP. En effet, les prix mondiaux du pétrole et les politiques fiscales des États pétroliers en dehors de l'OPEP (des États-Unis, de la Norvège et du Royaume-Uni principalement) laissaient aux compagnies des marges importantes sur chaque baril produit. Elles se sont déclarées prêtes à en abandonner une partie et à baisser leurs prix pour garantir la pleine exploitation de leurs gisements à coûts fixes très élevés.

Revirement de l'OPEP

Pour tenter de préserver les prix, l'OPEP choisit de limiter la concurrence sur le marché. Elle imposa un plafond à sa production. Mais ses revenus pétroliers sont passés de 280 milliards de dollars en 1980 à 155 milliards en 1985. Sa part dans la production mondiale qui était encore de 47 % en 1979, est tombée à moins de 30 %. En 1985, les exportations saoudiennes ne représentaient plus que 15 % des échanges de pétrole brut mondiaux, contre 31 % en 1980.

C'est dire que l'influence du prix du pétrole saoudien, l'*Arabian Light*, qui servait de référence aux prix officiels de l'OPEP s'en est trouvée très réduite. C'est en réalité la notion même de prix officiel de l'OPEP qui a disparu. En 1985, moins de 10 % des exportations de l'OPEP se sont effectuées aux prix officiels. Pour placer son pétrole sur le marché, l'Arabie saoudite a multiplié les contrats de valorisation qui lient les prix de vente du pétrole brut à ceux des produits pétroliers sur le marché

PRODUCTION DE PÉTROLE
DANS LE MONDE, 1985

Pays	millions tonnes	% du total
Arabie s.	168,1	6,1
Iran	108,4	3,9
Vénézuela	83,1	3,0
Nigéria	73,1	2,6
Irak	70,9	2,6
Indonésie	61,9	2,2
Émirats A. U.	59,8	2,2
Libye	52,0	1,9
Koweït	50,5	1,8
Algérie	31,4	1,1
Qatar	14,9	0,5
Équateur	13,8	0,5
Gabon	7,6	0,3
Total OPEP	795,6	28,6
URSS	595,0	21,4
États-Unis	524,6	18,9
Mexique	149,9	5,4
Royaume-Uni	127,2	4,6
Chine	124,8	4,5
Canada	84,3	3,0
Norvège	40,4	1,5
Total non-OPEP	1981,9	**71,4**
Total monde	2777,5	100,0

spot (au comptant). De plus en plus, les prix *spot* du pétrole brut et des produits pétroliers, les prix des marchés à terme sont devenus les véritables références d'un marché éclaté. Mais le rôle de l'OPEP restait essentiel dans la tenue des prix, puisque c'est elle qui détenait les capacités excédentaires. S'il en fallait une preuve, elle a été appportée en décembre 1985. L'Arabie saoudite, et avec elle l'OPEP, a rompu alors avec sa politique antérieure. Elle a fait savoir qu'elle n'acceptait plus de voir sa part de marché se réduire et qu'elle renonçait à limiter sa production. Il n'en a pas fallu plus pour que les prix baissent de plus de dix dollars.

En déclenchant la guerre des prix, l'Arabie saoudite a montré qu'elle souhaitait amener les autres producteurs à supporter une partie de l'excédent des capacités. En mars 1986, on pouvait penser qu'elle y parviendrait, mais à un niveau moyen de prix sans doute bien inférieur aux vingt-six dollars de 1985. Entre-temps, au sein de l'OPEP, les tensions entre les pays aux réserves pétrolières et financières importantes et les pays endettés aux réserves pétrolières courtes risquaient de s'aviver. L'existence même de l'OPEP semblait être remise en cause.

Agnès Chevallier

L'hyperinflation en Bolivie

Lorsque Victor Paz Estenssoro est devenu président de la République de Bolivie, le 6 août 1985, le taux d'inflation avait été de 5 800 % pendant les six premiers mois de l'année. En décembre, il franchissait la barre des 15 000 %, sans approcher cependant les records établis par la République de Weimar où, entre novembre 1921 et décembre 1923, le dollar était passé de 63 marks à plus de 100 milliards de marks! En Bolivie, le dollar qui, en octobre 1982, valait 42 pesos atteignait, en décembre 1985, 2,8 millions de pesos sur le marché parallèle. On pouvait alors voir sur les trottoirs des *cholitas* (métisses-Aymara) évaluer, grâce à une calculatrice de poche, le prix des salades en fonction de la hausse du cours du billet vert. Cependant, si l'inflation portait atteinte au pouvoir d'achat des salariés du secteur urbain, ses effets étaient amortis par une série de facteurs propres au fonctionnement très particulier de l'économie bolivienne.

D'une part, l'économie du troc, qui est encore largement répandue dans les campagnes, s'est étendue aux villes où chaque famille a des parents ou des relations qui vivent de l'agriculture. D'autre part, une grande partie de la population pouvait acquérir des dollars grâce au boom parallèle de la production de pâte-base de cocaïne payée en devises par les trafiquants nord-américains et colombiens. Dans les villes, des milliers de personnes vivaient d'ailleurs de l'achat et de la vente de dollars, ce qui avait pour effet de rétro-alimenter l'inflation.

Mais au-delà des effets pervers du trafic de la cocaïne et de l'échec des politiques économiques menées depuis 1982, il convient de rechercher les causes structurelles d'une telle situation. La première est due au fait qu'en Bolivie, la moitié de la population est encore rurale et que la croissance de la production agricole est restée inférieure, depuis le début des années soixante-dix, à celle de la population. Le prix relatif des denrées agricoles traditionnelles a baissé et l'État a importé des quantités croissantes d'aliments. La deuxième cause de l'hyperinflation est la chute brutale – en volume et en prix – des produits d'exportation de la Bolivie. Ce pays, qui était encore en 1978 le deuxième producteur mondial d'étain après la Malaisie, est en train de disparaître de la liste des grands exportateurs de ce métal. La plupart des mines, découvertes au début du siècle, sont en voie d'épuisement, sans que de nouveaux gisements aient été mis en exploitation. En Bolivie, le coût de production d'une livre fine d'étain est de dix dollars, alors que son prix de vente sur le marché international a fluctué, depuis le début des années quatre-vingt, entre cinq et six dollars. La troisième cause de l'hyperinflation est que dans un pays où les ressources naturelles sont nationalisées depuis trente ans, les grandes entreprises publiques, piliers du développement, se sont gravement endettées. Ainsi la COMIBOL, qui gère l'exploitation de l'étain, avait accumulé en 1985, un déficit supérieur à 300 millions de dollars (la dette extérieure, dans son ensemble, dépassant 5 milliards de dollars).

Pourquoi cette crise – qui a des causes profondes – a-t-elle attendu l'année 1982 pour éclater au grand jour ? Sous la dictature du général Banzer (1971-1978), elle a été masquée par le cours élevé des matières premières exportées par la Bolivie et par les prêts consentis à un gouvernement fort. Sous celle du général Garciá Meza (1980-1981), l'économie bolivienne a été maintenue à bout de bras par la dictature argentine.

C'est en 1982, avec le général Torrelio, que s'est déclenchée la spirale inflationniste, à la suite de mesures imposées par le FMI : le prix du dollar augmentait de 520 %, les liquidités de 250 %, le déficit du budget était de 18 %, le PIB baissait de 9 %, la production industrielle de 15 % et les salaires de 30 %. La balance des paiements accusait un déficit de 300 millions de dollars.

Telle était la situation de quasi-banqueroute dont a hérité le gouvernement de Siles Zuazo en octobre 1982. Dans un tel contexte, la politique économique de la gauche s'est caractérisée par l'improvisation et l'incohérence, qui reflétaient l'absence d'unité des partis la composant. Aucun accord durable n'a été passé, ni avec la puissante centrale syndicale, la COB, ni avec les organisations patronales, ce qui a obligé le gouvernement à naviguer à vue, en fonction des rapports de forces. Trois ou quatre politiques économiques ont ainsi été successivement « essayées ». Les atermoiements du gouvernement ont été particulièrement lourds de conséquences sur le plan des taux de change : en effet, 61 % des ressources de l'État proviennent du produit des exportations, contre 7 % de l'impôt sur le revenu et 5 % des impôts indirects. D'autre part, l'absence de politique salariale a été – du fait de l'intransigeance des syndicats – le détonateur de l'hyperinflation. La part des salaires dans les dépenses de l'État est passée de 22 % en 1982 à 45 % en 1984 ; et de 73 % à 109 % dans le déficit du budget. Ce déficit a immédiatement été couvert par une émission équivalente de papier monnaie.

Cette rétro-alimentation du processus inflationniste par une masse monétaire sans répondant a été considérablement accélérée par les énormes quantités de liquidités en devises provenant du trafic de cocaïne, estimées à 800 millions de dollars en 1985, alors que le produit des exportations ne dépassait pas 700 millions de dollars.

Le nouveau gouvernement, élu en août 1985, a mis en place une politique ultra-libérale. Au début de 1986, il paraissait en mesure de contrôler l'hyperinflation, mais au prix d'une récession sans précédent. Celle-ci, accompagnée d'un blocage des salaires, semblait devoir affecter plus profondément les intérêts des classes populaires que le laisser faire de la période précédente.

Alain Labrousse

La carte à mémoire et la bataille de la monétique

La carte à mémoire (CAM) est née de l'insertion d'un circuit intégré, comprenant une mémoire et une logique d'accès dans une carte « portable ». L'incorporation d'un microprocesseur permet à la carte de remplir de nombreuses fonctions, comme la reconnaissance d'un code secret qui lui donne accès aux informations contenues dans sa mémoire, ou le calcul d'une clé d'encryptage des données reçues ou transmises.

La *CP8* de Bull possède une capacité de mémorisation de 8 K bits (ou 8 000 bits, soit l'équivalent de quatre pages d'information). Mais l'évolution des technologies est telle que la carte à mémoire peut atteindre une capacité de mémorisation de 1,2 M bits (million de bits), comme dans le cas de la carte à laser de la Drexter Technology Corporation.

Par sa capacité de mémorisation, sa sécurité et sa souplesse d'utilisation, la carte à mémoire domine les cartes magnétiques ou plastiques (cf. tableau). Ses principales caractéristiques en font une innovation à applications multiples. Elle garantit tout d'abord un niveau de sécurité qui en 1986 semble devoir rester sans concurrence, encore pour quelque temps. Ensuite, ses possibilités d'identification des données – professionnelles ou personnelles – font de la CAM une carte d'accès très performante pour les secteurs d'activité comme l'armée, l'industrie ou la recherche, où la protection, voire le secret, des données enregistrées est une nécessité première.

Le secteur bancaire et le commerce du détail sont les principaux bénéficiaires de cette innovation, mais elle concerne aussi la communication, les transports et la santé. En outre, la CAM est susceptible d'intéresser une multitude d'autres domaines où il est nécessaire de stocker et de mettre à jour des informations personnalisées sans avoir recours à des fichiers centralisés pour y accéder rapidement. L'élargissement de son champ d'application pose toutefois le problème de la protection de la vie privée des utilisateurs.

Les mutations du système de paiement

La carte à mémoire a été inventée en France au début des années soixante-dix, alors que le système de paiement français était en pleine mutation structurelle.

Le développement progressif d'un marché financier de masse, le *mar-*

COMPARAISON DES CARTES

	Cartes de crédit	Cartes magnétiques	Cartes à mémoire
Fonction	Instrument de paiement international et de crédit à court terme	Instrument de paiement, de garantie de chèque, d'accès aux DAB/GAB	Multifonctions et multi-services
Technologie	Nulle	Stagnante	En pleine évolution
Mode Capacité de mémorisation	*Off-line* Nulle	*Off-line/on-line* Faible	*Off-line/on-line* Élevée
Contenu	N° identification, nom et adresse	*Idem* + N° compte bancaire	*Idem* + données financières, administratives ou privées
Avantages et inconvénients	Utilisation internationale. Crédit à court terme. Moyen de prestige. Nombre de services limité. Fraude. Long délai de confirmation.	Coût faible. Débit différé. Gains de temps. Sécurité pour les commerçants. Fraude importante. Assez bonne standardisation (ISO).	Coût élevé. Économies d'échelle. Sécurité, fiabilité. Débit immédiat ou différé. Champ d'utilisation très large. Problèmes de standardisation.

ché des particuliers, a été à l'origine du recours intensif des ménages aux instruments de paiement scripturaux : en France, le nombre de comptes à vue bancaires est passé de 15,5 millions en 1970 à plus de 30 millions en 1980, parallèlement à l'explosion de l'émission des chèques bancaires (4 milliards en 1984). Aux États-Unis, la même année, plus de 40 milliards de chèques ont été émis, représentant un coût total d'environ 1 % du PNB américain.

Le coût de transaction et de la charge du traitement de l'information dans ce secteur à faible intensité capitalistique s'est accru dans de telles proportions que les acteurs financiers ont dû faire appel aux technologies de l'information et de la télécommunication, pour ne pas alourdir plus encore le coût de l'intermédiation bancaire.

Le développement des *technologies financières* constitue donc la seconde composante de la mutation du système de paiement en France. L'électronisation progressive de la transmission et de la compensation a suivi la période d'automatisation partielle des activités d'arrière-boutique, accélérée par le passage de l'informatique lourde à la micro-informatique, à partir du milieu des années soixante-dix. Au cours de cette période, marquée par la compétition entre deux pôles – le Crédit agricole et le Groupement d'intérêt économique GIE-Carte bleue –, la substitution progressive des moyens de paiement à base de papier par les moyens de paiement électroniques (cartes magnétiques, giro automatique) a permis de rationaliser l'activité bancaire et financière et de l'extérioriser vers les particuliers (distributeurs automatiques de billets – DAB –, guichets automatiques de banque – GAB) et le commerce (terminaux points de vente, TPV).

Mais l'absence d'interbancarité et la balkanisation du système de paiement ont empêché les économies d'échelle qui auraient permis d'amortir les lourds investissements informatiques. Ainsi en France, au cours des années soixante-dix, la baisse des ressources bancaires non rémunérées et du *float* (forme déguisée de revenu bancaire) face à l'accroissement continu du coût des transactions a fini par détruire les fondements économiques du système de paiement traditionnel.

La stratégie de modernisation et de tarification adéquate des services est donc devenue un impératif pour les banques; elle a transformé la compétition interbancaire sur laquelle reposait la diffusion des cartes magnétiques en un affrontement banques-commerce. Ainsi, la constitution, en décembre 1984, du GIE-Cartes bancaires, malgré les vives réactions du commerce qui y voyait un risque de cartellisation, a marqué la fin d'une époque.

Devant les difficultés de la concertation banques-commerce qui a duré tout au long de la première moitié des années quatre-vingt, et face au souci croissant des pouvoirs publics de voir se consolider l'avance technologique française, le GIE-Cartes bancaires est parvenu au mois de mars 1985 à un accord de diffusion de la CAM, sans avoir réglé pour autant deux importantes questions : celle du financement nécessaire au développement du système de paiement électronique, et celle de la commission que les banques seront en mesure de demander aux commerçants en échange de la sécurité acquise.

Après une phase d'expérimentation de masse (Blois, Lyon, Caen), les banques françaises ont décidé de diffuser massivement la CAM en France (10 à 12 millions de Français devraient être dotés d'une carte à puce fin 1988). Cette décision n'est pas sans répercussions à l'échelle internationale.

La concurrence internationale

L'échiquier international se caractérise en effet par une assez grande variété des systèmes de paiement d'un pays à l'autre, dont les orientations technologiques restent divergentes. Ainsi, on a observé que dans les pays où le chèque constitue le principal moyen de paiement (États-Unis, Grande-Bretagne, France), les cartes sont plus souvent utilisées comme moyen de paiement alternatif que dans les pays d'Europe du Nord où domine le giro (virements bancaires, etc.), ou que dans les pays en développement qui pratiquent de préférence les règlements en espèce. Seul le Japon constitue une exception, avec une forte croissance des paiements par cartes dans un système dominé par les espèces et les prélèvements automatiques.

On assiste, dans la plupart des pays européens, à l'unification des réseaux de cartes et à la mise en place d'une stratégie d'interbancarité comme, par exemple, les récentes ententes inter-réseaux en Angleterre, ou l'accord national entre Bancontact et Mistercash en Belgique. Cette évolution permet de renforcer la position de chaque pays dans une négociation internationale.

En Europe, la compétition est centrée autour des négociations franco-allemandes, tant au niveau de l'Eurochèque et du GIE-Cartes bancaires qu'à celui des entreprises industrielles. Le choix de l'emplacement de la puce sur la carte constitue le principal objet des discussions. Ce choix pose le problème de la compatibilité des lecteurs de cartes installés sur les GAB et les TPV, dont les implications, sur le plan industriel, sont de la première importance.

En l'absence d'une entente européenne, l'avance technologique des firmes françaises et allemandes s'est amenuisée et semble être menacée par l'activité débordante des firmes japonaises : parallèlement à la carte de la Casio Computer Corporation, trois autres sociétés japonaises, parmi lesquelles la Dai Nippon, le principal producteur de cartes au Japon, ont annoncé, en 1984, la mise en place d'une carte à mémoire de 16 K bits. On comptait au Japon, en 1985, plus de 180 millions de cartes à mémoire en circulation et les expériences se poursuivent dans trois domaines d'application : les services financiers (Tokyo Trust & Banking), le commerce de détail (les banques Mitsui, Sumitomo et Kyowa) et les services médicaux.

En somme, il semble se dessiner, à terme, une confrontation technologique entre les pays européens et le Japon, les États-Unis jouant le rôle d'arbitre commercial. Les expériences de Mastercard qui a commandé simultanément à Bull et à Casio 50 000 cartes à puce illustrent bien cette évolution. Les Américains, forts de leur marché de plus de 700 millions de cartes et de leurs acteurs de taille internationale tels que VISA, Mastercard, Amex, Diners ou encore Sears avec sa nouvelle carte *Discover,* auront, semble-t-il, le dernier mot dans cette concurrence acharnée que se livrent Japonais et Européens. Sur ce plan, l'absence d'un front européen uni et compétitif en matière de monétique sera de plus en plus lourde de conséquences.

L'Europe ne gagnera la bataille commerciale et technologique qui se développe autour de la monétique que si elle parvient à dépasser ses rivalités internes pour avancer dans la création d'un marché européen des services financiers et dans la construction d'un espace technologique.

Ugur Muldur

L'Europe à douze : les enjeux du troisième élargissement

En accueillant, le 1er janvier 1986, l'Espagne et le Portugal, la Communauté européenne a ouvert le deuxième cycle de son histoire.

Le premier cycle a commencé dans les années cinquante, avec la création de l'Europe des Six (Allemagne fédérale, France, Italie, Benelux) – ensemble relativement homogène, organisé autour de l'axe lotharingien Rotterdam-Strasbourg-Milan. En 1973, les adhésions du Royaume-Uni, de l'Irlande et du Danemark ont greffé sur l'Europe (outre des régions agricoles prospères) les zones de la vieille Europe industrielle, l'Angleterre de Birmingham et Liverpool – poches que les mutations des années soixante-dix ont multipliées (France et Belgique du charbon, bassins sidérurgiques). Enfin, les élargissements méditerranéens ont accroché à la Communauté un morceau de Sud, ou plus exactement une vaste ceinture semi-développée ou encore en développement, comprenant (outre l'Irlande) le Portugal, l'Espagne, le Mezzogiorno et la Grèce. Telle est l'Europe des Douze au début de l'année 1986, complexe, hétérogène, associant plusieurs types de structures économiques. La Communauté a atteint sa taille définitive (au moins pour une décennie). Le jeu est fixé pour quelque temps à douze.

Marchandages

Ainsi apparaît le premier enjeu économique de ce troisième élargissement : l'établissement d'un équilibre entre ces grandes composantes. Ce marché à douze sera, en principe, de loin le premier du monde : 320 millions de consommateurs (États-Unis : 240 millions; Japon : 120 millions). Mais, entre le pays le plus « riche » et le pays le plus « pauvre », l'écart est de près de un à six : tandis qu'au Danemark, le PIB annuel par tête (1984) s'élève à 13 647 ECU, il n'atteint au Portugal que 2 647 ECU. Cet espace économique inégal est déjà et sera de plus en plus le champ de confrontations entre grandes entreprises européennes, mais aussi entre firmes américaines et japonaises, qui, s'implantant en Irlande, au Portugal ou dans un autre État-membre, se dotent ainsi de points d'appui pour la conquête de l'Europe.

Comme le précédent élargissement (Grande-Bretagne, Irlande, Danemark), l'élargissement méditerranéen implique un vaste marchandage entre « riches » et « pauvres » – ou, plus précisément, entre l'Allemagne fédérale, le Royaume-Uni et la France, d'un côté, et, de l'autre, l'Italie, l'Irlande, la Grèce, l'Espagne et le Portugal. Pour ces derniers, les défavorisés de la Communauté, le choc européen doit être amorti par des mécanismes de compensation, des aides financières. La Grèce n'a donné son accord aux adhésions espagnole et portugaise qu'après avoir reçu l'assurance de transferts au titre des Programmes intégrés méditerranéens.

D'ores et déjà, les économies irlandaise et grecque bénéficient d'une assistance permanente ; l'économie portugaise réclamera des soutiens de la même ampleur. Le problème financier – c'est-à-dire la répartition des charges et des avantages entre les États-membres – demeure la clé – ou le verrou – de l'avenir : malgré l'existence – *en droit* – de ressources propres, le budget communautaire (d'abord parce que les trois cinquièmes sont absorbés par l'agriculture) a résulté d'un compromis précaire, laborieux, entre les intérêts nationaux. Le troisième élargissement accentuera la tension entre la dérive des dépenses agricoles méditerranéennes (agrumes, huile d'olive, vin) et la volonté des grands États d'une discipline financière européenne. La négociation budgétaire restera donc le carrefour des contradictions de la Communauté : l'Espagne et le Portugal ou, plus exactement, le flanc méditerranéen, pèseront pour modeler un système Nord-Sud.

Ce débat interne, qui dominera la décennie 1986-1995, se doublera d'un défi externe. Tout comme le Marché commun des années soixante, puis la Communauté à neuf des années soixante-dix, la Communauté à douze s'insère dans un réseau complexe de revendications et d'accords. D'abord, les pays méditerranéens, qui se trouvent condamnés à ne pas franchir le seuil de l'Europe – du Maroc à Israël, de la Tunisie à la Turquie –, perçoivent l'élargissement comme une grave menace pour leurs trop fragiles structures économiques. La Communauté a pris l'engagement de préserver leurs débouchés ; mais, alors que les contraintes financières se durcissent, comment pourra-t-elle neutraliser la dynamique communautaire qui privilégiera les exportations de la péninsule Ibérique ?

Le modèle européen, sa matérialisation dans de multiples accords préférentiels ont été élaborés à l'ère de la croissance, qui dégageait les surplus nécessaires à l'Europe. Depuis le début des années quatre-vingt, l'espace communautaire semble se replier sur lui-même. Les échanges avec l'Afrique stagnent. L'idée d'un dialogue à trois (Europe-monde arabe-Afrique) paraît désormais tout à fait utopique.

En outre, l'élargissement méditerranéen implique un autre face-à-face, celui-là avec les États-Unis. Ces derniers, qui ont béni, encouragé la construction européenne, n'acceptent pas qu'elle se retourne contre eux. Qu'il s'agisse des produits agricoles (aliments du bétail, agrumes...) ou des biens manufacturés, ce marché européen doit offrir des compensations à l'Amérique. Comme le *Kennedy Round* (1964-1967) a accompagné l'avènement de la Communauté à six, le *Nixon-Tokyo Round* (1973-1979) celui de la Commauté à neuf, le *Reagan Round* prolongera, compliquera et, peut-être, affaiblira l'Europe à douze. Tout ce qui fait la spécificité de l'Europe (agriculture, services) et détermine son avenir (haute technologie) sera au cœur de nouvelles négociations commerciales multilatérales, appelées à se prolonger plusieurs années au seint du GATT (accord entre quatre-vingt-dix pays qui réglemente le commerce international). Alors que la Communauté redéfinira à Bruxelles ses équilibres internes, elle discutera son identité économique à Genève.

La nécessaire unification du marché européen

Si le dossier financier bloque l'accouchement de l'avenir, son véritable enjeu est la création d'un marché enfin libéré et transparent. La Communauté reste éclatée : les barrières nationales – normes, fiscalités, marchés publics, subventions, contrôles administratifs... – sont multiples. D'un côté, l'espace européen est bien une épreuve de vérité pour les économies nationales. La Grèce, devenue membre des Communautés en 1981, a bénéficié, dès 1983, à sa demande, d'un régime d'exception : ni son agriculture, ni son industrie n'étaient prêtes. Le Portugal subira les mêmes difficultés. Quant à l'Espagne, elle est consciente du coût de son adhésion : plusieurs centaines de milliers d'emplois...; mais, tout comme pour la France ou l'Italie dans les années soixante, c'est là une occasion historique de modernisation. Pour le Sud-Ouest de la France, l'élargissement peut être aussi bien une chance qu'une catastrophe; la clé réside dans la capacité d'adaptation de cette région.

D'un autre côté, le Marché commun continue de juxtaposer des marchés nationaux. Dans cette Europe à douze, le succès appartiendra, pour plusieurs années, aux entreprises qui se soumettront à cette diversité et l'utiliseront. L'automobile illustre cette équivoque : les firmes nationales subsistent, il n'y a pas eu émergence d'une industrie européenne; les politiques – par exemple, règles relatives à la pollution ou importations de voitures japonaises – restent entre les mains des États, même si un cadre communautaire est adopté.

Le troisième élargissement ne sera un atout pour l'Europe qu'à la condition qu'il accélère cette unification du marché. Cette dernière doit être achevée – en principe – en 1992; en outre, en décembre 1985, un accord est intervenu au Conseil européen, entre les chefs d'État et de gouvernement, pour généraliser le recours au vote à la majorité qualifiée (au lieu de l'unanimité) dans la prise des mesures d'harmonisation. L'assouplissement des procédures suffira-t-il? Ces douze États, en position d'inégalité face au jeu économique international, accepteront-ils tous cet examen du marché?

Les élargissements méditerranéens – Grèce, Espagne, Portugal – résultent d'une promesse politique : ces trois pays, au destin tragique, marginal, devaient être accueillis au sein de la Communauté dès qu'ils deviendraient des démocraties. Cet engagement est conforme aux finalités historiques de la construction européenne : édifier, sur les valeurs de liberté et de droit, un ensemble où l'intégration économique s'épanouira dans l'unité politi-

BIBLIOGRAPHIE

Ouvrages

DREVET J. F., *La Méditerranée, nouvelle frontière pour l'Europe des douze?*, Karthala, Paris, 1986.

MOREAU-DEFARGES, P., *Quel avenir pour quelle communauté?*, Travaux et Recherches de l'IFRI, IFRI-Economica, Paris, 1986.

que. De même que l'élargissement de 1973 (Royaume-Uni, Irlande et Danemark) devrait se combiner avec l'approfondissement – industriel, monétaire, diplomatique – de la Communauté, de même l'Europe à douze aura besoin d'être soutenue par des actions communes – régionales, technologiques et politiques. L'Europe sera technologique ou ne sera pas. Or, la complexité de cet ensemble implique « la géométrie variable », c'est-à-dire la promotion de programmes n'associant pas nécessairement tous les Douze, sollicitant la participation de pays extérieurs, (européens – Suisse, Autriche, pays nordiques – ou même non européens), s'appuyant sur des mécanismes souples.

Dans une Europe à douze, tiraillée entre le Nord et le Sud, lourde à gérer, les possibilités de coopération industrielle seront encore plus tentées de s'évader du cadre communautaire. Ainsi *Eurêka*, regroupement de programmes de haute technologie, se développe-t-il selon une dynamique spécifique, non bureaucratique... Bref, les élargissements méditerranéens rendent à la fois plus urgent et plus difficile le « saut qualitatif ».

Les enjeux majeurs de l'Europe économique – espace intérieur, création d'une Europe monétaire, marchés publics... – réclament, semble-t-il, une forme de pouvoir politique transcendant les administrations nationales. Par exemple, en ce qui concerne le Système monétaire européen, l'ECU est de plus en plus utilisé comme instrument de référence; l'Espagne est disposée à rejoindre le système, si elle peut bénéficier des règles plus souples dont jouissent l'Italie et sa monnaie. Pour que cette application de la « géométrie variable » – c'est-à-dire la modulation des disciplines en fonction des situations nationales – contribue au renforcement de l'Europe communautaire, il faudrait que naisse une forme de fonds monétaire européen ou de banque centrale européenne.

A nouveau, l'Europe bute sur le problème politique. L'interdépendance ne produit pas, par elle-même, l'unité. Une volonté propre est indispensable. Dans l'Europe à douze, l'atout formidable que représente la diversité culturelle – puisque se trouvent réunis les univers latin, germanique, anglo-saxon – devrait être équilibré, soutenu par une expression unitaire porteuse d'une légitimité politique. L'Europe n'a jusqu'à présent pas su – ou pas voulu – la concevoir.

Philippe Moreau-Defarges

La crise de l'étain

Le 24 octobre 1985, la Bourse des métaux de Londres (London Metal Exchange, LME) suspendait les cotations de l'étain : le directeur du stock régulateur du Conseil international de l'étain (CIE) se déclarait incapable, financièrement, de soutenir le marché et de poursuivre ses achats. Au stock officiel de 52 500 tonnes, le gérant du stock régulateur ajoutait en fait plus de 60 000 tonnes par le biais d'achats à terme garantis par les brokers et banquiers londoniens. Le total de 114 000 tonnes d'étain, représentant plus de six mois de consommation dans un marché en surproduction constante depuis le début des années quatre-vingt, a jeté la panique sur la Bourse de Londres et parmi les courtiers et banquiers.

Les cours, au 24 octobre 1985, atteignaient 8 500 livres la tonne d'étain, après avoir frôlé les 10 000 livres au début de 1985, alors qu'ils étaient à 1 500 livres en 1972! Cette progression continue du cours d'une matière première minérale, dans une période troublée qui a vu l'effondrement de la quasi-totalité des cours des métaux, avait de quoi surprendre : et beaucoup y ont vu une démonstration exemplaire de l'intérêt, pour les pays producteurs du tiers monde, de la mise en place d'accords entre producteurs et consommateurs susceptibles d'éviter les mouvements erratiques sur les cours, et les baisses de revenus correspondantes pour les pays exportateurs. L'étain était la seule matière première minérale faisant l'objet, depuis juin 1956, d'un Accord international qui a été reconduit six fois. Le sixième Accord (juin 1982), toutefois, avait un caractère provisoire, compte tenu du fait qu'il ne couvrait pas 80 % de l'offre, ni le même pourcentage de la demande. Parmi les pays producteurs, la Bolivie n'avait pas ratifié le sixième Accord et parmi les pays consommateurs, l'URSS, les États-Unis, l'Autriche, l'Espagne, la Tchécoslovaquie... avaient également rompu leur participation, acquise dans le cinquième Accord.

Beaucoup, parmi les apôtres du libéralisme, se sont réjouis de cet échec de l'Accord international sur l'étain qui a longtemps constitué une référence pour de nombreux pays producteurs de matières premières. Il est certain qu'au début de 1986, on ne voyait pas comment un tel accord pourrait renaître de ses cendres. Comment en est-on arrivé là ?

Les ingrédients de la crise

Trois facteurs au moins expliquent cette crise : tout d'abord,

BIBLIOGRAPHIE

Ouvrage

BOMSEL O., *Dynamiques économiques des pays miniers et instabilité des marchés de matières premières minérales,* CERNA-École des Mines/Commissariat général au Plan, juillet 1985.

Articles

BURKE G., « Crisis Time for Tin », *Raw Materials Report,* n° 2, 1986.

LANZAROTTI M., « Les fluctuations des prix des métaux non ferreux », *Revue tiers monde,* n° 104, octobre-décembre 1985.

comme pour l'OPEP, la garantie d'un prix rémunérateur sur le marché encourage les pays non membres de l'Accord à développer l'exploration et la mise en exploitation de nouveaux gisements. La Bolivie est ainsi passée de 300 tonnes en 1970 à 18 000 tonnes en 1978. Le Brésil qui produisait 6 000 tonnes en 1980 a extrait 22 000 tonnes en 1985. La Chine, avec 17 000 tonnes (en 1983), assure également près de 8 % de la production mondiale. Ainsi, les pays membres de l'Accord international de l'étain, à partir de 1983, ont produit moins d'étain que ceux qui n'y participent pas.

Deuxième facteur explicatif : le rôle des monnaies de transaction. Le marché de Londres, en livre sterling, est resté lié au marché de Kuala Lumpur en Malaisie qui est exprimé en dollar malaisien, devise accrochée au dollar des États-Unis. La hausse des dollars américains et malaisien a entraîné une surévaluation du cours de l'étain en livre sterling, qui n'a pas résisté au retournement de conjoncture monétaire.

Enfin la troisième raison, plus fondamentale, est le déséquilibre qui s'est installé entre le niveau de l'offre d'étain et celui de la demande, depuis le début des années soixante-dix. Ce déséquilibre, favorable aux producteurs d'étain pendant les dix premières années, s'est retourné à la veille des années quatre-vingt. Les mécanismes régulateurs mis en place par l'accord ont masqué, jusqu'au 24 octobre 1985, l'inadéquation profonde du marché et la réduction constante de la consommation, le débouché principal – boîtes de conserve pour produits alimentaires et boissons – n'ayant cessé de régresser devant l'aluminium et le plastique notamment, sans que les emplois nouveaux – dans les industries chimiques par exemple – soient venus compenser le déficit.

Tous les ingrédients d'une crise sévère étaient ainsi rassemblés : les banquiers et courtiers londoniens ont permis au directeur du stock régulateur du CIE de reporter l'échéance par des procédures de cavalerie, en faisant des achats à terme à découvert. L'école libérale de Margaret Thatcher s'est trouvée dans une position contradictoire : d'un côté elle pouvait se réjouir de la faillite d'un accord sur les matières premières qu'elle n'avait jamais encouragé ; de l'autre, la Bourse des métaux de Londres résisterait très mal à une faillite déclarée du marché de l'étain (les créances sont de l'ordre de 900 millions de livres sterling) ; or, cette Bourse procure des revenus annuels à la Grande-Bretagne de l'ordre de 200 millions de livres. Le gouvernement Thatcher s'est donc senti pressé d'intervenir par ses banquiers et de ne pas trop « laisser faire » le marché. Par ailleurs, la Grande-Bretagne est un producteur d'étain dont les coûts de production sont supérieurs de plus de 25 % au cours officieux de 6 000 livres la tonne, et sera sans doute contrainte de fermer ses mines de Cornouailles.

Il paraissait probable, en mars 1986, que la Bolivie serait le pays qui aurait à payer le plus cher cette crise de l'étain, matière première qui lui assure 30 % de ses recettes d'exportation, mais dans des conditions d'exploitation trop onéreuses pour supporter une baisse des cours comme celle qui s'annonçait inévitablement. La Malaisie, premier producteur mondial qui avait déjà licencié, depuis octobre 1985, près de neuf mille mineurs et fermé deux cents mines sur les quatre cent quarante-huit en exploitation avant la crise, était tout aussi menacée.

Les créanciers londoniens, avec l'appui du gouvernement britannique, de la CEE et des autres membres de l'Accord international de l'étain – qui en fin de compte, se seraient tous trouvés impliqués dans la faillite du marché de l'étain –, se sont efforcés de mettre au point une société qui devait reprendre le stock régulateur et le réintroduire progressivement sur le marché, lequel pourrait alors rouvrir officiellement. Cette nouvelle structure devait se mettre en place progressivement et permettre de préserver la Bourse des métaux de Londres; mais l'accord entre producteurs et consommateurs d'étain était bel et bien enterré.

Jean-Yves Barrère

SCIENCES ET TECHNIQUES

Silicon Valley : la fin d'un mythe

« Heureusement qu'il y a encore les Français! » C'est en ces termes que les hôteliers de la Silicon Valley en Californie commentent les déboires récents de leur industrie. Dès le printemps 1983, les Japonais ont cessé leurs visites. A l'automne, les Coréens ont commencé à se faire rares. En 1984, on n'a plus revu les industriels de Singapour et en 1985, les derniers scientifiques taiwanais sont repartis. Pendant un temps, ils ont été remplacés par les Français venus seuls – pour écrire un autre livre sur l'Amérique – ou en délégation pour constater ce qui se passait sur place. Et même cela ne suffit plus.

L'année 1985 a été catastrophique pour l'ensemble de l'industrie américaine de l'électronique et aucune amélioration n'était en vue pour 1986. Les emplois ont chuté à 720 000 – une baisse de 30 % – et les salaires ont diminué de 10 %. Les chiffres de mises à pied ressemblent à ceux de l'automobile en 1982 : Data General : 1 300; Apple : 1 200; National Semiconductor : 1 300; Intel : 1 700.

Dans la « Vallée », les pertes d'emplois ont été plus rares, mais elles ont fait plus mal. Les 200 emplois perdus chez Apple ont touché les cadres professionnels. Alors qu'en 1984, National Semiconductor faisait des efforts surhumains pour remplir 1 300 nouveaux postes dans ses usines de Santa Clara, en 1985, elle a dû en supprimer plus de 600! Finis l'« anti-management », la direction « cool » et les primes de fin d'année. Partout on resserre la vis et on engage des firmes de consultants pour se faire rassurer sur l'avenir. Pour la première fois, on parle même de l'impensable : et si Apple faisait banqueroute!

Rien ne va plus en effet pour l'enfant chéri de la « Vallée ». En 1986, la compagnie a exclu la presse de sa réunion annuelle avec les analystes financiers. Ces derniers ont appris avec stupeur que, de l'avis même des responsables, les revenus allaient baisser de 10 % en 1986. Le fondateur, Steven Jobs, a démarré sa propre compagnie d'ordinateurs (NEXT) avec l'aide de cinq dissidents. Une poursuite judiciaire engagée par Apple l'empêche cependant de lancer tout nouveau produit jusqu'en juillet 1987. Steve Wozniak, l'un des cofondateurs, a quitté

BIBLIOGRAPHIE

Ouvrages

MALONE M. S., *The Big Score. The Billion Dollar Story of Silicon Valley,* Doubleday, New York, 1983.

SIEGAL L., MARKOFF J., *The High Cost of High Tech,* Harper and Row, New York, 1985.

Apple en février 1985. Même si le nouveau président, John Sculley, a réussi à restaurer la paix et les profits, l'avenir demeure incertain. Naguère véritable pépinière de rumeurs sur ses prochains produits, Apple est devenue le silence même. On se contente de fabriquer de plus en plus efficacement, c'est-à-dire en Asie du Sud-Est, des MacKintosh!

Deux thèmes, jusque-là inconnus dans la « Vallée », font aujourd'hui la une des journaux : les Japonais et le Pentagone. Pendant longtemps, on s'est cru immunisé contre la menace japonaise. Ce n'est plus le cas en 1986 et, alors que le marché des ordinateurs domestiques s'est stabilisé, la machine japonaise de production en série s'est mise en marche. On réalise soudain que les premières tentatives japonaises d'établir leurs propres produits n'avaient pas été les échecs dont on avait tant ri en 1983. Maintenant que les fabricants américains ont standardisé leurs produits et éclairci leurs rangs, les Japonais débarquent avec des produits tout à fait compatibles, mais mieux construits, moins chers et plus performants. La réaction américaine ne s'est pas fait attendre. On se bouscule aux portes du ministère du Commerce pour enregistrer des poursuites judiciaires contre les fabricants japonais de pièces électroniques accusés de faire baisser artificiellement les prix.

Même si les autorités judiciaires donnent raison aux entreprises américaines, le mal est déjà fait et tous les espoirs se tournent désormais vers le Pentagone. Les ventes de Noël 1985 ont confirmé ce que plusieurs savaient déjà : tous ceux pour qui un ordinateur domestique peut être utile s'en sont déjà procuré un et il faudra attendre des innovations majeures pour que le marché des ordinateurs domestiques retrouve ses taux de croissance d'antan. On abandonne donc la fabrication des puces commerciales aux Japonais pour se concentrer sur celle des puces personnalisées permettant de remplacer des centaines d'éléments et où les marges de profit sont fabuleuses. Le Pentagone, avec la « guerre des étoiles », est preneur. En 1983, les contrats militaires étaient encore considérés avec horreur, non pour des raisons idéologiques, mais à cause du conservatisme technologique et des culs-de-sac commerciaux qui les accompagnaient. Tout cela a changé. En 1984, le Pentagone a dépensé à lui seul 4,8 milliards de dollars dans la « Vallée ». En 1986, le chiffre devait vraisemblablement atteindre 7 milliards de dollars. Seul Lockheed, le géant du complexe militaro-industriel, prévoit une embauche importante en 1986 et 500 entreprises sont déjà impliquées dans des contrats militaires.

Même la politique a fait son entrée dans la Vallée. Le député Ed Zschau a décidé de se porter candidat aux élections pour le renouvellement d'un tiers du Sénat (novembre 1986) : il brigue le siège occupé par un démocrate reconnu pour ses idées progressistes, Alan Cranston. Son principal cheval de bataille : il est temps que la haute technologie californienne ait son propre représentant à Washington pour l'aider à faire face à la compétition injuste des Japonais et des barrières qu'impose la législation antitrust.

Daniel Latouche

Les progrès de la vaccination dans le tiers monde

Vacciner tous les enfants du monde, d'ici à 1990, contre les six maladies les plus courantes et les plus meurtrières (poliomyélite, rougeole, tétanos, coqueluche, tuberculose, diphtérie) : tel était l'objectif officiellement déclaré, en 1977, par l'Organisation mondiale de la santé (OMS). Dix ans après, où en est-on? Loin du compte, bien sûr. Mais la vaccination des enfants dans le tiers monde est certainement l'un des domaines de la santé dans lesquels les progrès les plus notables ont été enregistrés.

Les chiffres parlent. Au début des années soixante-dix, on estimait que moins de 10 % des enfants du tiers monde étaient vaccinés contre les six maladies-cibles. Au même moment, la proportion dépassait les 80 % dans tous les pays industrialisés (où beaucoup de ces vaccinations ont un caractère obligatoire).

Au milieu des années quatre-vingt, selon les estimations fournies par l'OMS et L'UNICEF (Fonds des Nations Unies pour l'enfance), les pourcentages atteignent les chiffres suivants :

POURCENTAGE D'ENFANTS VACCINÉS AVANT L'ÂGE D'UN AN

	BCG	DTC	Poliomyélite	Rougeole
AFRIQUE	41	33	32	35
AMERIQUE LATINE	58	51	76	67
ASIE DU SUD ET DU SUD-EST	34	37	23	10
ASIE OCCIDENTALE	50	43	48	46
PAYS INDUSTRIALISES	83	84	93	85

Source : Rapport annuel de l'UNICEF, déc. 1981.

Le progrès est donc considérable. D'une manière générale, la couverture vaccinale varie, dans le tiers monde, entre 20 % et 40 %, ce qui représente en peu d'années une progression sans précédent.

Ce progrès tient à plusieurs éléments conjoints. En premier lieu, comme le souligne l'UNICEF, il est dû à une *percée de l'offre*. La recherche – fondamentale et appliquée – a en effet permis de mettre au point des vaccins beaucoup plus puissants et plus résistants à la chaleur qu'auparavant. Par exemple, les nouveaux vaccins antirougeoleux lyophilisés restent actifs pendant trois ans, même à des températures tropicales. Pour les autres, dont la thermosensibilité a été atténuée, la « chaîne du froid » s'est beaucoup perfectionnée : mise au point de réfrigérateurs fonctionnant au kérosène, à l'énergie solaire, au gaz en bonbonnes, perfectionnement des glacières portatives, etc.

D'autre part, les pays, en nombre croissant, ont élaboré, sous l'impulsion de l'OMS et de l'UNICEF, des « programmes élargis de vaccinations », c'est-à-dire des stratégies nationales, qui commencent à porter leurs fruits. Ils ont formé, avec l'aide des deux organisations internationales, de très nombreux agents de vaccination. La Chine à elle seule, par exemple, en a formé plus de 100 000.

A cette percée de l'offre s'est jointe une *percée de la demande*. Les pays du tiers monde sont devenus conscients des avantages considérablers – en termes sanitaires comme en termes économiques – qu'ils retirent d'une stratégie vaccinale active. Cette dernière vient donc aujourd'hui au tout premier rang de leur politique sanitaire, ce qui n'était nullement le cas au milieu des années soixante-dix. Citons à cet égard la mobilisation sociale considérable observée sur ce point au Brésil, en Inde, au Pakistan, au Nigéria, en Colombie, au Salvador, en Turquie, et dans plusieurs pays d'Afrique noire, tels que le Bourkina, le Sénégal et le Mali.

Considérant ces indéniables progrès, le secrétaire général de l'organisation des Nations Unies, Javier

Perèz de Cuellar, déclarait en septembre 1985, à l'occasion du quarantième anniversaire de l'ONU : « La vaste entreprise qui consiste à vacciner tous les enfants du monde d'ici à l'année 1990 semble aujourd'hui pouvoir aboutir, à la condition qu'existe la volonté de faire un dernier effort. »

Car ce qui reste à faire est aussi considérable que ce qui a déjà été fait. Les Nations Unies estiment que quelque 40 000 enfants continuent de mourir chaque jour dans le tiers monde des effets croisés de la malnutrition et des infections. Pour ne citer que ces exemples, la banale rougeole a tué, deux millions d'enfants en 1985, le tétanos près d'un million, la coqueluche cinq cent mille, la poliomyélite en a paralysé deux millions et demi. Or le coût de la vaccination contre les six maladies-cibles n'atteint que dix dollars environ par enfant. Les pays en développement fournissent eux-mêmes plus de 80 % des ressources nécessaires à leurs programmes de vaccination.

L'aide extérieure que les pays industrialisés apportent aux actions de santé dans les pays en développement n'atteint d'ailleurs que quatre

La lutte contre l'onchocercose

La lutte contre l'onchocercose, maladie oculaire causée par un parasite, encore appelée « cécité des rivières », est entrée en 1986 dans une nouvelle phase. L'action d'éradication de la simulie, cette mouche vectrice du parasite qui se reproduit dans des rivières à eaux vives, a en effet amorcé sa troisième étape (1986-1991).

*Ce programme, intitulé du sigle anglais OCP (*Onchocerciasis Control Programme*), a commencé en 1974, sous l'impulsion de Robert MacNamara, alors président de la Banque mondiale. Un voyage dans l'ex-Haute-Volta l'avait convaincu que jamais cette partie de l'Afrique ne « décollerait » tant que ses vallées fertiles seraient, du fait de l'onchocercose, désertées par leurs habitants.*

La Banque mondiale, l'Organisation mondiale de la santé (OMS), le Programme des Nations Unies pour le développement (PNUD), plusieurs autres organisations multilatérales et pays donateurs unirent alors leurs efforts pour mettre sur pied le plus grand programme conjoint d'action sanitaire jamais réalisé dans cette partie de l'Afrique.

Ainsi, dans sept pays (Bénin, Bourkina, Côte d'Ivoire, Ghana, Mali, Niger, Togo), où, estimait-on, quelque 20 millions de personnes étaient atteintes de ce mal, une action de destruction de la simulie fut-elle organisée systématiquement, par aspersions aériennes, par « désinfection » au sol des cours d'eau. Les paysans, progressivement, reprirent confiance et se réinstallèrent dans des zones qu'ils avaient abandonnées. Une deuxième phase du programme permit de consolider ces résultats : en 1985, aucun cas n'avait été constaté dans la zone protégée.

Ces deux premières phases ont coûté quelque 162 millions de dollars. La troisième phase permettra d'étendre la zone couverte à d'autres pays (parties encore non protégées du Bénin, de la Guinée, de la Guinée-Bissau, du Ghana, du Mali, du Togo, du Sénégal et de la Sierra Léone), et de poursuivre les recherches destinées à mettre au point de nouveaux médicaments pour les malades atteints depuis longtemps. Son coût s'élèvera à 133 millions de dollars.

C. B.

milliards de dollars par an, dont 20 % sont alloués à la santé maternelle et infantile, y compris la vaccination.

Beaucoup reste donc à faire, mais pour la première fois, l'objectif que s'est fixé l'ONU a cessé de paraître irréaliste. L'année 1987 marquera le dixième anniversaire de l'éradication de la variole dans le monde. Elle marquera aussi le début de l'exploitation industrielle, dans la production des vaccins, de la technique des manipulations génétiques qui devrait accélérer les progrès déjà accomplis.

Claire Brisset

Les pannes de la NASA

Le 28 janvier 1986, la navette spatiale *Challenger* explosait, soixante-quinze secondes après son lancement, entraînant la mort des sept membres de son équipage. Le 18 avril, un missile *Titan 34D* qui emportait un satellite de reconnaissance *Big Bird* (ou *KH-11*) explosait également peu après son lancement de la base de Vandenberg en Californie; le 25 avril, une petite fusée *Nike-Orion* connaissait le même sort, et le 3 mai, une fusée *Delta* sortait de la trajectoire fixée : le centre de contrôle de Cap Canaveral était obligé de la détruire après soixante et onze secondes de vol.

Après cette série d'échecs, la NASA a été mise sur la sellette : ses principaux dirigeants ont été licenciés et le président Ronald Reagan a nommé un nouveau patron : le Pr. James Fletcher, qui avait déjà exercé ces fonctions de 1971 à 1977. Toutefois, la série noire du printemps 1986 a si profondément terni l'image de marque de l'agence spatiale américaine que nombre d'experts doutaient qu'elle puisse retrouver la confiance de l'opinion publique de sitôt.

La commission Rogers, mise en place pour établir les causes de la catastrophe de *Challenger*, a rendu des conclusions accablantes pour la NASA : insuffisances dans la conception des joints qui ont provoqué l'explosion de l'un des deux *booster*, réduction de 70 % en quinze ans du personnel chargé de contrôler la qualité du travail, confusion dans le management, mauvais partage des responsabilités.

Les échecs répétés de leurs lanceurs ont placé les Américains en face d'un problème nouveau, jusqu'à présent quasi inconcevable : le manque de vecteurs pour mettre en orbite leurs satellites. La panne est particulièrement grave pour les engins de reconnaissance du type *KH-11*, dont il ne restait qu'un seul en orbite au mois de juin 1986. A cette époque, en effet, les Américains ne possédaient que vingt-cinq missiles capables de lancer des satellites : six *Titan 34D*, treize *Atlas*, trois *Atlas-Centaurus* et trois *Delta*. Les grands satellites de reconnaissance, toutefois, ne peuvent être placés que sur des *Titan 34D* ou sur la navette, tous les deux cloués au sol pour les vérifications qui s'imposent après les derniers échecs.

Les États-Unis ne peuvent pas se permettre une pause quelconque dans le lancement des satellites de communication et d'observation, pièce maîtresse de leur dispositif de défense. L'armée de l'air, ne pouvant pas attendre l'entrée en service des premiers lanceurs du programme CELV (*Complementary Expendable Launch Vehicle*), a donc eu recours, en catastrophe, à la modification de treize *Titan II*, des missiles intercontinentaux entrés dans l'arsenal américain en 1963. Dix autres *Titan* d'un modèle plus avancé ont été également commandés, mais jusqu'au début 1987, la situation restera critique.

Le coup est encore plus dur pour le programme dit Initiative de défense stratégique (IDS) du président Reagan, dont le développement dépend largement de la navette. D'un côté, elle est nécessaire pour la plupart des essais des armes futuristes de la « guerre des étoiles », de l'autre, elle devrait, le jour venu, mettre sur orbite les composants du « bouclier spatial ».

La destruction de *Challenger* prive ainsi les États-Unis d'un quart de leur flotte et elle imposera des délais très longs avant que les vols ne reprennent. Le Pr. Fletcher a annoncé qu'une navette pourrait reprendre du service vers la mi-1987, mais, au printemps 1986, ce pari semblait difficile à tenir. Même dans l'hypothèse la plus favorable, les onze missions militaires prévues en 1986-1987, dont plusieurs étaient liées au programme « guerre des étoiles », ont été annulées et ce retard ne sera jamais rattrapé.

Dès le début, la logistique avait été considérée comme un problème clé pour l'IDS. Les navettes de première génération ne peuvent transporter qu'une charge utile de trente tonnes sur une orbite à deux cents kilomètres de la terre, et des cargaisons plus réduites sur des orbites plus hautes. Elles ne sont donc pas en mesure de placer dans l'espace les milliers de tonnes d'appareillages qu'un véritable système antimissile exigerait. D'après le colonel Louis A. Kouts, responsable adjoint de la planification spatiale de l'armée de l'air américaine, le Pentagone aura besoin de lancer environ deux mille tonnes de matériel par an, une fois commencé le déploiement du « bouclier » (ce chiffre s'élève à cent quatorze tonnes en 1986).

Pour résoudre ce problème, le Pentagone envisage de développer un véhicule spatial capable d'emporter jusqu'à cent tonnes de matériel. Cette supernavette devrait être capable de voler sans équipage (pour éviter tout risque), de se déplacer d'une orbite à l'autre, et elle devrait également coûter moins cher que la navette d'aujourd'hui. Nul ne sait cependant, si un tel véhicule – dont le coût est considéré comme « terrifiant » par ses partisans eux-mêmes – verra le jour avant la fin du siècle.

Dans les cartons de la NASA se trouve aussi le projet d'avion spatial baptisé *Orient Express* par le président Reagan, qui en a vanté les mérites dans son discours sur l'état de l'Union en février 1986. L'*Orient Express*, un avion qui devrait joindre n'importe quel endroit de la planète en moins de trois heures, n'est, d'après plusieurs experts américains, qu'un prétexte pour obtenir du Congrès les fonds pour la supernavette dont les militaires américains ont besoin.

Pour l'instant, les responsables de l'Initiative de défense stratégique ont décidé de réorienter l'essentiel du projet vers des installations défensives basées à terre, plutôt que vers celles à déployer dans l'espace, jugées trop coûteuses et vulnérables. Ce changement n'a pas été provoqué uniquement par les déboires de la navette, mais il est sûr que l'explosion de *Challenger* a sonné le glas pour le rêve d'une protection complète de la population américaine contre les missiles nucléaires soviétiques. Seule la défense des silos des ICBM (*Intercontinental Balistic Missiles*) et de quelques centres de commandement est désormais à l'ordre du jour.

Les militaires américains n'ont toutefois pas à se plaindre du grand chambardement du printemps 1986; il est fort probable, en effet, qu'ils sortiront enfin vainqueurs de l'affrontement avec les « civils » de la NASA, une lutte qui dure depuis un quart de siècle et qui pourrait bientôt se terminer : début mai 1986, le Pentagone a ouvertement revendiqué le monopole des futurs vols des navettes, qui devraient renoncer à emporter des satellites commerciaux comme elles le faisaient jusqu'alors. C'est une solution à laquelle le Pr. Fletcher s'oppose farouchement, mais qui ferait parfaitement l'affaire des Européens

(*Ariane* qui a aussi connu un revers technique fin mai 1986 n'accepte plus de commandes jusqu'à 1990), des Chinois (qui devraient lancer prochainement des satellites américains) et des Japonais, (qui auront bientôt un lanceur disponible).

Fabrizio Tonello

Risques majeurs : Tchernobyl point zéro

25 avril 1986 : l'industrie nucléaire connaît l'accident le plus grave de son histoire ; une centrale nucléaire soviétique n'est plus maîtrisée. L'événement fait suite à une série d'échecs des États-Unis dans leurs lancements spatiaux. Et fin mai, c'est le lanceur européen *Ariane* qui faillit de nouveau à sa mission. Les deux secteurs scientifiques et techniques les plus sophistiqués au monde sont en difficulté. Ils butent aussi sur des limites inhérentes aux capacités humaines d'intervention. Cette situation était inimaginable quelques mois seulement avant Tchernobyl. Mais penser au-delà des horizons immédiatement perceptibles est toujours difficile.

L'expérience de Szilard arrivant aux États-Unis en 1938 peut ici doublement servir de référence. Le physicien hongrois mit quelque temps à rencontrer Enrico Fermi qui donnait nombre de conférences sur la bombe atomique. Quand Szilard put enfin le voir, il lui fit observer qu'il y avait quelque irresponsabilité à exposer les principes et les capacités d'une technologie aussi destructrice. Réponse de Fermi : « Il y a si peu de chance pour qu'on arrive à la faire ! » Pourtant on l'a faite. Les scientifiques imagineront toujours un dépassement au développement scientifique et technologique du moment ; et les techniciens parviendront à lui faire voir le jour.

En déclarant le projet irréalisable, Fermi se dispensait de prendre en compte l'éventualité du risque. A Tchernobyl, le problème est apparu dans toute son évidence. Dans le cas de *Challenger*, la confiance en la sûreté de la technologie était telle que le vol suivant devait mettre en orbite un satellite porteur de plutonium, comme cela avait déjà été fait.

Le moment est venu de ne plus réfléchir à reculons sur le problème. Fini le temps où toute interrogation devait être le signe d'une « trahison » évidente de la Civilisation occidentale et de sa technologie. C'était l'apogée d'une génération de techniciens triomphants, porteurs du Progrès, se posant en défenseurs de la Société face à des questionnements sacrilèges. La foi en leur compétence tenait lieu de guide.

On ne peut plus esquiver la question des risques majeurs, nés avec les technologies modernes : ampleur des effets des défaillances, dans l'espace et le temps ; incertitude profonde sur les phénomènes déclenchés ; dynamique de déstabilisation affectant des pans entiers d'activités et ébranlant par contrecoup les grands systèmes socio-économiques.

Dans le cas de la navette, c'est le lancement des satellites civils et militaires qui est arrêté, ce qui met par là même en question jusqu'à la politique de défense américaine. Pour Tchernobyl, la chaîne des effets potentiels est également imposante : menace de morts nombreuses sur une échelle de temps considérable, menace économique pesant sur les politiques agricoles, tensions entre pays de l'Est et de l'Ouest, tensions entre pays de la Communauté ; et au-delà, prise de conscience de la dimension planétaire du risque. Tchernobyl, c'est aussi une façon d'influencer l'opinion publique dans cette période clé d'affrontement entre l'Union soviétique et les États-Unis. Bref, il ne faut plus résister : le temps est venu de tourner une page.

Quelle politique d'information?

En ce qui a trait à l'information, l'affaire Tchernobyl a mis en évidence deux types de politique dans le monde. L'une ouverte, débridée même, qui a donné lieu à un afflux de becquerels, rad, rem à la une de tous les médias. Portée par les pays européens (à l'exception de la France) et les États-Unis, elle est allée de pair avec la mise en place, dans une grande incohérence, de mesures de protection contre les effets des radiations nucléaires. Parallèlement, l'Union soviétique et la France, pendant les dix jours critiques de l'accident, se sont confinées dans le mutisme. Conséquence à longue portée d'une telle atitude : le manque de crédibilité accordée aux déclarations officielles. L'annonce des deux mille morts, allègrement véhiculée par les médias, en fut une première illustration, alors que l'une des rares informations – deux morts immédiates – ayant transpiré d'Union soviétique allait se révéler juste. De même pour les effets du nuage radioactif. En France, silence, absence et incohérence – jusqu'à la caricature – ont déclenché des craintes sans commune mesure avec les radiations effectivement annoncées.

L'événement a montré, une fois de plus, le peu de poids qu'accordaient les responsables administratifs et politiques français à l'information. Cette constatation était encore accentuée par l'afflux de données livrées sur la place publique par les organismes officiels des autres pays occidentaux. Peut-être les circonstances vont-elles forcer les instances dirigeantes à changer de pratique? Peut-être apparaîtra-t-il que l'information est un outil indispensable à la bonne marche d'une société moderne?

Mais quelle information? La quantité de becquerels absorbée par les salades et les épinards? Le point sur les centrales et leur sûreté? Des explications sur les effets sanitaires des rayonnements? Des réponses à des demandes individuelles très spécifiques? Nécessaires à une compréhension de la situation, ces réponses ne suffisent pas. Il est clair qu'en France, la culture de « vérités officielles » doit évoluer si les responsables veulent acquérir une crédibilité qui depuis longtemps leur fait défaut. Le réflexe de défiance est désormais solidement ancré. Et des lézardes se précisent jusqu'à l'intérieur des organismes techniques. Même les plus ardents défenseurs du nucléaire se sont montrés inquiets devant les propos outrageusement rassurants tenus officiellement en France sur les retombées de Tchernobyl.

Informations et discussions ne peuvent plus rester confinées dans des enceintes étroites. Elles doivent être portées dans des cercles larges de la population et faire appel à des contributions extérieures aux milieux directement impliqués dans la mise en œuvre de l'option technologique. La plupart des pays occidentaux l'ont compris depuis bien longtemps.

Reste la politique technologique. Au milieu des années quatre-vingt, le discours porte l'idée selon laquelle il n'y a plus de marge de liberté. C'est le leimotiv : le nucléaire, l'espace, l'informatique et le génie génétique sont là, il faut vivre avec eux. Idée qui se prolonge de façon implicite par une autre : vivons avec le progrès. Avec le progrès certes, mais aussi avec les risques et les catastrophes dont sont porteuses les technologies. Une question se pose à l'évidence : tout développement scientifique et technologique est-il *a priori* bon à prendre? Le temps n'est plus de prétendre que c'est là un thème de réflexion pour écologistes attardés. Après Tchernobyl, on ne peut plus se contenter de tirer argument du nombre de morts sur la route pour arguer de la sûreté du nucléaire. La question doit être posée à l'échelle la plus large, la réponse exige une information continue et à plusieurs voix. Elle demande aussi un partage de responsabilités dans les décisions et arbitrages du choix de l'option technologique.

L'accès à l'information et aux prises de décision n'est plus seulement une exigence de fond pour une démocratie. Toute carence sur ces points rendrait insurmontables les problèmes posés par une crise. A échelle réduite, c'est ce que démontre Tchernobyl.

Martine Barrère, Patrick Lagadec

Paru dans *La Recherche*, nº 179, juillet-août 1986.

PORTRAITS

Winnie Mandela

Winnie Mandela a mis à profit l'année 1985 pour gagner le droit de rentrer chez elle. La femme de Nelson Mandela, leader incontesté de la révolte noire, était « bannie » depuis 1977, c'est-à-dire condamnée à « l'exil intérieur » à Brandford, petite ville située à trois cents kilomètres de Soweto. Mais en août, sa maison d'exil a été brûlée « par des inconnus » à coups de cocktails Molotov. Elle a donc regagné, en toute illégalité, son ghetto de Soweto et multiplié aussitôt interviews, conférences de presse et participations à des meetings. Rien ne semblait pouvoir l'arrêter. A chaque manifestation ou enterrement, elle était là, ne demandant rien, mais criant haut et fort les décennies d'humiliations, la colère, et le droit.

Très vite, il s'est tissé autour d'elle un voile de protection dont elle a été étonnée elle-même. A chacune de ses interventions, des dizaines de journalistes se pressaient, et l'écho de ses déclarations – que la presse sud-africaine n'a pas le droit de reproduire – retentissait dans le monde entier. Comment le « pouvoir blanc » allait-il gérer le problème majeur que lui posait cette femme-symbole? Il a d'abord fait mine de l'ignorer. Elle-même affectait de vivre comme si nul interdit ne l'empêchait d'aller et de venir, de prendre la parole devant les foules ou de rencontrer des journalistes. En quelques mois, sa renommée s'en est trouvée décuplée.

Mais en décembre, les autorités ont décidé de réagir : elles l'ont fait arrêter, en lui signifiant que son séjour à Soweto était « illégal ». Leur position était pourtant très délicate : Winnie Mandela n'était revenue chez elle qu'après l'incendie de sa « prison de Brandford », comme elle l'appelle elle-même. Où donc fallait-il qu'elle habite?

Le monde entier s'est donc ému de son sort et, avec beaucoup d'autres, le gouvernement américain lui-même a protesté contre son arrestation : elle a donc été libérée, mais pour apprendre aussitôt qu'elle avait le loisir de s'établir dans n'importe quelle région « réservée aux Noirs »... sauf celle de Johannesbourg-Soweto. C'était mal la connaître : le jour même, elle est revenue chez elle, plus intraitable que jamais, accompagnée par une meute grandissante de journalistes. Une semaine plus tard, elle était arrêtée de nouveau, pour être libérée à la veille du nouvel an, sous caution. Quelques mois plus tard, le gouvernement sud-africain décidait de lever discrètement toutes les restrictions prises à son encontre. Le « pouvoir blanc » avait fini par comprendre qu'elle était devenue trop célèbre et que, pour le monde entier, la révolte contre l'apartheid avait désormais ses traits énergiques, sa voix de passionaria, et son tempérament.

Au départ pourtant – elle n'avait que vingt ans –, elle était une toute jeune assistante sociale, la première noire à pouvoir exercer cette fonction dans ce pays. Elle rencontrait Mandela et l'épousait très vite, tout en sachant qu'elle s'exposait à une vie difficile : « Je savais que j'épousais la cause de mon peuple », dit-elle. De fait, ses ennuis n'ont jamais cessé. Mandela était destiné à passer sa vie sous les verrous. En vingt-huit ans de mariage, « nous n'avons pas passé plus de six mois ensemble », confie-t-elle. Surtout, Winnie n'a pas seulement été la « femme du chef », mais aussi voix, incarnation, preuve physique de l'existence de celui qui, derrière les barreaux depuis 1962, a été transformé en mythe.

Pour l'en punir, les autorités l'ont harcelée sa vie durant. 1961 : premier ordre de bannissement; 1963 : assignation à résidence; 1970 : nouvelle assignation à résidence; 1976 : arrestation à la suite d'émeutes raciales; libérée quelques mois plus tard, elle est exilée en 1977. Contrairement à ce que l'on pourrait croire, ces années ont été relativement solitaires. Par exemple, les premiers contacts de Winnie Mandela avec la gauche française – alors au pouvoir – datent de 1984. C'est seulement en 1985 que le monde l'a enfin découverte, et reconnu l'exceptionnelle force de caractère de cette femme de cinquante-trois ans, qui en paraît quarante.

Mais Winnie Mandela a un autre visage, plus émouvant : il suffit de se montrer amical pour que cette femme élégante se transforme. Fermée, pleine d'une rage bouillonnante quand il est question du pouvoir sud-africain ou de l'apartheid, sur un seul mot de sympathie, elle se montre tout d'un coup timide et vulnérable. Sa vie de proscrite l'a mise à l'abri du doute et du cynisme. Dès que la carapace saute, on la voit telle qu'elle est avec ses voisins de Soweto, avec les enfants ramenés de son exil de Brandford, avec les deux filles qu'elle a eu « la chance » d'avoir de Mandela avant sa longue incarcération : une « mamma » africaine chaleureuse et pleine de naïve curiosité, extraordinairement intéressée par les nouvelles d'un monde extérieur que l'isolement de l'Afrique du Sud et le sien propre ont mis hors de sa portée.

Sélim Nassib

Le cardinal Ratzinger

« Restauration » : le mot ne fait pas peur à Mgr Joseph Ratzinger, préfet de la Congrégation romaine pour la doctrine de la foi (CRDF, ex-Saint-Office). Ce théologien bavarois avait été nommé, dès 1981, par Jean-Paul II, pour être le gardien sourcilleux de l'orthodoxie doctrinale. Vingt ans après le concile Vatican II, il incarne ce « recentrage » de l'Église mondiale. Il ne s'en cache pas : « Si par restauration on entend un retour en arrière, aucune restauration n'est possible. Mais si restauration signifie la recherche d'un nouvel équilibre après les exagérations d'une ouverture sans discernement au monde, et après les interprétations trop positivistes venues d'un univers agnostique et athée, je dois dire qu'une telle restauration a déjà commencé. »

Depuis son arrivée sur le trône de Pierre, en octobre 1978, Jean-Paul II a affirmé clairement sa volonté de renforcer l'autorité de Rome et du pape. Il fallait en finir avec ce qu'il considérait être les « excès » de l'après-concile, même s'il n'était pas question de revenir explicitement sur les acquis de Vatican II. C'est dans cette logique que le souverain pontife a convoqué à Rome, du 25 novembre au 8 décembre 1985, un « synode extraordinaire » pour « relire et revivifier » le concile à la lumière des expériences des deux décennies passées. Les deux âmes de l'Église étaient face à face : d'un côté, tous ceux qui pensaient qu'il faut mettre fin aux doutes et aux errements qui minent les forces du catholicisme; de l'autre, ceux qui estimaient qu'il faut aller encore plus loin dans cette voie d'ouverture au monde, et, en particulier, renforcer les pouvoirs et les compétences des Églises locales. Une grande partie des évêques des pays d'Europe occidentale et surtout d'Amérique latine – en premier lieu du Brésil – était de cet avis. Le Vatican de l'autre. Le texte du « message final » était un habile compromis entre ces « sensibilités » opposées. Jean-Paul II a joué pleinement son rôle de médiateur. Mais si Mgr Ratzinger n'a pas remporté le triomphe escompté, il n'en continue pas moins, avec la pleine confiance du pape, à remettre dans le rang tout ce que l'Église peut compter de théologiens par trop modernistes.

A bien des égards, la vision de Jean-Paul II du rôle de l'Église dans la société est différente de celle de Mgr Ratzinger. Depuis le début de son pontificat, il prône une présence active, militante, dans le monde, au nom des « valeurs chrétiennes » que l'Église doit défendre directement, sous ses propres couleurs. En outre, l'ancien archevêque de Cracovie parle beaucoup plus volontiers d'éthique que de dogme. Ce n'est pas un théologien. Et c'est pour cela qu'il a placé ce fils d'un officier de police bavarois à la tête de l'ex-Saint-Office. S'il ne partage pas – et loin de là – le total pessimisme et la vision tragique de Mgr Ratzinger, il n'en estime pas moins sa rigueur intellectuelle et la richesse de ses connaissances doctrinales. Ce professeur de théologie, profondément marqué par la pensée de saint Augustin, avait d'ailleurs participé au concile en 1965. Il y avait même joué un rôle très actif aux côtés d'un homme comme Hans Küng que, depuis, il essaie de mettre au pas.

« Ce sont eux qui ont changé, pas moi », confiait le cardinal au journaliste Vittorio Messori, auteur d'un livre-interview où, pour la première fois, il livrait à bâtons rompus ses considérations sur le monde, l'Église et l'héritage de Vatican II. Avec le soutien de Jean-Paul II, Mgr Ratzinger est en train de redonner à la Congrégation romaine pour la doctrine de la foi – qui, au milieu des années soixante-dix, semblait condamnée à un lent déclin – son rôle de forteresse de l'orthodoxie doctrinale. Il est d'autant plus rigoureux qu'il a une vision catastrophique du monde d'aujourd'hui, où l'Église représente à ses yeux la seule planche de salut. En témoigne par exemple sa conception du diable : « Quoi qu'en disent certains théologiens superficiels, le diable est pour la foi chrétienne une présence mystérieuse mais réelle, personnelle et non simplement symbolique. C'est une réalité puissante que celle du " Prince de ce monde ", comme l'appelle le Nouveau Testament. C'est une maléfique liberté surhumaine opposée à celle de Dieu. » Cette présence du Malin, il la voit partout : dans les tentations de la liberté des mœurs comme dans l'athéisme de la société moderne. Et, bien évidemment, dans le marxisme et même « dans les régimes de terreur que sont souvent les religions non chrétiennes ».

Pour un théologien « en odeur de soufre » comme Hans Küng, c'est ce pessimisme de fond qui explique l'attitude de Mgr Ratzinger : « Ses positions sont celles d'un homme qui a peur et qui, par réaction, se comporte en inquisiteur. Il a peur des changements de l'Église et de devoir constater que ses efforts n'ont aucun succès. (...) Désormais le peuple de Dieu suit sa propre voie. A Rome, ils se contentent de souligner tout ce qu'il y a de négatif dans les Églises locales. » Les jugements exprimés par Mgr Ratzinger sur le bilan de Vatican II ne sont en effet pas tendres : « On en attendait une nouvelle unité des catholiques. Nous avons en revanche trouvé une dissension croissante qui, de l'autocritique, a mené jusqu'à l'autodestruction. Nous en attendions un nouvel enthousiasme et nombre d'entre nous ont trouvé le découragement et l'ennui. Nous espérions un bond en avant, nous nous sommes retrouvés face à un processus de décadence progressive. Le bilan est négatif. Il est incontestable que cette période a été décidément défavorable pour l'Église catholique. »

Rien d'étonnant si de telles positions irritent et inquiètent une bonne partie du monde catholique et des évêques qui se sont formés à l'école de Vatican II. Ainsi, par exemple, la Conférence épiscopale française qui n'avait guère apprécié les interventions du cardinal Ratzinger sur le texte du « nouveau catéchisme » auquel elle avait pourtant donné son *placet*. Une bonne partie de l'épiscopat brésilien avait aussi pris fait et cause pour le père franciscain Leonardo Boff, convoqué à Rome en septembre 1984 et finalement condamné à un an de silence – c'est-à-dire obligé de s'abstenir de toute déclaration publique – parce qu'il était considéré comme l'un des symboles de la théologie de la libération. Ce même mois, un document de la Congrégation romaine pour la doctrine de la foi condamnait durement les aspects les plus radicaux de ce courant théologique.

Ces tensions entre les Églises locales et les volontés restauratrices de la Curie et de Mgr Ratzinger se sont clairement manifestées à l'occasion du synode extraordinaire, notamment à propos du Brésil. Le pape a convoqué, du 13 au 15 mars 1986 à Rome, vingt et un évêques de ce pays pour faire le point. Il a assisté en personne à ces trois jours de discussion, comme pour affirmer clairement sa volonté de jouer un rôle de médiateur. Dans son discours final, Jean-Paul II a insisté à la fois sur la nécessité pour la Curie de prendre en compte les problèmes des Églises locales et, inversement, sur le besoin de la Curie « d'être connue et comprise ». Le nouveau document du Saint-Siège sur la théologie de la libération publié à Pâques 1986 avait un ton bien différent du précédent, en ce qu'il s'appliquait à fixer les limites doctrinales de ce courant.

C'était l'amorce d'une correction de tir confirmée par la levée des sanctions à l'encontre de Leonardo Boff le 29 mars 1986 et par la divulgation de l'*Instruction sur la liberté chrétienne et la libération*, rendue publique le 5 avril, véritable réflexion sur l'action de l'Église dans les changements sociaux. Si Jean-Paul II n'était pas prêt à désavouer son gardien de l'orthodoxie, il entendait le faire changer de ton.

Marc Semo

Bob Geldof

Vivre sur la corde raide... Pour le jeune Bob Geldof, c'est d'abord vivre le rock. Ses héros sont Mick Jagger et David Bowie. Avec les copains, à Dun Laoghaire, la petite ville « classe moyenne » des environs de Dublin où il est né le 5 octobre 1954, il fonde Boomtown Rats en 1975. L'année suivante, ils montent sur Londres où ils vivront en « commune » dans Chessington. En 1977, c'est le premier disque et, avec la chanson *LookingAfter Number One*, le premier succès – la chanson qui passera à l'histoire pour avoir été le premier titre du new-wave à tourner sur les ondes de la *BBC*.

Mais déjà Bob Geldof ne sait pas tenir sa langue. N'est-il pas irlandais? Ce fils d'un voyageur de commerce en moquette et en lingerie, qui a deux sœurs aînées, a passé son enfance à discuter politique avec son père, pour le pur plaisir de discuter.

Pour lui, il n'y a rien de bon dans le rock à part Lou Reed, David Bowie et Roxy Music. Et il le dit. Si, au Royaume-Uni, ses affaires vont bien – déjà trois microsillons et neuf chansons en tête des palmarès en 1981 –, il se cassera magistralement les dents en Amérique.

Nous sommes en 1979. L'âge du punk. Une nouvelle vague britannique déferle. Geldof débarque à New York, insulte les bonzes de l'industrie du disque, et ose dénigrer publiquement Bruce Springsteen, le nouveau dieu « made in USA » du rock. On ne le lui pardonnera jamais. Encore aujourd'hui, le héros de Live Aid reçoit toutes les médailles extraordinaires, mais aucune des ordinaires. On loue ses bonnes œuvres, et l'on boude ses disques. Être le numéro un, vivre dangereusement cette vie de cinéma qu'il prête à ses idoles... La drogue, bien sûr, est au rendez-vous : la marijuana des jeunes et le valium des parents...

Et puis voilà qu'un soir de l'automne 1984, lui et sa compagne Paula Yates (une animatrice de la télé britannique) rentrent à la maison plus tôt que d'habitude. Et qu'ils voient à la *BBC* les images bouleversantes que le journaliste Michael Buerk a rapportées d'Éthiopie. Le commun des mortels envoie sa contribution aux organismes charitables. Bob Geldof, lui, se sent personnellement concerné : il doit faire quelque chose. Et l'on sait ce qu'il a fait. C'était, a-t-il raconté au magazine *Rolling Stone* qui interviewait « l'homme qui ne prendrait jamais un non pour une réponse » au lendemain du triomphe de Live Aid, une nouvelle façon de vivre dangereusement, de se tenir sur la brèche.

« Nous avons soixante-dix ans à vivre. Qu'est-ce qu'on peut en faire? La drogue, les femmes, l'alcool?... Ça n'est certainement pas ça vivre sur la corde raide. Pour moi, ça veut dire *pousser :* est-ce que je peux faire ça, est-ce faisable, jusqu'où puis-je aller?

Et voilà. Une chanson qu'il avait commencé à écrire pour son groupe Boomtown Rats (*It's My World*) deviendra *Do They Know It's Christmas?* avec l'aide de son ami Midge Ure du groupe Ultra Vox. Puis, avec l'appui d'autres amis (Simon Lebon de Duran Duran, Sting, Bono de U2), il ralliera le ban et l'arrière-ban du rock d'Angleterre, d'Écosse et d'Irlande. Band Aid est fondé ; la chanson est enregistrée et le succès est inespéré. L'exemple fait boule de neige. Aux États-Unis, au Canada, en France, en Allemagne, jusqu'en Hongrie, l'exemple est repris.

Et puis, le 13 juillet 1985, ce sera Live Aid – le plus grand événement rock de tous les temps, le plus grand événement médiatique... Sous la nuit constellée de satellites, c'est l'épiphanie du village planétaire de MacLuhan au rendez-vous des yeux de la faim. Un milliard et demi de téléspectateurs rassemblés pour la grand-messe du rock célébrée simultanément à Wembley et à Philadelphie. Près d'une centaine de millions de dollars (sans compter les entreprises parallèles) recueillis pour les victimes de la famine en Afrique. La génération perdue du « moi, moi et encore moi » gagnée à l'altruisme et à la solidarité. Et qui recommencera : contre l'apartheid et contre le SIDA, pour les fermiers et pour Amnesty International.

Bob Geldof a été de toutes les opérations, et de toutes les étapes. Il a tordu le bras de toutes les stars, fait danser les bonzes du showbizz qu'il méprisait tant, intimidé les chefs d'État, fait courir les foules avec Sport Aid, visité les camps désolés d'Afrique. Il fallait des camions pour livrer les vivres, il a acheté des camions. Il fallait déplacer des montagnes, il en a déplacé.

Et maintenant, tout est rentré dans l'ordre. Bob Geldof est retourné au rock'n roll. Toute la publicité le Live Aid ne lui aura pas fait vendre un disque de plus. Mais quand il remontera sur une scène en 1987, il sera l'égal de Mick Jagger – même si la salle est vide.

Bruno Dostie

Louis Farrakhan

Louis Farrakhan est un homme qui porte des nœuds papillons sages sur des cols amidonnés aussi raides que les idées qu'il professe. Ces idées, pourtant, galvanisent dix mille fidèles plutôt zélotes, et retiennent l'attention parfois passionnée de plusieurs dizaines de milliers de Noirs américains. Farrakhan, le leader charismatique d'une secte musulmane américaine, « The Nation of Islam », est ainsi devenu l'un des éléments clé de la communauté noire et dès lors, malgré sa relative marginalité, une force sur laquelle il faut désormais compter sur la scène politique américaine.

Après un silence qu'il s'était imposé pendant plusieurs années, Farrakhan a surgi comme un diable d'une boîte pendant la campagne présidentielle de 1984. Et depuis, il n'a pas cessé de faire parler de lui. Cet homme qui, jadis, méprisait ouvertement la politique institutionnelle américaine est sorti de l'ombre pour aider un autre Noir, le révérend Jesse Jackson, dans sa course à la Maison Blanche. Une aide dont sans doute Jackson se serait, tout compte fait, bien passé.

La politique américaine étant bien souvent affaire d'atmosphère, il y avait de l'eau dans le gaz entre la communauté juive et le candidat Jackson. Pour avoir jadis publiquement embrassé le dirigeant palestinien Yasser Arafat, pour avoir noué des liens avec la Libye et pour avoir épousé, d'une façon générale, la plupart des thèses pro-arabes, Jackson avait toujours été vu d'un œil assez suspicieux pour la communauté juive américaine, pourtant historiquement liée à la communauté noire lors de la lutte pour les droits civiques, dans les années soixante. Or, Jackson, au cours d'une conversation à bâtons rompus avec des journalistes quelques jours avant les élections primaires du Parti démocrate au New Hampshire, en février 1984, avait employé un terme péjoratif (*hymies*) pour désigner les juifs. Un reporter noir du *Washington Post*, Milton Coleman, publia ces propos qui soulevèrent un tollé général. Jackson prononça d'abord des démentis hésitants, puis finit par présenter des excuses publiques. C'est alors que Farrakhan entra en scène. Sur son ton habituel, c'est-à-dire peu aimable, le leader musulman exhorta les dirigeants de la communauté juive à engager un dialogue avec Jackson, mais assortit cet appel d'une sinistre menace : « Si vous touchez à ce frère, je vous préviens, au nom d'Allah, ce sera le dernier que vous pourrez attaquer. »

Et tandis que Jackson, entouré de gardes du corps en nœuds papillons, les farouches « Fruits of Islam », la garde prétorienne de Farrakhan lui-même, allait affirmant être la victime d'une conspiration juive, le leader de la « Nation de l'islam » continuait à menacer tous azimuts. S'en prenant aussi au reporter du *Washington Post*, il déclarait dans une émission de radio, à Chicago : « Nous allons faire un exemple avec Milton Coleman. Nous allons punir ce traître. Un jour, bientôt, nous le punirons de mort. »

De tels propos, puis d'autres encore – Hitler fut ainsi qualifié par Farrakhan de « grand homme », quoique « mauvais », la religion juive de « sale religion », la création de l'État d'Israël d'« acte hors la loi » et les nations ayant contribué à cette création de « nations criminelles aux yeux de Dieu tout-puissant », firent du leader musulman, presque du jour au lendemain, la douteuse *superstar* des médias américains.

L'antagonisme entre la communauté noire et la communauté juive, exacerbé par Farrakhan, devint vite potentiellement dangereux pour le Parti démocrate, traditionnellement soutenu par ces deux groupes. Or Jackson, candidat démocrate à la présidence, ne désavoua que très tard, à la veille de la convention de San Francisco en juillet 1984, son encombrant allié, et les juifs américains, en novembre, ne furent jamais si nombreux à voter pour un candidat républicain.

Louis Farrakhan, avant de galvaniser les foules dans la haine des juifs et l'amour d'Allah, fut un chanteur de calypso surnommé « The Charmer ». Ce Bostonien, né Louis Eugene Walcott en 1934, fut d'abord un enfant de chœur dans l'Église épiscopale avant de rejoindre les « Black Muslims » en 1955. Il chanta beaucoup, pour les offices ou les réunions du groupe, notamment son plus grand succès : *A white man's Heaven is a black man's Hell* (« le paradis de l'homme blanc est l'enfer de l'homme noir »). Le jeune chanteur devint rapidement un protégé du leader des musulmans noirs d'alors, Elijah Muhammad, et quand Malcom X rompit avec Muhammad en 1964, un an avant d'être assassiné, Louis Walcott, qui ne se faisait pas encore appeler Farrakhan mais Louis X, dénonça Malcom X comme un traître « qui mérite la mort ».

Lorsque Elijah Mohammad mourut en 1975, le magazine *Sepia* chanta les louanges de celui qui désormais s'appelait Farrakhan, présenté comme le nouveau leader dont avait besoin la communauté noire américaine. « Il parle mieux que Martin Luther King, il chante mieux que Marvin Gaye et il est plus beau que Muhammad Ali. »

Très vite, Farrakhan se radicalisa. Le fils et successeur d'Elijah Muhammad, W. Deen Muhammad, admettant des Blancs chez les « Black Muslim », prêcha la fin de la séparation des races que préconisait son père. Farrakhan, suivi d'un noyau de dix mille fidèles – sur les quelque cent mille que comptait l'Église, fit sécession. Il alla fonder une nouvelle « Nation of Islam », nom qu'avait choisi jadis le vieux fondateur Elijah Muhammad pour désigner son mouvement. Et, c'est appuyé sur cette armée qu'il sait si bien fanatiser, que Farrakhan travaille désormais en profondeur la communauté noire américaine, dont une grande partie de la jeunesse est plus que jamais tentée par le radicalisme pour avoir été, dans les années Reagan, paupérisée par la crise et écartée de la reprise économique.

Michel Faure

TENDANCES

MAIS OÙ VONT-ILS CHERCHER TOUTE CETTE VIOLENCE ?
BEYROUTH OUEST
BUT!!!
PÉNALTY!!
PLANTU

L'année 1956 en perspective

1986 marque le trentième anniversaire d'événements – Budapest, Suez, rapport Khrouchtchev – dont on voit mieux aujourd'hui à quel point ils ont pesé sur l'évolution de l'état du monde en cette seconde moitié du XXe siècle. Les relire à trente ans de distance permet de mettre au jour quelques tendances lourdes de cette évolution, qui apparaissent essentielles : tel est le sens de l'article que propose ici Jean-Pierre Rioux.

1956... rude, très rude année, bourrée d'images qui hantent encore les mémoires. La télé ne régnait pas encore tout à fait sur nos imaginaires, mais une jeune radio très libre, *Europe n° 1*, lançait des flashes qu'on n'oublie pas. Et les reporters de *Paris-Match* savaient payer le prix du « choc des images » : l'un d'entre eux, Jean-Pierre Pedrazzini, y laissa la vie, dans Budapest en feu. Budapest, justement, nous y sommes encore, à guetter cet insurgé qui crache ostensiblement sur la gigantesque tête d'un tyran à moustaches qui gît, cassée à la masse, entre des rails de tramways, ce 24 octobre qui précède l'entrée des chars russes « libérateurs » dans une Hongrie qui eut l'audace folle de ce crachat. Une autre image encore, celle d'une veuve et de son enfant, noirs et dignes, encadrés par une troupe bottée qui rend les honneurs : Mme Rajk et son fils, poussés par trois cent mille Hongrois, reçoivent réparation publique pour un innocent perdu. Ce 6 octobre, derrière Rajk, on avait cru suivre le convoi funèbre du stalinisme.

Autres *rushes* de la mémoire... les paras français dans Port-Saïd, Guy Mollet dénonçant le nouvel Hitler de l'Égypte. Puis, pêle-mêle, pour faire bonne mesure, la « Dauphine » qui sort, toute pimpante, de son usine-modèle de Flins; ce numéro de *L'Express* où Françoise Giroud osa lancer la première campagne contre la loi de 1920 qui réprimait l'avortement; Grace Kelly épousant Rainier et le Real de Madrid gagnant la première Coupe d'Europe de football, Elvis Presley et Anquetil, « BB » et Alain Mimoun, l'héroïne de Vadim et le vainqueur du marathon des jeux Olympiques de Melbourne.

Les chars soviétiques étaient russes

Coupons le film désordonné, pour revenir à l'image la plus forte, ce Staline déboulonné qu'on vilipende enfin au grand jour de l'émeute. L'immortel petit Père des peuples avait fini par disparaître, une nuit d'hiver de 1953. Ses « assassins » en blouse blanche furent réhabilités quelque temps après, une « direction collective » en URSS laissant accroire que l'histoire reprendrait son cours, que le cancer du stalinisme n'avait pas contaminé jusqu'à l'os l'idée même de révolution socialiste. Les nouvelles excellences du Kremlin se réconciliaient avec Tito, les victimes de purges retrouvaient une dignité posthume. L'autocritique redevenait un mot d'espoir.

Puis vint le séisme, quand le rapport secret du camarade Khrouchtchev au XXe Congrès du PCUS dénonça les crimes de Staline et le « culte de la personnalité ». Fruit des rivalités internes entre civils et militaires, entre complices et victimes des procès, ce long réquisitoire prononcé les 24 et 25 février 1956 accablait un homme sans donner les clés qui permettraient d'amender le système sur lequel il avait bâti son règne de terreur; il pourfendait les « erreurs » sans les attribuer au centralisme « démocratique », il laissait intacts les instruments de la dictature. Mais, partout dans le monde, quand son secret de Polichinelle fut promptement éventé par la presse « bourgeoise », on comprit que le rapport Khrouchtchev « avait levé l'immunité idéologique du communisme soviétique » (Branko Lazitch). Tous les staliniens inconsolés, tous les Thorez apeurés, feignirent d'en minimiser la portée, mais des yeux s'ouvrirent dans les rangs des communistes et des « progressistes » de tout poil, des compagnons de route les plus pieux, comme Sartre, prirent enfin congé.

Toutefois, le XXe Congrès s'était contenté de mettre entre parenthèses les vingt-cinq années funestes du règne de Staline. Une déstalinisation sans autre ambition que l'oubli ne pouvait être que bâclée et de courte durée. Staline était bien mort, mais l'imposture totalitaire n'avait pas éclaté, et même dans l'esprit de ceux qui rompaient avec le communisme en 1956. A preuve, l'inquiétude mêlée de joie avec laquelle fut accueillie l'effervescence qui secoua alors les pays de l'Est.

Ce printemps des peuples, si lisible pourtant rétrospectivement, à Poznan, à Varsovie et à Budapest, fut en effet souvent perçu sur le moment comme une relance de la lutte ouvrière, avec tout l'appareil idéologique des vieilles formules, de « l'insurrection » aux « conseils » en passant par les vertus du « spontanéisme » ou l'éternelle jeunesse de « l'internationalisme prolétarien ». Il allait falloir dix ans encore (qu'on relise à ce propos le remarquable débat collectif organisé par Pierre Kende et Krzystos Pomian en 1976) pour s'apercevoir que les chars russes qui avaient rétabli l'ordre en Pologne et en Hongrie n'étaient qu'au service de la plus brutale et la plus cynique *Realpolitik*, et que l'URSS avait depuis belle lurette abandonné sa mission eschatologique pour n'être qu'un État, expansionniste et impérialiste. A quelques encablures de là, à Prague comme à Kaboul, d'autres chars russes allaient permettre, hélas, de lire enfin sans œillères le désespoir et l'ardeur des ouvriers, des jeunes et des intellectuels de Poznan et de Budapest. L'effet Soljénitsyne aidant, le communisme ayant au passage perdu aussi son immunité morale, la première révolution antitotalitaire de l'histoire (Claude Lefort) prenait toute sa valeur d'avertissement prématuré, refoulé puis éclatant. Et en Pologne, Solidarnosć n'avait plus besoin de convoquer l'ombre des « conseils ouvriers ».

Le complexe de Suez

Ce 1956 de l'Est oscilla donc entre l'oubli, la calomnie et la reconnaissance. Celui de l'Ouest, par contre, eut dès l'origine un destin historique mieux assuré. « Incident » aux yeux des responsables français, l'affaire de Suez est née au croisement des trois conflits majeurs de l'après-guerre, la guerre froide, la décolonisation et le heurt entre Israël et les États arabes. Les opinions publiques occidentales, chauffées à blanc, eurent cependant la prescience que leur déchaînement nationaliste destiné à laver l'honneur de la Compagnie de Suez bafoué par le colonel Nasser sonnait plutôt le glas de la diplomatie de la canonnière et, avec elle, du vieux rôle de gendarme du monde que l'Europe occidentale s'était si longtemps attribué.

Car le lion britannique vieilli et le coq français déplumé battirent en retraite dès que Moscou et Washington montrèrent qu'ils préféraient prendre directement en main les affaires en Méditerranée orientale et au Proche-Orient. Quand MacMillan, le 6 novembre, arrêta l'opération « Mousquetaire » sur l'injonction pressante des États-Unis, Guy Mollet ne put que suivre piteusement le retrait d'Albion. Les Anglais et les Français évacuaient l'Égypte, le canal de Suez nationalisé revenait à Nasser : pour les peuples encore soumis à l'Europe ou qui venaient de conquérir leur indépendance, la déconfiture occidentale scellait, plus que la conférence de Bandung l'année précédente, le triomphe de la décolonisation. L'URSS, qui avait soutenu l'Égypte, amorçait sa formidable percée en direction de l'Afrique et du Moyen-Orient qui se poursuit sous nos yeux, de Syrie en Éthiopie, trente ans plus tard. Sur la dissension du camp atlantique, le tiers monde subit l'assaut flatteur des vainqueurs de Budapest.

Bien sûr, Washington allait contre-attaquer, regagnant une partie du terrain perdu. Mais trop tard : le Moyen-Orient est désormais à l'épicentre du conflit Est-Ouest qui donne depuis Yalta sa respiration à l'histoire du monde. Au passage, le jeune État d'Israël, que la France et la Grande-Bretagne se flattent d'avoir sauvé, peut certes se vanter d'avoir « sonné » une armée arabe en quelques heures, mais il s'est mis à la remorque d'impérialismes déclinants qui passent la main à Washington : legs encombrant, dont les États arabes et les Palestiniens savent faire tout usage de propagande, au nom d'un progressisme émancipateur qui combat désormais par tous les moyens « l'impérialisme » israélien.

Ainsi, en assimilant hardiment Nasser à un nouvel Hitler, en décidant de frapper fort pour éviter quelque nouveau Munich, les Français, les Anglais et les Israéliens se sont trompés d'époque et de guerre. Trente ans plus tard, les Occidentaux ne savent toujours pas quelle riposte s'impose face à la mégalomanie d'un autre dictateur, installé cette fois à Tripoli. Mais, de Liban déchiré en Syrie progressiste, en passant par Israël sur pied de guerre imposé, c'est toujours là-bas que se joue une partie mal engagée en 1956.

L'atonie française

En France, ces chocs, d'Est en Ouest, n'ont pas modifié des attitudes héritées qui combinent mégalomanie discrète et chauvinisme aveugle. L'aventure de Suez n'aurait pas été tentée par un gouvernement socialiste sorti des urnes le 2 janvier 1956 – dans la logique d'une victoire du Front républicain dont nul n'imaginait qu'elle allait donner la préférence à Mollet plutôt qu'à Mendès France – si l'opinion n'avait accepté l'idée qu'en combattant Nasser, on hâtait la fin de la guerre en Algérie. Funeste erreur, qui tendait à nier les dimensions nationalistes de la révolte algérienne, malgré l'aide évidente que le FLN recevait du Caire. Mais comment se résigner à ne pas jouer encore un peu « au grand », quand un système politique révèle ses impuissances, qu'un Poujade en appelle à la grandeur perdue de la race gauloise et que, dans les taillis de Colombey, une grande ombre veille? La croissance économique aidant, on s'enivrait donc un peu.

1956 ne fut ainsi qu'une étape dans l'histoire du rude apprentissage

BIBLIOGRAPHIE

Ouvrages

FEJTÖ F., *1956. L'insurrection hongroise,* Complexe, Bruxelles, 1981.

FERRO M., *1956. Suez,* Complexe, Bruxelles, 1982.

KENDE P., POMIAN K., *1956. Varsovie-Budapest. La deuxième révolution d'octobre,* Seuil, Paris, 1978.

LAZITCH B., *Le rapport Khrouchtchev et son histoire,* Seuil, Paris, 1976.

RIOUX J.-P., *La France de la quatrième République,* vol. 2, Seuil, Paris, 1983.

de la juste place de la France dans le monde. Une longue et glorieuse parenthèse gaullienne, après 1958, allait ranimer la flamme, mais sans que la vitalité démographique et économique du pays enracine assez fort l'allant retrouvé. Seule l'histoire, assez peu planétaire, de la gauche française peut se pénétrer d'une sorte de reconnaissance *a posteriori* du choc de 1956 : le PCF y recevait un premier coup fatal, l'appel à quelque Front populaire était alors pieusement rangé au magasin des accessoires, le progressisme défaillait mais sans faire la révolution culturelle qui l'eût préservé de ce tiers-mondisme de substitution nourri de l'opposition intellectuelle à la guerre d'Algérie, la gauche tout entière se résignait à vivre sa division indélébile. L'actualité de 1986 a beau remettre en mémoire quelques épisodes des combats d'antan, rien n'y fait : le 1956 français est étrangement atone. Et les appelés en Algérie, aujourd'hui presque grands-pères, sont toujours affreusement silencieux.

Jean-Pierre Rioux

Les catastrophes naturelles dans le monde en 1985

1985 a traîné son lot de calamités attendues, cyclones, inondations, sécheresses. D'où vient qu'elle soit apparue très « catastrophique » ? L'orchestration médiatique met dans le même sac tous les désastres et 1985 a été propice à l'amalgame : séries noires de l'aviation (1600 morts) et du chemin de fer en France, tragédies à grand spectacle des terrorismes, hyperactifs en 1985, déchaînements particulièrement stupides en 1985 des hooligans du football, de Pékin à Bruxelles.

Mais 1985 a aussi été l'année de vraies catastrophes : cataclysme volcanique de Colombie – le troisième en capacité meurtrière depuis 1700 (avec 23 000 disparus, et la ville d'Armero balayée le 13 novembre), et séisme du Mexique (20 000 victimes ?, le 19 septembre), à l'impact amplifié par la valeur symbolique de la tentaculaire Mexico. Enfin, la résonance des événements nourrit une âpre lutte pour le *scoop*, qui a atteint en 1985 un point difficile à dépasser. L'incapacité de dégager un gosse de Mexico de sa dalle de béton, et la petite Colombienne Omaira de sa gangue de boue, gêne : la technologie se mobilise mieux pour filmer l'agonie d'enfants que pour les sauver. Ces images-chocs priment sur le marché et ont assuré en 1985 une « promotion » inouïe aux catastrophes. Derrière le spectacle, quelle réalité ?

Le risque tectonique, inéluctable et révélateur

L'énergie tellurique demeure imparable : plus de 40 000 morts au Mexique, en Colombie, au Chili, 500 000 sans-abri, d'immenses dégâts au passif d'économies latino-américaines exsangues. Les progrès décisifs des sciences de la terre échoueraient-ils à réduire le danger naturel le plus traître, d'ailleurs encore attribué au *fatum* en Colombie, dans une société sous le coup du drame récent du palais de justice de Bogota ? Dans les aires instables (chocs des plaques, rifts, points chauds), les spécialistes savent délimiter les risques : analyse des silences sismiques *(sismic gaps)*, et des failles susceptibles de rejouer *(capable faults)*. Mais la prédiction dépend de la validité des données de base et de la nature du risque : un volcan, même assoupi, est une menace précise, dont la surveillance ne pose que des problèmes de coût et de compétence, alors que le risque sismique est plus diffus et prédire un foyer de tremblement de terre reste un exercice sophistiqué.

Mexico et Armero – catastrophes liées à l'activité des subductions du Pacifique oriental – illustrent des difficultés supplémentaires de prévention, toujours présentes en 1985. Tout d'abord, la complexité des enchaînements physiques fait que la relation entre énergie au foyer et ravages dépend d'amortissements ou d'amplifications, très difficiles à prédire. Pour Mexico, la magnitude du choc était forte (7,8), mais le foyer se trouvait à 300 kilomètres, au bord de la fosse du Pacifique, du reste sur un *sismic gap* typique tenu pour menaçant. Paradoxalement, des cités proches furent peu touchées; la propagation des ondes vers la métropole a pu être influencée par la trame faillée intermédiaire, mal connue. Surtout, l'assise de la ville – dépôts lacustres non consolidés – a accentué les effets de rupture. Armero, qui, elle aussi, était loin (45 kilomètres) du volcan Nevado del Ruiz, et n'a reçu que peu de cendres après des explosions (à 15 h et à 21 h 10) dont le volume a été assez modeste – moins de 0,1 km³ –, a été brusquement engloutie à 23 h 35 par un énorme *lahar* (coulée boueuse épaisse et chargée) qui avait dévalé les 80 kilomètres des rios Azufrado et Lagunilla à 30 km/h. Les causes? La fusion de 10 % de la calotte glaciaire du volcan et la liquéfaction des manteaux de débris instables, et saturés par de fortes pluies avant l'éruption.

Mais il y a aussi les effets d'une certaine viscosité sociale. A Mexico, le caractère erratique des 300 effondrements d'immeubles (1 000 endommagés) vient des aléas physiques évoqués, mais aussi d'insuffisances dans l'application des normes antisismiques. Armero peut se comparer au cataclysme semblable du volcan St Helens (aux États-Unis, en 1980, où une explosion plus forte a été suivie de *lahars*) qui n'avait fait que 63 victimes grâce à la bonne réception par le public des informations scientifiques qui avaient prévu le déroulement de l'éruption. Des experts ont cerné le risque du Nevado del Ruiz dès les prodromes de son réveil fin 1984, mais c'est autre chose de traduire une expertise scientifique en alerte compréhensible et applicable. Le cataclysme a révélé les insuffisances d'instruction et d'administration.

En 1985, le bruit de fond sismique de la Méditerranée et de l'ouest du Pacifique est resté en deçà du seuil catastrophique. La subduction de l'Est-Pacifique est encore en cause pour le choc, aussi fort qu'au Mexique (7,8), qui a ébranlé le Chili en mars : par miracle, 145 morts seulement, mais des destructions majeures (les trois quarts du port de San Antonio, 150 000 sans-abri, 2 milliards de dollars de dégâts).

Aléas des rythmes climatiques et catastrophes

Pour les sociétés urbanisées coupées de la culture rurale, tout écart à la moyenne du climat déconcerte. L'Europe s'est insurgée de découvrir en 1985 qu'il pouvait geler fort : *vagues de froid* de janvier, avec des minima sous – 20° en façade océanique, de février (gel des canaux et lacs de Frise, y permettant la course à patins des onze cités), froid sibérien de trois mois en URSS. Mais la course frisonne a eu lieu treize fois depuis 1909, une récurrence bien fréquente pour voir dans ces froidures des catastrophes! C'est la densité du tissu socio-économique qui a révélé la paralysie « catastrophique » des communications. Il y a même eu des morts, scandaleux, car ils rappellent les franges de misère de ces sociétés riches.

Les groupes mal nourris du tiers monde tropical vivent sous la menace des aléas climatiques, catastrophes ou fluctuations. *Les cyclones tropicaux* sont suivis par la veille météorologique, mais les catastrophes viennent de leur brutale et imparable énergie. En 1985, les typhons de fin de saison des pluies n'ont pas dépassé leur nocivité habituelle, mais le Bangladesh a été ravagé par un cyclone précoce (juin), situation non exceptionnelle dans ce pays. La marge du delta du Bengale, et ses quatre cents îlots, fut submergée par les vagues poussées par un vent de 150 km/h pendant sept heures : 15 à 20 000 morts, 250 000 sans-abri, 5 millions de personnes affectées. Pour le delta le plus vulnérable du globe (immensité, situation propice à la cyclogenèse brutale, énorme débit fluvial refoulé et causant des inondations dantesques), c'est le désastre le plus meurtrier depuis novembre 1970 (500 000 morts, le premier cataclysme mondial des Temps modernes). Là encore s'est posé le problème du décalage entre une bonne prévision (alerte nº 9 d'évacuation à la radio) et l'application : la plupart des squatters des îlots en quête de terres n'avaient pas de transistors et beaucoup crurent à une fausse alerte.

Les sécheresses persistantes ne sont-elles que des fluctuations propres aux climats marginaux tropicaux secs, dont les séquelles catastrophiques impliqueraient surtout des facteurs socio-politiques ? Certains voient cependant une réelle catastrophe climatique dans la sécheresse, partie du Sahel, qui touche depuis 1978 le Tchad et l'Éthiopie et s'est généralisée au Soudan en 1985, où 1 200 000 affamés – dont 800 000 Éthiopiens – avaient cherché refuge. En tout, 21 millions d'Africains sont ici menacés ; 8,5 millions sont assistés dont un tiers assez régulièrement. D'innombrables obstacles entravent les secours. En juillet, il a plu pour la première fois, mais à torrents, d'où de vastes inondations coupant rail et routes au Soudan, abîmant des stocks de grain sur le port d'Assab, bloquant au total 500 000 tonnes de vivres. La pluie a fait revenir 50 000 Éthiopiens, mais dans quelles conditions, faute d'animaux, sacrifiés durant la sécheresse ? Les obstacles politiques sont les plus graves : les guerres intérieures interminables sont des gouffres financiers et, sur le terrain, des facteurs immédiats de disette. La famine est impliquée dans les conflits ; en Éthiopie, les autorités admettent mal la libre circulation des secours venant de pays occidentaux.

Des pluies massives accélèrent les mouvements de masse sur les versants pentus, jusqu'à la catastrophe : au sud de Porto Rico, 500 habitants ont été ensevelis en octobre à Mameyes, un *barrio* populeux de Ponce ; à Stava (Dolomites italiennes) un glissement a bousculé trois hôtels pleins de touristes en juillet (250 morts), mais ici, un défaut de surveillance de barrages était en cause.

Véhiculée par les courants atmosphériques, la pollution industrielle peut provoquer des catastrophes écologiques, à cause de réactions imprévues des écosystèmes, eux-mêmes modifiés par l'homme. En 1985, la forêt a même alarmé les politiques, et en premier lieu la forêt européenne, insidieusement et massivement attaquée : le *Waldsterben* (la mort des forêts), qui a démarré en 1980 en Allemagne, s'y est étendu en 1985 à la moitié des forêts, a touché les Vosges (20 %) et le Jura (11 %), l'Italie, la Suède, la Tchécoslovaquie (20 %). Que la pollution soit la cause directe (« pluies acides ») n'est pas avéré, mais une corrélation complexe est probable, aggravée par le caractère mono- ou bi-spécifique des boisements (la forêt nord-américaine est plus variée).

A la une aussi en 1985, la Méditerranée (réunion des riverains à Gênes en septembre) : quand mourra-t-elle des rejets de 85 % des déchets de cent vingt villes, du nettoyage illégal des tankers ? Voilà qui illustre, en tout cas, l'intrication des faits physiques et sociaux dans le développement de situations catastrophiques pour l'environnement. Seul le dosage des facteurs varie en fonction du type de risque.

Jean-Jacques Dufaure

A quoi sert l'aide alimentaire?

Au cours de la campagne agricole 1984-1985, l'aide alimentaire a représenté environ 12 millions de tonnes de céréales (équivalent blé), 356 000 tonnes de lait en poudre, 338 000 tonnes d'huile végétale et plus de 100 000 tonnes d'autres produits. Plus de soixante-quinze pays pauvres, dont trente-huit en Afrique, ont ainsi bénéficié, à titre gratuit ou à des conditions très avantageuses, de l'aide d'une poignée de pays riches (principalement des pays membres de l'OCDE). Même s'ils restent moins élevés que durant les années soixante, ces montants sont impressionnants. L'Afrique, il est vrai, a connu en 1984-1985 une famine exceptionnelle : un Sahélien sur trois s'est nourri de céréales importées, les seuls États-Unis ont expédié pour 220 millions de dollars d'aide alimentaire au Sahel, soit plus du double de leur programme de coopération dans cette région.

De 1980 à 1984, les pays de l'OCDE ont consacré, en moyenne, 2,6 milliards de dollars par an à l'aide alimentaire, soit environ 10 % de leur aide publique au développement (APD), proportion plutôt en baisse par rapport aux années soixante-dix. De 1960 à 1980, en Asie, en Amérique latine et en Afrique du Nord, les aides alimentaires en céréales ont fortement chuté en valeur absolue, et beaucoup plus encore en comparaison des importations commerciales. Si, en 1981, les importations de céréales des pays en développement (PED) à faible revenu s'élevaient à 3 kg par personne au titre de l'aide alimentaire et à 5 kg à des conditions commerciales, la proportion était de 2 kg contre 29 pour les PED à revenu intermédiaire, et de 1 kg contre 95 pour les PED à revenu élevé. En 1981, selon l'International Food Policy Research Institute (IFPRI, Washington), l'aide alimentaire représentait moins de 10 % des 100 millions de tonnes de céréales importées par les PED; vingt ans auparavant, la proportion était d'un tiers.

Une opération rentable pour les pays donateurs

Pourtant, dans la panoplie des outils de coopération Nord-Sud, l'aide alimentaire présente une exceptionnelle polyvalence pour les gouvernements donateurs. Elle est économiquement rentable, à court comme à long terme, elle plaît à l'opinion et peut même servir de moyen de pression sur les pays qui la reçoivent. La cessation des aides alimentaires américaines au Chili d'Allende est dans la mémoire de tous, comme la reprise qui suivit le coup d'État de 1973. L'Égypte vit diminuer les aides pendant son flirt avec Moscou, et le Mozambique les vit augmenter après les accords de N'Komati de mars 1984. A cet égard, les aides canalisées par le Programme alimentaire mondial (20 % du total) ou par la CEE sont évidemment moins redoutables pour les bénéficiaires que les aides bilatérales.

Sur le plan économique, l'aide alimentaire soulage à la fois les stocks et les balances commerciales des donateurs. Cette propriété – s'aider soi-même en aidant les autres – est d'ailleurs à l'origine même de l'aide, tout le monde en convient. Ainsi, selon l'Agence des États-Unis pour le développement international (US-AID), l'aide alimentaire a rapporté plus d'un milliard de dollars aux États de l'Union en 1982. Elle représentait 31 % de l'aide publique au développement des États-Unis en 1979, et 40 % de l'APD de la CEE en 1981. Excédents obligent. Ajoutez-y le fret maritime, en bonne partie confié à des compagnies du pays donateur. L'affaire est bonne.

D'autant qu'à plus long terme, l'aide alimentaire ouvre de nouveaux marchés – la réussite américaine dans ce domaine a été éclatante et les producteurs français rêvent de l'imiter – et permet de les conserver. L'aide alimentaire est d'ailleurs largement utilisée dans le conflit commercial CEE-États-Unis.

Vis-à-vis d'une opinion publique de plus en plus sensibilisée par les médias et les Organisations non gouvernementales (ONG), quoi de plus tentant pour un gouvernement que de montrer ainsi sa générosité? Contrairement aux autres aides, notamment financières, l'aide alimentaire apparaît directement charitable. Pourtant, selon la FAO, seulement comme au financement de certaines entreprises publiques, sa vente couvrant une part des frais de fonctionnement, de transport et de stockage. Dans bien des cas enfin, elle contribue à accroître le niveau de vie des couches sociales qui bénéficient de ventes préférentielles.

Le tiers monde assisté

Mais cette nouvelle drogue n'a pas que des effets euphorisants. Distribuée gratuitement ou vendue à un prix inférieur à ceux du marché local, l'aide alimentaire vole aux

LES PRINCIPAUX DONATEURS D'AIDE ALIMENTAIRE EN CÉRÉALES EN 1984-1985 (millions de tonnes-MT).

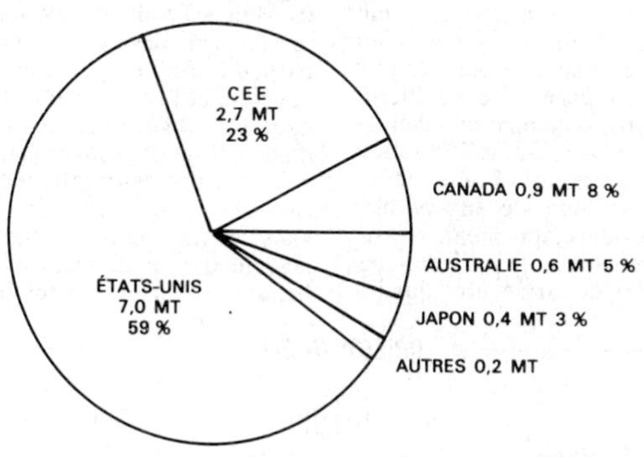

TOTAL 11,8 MT

Source : Comité de l'aide alimentaire-Conseil international du blé.

7 % de l'aide alimentaire sert à des cas d'urgence, et 11 % est distribuée dans les écoles, les hôpitaux ou à des indigents; le reste, plus de 80 % du total, est vendu ou échangé contre du travail. Évitant aux États receveurs d'affronter des réformes nécessaires, l'aide alimentaire est devenue indispensable au soutien des balances des paiements (en réduisant les importations commerciales) producteurs des pays bénéficiaires la possibilité de vendre leurs céréales, les privant ainsi d'une de leurs rares sources de revenu. Les systèmes de transport et de stockage modernes sont conçus pour distribuer des céréales importées et non pas pour drainer les récoltes vers les lieux de consommation. On assiste au changement des habitudes alimentaires. Incités à ne pas produire plus, les

paysans n'ont le choix qu'entre le repli sur soi et l'exode rural.

En 1985, la récolte de céréales a été bonne dans les pays du Sahel; la région est globalement autosuffisante, mais il est vain d'espérer que tous les Sahéliens consomment « sahélien ». Sur les 400 000 à 500 000 tonnes de blé et de riz importées chaque année au Sénégal, les 150 000 à 200 000 tonnes importées en Mauritanie, combien en 1986 sont remplacées par du mil, du sorgho ou du maïs locaux? Combien, par exemple, sont acheminées du Sénégal, excédentaire, vers la Mauritanie? D'autant que l'aide alimentaire arrive souvent trop tard. Le cas du Soudan en 1985 a été tristement spectaculaire à cet égard : plusieurs centaines de milliers de tonnes d'aide se sont télescopées avec une récolte largement excédentaire!

Autre incidence négative, l'aide alimentaire conforte l'image d'un tiers monde assisté, dont l'avenir dépend de la générosité du Nord. Exemple type, la campagne « Action école », lancée à la fin de 1985 dans toutes les écoles de France pour sensibiliser la jeunesse aux problèmes du sous-développement, repose principalement sur la collecte des sacs de sucre, de farine, etc., que les ONG ont pratiquée au début des années soixante-dix, et qu'elles ont à juste titre remis en cause depuis. On en reste sans voix!

Mise en œuvre très rapidement par des professionnels, la véritable aide d'urgence sauve des vies, généralement abandonnées à leur sort en d'autres temps ou d'autres lieux. Pourtant, elle ne résout souvent rien et les dons d'urgence ne cessent, surtout en Afrique, que pour revenir en plus grande quantité lors de la prochaine crise économique ou guerre civile. L'un des thèmes de réflexion du Conseil mondial de l'alimentation, à la fin 1985, a souligné ce risque : « Aide alimentaire d'urgence à l'Afrique : le risque élevé d'une dépendance accrue. » Nul ne nie, cependant, son utilité.

Tel n'est pas le cas des aides « non urgentes », 93 % du total, rappelons-le. Mais les cours du blé sont structurellement bas, et de nombreux pays du Sud s'enfoncent dans la pauvreté et l'endettement. Difficile, dans ces conditions, de se passer d'une aide abondante et bon marché pour des donateurs atteints par les rigueurs budgétaires. Il ne reste alors, comme seule marge de manœuvre, que les efforts, parfois acrobatiques, pour en limiter les effets

BIBLIOGRAPHIE

Ouvrages

CLAY E., EVERITT E., *Food Aid and Emergencies,* IDS Publications, University of Sussex, 1985.

ERARD P., MOUNIER F., *Les marchés de la faim,* La Découverte, Paris, 1984.

GIRI J., *L'Afrique en panne,* Karthala, Paris, 1986.

Articles

« Céréales : à qui profite la crise? », *La Lettre de Solagral,* nº 46, mars 1986.

CONDAMINES C., « De l'aide alimentaire à la construction d'une Afrique verte », *Le Monde diplomatique,* mai 1986.

HUDDLESTON B., « Combler le déficit céréalier par le commerce et l'aide alimentaire », *Résumé IFRI,* nº 43, 1984.

« Le Sahel étouffe », *La Lettre de Solagral,* nº 43, décembre 1985.

pervers : pour l'urgence, des produits nouveaux sont inventés, des forces spéciales mises sur pied, des plans Orsec imaginés. Pour le développement, que la méthode retenue consiste à vendre l'aide ou à l'échanger contre du travail, l'effet recherché est qu'en définitive l'aide alimentaire permette un supplément d'accumulation au lieu de s'évanouir comme l'eau dans le sable.

Des réformes plus radicales ont été adoptées par certains donateurs. Elles visent à remplacer l'aide par des échanges entre pays proches ou, même, comme ce fut le cas en 1985 pour l'aide alimentaire de la CEE au Bourkina, au Niger et au Tchad, à la convertir en aide financière. Grâce à des campagnes d'information comme la campagne « Afrique verte », les ONG sont ainsi parvenues à enfoncer un petit coin dans le lobby de l'aide alimentaire, mais il est exclu, tant qu'il y aura des excédents, que l'édifice se décide à craquer.

Jean-Marc Pradelle

DESTINATION DES AIDES ALIMENTAIRES EN CÉRÉALES, en 1984-1985

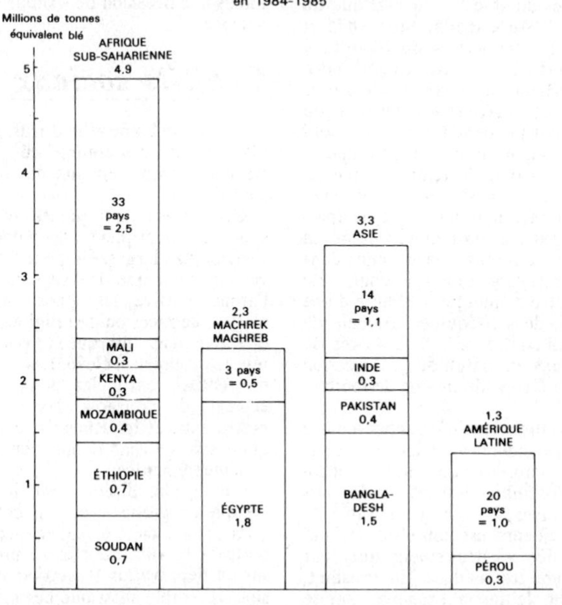

Source : Comité de l'aide alimentaire-Conseil international du blé. (chiffres arrondis).

Le Bangladesh et l'Égypte dépendent depuis déjà longtemps de l'aide alimentaire : en moyenne, chaque Égyptien consomme 39,5 kg d'aide en céréales par an et chaque Bengalais 15,5 kg. Par comparaison, chaque Indien ne recevait plus, en 1985, que 400 g de céréales par an (il est en revanche devenu le premier consommateur d'aide alimentaire en huile et poudre de lait).

C'est l'Afrique désormais qui absorbe la plus grande part de l'aide en céréales (61 % du total, contre 6 % en moyenne de 1955 à 1974), soit, pour les pays les plus affectés, 20,5 kg par Éthiopien, 34,5 par Soudanais, 28,5 par Mozambicain...

J.-M. P.

La violence des foules sportives

Quarante morts dans un stade de football belge nous ont tragiquement rappelé, en 1985, que la violence est désormais une caractéristique des manifestations sportives. La violence sportive est un phénomène complexe et nous ne discuterons ici que de la violence des masses de spectateurs aux compétitions sportives.

A la fin du XIXᵉ siècle déjà, des incidents nombreux avaient incité les autorités britanniques à fermer vingt et un stades à la pratique du football. Au Canada, entre 1875 et 1894, les supporters du Shamrock Lacrosse Club, des travailleurs d'origine irlandaise, avaient attaqué à plusieurs reprises les joueurs du Montreal Lacrosse Club, des protestants issus de la classe moyenne.

Étendu dans le temps, le phénomène l'est aussi dans l'espace; aucune région du globe n'a été épargnée par ce problème. Même la Chine, pourtant nouvelle venue dans le concert sportif international, a été le théâtre d'émeutes à la suite d'une défaite de son équipe nationale de football contre celle de la Corée du Sud dans un match de qualification pour la Coupe du monde de football 1986.

Des études statistiques ont montré que les incidents violents ne sont pas plus nombreux qu'avant. Cependant, il semble qu'ils soient devenus plus graves. La portée véritable de ces incidents est toutefois étroitement liée au traitement que leur réservent les médias. En insistant, souvent de façon exagérée, sur le problème des désordres sportifs, les médias ont mis en marche un processus de conscientisation – une panique morale – qui a créé l'illusion d'une gravité croissante du problème sans référence à des données véritables.

Le rôle des médias est véritablement capital et ceux-ci en connaissent la force. On l'a encore vu lors des incidents de Bruxelles le 29 mai 1985, avant le match de finale de la coupe d'Europe de football qui opposait l'équipe de Liverpool à la Juventus de Turin. Les télévisions européennes ont adopté des attitudes très différentes quant à la retransmission des scènes de violence et du match qui a suivi. Certaines ont complètement boycotté l'événement alors que d'autres sont allées jusqu'à montrer des reprises au ralenti des scènes de violence. On assiste ainsi à une récupération du phénomène et la presse « à sensation » ne manque jamais une occasion de « vendre » la violence.

Conflits sociaux

Confronté à une telle diffusion du phénomène, on a commencé à analyser les comportements des foules sportives.

Certains estiment que les rivalités sportives expriment des conflits sociaux plus larges. On peut effectivement noter que, transposées dans l'arène sportive, les oppositions de classes, de races ou de religions sont effectivement marquées par un niveau de violence élevé. Les matchs de football entre les deux clubs écossais de Glasgow (les Celtics, protestants, et les Rangers, catholiques) ont souvent donné lieu à de violentes émeutes.

Encore plus directement, il semble que les groupes les plus défavorisés de la société soient facilement portés à la violence par un processus de dépravation-frustation-agression. Il semble aussi que ces mêmes groupes s'identifient d'une manière intense à « leur » équipe sportive. Le fanatisme souvent violent des spectateurs sud-américains trouve ainsi une explication pertinente.

Quand le rival sportif est un adversaire dans la société, les comportements violents peuvent s'expliquer par ce dédoublement des oppositions. Cependant, certains conflits ne semblent que sportifs. On a en effet assisté à des incidents violents lors de rencontres sportives qui opposaient des adversaires ayant des caractéristiques sociales parfaitement semblables.

Violence rituelle

En fait, on peut pousser plus loin l'analyse et proposer que la violence des foules sportives se manifeste sans référence à l'adversaire. Elle ne devient qu'une forme d'expression personnelle. On se rapproche ici des théories relatives aux « sous-cultures », c'est-à-dire à un ensemble de codes et de règles déterminant un comportement qui se veut en marge des tendances dominantes. Le mouvement *hooligan* en Angleterre a ainsi été comparé au *punk* ou au *new-wave*. Il semble toutefois que l'attachement des individus à ces sous-cultures soit souvent limité et, surtout, éphémère.

On a aussi tenté d'interpréter la violence des foules sportives par les caractéristiques des sports eux-mêmes. Ainsi, ce serait parce que le football est violent que les spectateurs le sont. Cette théorie est évidemment contestable puisqu'il apparaît que les sports les plus violents, le hockey sur glace, le rugby ou le hurling irlandais, ne sont pas ceux qui suscitent la plus grande violence chez les spectateurs.

L'anthropologie sociale offre des pistes intéressantes pour expliquer la violence sportive. En introduisant la notion de violence rituelle, on peut prétendre que la violence des foules sportives correspond à un besoin naturel d'exprimer son identité. L'adversaire importe peu, et il semble que la violence reste avant tout symbolique. Des reprises au ralenti des bagarres entourant les événements sportifs ont montré que les coups atteignent rarement leur cible.

On peut penser également que les préjugés dont sont l'objet les spectateurs sportifs exerce sur eux une influence importante. Un peu comme les motards qui furent (qui restent?) considérés comme des délinquants, les foules sportives seraient violentes parce que cela correspond à leur « image ».

Mais pourquoi le phénomène de la violence des foules sportives est-il devenu un problème auquel les autorités ont résolu de s'attaquer? Les morts du stade de Heysel ont choqué l'opinion publique internationale. La « panique morale » évoquée plus haut a pris des dimensions considérables. Ce sont désormais les relations entre les nations qui sont affectées par cette situation. L'Angleterre a été bannie des coupes européennes de football à cause du comportement violent des spectateurs anglais qui se déplaçaient en masse sur le continent européen pour suivre leurs équipes.

Dans ce pays où les *hooligans* sévissent avec une rage inquiétante, le contrôle des foules sportives est devenu une priorité du gouvernement. Ne peut-on trouver un lien entre la situation dramatique de l'économie et de la société anglaises en général, d'une part, et la montée de la violence sportive, d'autre part? De nombreux analystes estiment que l'Angleterre traverse au milieu des années quatre-vingt une crise d'hégémonie alors que la classe dominante n'a pu maintenir un contrôle sur ses appareils idéologiques. La famille, la religion, l'éducation n'exercent plus leur fonction de perpétuation de l'ordre établi. Le sport, longtemps associé, lui aussi, à cette fonction, est devenu l'expression du rejet de l'idéologie dominante.

En fait, la violence des foules sportives s'explique certainement, en partie du moins, par ce phénomène de rejet dont elle constitue l'une des nombreuses formes. Cependant, il faut aussi constater que cette violence a servi de justification à la mise en place d'un État de plus en plus répressif. Dans cette perspective, les liens supposés entre les foules sportives et les mouvements d'extrême droite ont de quoi inquiéter, d'autant plus que la même dynamique de radicalisation des spectateurs peut être observée partout dans le monde.

Que doit-on craindre le plus entre la violence croissante des foules sportives et son contrôle par des instruments répressifs? Les deux sans doute.

Michel Marois

Le travail des enfants

Du 28 octobre au 8 novembre 1985, la Commission des droits de l'homme de l'ONU a organisé à Genève un séminaire international sur les moyens d'éliminer l'exploitation du travail des enfants dans le monde. C'était la première fois qu'un colloque officiel avait lieu sur ce sujet dans le cadre de l'ONU. D'après Francis Blanchard, directeur général de l'Organisation internationale du travail, « le travail des enfants se pratique encore largement aujourd'hui et gagne peut-être du terrain... Le nombre des enfants de moins de quinze ans tenus pour économiquement actifs au début de cette décennie, dans le monde, s'élevait à 50 millions. Quant à la population mondiale âgée de 10 à 14 ans, environ 11 % étaient économiquement actifs. Il se peut que ces estimations pèchent par la prudence, car certaines sources donnent jusqu'à 75 et même 100 millions d'enfants au travail ».

De fait, Abdelwahab Bouhdiba, rapporteur spécial de l'ONU sur « l'exploitation du travail des enfants », s'appuyant sur des renseignements fournis par la Société antiesclavagiste de Londres, fait état d'au moins 145 millions d'enfants au travail dans le monde. Neuf sur dix de ces enfants vivent dans le tiers monde, le record (40 millions environ) étant détenu par l'Asie méridionale (Inde, Pakistan, Bangladesh); viennent ensuite à peu près à égalité l'Asie du Sud-Est (Corée, Philippines, Thaïlande, etc.) et l'Afrique avec 10 millions. Les enfants travailleurs sont encore 3,3 millions en Amérique latine. Dans l'Europe du Marché commun, le record revient à l'Italie : 500 000 enfants y sont illégalement employés.

On trouve des enfants au travail dans tous les secteurs de l'activité économique : les travaux agricoles bien sûr, mais aussi dans les entreprises artisanales et industrielles. Dans la plupart des pays en développement, les enfants travaillent surtout dans les campagnes; ainsi, aux Philippines et en Inde, jusqu'à 87 % des enfants au travail de dix à quatorze ans sont occupés dans les zones rurales. Dans les villes, la plupart des enfants travaillent pour de petites entreprises et dans le secteur informel. Ces entreprises échappent souvent à la législation sur le travail des enfants et leur survie économique dépend justement en grande partie de l'emploi des enfants, qui sont une main-d'œuvre peu coûteuse, souple et sans défense.

80 % d'entre eux ne sont pas rémunérés, et pourtant ils contribuent d'une manière importante à la richesse nationale de certains pays. C'est ainsi que les fabrications de tapis – spécialité de la main-d'œuvre enfantine – rapportent annuellement au Pakistan près de 500 000 dollars en devises. En 1975, les tapis exportés à pleins containers vers l'Europe ont fourni au Maroc quelque 23 millions de dollars. Le tourisme, l'artisanat, les produits d'exportation (confection, jouets, bimbeloterie) finissent par représenter un pourcentage significatif dans la balance des paiements de nombreux pays.

Toute action radicale pour lutter contre cette exploitation risque donc d'être rendue fort difficile en raison des intérêts en cause et des enjeux en présence, tant sur le plan local que national ou international. En Inde, par exemple, on estime ainsi que 20 % du revenu moyen des familles est apporté par le travail des enfants. Au sens strict du terme, des dizaines de millions d'enfants sont donc producteurs, et leur travail augmente le produit intérieur brut du pays.

Outre le fait que les enfants qui

travaillent ne peuvent, la plupart du temps, avoir une formation scolaire suffisante, leur vie est souvent très dure. Une équipe de chercheurs indiens estime que c'est parmi les petits travailleurs agricoles que l'on trouve le plus de suicides d'enfants. De son côté, l'Organisation mondiale de la santé a constaté que le travail pendant l'enfance freinait la croissance. Une enquête japonaise indique une différence de taille de quatre centimètres entre des jeunes ayant commencé à travailler avant quatorze ans et après dix-huit ans.

Le cercle vicieux du sous-développement

Les travaux auxquels les enfants sont occupés dans les pays sous-développés sont très souvent des activités qui pourraient être confiées à des adultes, ce qui crée, en fait, une situation de concurrence entre la main-d'œuvre enfantine et celle des adultes. La pression que les enfants exercent ainsi sur les marchés de l'emploi est d'autant plus forte que, par l'effet démographique, ils sont plus nombreux. D'où ce paradoxe : c'est là où le sous-emploi est le plus fréquent que le travail des enfants est le plus important. Il s'agit là d'un véritable cercle vicieux du sous-développement : le sous-emploi devrait entraîner l'exclusion des enfants du monde du travail. Au contraire, pour améliorer un revenu familial, ils se pressent sur le marché du travail déjà déstructuré et ils contribuent donc à le désaxer davantage. Selon A. Bouhdiba : « Le travail des enfants et son exploitation font pour ainsi dire partie, dans beaucoup de pays du tiers monde, du système global... Fruit du sous-développement, il en est aussi la cause. Produit du système, il contribue à le perpétuer. »

Alors que faire? Il est certain que le travail des enfants est inséparable de la pauvreté; seul un relèvement soutenu du niveau de vie général d'un pays permet de l'abolir. L'élimination du travail des enfants et le relèvement progressif de l'âge minimal d'accès à l'emploi sont donc des buts lointains qu'on ne pourra atteindre que par une démarche intégrée à un développement général visant à résorber le chômage et la misère.

Cependant, un certain nombre de mesures ont été préconisées par le Bureau international du travail, comme, par exemple, l'introduction de systèmes permettant aux enfants contraints au travail de combiner l'activité rémunérée avec la scolarité ou la formation. Mais en fait, la véritable solution viendra des populations elles-mêmes, quand elles se rendront compte de l'importance de

BIBLIOGRAPHIE

Ouvrages

BLANCHARD F., *Le travail des enfants*, Rapport du directeur général du BIT, Genève, 1983.

La situation des enfants dans le monde, Aubier-Montaigne/UNICEF, Paris, 1985.

Articles

BONNET M., « Enfants esclaves, victimes du silence », *Faim et développement dossiers*, février 1986.

LAPÔTRE O., « 10 000 enfants ont marché sur Calcutta », *Croissance des jeunes nations*, n° 283, mai 1986.

RAFFOUL M., « 52 millions d'enfants perdus », *Croissance des jeunes nations*, n° 372, mai 1985.

l'éducation pour leurs propres enfants.

C'est ainsi que le 14 novembre 1985, date anniversaire de la naissance de Nehru et – coïncidence symbolique – quelques jours après la conclusion du séminaire international sur le travail des enfants organisé par l'ONU, 10 000 enfants ont défilé à Calcutta à l'initiative de plusieurs organisations non gouvernementales indiennes. Ils réclamaient des écoles et l'application de la législation sur le travail des enfants. « Envoyez-nous à l'école », « Augmentez le budget de l'enseignement dans les zones rurales » (40 % des villages de la région de Calcutta n'ont pas d'écoles) indiquaient les banderoles portées par les enfants.

Les revendications, présentées au Premier ministre du Bengale occidental par une délégation de parents de ces enfants travailleurs, portaient sur la mobilisation de tous les médias – presse, radio, télévision, cinéma –, si importants en Inde, qui devraient être mis au service de la formation des enfants. Les parents demandaient aussi que chaque village ait son école, que des colonies de vacances soient créées, que des bibliothèques ambulantes circulent à travers la région.

Autre exemple de prise de conscience : le Brésil. La moitié des soixante-quatre millions de mineurs sont considérés comme manquant du strict nécessaire. Sept millions d'entre eux sont abandonnés, livrés à eux-mêmes, vivant d'expédients. En mai 1986 s'est tenu à Brasilia le premier congrès international des « enfants de la rue ». Quatre cents d'entre eux, venus de tous les coins du Brésil, ont pu prendre la parole et attirer l'attention de tout le Brésil et de l'opinion internationale sur leurs conditions de vie.

La multiplication de telles actions, à la base, est sans aucun doute l'un des meilleurs moyens de lutter contre cette exploitation de dizaines de millions d'enfants, qui travaillent dans des conditions nuisibles à leur santé physique et morale, tout en étant privés d'instruction et de formation professionnelle.

Didier Williame

La flexibilité de l'emploi en Europe

Au début de 1986, en dépit d'une désinflation notable à défaut d'être complète, d'une chute du prix relatif de l'énergie et de l'amorce d'une désescalade du dollar, le redressement de l'emploi en Europe était plus un frémissement et un espoir qu'un mouvement ample et confirmé. Le décor était donc dressé pour qu'apparaisse et se diffuse dans l'ensemble de l'Europe une double proposition aussi simple qu'apparemment séduisante :

– le chômage massif serait dû à la *rigidité des marchés du travail* et des structures syndicales européennes, par opposition à la remarquable *flexibilité américaine ou japonaise* ;

– il suffirait que les pouvoirs publics favorisent *une plus grande flexibilité* pour que soit résolu le mal européen et que s'amorce un retour au plein-emploi.

Il faut souligner d'entrée de jeu le flou sémantique qui caractérise trop souvent l'usage du terme « flexibilité ». Il recouvre en fait des stratégies et des pratiques fort différentes qu'il importe de distinguer. L'Europe peut être effectivement moins rapide dans ses ajustements que les États-Unis à certains titres, mais plus flexible à d'autres. Mais surtout, les enjeux dépassent le seul court terme pour concerner toute une série de stratégies susceptibles de promouvoir une sortie de la stagnation.

C'est dans le contexte fort particulier du milieu des années quatre-vingt qu'est apparu, de façon quasi envahissante, le thème de la flexibilité. En effet, il est frappant de constater que depuis 1973, l'Europe n'a plus créé d'emplois, alors que, par contraste, les États-Unis et à un moindre degré le Japon sont parvenus à l'accroître et limiter la progression du chômage (cf. graphique). Face à cette montée régulière et importante du sous-emploi, entreprises, syndicats et gouvernements ont dû faire retour sur leurs analyses et leurs stratégies.

La dynamique de l'emploi depuis 1973 : un contraste saisissant entre l'Europe et les États-Unis

1973 = 100

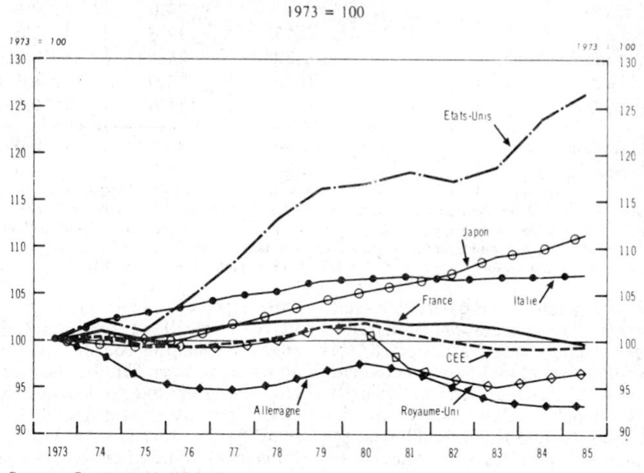

Source : Secrétariat de l'OCDE.

Rigidités

Certains expliquent la montée du chômage en Europe par l'existence des fortes contraintes juridiques qui pèsent sur *les licenciements,* et donc indirectement sur la mobilité de l'emploi. Mais pour autant, ces différences ne se répercutent pas mécaniquement sur la vitesse avec laquelle les entreprises parviennent à adapter leurs effectifs aux variations de la conjoncture (cf. tableau 1, colonnes 1 et 2). La constatation selon laquelle le taux de mobilité de la main-d'œuvre est moins élevé en Europe qu'aux États-Unis (colonne 3) et que l'ancienneté y est plus grande va dans le même sens... bien que le Japon fournisse un contre-exemple. Des recherches comparatives suggèrent que cela tiendrait à une notable institutionnalisation et à un allongement de la relation qui lie les salariés à une entreprise.

D'autres pensent que *la « rigidité » des salaires* serait l'origine directe de la montée du chômage, les entreprises européennes n'ayant pas intérêt à embaucher, compte tenu de la hauteur des coûts salariaux par référence à la productivité. Trois particularités européennes contribueraient à ce freinage de l'emploi. D'abord, l'indexation des salaires sur les prix est effectivement plus complète en Europe, de sorte que, traditionnellement, le salaire réel est beaucoup moins variable qu'aux États-Unis. Ensuite, les évolutions du chômage exercent un moindre

Tableau 1. LES FLEXIBILITÉS DE L'EMPLOI

	Liberté des licenciements [a]	Vitesse d'ajustement de l'emploi [b]	Part des employés depuis moins de 2 ans dans le total (en %) [c]	Croissance de la part du temps partiel de 1973 à 1983 (en %) [d]
Allemagne	1	0,57	25,0	+ 2,5
Belgique	1	–	24,8	+ 4,3
France	0	0,43	17,8	+ 2,5
Grande-Bretagne	1	0,32	24,4	+ 3,1
Italie	1	0,12	20,0	– 1,6
Pays-Bas	0	–	24,8	+ 12,5
États-Unis	2	0,38	38,5	+ 0,4
Japon	2	0,27	21,2	+ 2,6

Sources : a. OCDE, repris de *L'Expansion,* 24 janvier 1986, p. 69. Échelle de 0 : contrôle strict à 2 : pas de contrôle public. b. OCDE, *Perspectives de l'emploi,* septembre (1983), p. 105 (fraction des ajustements d'emploi réalisés dans l'année) c. OCDE, *Perspectives de l'emploi,* septembre (1984). d. OCDE, *France,* juillet (1985), p. 40.

rôle régulateur, ce qui renforcerait encore l'inertie des coûts salariaux par rapport aux variations de la conjoncture et tout particulièrement de la productivité. La combinaison de ces deux facteurs donne un indicateur de rigidité, aujourd'hui largement utilisé par les organismes internationaux (tableau 2, colonne 1). Enfin, les augmentations de salaires semblent se diffuser beaucoup plus uniformément en Europe qu'aux États-Unis, ce qu'indique par exemple une moindre dispersion selon les branches, les qualifications ou même les régions. En outre, depuis le milieu des années soixante-dix, cette dispersion s'est plus accrue aux États-Unis et au Japon (tableau 2, colonnes 2 et 3).

Si, par ailleurs, on s'intéresse à l'ampleur et aux modalités de *financement de la couverture sociale,* il ressort effectivement qu'en moyenne, les pays européens devancent les États-Unis et le Japon... ce qui *a priori* est un indice du degré de solidarité. Néanmoins, des problèmes surviennent, dans la mesure où les cotisations sociales sont principalement assises sur les salaires, de sorte que souvent, l'arbitrage entre embauche et allongement de la durée du travail se trouve faussé. En outre, la Sécurité sociale fait plus appel à la contribution des employeurs qu'à une solidarité plus large s'exprimant au niveau de l'ensemble du revenu (tableau 2, colonne 4). Plus généralement, les coûts fixes associés par la législation à la création d'emplois nouveaux peut effectivement être un frein au dynamisme de l'embauche.

Les marges d'adaptation

Cependant, il serait abusif d'en conclure à un blocage des marchés du travail et donc à une eurosclérose rampante. Sur chacun des points précédents, les divers pays ont conservé ou développé de significatives possibilités d'ajustement face à une conjoncture incertaine et à l'épuisement de la croissance.

Ainsi, le caractère largement développé de l'*État du bien-être* (ou « État-providence ») n'a pas eu le seul effet défavorable de peser sur les résultats financiers des entrepri-

Tableau 2. LA FLEXIBLITÉ DES SALAIRES ET LE POIDS DE LA COUVERTURE SOCIALE

	Rigidité du salaire réel [a]	Dispersion des salaires par branches (en %) [b]		Cotisations sociales employeurs/PIB (en %) [c]
		Moyenne 1965-1981	Accroissement de 1973 à 1981	
Allemagne	1,76	13,4	+ 0,1	7,2
Belgique	—	—	—	7,9
France	1,52	14,8	− 0,2	13,0
Grande-Bretagne	1,94	15,4	+ 0,84	3,5
Italie	0,80	18,1	− 6,7	10,4
Pays-Bas	—	—	—	8,4
États-Unis	0,67	21,1	+ 4,8	4,9
Japon	0,38	25,8	+ 4,3	4,2

Sources : a. Différence de l'élasticité des salaires par rapport aux prix et au chômage. La rigidité est supposée d'autant plus grande que ce chiffre est élevé, tiré de KLAU et MITTELSTADT (1985), p. 16. b. *Ibid.* Les pays sont d'autant plus flexibles que ce chiffre est grand. c. OCDE, repris de *L'Expansion,* janvier 1986. Les freins à l'embauche sont supposés croître avec ce ratio.

ses et donc leur incitation à investir : tout au long des années soixante-dix, les prestations sociales ont largement soutenu la consommation, alors que se ralentissait la progression des revenus d'activité. Ainsi, la demande s'est trouvée stabilisée et cela explique, en partie, l'absence d'un effondrement du type de celui des années trente. En outre, l'existence de solidarités suffisamment larges a favorisé les adaptations industrielles des secteurs en déclin. Ainsi en est-il de la Cassa Integrazione Guadagni (CIG) italienne qui finance, sur fonds publics, la mise en chômage technique, principalement des ouvriers de la grande industrie. Elle témoigne des effets positifs sur la mobilité et la reconversion industrielle d'une couverture sociale développée.

Mutatis mutandis, il en est de même concernant la fermeté dont a témoigné *le salaire réel,* tout au moins jusqu'à la fin des années soixante-dix. Depuis lors, l'approfondissement et la durée de la crise ont conduit à une remise en cause d'un grand nombre des supposées « rigidités » salariales. Ainsi en est-il du retour, général en Europe, sur les clauses d'indexation : depuis le milieu des années quatre-vingt, la progression des salaires est notablement inférieure à l'anticipation fondée sur la poursuite de la logique antérieure. En effet, la persistance d'un chômage massif n'a pas manqué, au début des années quatre-vingt, d'introduire un basculement dans les rapports de forces entre patronat et syndicats et, par voie de conséquence, dans le partage des gains de productivité. Ces derniers ont tendu à alimenter les profits ou les prélèvements de l'État et non plus le salaire direct.

Dans le même sens, il n'est pas évident qu'une plus grande *homogénéité salariale* ait bloqué les transferts de main-d'œuvre entre secteurs et régions. En effet, il n'apparaît aucune liaison évidente entre création d'emplois et variabilité sectorielle des salaires. En outre, le nombre de postes vacants s'est dramatiquement contracté, et ne représente plus qu'une fraction minime des offres d'emplois non satisfaites. Paradoxe, n'observe-t-on pas des licenciements même dans les secteurs de moyenne et haute technologie (matériel de télécommunication...)? Enfin, y compris aux États-Unis, les secteurs qui ont le plus embauché, tels les services, ont en moyenne des salaires inférieurs à ceux des emplois industriels supprimés. Autant de constatations qui invalident l'hypothèse d'une rigidification des marchés du travail européen comme source essentielle du chômage.

De même, l'appareil réglementaire ou législatif est loin d'avoir interdit les ajustements de l'emploi sur l'ensemble de la décennie. Certes, parfois avec quelque retard, les branches les plus touchées par la crise ont été contraintes de réduire leurs effectifs (hier la sidérurgie, aujourd'hui l'automobile), alors que d'autres continuaient à embaucher (les services aux entreprises...). De fait, les structures industrielles européennes ont connu de profondes transformations au cours de la décennie. De même, en matière de contrat de travail, les divers pays européens ont enregistré une floraison d'exceptions aux contrats types, c'est-à-dire à temps complet et durée indéterminée (tableau 1, colonne 4). Ainsi, depuis 1973, en Europe, un emploi sur deux a été créé à temps partiel contre un sur cinq aux États-Unis.

En outre, chaque pays a développé des formes souvent originales de gestion de l'emploi et de la durée du travail, comme la CIG en Italie ou les transferts de main-d'œuvre entre grandes entreprises en RFA, ou encore l'expérience Hensenne en Belgique. Dans ce dernier cas, les entreprises sont affranchies d'une partie de la législation du travail, à condition qu'elles réduisent la durée du travail et qu'elles créent de nouveaux emplois. Symétriquement, on a constaté que le système américain pouvait parfois impliquer de sévères contraintes sur ces mêmes mécanismes d'embauche et de licenciement, et que la crise induisait un notable ralentissement de la mobilité. *Last but not least*, une majorité des Européens semble prête à accepter une modulation des horaires et même une réduction des salaires pour sauver des entreprises en difficulté. Les Français seraient même, si l'on en croit les sondages, les plus flexibles des Européens!

BIBLIOGRAPHIE

Ouvrages

BOYER R. (sous la dir. de), *La flexibilité du travail en Europe*, La Découverte, Paris, 1986.

BUREAU INTERNATIONAL DU TRAVAIL, *Le travail dans le monde*, Genève, 1984.

INSTITUT SYNDICAL EUROPÉEN, *Flexibilité et emplois, mythes et réalités*, Bruxelles, 1985. (Ronéotypé.)

OCDE, *Études économiques 1984-1985 : France*, OCDE, Paris, 1985.

Articles

« Les Français, les plus flexibles des Européens », *L'Usine nouvelle*, n° 3, 16 janvier 1986.

LEMOINE M., « Les illusions de la flexibilité », *Le Monde diplomatique*, mars 1985.

STEINBERG B., « Le reaganisme et l'économie américaine dans les années 1980 », *Critiques de l'économie politique*, n° 31, avril-juin 1985.

Modernisation et maintien des solidarités

Dans ces conditions, il n'est pas surprenant que l'on ne puisse trouver de relation simple entre la spécificité institutionnelle des marchés du travail et la montée du chômage. De fait, les controverses sur la flexibilité ont polarisé l'attention des partenaires sociaux sur les seuls ajustements conjoncturels. En France, par exemple, la loi Delebarre présentée en novembre 1985 s'est bornée à lier une réduction et une modulation de la durée annuelle du travail avec une révision du paiement des heures supplémentaires. Or l'enjeu est beaucoup plus fondamental : l'émergence de ce thème annonce probablement une recomposition de l'ensemble des relations professionnelles, des structures industrielles et des politiques économiques et financières elles-mêmes. Mais les faiblesses (et les forces) de l'Europe se situent alors à un tout autre niveau.

– Par rapport aux États-Unis, elle souffre moins de sclérose sociale que d'une perte d'autonomie dans la conduite de la politique budgétaire et monétaire. Du fait de l'asymétrie du système monétaire international qui continue à attribuer un rôle pivot au dollar, aucun des pays européens ne peut se permettre les déficits publics et extérieurs observés aux États-Unis depuis 1979. Nul doute qu'une assez large fraction du chômage tienne au ralentissement du marché mondial, signe des blocages liés à la crise et à la généralisation des politiques d'austérité qui en a résulté.

– Par rapport au Japon, l'Europe enregistre un retard certain dans la mise en œuvre des technologies de l'information, appliquées à la production industrielle comme aux activités de services. La divergence dans les taux de croissance et le chômage trouve son origine dans une médiocre spécialisation européenne dans les industries motrices, dont la croissance demeure soutenue en dépit – ou pourrait-on dire à cause – de l'entrée en crise du système sociotechnique de l'après-guerre.

A la lumière de ce diagnostic, l'Europe se trouverait à la croisée des chemins.

- Soit elle se limite à une stratégie de flexibilité défensive, c'est-à-dire d'austérité salariale et de retour sur certains acquis du droit social et ce, afin de mieux lutter avec les nouveaux pays industrialisés sur les marchés de produits banalisés. Mais ce serait entériner un déclassement peut-être définitif de l'Europe dans la division internationale du travail et, sans doute, initier une spirale perverse enchaînant austérité salariale-déqualification-déclin industriel.
- Soit, au contraire, elle entreprend de renverser ces tendances défavorables et recherche une stratégie offensive, fondée pour l'essentiel sur la reprise de l'investissement, l'amélioration continue des qualifications et le maintien d'une protection sociale et d'un niveau de vie avancés. Au terme d'une décennie d'efforts, une nouvelle boucle vertueuse pourrait s'amorcer, associant modernisation industrielle et approfondissement d'un large réseau de solidarités. Dès lors, l'enjeu ne serait autre qu'un redressement de la position technologique du vieux continent, la négociation d'un nouveau compromis salarial (si possible à l'échelle de l'Europe) ainsi que l'élaboration de politiques économiques originales, nationales aussi bien que communautaires.

Robert Boyer

L'année agroclimatique 1985

Dans l'ensemble du monde, l'année agricole a été caractérisée par une augmentation de la production par rapport à 1984, qui avait elle-même marqué des progrès sensibles en comparaison avec 1983, année fort médiocre il est vrai. Les résultats de 1985 ont été généralement meilleurs que ne le laissait craindre la tendance à moyen terme calculée sur les douze années 1973-1984.

Ces progrès ont concerné l'ensemble des productions majeures, à l'exception des céréales et du sucre, et la plupart des grandes régions géo-économiques, sauf l'Europe de l'Ouest et du centre. Si l'on met ces deux régions à part, on constate que quatre-vingt-trois pays sur cent quatre ont eu un meilleur indice en 1985 qu'en 1984, et que la moitié d'entre eux a dépassé les résultats attendus d'après la tendance sur douze ans.

Retour des pluies en Afrique

Les années 1983 et 1984 avaient été marquées par des récoltes faibles dans plusieurs régions du continent africain, en raison de sécheresses récurrentes, non seulement au Sahel, du Sénégal à l'Éthiopie, mais aussi dans l'Est et le Sud du continent. 1985 représente au moins un répit dans cette conjoncture dramatique, et l'agriculture africaine a repris une progression lente – lenteur qui n'a pas que des causes climatiques, et qui demeure préoccupante.

Des pluies assez abondantes en fin d'été, c'est-à-dire de février à avril, ont permis de bonnes récoltes de céréales vivrières dans le Sud du continent, notamment en Zambie et au Zimbabwé. Le redressement a été moins net dans l'extrême Sud. De même, la « grande saison des pluies » qui a lieu, pendant le printemps de l'hémisphère Nord, dans le Nord-Est africain a été caractérisée par l'abondance des précipitations.

Sur l'ensemble du Sahel, les pluies ont été nettement supérieures à celles de 1983 et 1984; elles ont dépassé la moyenne de la période 1968-1984, mais n'ont pas tout à fait atteint le niveau de la moyenne 1950-1980. Ces précipitations, tout juste satisfaisantes par leur abondance totale, ont été généralement assez bien réparties dans le courant de l'été, ce qui est un facteur favorable et a permis des progrès agricoles spectaculaires. Cependant, des poches de sécheresse ont subsisté, par exemple en Mauritanie et au nord du Sénégal; des inondations de début de saison des pluies ont gêné l'acheminement des secours au Soudan, pendant la difficile période de « soudure ».

Au milieu de 1986, il était évidemment impossible de savoir si cette reprise des précipitations serait ou non durable.

Médiocres performances de l'Europe

De l'Atlantique aux frontières de l'URSS, et de l'Espagne à la Scandinavie, les indices de production agricole ont été médiocres. Des pays comme la Suède, les Pays-Bas, l'Allemagne fédérale, l'Autriche et la Roumanie ont connu des résultats inférieurs à la fois par rapport à 1984 et à la tendance sur douze ans. Tous les autres pays européens ont eu des résultats peu satisfaisants selon l'un des deux indices au moins.

Il faut évidemment tenir compte des politiques de freinage de la production pour éliminer les excédents, notamment en matière de production laitière. Mais la conjoncture climatique a aussi été très peu favorable. Un hiver très froid a été suivi d'un printemps instable, avec de longs épisodes frais et humides. Les dépressions mobiles des latitudes moyennes ont été très actives au mois d'août en Scandinavie. Enfin, septembre a vu le début d'une sécheresse de plusieurs semaines qui a posé de graves problèmes pour l'entretien du bétail, si elle a facilité la production de vins de qualité. La sécheresse a été plus précoce et plus longue en Europe centrale et méridionale, notamment dans les Balkans.

Des accidents localisés

Le continent nord-américain et l'Asie orientale et méridionale sont des aires critiques à l'échelle mondiale : le premier, parce qu'il est une zone de très forte production, la seconde en raison des masses de population concernées.

Au total, le temps a été relativement favorable pendant les périodes déterminantes pour la réussite des principales cultures, si bien que les indices agricoles globaux ont été relativement bons en Asie, et bons en Amérique du Nord. Mais ces régions ont défrayé la chronique et attiré l'attention des médias par suite d'accidents localisés mais très spectaculaires : un coup de froid hivernal a fait sentir ses effets jusque dans l'extrême sud des États-Unis, causant des dégâts dans les vergers d'agrumes de Floride ; mais surtout, les « tempêtes tropicales », typhons d'Asie et hurricanes américains ont été particulièrement nombreux et actifs en 1985. Deux dépressions très creuses ont affecté le continent indien au début de l'été, c'est-à-dire à une période assez anormale. Le cyclone le plus dévastateur a atteint en mai le fond de la baie du Bengale, et a eu des conséquences dramatiques au Bangladesh. Une onde de tempête de plus de quatre mètres de haut a provoqué la submersion de terres basses et très peuplées du delta Gange Brahmapoutre, et a tué plus de quinze mille personnes. Les cyclones tropicaux ont ensuite été plus nombreux que d'habitude pendant la période normale de leur formation, la fin de l'été et le début de l'automne.

Ces accidents attirent l'attention dans la mesure où ils causent rapidement et immédiatement des pertes considérables : pertes de vies humaines dans les régions très peuplées et mal équipées des pays sous-développés, où les secours ont du mal à s'organiser ; pertes de biens matériels dans les pays développés comme les États-Unis ou le Japon, parce que l'équipement permet de sauver les vies humaines, alors que le capital accumulé par unité de surface est considérable. Mais du point de vue agricole, le poids de telles catastrophes est limité, en raison de la faiblesse relative des superficies affectées : par exemple, 530 km² pour le cyclone du Bangladesh, 1 300 et 3 000 km² respectivement pour les hurricanes *Hal* et *Mamie* aux États-Unis. Quant aux sécheresses, elles affectent des superficies bien plus considérables, et leurs conséquences peuvent donc s'inscrire dans les indices économiques, même de très grands pays (à titre de comparaison avec les aires mentionnées ci-dessus, on notera par exemple qu'une sécheresse considérée comme peu grave a tout de même affecté 14 000 km² dans le sud de la Chine ; celles du Sahel ou de l'Europe ont atteint plusieurs centaines de milliers de kilomètres carrés, voire plusieurs millions). Les cyclones tropicaux peuvent cependant causer des difficultés sensibles au niveau des économies nationales dans les petits pays des îles et des isthmes. Leur abondance en 1985 est sans doute responsable des indices assez médiocres de beaucoup de pays du monde caraïbe, ainsi que des Philippines.

Interactions

L'atmosphère fonctionne comme un tout, dont les différentes parties sont solidaires, si bien que des « anomalies climatiques » se produisant souvent à des distances considérables les unes des autres sont en fait liées entre elles par des séries d'interactions. Celles-ci sont encore assez mal connues et font l'objet de recherches actives. On a pu montrer, pour expliquer les nombreuses anomalies climatiques de 1983, le rôle d'un phénomène de grande ampleur dans le Pacifique, « l'oscillation méridionale » qui a affecté la partie de l'hémisphère Sud allant de l'Indonésie aux côtes occidentales de l'Amérique latine.

En 1985, on a pu repérer l'existence d'un phénomène de même ampleur, qui a lié la reprise des pluies dans le nord de l'Afrique, la sécheresse estivale européenne et les hurricanes de l'Atlantique tropical. Les pluies africaines, au nord de l'équateur, résultent de l'arrivée de masses d'air humides – la « mousson guinéenne », où des ondes et des tourbillons provoquent des mouvements ascendants. En 1985, la limite nord des masses humides s'est située à environ trois cents kilomètres plus au nord qu'en 1984, et les perturbations pluviogènes ont été plus abondantes, ce qui a suffi à changer la vie de millions de personnes. Cette avancée plus importante de la mousson guinéenne est elle-même liée à un déplacement vers le nord de l'anticyclone subtropical atlantique et de ses prolongements, si bien qu'il est venu couvrir l'Europe, celle du Sud d'abord, puis celle de l'Ouest à la fin de l'été ; la situation anticyclonique entraîne toujours des temps beaux et secs.

D'autre part, les ondes qui parcourent le Sahel africain passent souvent ensuite sur l'Atlantique ; leur arrivée dans l'air humide de l'alizé y provoque des ondulations qui peuvent s'intensifier et devenir des cyclones tropicaux. Il semble donc bien que la fréquence des perturbations africaines soit une des causes de celle des hurricanes qui ont atteint l'Amérique.

Il faut insister sur le fait que l'on a affaire à des ensembles d'interactions complexes, qui mettent en cause l'ensemble du système d'échanges entre l'océan et l'atmosphère et qu'on n'arrive généralement à saisir que partiellement. Une meilleure connaissance de ces mécanismes permettrait au moins des prévisions à moyenne ou longue échéance qui pourraient avoir une grande portée pratique.

François Durand-Dastès

QUESTIONS RELIGIEUSES

	Estimation des effectifs des		
	Amér. Nord [a]	Amér. Sud	Europe [b]
Total Chrétiens	235 109	177 266	342 630
– Catholiques rom.	132 489	165 640	176 087
– Orthodoxes or.c	4 763	517	57 036
– Protestants	97 857	11 109	109 507
Juifs	6 155	636	4 062
Musulmans	371	251	14 145
Zoroastriens	0,25	2,1	7
Shintoïstes	60	92	–
Taoïstes	16	10	–
Confucianistes	97	70	–
Bouddhistes	171	192	192
Hindouistes	88	849	350

a. Y inclus l'Amérique centrale et Caraïbes.
b. Y inclus l'URSS.

Le phénomène sectaire aux États-Unis

Le pluralisme religieux remonte aux origines de l'histoire américaine. C'est lui, en effet, qui incita les États-Unis à adopter en 1787 une Constitution assurant la séparation de l'Église et de l'État et la liberté religieuse. Le sociologue américain Robert N. Bellah soutient qu'au lieu de fonder la légitimité de leur société sur une Église particulière, les États-Unis eurent plutôt recours à une religion civile fondée sur la foi en Dieu et sur l'appropriation de la symbolique biblique comme clef d'interprétation de leur destinée historique. Les Américains se virent donc comme le nouvel Israël, héritier des promesses de Dieu à son peuple et responsable du salut de l'ensemble des peuples.

Selon Bellah, cette religion civile américaine qui entourait d'un halo sacré des valeurs fondamentales comme la liberté individuelle, le goût du travail, l'honnêteté, le sens du sacrifice et la foi à la prospérité économique et au progrès indéfini de la race humaine a été radicalement battue en brèche depuis le milieu des années cinquante. Divers facteurs ont contribué à cette crise des fondements de la société américaine : la naissance de la société de consommation, l'apparition de nouvelles valeurs centrées sur le souci de la gratification immédiate et sur la permissivité morale, la guerre du Vietnam, le mouvement des droits civiques, l'affaire du Watergate, les pressions féministes en vue d'inscrire dans la Constitution le principe de l'égalité *(Equal Rights Amendment)*, etc.

Il est important de garder présente à l'esprit cette crise de la religion civile américaine pour com-

principales religions du monde (en milliers)

Asie	Afrique	Océanie	Monde
95 987	129 717	18 063	998 774
55 077	47 224	4 395	580 913
2 428	14 306	414	79 464
38 482	68 186	13 254	338 397
3 213	176	76	14 318
427 266	145 215	87	587 335
254	0,65	–	264
57 003	0,2	–	57 155
31 261	–	–	31 287
157 887	1,5	80	158 137
254 241	14	30	254 841
473 073	1 080	499	475 940

c. Y inclus les coptes.
Source : *Encyclopedia Britannica Book of the Year* – 1980.

prendre l'effervescence religieuse observée aux États-Unis depuis les années soixante, que William G. McLoughlin a comparée à un « réveil » religieux, analogue aux trois grands « réveils » qui, chacun en leur temps, avaient favorisé une revitalisation de la culture et un renouvellement de la société : de 1730 à 1760, un premier grand réveil avait annoncé la révolution américaine ; le deuxième allait déferler sur l'Amérique de 1800 à 1830, annonçant la guerre civile et la redéfinition douloureuse de l'identité américaine qui allait s'ensuivre ; de 1890 à 1920, un troisième réveil s'emparait des États-Unis qui, cette fois, devait les aider à assumer les valeurs propres aux sociétés modernes et industrialisées. Selon McLoughlin, les États-Unis connaîtraient, depuis 1960, un nouveau réveil religieux laissant, comme les précédents, entrevoir une ère nouvelle. En réaction contre des Églises libérales en perte de vitesse, réduites au silence ou à la perplexité devant la complexité des enjeux nouveaux, le « réveil » religieux des années quatre-vingt aurait emprunté deux grandes voies : celle de la réaction fondamentaliste et celle des nouvelles religions.

La réaction fondamentaliste

Les Églises fondamentalistes sont celles qui ont le vent en poupe en 1986. Le fondamentalisme religieux remonte loin dans l'histoire américaine. Au XVIIIe siècle, des prédicateurs comme Jonathan Edwards et George Whitefield avaient déjà appelé les Américains à la conversion. Au XIXe siècle, Charles Finney, Dwight L. Moody et Billy Sunday poursuivirent leur œuvre évangélisatrice en la perfectionnant. Allant de ville en ville, ils réunissaient des foules sous la tente en les invitant au repentir et à la conversion. Seule la conversion intérieure au Christ, disaient-ils, pouvait assurer le bonheur individuel, la stabilité familiale et le progrès social. Le fondamentalisme s'est donc caractérisé dès les tous débuts par son conservatisme social, par son insistance sur la Bible et sur son interprétation littérale, et par l'importance qu'il accordait à une expérience de conversion vive et intense devant conduire à une vie austère et libre de tout péché.

Fondamentalisme, évangélisme, « revivalisme », voilà autant de courants religieux plus ou moins analogues qui ont contribué à façonner la mentalité américaine. Dans la crise actuelle, le fondamentalisme évangéliste représente un ultime effort de réaffirmation des valeurs traditionnelles et une réaction profonde contre le laxisme moral, responsable aux yeux des fondamentalistes du déclin de la société. Contrairement à leurs prédécesseurs, les fondamentalistes contemporains disposent de tout un arsenal technologique pour propager leur message : ils se sont emparés de la télévision. Il existe aux États-Unis deux cents stations de télévision religieuse rapportant plus de 233 millions de dollars par an. L'Église électronique touche régulièrement près de trente millions d'Américains. Les « télévangélistes » sont conscients du poids politique qu'ils représentent et savent l'utiliser.

Jerry Falwell, par exemple, a créé vers la fin des années soixante-dix la « Moral Majority », connue depuis le début de 1986 sous le nom de la « Liberty Federation ». Il s'agit d'un groupe de pression désireux de ramener l'Amérique sur la bonne voie. La fédération de Falwell s'oppose à l'avortement, à l'homosexualité et à la reconnaissance de l'égalité de l'homme et de la femme telle qu'elle est définie par le mouvement féministe. Elle lutte pour rétablir dans les écoles la coutume de réciter une prière avant les cours et pour le retour au respect de l'autorité. Falwell sait faire pression sur les hommes politiques pour qu'ils adoptent son point de vue. La fédération voit aussi d'un bon œil les dépenses militaires qui, selon elle, représentent le prix à payer pour que l'Amérique retrouve son prestige international d'antan et cesse d'être humiliée. Les principaux héros de la télévision religieuse sont : Jimmy Swaggart, Robert Schuller, Jim Bakker, Oral Roberts, Jerry Falwell et Pat Robertson, que la revue *Time* du 17 février 1986 présentait comme l'éventuel successeur de Ronald Reagan à la présidence des États-Unis. La popularité croissante du fondamentalisme évangéliste a fait dire au sociologue Jeffrey Hadden que les chrétiens de droite deviendraient d'ici à la fin du siècle le mouvement social le plus important aux États-Unis.

Les nouvelles religions

Depuis le début des années soixante, une foule de nouvelles religions ont envahi les États-Unis. Leur nombre exact est mal connu mais il a été estimé à trois mille, en incluant celles de l'Europe, de l'Australie et de la Nouvelle-Zélande. Quant au nombre de leurs adeptes, les chiffres, là aussi, varient beaucoup : des études sociologiques permettent d'estimer que 4 à 5 % de la jeunesse américaine de vingt et un an à trente-cinq ans a eu un contact avec les mouvements religieux nouveaux. Les plus connus sont l'Association internationale pour la conscience de Krishna, l'Église de l'unification (de Sun Myung Moon), l'Église de scientologie, la Mission de la lumière divine, la Méditation transcendantale, les Enfants de Dieu – aussi connus sous le nom de Famille de l'amour –, Eckankar, etc.

Ces nouvelles religions sont loin de représenter une réalité religieuse homogène. Il y a de grandes différences de l'une à l'autre tant au niveau des croyances qu'à celui des rituels, des styles de vie et des structures organisationnelles. Parfois, ces nouvelles religions ont un langage si séculier qu'elles ressemblent davantage à un groupe thérapeutique qu'à une religion. De plus, alors que certaines sont clairement d'origine ou d'inspiration orientale, d'autres s'enracinent dans la tradition biblique qu'elles réinterprètent à leur manière.

Pour y voir plus clair, divers chercheurs ont présenté des typologies de ces religions. Roy Wallis a distingué les religions du refus du monde, de l'affirmation du monde et de l'accommodation au monde. Robert Wuthnow parle de mouvements contre-culturels, de mouvements de croissance personnelle et de mouvements néo-chrétiens. James T. Richardson les classe en groupes d'opposition à la société et groupes d'attestation de la société. Enfin, Thomas Robbins et Dick Anthony différencient les groupes en monistes ou dualistes, selon leur vision respective du monde. Les groupes dualistes seraient fondés, selon eux, sur une vision dichotomique du monde où les forces du bien et du mal seraient destinées à s'affronter jusqu'à la victoire définitive des premières. Ces groupes, plus sectaires que les autres, représenteraient des façons de revenir aux vieux consensus qui ont fait la grandeur de l'Amérique. Quant aux groupes monistes, ordinairement d'inspiration orientale, ils représenteraient, selon les mêmes auteurs, des tentatives de synthèse entre les valeurs anciennes et nouvelles ou encore, un effort d'adaptation de la religion civile aux exigences d'une société nouvelle.

Le mouvement anti-cultes

Les nouvelles religions ont suscité aux États-Unis une opposition extrêmement vive. Celle-ci s'est regroupée au sein d'un « mouvement anti-cultes » qui a tout fait pour les discréditer aux yeux de l'opinion publique et pour amener les États à adopter des mesures restrictives à leur égard. Le mouvement anti-cultes reproche aux nouvelles religions de pratiquer le lavage de cerveau de leurs adeptes, de détruire les familles et d'être des agents de

BIBLIOGRAPHIE

Ouvrages

BARKER E., *New Religious Movements : A Perspective for Understanding Society*, The Edwen Mellen Press, New York and Toronto, 1982.

BELLAH R.N., *The Broken Covenant, American Civil Religion in Time of Trial*, The Seabury Press Inc., New York, 1975.

BOYER J.-F., *L'Empire Moon*, La Découverte, Paris, 1986.

BROMLEY D.G., RICHARDSON J.T., *The Brainwashing/Deprogramming Controversy : Sociological, Psychological, Legal and Historical Perspectives*, The Edwen Mellen Press, New York and Toronto, 1983.

COX H., *Religion in the Secular City. Toward a Post-Modern Theology*, Simon & Schuster, New York, 1984.

HAMMOND P.E., *The Sacred in a Secular Age*, University of California, Berkeley, 1985.

HARRIS M., *America Now* Simon & Schuster, New York, 1981.

LASCH C., *Le complexe de Narcisse. La nouvelle sensibilité américaine*, Robert Laffont, Paris, 1980.

Mc LOUGHLIN W.G., *Revivals, Awakenings and Reform. An Essay on Religion and Social Change in America, 1507-1977*, The University Press, Chicago and London, 1978.

subversion de la société. Pour lutter contre ce mal, le mouvement a vu d'un bon œil le travail des « déprogrammeurs » qui, selon Ted Patrick, le plus célèbre d'entre eux, œuvrent en vue de redonner aux membres de ces nouvelles religions le plein exercice de leur liberté. Le mouvement anti-cultes et les « déprogrammeurs » ont connu de nombreux déboires judiciaires depuis le début des années quatre-vingt. En effet, en dépit de leurs efforts pour légaliser la pratique de la déprogrammation, la justice américaine en a maintenu l'illégalité au nom du principe de la liberté religieuse inclus dans la Constitution.

Les interprétations de la vague des nouvelles religions aux États-Unis sont multiples. Wallis les explique comme des réactions à une société impersonnelle et bureaucratisée, dans la mesure où elles offrent à leurs membres des communautés d'appartenance chaleureuses, ou encore des moyens concrets d'assumer les exigences de la société bureaucratique sans être écrasés par elle. Robbins et Anthony les envisagent comme des efforts en vue de triompher du climat d'ambiguïté morale en ceci qu'elles redéfinissent, de manière rigide, les frontières du bien et du mal ou encore, qu'elles aident leurs membres à franchir le passage d'un univers de morale objective vers un monde de normes et de valeurs plus personnalisé, plus intériorisé et plus lié aux états de conscience de chacun. Bryan Wilson les interprète pour sa part comme des preuves évidentes du progrès de l'idéologie séculière : la multiplicité même de ces nouvelles religions atteste de la banalisation extrême des préférences religieuses dans le monde actuel. Au contraire, d'autres théoriciens voient dans les nouvelles religions des preuves évidentes des limites des sociétés séculières, incapables de répondre à toutes les aspirations humaines : besoins de salut, d'appartenance, d'identité, de stabilité, de totalité, d'ordre, d'espoir... Marvin Harris croit que les nouvelles religions ne font qu'offrir à leurs membres des moyens de s'ajuster aux pressions et aux exigences de la société moderne. Enfin, des auteurs comme Christopher Lasch et Benton Johnson pensent que les nouvelles religions ne font que refléter le repli individualiste sur soi qui caractérise de plus en plus notre société.

Une conclusion se dégage de ce survol de la situation religieuse aux États-Unis en 1986 : les forces religieuses se sont alignées d'une façon massive derrière des idéologues de droite. Ce constat vaut à la fois pour l'ensemble de la réaction fondamentaliste et pour la grande majorité des nouvelles religions. Certaines d'entre elles favorisent, il est vrai, de nouvelles options politico-économiques plus respectueuses de l'écosystème, mais il s'agit là de groupes minoritaires sans grande influence sur la société. Les groupes religieux de gauche qui s'étaient liés aux mouvements sociaux progressistes des années soixante ont disparu de la carte. A nouveau, le sacré pèse de tout son poids dans la balance conservatrice aux États-Unis.

Roland Chagnon

Haïti, Philippines : Jean-Paul II et le tiers monde

Février 1986 a été marqué par la chute de deux dictatures de droite : celle de la famille Duvalier en Haïti, celle de Ferdinand Marcos aux Philippines. Dans l'un et l'autre cas, le rôle des Églises catholiques locales a été déterminant, et elles ont été soutenues par le Vatican. Le 5 avril de la même année, la Congrégation romaine pour la doctrine de la foi

(CPDF, ex-Saint Office) publiait une *Instruction sur la liberté chrétienne et la libération*, présentée comme un complément à l'*Instruction sur quelques aspects de la théologie de la libération* du 6 août 1984, signée, comme la première, par le cardinal Josef Ratzinger et approuvée par Jean-Paul II. Mais alors que le document le plus ancien mettait en garde contre les « aspects ruineux pour la foi chrétienne » de ce courant théologique né en Amérique latine (contamination marxiste et déstabilisation de l'organisation hiérarchique de l'Église), la tonalité dominante du nouveau texte était d'ouverture à l'égard de l'engagement des chrétiens en faveur de la libération des peuples pauvres. Faut-il voir dans cet ensemble de faits une évolution « gauchisante » de la politique vaticane, dans le tiers monde et au-delà ?

Le rôle des épiscopats

Longtemps, l'Église catholique a, sinon soutenu, du moins accepté passivement le régime Duvalier qui s'était installé en Haïti en 1957. Ici, comme en Amérique latine, la transformation en profondeur de cette Église muette en face des injustices est à mettre d'abord au compte des communautés de base (« Ti Legliz » en créole : l'Église, c'est nous) qui se sont développées dans les années soixante-dix. Travaillant à tisser des relations de solidarité entre les opprimés de la campagne et des quartiers urbains, elles sont à l'origine d'un mouvement populaire qui, à partir de 1980, trouva une caisse de résonance dans les hautes sphères ecclésiastiques, en un premier temps dans la Conférence des religieux (CHR), à laquelle la Conférence épiscopale (CEH) emboîta le pas, d'autant plus nettement à partir de 1983 qu'elle n'était plus présidée par l'archevêque de Port-au-Prince, apparenté aux Duvalier. En décembre 1981, la CEH prenait une décision dont les conséquences devaient être considérables : la convocation d'un Congrès eucharistique et marial que le pape devait clôturer en mars 1983. Résultat : toute l'année 1982 se passa en réunions et assemblées, occasion d'une conscientisation intense qui s'exprima dans des textes fort critiques sur la situation du pays. Pour avoir diffusé l'un de ces textes qui appelait à l'action, un laïc membre de l'Action catholique, Gérard Duclerville, était arrêté et roué de coups le 28 décembre 1982. Devant la réaction unanime de l'Église, Bébé Doc reculait et libérait le prisonnier le 7 janvier 1983 ; la peur commençait à changer de camp. Lorsque, le 9 mars, Jean-Paul II arrivait en Haïti au retour de son périple en Amérique centrale, il s'inscrivait dans le mouvement en prononçant cette phrase : « Il faut bien que les choses changent. » Dès lors, la vague populaire ne fit que s'amplifier jusqu'à la chute du dictateur, notamment sous la poussée des jeunes qui, profitant de l'« année internationale de la jeunesse » (1985), avaient multiplié les rassemblements dans tout le pays.

Entre Haïti et les Philippines, les parallélismes sont nombreux dans le déroulement des faits. Ici comme là, les communautés de base et la théologie de la libération sont au travail ; ici comme là, la hiérarchie épiscopale a tardé à passer à l'opposition avant d'y jeter tout son poids. Mais en raison des différences dans la situation (origine légale du pouvoir de Marcos, existence aux Philippines d'oppositions politiques organisées), le jeu a été ici beaucoup plus institutionnel. Ferdinand Marcos avait été élu en 1965 et réélu en 1969 selon les procédures constitutionnelles. De son côté, dans un archipel catholique à 85 % et où la Conférence des évêques compte cent dix membres (un des plus nombreux épiscopats du monde), l'archevêque de Manille est forcément un des principaux dirigeants du pays. Lorsqu'en 1972, face à la montée des oppositions due aux effarantes inégalités et à la corruption du pouvoir,

Marcos proclamait la loi martiale, Mgr Jaime Sin, qui devait devenir cardinal en 1976, définissait à son égard une attitude de « collaboration critique ».

La critique l'emportait progressivement sur la collaboration, avec la répression menée par le régime à l'encontre des éléments progressistes du clergé et les irrégularités électorales de 1978. En 1980, le cardinal acceptait le principe de participer à un « Conseil des anciens » proposé par Benigno Aquino, leader de l'opposition, pour permettre le retour à une vie politique normale. En 1983, il reprenait cette proposition à son compte, et il durcissait fortement son attitude lorsqu'en août de la même année, Aquino était assassiné. Le 11 septembre 1985, il faisait un dernier geste en direction de Marcos en appelant au respect des droits de l'homme et à la réconciliation nationale au cours d'une messe célébrée pour le soixante-huitième anniversaire du chef de l'État. Devant le mépris affiché par celui-ci, il persuadait la veuve du dirigeant assassiné de se présenter aux élections et obtenait du troisième candidat, Salvador Laurel, qu'il s'effaçât devant elle. Et, en février 1986, c'est l'Église qui devait servir de bouclier au contrôle démocratique des résultats électoraux et à la dénonciation de leur truquage par Marcos, c'est son autorité morale qui légitimait la victoire de Cory Aquino, c'est elle qui prenait l'initiative de la stratégie de désobéissance civile qui devait aboutir à la fuite du protégé de Reagan.

La géopolitique de Jean-Paul II

Pourquoi, dans ces deux cas, les autorités de l'Église se sont-elles comportées de la sorte? Il faut bien sûr tenir compte de l'impact que le Concile Vatican II (achevé en 1965) et les assemblées d'évêques latino-américaines à Medellin (1968) et à Puebla (1979) ont eu sur l'opinion catholique mondiale et sur le personnel ecclésiastique. Mais aussi de ce qu'il faut bien appeler la géopolitique de Jean-Paul II (élu pape en 1978). Polonais, ce pape a du catholicisme l'expérience d'une culture qui, identifiée à un peuple, a fait tenir celui-ci face aux séculaires menaces et invasions venant de ses voisins de l'Est et de l'Ouest, et plus récemment aux totalitarismes nazi et stalinien. Voulant redonner vitalité et influence à son Église, il cherche à la réenraciner partout dans la culture et dans les sociétés civiles, la renforçant ainsi par rapport aux États. Au cours du haut Moyen Age, l'Église avait eu à imposer un ordre public entre le chaos créé par les guerres privées entre seigneurs et la crise ou l'absence de pouvoir étatique (la « paix de Dieu »). Jean-Paul II s'inscrit dans cette tradition en multipliant les propositions et actions de médiation dans les conflits en cours entre pays (par exemple entre l'Argentine et le Chili à propos du canal de Beagle) ou internes aux sociétés (ainsi en Italie où les évêques récla-

BIBLIOGRAPHIE

Articles

BLANQUART P., « La “ paix de Dieu ” et les problèmes de Jean-Paul II », *Actions et recherches sociales*, décembre 1985.

RUGGIERI G., « Foi et histoire », in : *La réception de Vatican II*, Cerf, Paris, 1985.

Dossier

« Visions of the Kingdom. The Latin Church in Conflict », *Nacla*, n° 5, septembre-octobre 1985.

ment une réconciliation entre les protagonistes des « années de plomb »). Comme il a d'autre part assimilé à sa conception du christianisme la notion moderne de « droits de l'homme » (ce qui mériterait examen, mais ce n'en est pas ici le lieu), il se fait l'interprète de ceux-ci, exprime ainsi les aspirations populaires face aux États qui ne les respectent pas, et obtient du même coup pour lui-même une légitimité sociale nouvelle. Ce type d'engagement de l'Église se déploie évidemment de façon privilégiée, et avec un succès tout particulier, dans les pays de culture catholique soumis à des régimes dictatoriaux ou despotiques : Pologne, Haïti, Philippines.

Mais peut-on pour autant parler de conversion de l'Église aux valeurs progressistes ou révolutionnaires ? A cet égard, une lecture attentive du second document de la CPDF (5 avril 1986) fait apparaître à l'endroit de la théologie de la libération la même distance, quant au fond, que celle qu'explicitait le texte romain du 6 août 1984. D'abord au point de vue de l'attitude mentale : alors que la théologie de la libération opère inductivement à partir de la pratique libératrice des communautés de base pour manifester le ferment évangélique qui y est à l'œuvre, la seconde « Instruction » du cardinal Ratzinger repose, en insistant sur le péché, sur une conception pessimiste de toute activité humaine. Il en résulte que l'Église détient la vérité à partir d'un en-dehors de l'histoire, que le discours qu'elle énonce sur la libération s'exprime en termes métaphysiques et moralisants, que pour se libérer, il faut obéir à l'enseignement du magistère ecclésiastique, lequel tient en une « doctrine sociale » qui ne doit rien aux « idéologies » mondaines (entendre : libéralisme et socialisme, mais aussi les sciences sociales). C'est un retour à un comportement de « chrétienté », à un « catholicisme politique » en deçà de Vatican II qui avait rompu avec l'idée d'une Église en compétition avec les sociétés construites, à partir de leurs ressources propres, par les humains. Nous sommes bien loin de l'invention d'un nouvel imaginaire symbolique, tel qu'il émerge aujourd'hui en Haïti sous l'effet d'une réinterprétation inédite, par un mouvement populaire d'émancipation, de ses enracinements culturels dont l'évangélisme.

En définitive, Jean-Paul II trouve dans les nombreux chrétiens engagés dans les luttes du tiers monde un atout considérable pour sa volonté de restaurer une Église catholique puissante. Après les événements d'Haïti et des Philippines, on ne pourra plus user à son endroit de l'ironie dont témoignait Staline lorsqu'il demandait, à propos du pape, de combien de « divisions » il disposait. Il lui faut donc encourager ces militants mais en veillant à ne pas se faire déborder par eux, à ce que leur action et la théologie qui l'inspire respectent l'unité de l'Église et l'autorité de la hiérarchie. Comme, d'autre part, nous ne sommes quand même plus au haut Moyen Âge, le pape ne peut plus prétendre exercer la *plenitudo potestatis*, suivant laquelle l'autorité civile n'était que le bras séculier de l'Église. Il faut donc aussi s'attendre que, après la chute des dictateurs, les épiscopats s'écartent de la scène politique : déjà des divergences sont perceptibles entre communautés de base qui veulent poursuivre le mouvement et évêques qui, le but étant à leurs yeux atteint, prêchent la réconciliation sociale.

Reste que l'aval donné par le Vatican à cette étape, et l'emploi qu'il est amené à faire de certains mots, fût-ce en jouant sur eux, pour accompagner le mouvement mais en l'encadrant (« option préférentielle pour les pauvres », « praxis chrétienne de libération », etc., n'ont pas le même contenu conceptuel pour les uns et pour les autres), peuvent être mis à profit, dans le cadre d'un rapport de forces interne à l'Église, par des courants qui ne poursuivent pas le même objectif que lui.

Paul Blanquart

Les communautés ecclésiales de base en Amérique latine

Il est devenu impensable de parler de l'Église catholique en Amérique latine sans parler des communautés ecclésiales de base (CEB). Dans plusieurs pays, les CEB sont encore le seul lieu où les plus opprimés de la société peuvent trouver la force de résister aux régimes autoritaires. Véritables ateliers d'éducation populaire, les CEB apprennent à leurs membres à lire la réalité sociale qui les écrase. Elles leur donnent aussi les moyens de prendre en main la Bible et d'en faire une source de libération humaine et religieuse. Enfin, elles gardent intacts le sens de la fête et la célébration de Dieu « qui veut la vie en abondance ». Même si elles demeurent minoritaires par rapport à l'ensemble de la population, la répression, dont elles sont souvent victimes, témoigne de leur importance. On ne compte plus, en effet, leurs membres qui ont été arrêtés, souvent torturés et tués.

L'exemple du Brésil

Une telle effervescence n'a rien d'une génération spontanée. Elle est le fruit original de vingt ans d'efforts de la part de l'Église officielle. Les premières expériences ont vu le jour au Brésil, au Chili et à Panama. L'appellation « communautés de base », qui a fait long feu dans les années soixante, a des parentés avec le Mouvement d'éducation de base du Brésil. C'est d'ailleurs l'épiscopat de ce pays qui a fourni le premier plan de promotion des communautés et l'élaboration théologique qui lui a rapidement donné une crédibilité internationale.

Trois sources d'inspiration ont nourri les premières expériences brésiliennes. La première vient de la promotion des catéchistes populaires. Dans beaucoup de diocèses, les prêtres étant rares, surtout à la campagne, certains évêques ont décidé de former des responsables de communautés qui réunissaient le peuple, le faisaient prier et organisaient les instructions catéchétiques. Assez vite, ces nouveaux responsables ont pu baptiser en cas d'urgence et aider spirituellement les malades. Ils se sont aussi occupés d'aider le groupe local à prendre en main sa vie sociale et économique.

La deuxième source est venue du Mouvement d'éducation de base. Devant la misère chronique du peuple et devant l'inactivité gouvernementale, l'Église a encouragé la population à s'unir pour affronter ses problèmes. Cela a donné naissance à des milliers d'écoles ou de centres radiophoniques. Dans chacun de ces centres, des groupes se réunissaient pour s'alphabétiser selon les méthodes de Paulo Freire, et pour entendre la messe. Bientôt de petites communautés se sont formées, plus proches de la base que la paroisse, qui se préoccupaient de leur promotion humaine et chrétienne.

La troisième source se trouve dans le Plan d'ensemble de l'épiscopat brésilien qui visait à promouvoir la multiplication de petites communautés : « Nos paroisses actuelles sont ou devraient être composées de plusieurs communautés locales ou communautés de base, qui devront se développer dans la mesure du possible. » Une équipe itinérante, des cours, des écrits contribuèrent à créer un climat général de recherche et de créativité pastorale dans tout le pays et même bien au-delà des frontières. Lors de la rencontre des évêques du continent à Medellin (Colombie), en 1968, ces expériences furent discutées et diffusées à l'échelle de l'Amérique latine. L'Assemblée décida de cautionner ces expériences et d'en faire la promotion. Elle acceptait ainsi de lier désormais l'annonce de l'Évangile à la promotion humaine et collective des plus démunis du continent. Cette orientation allait être décisive.

L'option pour les pauvres

Dans tous les pays d'Amérique latine, les CEB se sont multipliées, mais de façon très inégale, selon les différents épiscopats. S'il n'existe pas encore de données officielles sur le nombre des communautés, on estime qu'elles sont, en 1986, plusieurs dizaines de milliers. C'est évidemment le Brésil qui en compte le plus et qui fait figure de chef de file dans ce domaine. Contrairement aux nouveaux groupes catholiques qui ont fait leur apparition dans les Églises d'Europe ou du Québec, les CEB regroupent massivement les paysans des campagnes et les populations des bidonvilles qui ceinturent les grandes agglomérations urbaines. C'est d'ailleurs cette base pauvre et populaire qui a orienté la réflexion théologique et qui a provoqué une importante transformation de la démarche théologique classique. La « théologie de la libération », dans son ensemble, serait en effet impensable sans les CEB et le changement d'accent qu'elles ont apporté dans les différentes Églises d'Amérique latine. Lors de la rencontre de Puebla (Mexique) en 1979, les évêques avaient à choisir entre deux orientations. D'une part, la promotion de la modernisation de l'Amérique latine, préconisée notamment par les membres de la Commission trilatérale : il leur fallait alors miser sur les dirigeants et les classes sociales les plus privilégiées, l'Église devenant une sorte de « Croix-Rouge » pour les victimes des transformations décidées par les élites. D'autre part, forte de l'expérience des CEB, elle était invitée à réaffirmer son « option préférentielle pour les pauvres » et à choisir d'accompagner les couches les plus démunies du sous-continent dans la prise en charge de toute leur vie. Après des débats difficiles, c'est la seconde orientation qui fut adoptée, entérinant, du même coup, les décisions de Medellin et tous les efforts déployés depuis une dizaine d'années dans les nombreuses communautés.

Pour qui serait étonné de l'importance accordée ici à l'Église, il faut rappeler que la grande masse de la population de l'Amérique latine est catholique et que la religion populaire y est encore vigoureuse. Dans certains pays, comme le Brésil, l'Église a souvent été le seul lieu où l'opposition aux différents régimes a pu se manifester. Les CEB ont ainsi permis au peuple le plus délaissé de prendre conscience de sa situation et de lutter contre le sort qui lui était fait. De nombreuses initiatives ont alors vu le jour, alimentant un mouvement populaire de libération : coopératives agricoles, ligues paysannes, groupes d'alphabétisation, écoles, syndicats libres, sans compter la participation à des brigades révolutionnaires armées, comme au Nicaragua.

D'autre part, cette conscience neuve s'alimentait aux sources de la Bible qui était ainsi, pour la première fois, remise aux mains des plus pauvres de l'Église. Une lecture commune du livre sacré amorçait un changement profond dans la pastorale de l'Église. Les pauvres du continent n'étaient plus seulement les objets de l'évangélisation officielle mais les sujets, susceptibles d'apporter d'autres interprétations aux livres sacrés et transformant le rapport traditionnel au savoir.

Quel avenir pour les CEB?

L'appauvrissement des divers pays d'Amérique latine, du fait de leur dette extérieure, ne devrait pas faciliter la vie et la croissance des CEB. Elles devront aussi développer une conscience des mécanismes internationaux de l'oppression.

D'autre part – et le Brésil en est un très bon exemple –, la libéralisation que connaissent certains pays a donné, de nouveau, droit de cité à l'opposition politique. Les CEB, qui exerçaient une suppléance indispensable, doivent alors se resituer. L'épiscopat du Brésil l'a très bien vu qui, dans son document du 30 novembre 1984, a pris acte de l'ouverture politique dans le pays. Les évêques y ont vu une nouvelle opportunité pour passer d'une démocratie des classes moyennes à une démocratie des masses. La démocratie civile, ajoutent-ils, a forcé la main à la démocratie politique. Du même coup, les partis d'opposition et les mouvements populaires ont repris leur marge de manœuvre. L'Église et les CEB devront alors éviter de vouloir les régenter ou encore de les absorber, même si elles leur ont souvent donné naissance. Pour ce qui est de la nouvelle stratégie, le document désigne deux tâches prioritaires : la formation d'un laïcat intervenant et la créativité face aux défis de la culture moderne, en particulier le marxisme et les fascinations de la société de consommation.

A travers ce changement de stratégie ecclésiale, on pourrait voir la nécessité de faire immigrer l'expérience des CEB au cœur des villes, lieu névralgique des prises de décision et bouillon de la nouvelle culture. Comment traduire l'option préférentielle pour les pauvres dans les questions du chômage, de la délinquance galopante, du pouvoir de l'informatique, de la réorganisation industrielle, de la dette extérieure... ? Si ces questions ne sont pas l'apanage de l'Amérique latine, elles n'en sont pas moins écrasantes. Il sera intéressant de voir comment les communautés ecclésiales vont traduire les nouvelles orientations dans leurs pratiques. Chose certaine, à partir de leur espace propre, elles devraient pouvoir apporter une contribution originale à la recherche d'une démocratie des masses. Après avoir agi globalement sur la vie quotidienne de leurs membres, elles auront vraisemblablement à jeter du lest et à insister sur le discernement communautaire, c'est-à-dire le repérage des pistes vraiment libératrices au cœur des efforts de transformation. L'importance qu'elles accordent à la lecture commune de la Bible leur confère, à cet égard, une « mémoire dangereuse ». Comme le

BIBLIOGRAPHIE

Ouvrages

ANTOINE C., *Amérique latine en prières*, Cerf, Paris, 1981.

CARDENAL E., *Chrétiens au Nicaragua*, Karthala, Paris, 1980.

THOMAS J.-C., *Ils n'arrêteront pas le printemps. Communautés chrétiennes en Amérique latine*, Centurion, Paris, 1985.

Articles

MARINS J., CHANONA C., TREVISAN T.M., « Les communautés ecclésiales de base dans l'histoire de l'Église d'hier et d'aujourd'hui », *Univers*, nº 6, 1982.

MESTERS C., « Biblia y comunidades cristianas populares », *Solidaridad*, nº 30, novembre 1981.

Dossiers

« Agenda de la libération latino-américaine », *Comité chrétien pour les droits en Amérique latine*, Montréal, 1985.

« Les communautés de base », *Concilium*, nº 104, 1975.

dit, en effet, un proverbe brésilien : « Quand quelqu'un rêve tout seul, ce n'est qu'un rêve. Quand plusieurs rêvent ensemble de la même réalité, cela devient réalité. »

Guy Paiement

Les mouvements fondamentalistes islamiques

Au cours des années soixante-dix, le monde islamique a vu l'émergence de mouvements d'activisme politique fondés sur la religion. On leur a donné différents noms : fondamentalisme islamique, « revivalisme », résurgence, militantisme, intégrisme. Même si ces mouvements diffèrent par certains aspects de leur idéologie, par leurs bases sociales et leurs stratégies, ils partagent la même aspiration : transformer la société et l'ordre politique suivant les normes islamiques. Ils constituent un nouveau facteur déterminant dans la politique intérieure et extérieure des pays musulmans, et le fait que certains d'entre eux prônent la violence et le terrorisme leur a conféré de l'importance à l'échelle internationale.

Les mouvements fondamentalistes islamiques ont revendiqué la responsabilité d'événements qui ont soulevé l'indignation : l'occupation de la Grande Mosquée de La Mecque (novembre-décembre 1979), l'assassinat d'Anouar El-Sadate (octobre 1981), les attaques menées contre les quartiers généraux français et américains à Beyrouth (octobre 1983), ainsi qu'un certain nombre d'enlèvements et de prises d'otages. La révolution iranienne, exemple unique où un mouvement islamique moderne a réussi à renverser un régime puissant et à le remplacer par un gouvernement se réclamant de l'islam, est une source d'inspiration essentielle pour les fondamentalistes.

Les sociologues et les théoriciens du développement ont affirmé, dans leur ensemble, que la modernisation, qui a constitué un des points saillants de l'évolution des pays musulmans au XXe siècle, devait nécessairement entraîner la sécularisation des sociétés traditionnelles et la remise en cause de leurs valeurs religieuses. On s'attendait par conséquent que l'islam perde son importance, voire même disparaisse sous les assauts du modernisme. Or, il n'en est rien, comme l'attestent la vitalité des mouvements fondamentalistes et l'attrait que ceux-ci exercent sur les musulmans, en faisant de l'islam le fondement de l'ordre socio-politique. Malgré les grandes transformations et les réformes sociales, l'islam a maintenu son emprise sur les couches populaires du monde musulman et a continué d'influencer tous les aspects de leur vie. Si la montée des mouvements fondamentalistes a été une telle surprise pour les observateurs, c'est qu'ils n'ont pas su mesurer la profondeur de l'engagement à l'islam du musulman ordinaire et qu'ils ont cru à la représentativité des petits groupes de musulmans qui constituent l'élite gouvernante, occidentalisée et aliénée. C'est pourquoi on ne peut véritablement parler de renaissance ni de résurgence de l'islam puisque pour la grande majorité, la religion a toujours été active et vivante.

C'est aussi la raison pour laquelle l'utilisation du terme « fondamentalisme », pour décrire les groupes politiques islamiques contemporains, peut prêter à confusion, car il laisse entendre qu'à une époque antérieure, les principes de base de l'islam auraient été oubliés ou négligés. Bien au contraire, le respect des musulmans pour les fondements de leur héritage religieux n'a jamais failli. Et, alors que le fondamentalisme chrétien donne la prépondérance à l'individu, ces mouvements islamiques se distinguent par le dynamisme social et politique de leur enseignement.

Le fondamentalisme islamique n'est pas monolithique : on a identifié de nombreux mouvements fondamentalistes (plus de cent dans les seuls pays arabes) qui se distinguent les uns des autres, manifestant parfois une forte rivalité, voire même de l'hostilité (comme les deux groupes chiites libanais, Amal et Hezbollah). Cependant, ils partagent aussi des traits communs : activisme, puritanisme, adhésion à une idéologie fondée sur l'islam.

Tous les mouvements fondamentalistes sont activistes, car ils visent à apporter de réels changements dans leur environnement. Les groupes modérés poursuivent leurs buts par des méthodes pacifiques, permises par la loi : réformes graduelles, moyens légaux, persuasion, propagande. Ils se contentent de travailler à l'intérieur du système établi. C'est pourquoi ils ont la possibilité d'agir ouvertement, avec l'approbation tacite, quoique réticente, des autorités. C'est le cas, en Égypte, de la Société des frères musulmans (du temps d'Anouar El-Sadate puis d'Hosni Moubarak) et, au Pakistan, du Jamaat-i-Islami.

D'autres groupes fondamentalistes sont plus radicaux dans leurs méthodes et méprisent les modérés, qu'ils accusent de ne pas être de vrais musulmans. Ce sont des révolutionnaires, ils doivent donc agir dans la clandestinité. Ils prônent ouvertement la force et la terreur comme moyens d'atteindre leurs buts, et se livrent à des actions armées. L'Hidjarh wa-Takfir en Égypte et l'Organisation du Jihad islamique en sont deux exemples. Leurs membres ne considèrent pas leurs activités comme des gestes criminels, mais comme des devoirs religieux imposés par le commandement divin. Quant aux gouvernements, ils essaient de contrôler l'ensemble de ces mouvements, mais ils craignent de pousser ainsi les plus modérés d'entre eux à se radicaliser, la répression ayant souvent des effets opposés au but poursuivi.

L'islam : un code de vie

Les mouvements fondamentalistes partagent une autre caractéristique : ils se réclament d'une idéologie dérivée de l'islam. Pour eux, l'islam est la troisième voie, et la plus viable, face au socialisme marxiste et à la démocratie capitaliste, idéologies toutes deux d'origine étrangère, non islamiques et créées par l'homme. Alors que le socialisme et la démocratie se sont révélés inadéquats dans la pratique, l'idéologie islamique, fondée sur la révélation divine, peut apporter une solution aux nombreux maux qui minent la société musulmane contemporaine.

L'idéologie commune aux mouvements fondamentalistes peut se résumer ainsi : a. Dieu seul règne sur l'univers et la vie humaine ; nul autre ne mérite l'obéissance. Par conséquent, toute vie humaine qui se veut digne doit témoigner de l'islam, et de sa soumission à la volonté divine ; b. L'islam représente un code intégral fournissant une réponse à tous les problèmes de la vie, sans exception. Par conséquent, il ne peut y avoir de séparation entre la religion et l'État ; l'islam autenthique fixe les normes de la société ainsi que celles de l'individu ; c. La faiblesse, le déclin et l'humiliation dont les musulmans ont souffert à l'époque moderne résultent du fait qu'ils se sont détournés de l'islam et se sont laissé séduire par les idéologies et les valeurs matérielles et temporelles. Étant non islamiques, les États et les gouvernements qui se sont créés sur de telles bases sont en définitive dépourvus de légitimité et un défi à la volonté de Dieu ; d. L'islam authentique, révélé par le Coran, la tradition prophétique et l'exemple des quatre premiers successeurs du Prophète, « dûment guidés », est la solution aux problèmes des musulmans et la clé pour retrouver leur prestige et leur force. Ni la classe religieuse traditionnelle, *ulama*, ni les modernistes islamiques, n'ont vraiment compris ni expliqué clairement l'islam authentique; e. Les musulmans doivent poursuivre une révolution politique et sociale semblable à celle menée par Mohammed à La Mecque, c'est-à-dire qu'ils doivent créer un État islamique; f. La charte de l'État islamique est la loi islamique ou *charia*; la première responsabilité des musulmans consiste à lui redonner le rôle qu'elle mérite, celui de déterminer les normes sociales et politiques; g. Dans l'état corrompu du monde actuel, l'instauration d'un ordre islamique passe par la création de petits groupes intègres de croyants fervents, bien formés et totalement dévoués. Ces groupes appelleront ou inviteront d'autres hommes, surtout d'autres musulmans, à suivre la voie divine, et ils mèneront le combat contre l'athéisme, l'injustice sociale et la corruption.

Les plus radicaux des groupes fondamentalistes acceptent ces propositions, mais ils pensent aussi que la violence révolutionnaire est un impératif religieux. Ils considèrent les gouvernements en place, à l'exception de celui de l'Iran, comme des régimes illégitimes, athées et injustes, donc propres à être renversés par la violence; leurs dirigeants méritent la mort. Les ennemis qu'ils doivent combattre sont à la fois les musulmans qui n'acceptent pas les positions des radicaux et d'autres, en particulier les juifs et les chrétiens, qui, d'après eux, conspirent depuis des siècles à détruire l'islam. Les radicaux ne représentent qu'une minorité chez les fondamentalistes, mais leurs groupes se multiplient, avec des effectifs toujours croissants.

L'idéologie fondamentaliste explique un certain nombre de traits psychologiques communs aux adeptes de ces mouvements. Convaincus qu'ils sont les agents de la vérité divine, ils se considèrent moralement supérieurs aux autres, et souvent évitent tout contact avec ceux avec lesquels ils sont en désaccord. Rigides et inflexibles, ils montrent très peu d'ouverture au compromis ou même au dialogue. Les problèmes sont tous formulés en termes absolus : la vérité islamique contre l'erreur des « sans Dieu », et rien entre les deux. C'est pourquoi, même si les fondamentalistes prétendent que l'idéologie islamique est éminemment rationnelle, ils sont essentiellement anti-intellectuels.

Enfin, les fondamentalistes ont en commun leur puritanisme. Leurs membres et leurs associés sont astreints à la discipline la plus stricte et à une soumission inconditionnelle aux commandements de l'islam. Dans certaines occasions, celle-ci est assurée par une assistance régulière à des groupes d'études, comparables aux cellules, où l'individu est endoctriné et doit rendre compte de sa conduite et de ses activités devant ses pairs. La droiture des fondamentalistes a été l'élément majeur qui a incité nombre de musulmans à adhérer aux groupes fondamentalistes : l'existence d'un groupe d'hommes rigoureusement fidèles à leur stricte conception de la religion exerce une puissante force d'attraction sur une population consciente de la corruption généralisée de la société.

Aliénations

Les origines sociales des mouvements fondamentalistes sont mal connues. De par leur nature clandestine, les mouvements les plus radicaux doivent évidemment empêcher que leurs membres et leurs activités ne se manifestent au grand jour. Les groupes modérés eux-mêmes se méfient des étrangers et des raisons de leur curiosité. Quant aux gouvernements, ils dressent des obstacles lorsque des chercheurs, surtout s'ils sont étrangers, souhaitent étudier les mouvements fondamentalistes. On peut néanmoins faire deux constatations sur le recrutement des mouvements fondamentalistes : leurs membres proviennent des villes et ils se composent d'individus qui, pour une raison ou une autre, se sentent étrangers à leur société.

Il y a peu d'indications que les mouvements fondamentalistes aient attiré beaucoup d'adhérents venus de la campagne. Dans la plupart des cas, ils n'ont même pas essayé de le faire, bien que les sociétés où certains travaillent soient en grande partie agricoles. Depuis la Seconde Guerre mondiale, dans tous les pays musulmans, il s'est produit un vaste mouvement de population de la campagne vers les villes en raison des nombreuses possibilités d'emplois créées par le développement urbain. Les paysans nouvellement arrivés en ville se sont rassemblés dans les taudis et bidonvilles qui ont surgi en bordure des grandes villes, où ils y vivent dans des conditions misérables, sans grand espoir d'avenir. Dans certains cas, comme en Égypte, où la guerre de 1967 a causé un exode massif de population de la zone du Canal vers Le Caire, des circonstances particulières ont aggravé cette situation. C'est parmi ces pauvres, défavorisés, récemment urbanisés, que les mouvements fondamentalistes ont trouvé leur principal soutien. Mais ils ont d'autres adhérents : les classes moyennes aisées, les marchands, les professions libérales, les militaires subalternes et les jeunes fonctionnaires sont aussi attirés par ces mouvements. Le fondamentalisme est particulièrement fort parmi les étudiants dont les manifestations sur les campus universitaires sont l'un des principaux moyens d'expression.

L'insatisfaction ressentie face aux conditions actuelles de la société est ce qui unit les adeptes du fondamentalisme. Les sources de leur aliénation sont nombreuses : doléances personnelles, érosion des valeurs culturelles traditionnelles, injustice sociale, répartition inégale de la richesse, corruption des gouverne-

BIBLIOGRAPHIE

Ouvrages

CARDINAL P., BARBULESCO L., *L'islam en questions : vingt-quatre écrivains arabes répondent*, Grasset, Paris, 1986.

CARRÉ O., *Mystique et politique*, Le Cerf/Presses de la Fondation nationale des sciences politiques, Paris, 1984.

CARRÉ O., DUMOND P., *Radicalismes islamiques*. Tome I, L'Harmattan, Paris, 1986.

DEKMEJIAN H., *Islam in Revolution*, Syracuse University Press, Syracuse, 1985.

ENAYAT H., *Modern Islamic Political Thought*, University of Texas, Austin, 1982.

KEPEL G., *Le prophète et le pharaon*, La Découverte, Paris, 1984.

LEWIS B., *Le retour de l'islam*, Gallimard, Paris, 1985.

MOGASSOUBA M., *L'islam au Sénégal. Demain les Mollahs?*, Karthala, Paris, 1985.

PERILLIER L., *Les Chiites*, Publisud, Paris, 1985.

Articles

ATTARI D., « Transformations de la religiosité populaire iranienne », *Peuples méditerranéens*, nº 34, janvier-mars 1986.

MORETTI B., SCARCIA A., « La vie de l'imam comme modèle : un phénomène historique ou contemporain? », *Peuples méditerranéens*, nº 34, janvier-mars 1986.

ments, illégitimité des régimes, incompétence militaire et politique, etc. Mais, au-delà de ces causes spécifiques d'aliénation, le sentiment d'une crise sociale s'est propagé dans la conscience musulmane depuis l'avènement du colonialisme. Les énormes frustrations et humiliations que les musulmans ont subies à l'époque moderne, surtout à cause de la domination occidentale, ont constitué un terrain fertile où s'est développé le fondamentalisme islamique. En Égypte, par exemple, l'apparition des mouvements fondamentalistes et leur popularité grandissante ont été étroitement liées aux accords de Camp David signés avec Israël (1977) et aux inégalités qui ont accompagné la politique de libéralisme économique *(infitah)* du gouvernement du président Sadate.

Les mouvements fondamentalistes constituent un puissant élément dans la vie et les orientations politiques des musulmans, et tout indique que cet état de choses persistera dans les décennies à venir. Finalement, leur succès ou leur échec dépendra de leur capacité à instaurer un leadership fort. Il faudra aussi que leurs grands principes idéologiques et moraux puissent apporter des solutions spécifiques aux problèmes urgents des peuples musulmans.

Charles J. Adams

L'islam noir

Parler de l'islam noir, c'est d'abord pourfendre des mythes qui entourent un phénomène encore mal connu. Longtemps cette expression a été stigmatisée par les principaux intéressés – les musulmans de l'Afrique sub-saharienne – car elle suggère l'existence d'un islam aux rites hétérodoxes. L'expression « islam noir » renvoie en effet à l'idée d'une communauté située en dehors, ou du moins à la périphérie de la communauté des croyants *(Oumma)*, et d'un islam plus ou moins étrange, éloigné des sources traditionnelles de la foi islamique. Or, aborder le sujet de cette façon, c'est occulter la vitalité de la présence islamique dans cette région du monde.

En 1986, plus de cent millions de Noirs africains se réclament de l'islam. La présence de cette religion au sud du Sahara ne constitue donc pas un phénomène marginal, surtout si l'on tient compte de l'augmentation progressive du nombre d'Africains convertis à la foi musulmane et de la capacité d'idéologisation de l'islam à des fins politiques.

L'islamisation de l'Afrique noire s'est en grande partie effectuée par l'extension de la pratique commerciale et des réseaux marchands, par le déclenchement de *jihads* (guerres saintes) ayant pour objectif la conversion de vastes populations autochtones, et par le travail missionnaire des marabouts, ces prosélytes de la foi autour desquels se sont créées de petites communautés musulmanes insérées parmi les populations locales.

Comment expliquer le succès de l'islam en Afrique noire ? Beaucoup y voient le fait que l'islam propose une « somme théologique » au premier abord simple à comprendre : il suffit de croire en l'unicité de Dieu et en l'inspiration divine du Prophète. Il n'y a pas de clergé en islam, ni de trinité divine, ni d'intermédiaire entre Dieu et les hommes. Face à la complexité du christianisme, l'islam offre un credo totalisant, unissant le temporel et le spirituel en un même corpus. L'islam se présente dès lors comme un véritable mode de vie.

Un autre trait de l'islam, qui le distingue du christianisme, est sa grande capacité d'intégration aux réalités africaines. L'islam ne bouleverse pas le noyau familial traditionnel et n'oppose aucune barrière à la pratique de la polygamie. Il existe entre les univers islamique et noir-africain une multitude de connivences et de complicités préparant le terrain à des interpénétrations mutuelles, par voie d'adoption et d'adaptation.

Plus récemment, l'entreprise coloniale européenne, par le heurt culturel qu'elle a provoqué, a contribué à rehausser la popularité de l'islam auprès des populations et des élites en quête d'identité et d'indépendance, par opposition au christianisme, lié au phénomène colonial. Certains pays, comme la Somalie et la Mauritanie ont fait de l'islam la religion de l'État. Paradoxalement, la période coloniale a coïncidé avec la propagation de l'islam jusqu'en des points non explorés auparavant par les zélotes de la foi islamique. En effet, les nouvelles facilités de communication offertes par l'implantation des colonisateurs ont grandement favorisé la mobilité des commerçants et des leaders des confréries religieuses prêts à offrir aux sociétés animistes de nouvelles formes d'interprétation du monde à saveur islamique.

Diversité

Les musulmans sont présents dans un grand nombre de pays d'Afrique noire. Ils sont majoritaires au Sénégal, au Niger, au Soudan, en Guinée. Au Nigéria, en Côte d'Ivoire, en Éthiopie, ils forment des minorités importantes, alors que dans des pays comme le Cameroun, le Kénya, le Zaïre, ces minorités sont moins nombreuses.

Le rapport à la foi musulmane n'a pas la même signification d'un bout à l'autre de l'Afrique noire, et c'est pourquoi on ne saurait parler de l'islam, au sud du Sahara, comme s'il s'agissait d'un phénomène homogène. Bien au contraire, les particularismes locaux sont vivaces, au gré des différences ethniques, de l'appartenance à des confréries diverses et des rivalités anciennes.

Outre la survivance des tendances traditionnelles, est apparu un courant de type réformiste fortement inspiré d'intellectuels arabes : le mouvement *Salafiyya* (en arabe « retour aux sources »), né au Moyen-Orient à la fin du XIXe siècle, qui a eu un impact sur une certaine élite sub-saharienne. Ce courant entend purifier l'islam de ses traits jugés hétérodoxes, afin de mieux l'adapter aux besoins des sociétés modernes. Du fait de la scolarisation et de l'urbanisation, ce courant moderniste s'est affirmé au cours des années quatre-vingt, grâce notamment à l'apport des pays arabes. Ces derniers ont effectué un retour en force en Afrique noire, après que

BIBLIOGRAPHIE

Ouvrages

COULON C., *Les musulmans et le pouvoir en Afrique noire*, Karthala, Paris, 1983.

MONTEIL V., *L'islam noir*, Seuil, Paris, 1971.

MOREAU R.-L., *Africains musulmans*, Présence africaine, Paris, 1982.

NICOLAS G., *Dynamique de l'islam au sud du Sahara*, Publications orientalistes de France, Paris, 1981.

Articles

CONSTANTIN P., COULON C., (sous la dir. de), « La question islamique en Afrique noire », *Politique africaine*, n° 14, novembre 1981.

NICOLAS G., « Le carrefour géopolitique nigérian et les axes islamiques sahélo-guinéens », *Hérodote*, n° 35, 4e trimestre 1984.

leur rayonnement eut été amenuisé par la présence européenne. Les associations islamiques nationales qui se sont multipliées participent de cette nouvelle vision de l'islam, tendant à atténuer l'emprise des élites traditionnelles sur la masse des fidèles. Ce phénomène est symptomatique de la tension grandissante entre un islam réformiste et un islam conservateur.

Malgré la poussée de l'islam réformiste, l'ancrage de l'islam traditionnel est resté perceptible au niveau populaire. Les marabouts, par exemple, se voient attribuer des fonctions de thérapeutes-miracle et de guérisseurs, dont les pouvoirs relèvent de sources plus ou moins occultes, telle la magie. Qu'ils soient charlatans ou doctes de la foi, ils exercent encore en 1986 une influence déterminante sur la vie religieuse de nombreux croyants. C'est précisément à ces expressions officieuses de l'islam que se sont attaqués les intellectuels réformistes au lendemain des indépendances nationales.

Considérer la présence de l'islam en Afrique noire comme un élément culturel exogène serait méconnaître la réalité des communautés africaines qui ont assimilé la foi musulmane et qui en ont fait le fondement de leur culture. Avec ses spécificités, l'islam au sud du Sahara constitue une des données les plus remarquables du phénomène religieux sur le continent africain.

Les « Black Muslims »

Plus méconnu encore, bien que plus spectaculaire, l'islam noir s'est aussi implanté aux États-Unis : des Noirs américains se sont regroupés dans la « Nation de l'islam ». Communément appelé les « Black Muslims », ce mouvement est apparu à Detroit, au Michigan, au début des années trente, à l'instigation de Wallace Fard. Selon la doctrine initiale des Black Muslims, Elijah Muhammed, alias Elias Poole, était un prophète envoyé de Dieu et c'est à Malcom X, le représentant « politique » du nouveau prophète, qu'est revenue la tâche de populariser les idées de l'organisation, avant qu'il ne soit assassiné en février 1965.

L'objectif premier du mouvement était d'apporter la justice et la liberté aux Noirs américains, en les disciplinant tout d'abord au plan moral, selon des préceptes empruntés au dogme islamique : interdiction du porc, du tabac et de l'alcool. La particularité la plus frappante de l'idéologie des Black Muslims résidait cependant dans sa connotation raciale : la libération des Noirs devait passer, au plan politique, par la création d'un État indépendant séparé de la communauté blanche. Malgré les divisions qui ont surgi au milieu des années soixante-dix, le mouvement a pu s'étendre à plusieurs États américains, gérant plus d'une centaine de mosquées, et s'engageant dans de multiples opérations financières.

Avec la disparition d'Elijah Muhammed en 1975, le mouvement s'est divisé en deux camps opposés : le premier, qui regrouperait vingt à vingt-cinq mille membres, est connu sous le nom de « La Mission musulmane américaine » (auparavant « La Communauté mondiale de l'islam en Occident ») et adhère à une doctrine qui se rapproche sensiblement des enseignements officiels de l'islam sunnite, la branche orthodoxe et majoritaire de l'islam; le second, qui a gardé le nom originel de l'organisation, se compose de cinq à dix mille adhérents, et s'en tient aux idées radicales du mouvement « Black Muslims », qui identifie la race blanche avec le mal. Le leader de cette secte, Louis Farrakhan, s'est notamment fait connaître depuis 1984 par ses propos antisémites.

Si la force des « Black Muslims » est restée impressionnante en 1986, c'est qu'elle doit être comprise à la lumière de la situation générale des Noirs aux États-Unis et non pas seulement en fonction de l'attrait que peut exercer sur eux le message coranique.

Yvan Cliche

L'identité juive et le « fondamentalisme juif »

Le terme « fondamentalisme » a surtout été utilisé à propos d'un phénomène issu de la chrétienté moderne. En 1895, certains milieux protestants aux États-Unis, notamment les « évangéliques », définissaient cinq points dits *fondamentaux* à leur croyance : l'interprétation littérale des écritures; la divinité du Christ; la naissance virginale de Jésus; la valeur rédemptrice de la mort de Jésus; la certitude du retour du Christ. Il est évident que ces articles de foi ne constituent pas des références pour le Juif, quelle que soit son attitude ou sa distance à l'égard de la tradition judaïque. L'utilisation par les médias du terme « fondamentalistes », appliqué d'abord à certains musulmans puis aux Juifs, apparaît donc comme une réduction de phénomènes extérieurs à l'expérience chrétienne, à une réalité proprement chrétienne. En fait, l'étiquette « fondamentaliste » occulte plutôt qu'elle n'illustre ce qui se passe en dehors du domaine chrétien.

« Identité juive », « religieux » et « laïque » sont des termes nouveaux, introduits dans la culture juive et utilisés seulement par une partie des Juifs, depuis à peine un siècle. Ils sont repris ici pour traduire « en occidental » – en l'occurrence en français – certaines tendances actuelles de la vie juive.

La culture juive cherche toujours en 1986 une réponse aux bouleversements qui l'ont secouée depuis le début du XIXe siècle. L'émancipation des Juifs en Europe de l'Ouest a imposé au judaïsme un cadre religieux essentiellement étranger, calqué sur celui de l'Église catholique. En Europe, le judaïsme qui, dans son propre schéma conceptuel, ne fait point de distinction entre la « composante nationale » et la « composante religieuse », s'est scindé en deux. Être juif, en Europe occidentale, signifie être un citoyen de *confession judaïque.* En Europe de l'Est, les Juifs forment plutôt une minorité *ethnique* et *nationale.*

Réforme et orthodoxie

« L'identité juive », comme par ailleurs « la question juive », reflète cette discontinuité que le judaïsme européen vit depuis le XIXe siècle. La réduction du judaïsme à une confession provoque des réactions diverses, parmi lesquelles on peut distinguer une réforme juive d'une part, et une orthodoxie juive d'autre part. Le mouvement réformé compte en 1986 plus d'un million d'adeptes, surtout aux États-Unis. Il a été initialement une tentative de moderniser le judaïsme d'une façon radicale. Ainsi, les livres de prières ont supprimé toute référence au retour en Israël, l'hébreu a cédé la place à l'allemand, puis à l'anglais; le Sabbat, dans certaines communautés, a été déplacé au dimanche; les lois diététiques (la *kacherouth*) ont été éliminées : en somme, tout a été fait pour faciliter l'assimilation des Juifs à la culture environnante. Depuis la fondation de l'État d'Israël en 1948, le mouvement réformé a abandonné son antisionisme de longue date et s'est identifié, dans les années soixante-dix, tant avec le sionisme qu'avec Israël.

L'entrée des Juifs dans les sociétés européennes qui leur étaient jusque-là fermées a donc provoqué la réforme juive et l'apostasie, mais également, par réaction, l'essor de l'orthodoxie. Née en Europe centrale vers le milieu du XIXe siècle, l'orthodoxie est elle aussi fondée sur la dimension religieuse du judaïsme, mais plutôt que d'éliminer ou d'alléger l'observance des préceptes judaïques, elle a tendu à en immobiliser l'évolution. Pourtant, l'évolution par étapes successives de la loi juive est sans doute sa caractéristique la plus constante. La *halakha* (littéralement, la « démarche ») ou loi juive est, depuis le temps du Talmud, une réinterprétation raisonnée des préceptes formulés dans le Pentateuque.

La tradition halakhique condamne la lecture littérale, « fondamentaliste », du texte révélé. On trouve dans le Pentateuque de nombreuses références à la légitimité de la loi orale : « Les cieux appartiennent au Seigneur, mais la terre, Il l'a donnée aux fils de l'homme » ; « Elle (la loi) n'est pas aux cieux. » La loi orale prime incontestablement dans les décisions rabbiniques. Ainsi, par exemple, le dicton « œil pour œil », qui continue de susciter des malentendus dans les cercles chrétiens, à cause de l'interprétation littérale qu'ils en font, signifie tout autre chose dans la tradition juive. Il faut replacer cette expression dans le contexte historique de la vendetta qu'il fallait enrayer; ainsi un seul œil, et non pas dix yeux, paierait pour un œil. Et comme, disent les rabbins, il est impossible et donc interdit de riposter par une même blessure, œil pour œil signifiera indemnisation monétaire.

Seuls les karaïtes (littéralement, « ceux qui lisent ») apparus en Perse à la fin du VIIIe siècle ont rejeté ce genre d'interprétations ajustées au temps et à l'espace (la loi dite orale). Les karaïtes, que l'on pourrait appeler « les fondamentalistes juifs », ont modelé leur comportement sur la lettre de la loi écrite dans le Pentateuque. Cela leur a coûté une expulsion définitive des rangs du peuple juif depuis le Xe siècle. En 1986, il existe quelques milliers de karaïtes dont la concentration la plus importante est aux alentours de Tel-Aviv.

L'accumulation, pendant des millénaires, des interprétations légales (la *responsa*) a servi de jurisprudence pour les experts halakhiques. Ils ont été obligés d'intégrer à la logique intrinsèque de la loi les circonstances d'un cas concret avant de formuler leur verdict. L'émergence de l'orthodoxie a ralenti ce processus d'interprétation ponctuelle et tendu à en restreindre le champ d'application. Cette réaction reflète l'insécurité profonde que, depuis le XIXe siècle, les Juifs européens fidèles à la tradition ressentent devant le fait qu'un très grand nombre d'entre eux se sont progressivement éloignés de l'observance des préceptes.

Dans les diasporas juives, majoritairement issues des communautés de l'Europe centrale et orientale, le maintien de « l'identité juive » est sans doute resté la priorité majeure. Conçue en Europe de l'Est à la fin du XIXe siècle, l'identité juive laïque, c'est-à-dire l'identité détachée, parfois opposée à l'observance des préceptes judaïques, s'est révélée historiquement stérile. Des familles juives laïques ne sont plus juives (ou ne sont plus laïques) au bout de deux ou trois générations.

L'identité juive dans les diasporas s'est souvent maintenue par réaction contre l'antisémitisme et par solidarité avec Israël, surtout aux moments de menace militaire. Or elle est, par définition, tributaire du contexte externe. Pour un nombre croissant de Juifs, l'identité réactive contre l'antisémitisme, ou l'identité par substitution par rapport à Israël, ont perdu leur sens. Ils ont abandonné l'une et l'autre, soit pour s'assimiler à la société environnante, soit pour acquérir une identité positive. Au milieu des années quatre-vingt, il existe pour eux deux façons non exclusives de construire une telle identité : s'établir en Israël *(aliya)* ou devenir Juif pratiquant *(techouva)*.

*L'*aliya : *retour au pays*

Le sionisme moderne est issu, en grande partie, de l'Europe occidentale. Pourtant, il trouve ses adeptes en Europe de l'Est, car c'est là que les Juifs se perçoivent en tant que minorité nationale. Cela explique que les immigrants des diasporas occidentales soient minoritaires en Israël. Les idéalistes, venus des diasporas aisées qui n'ont pas souffert de l'antisémitisme, sont rares et ont un taux élevé de retour à la diaspora (75 % trois ans après l'immigration en Israël). Par contre, les Juifs des pays musulmans constituent une majorité absolue dans l'État d'Israël. Leur judaïsme a gardé son intégrité conceptuelle grâce à sa compatibilité avec l'islam. Pour cette majorité croissante d'Israéliens, les termes « identité juive », « religieux » et « laïque » restent des emprunts étrangers souvent peu compréhensibles.

La société israélienne en 1986 est néanmoins très polarisée : Juifs et Arabes, Juifs ashkenazes (d'origine est et centre-européenne) et Juifs sépharades (surtout originaires des pays musulmans), Juifs « religieux » et Juifs « laïques ». Ce dernier axe de polarisation est issu de la projection des concepts européens des fondateurs de l'État d'Israël (tous originaires de l'Europe de l'Est) sur la réalité du Moyen-Orient. Dès la fondation de l'État, en 1948, ils ont introduit un clergé rabbinique chargé de l'état civil, du contrôle de la *kacherouth* et d'autres affaires dites religieuses. L'imposition de ce clergé a introduit une discorde qui menace, dans les années quatre-vingt, la légitimité même de l'État. Une minorité importante d'Israéliens dénoncent la coercition de la part des « religieux ». Une autre minorité, non moins importante et en croissance démographique, revendique la supériorité de la *halakha* à l'agglomérat de lois ottomanes, britanniques et israéliennes qui constituent aujourd'hui le fondement de l'ordre légal en Israël. Certains de ces Juifs dévoués à la *halakha* comme seul mode de vie juive contestent, depuis les débuts du sionisme, la légitimité de l'État d'Israël. Par exemple, le groupuscule ultra-orthodoxe jérusalémite Néturé Karta (les gardiens de la ville) évite tout contact avec l'État et se trouve en relation visiblement amicale avec l'OLP dont la Charte préconise la destruction de l'État d'Israël.

Le peuplement de la Judée et de la Samarie (appelées Cisjordanie par les colonisateurs européens terme ensuite repris par les Nations Unies), constitue un autre pôle de tension dans la société israélienne. Amorcé par l'installation illégale de quelques enthousiastes de tendance messianique, il a graduellement obtenu l'aval des gouvernements israéliens (d'allégeance socialiste jusqu'en 1977) qui contrôlent ces territoires depuis la guerre des six jours (juin 1967). La justification du peuplement de ces régions s'appuie souvent sur une interprétation romantique des textes bibliques. Il est toutefois symptomatique que, depuis la guerre des six jours et surtout depuis le début des années quatre-vingt, ceux qui s'opposent à ce genre d'activités, motivées par le militantisme messianique, comprennent même des Juifs qui, tout en partageant l'idéal d'une société fondée sur la *halakha*, ne sont pas d'accord avec ce militantisme. Ils misent sur la continuité juive et sur la valeur prépondérante de la paix dans la tradition. Le judaïsme et la tradition halakhique servent donc de plus en plus de référence naturelle à des débats politiques sur l'avenir d'Israël.

Même en Israël, le maintien de l'identité juive ne peut plus être tenu pour acquis. Ni le nationalisme romantique que les fondateurs du sionisme ont emprunté à l'Europe du XIXᵉ siècle, ni le sentiment de l'encerclement ennemi n'arrivent, à eux seuls, à assurer l'identité juive des Israéliens. Si, dans les années soixante-dix, les nouveaux cultes ont attiré un nombre important de Juifs issus de familles non pratiquantes de la diaspora occidentale, dans les années quatre-vingt, ce sont des Juifs dits « laïques » d'Israël, parmi lesquels se trouvent bon nombre d'intellectuels et de militaires, qui se sont joints à ces cultes. Le Juif israélien n'est plus à l'abri des tentations qui menacent l'identité juive de la diaspora. Dans ce contexte, l'*aliya* ne suffit plus. La *techouva*, cette seconde façon de renforcer ou de retrouver l'identité juive, devient alors cruciale.

La techouva : *retour aux préceptes*

La *techouva* (littéralement le retour ou la réponse) est, au milieu des années quatre-vingt, un phénomène assez répandu. Ceux qui ont abandonné les préceptes judaïques ou ceux qui ne les ont jamais appris – ils sont en très grand nombre – se sont mis à étudier les classiques du judaïsme et ont remis ses préceptes en pratique. Ainsi, ils acquièrent une identité fondée sur la continuité historique juive plutôt que sur les circonstances d'un environnement particulier. Ces Juifs, que l'on appelle souvent les *baalé-techouva*, « ceux qui retournent », deviennent Juifs orthodoxes.

Pour les Juifs ashkénazes qui, en Israël comme dans les diasporas, se trouvent souvent plus éloignés de toute connaissance pratique du judaïsme, la *techouva* peut impliquer une transformation de la personnalité, un désir de couper net avec le passé. Chez les Juifs sépharades, la *techouva* est en règle générale moins dramatique. Elle est surtout, et de loin, moins romantique, car les sépharades ont des souvenirs plus récents de la vie juive et ne peuvent donc pas l'idéaliser outre mesure. La distinction entre ashkénazes et sépharades se maintient chez ceux qui intègrent la *techouva* et l'*aliya*. Par exemple, on compte un nombre relativement bas de sépharades parmi les enthousiastes qui se sont installés en Judée et en Samarie.

Contrairement aux notions répandues par les clichés journalistiques, les Juifs sépharades ont plutôt contribué à tempérer les passions qui sourdent dans la société israélienne. Originaires des pays musulmans, ils appartiennent à la tradition plus rationaliste du judaïsme. N'ayant pas vécu les conflits idéologiques intrajuifs, si fréquents dans l'histoire moderne des Juifs européens, les sépharades continuent à valoriser l'unité historique du peuple juif plutôt que l'allégeance à une idéologie ou à un parti. L'appui qu'ils ont donné au Likoud en 1977 peut être vu comme une manifestation de solidarité plutôt que comme une une prise de position dans le conflit israélo-arabe. Les sépharades ont alors voté pour une formation politique qui représentait, comme eux, les parias de l'*establishment* politique israélien. La prépondérance démographique des Juifs sépharades se fait sentir tant au niveau politique qu'à travers les us et coutumes qu'ils partagent à un certain degré avec les Arabes. Plusieurs enquêtes menées depuis 1977 par des chercheurs juifs et arabes ont montré que les sépharades restent plus ouverts à des relations avec les Arabes, qu'ils s'opposent moins à des rencontres entre écoliers des deux communautés et qu'ils sont nettement sous-représentés dans les mouvements extrémistes.

Dans les années quatre-vingt, il se dessine donc un nouvel équilibre intrajuif. En Israël, l'identité juive acquiert tout naturellement un caractère plus « oriental », plus intégré à la région qui l'abrite. Dans les diasporas, elle reste occidentale (à l'exception de la France dont la communauté juive – 550 000 personnes environ – s'est transformée depuis les années soixante par l'arrivée de Juifs d'origine maghrébine). Le rapport à Israël reste central, non seulement pour la majorité qui s'identifie avec le nouvel État, mais aussi pour ceux qui s'y opposent. En même temps, la pratique des préceptes judaïques devient plus courante et tend à dépasser le cadre individuel, dit religieux, et à s'intégrer dans la vie sociale et politique, en Israël comme, sans doute à un moindre degré, dans les diasporas.

Yakov M. Rabkin

La montée de l'hindouisme nationaliste en Inde

Né en Inde, l'hindouisme se réclame des Védas, livres révélés dont les textes ont été rassemblés pendant les deux millénaires avant J.-C. Grâce à sa capacité d'adaptation face aux autres religions également nées en Inde (jaïnisme, bouddhisme, sikhisme), ou qui y ont été importées (islam, christianisme), l'hindouisme a réussi à rester la religion dominante de ce pays (83 % d'hindous). Elle existe également dans d'autres pays, avec un dynamisme moindre (Népal), ou en tant que religion minoritaire (Indonésie, Sri Lanka, Bangladesh, Bhoutan).

La montée des intégrismes

Depuis l'indépendance indienne et la création du Pakistan musulman (1947), les rapports entre hindous et musulmans ont toujours été conflictuels. Il ne faut donc pas surestimer les affrontements qui défrayent régulièrement les chroniques et qui voient ces communautés s'affronter. Toutefois, il semble que depuis 1980, les tensions religieuses se soient aggravées du fait de la double montée de l'intégrisme religieux musulman et des mouvements hindouistes nationalistes.

Entre 1980 et 1985, l'affirmation de l'intégrisme islamique en Inde s'est manifestée par la création de nouvelles mosquées, mais aussi par des efforts de conversion en direction des Harijans, les « hors castes » les plus défavorisés. L'islam ne reconnaissant pas les castes, les intouchables y voient en effet la possibilité d'échapper à leur statut, notamment dans le sud de l'Inde où le système des castes est le plus rigide.

La conversion à l'islam, en 1983, d'un village entier de plus de 1 000 Harijans hindous, dans l'État du Tamil Nadu, a joué un rôle de « déclencheur » et provoqué une prise de conscience dans les courants hindouistes nationalistes. D'anciennes organisations comme la Vishwa Hindu Parsishad (organisation mondiale hindouiste) sont redevenues militantes. La Virat Hindu Samaj, assemblée œcuménique hindoue, fondée en 1981 par Karan Singh, ancien ministre d'Indira Gandhi passé dans l'opposition, a fait du « renouveau de l'hindouisme » le fer de lance de son mouvement et a acquis très vite une large audience. Ces deux organisations se sont liguées pour répondre au défi islamique et relancer le prosélytisme hindou, se donnant entre autres comme but de ramener dans le giron de l'hindouisme les « nouveaux convertis » à l'islam, mais aussi tous les musulmans qui se sont convertis au moment des invasions mongoles. Concentrant leurs efforts dans des régions traditionnellement acquises aux musulmans, comme le Radjasthan, elles ont réussi à provoquer une recrudescence des conversions.

Ce renouveau hindouiste a culminé avec l'organisation, par ces deux mouvements, d'un gigantesque *ekamata-yatra*, rite de purification et d'intégration. En mai 1983, quatre-vingt-cinq des sectes hindoues les plus importantes, représentant pas moins de 500 millions de fidèles, y ont participé. Trois processions principales ont traversé le pays, tandis que quatre-vingt-trois autres marches secondaires parcouraient l'Inde profonde, soit un total de 80 000 kilomètres. Des charrettes transportant l'eau sacrée du Gange et l'image de la Terre-Mère de l'Inde (Bharat Mata) accompagnaient chacun de ces défilés destinés à faire revivre la foi hindoue et à provoquer des nouvelles conversions.

Forts de leur succès, les mouvements de renouveau de l'hindouisme ont ensuite lancé des campagnes visant à « récupérer les lieux sacrés » de leur religion : en 1984, dans l'Uttar Pradesh, un appel a été lancé pour libérer le lieu de naissance d'un des dieux les plus populaires de l'hindouisme (Ram) sur lequel une mosquée alors désaffectée avait été bâtie en 1528 par un empereur Moghol.

Affrontements inter-communautaires

Les « guerres de conversion » auxquelles se livrent musulmans et hindous ne pouvaient qu'aggraver les affrontements intercommunautaires, notamment dans les deux points chauds que constituent l'Inde et le Sri Lanka.

En Inde, les statistiques ont enregistré entre 1978 et 1980 une augmentation des heurts dans les grandes villes, souvent liés à des événements islamiques internationaux : ainsi, en 1979, les deux communautés se sont affrontées à Hyderabad, les hindous n'ayant pas fermé boutique après la profanation de la mosquée de La Mecque. De 1980 à 1981, les affrontements recensés sont passés de 340 à 489. Pour les quatre premiers mois de 1984, on comptait déjà 476 morts, et dans le seul État du Maharastra, 850 blessés, 67 000 sans-abri et 6 358 arrestations. La flambée de violence a même touché la ville de Gandhi, en général épargnée : à Ahmedabad, les affrontements ont fait en une soirée (14 mai 1984) 13 morts et 13 000 réfugiés après l'incendie des quartiers musulmans.

Ces affrontements sont parfois empreints de « fanatisme religieux », comme les émeutes qui ont eu lieu dans la région de Bombay, en 1983 et 1984, et qui se sont soldées par plus de cent morts. Le Siv Sena, mouvement hindouiste d'extrême droite qui prône la conversion forcée des hérétiques ou leur déportation au Pakistan, avait mis le feu aux poudres en insultant publiquement le nom d'Allah.

La tentation, pour une partie des fidèles hindous, de prôner un « retour aux sources » sectaire, en se fermant et s'opposant aux autres communautés, est d'autant plus forte que depuis 1982, les affrontements avec une autre communauté religieuse, les sikhs, sont venus aggraver la situation. Vivant auparavant en relative harmonie, sikhs et hindous se sont dressés les uns contre les autres depuis le double sacrilège qu'a constitué, pour les sikhs, l'assaut lancé contre le temple d'Amritsar par l'armée indienne (6 juin 1984), et, pour les hindous, l'assassinat en représailles d'Indira Gandhi (31 octobre 1984). Depuis, les deux communautés n'ont pas cessé de s'affronter et en 1986, un climat de violence s'est installé au Pendjab et dans d'autres États. Dans un tel contexte, l'hindouisme se perçoit comme une religion d'autant plus menacée à l'intérieur même de son ultime sanctuaire (l'Inde), que la fécondité des musulmans est plus forte que celle des hindous (4,5 % de croissance annuelle contre 1,4 %).

Ce sentiment d'une menace, paradoxal en Inde où les hindous sont majoritaires, est encore plus fort au Sri Lanka. Dans ce pays, en effet, c'est la minorité tamoule qui est hindoue, alors que la majorité, cinghalaise, est bouddhiste. La lutte pour l'indépendance de cette minorité est d'autant plus radicale que la moitié des Tamouls du nord de l'île appartient à la caste des Vellalars, qui se considère comme gardienne de l'orthodoxie hindoue et tamoule, maintenue de manière plus pure qu'en Inde. Leur revendication d'indépendance économique et politique se double ainsi d'un sentiment de supériorité religieuse de caste, qui n'est pas sans rapport avec l'aggravation des conflits qui ont mené le Sri Lanka, depuis 1984, à une véritable guerre civile. L'Inde, inquiète de la montée de l'intégrisme religieux et des violences qui en résultent, a toutefois cessé en 1985 de soutenir officiellement les « tigres » tamouls indépendantistes.

La fonction sociale de l'hindouisme

Si les affrontements sont tout aussi réels que la résurgence d'un hindouisme nationaliste « dur », il ne faut toutefois pas réduire l'hindouisme à ces phénomènes. Il existe, en Inde, des milliers de villages dans lesquels la religion continue à se pratiquer de manière imperturbable, assurant à la vie sociale sa cohésion et ponctuant la vie quotidienne de ses innombrables rituels. Pour expliquer ce paradoxe, il faut rappeler quelques aspects fondamentaux de l'hindouisme.

L'une des croyances les plus anciennes de cette religion est qu'il existe un « ordre sacré du monde » qui préside au cours harmonieux des astres, aux cycles de la végétation, au fonctionnement du corps social. Cet ordre socio-cosmique peut certes être troublé, mais il peut aussi être consolidé par les actions rituelles de l'homme. Grâce au sacrifice et à la dévotion, l'homme est en effet appelé à participer à cet ordre sacré, en aidant les dieux dans leur rôle de gardiens du cosmos. L'hindou est ainsi intégré dans tout un cadre collectif qui le dépasse : chacun de ses actes a des conséquences sur le reste de la société, mais aussi sur son destin et ses réincarnations futures (loi du *karma*).

A cause du « poids des actes » mauvais qu'il a accomplis, l'hindou est en effet condamné à vivre sur terre sans pouvoir aller au ciel, enchaîné dans un cercle apparemment sans fin d'existences *(samsara)*. Toutefois, ses actions conformes à l'ordre du monde, sa dévotion à l'une des multiples divinités du panthéon indien, l'intervention d'un des grands dieux (Brahma le créateur, Shiva le destructeur, Vishnou le conservateur), lui permettent d'espérer qu'il accédera, progressivement et au fur et à mesure de ses réincarnations, à la délivrance finale *(moksa)*. Celle-ci se caractérise dans l'hindouisme par le fait que l'*Atman*, réalité ultime sous-jacente dans chacune de nos personnalités, cessera d'être aveuglée et engluée dans le monde des illusions *(maya)*, retrouvant son identité avec le principe divin cosmique impersonnel *Brahman*.

Dans une telle religion, l'idée d'interdépendance est fondamentale. C'est pourquoi l'hindouisme, dans les années quatre-vingt, sert encore de « ciment social », en proposant une vision du monde insistant sur la complémentarité des différents groupes qui constituent une collectivité : chacun d'eux doit œuvrer en commun. Cette religion n'étant pas organisée en Église centralisée, n'ayant pas de dogmes intangibles, acceptant de surcroît une infinité de divinités locales, est *a priori* d'autant plus encline à la tolérance et à l'ouverture.

BIBLIOGRAPHIE

Ouvrages

BIARDEAU M., *L'hindouisme, anthropologie d'une civilisation*, Flammarion, Paris, 1981.

DELEURY G., *Le modèle hindou. Essai sur les structures de la civilisation de l'Inde d'hier et d'aujourd'hui*, Hachette, Paris, 1978.

ELIADE M., *Histoire des croyances et des idées religieuses*, tome II, Payot, Paris, 1978.

Le poids des castes

Pourtant, l'hindouisme subit le poids du système des castes qu'il a en grande partie contribué à forger. Originairement, la théorie des quatre *varnas* avait pour but de montrer que les univers de valeur représentés à l'époque par les prêtres (brahmanes), les rois (ksatryas), les producteurs (vaisyas) et les serviteurs (sudras) étaient complémentaires et devaient donc mutuellement collaborer pour maintenir l'ordre sacré du monde, sans empiéter l'un sur l'autre. Ce qui était une vision idéale et axiologique de la société, non réductible aux multiples groupes socio-professionnels concrets (jatis), a très vite tendu à se figer en renvoyant à des groupes sociaux censés être plus ou moins « purs ». Les « castes », se constituant alors sur des prérogatives élitistes, contribuèrent à reproduire leur système inégalitaire, et à exclure les sudras qui devinrent des parias et « intouchables ». C'est cette permanence des castes qui explique les exclusions dont souffrent toujours les Harijans défavorisés, et leur conversion à l'islam.

Facc à ce problème, même l'hindouisme moderne le plus nationaliste prône une disparition des castes. Karan Singh, prophète du renouveau de l'hindouisme, met en avant la nécessité de faire disparaître ce système qui pénalise les plus défavorisés, seule manière pour les reconvertir à l'hindouisme. Il prône, contre l'esprit de caste, des valeurs comme la fraternité universelle, le service d'autrui, la tolérance et la compassion. Son opposition aux castes l'a même conduit à s'élever contre les mesures gouvernementales visant à assurer un quota minimal de postes à ces déclassés.

La renaissance de l'hindouisme se jouera sur sa capacité à se débarrasser définitivement de ce problème. C'est ce que semblent confirmer la disparition de toute référence aux castes dans les écrits des grands penseurs de l'hindouisme moderne comme Ramakrishna, Vivekananda et Aurobindo, mais aussi le fait que les « nouvelles religions orientales » d'inspiration hindouiste ne se réclament pas de ce système. Ce n'est qu'ainsi qu'elles ont pu s'implanter en Occident et transformer cette antique croyance en une religion moderne et universelle.

Christian Miquel

Enjeux politiques des syncrétismes religieux au Brésil

La modernité des années quatre-vingt se caractérise par le développement intense des techniques et des moyens de communication et par le brassage généralisé des populations. Il en résulte une mise en interface des cultures et des civilisations et un flottement des identités collectives et individuelles. On assiste en conséquence à un énorme travail de bricolage sur le sens, nécessaire à la vie : les syncrétismes sont à l'ordre du jour. Cette fluidité des symboles et des valeurs offre un terrain d'action décisif aux stratégies politiques qui s'affrontent aujourd'hui : lutte pour la canalisation de ces flux, pour la réorganisation à leur avantage des éléments qui les composent.

Le cas du Brésil est, de ce point de vue, tout particulièrement intéressant à analyser. Trois grandes stratégies y sont à l'œuvre (de célébration nationale, de transformation révolutionnaire, de dépendance à l'égard des États-Unis) sous la forme et par le moyen de trois mouvements religieux (l'*umbanda*, la théologie de la libération, le pentecôtisme) d'apparition récente et en pleine expansion.

Une religion constituée se présente comme un bâtiment à trois étages. Au niveau inférieur, bain primordial, le symbolique. A l'échelon supérieur, les appareils et les institutions. Entre les deux, les rationalisations, dogmatiques et théologiques : par elles, appareils et institutions se rapportent au mythe dont ils tirent légitimation; mais par elles, ils le corsètent et le figent pour asseoir leur pouvoir. Le Brésil est un immense glacis où, depuis sa formation, n'ont cessé de circuler et de se mélanger trois races : indienne, blanche et noire. Désencadrées de leurs totalités culturelles d'origine (miscégénation immédiate entre Européens et Indiens, déracinement des esclaves africains, faible contrôle des Blancs par le clergé romain), ces populations ont fait émerger, avec force, dans son autonomie, la nappe profonde dans laquelle elles communiquaient : l'animisme. Ainsi peut-on avoir indifféremment recours aux âmes des morts et des ancêtres, aux entités qui animent la Nature, aux saints du catholicisme, aux esprits auxquels le médium a accès, etc. C'est à partir de ce niveau métis et populaire que vont travailler les stratégies ci-dessus évoquées.

*L'*umbanda

La première stratégie est la moins concertée, la plus spontanée dans une situation de ce type. Syncrétisme afro-catholico-indo-spirite, l'*umbanda*, dont le premier congrès s'est tenu en 1941, est, quant au nombre d'adeptes, la première religion du Brésil en 1986. Roger Bastide s'est efforcé d'en établir la genèse. Au point de départ, on constate une coexistence sans pénétration d'une religion africaine (le *candomblé*) et d'une religion indienne (le *catimbo*). C'est au *candomblé* que les Noirs doivent d'avoir traversé des siècles d'esclavage sans perdre leur identité : au cours de la danse et du chant, au rythme du tambour, les *orixas* prennent possession des « fils » et « filles de saint » en transe. A noter que, pour se maintenir, ces *orixas* sont entrés en composition avec des saints du catholicisme : ainsi Xango (dépositaire de la foudre) avec saint Jérôme, Oxossi (puissance de la chasse) avec saint Georges, Yemanja (force des eaux marines) avec la Vierge Marie, etc. Dans le *catimbo*, la transe est obtenue par un hallucinogène, et seul le chef du culte reçoit les esprits qui communiquent, à travers lui, avec les fidèles.

En une seconde étape, le *candomblé de cabocle* (le *cabocle* est un métis d'Indien), les deux cultes conservent leur autonomie mais cohabitent dans un même groupe : chaque membre du groupe a deux divinités en tête. Puis, dans la *macumba* carioque (de Rio), les deux séries d'esprits viennent s'implanter dans chaque fidèle, ainsi compartimenté, au cours d'une même cérémonie. Enfin, avec la greffe spirite du kardécisme (le spiritisme d'Allan Kardec, de son vrai nom Hippolyte-Léon Rivail, né à Lyon en 1804, a eu un immense succès au Brésil), on aboutit à l'*umbanda*, synthèse de ces différentes sources, sans domination de l'une quelconque sur l'autre : il s'agit de *la* religion nationale, ouverte à toutes les vagues de migrants, et dans laquelle le Brésil peut célébrer son unité originale, faite de métissages passés et toujours actuels.

La théologie de la libération

Mais on peut se demander si une telle production religieuse ne revient pas à intégrer l'ensemble de la population brésilienne, notamment la plus modeste, à la société industrielle capitaliste et à sa hiérarchisation sociale. D'où l'émergence, au sein du catholicisme, par ailleurs inquiet de voir sa fonction traditionnelle de ciment brésilien de plus en plus accaparée par l'*umbanda*, d'une attitude qui lie l'avenir de la religion à la solidarité avec les classes les plus pauvres : ainsi s'est développée la théologie de la libération, qui inspire aujourd'hui près de 100 000 communautés de base. Il s'agit bien toujours de s'appuyer sur le fond commun de religion populaire. Celle-ci avait été fortement dévalorisée dans l'Église catholique à partir de la fin du XIXe siècle, lorsqu'un processus de « romanisation » avait entrepris de « purifier » ce qu'il considérait comme superstitions et folklore. Plus tard, la thèse de la « sécularisation » et l'interprétation marxiste courante ne voyaient en elle qu'un vestige en voie de disparition. Mais l'engagement militant aux côtés des plus défavorisés a fait apparaître une autre compréhension du phénomène : cette religion populaire était pour le peuple une manière de s'affirmer dans une culture qui lui était propre et comportait dès lors un « potentiel » de subversion.

C'est ici que le syncrétisme intervient d'une nouvelle façon : en greffant le symbolique biblique (sortie du peuple hébreu du pays de sa servitude) sur la religion populaire, et en l'interprétant à la lumière des luttes sociales d'aujourd'hui, celle-ci devient projet historique de libération. Elle fonde alors une nouvelle identité collective, non de repli ou de compensation, mais de mouvement offensif et transformateur de toute la société. Ainsi, un évêque du Mato Grosso a composé une messe qui incorpore le mythe guarani de la « Terre sans mal » et qui, en son début et à sa fin, invoque Maira (Terre-Mère, déesse indienne) et Tupan (dieu du tonnerre, dieu du ciel) : l'alchimie suscite la résistance des Indiens contre tout ce qui pousse à leur destruction, et les fait entrer, peuple et culture d'abord voués à la disparition, dans une autre modernité brésilienne qui se construirait aussi par eux.

Le pentecôtisme

Le pentecôtisme, quant à lui, ne cherche pas à transformer la société. Face à la déstructuration sociale qu'entraîne, au Brésil, le capitalisme multinationalisé le plus sauvage, son propos n'est pas de contribuer à la constitution d'une identité collective, de célébration intégratrice ou de protestation révolutionnaire. Apparu aux environs de 1910, il s'est répandu depuis les années soixante comme un véritable raz de marée dans les couches marginalisées des villes et de la campagne. Il se fonde lui aussi sur le socle flottant de l'animisme : dans une atmosphère fortement émotionnelle (la transe est ici verbale), les fidèles de toutes races attendent et reçoivent les dons du Saint-Esprit. Mais cette illumina-

BIBLIOGRAPHIE

Articles

AUBREE M., « Du pentecôtisme en Amérique latine », *Critique socialiste*, n° 47, 1983.

BASTIDE R., « La rencontre des dieux africains et des esprits indiens », in : *Le sacré sauvage*, Payot, Paris, 1975.

BLANQUART P., « Un nouveau christianisme ? », *Autrement*, n° 44, 1982.

« Les religions au Brésil », *Braise*, n° 2, avril-juin 1985 et n°3, juillet-septembre 1985.

Dossier

« Sociologie des religions au Brésil », *Archives des sciences sociales des religions*, n° 47/1, janvier-mars 1979.

tion a pour effet de valoriser l'individu, indépendamment de tout engagement politique : le fait que chacun soit, à égalité avec tous, acteur du culte et inspiré par l'Esprit fonctionne comme une sorte de compensation à sa situation d'opprimé ou d'exclu. Ainsi se forment des noyaux sectaires, durs et fermés, dont les membres se caractérisent par l'observation d'interdits (ne pas danser, ne pas jouer au football, ne pas aller à la plage, ne pas porter des robes décolletées et sans manches), tabous visant le corps et qui par là s'opposent systématiquement à la manière de vivre brésilienne. Résultat : alors même qu'ils prêchent activement un salut hors du monde, les « élus » contribuent à faire de celui-ci un ensemble de grumeaux non liés les uns aux autres, ce qui favorise l'affirmation atomisée de soi et les régimes autoritaires en place. Voilà qui ne gêne pas les États-Unis, dont le soutien au pentecôtisme dans toute l'Amérique latine est évident, en particulier pour faire pièce à la théologie de la libération.

Telle qu'elle se dégage ainsi, la typologie des recompositions religieuses en cours, notamment par le travail syncrétiste qu'autorise la déconnection des flux symboliques d'avec les institutions et dogmatiques traditionnelles, a valeur bien au-delà du Brésil.

Paul Blanquart

STATISTIQUES MONDIALES

LES INDICATEURS STATISTIQUES

Les définitions et commentaires ci-après sont destinés à faciliter la compréhension des données statistiques présentées dans les sections « Les 34 grands États » et « Les 33 ensembles géopolitiques ». On trouvera page 14 la liste des symboles utilisés dans les tableaux.

Démographie et culture

• Le chiffre fourni dans la rubrique *population* donne le nombre d'habitants en milieu d'année, estimé soit par extrapolation à partir du dernier recensement, soit à partir de sondages, lorsque les recensements disponibles sont trop anciens ou peu fiables. Pour les pays disposant de données suffisamment précices, le *taux de croissance de la population* est évalué par différence entre les naissances et les décès, l'immigration et l'émigration. Dans les autres cas, il est estimé à partir du taux de croissance observé entre deux recensements, ou par des sondages, ou encore par une combinaison de toutes ces méthodes.

• Le *taux de mortalité infantile* est le nombre de décès d'enfants âgés de moins d'un an rapporté au nombre d'enfants nés vivants pendant l'année indiquée.

• L'*espérance de vie* (à la naissance) est le nombre d'années que peut espérer vivre (en moyenne) quelqu'un qui vient de naître si les conditions sanitaires et autres demeures identiques.

• La *population urbaine*, exprimée en tant que pourcentage de la population totale, est une donnée très approximative, tant la définition urbain-rural diffère d'un pays à l'autre. Nous donnons les chiffres à titre purement indicatif.

• Le *taux d'analphabétisme* est la part des illettrés dans une catégorie d'âge donnée de la population. Tous les chiffres pour 1985 se réfèrent à la catégorie « 15 ans et plus ». Les taux correspondant à d'autres années ne se réfèrent pas toujours à la même catégorie d'âge.

• Comme indice du *niveau de scolarisation*, nous avons choisi, pour les pays du tiers monde, le taux d'inscription scolaire pour deux tranches d'âge : celle de six-onze ans et celle de douze-dix-sept ans. Il s'agit, dans chaque cas, du nombre d'enfants de cet âge allant à l'école, divisé par le nombre total d'enfants appartenant à cette catégorie d'âge. Pour les pays en voie de développement, cet indicateur reflète mieux la part de la population couverte par le système scolaire que les taux d'inscription dans le primaire et le secondaire. Pour les pays développés, nous donnons le taux d'inscription dans le secondaire, en spécifiant la catégorie d'âge concernée. Pour tous les pays, nous donnons le taux d'inscription au « 3e degré » (niveau universitaire), qui correspond au nombre d'étudiants divisé par la population ayant vingt à vingt-quatre ans. Dans les petits pays, ce taux n'est pas toujours significatif dans la mesure où une part importante des universitaires étudie parfois à l'étranger. Dans les pays développés, le taux en question peut refléter le caractère plus ou moins élitiste du système universitaire.

Économie

Les pays à économie de marché et les pays à économie dirigée ont des systèmes de comptabilité nationale très différents. La Hongrie (et dans une moindre mesure la Chine et Cuba) a commencé à tenir une comptabilité dans les deux systèmes.

Dans les pays à économie de marché, la production est mesurée par le PIB et le PNB.

• Le *produit intérieur brut* (PIB) mesure la production réalisée par le pays pendant l'année, en additionnant la valeur ajoutée par les différentes branches. La valeur de la production paysanne pour l'autoconsommation, ainsi que la valeur des « services non marchands » (éducation publique, défense nationale, etc.) sont inclus dans le PIB. En revanche, le travail au noir, les activités illégales (trafic de drogue) et le travail domestique des femmes mariées n'est pas comptabilisé (un homme qui se marie avec sa domestique diminue ainsi le PIB).

• Le *produit national brut* (PNB) est égal au PIB, additionné des revenus rapatriés par les travailleurs et les capitaux nationaux à l'étranger, diminué des revenus exportés par les travailleurs et les capitaux étrangers présents dans le pays.

Dans les pays à économie planifiée, la production est mesurée par le PSG et le PMN.

• Le *produit social global* (PSG) est la somme de la valeur de la *production* des différentes branches (et non seulement de la valeur ajoutée, comme dans le PIB). Le PSG compte ainsi deux fois certaines valeurs, comme le blé qui est compté une fois comme production agricole, une seconde fois comme biscuits ou pâtes alimentaires (production industrielle). Il diffère aussi du PIB, dans la mesure où il compte seulement les service marchands, à l'exclusion des services non marchands (éducation, défense, médecine gratuite, etc.).

• Le *produit matériel net* (PMN) est la valeur globale de la production matérielle (agriculture + industrie + services directement productifs), moins les consommations intermédiaires de ces deux branches. C'est donc la somme de la valeur ajoutée des branches productives. Le produit matériel net exclut les services non productifs comme le commerce

Certains pays à économie de marché utilisent le PIB comme indicateur de croissance, d'autres utilisent le PNB. Pour des périodes de dix ans, la différence est en général négligeable. Mais pour des pays très liés à l'extérieur, la différence pour une année donnée peut être considérable. Les pays à économie planifiée diffèrent aussi quant à l'indicateur de croissance qu'ils privilégient, certains choisissant le PMN, d'autres le PSG, d'autres encore utilisant le produit matériel brut..

Contrairement à une croyance très répandue, la valeur de la production et son taux de croissance ne sont pas nécessairement surestimés par le système de comptabilité des pays à économie planifiée. En Hongrie, premier pays pour lequel nous possédons une comptabilité fiable dans les deux systèmes, le PMN aux prix courants est, en 1984, de 18 % inférieur au PIB qui, lui, est presque identique au PSG. L'explication est que si le PSG compte certaines valeurs deux fois, il ne compte pas l'éducation et la médecine gratuites, ni la défense nationale. De même, il n'est pas prouvé que cette comptabilité exagère les taux de croissance : en prix courants, le taux de croissance de la Hongrie entre 1979 et 1984 a été respectivement de 7,5 % par an pour le PIB (définition occidentale), et de 7,6 % pour le PMN (définition des comptabilités socialistes). Ces résultats surprenants s'expliquent par le fait que, dans les économies modernes, les services non marchands tendent à augmenter plus vite que la production matérielle (gonflant le taux de croissance du PIB), tandis que l'effet du double comptage devient moins sensible, celui-ci étant déjà présent dans les chiffres de l'année précédente. En réalité, le PMN est presque identique à un indicateur très important que l'INSEE surveille de près : le *produit intérieur brut marchand*. Quant au taux de croissance du PSG, il n'est rien d'autre qu'une somme pondérée de trois des indices les plus importants utilisés dans les comptabilités des pays occidentaux : le volume de la production industrielle, le volume de la production agricole, et le volume des ventes du commerce de détail; chaque terme étant pondéré par le chiffre d'affaires de la branche considérée.

Dans la décomposition par branches du PIB, nous avons inclus, dans la branche industrie, la production d'eau, d'électricité et de gaz. Dans la décomposition par branches du PMN, la branche « services » ne comprend pas les services non productifs (santé, éducation, commerce, etc.). En revanche, tous les employés des services gouvernementaux et du commerce sont compris dans la partie « services » de la rubrique « population active » des pays à économie planifiée.

• *Le PIB exprimé en dollars* pose des problèmes. L'utilisation du taux de change courant pour exprimer les PIB en dollars ne signifie pas vraiment que ceux-ci deviennent comparables, d'autant plus que depuis 1980, certaines monnaies se sont fortement dévaluées par rapport au dollar, tandis que d'autres ont gardé un rapport plus ou moins fixe avec lui. En France par exemple, le PIB réel a augmenté de près de 6 % entre 1980 et 1985. Exprimé en dollars, aux taux de change courants, il aurait diminué de 23 %. Afin de permettre des comparaisons plus significatives, le tableau qui suit fait apparaître les PIB de la plupart des pays développés tels qu'ils seraient si les prix relatifs étaient les mêmes d'un pays à l'autre; c'est ce que l'on appelle les PIB « avec parité de pouvoir d'achat » (PPA). Pour les pays en voie de développement, nous avons souvent donné les PIB de 1984 transformés en dollars au taux de change moyen 1983-1985, ce qui élimine un peu les distortions dues aux fluctuations récentes des taux de change.

• Par *population active*, on entend la population en âge de travailler, à l'exclusion des étudiants, des membres des forces armées, des

PRODUIT INTÉRIEUR BRUT PAR HABITANT AVEC PARITÉ DE POUVOIR D'ACHAT
(États-Unis : 100)

Pays	1970	1980	1982	1984
États-Unis	100	100	100	100
Autriche	55,4	70	71	67
Belgique	64,5	76	78	74
Canada	94,0	100	98	95
Danemark	73,4	79	83	81
Espagne	42,5	51	52	52
Finlande	56,4	67	70	69
France	66,0	79	81	75
Grèce	31,5	41	40	38
Irlande	39,3	44	46	45
Italie	55,4	63	64	57
Japon	55,8	71	76	75
Luxembourg	85,4	86	85	76
Pays-Bas	69,5	75	74	69
Norvège	66,7	90	92	89
Portugal	24,5	31	33	30
RFA	70,4	82	82	79
Royaume-Uni	63,7	66	68	66
OCDE (Europe)	61,0	64,4	65,3	62,5
CEE	67,7	72,3	73,4	70,2

femmes mariées occupées aux tâches ménagères et des chômeurs qui ne cherchent pas « activement » un emploi. Les chômeurs ayant travaillé auparavant sont classés en tant qu'actifs de la branche à laquelle ils participaient. La somme des trois branches (agriculture, industrie et services) n'épuise donc pas la catégorie population active; restent à classer les chômeurs n'ayant jamais travaillé et les personnes ayant une activité « mal définie », (cette dernière catégorie étant assez importante dans certains pays du tiers monde). Pour les pays développés et la Turquie, nous avons pris les données calculées par L'OCDE qui négligent ces ceux catégories : agriculture + industrie + services totalisent donc 100 % pour ces pays. Pour les autres pays, ces trois catégories ne totalisent pas 100 %.

• Le *taux de chômage* est le rapport entre le nombre de chômeurs (dont la définition est très variable d'un pays à l'autre) et la population active (qui elle aussi est calculée d'une manière un peu différente dans chaque pays) bien que la définition de base soit la même. La comparaison des taux de chômage d'un pays à l'autre exige donc une grande circonspection.

• *Taux d'inflation.* L'indicateur choisi est le rapport entre l'indice officiel des prix à la consommation de décembre 1985, et celui de décembre 1984.

• *Dette extérieure.* Pour les pays du tiers monde, nous donnons la dette brute, publique et privée, sauf lorsqu'il est indiqué qu'il s'agit de la dette publique seulement (dette de l'État + dette du secteur public + dette privée garantie par l'État). Pour les pays à économie planifiée, nous donnons la dette brute et parfois aussi la dette nette (dette brute moins dépôts en devises auprès des banques occidentales). Les banques comme les les pays ont fait de grands progrès dans l'évaluation de leur dette totale. Les chiffres que nous donnons, qui concernent la fin de 1984 ou 1985, ne sont donc pas comparables avec les chiffres des années précédentes.

Une deuxième raison qui rend difficile la comparaison d'une année à l'autre et d'un pays à l'autre, est la différente composition de ces dettes : pour certains pays, elle est largement libellée en dollars (Mexique par exemple), pour d'autres, elle est libellée en francs (suisses et français), en marks, etc. (Cuba par exemple). Les chiffres et leur évolution reflètent donc plus les fluctuations des taux de change que le véritable recours à l'emprunt net. Ces chiffres et leur évolution doivent donc être interprétés avec prudence.

• Par *production d'énergie*, on entend la production d'« énergie primaire », non transformée à partir de ressources nationales. Est donc exclue l'« énergie secondaire » qui peut être produite à partir de matières premières importées (par exemple l'électricité obtenue à partir de charbon ou de pétrole importé). L'électricité d'origine nucléaire est en revanche comptée dans la production d'énergie primaire, même si l'uranium utilisé est importé. L'uranium produit par un pays et exporté n'est pas compté comme énergie primaire. Le rapport entre énergie produite et énergie consommée indique le degré d'indépendance énergétique du pays.

Commerce extérieur

• Le *commerce extérieur* estimé en pourcentage du PIB est calculé en additionnant la valeur des exportations et des importations de biens, services et autres revenus, et en divisant ce total par 2 × PNB. Ce rapport donne une indication du degré d'ouverture (ou de dépendance) de l'économie sur l'extérieur.

• *Commerce extérieur par produits.* On a distingué les produits agricoles, miniers et industriels.

Tous les produits alimentaires sont inclus sous la dénomination « agricoles », quel que soit leur degré d'élaboration. La dénomination « produits agricoles » correspond aux rubriques 0 + 1 + 2 – 25 – 27 – 28 + 4 de la nomenclature internationale CTCI; elle inclut donc les produits de la pêche. La dénomination « produits énergétiques » inclut tous les produits énergétiques, quel que soit leur degré d'élaboration, mais exclut les métaux et les engrais élaborés. Elle correspond aux rubriques 27 + 28 +3 de la nomenclature internationale. Tous les autres produits sont classés sous la dénomination « industriels ».

• *Commerce extérieur par origine et destination.* L'évaluation de la part des différents partenaires commerciaux des pays d'Afrique au sud du Sahara, des petits pays des Caraïbes, et de quelques pays asiatiques (Birmanie et Thaïlande surtout), pose de graves problèmes. Certains de ces pays n'ont pas communiqué leurs chiffres (d'après les douanes) depuis très longtemps; pour d'autres, les chiffres fournis sont douteux. Leur commerce est donc estimé d'après les statistiques de leurs partenaires.

Francisco Vergara

Le tableau de bord de l'économie mondiale en 1985

Si l'année 1985 a été clairement décevante sur le plan économique, 1986 a commencé dans une atmosphère d'optimisme qui n'est peut-être pas justifiée.

Production

Dans les pays développés, la croissance s'est ralentie plus qu'on ne le pensait en 1985, surtout aux États-Unis. La performance de ce pays – si remarquée en 1984 – a été, en 1985, similaire à celle de la CEE. La croissance du Japon s'est ralentie légèrement et elle est brusquement devenue négative – pour la première fois depuis onze ans – au début de 1986. Le scénario est similaire en Allemagne fédérale : la croissance s'est ralentie en 1985 et, au premier trimestre 1986, la production a décliné.

Dans les pays en voie de développement, le rythme de la croissance a également diminué :

– bien que la Chine ait connu un taux de croissance exceptionnel (12 %), la moyenne asiatique est moins bonne que celle de 1984. Il faut souligner notamment la très mauvaise performance de plusieurs pays de la région que le FMI avait présentés comme des exemples à imiter (Singapour, Hong-Kong, etc.);

– la forte croissance brésilienne (8,3 %) augmente la moyenne latino-américaine et tend à cacher une situation qui s'est détériorée dans presque tous les pays de la région;

– en Afrique au sud du Sahara, on observe une contraction de la production au Nigéria et en République sud-africaine, mais les autres pays ont enregistré, après plusieurs années de sécheresse, un retour à la normale et une accélération de leur croissance. La croissance moyenne de cette partie de l'Afrique reste ainsi inchangée et toujours très médiocre;

– au Moyen-Orient, la croissance a été négative en 1985, du fait de la chute du PIB des pays traditionnellement exportateurs de pétrole.

Commerce mondial

Le commerce international s'est aussi beaucoup ralenti en 1985, se contractant même dans le cas des produits agricoles et miniers. Le fait le plus grave est la diminution de la valeur (en dollars) des exportations des pays en développement (– 6 %) :

– la valeur des produits énergétiques exportés a diminué de 10 % en 1985 et cette diminution devrait se poursuivre et atteindre 30 à 40 % en 1986 ;

– la valeur des exportations non énergétiques a diminué de 0,5 %. Cela tient surtout à la baisse des exportations, en dollars courants, des pays en développement vers les pays industriels, ce qui est tout à fait inhabituel lors de la troisième année d'une reprise mondiale. Un effet important de cette évolution, comme le constate le rapport préliminaire du GATT, a été que « la plupart des pays en voie de développement fortement endettés sont revenus en 1985 à une *inquiétante* politique d'ajustement par la réduction des importations ».

Un optimisme sans fondement?

Deux des principales organisations économiques internationales – le FMI et l'OCDE – estiment qu'on assistera à une accélération de la croissance aux États-Unis et dans le monde en 1986 et 1987. Le taux de croissance américain (+ 2,2 % en 1985) passerait à + 2,9 % en 1986, et à + 3,6 % en 1987. On peut se demander si cet optimisme est fondé. En effet, parmi les sept reprises que l'économie américaine a connues depuis la Seconde Guerre mondiale, une seule, celle des années soixante, a été suivie d'un « deuxième souffle ». Les résultats des six premiers mois de 1986 ne suggèrent pourtant pas que l'économie va s'accélérer. D'où provient donc cet optimisme ?

Il semblerait que les institutions officielles qui commentent la conjoncture économique soient obligées, quelle qu'en soit la tendance, de dire que l'économie est à la veille d'une période d'expansion. Si elles pronostiquaient une récession (ce qui arrive souvent aux États-Unis), cela affecterait gravement la confiance et provoquerait l'interruption de nombreux projets d'investissement, l'annulation de décisions d'achat à crédit, etc., aggravant, voire déclenchant la récession. Mais l'optimisme du début de 1986 semble avoir des racines plus profondes que ce devoir de réserve traditionnel. Il convient d'examiner les raisons invoquées par ceux qui postulent que les pays industrialisés entrent dans une période de croissance « durable ».

• *Les fluctuations cycliques.* L'argument le plus important des « optimistes » est fondé sur une théorie devenue très populaire ces dernières années, selon laquelle les cycles économiques seraient dus, pour l'essentiel, à la succession de phases « laxistes » et de phases « restrictives » en matière de politique monétaire : après une recession, lorsque la croissance reprend, les banquiers, devenus optimistes, accordent trop de crédits trop facilement, ce qui produit un double effet :

– beaucoup de capitaux s'orientent vers des projets qui se révèlent par la suite non rentables ;

– de pair avec l'expansion du crédit bancaire, la masse monétaire augmente plus rapidement qu'à l'accoutumée.

Lorsque cette phase d'euphorie prend fin et que les banques découvrent qu'elles sont en possession de créances douteuses, elles contractent leurs crédits, ce qui met une fin précoce à la croissance – à moins que ce ne soit le gouvernement qui ait donné un coup de frein délibéré à l'expansion du crédit, craignant que l'augmentation rapide de la masse monétaire ne donne lieu à une résurgence de l'inflation. Selon la théorie dite « monétariste » des cycles économiques, si la masse monétaire croît de manière régulière, les récessions et les fluctuations de la conjoncture disparaîtront ou du moins deviendront très modérées.

C'est sur une telle théorie que semble s'appuyer l'optimisme de l'OCDE lorsqu'elle affirme : « En raison principalement de l'orientation prudente donnée depuis plusieurs années à la politique monétaire dans la plupart des pays, la reprise en cours, contrairement à bien d'autres dans le passé, ne paraît ni devoir connaître une fin précoce, ni être délibérément arrêtée en raison d'une résurgence de l'inflation ». Mais cet optimisme ne se limite pas à croire que la dynamique propre du cycle a été suspendue; tous les autres facteurs susceptibles d'influencer l'économie mondiale apparaissent, aux yeux de l'OCDE et du FMI, soit comme favorables à la croissance (baisse du prix du pétrole) soit comme ne nécessitant aucune action coordonnée pour contrecarrer leurs effets récessifs.

• *Les effets de la baisse du prix du pétrole.* Les pays développés importent à peu près la moitié du pétrole qu'ils consomment. Si le baril de pétrole descend à 15 dollars, ces pays paieront 63 milliards de dollars en moins pour leur pétrole

PRODUCTION MONDIALE

Variation du volume (en %) [b]	1963-73	1973-79	1979-84	1983	1984	1985
Tous produits	9,0	4,0	2,0	2,6	9,0	3,0
Prod. agricole	4,0	3,0	3,0	0,0	5,0	2,0
Prod. minière [a]	7,5	1,0	– 4,0	0,5	2,0	– 2,0
Prod. manufactur.	11,5	5,5	4,5	4,0	7,5	3,5

a. Pétrole compris; b. Moyennes annuelles.

PAYS CAPITALISTES DÉVELOPPÉS [a]

Taux de croissance [b]	1968-78	1978-84	1982	1983	1984	1985
Tous	3,6	2,1	– 0,4	2,6	4,7	2,8
États-Unis	2,9	1,9	– 2,5	3,6	6,4	2,7
Japon	6,4	4,1	3,1	3,2	5,1	4,6
Europe	3,6	1,3	0,5	1,5	2,4	2,3

a. Australie, Autriche, Belgique, Canada, Danemark, Espagne, États-Unis, Finlande, France, Islande, Irlande, Italie, Japon, Luxembourg, Nouvelle-Zélande, Norvège, Pays-Bas, RFA, Royaume-Uni et Japon; b. Taux annuel.

PAYS EN VOIE DE DÉVELOPPEMENT

Taux de croissance [a]	1968-78	1978-84	1983	1984	1985
Tous	6,1	2,8	1,3	4,1	3,2
Afrique [b]	4,9	1,6	– 1,5	1,6	1,6
Asie	5,7	5,9	7,4	7,9	6,1
Moyen-Orient	8,5	– 0,5	0,1	0,7	– 1,6
Amérique latine	5,8	1,8	– 3,1	3,1	3,8

a. Taux annuel; b. Égypte et Libye compris dans Moyen-Orient.

chaque année; les pays de l'OPEP recevront 59 milliards en moins, le reste de la perte étant subi par l'Union soviétique. Quel effet cet important transfert de revenus aura-t-il sur la croissance des économies occidentales? Pour l'OCDE, « l'effet direct net (...) sera favorable même à court terme »; l'Organisation estimait en mai 1986 que le taux de croissance serait augmenté pour l'année de 0,75 %. A peine deux mois plus tard, le *Financial Times* (16 juillet 1986) écrivait : « Nous commençons à prendre conscience que l'impact initial de la baisse des prix du brut a été fortement déflationniste » et cela en raison de la suspension, à travers le monde, des investissements liés à la recherche pétrolière, aux économies d'énergie, etc. En fait, l'OCDE a commis deux graves erreurs dans son analyse.

La première erreur s'appelle l'illusion de la *statique comparative*. L'OCDE a comparé deux situations ponctuelles : pétrole à 30 dollars le baril, et pétrole à 15 dollars. Mais l'économie réelle ne peut pas sauter d'une situation à une autre comme par magie. Ce qui se passe en réalité c'est que l'économie est entrée à la fin de 1985 dans une période d'incertitude pendant laquelle le prix de cette importante matière première connaît une fluctuation brutale. La question n'est donc pas de comparer deux mondes statiques (l'un avec le baril à 30 dollars, l'autre avec le baril à 15 dollars) mais plutôt de savoir comment évolue l'investissement lorsque l'économie entre dans une phase dynamique d'incertitude et de fluctuation des prix. On peut s'attendre à voir beaucoup d'entrepreneurs (et pas seulement dans l'industrie pétrolière) retarder leurs projets et « attendre, pour voir plus clair ».

La deuxième erreur est celle de l'approche par l'*équilibre partiel*. Elle consiste à regarder uniquement la répercution directe et apparente de la baisse du prix du pétrole en faisant comme si « tout reste égal par ailleurs ». Elle conduit à considérer que si la facture pétrolière de l'Occident diminue de 63 milliards de dollars, le revenu disponible des Occidentaux doit augmenter, même si ce n'est pas d'un montant égal. Cette approche minimise les effets secondaires et indirects, par exemple :

– les pays de l'OPEP, s'attendant à des revenus plus faibles, vont diminuer leurs importations en pro-

EUROPE DE L'EST ET URSS

Taux de croissance [a]	1976-80	1981-85	1982	1983	1984	1985
Tous	4,0	3,0	3,0	4,0	3,5	3,0
URSS	4,5	3,5	4,0	4,0	3,0	3,0
Europe de l'Est I [b]	3,5	2,0	–	4,0	4,5	2,5
Europe de l'Est II [c]	4,5	3,0	2,0	3,0	4,5	2,0

a. Taux annuel; b. Avec la Pologne; c. Sans la Pologne.

TAUX DE CROISSANCE DU COMMERCE MONDIAL (EN VOLUME) [a]

	1963-73	1973-79	1979-84	1983	1984	1985
Tous produits	6,0	3,0	1,5	2,1	9,0	3,0
Prod. agricoles	2,5	2,5	2,5	1,0	4,0	– 2,5
Prod. miniers [b]	5,0	2,5	– 3,0	– 1,0	3,0	– 3,0
Prod. manufacturés	7,5	3,5	2,0	4,5	12,0	5,0

a. Pourcentages de variation du volume : moyennes annuelles; b. Pétrole compris.

venance de l'Occident; les entreprises qui exporteront moins vers les pays de l'OPEP verront donc leur revenu diminuer;

– les compagnies pétrolières vont diminuer leurs forages, leur exploration, etc., d'où une baisse des commandes aux producteurs de biens d'équipement et une chute du revenu de ces derniers.

La liste des effets secondaires est en fait très longue, chaque effet secondaire ayant lui-même d'autres conséquences. En définitive, la somme des revenus ainsi perdus peut être plus importante que les 63 milliards économisés en pétrole. Du fait de l'interdépendance des différentes économies, les bénéficiaires de la baisse du prix du pétrole (les pays occidentaux) peuvent se retrouver avec *moins* de revenu disponible, et non avec plus, comme le suggère l'intuition; et c'est ce qui semble arriver.

La fin du libéralisme?

Plusieurs indices suggèrent que les idées économiques « libérales » – très répandues ces dernières années – sont en train de perdre du terrain, du moins dans les pays anglo-saxons où elles ont été partiellement mises en œuvre. Cette perte de foi dans la capacité qu'aurait le marché de résoudre les principaux problèmes économiques est perceptible aussi bien dans l'opinion publique qu'au sein des gouvernements.

En Grande-Bretagne, cette déception se manifeste même parmi les électeurs de Mme Thatcher, dont quatre sur cinq déclarent – d'après les sondages – qu'ils ne souhaitent pas des réductions d'impôts, mais préfèreraient une augmentation des dépenses publiques, notamment en matière d'éducation et de santé (*Financial Times*, 1er juillet 1986). En Californie – pépinière et terrain d'essai des nouvelles idées libérales – où les dépenses publiques ont été sérieusement réduites à la suite de la « révolte des contribuables » en 1978, « la chute dans la qualité des services publics est effrayante (...) le système des écoles publiques est en crise, le réseau routier – autrefois superbe – n'est pas entretenu, la détérioration des parcs et la fermeture des bibliothèques ont refroidi la ferveur anti-étatique », écrit encore le *Financial Times* (15 juillet 1986).

L'évolution est également sensible chez les dirigeants de l'économie américaine, en particulier depuis l'arrivée de James Baker au ministère des Finances; en simplifiant un peu, on peut dire que la nouvelle « idéologie Baker » s'identifie avec le triomphe des idées interventionnistes suivantes :

– on ne peut pas compter sur les forces spontanées du marché (sur le libre mouvement des capitaux) pour résoudre la crise de la dette du tiers monde d'une manière compatible avec le maintien de la croissance dans ces pays;

– les fluctuations violentes et durables des taux de change sont mauvaises pour la croissance économique, et les gouvernements doivent se coordonner et intervenir pour les atténuer;

– les gouvernements doivent se concerter et agir ensemble pour réduire les taux d'intérêt, ceux-ci ne s'établissant pas spontanément au niveau qui convient à l'économie;

– les gouvernements des autres pays de l'OCDE (l'Allemagne fédérale et le Japon en particulier) doivent augmenter leurs dépenses publiques au fur et à mesure que les Américains réduisent les leurs (leur déficit), faute de quoi la demande totale au niveau de l'Occident risque d'être insuffisante.

Il est ironique de constater que les idées monétaristes et néo-libérales triomphent dans les institutions internationales où les États-Unis ont bataillé plusieurs années pour les imposer, au moment même où les Américains ne semblent plus y croire. Ainsi, le *Rapport sur le développement dans le monde 1986* de la Banque mondiale, est un véritable pamphlet de vulgarisation des idées monétaristes, et le rapport *Perspectives économiques de l'OCDE* (mai 1986) prend position contre les Américains, couvrant de louanges la politique d'austérité allemande. Une telle situation peut difficilement durer : on voit mal comment des instruments de propagande aussi importants que ces deux rapports pourraient continuer à critiquer la politique prônée par la nation la plus riche du monde.

Francisco Vergara

Les productions agricoles en 1985

CÉRÉALES

Pays	Millions tonnes	% du total
9. Argentine	28,8	1,6
12. Australie	26,0	1,4
16. Bangladesh	23,4	1,3
8. Brésil	35,2	1,9
6. Canada	48,6	2,6
2. Chine	314,8	17,1
18. Espagne	20,9	1,1
1. États-Unis	346,9	18,8
5. France	55,3	3,0
4. Inde	166,2	9,0
7. Indonésie	44,0	2,4
10. Mexique	28,6	1,6
15. Pologne	23,9	1,3
13. RFA	25,9	1,4
19. Roumanie	20,3	1,1
17. Royaume-Uni	22,2	1,2
14. Thaïlande	24,6	1,3
11. Turquie	26,5	1,4
23. URSS	180,6	9,8
Total (19 pays)	1 462,7	79,4
Total monde	1 843,1	100,0

RIZ

Pays	Millions tonnes [a]	% du total
4. Bangladesh	21,9	4,7
7. Birmanie	15,4	3,3
9. Brésil	8,7	1,9
1. Chine	170,0	36,7
13. Corée N.	5,6	1,2
11. Corée S.	7,9	1,7
12. États-Unis	6,2	1,3
2. Inde	90,5	19,5
3. Indonésie	38,7	8,4
8. Japon	14,6	3,2
10. Philippines	8,3	1,8
5. Thaïlande	19,5	4,2
6. Vietnam	15,6	3,4
Total (13 pays)	415,0	89,6
Total monde	463,1	100,0

a. Paddy.

MILLET ET SORGHO

Pays	Milliers tonnes	% du total
7. Argentine	6 340	5,7
10. Australie	1 414	1,3
11. Bourkina	1 250	1,1
3. Chine	14 237	12,7
1. États-Unis	28 260	25,2
13. Éthiopie	1 200	1,1
2. Inde	22 200	19,8
12. Mali	1 100	1,0
6. Mexique	6 648	5,9
9. Niger	1 680	1,5
4. Nigéria	7 400	6,6
5. Soudan	6 829	6,1
8. URSS	2 400	2,1
Total (13 pays)	100 958	90,0
Total monde	112 171	100,0

SOJA

Pays	Milliers tonnes	% du total
4. Argentine	6 500	5,9
2. Brésil	18 300	16,6
6. Canada	1 060	1,0
3. Chine	9 210	8,4
1. États-Unis	57 944	52,6
5. Inde	1 150	1,0
Total (6 pays)	94 164	85,4
Total monde	110 199	100,0

MAÏS

Pays	Milliers tonnes	% du total
11. Afr. Sud	7 550	1,5
6. Argentine	12 600	2,6
3. Brésil	21 680	4,4
12. Canada	7 393	1,5
2. Chine	64 250	13,1
1. États-Unis	225 182	46,0
8. France	11 839	2,4
13. Hongrie	6 798	1,4
10. Inde	7 700	1,6
15. Indonésie	5 300	1,1
14. Italie	6 400	1,3
4. Mexique	15 013	3,1
7. Roumanie	12 000	2,4
5. URSS	15 000	3,1
9. Yougoslavie	9 891	2,0
Total (15 pays)	428 596	87,5
Total monde	489 992	100,0

COTON (fibres)

Pays	Milliers tonnes	% du total
9. Australie	390	2,2
6. Brésil	840	4,7
1. Chine	5 050	28,2
8. Égypte	460	2,6
2. États-Unis	2 947	16,5
4. Inde	1 400	7,8
11. Mexique	180	1,0
5. Pakistan	1 000	5,6
10. Soudan	196	1,1
12. Syrie	180	1,0
7. Turquie	565	3,2
3. URSS	2 600	14,5
Total (12 pays)	15 808	88,4
Total monde	17 882	100,0

BLÉ

Pays	Millions tonnes	% du total
13. Argentine	8,5	1,7
7. Australie	16,6	3,2
19. Bulgarie	5,5	1,1
5. Canada	23,9	4,7
11. Chine	8,6	1,7
20. Espagne	5,3	1,0
2. États-Unis	66,0	12,9
4. France	29,0	5,7
14. Hongrie	6,6	1,3
3. Inde	44,2	8,6
12. Italie	8,5	1,7
16. Iran	6,0	1,2
21. Mexique	5,2	1,0
9. Pakistan	11,6	2,3
15. Pologne	6,5	1,3
10. RFA	9,9	1,9
17. Roumanie	5,9	1,2
8. Royaume-Uni	11,7	2,3
18. Tchécoslo.	5,8	1,1
6. Turquie	17,0	3,3
1. URSS	83,0	16,2
Total (21 pays)	385,0	75,2
Total monde	512,1	100,0

LAINE (dégraissée)

Pays	Milliers tonnes	% du total
6. Afr. Sud	52	2,8
14. Algérie	22	1,2
5. Argentine	97	5,2
1. Australie	479	25,8
15. Brésil	19	1,0
16. Bulgarie	19	1,0
4. Chine	127	6,8
13. États-Unis	24	1,3
11. Inde	26	1,4
2. Nlle-Zélande	292	15,7
10. Pakistan	28	1,5
12. Roumanie	25	1,3
8. Royaume-Uni	40	2,2
9. Turquie	36	1,9
3. URSS	278	15,0
7. Uruguay	50	2,7
Total (16 pays)	1614	86,9
Total monde	1857	100,0

THÉ

Pays	Milliers tonnes	% du total
11. Argentine	42	1,8
9. Bangladesh	52	2,2
2. Chine	451	19,4
1. Inde	670	28,8
7. Indonésie	129	5,6
10. Iran	42	1,8
8. Japon	93	4,0
5. Kénya	150	6,5
12. Malawi	35	1,5
3. Sri Lanka	215	9,3
6. Turquie	131	5,6
4. URSS	160	6,9
Total (12 pays)	2 170	93,4
Total monde	2 324	100,0

CAFÉ

Pays	Milliers tonnes	% du total
1. Brésil	1 655	28,0
13. Cameroun	116	2,0
2. Colombie	750	12,7
12. Costa Rica	125	2,1
4. Côte d'Ivoire	300	5,1
9. Salvador	180	3,0
15. Équateur	93	1,6
6. Éthiopie	250	4,2
10. Guatémala	156	2,6
18. Honduras	84	1,4
8. Inde	190	3,6
3. Indonésie	327	5,5
14. Kénya	112	1,9
19. Madagascar	81	1,4
5. Mexique	258	4,4
7. Ouganda	210	3,6
22. Papoua.-N.G.	60	1,0
17. Pérou	88	1,5
11. Philippines	150	2,5
20. Rép. Dom.	75	1,3
21. Vénézuela	69	1,2
16. Zaïre	90	1,5
Total (22 pays)	5 419	91,6
Total monde	5 913	100,0

SUCRE BRUT

Pays	Milliers tonnes	% du total
12. Afr. Sud	2 440	2,5
21. Argentine	1 200	1,2
9. Australie	3 420	3,5
2. Brésil	8 200	8,3
6. Chine	5 314	5,4
20. Colombie	1 290	1,3
3. Cuba	8 097	8,2
23. Espagne	1 021	1,0
5. États-Unis	5 456	5,5
7. France	4 305	4,4
4. Inde	6 650	6,7
15. Indonésie	1 760	1,8
17. Italie	1 337	1,4
8. Mexique	3 500	3,6
18. Pakistan	1 321	1,3
24. Pays-Bas	1 000	1,0
14. Philippines	1 780	1,8
13. Pologne	1 850	1,8
22. Rép. Dom.	1 101	1,1
10. RFA	3 310	3,4
19. Royaume-Uni	1 304	1,3
11. Thaïlande	2 574	2,6
16. Turquie	1 510	1,5
1. URSS	8 600	8,7
Total (24 pays)	78 340	79,5
Total monde	98 543	100,0

CACAO

Pays	Milliers tonnes	% du total
2. Brésil	400	22,2
4. Cameroun	115	6,4
8. Colombie	40	2,2
1. Côte d'Ivoire	480	26,6
11. Indonésie	32	1,8
6. Équateur	100	5,5
3. Ghana	200	11,1
7. Malaisie	100	5,5
9. Mexique	39	2,2
5. Nigéria	110	6,1
12. Papoua. N.G.	30	1,7
10. Rép. Dom.	35	1,9
Total (12 pays)	1 681	93,3
Total monde	1 802	100,0

Les productions énergétiques et industrielles en 1985

PÉTROLE
(voir page 529)

CHARBON

Pays	Millions tonnes	% du total
6. Afr. Sud	139[a]	4,4
7. Australie	125	3,9
10. Canada	51	1,6
1. Chine	785	24,8
2. États-Unis	743	23,4
5. Inde	150	4,7
4. Pologne	191	6,0
9. RFA	89	2,8
8. Royaume-Uni	94	3,0
3. URSS	566	17,8
Total (10 pays)	2 933	92,5
Total monde	3 171	100,0

a. 1984.

URANIUM (minerai)

Pays	Tonnes	% du total
2. Afr. Sud	6 762	18,8
5. Australie	3 251	9,1
1. Canada	10 029	27,9
3. États-Unis	4 308	12,0
6. France	3 195	8,9
8. Gabon	940	2,6
4. Namibie	3 385	9,4
7. Niger	3 181	8,9
Total (8 pays)	30 743	85,6
Total occident	35 899	100,0

a. Métal contenu dans le minerai.

ÉLECTRICITÉ (hydraulique)

Pays	Millions TEC[a]	% du total
2. Canada	92,9	12,8
4. Chine	37,5	5,2
10. Espagne	10,8	1,5
1. États-Unis	120,6	16,6
6. France	18,8	2,6
8. Italie	16,1	2,2
5. Japon	31,7	4,4
7. Suède	16,1	2,2
9. Suisse	12,2	1,7
3. URSS	77,8	10,7
Total (10 pays)	434,5	60,0
Total monde	724,5	100,0

a. Tonnes d'équivalent charbon.

ÉLECTRICITÉ (nucléaire)

Pays	Millions TEC[a]	% du total
8. Belgique	10,8	2,2
6. Canada	20,4	4,2
9. Espagne	9,2	1,9
1. États-Unis	152,1	31,0
2. France	65,6	13,4
4. Japon	48,9	10,0
5. RFA	41,4	8,4
7. Royaume-Uni	18,9	3,9
3. URSS	52,4	10,7
Total (9 pays)	419,7	85,6
Total monde	490,3	100,0

a. Tonnes d'équivalent charbon.

ACIER

Pays	Millions tonnes	% du total
17. Afr. Sud	8,5	1,3
20. Australie	6,4	1,0
16. Belgique	10,7	1,7
7. Brésil	20,5	3,2
11. Canada	14,7	2,3
4. Chine	46,7	7,4
14. Corée S.	13,5	2,1
12. Espagne	14,2	2,2
3. États-Unis	79,2	12,5
8. France	18,8	3,0
15. Inde	11,1	1,8
6. Italie	23,9	3,8
2. Japon	105,3	16,6
19. Mexique	7,3	1,2
9. Pologne	15,8	2,5
18. RDA	7,8	1,2
5. RFA	40,5	6,4
10. Royaume-Uni	15,7	2,5
13. Roumanie	13,8	2,2
1. URSS	154,5	24,4
Total (20 pays)	628,9	99,2
Total monde	633,9	100,0

GAZ NATUREL

Pays	Milliards m^3	% du total
7. Algérie	40,0	2,3
3. Canada	84,0	4,8
11. Chine	18,7	1,1
2. États-Unis	463,5	26,2
8. Indonésie	33,6	1,9
13. Iran	18,0	1,0
10. Mexique	28,2	1,6
9. Norvège	28,3	1,6
4. Pays-Bas	80,3	4,5
14. RFA	17,2	1,0
5. Roumanie	43,0	2,4
6. Royaume-Uni	42,9	2,4
1. URSS	646,0	36,5
12. Vénézuela	18,6	1,1
Total (14 pays)	1 562,3	88,4
Total monde	1 767,5	100,0

CIMENT

Pays	Millions tonnes	% du total
10. Brésil	20,4	2,2
1. Chine	142,2	15,0
11. Corée S.	20,2	2,1
9. Espagne	21,9	2,3
4. États-Unis	70,3	7,4
8. France	23,5	2,5
16. Grèce	12,7	1,3
6. Inde	30,1	3,2
5. Italie	37,3	3,9
3. Japon	72,9	7,7
12. Mexique	20,0	2,1
14. Pologne	15,0	1,6
18. RDA	11,6	1,2
7. RFA	25,5	2,7
15. Roumanie	13,1[a]	1,4
17. Royaume-Uni	12,2	1,3
19. Tchécoslov.	10,3	1,1
13. Turquie	17,5	1,9
2. URSS	130,9	13,8
20. Yougoslavie	9,2	1,0
Total (20 pays)	716,8	75,8
Total monde	945,4	100,0

AUTOMOBILES

Pays	Milliers	% du total
11. Australie	382	1,2
10. Brésil	443	1,4
8. Canada	1 091	3,4
7. Espagne	1 251	3,8
1. États-Unis	8 002	24,6
4. France	2 784	8,6
5. Italie	1 442	4,4
2. Japon	7 645	23,5
3. RFA	4 165	12,8
9. Royaume-Uni	1 048	3,2
12. Suède	337	1,0
6. URSS	1 296	4,0
Total (12 pays)	29 886	91,8
Total monde	32 556	100,0

Principales productions minières et métallurgiques en 1985

BAUXITE

Pays	Milliers tonnes[b]	% du total
1. Australie	32 400	36,1
3. Brésil	6 433	7,2
11. Chine	2 000[a]	2,2
13. France	1 484	1,7
9. Grèce	2 497	2,8
2. Guinée	14 738	16,4
10. Guyane	2 485	2,8
8. Hongrie	2 816	3,1
12. Inde	1 989	2,2
15. Indonésie	876	1,0
4. Jamaïque	6 239	7,0
14. Sierra-Léone	1 320	1,5
6. Surinam	3 375	3,8
5. URSS	6 200[a]	6,9
7. Yougoslavie	3 250	3,6
Total (15 pays)	78 102	87,0
Total monde	89 740	100,0

a. 1984 ; b. Poids du minerai brut.

MANGANÈSE (minerai)

Pays	Milliers tonnes[b]	% du total
2. Afr. Sud	3 600	15,8
4. Australie	1 989	8,7
3. Brésil	2 400	10,5
5. Chine	1 600[a]	7,0
7. Gabon	1 100	4,8
8. Ghana	307	1,3
6. Inde	1 288	5,7
1. URSS	10 050[a]	44,2
Total (8 pays)	22 334	98,2
Total monde	22 750	100,0

a. 1984 ; b. Poids du minerai et des concentrés.

ALUMINIUM (raffiné)

Pays	Milliers tonnes[b]	% du total
23. Afr. Sud	167	1,1
4. Australie	852	5,6
21. Bahreïn	178	1,2
7. Brésil	550	3,6
3. Canada	1 292	8,4
8. Chine	435	2,8
22. Égypte	173	1,1
24. Émirats A.-U.	156	1,0
10. Espagne	370	2,4
1. États-Unis	3 450	22,6
11. France	293	1,9
14. Inde	267	1,7
19. Indonésie	217	1,4
18. Italie	224	1,5
17. Japon	227	1,5
6. Norvège	724	4,7
16. N.-Zélande	240	1,6
15. Pays-Bas	245	1,6
5. RFA	745	4,9
20. Roumanie	215[a]	1,4
13. Royaume-Uni	275	1,8
2. URSS	2 300[a]	15,0
9. Vénézuela	396	2,6
12. Yougoslavie	290	1,9
Total (24 pays)	14 281	93,3
Total monde	15 299	100,0

a. 1984 ; b. Métal raffiné d'origine minière ; récupération non comprise.

ZINC (minerai)

Pays	Milliers tonnes[b]	% du total
15. Afr. Sud	96,9	1,4
3. Australie	734,0	10,8
17. Brésil	72,0	1,1
1. Canada	1 175,2	17,3
12. Chine	190,0[a]	2,8
13. Corée N.	150,0[a]	2,2
19. Danemark	70,4	1,0
8. Espagne	228,1	3,4
7. États-Unis	237,4	3,5
10. Irlande	191,6	2,8
6. Japon	253,0	3,7
5. Mexique	302,5	4,4
4. Pérou	623,9	9,2
11. Pologne	190,7[a]	2,8
14. RFA	117,8	1,7
9. Suède	206,8	3,0
2. URSS	980,0[a]	14,4
16. Yougoslavie	90,4	1,3
18. Zaïre	72,0	1,1
Total (19 pays)	5 982,7	87,9
Total monde	6 807,4	100,0

a. 1984; b. Métal contenu dans les minerais et concentrés.

CHROME (minerai)

Pays	Milliers tonnes[b]	% du total
1. Afr. Sud	3 340	32,2
3. Albanie	880[a]	8,5
4. Brésil	710	6,8
10. Finlande	181	1,7
6. Inde	440	4,2
8. N. Calédonie	228	2,2
7. Philippines	229	2,2
9. Turquie	222	2,1
2. URSS	3 000[a]	28,9
5. Zimbabwé	515	5,0
Total (10 pays)	9 745	94,0
Total monde	10 370	100,0

a. 1984; b. Poids des minerais et concentrés.

OR (minerai)

Pays	Tonnes[b]	% du total
1. Afr. Sud	669,5	46,9
6. Australie	57,0	4,0
8. Brésil	29,0	2,0
3. Canada	84,0	5,9
11. Chili	17,3	1,2
4. Chine	65,0[a]	4,6
10. Colombie	22,1	1,5
5. États-Unis	60,5	4,2
7. Papouasie NG	31,3	2,2
9. Philippines	25,2	1,8
2. URSS	269,0[a]	18,8
Total (11 pays)	1 329,9	93,1
Total monde	1 427,9	100,0

a. 1984; b. Or récupérable contenu dans le minerai.

CUIVRE (minerai)

Pays	Milliers tonnes[b]	% du total
11. Afr. Sud	202,4	2,4
9. Australie	266,0	3,2
4. Canada	724,4	8,6
1. Chili	1 356,4	16,1
12. Chine	190,0[a]	2,3
2. États-Unis	1 092,1	13,0
17. Indonésie	92,0	1,1
13. Mexique	180,0	2,1
16. Mongolie	128,0[a]	1,5
14. Papouasie NG	175,0	2,1
8. Pérou	390,5	4,6
10. Philippines	226,2	2,7
7. Pologne	431,0[a]	5,1
18. Suède	91,8	1,1
3. URSS	1 020,0[a]	12,1
15. Yougoslavie	130,9	1,6
6. Zaïre	512,7	6,1
5. Zambie	519,6	6,2
Total (18 pays)	7 730,6	91,9
Total monde	8 412,2	100,0

a. 1984; b. Métal contenu dans le minerai.

PLOMB (minerai)

Pays	Milliers tonnes[b]	% du total
11. Afr. Sud	98,4	2,8
2. Australie	491,0	13,7
12. Bulgarie	95,0[a]	2,7
4. Canada	284,6	8,0
7. Chine	165,0[a]	4,6
9. Corée N.	110,0[a]	3,1
13. Espagne	92,3	2,6
3. États-Unis	422,3	11,8
16. Japon	49,5	1,4
10. Maroc	100,8	2,8
6. Mexique	181,6	5,1
17. Namibie	43,2	1,2
5. Pérou	216,2	6,1
15. Pologne	52,8[a]	1,5
14. Suède	73,5	2,1
1. URSS	570,0[a]	16,0
8. Yougoslavie	112,5	3,1
Total (17 pays)	3 158,7	88,4
Total monde	3 573,5	100,0

a. 1984 ; b. Plomb contenu dans le minerai.

MOLYBDÈNE (minerai)

Pays	Milliers tonnes[b]	% du total
4. Canada	7,6	8,0
2. Chili	18,4	19,3
7. Chine	2,0[a]	2,1
1. États-Unis	46,2	48,5
5. Mexique	4,3	4,5
6. Pérou	3,8	4,0
3. URSS	11,0[a]	11,6
Total (7 pays)	93	98,0
Total monde	95,2	100,0

a. 1984 ; b. Molybdène récupérable dans les minerais et concentrés.

ARGENT (minerai)

Pays	Tonnes[b]	% du total
10. Afr. Sud	244	1,9
6. Australie	1 063	8,2
4. Canada	1 327	10,2
8. Chili	518	4,0
11 Espagne	221	1,7
5. États-Unis	1 206	9,3
9. Japon	324	2,5
1. Mexique	2 159	16,7
2. Pérou	1 778	13,7
7. Pologne	744[a]	5,7
12. Suède	190	1,5
3. URSS	1 600[a]	12,3
13. Yougoslavie	156	1,2
Total (13 pays)	11 530	89,0
Total monde	12 961	100,0

a. 1984 ; b. Argent récupérable contenu dans les minerais extraits.

TITANE (minerai)

Pays	Milliers Tonnes	% du total
2. Afr. Sud	518,0	16,4
1. Australie	920,8	29,1
13. Brésil	35,0	1,1
3. Canada	470,0	14,9
10. Chine	75,0[a]	2,4
6. États-Unis	140,0	4,4
11. Finlande	75,0	2,4
8. Inde	100,0	3,2
7. Malaisie	120,0	3,8
4. Norvège	316,5	10,0
9. Sierra-Léone	77,8	2,5
12. Sri-Lanka	60,0	1,9
5. URSS	240,0[a]	7,6
Total (13 pays)	2 648,1	83,8
Total monde	3 159,6	100,0

a. 1984 ; b. Contenu en dioxide de titane des minerais et concentrés.

FER (minerai)

Pays	Millions tonnes[a]	% du total
8. Afr. Sud	15,2	2,9
4. Australie	61,0	11,8
2. Brésil	81,6	15,8
6. Canada	27,7	5,4
3. Chine	65,0	12,6
5. États-Unis	30,7	5,9
7. Inde	26,8	5,2
10. Liberia	11,0	2,1
13. Mauritanie	6,0	1,2
12. Mexique	6,0	1,2
9. Suède	12,7	2,5
1. URSS	148,3	28,7
11. Vénézuela	9,4	1,8
Total (13 pays)	501,4	97,1
Total monde	516,2	100,0

a. Fer contenu dans les minerais.

COBALT (raffiné)

Pays	Tonnes[b]	% du total
8. Afr. Sud	500	1,8
4. Canada	2 040	7,5
6. Finlande	1 425	5,2
7. Japon	1 277	4,7
5. Norvège	1 637	6,0
2. URSS	4 750[a]	17,5
1. Zaïre	10 677	39,2
3. Zambie	4 290	15,8
Total (8 pays)	26 596	97,8
Total monde	27 204	100,0

a. 1984; b. Métal produit plus métal contenu dans les minerais et sels de cobalt.

TUNGSTÈNE (minerai)

Pays	Tonnes[b]	% du total
6. Australie	1 912	4,2
9. Autriche	1 400	3,1
10. Birmanie	1 163	2,6
5. Bolivie	2 240	4,9
7. Brésil	1 900	4,2
3. Canada	3 174	7,0
1. Chine	12 848	28,4
12. Corée N.	1 000[a]	2,2
4. Corée S.	3 059	6,8
16. Espagne	570	1,3
11. États-Unis	1 107	2,4
14. France	733	1,6
17. Japon	470	1,0
13. Pérou	771	1,7
8. Portugal	1 677	3,7
15. Thaïlande	628	1,4
2. URSS	9 100[a]	20,1
Total (17 pays)	43 752	96,6
Total monde	45 312	100,0

a. 1984; b. Tungstène contenu dans les minerais et concentrés.

NICKEL (minerai)

Pays	Milliers tonnes[b]	% du total
9. Afr. Sud	20,4	2,7
16. Albanie	9,0[a]	1,2
3. Australie	85,0	11,1
10. Botswana	19,6	2,6
13. Brésil	13,2	1,7
2. Canada	151,6	19,8
12. Chine	17,5[a]	2,3
14. Colombie	11,3	1,5
6. Cuba	38,0[a]	5,0
17. Finlande	8,5	1,1
11. Grèce	19,2	2,5
5. Indonésie	48,4	6,3
4. N. Calédonie	73,7	9,6
7. Philippines	27,8	3,6
8. Rép. Dom.	25,8	3,4
1. URSS	175,0[a]	22,8
15. Zimbabwé	9,9	1,3
Total (17 pays)	753,9	98,3
Total monde	766,6	100,0

a. 1984; b. Métal contenu dans les minerais et concentrés.

Index

Légende pour les renvois de page :
27 : article principal correspondant au mot clé.
215 : autres références.

Q

R

V

W

Y

Z

Table des matières

Les 33 ensembles géopolitiques 267

Photocomposition Société Nouvelle F.D.
Imprimerie MAME (Tours)
N° 12506
Dépôt légal : 3e trimestre 1986
ISBN 2-7071-1624-6
Premier tirage 40 000 exemplaires